Baustoffkunde für den Praktiker

Baustoffkunde für den Praktiker

Baustoffsortimente von A–Z

17., aktualisierte Auflage

mit 691 Abbildungen und 74 Tabellen

BaustoffWissen   RM Rudolf Müller

Bibliografische Information der Deutschen Nationalbibliothek
Die Deutsche Nationalbibliothek verzeichnet diese Publikation in der Deutschen Nationalbibliografie; detaillierte bibliografische Daten sind im Internet über https://dnb.de abrufbar.

17., aktualisierte Auflage 2023

Maßgebend für das Anwenden von Normen ist deren Fassung mit dem neuesten Ausgabedatum, die bei der Beuth Verlag GmbH, Burggrafenstraße 6, 10787 Berlin, erhältlich ist. Maßgebend für das Anwenden von Regelwerken, Richtlinien, Merkblättern, Hinweisen, Verordnungen usw. ist deren Fassung mit dem neuesten Ausgabedatum, die bei der jeweiligen herausgebenden Institution erhältlich ist. Zitate aus Normen, Merkblättern usw. wurden, unabhängig von ihrem Ausgabedatum, in neuer deutscher Rechtschreibung abgedruckt.

Aus Gründen der besseren Lesbarkeit wird bei Personenbezeichnungen und personenbezogenen Hauptwörtern die männliche Form verwendet. Entsprechende Begriffe gelten im Sinne der Gleichbehandlung grundsätzlich für alle Geschlechter. Die verkürzte Sprachform hat nur redaktionelle Gründe und beinhaltet keine Wertung.

Wir freuen uns, Ihre Meinung über dieses Fachbuch zu erfahren. Bitte teilen Sie uns Ihre Anregungen, Hinweise oder Fragen per E-Mail: fachmedien.bau@rudolf-mueller.de oder Telefax: 0221 5497-114 mit.

Umschlaggestaltung: WMTP Wendt-Media Text-Processing GmbH, Birkenau
Umschlagbild: iStockphoto.com/bill oxford (oben links), iStockphoto.com/Andres Victorero (oben rechts), iStockphoto.com/JackF (unten links), iStockphoto.com/U. J. Alexander (unten Mitte), iStockphoto.com/Lari Bat (unten rechts)
Satz: WMTP Wendt-Media Text-Processing GmbH, Birkenau
Druck und Bindearbeiten: Westermann Druck Zwickau GmbH, Zwickau
Printed in Germany

ISBN 978-3-947919-17-8 (Buch-Ausgabe)
ISBN 978-3-947919-18-5 (E-Book-Ausgabe als PDF)
ISBN 978-3-947919-19-2 (Buch + E-Book)

FSC
www.fsc.org
MIX
Papier aus verantwortungsvollen Quellen
FSC® C110508

Vorwort

Im modernen Baugeschehen steht eine kaum noch zu überschauende Vielzahl leistungsfähiger Bauprodukte und Baustoffsysteme für unterschiedliche Einsatzbereiche und Bauvorhaben zur Verfügung. Profi- und Privatkunden erwarten heute mehr denn je vom Baustoff-Fachhandel professionelle Beratung mit qualifizierten Produktvorschlägen und Problemlösungen.

Als baustofftechnisches und produktkundliches Grundlagenwerk vermittelt die „Baustoffkunde für den Praktiker" insbesondere Auszubildenden und Berufsanfängern im Baustoff-Fachhandel solides Fachwissen und fördert die bautechnische Kompetenz – welche unerlässlich ist für die berufliche Entwicklung zum kompetenten und erfolgreichen Berater.

Ergänzend zu diesem Buch werden auf dem Aus- und Weiterbildungsportal für die Baustoffbranche „baustoffwissen.de" Fachinformationen in Form von Themenschwerpunkten angeboten.

Auch alle anderen Akteure im Baugeschehen, wie Bauherren, Architekten und Planer, finden in diesem Buch ein breites Informationsangebot zu aktuellen Bauprodukten aus den Bereichen Tiefbau, Hochbau, Dach und Fassade, Innenausbau, GaLaBau u. a.

Unser besonderer Dank gilt an dieser Stelle den Unternehmen und Fachverbänden der deutschen Baustoffindustrie für ihre fachliche Unterstützung während der umfangreichen Arbeiten an diesem Werk.

Köln, im Februar 2023

Inhalt

1 Grundwissen der Baupraxis

1.1 Baurecht

Der Begriff Baurecht umschreibt kein einzelnes, homogenes Rechtsgebiet. Er umfasst vielmehr eine Vielzahl von Rechtsgebieten; ausgestaltet durch gesetzliche wie nicht gesetzliche Vorschriften und technische Normen, die die Anforderungen an die Errichtung, Veränderung, Instandhaltung und den Rückbau von Bauwerken und technischen Anlagen in Deutschland regeln.

Einerseits geht es dabei um die Regeln des Vertragsrechts – also des privaten Baurechts, das die Verhältnisse zwischen Bauherrn und Bauunternehmer regelt, und andererseits um die Rechtsgebiete, die sich unter dem Begriff des öffentlichen Baurechts zusammenfassen lassen und die die staatlichen Anforderungen an Bauvorhaben in Deutschland aufstellen und das Verhältnis der am Bau Beteiligten mit den zuständigen Behörden regeln. Während das Bauvertragsrecht im Wesentlichen eine Verteilung der finanziellen Risiken eines Bauvorhabens vornimmt, berücksichtigt das öffentliche Baurecht staatliche Ordnungsinteressen, indem es etwa Anforderungen an Art und Maß baulicher Anlagen, an den Vorgang der Errichtung selbst sowie die hierbei zu verwendenden Baustoffe und Bauteile stellt.

Darüber hinaus besteht eine Fülle (in der Regel) nicht staatlicher technischer Normen, die insbesondere durch die Arbeit von deutschland- oder europaweit tätigen Interessenverbänden und anderen Organisationen geschaffen werden.

All diese verschiedenen Bereiche stehen keineswegs zusammenhangslos nebeneinander, sondern sind anhand einer Vielzahl von Rechtsbegriffen miteinander verknüpft, die sozusagen als Schnittstellen fungieren.

1.1.1 Öffentliches Baurecht

Das öffentliche Baurecht regelt das Verhältnis zwischen dem Staat und den am Bau Beteiligten. Ausgangspunkt hierfür ist die grundsätzlich bestehende Baufreiheit, die verfassungsrechtlich als Element des nach Art. 14 GG gewährleisteten Eigentums abgesichert ist und durch die Regelungen des öffentlichen Baurechts ausgestaltet und eingeschränkt wird. Unterschieden wird dabei hauptsächlich zwischen dem Bauplanungsrecht und dem Bauordnungsrecht. Zusätzlich sind europarechtliche Vorgaben – beispielsweise die Bauproduktenverordnung (BauPVO) – zu beachten. Darüber hinaus existieren – insbesondere im Bereich des Bauproduktrechts – zahlreiche technische Normen, denen je nach Kontext und normativer Einbindung unterschiedliche Verbindlichkeitsgrade zukommen.

1.1.1.1 Bauplanungs- und Bauordnungsrecht

Das Bauplanungsrecht dient der geordneten städtebaulichen Entwicklung und regelt die flächenbezogenen Anforderungen an ein Bauvorhaben. Die entsprechenden Vorgaben ergeben sich maßgeblich aus dem Baugesetzbuch (BauGB) und teilweise aus der Baunutzungsverordnung (BauNVO), die Vorgaben zur Art und Maß der baulichen Nutzung enthält. Hierbei handelt es sich jeweils um Bundesgesetze, denen bundesweit einheitlich Geltung zukommt.

Das Bauordnungsrecht regelt hingegen die technischen Anforderungen an eine bauliche Anlage (inklusive der verwendeten Bauprodukte und Bauteile) sowie die davon ausgehenden Gefahren. Es handelt sich somit um besonderes Gefahrenabwehrrecht und unterliegt der Regelung durch die Länder. Aus diesem Grund existiert in jedem Bundesland eine eigene Landesbauordnung, deren Grundlage jedoch die im Rahmen der Bauministerkonferenz zwischen den Ländern abgestimmte Musterbauordnung (MBO) bildet. Neben den aufgeführten Anforderungen werden hier auch die Verfahren zur Baugenehmigung und zur Bauüberwachung festgelegt. Die Bauordnungen bilden zudem den normativen Anknüpfungspunkt für die Regelungen des Bauproduktrechts und den in diesem Bereich relevanten technischen Normen (siehe Kapitel 1.1.1.3).

1.1.1.2 Bauproduktenverordnung

Die Verordnung (EU) Nr. 305/2011 zur Festlegung harmonisierter Bedingungen für die Vermarktung von Bauprodukten (Bauproduktenverordnung [BauPVO]) legt europaweit verbindlich die Bedingungen für das Inverkehrbringen von Bauprodukten oder ihre Bereitstellung auf dem Markt fest. Ziel ist es – ähnlich wie mit der zuvor geltenden Bauproduktenrichtlinie –, durch harmonisierte technische Spezifikationen zur Angabe der Leistung von Bauprodukten sowie über die Verwendung der CE-Kennzeichnung das reibungslose Funktionieren des Binnenmarkts für Bauprodukte zu sichern (vgl. Erwägungsgrund Nr. 58 der BauPVO). Die Verordnung ist damit Rechtsgrundlage für die Leistungserklärung der Hersteller sowie die CE-Kennzeichnung bei Bauprodukten.

Um einheitliche Anforderungen und Prüfstandards zu etablieren, definiert Art. 3, Anhang I BauPVO 7 Grundanforderungen an Bauwerke:

- mechanische Festigkeit und Standsicherheit,
- Brandschutz,
- Hygiene, Gesundheit und Umweltschutz,
- Sicherheit und Barrierefreiheit bei der Nutzung,

- Schallschutz,
- Energieeinsparung und Wärmeschutz,
- nachhaltige Nutzung der natürlichen Ressourcen.

In Bezug auf diese Grundanforderungen werden die wesentlichen Merkmale von Bauprodukten in harmonisierten technischen Spezifikationen festgelegt. Ist ein Bauprodukt von einer solchen harmonisierten Norm erfasst oder entspricht es einer Europäischen Technischen Bewertung (ETA), so hat der Hersteller eine Leistungserklärung für das Produkt abzugeben. Mit dieser stellt er in eigener Verantwortung fest, dass sein Produkt die in den Normen festgelegten Anforderungen erfüllt. Die Konformität mit der vom Hersteller erklärten Leistung wird durch die Anbringung der CE-Kennzeichnung bestätigt. Für harmonisierte Bauprodukte ist die CE-Kennzeichnung damit verpflichtend. Der Produktverwender kann sich auf diese jedoch nicht ohne weitere Prüfung verlassen, sondern muss die im Anhang ZA einer harmonisierten Norm als wesentliche Merkmale ausgewiesenen Leistungen mit den im jeweiligen Verwendungsfall bestehenden Anforderungen abgleichen.

In Deutschland fungiert das Deutsche Institut für Bautechnik (DIBt) als benannte Technische Bewertungsstelle für die Erstellung von Europäischen Technischen Bewertungen.

1.1.1.3 Technische Normung

Neben den verbindlichen gesetzlichen Vorgaben existiert eine Vielzahl von technischen Regeln, Richtlinien und Normen, die von Interessenverbänden und anderen privatrechtlichen Institutionen verfasst und verabschiedet werden, deren Einhaltung zunächst aber freiwillig oder auf vertraglicher Basis erfolgt.

In Deutschland besteht dieses Regelwerk im Wesentlichen aus den vom Deutschen Institut für Normung e. V. veröffentlichen DIN-Normen. Zusätzlich werden Normen der europäischen Normorganisationen sowie der International Organization for Standardization (ISO) in das deutsche Normenwerk übernommen.

Das DIN e. V. ist durch einen Vertrag mit der Bundesrepublik Deutschland als einzige nationale Normungsorganisation anerkannt. Im Gegenzug verpflichtet sich der Verein, die Normung zum Nutzen der Allgemeinheit und unter Wahrung des öffentlichen Interesses anzuregen, zu organisieren und zu steuern. Über faire Verfahrensrichtlinien ist zu gewährleisten, dass die interessierte Öffentlichkeit sowie auch schwächere Wirtschaftspartner am Normungsprozess teilhaben können. Im Bereich des Baurechts sind insbesondere die Regelugen des Normenausschusses Bauwesen (NA-Bau) relevant.

Auf europäischer Ebene erfolgt die Normung maßgeblich durch das Europäische Komitee für Normung (Comité Européen de Normalisation [CEN]) sowie im Bereich der Elektrotechnik durch die Organisation CENELEC. Auch die durch das CEN verabschiedete EN-Normen sind grundsätzlich auf freiwilliger Basis einzuhalten. Gleichzeitig kann die Europäische Kommission jedoch auch Normungsaufträge an das CEN vergeben, die die Grundlage für die Ausarbeitung der sog. harmonisierten Normen bilden.

1.1.1.4 Systematik des Zusammenwirkens von staatlichen und technischen Regelungen

Wie bereits dargelegt kommt den von privaten Organisationen ausgearbeiteten technischen Normen grundsätzlich keine rechtliche Bindungswirkung zu. Indem gesetzliche Vorschriften auf diese verweisen, werden sie teilweise jedoch Rechtsvorschriften gleichgestellt.

Gemäß § 3 MBO sind bauliche Anlagen so anzuordnen, zu errichten, zu ändern und instand zu halten, dass die öffentliche Sicherheit und Ordnung nicht gefährdet werden. Dabei sind die Grundanforderungen an Bauwerke gemäß Anhang I der BauPVO einzuhalten. Die Anforderungen des § 3 MBO können gemäß § 85a MBO durch sog. Technische Baubestimmungen konkretisiert werden, von denen nur in Ausnahmefällen abgewichen werden kann. Das Deutsche Institut für Bautechnik (DIBt) macht im Auftrag der Bundesländer die Muster-Verwaltungsvorschrift Technische Baubestimmungen (MVV TB) bekannt, die als Grundlage für die Umsetzung der Bestimmungen in Landesrecht dient. Die Bestimmungen verweisen meist auf technische Regeln privater Normgeber, die auf diese Weise der Konkretisierung der gesetzlichen Vorgaben dienen.

Darüber hinaus können die technischen Normen auch für das Bauvertragsrecht relevant werden, wenn sie sich als allgemein anerkannte Regeln der Technik etabliert haben, d. h., wenn sie von der ganz vorherrschenden Ansicht der technischen Fachleute als Mindeststandard anerkannt werden und sich in der Praxis bewährt haben. Ist dies der Fall, gilt eine Bau- oder Werkleistung nur dann im Sinne von § 13 Abs. 1 VOB/B bzw. § 633 BGB als mangelfrei, wenn sie zumindest diesen Anforderungen genügt.

1.1.2 Bauvertragsrecht

Die primäre Rechtsquelle eines Bauvorhabens sind zunächst der jeweilige Vertrag zwischen den am Bau Beteiligten und die darin vereinbarten Rahmenbedingungen. Die Anforderungen an die Ausgestaltung solcher Verträge sind hoch, da sie oftmals die Durchführung äußerst komplexer Bauvorhaben ermöglichen und diese begleiten sollen. Aufgrund dieser Komplexität werden Bauverträge in aller Regel nicht jedes Mal und aufs Neue individuell zwischen den Parteien entworfen und ausgehandelt. In der Praxis hat sich stattdessen ein Rückgriff auf vorformulierte Geschäftsbedingungen (AGB) etabliert.

Eine zentrale Rolle nimmt hierbei die Vergabe- und Vertragsordnung für Bauleistungen (VOB) ein, die im Jahre 1926 veröffentlicht wurde und dem Umstand Rechnung tragen sollte, dass ein eigenständiges gesetzliches Bauvertragsrecht, das die Besonderheiten komplexer Bauvorhaben berücksichtigt, bis ins Jahr 2018 nicht existierte. Bauverträge unterlagen seit Inkrafttreten des Bürgerlichen Gesetzbuches (BGB) zunächst nur den allgemeinen werkvertraglichen Regelungen der §§ 631 ff. BGB, die aber für wesentliche Aspekte eines Bauvorhabens keine hinreichend konkreten Regelungen vorsahen.

1.1.3 Vergabe- und Vertragsordnung

Auch wenn die VOB ursprünglich zur Schaffung einheitlicher Grundsätze für die Vergabe von Bauleistungen durch die öffentliche Hand gedacht war – und ursprünglich auch den Titel „Verdingungsordnung für Bauleistungen" trug –, hat sich ihre Verwendung auch bei privaten Bauvorhaben fest etabliert, um den auch dort bestehenden Bedarf nach typisierten Vertragsregeln zu decken (siehe Abb. 1.1).

Abb. 1.1: Cover der VOB (Quelle: Beuth Verlag GmbH, Berlin)

Überblick

Die VOB besteht aus den Teilen A, B und C, die durch den Deutschen Vergabe- und Vertragsausschuss für Bauleistungen (DVA) aktualisiert, fortgeschrieben sowie an die rechtlichen und technischen Entwicklungen angepasst wird. Die Teile A und B werden im amtlichen Teil des Bundesanzeigers veröffentlicht und alle 3 Teile werden in Zusammenarbeit mit dem Deutschen Institut für Normung auch als Deutsche Norm herausgegeben:

- Teil A Allgemeine Bestimmungen für die Vergabe von Bauleistungen (DIN 1960),
- Teil B Allgemeine Vertragsbedingungen für die Ausführung von Bauleistungen (DIN 1961),
- Teil C Allgemeine Technische Vertragsbedingungen für Bauleistungen (DIN 18299 ff.).

VOB Teil A

Die VOB/A beinhaltet Regelungen, die die Vergabe von Bauleistungen durch den öffentlichen Auftraggeber betreffen. Die Regelungen dienen dem Ausgleich der Interessen der am Vergabeverfahren Beteiligten und sollen einerseits dem öffentlichen Bauherrn ein möglichst günstiges (gleichwohl qualitätswahrendes) Angebot ermöglichen und andererseits das Interesse der Auftragnehmer an gleichen Bewerbungschancen wahren.

Für den öffentlichen Auftraggeber sind die Regelungen der VOB/A oberhalb eines bestimmten Auftragsvolumens sowie aufgrund haushaltsrechtlicher Anordnungen verbindlich – für den privaten Auftraggeber sind sie das nicht. Der private Auftraggeber hat bei der Beauftragung von Bauleistungen kein formelles Verfahren einzuhalten und kann seinen Vertragspartner frei wählen.

Die VOB/A bezieht sich insoweit im Wesentlichen auf das Verfahren bis zum Vertragsschluss, auch wenn die Besonderheiten des Vergabeverfahrens mitunter auch danach bei der Auslegung des geschlossenen Vertrags noch eine Rolle spielen können. So hat der öffentliche Auftraggeber z. B. die Leistung eindeutig und erschöpfend zu beschreiben. Auch darf dem Bieter kein ungewöhnliches Wagnis aufgebürdet werden. Da der Bieter grundsätzlich eine VOB/A-konforme Ausschreibung erwarten kann, kann das dazu führen, dass bei 2 möglichen Auslegungsvarianten einer Leistungsposition die Variante heranzuziehen ist, die die Ausschreibungsgrundsätze wahrt (sog. „VOB/A-konforme Auslegung"). Dahin gehende Unklarheiten können insoweit zulasten des öffentlichen Auftraggebers gehen, wenn diese für den Bieter nicht vor Vertragsschluss erkennbar waren und er diese nicht durch einfache Nachfrage im Vergabeverfahren hätte klären können.

VOB Teil B

Die VOB/B ist ein Regelwerk für die Ausführung von Bauleistungen, das die Rechte und Pflichten der Parteien eines Bauvertrags ergänzend und modifizierend zu den gesetzlichen Vorgaben festlegt. Die Regelungen betreffen den Zeitraum zwischen Vertragsschluss und dessen vollständiger Erfüllung, was auch den Gewährleistungszeitraum mitumfasst.

Die Regelungen betreffen die folgenden Aspekte:

- § 1 Art und Umfang der Leistung,
- § 2 Vergütung,
- § 3 Ausführungsunterlagen,
- § 4 Ausführung,
- § 5 Ausführungsfristen,
- § 6 Behinderung und Unterbrechung der Ausführung,
- § 7 Verteilung der Gefahr,
- § 8 Kündigung durch den Auftraggeber,
- § 9 Kündigung durch den Auftragnehmer,
- § 10 Haftung der Vertragsparteien,
- § 11 Vertragsstrafe,
- § 12 Abnahme,
- § 13 Mängelansprüche,
- § 14 Abrechnung,
- § 15 Stundenlohnarbeiten,
- § 16 Zahlung,
- § 17 Sicherheitsleistung,
- § 18 Streitigkeiten.

Die VOB/B hat keinerlei Gesetzescharakter, sondern es handelt sich um vorformulierte Vertragsbedingungen, die für eine Vielzahl von Fällen bestimmt sind, d. h. um allgemeine Geschäftsbedingungen. Ohne eine dahin gehende Vereinbarung finden die Regelungen insoweit keine Anwendung. Im Gegensatz zu Aufträgen der öffentlichen Hand ist die Verwendung der VOB/B bei privaten Bauvorhaben auch keineswegs verpflichtend.

Da die VOB/B ein ausgewogenes Regelwerk darstellt, das weder Auftraggeber noch Auftragnehmer unangemessen benachteiligt, unterliegen die einzelnen Regelungen der VOB/B – im Gegensatz zu anderen AGB – keiner isolierten Inhaltskontrolle durch die Gerichte, wenn die VOB/B ohne inhaltliche Änderungen vollständig einbezogen wurde und an dem Vertrag nur Unternehmen oder juristische Person des öffentlichen Rechts beteiligt sind. In der Praxis wird eine Einbeziehung der VOB/B ohne jegliche inhaltliche Abweichung jedoch nur selten vorliegen, sodass die einzelnen Bestimmungen in der Regel vollständig der gerichtlichen Inhaltskontrolle unterliegen.

VOB Teil C

Die VOB/C wird betitelt mit „Allgemeine Technische Vertragsbedingungen für Bauleistungen" und umfasst neben der DIN 18299:2019-09 „VOB Vergabe- und Vertragsordnung für Bauleistungen – Teil C: Allgemeine Technische Vertragsbedingungen für Bauleistungen (ATV) – Allgemeine Regelungen für Bauarbeiten jeder Art" besondere Regelungen für eine Vielzahl einzelner Gewerke von A wie Abbruch- und Rückbauarbeiten bis Z wie Zimmer- und Holzbauarbeiten. Die Vorschriften lassen sich ab DIN 18300:2019-09 „VOB Vergabe- und Vertragsordnung für Bauleistungen – Teil C: Allgemeine Technische Vertragsbedingungen für Bauleistungen (ATV) – Erdarbeiten" in die Abschnitte 0 bis 5 untergliedern:

0 – Hinweise für das Aufstellen der Leistungsbeschreibung,
1 – Geltungsbereich,
2 – Baustoffe, Bauteile,
3 – Ausführung,
4 – Nebenleistungen, Besondere Leistungen,
5 – Abrechnung.

Abschnitt 0 enthält jeweils Hinweise an den Auftraggeber, welche Anforderungen an eine ordnungsgemäße Leistungsbeschreibung zu stellen sind, während Abschnitt 1 der Abgrenzung der jeweiligen Gewerke dient. Abschnitt 2 listet die gebräuchlichsten Baustoffe und Bauteile des jeweiligen Gewerks auf und stellt auch qualitative Anforderungen an diese. Abschnitt 3 definiert die Leistungen, die – soweit nicht anders vereinbart – als Regelleistungen des Gewerks gelten. Abschnitt 4 bestimmt, welche Leistungen in der Regel als (nicht gesondert zu vergütende) Nebenleistung anzusehen sind und welche Leistungen als Besondere Leistungen auch gesondert zu vergüten sind. Abschnitt 5 stellt sodann Regeln auf, nach denen die Mengen der ausgeführten Leistungen zu ermitteln sind.

Damit beinhaltet die VOB/C ihrem Namen nach zwar technische Bestimmungen für Bauleistungen, was jedoch insoweit irreführend ist, als die VOB/C neben technischen Regelungen auch eine Vielzahl an Vertragsbestimmungen umfasst, wie etwa Benachrichtigungs- und Hinweispflichten, ergänzende Regelungen zur Bestimmung der geschuldeten Werkleistung sowie Regelungen zur Gewährleistung. Auch bei diesen Regelungen handelt es sich um allgemeine Geschäftsbedingungen. Insoweit muss auch die VOB/C wirksam als Vertragsinhalt vereinbart werden. Bei Verträgen mit Unternehmen, die im Baugewerbe tätig sind, wird dies regelmäßig über die Einbeziehung der VOB/B und den dortigen Verweis in § 1 Abs. 1 Satz 2 auf die VOB C erfolgen.

Hinsichtlich der Regelwerke der VOB/C ist zudem zu beachten, dass diese trotz ihrer DIN-Normenbezeichnung nicht den übrigen Stoff-, Qualitäts-, Ausführungs- und Prüfnormen des DIN gleichzustellen sind. Die Intention der VOB/C geht nicht dahin, dass sich die dortigen technischen Regelungen als anerkannte Regeln der Technik etablieren, sondern dass diese als Bestandteil des Gesamtregelwerks der VOB zwischen den Parteien vereinbart werden.

1.1.4 Neues Bauvertragsrecht des BGB

Seit der Einführung des neuen Bauvertragsrechts im Jahr 2018 enthält das BGB mit § 650a erstmalig eine Definition des Begriffs Bauvertrag und grenzt diesen gegenüber dem einfachen Werkvertrag ab. In den §§ 650a bis 650h BGB finden sich nunmehr bauvertragsspezifische Regelungen, etwa über das Anordnungsrecht des Bestellers, die Sicherungshypothek bzw. die Bauhandwerkersicherung, die Zustandsfeststellung bei der Abnahme sowie das Erfordernis einer Schlussrechnung und das Schriftformgebot bei der Kündigung.

Im hierauf folgenden Abschnitt (§§ 650i ff. BGB) sind darüber hinaus speziellere Regelungen für den sog. Verbraucherbauvertrag zwischen Unternehmer und Verbraucher vorgesehen und der Abschnitt ab § 650p BGB enthält spezielle Vorschriften über den Architekten- und Ingenieurvertrag. Hieran anschließend wurde auch der Bauträgervertrag ab § 650u BGB erstmalig in das BGB aufgenommen.

1.1.5 Weitere vertragsrechtliche Bestimmungen

Die werk- bzw. bauvertraglichen Regelungen des BGB sowie die Regelungen der VOB/B finden Anwendung auf das Verhältnis zwischen Bauherrn und Bauunternehmer bzw. zwischen Bauunternehmer und dessen Subunternehmern. Sofern zwischen den Parteien nichts anderes vereinbart wurde, ist insbesondere auch die Beschaffung der für die Erreichung des Werkerfolgs erforderlichen Baustoffe und Bauteile eine der wesentlichen Leistungspflichten des Bauunternehmers, der diesbezüglich in der Regel auch sämtliche Preis- und Beschaffungsrisiken trägt.

Der Vertrag zwischen dem Bauunternehmer und dem Lieferanten von Baustoffen und Bauteilen richtet sich demgegenüber nach den Vorschriften über den Kaufvertrag (§§ 433 BGB ff.) sowie nach den Vorschriften des Handelsgesetzbuchs (HGB), wenn es sich bei beiden Parteien um Kaufleute handelt. Liegen die Voraussetzungen eines Handelskaufs vor, trifft den Bauunternehmer gemäß § 377 HGB insbesondere die Obliegenheit, die gelieferten Baustoffe und -teile nach Ablieferung durch den Verkäufer zu untersuchen, und wenn hierbei ein Mangel erkennbar ist, diesen dem Verkäufer unverzüglich anzuzeigen. Unterlässt der Bauunternehmer diese Anzeige, verliert er dahin gehende Mängelrechte. Dies gilt nicht für nicht erkennbare oder arglistig verschwiegene Mängel.

Zum 1. Januar 2023 ist darüber hinaus das Lieferkettensorgfaltspflichtengesetz (LkSG) in Kraft getreten. Das Gesetz stellt Sorgfaltspflichten hinsichtlich der Einhaltung von Menschenrechten (Schutz vor Kinderarbeit, Recht auf faire Löhne, Schutz der Umwelt) auf und ist zunächst für Lieferanten mit mindestens 3.000 Beschäftigten verpflichtend. Das Gesetz stellt aber nicht nur Sorgfaltspflichten für den eigenen Geschäftsbereich der Unternehmen auf, sondern verpflichtet diese hierüber hinausgehend auch, die Sorgfaltspflichten bei den weiteren Zulieferern der Lieferkette sicherzustellen.

1.1.6 Literaturhinweise

Die DIN-Normen sind über den Beuth Verlag zu beziehen (www.beuth.de). Gesetzliche Vorschriften sind etwa über die Seite des Bundesministeriums der Justiz (www.gesetze-im-internet.de) abrufbar; die Normen der VOB/A und VOB/B z. B. über die Seite der Bundesregierung unter www.verwaltungsvorschriften-im-internet.de. Hierneben existiert eine Vielzahl von Buchausgaben mit verschiedenen Zusammenstellungen aus einzelnen Gesetzen (z. B. vom dtv-Verlag).

1.2 Gesetzliche Maßeinheiten im Bauwesen

Das Gesetz über die Einheiten im Messwesen und die Zeitbestimmung (Einheiten- und Zeitgesetz – EinhZeitG) von 1969 (zuletzt neu gefasst am 22.02.1985, letzte Änderung 18.07.2016) sieht vor, dass im amtlichen und geschäftlichen Verkehr physikalische Größen in bestimmten gesetzlichen Einheiten anzugeben sind. Um eine Einheitlichkeit im Messwesen herzustellen, wurde das Bundesministerium für Wirtschaft und Energie insoweit ermächtigt, hierfür Einheiten nebst deren Definition und Einheitenzeichen im Rahmen von Rechtsverordnungen festzusetzen und die Schreibweise der Zahlenwerte zu bestimmen.

Grundlage hierfür ist insbesondere das Internationale Einheitensystem der Meterkonvention „Système Internationale d'Unités" (SI), basierend auf einem am 20. Mai 1875 geschlossenen Vertrag zwischen damals 17 unterzeichnenden Staaten.

Die Basiseinheiten des SI sind der Meter (m) für die Angabe der Länge, für die Masse das Kilogramm (kg) und für die Zeit die Sekunde (s). Darüber hinaus wird die elektrische Stromstärke in Ampere (A), die thermodynamische Temperatur in Kelvin (K), die Stoffmenge in Mol (mol) und die Lichtstärke in Candela (cd) angegeben. Über die Basiseinheiten des SI hinaus sind gemäß Anlage 1 des EinhZeitG auch eine Vielzahl weiterer Maßeinheiten zulässig.

Zur (dezimalen) Vervielfachung und Teilung der Einheiten werden die Basiseinheiten wie in Tabelle 1.1 dargestellt durch festgelegte Vorsatzzeichen ergänzt. Zur Angabe des Vielfachen oder Teils ist nicht mehr als ein Vorsatz bzw. Vorsatzzeichen zu verwenden. Die dezimalen Vorsatzzeichen werden auf bestimmte Einheiten, wie Minute, Stunde oder Kilogramm, nicht angewendet.

Länge

Während auf dem Gebiet der Baustoffe über längere Zeit hinweg das Zoll übliche Angabe für die Angabe der Länge war, ist diese Maßeinheit nicht mehr zulässig; als Basiseinheit ist der Meter (m) festgelegt. Für dezimale Vielfache oder Teile werden die Vorsätze für Maßeinheiten verwendet.

Masse

Die Masse eines Objekts wird in Kilogramm (kg) angegeben. Die Tonne ist zulässige Bezeichnung für 1.000 kg. Masse und Gewicht sind bei der Angabe von Warenmengen im Geschäftsverkehr gleichzusetzen, sodass das Gewicht anhand der Masseeinheiten angegeben wird.

Tabelle 1.1: Vorsatzzeichen der dezimalen Vielfachen

Vorsatz	Zeichen	Vielfaches/Teil
Exa	E	1.000.000.000.000.000.000
Peta	P	1.000.000.000.000.000
Tera	T	1.000.000.000.000
Giga	G	1.000.000.000
Mega	M	1.000.000
Kilo	k	1.000
Hekto	h	100
Deka	da	10
Dezi	d	1/10
Zenti	c	1/100
Milli	m	1/1.000
Mikro	µ	1/1.000.000
Nano	n	1/1.000.000.000
Pico	p	1/1.000.000.000.000
Femto	f	1/1.000.000.000.000.000
Atto	a	1/1.000.000.000.000.000.000

Dichte

Die Dichte gibt das Verhältnis zwischen der Masse eines Materials und seinem Volumen an. SI-Einheit für die Dichte ist daher kg/m^3. Bei Flüssigkeiten ist auch die Angabe kg/l gebräuchlich.

Kraft

Die Kraft wird in Newton (N) angegeben. Ausgedrückt in SI-Basiseinheiten ist 1 N = 1 kg m/s^2. Im Bauwesen ist das Kilonewton (kN) die üblichere Einheit. In Newton wird etwa die Reißfestigkeit von Seilen oder die Belastungsgrenze von Kränen angegeben. Die Einheit Kilopond (kp) ist nicht mehr gebräuchlich.

Druck/Spannung

Der Druck und die mechanische Spannung werden in N/m^2 angegeben. Besondere Bezeichnung hierfür ist Pascal (Pa). Ein Pascal ist also der Druck, den eine senkrecht einwirkende Kraft von einem Newton auf eine Fläche von einem Quadratmeter ausübt. In N/m^2 wird etwa die Belastbarkeit eines Fußbodens angegeben.

Energie

Die SI-Maßeinheit für Energie ist Joule (J), wobei ein Joule die Arbeit ist, die verrichtet wird, wenn die Kraft von 1 Newton über eine Strecke von 1 m ausgeübt wird. Die Einheit Joule wird unabhängig von der Form der Energie verwendet (z. B. mechanisch oder elektrisch).

Temperatur

Die Temperatur und Temperaturdifferenzen können gemäß Anlage 1 des EinhZeitG sowohl in Grad Celsius (°C) als auch in Kelvin (K) angegeben werden. Dabei gilt: 0 °C = 273,15 K und 0 K = –273,15 °C. Bei der Angabe von Temperaturdifferenzen ergibt sich für °C und K derselbe Zahlenwert.

Eine Übersicht über gängige Einheiten gemäß DIN enthält Tabelle 1.2.

Tabelle 1.2: Am Bau gebräuchliche Einheiten nach DIN

Einheit	Zeichen	Bemerkung
Meter	m	Länge
Quadratmeter	m^2	$1\ m^2 = 1\ m \times 1\ m$ (Fläche)
Kubikmeter	m^3	$1\ m^3 = 1\ m \times 1\ m \times 1\ m$ (Raum)
Liter	l	$1\ l = 1\ dm^3$ (Kubikdezimeter)
Rechter Winkel	<•	1 <• = π/2 rad
Grad	°	1° = π/180 rad
Gon	gon	1 gon = π/200 rad
Kilogramm	kg	Gewicht, Masse
Gramm	g	$1\ g = 10^{-3}\ kg$ (1/1.000 kg)
Tonne	t	$1\ t = 10^3\ kg$ (1.000 kg)
Newton	N	$1\ N = 1\ (kg \cdot m)/s^2$ (Kraft)
Newton pro Quadratmillimeter	N/mm^2	Druck
Pascal	Pa	$1\ Pa = 1\ N/m^2$ (Druck auf 1 m^2 Fläche)
Joule	J	1 J = 1 Nm = 1 Ws (Energie)
Kilowattstunde	kWh	1 kWh = 3,6 MJ (MJ = Megajoule)
Watt	W	1 W = 1 J/s = 1 VA (Leistung)
Sekunde	s	Zeit
Minute	min	1 min = 60 s
Stunde	h	1 h = 60 min
Tag	d	1 d = 24 h
Hertz	Hz	1 Hz = 1/s (Frequenz)
Kelvin	K	auch Einheit für Temperaturdifferenz
Grad Celsius	°C	Temperatur
Ampere	A	elektrischer Strom (Stromstärke)
Volt	V	1 V = 1 W/A (elektrische Spannung)
Amperestunde	Ah	1 Ah = 3 600 As
Candela	cd	Lichtstärke
Lumen	lm	Lichtstrom
Lux	lx	$1\ lx = 1\ lm/m^2$, Beleuchtungsstärke

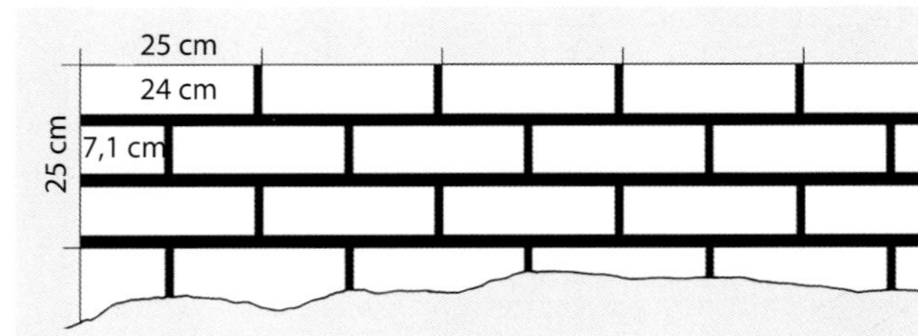

Abb. 1.2: Steinformate und ihre Übereinstimmung mit DIN 4172

Literaturhinweis

Die einschlägigen DIN-Normen werden in dem DIN-Taschenbuch 22 „Einheiten und Begriffe für physikalische Größen“ (Beuth Verlag) zusammengefasst.

1.3 Maßordnung im Hochbau

Rationelles Bauen in Deutschland erfolgt auf der Grundlage der DIN 4172:2015-09 „Maßordnung im Hochbau“. Diese oktametrische Maßordnung (Achtelmetersystem) dient dazu, die Anzahl der Größen von Baustoffen und Bauteilen zu begrenzen, und schuf die Voraussetzungen für eine sinnvolle Zusammenarbeit aller Beteiligten im Bauwesen, den Architekten, den Herstellern und Händlern der Baustoffe sowie den Bauausführenden. Diese Maßordnung ist Bemessungsgrundlage für die gesamte Baunormung.

In den jeweiligen Produktnormen der künstlich hergestellten Mauersteine (Ziegel, Leichtbeton, Kalksandstein und Porenbeton) sind die verschiedenen Formate in ihren Abmessungen geregelt. Diese basieren auf den Baurichtmaßen des oktametrischen (1/8 m = 12,5 cm) Rasters der DIN 4172 (siehe Abb. 1.2).

Tabelle 1.3 gibt eine Übersicht über übliche Mauersteinformate.

Tabelle 1.3: Übliche Mauersteinformate

Steinformat (Formatzeichen)	Länge in mm	Breite in mm	Höhe in mm
1 DF[1)]	240	115	52
NF[2)]	240	115	71
2 DF	240	115	113
3 DF	240	175	113
4 DF	240	240	113
5 DF	300	240	113
6 DF	365	240	113
10 DF	300	240	238
12 DF	365	240	238
16 DF	490	240	238
20 DF	490	300	238
24 DF	490	365	238

1) DF = Dünnformat
2) NF = Normalformat

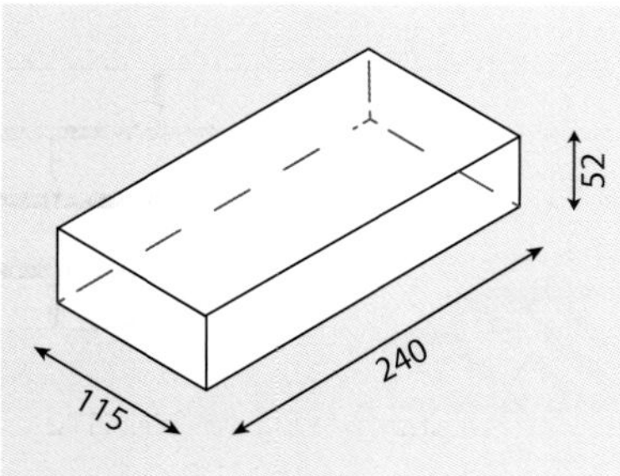

Abb. 1.3: Mauerstein DF (Dünnformat)

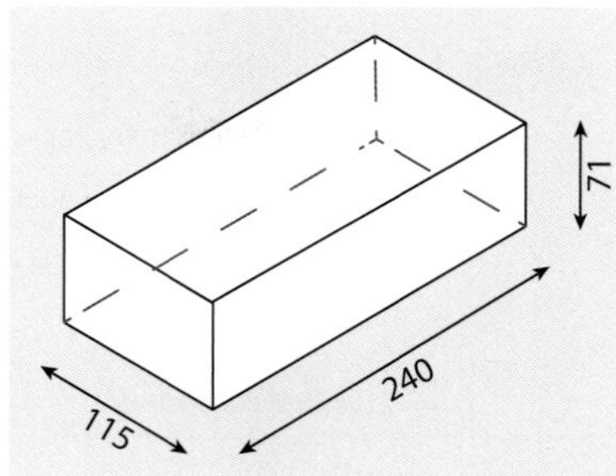

Abb. 1.4: Mauerstein NF (Normalformat)

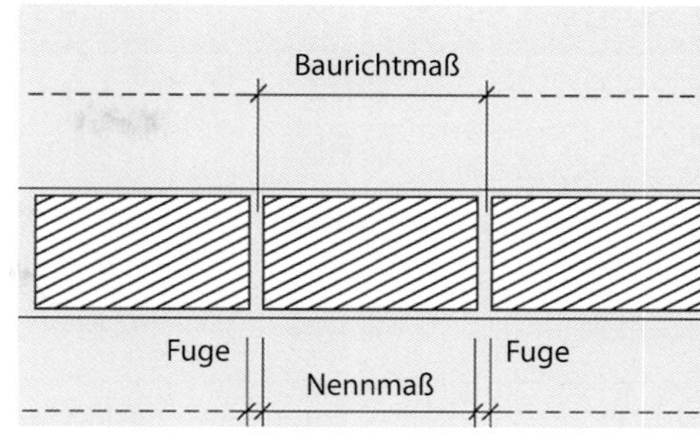

Abb. 1.5: Baauricht- und Baunennmaße

Abb. 1.3 zeigt die Abmessungen eines Mauersteins im Dünnformat, Abb. 1.4 die eines Mauersteins im Normalformat.

1.3.1 Bauricht- und Baunennmaße

Baurichtmaße sind theoretische Maße, die die Grundlage für die in der Praxis vorkommenden Baumaße bilden. Baunennmaße werden in die Bauzeichnungen eingetragen, z. B. als Rohbaumaße (siehe Abb. 1.5).

Bei Bauarten mit Fuge gilt:
Nennmaß = Baurichtmaß – Fuge.

Bei Bauarten ohne Fuge gilt:
Nennmaß = Baurichtmaß.

1.3.2 Wandöffnungen für Türen und Fenster

DIN 18100:1983-10 „Türen; Wandöffnungen für Türen; Maße entsprechend DIN 4172“ definiert die Wandöffnungen für Türen, aus denen sich wiederum die genormten Größen von Zargen und Türblättern ergeben.

Die Maße der Wandöffnungen basieren also auf der 12,5-cm-Reihe der DIN 4172.

Folgende Größen gelten als Vorzugsgrößen (bei fugenlosen Wandaufbauten sind Baurichtmaß und Nennmaß identisch):

- Baurichtmaß 62,5 cm × 200,0 cm =
- Nennmaß 63,5 cm × 201,0 cm,
- Baurichtmaß 75,0 cm × 200,0 cm =
- Nennmaß 76,0 cm × 201,0 cm,
- Baurichtmaß 87,5 cm × 200,0 cm =
- Nennmaß 88,5 cm × 201,0 cm,
- Baurichtmaß 100,0 cm × 200,0 cm =
- Nennmaß 101,0 cm × 201,0 cm,
- Baurichtmaß 112,5 cm × 200,0 cm =
- Nennmaß 113,5 cm × 201,0 cm.

Die Türhöhe von 200,0 cm kann dabei gegen die nächstgrößere Höhe von 212,5 cm ausgetauscht werden. Dies erscheint sinnvoll, da die Körpergröße der Menschen zugenommen hat.

1.4 Bauzeichnung

Bauzeichnungen im Sinne der DIN 1356 „Bauzeichnungen“ sind Zeichnungen für die Objektplanung und die Tragwerksplanung, also für Entwurf, Genehmigung und Ausführung sowie für Abrechnung und Aufnahme von baulichen Anlagen.

Soll ein Bau errichtet oder verändert werden, ist unerlässliche Voraussetzung, dass vor Beginn der Bauarbeiten alle Einzelheiten der Ausführung festliegen. Der Bauherr muss erkennen können, wie das fertige Bauwerk aussehen wird, er muss einen Überblick über Raumgrößen und deren Aufteilung sowie die damit zusammenhängende Nutzbarkeit bekommen, um sich entscheiden zu können. Die Bauzeichnung ist danach Grundlage der statischen Berechnung der tragenden Bauteile.

Die Bauzeichnung dient also als Verständigungsmittel zwischen Bauherren, Architekten, Baubehörden und Bauausführenden. Sie soll erkennen lassen, wie die Idee des Architekten (= Baukünstler) mit den Gesetzen der Baukunst, mit den möglichen Konstruktionen, mit dem zur Verfügung stehenden Material und den finanziellen Möglichkeiten in Einklang gebracht werden soll. Gleichzeitig sind dabei die bestehenden Gesetze, Bauordnungen, bestimmungen, Verordnungen und Erlasse zu beachten und einzuhalten. Jede Bauzeichnung muss auf einen konkreten Zweck abgestimmt sein. Die Zeichnung für den Bauherrn sieht anders aus als die für den Bauausführenden, die Zeichnung für das Bauamt hat wiederum andere Anforderungen zu erfüllen. Dasselbe gilt für Um- und Anbauten. Für diese Abläufe sind die in Tabelle 1.4 dargestellten Zeichnungsarten gebräuchlich.

Tabelle 1.4: Zeichnungsarten

Art der Bauzeichnung	Maßstab
Vorentwurfszeichnungen sind Zeichnungen, die aufgrund eines Entwurfskonzeptes angefertigt werden (Skizzen).	1 : 500 bis 1 : 200
Entwurfszeichnungen sind Zeichnungen mit zeichnerischen Darstellungen (exakter als Skizze) des bearbeiteten Entwurfs.	1 : 100
Bauvorlagezeichnungen sind Entwurfszeichnungen, die alle Angaben enthalten, die durch die jeweiligen Bauvorlageverordnungen der Länder bestimmt werden.	1 : 100
Ausführungszeichnungen/Werkszeichnungen sind Bauzeichnungen, die alle zur Ausführung notwendigen Einzelangaben enthalten.	1 : 50
Detailzeichnungen sind detaillierte Zeichnungen für Einzelbauteile.	1 : 20 bis 1 : 1

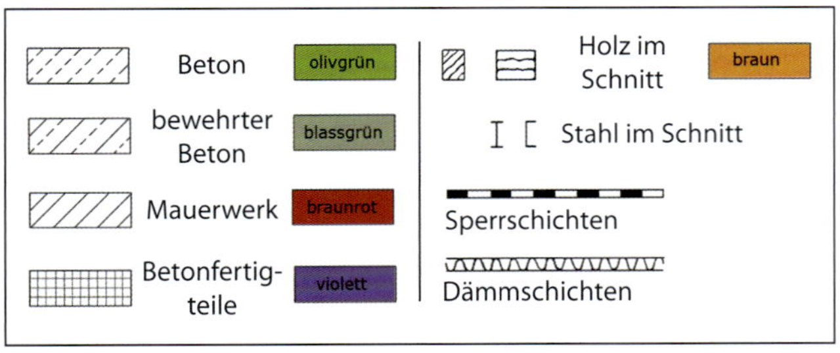

Abb. 1.6: Grafische (links) und farbliche (rechts) Darstellungen der Bauzeichnung

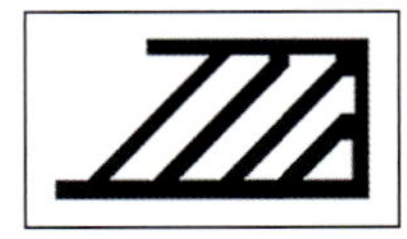

Abb. 1.7: Bauöffnung ohne Anschlag

Abb. 1.8: Bauöffnung mit Anschlag

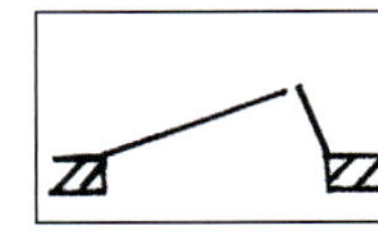

Abb. 1.9: Anschlagrichtung von Türen

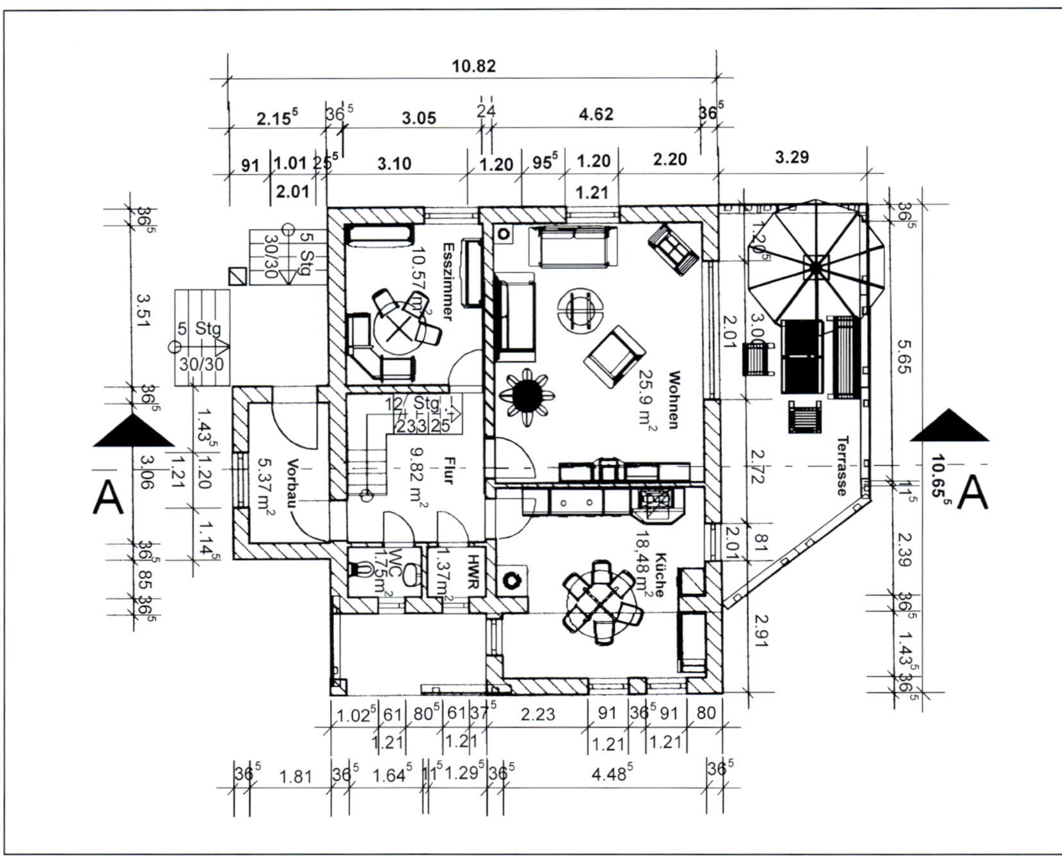

Abb. 1.10: Grundriss des Erdgeschosses eines Wohnhauses

Es gelten die Darstellungen in Abb. 1.6 (Baustoffe können farblich oder grafisch als Schraffuren dargestellt werden).

Weitere Zeichnungsarten sind Abrechnungszeichnung, Baubestandszeichnungen, Positionspläne, Schalpläne, Bewehrungszeichnung, Verlegezeichnung, Fertigteilzeichnung.

Grundlage sowohl für die Baustoffauswahl als auch für die Mengenermittlung ist entweder die Entwurfszeichnung im Maßstab 1 : 100 oder, besser noch, die Ausführungszeichnung im Maßstab 1 : 50. Aus diesen ist ersichtlich, wo welcher Baustoff vorgeschrieben ist.

1.4.1 Bemaßung

Die erforderlichen Maße sind in Entwurfs- und Ausführungszeichnungen restlos festgelegt. Sie werden nach Möglichkeit außerhalb der Zeichnung bzw. um die Zeichnung des Baukörpers herum eingetragen, falls erforderlich auch innerhalb. Alle Räume und wesentlichen Elemente werden mittels Maßketten vermaßt.

Maße, die über 1 m hinausgehen, sind mit Komma, unter 1 m in Zentimeter geschrieben. Halbe Zentimeter werden durch eine hochgestellte 5 dargestellt. Als äußerstes Maß ist immer das Gesamtmaß des Baukörpers eingezeichnet. Dann kommen die Maße der Bauöffnungen und dazwischenstehendes Mauerwerk oder Stützen u. Ä.

Die Bauöffnungen sind mit Breite und Höhe bemaßt, dabei ist das obere Maß das der Breite, darunter steht die Höhe (alles Rohbaumaße).

Steht noch ein drittes Maß darunter, ist damit die Brüstungshöhe bezeichnet. Die eingetragenen Wanddicken sind reines Mauermaß ohne Putz.

Die Zeichnung lässt erkennen, ob Bauöffnungen ohne Anschlag (siehe Abb. 1.7) oder mit Anschlag (siehe Abb. 1.8) vorgesehen sind. Die eingezeichneten Türen lassen die Anschlagrichtung erkennen (siehe Abb. 1.9).

Die meisten Bauzeichnungen zeigen den Bau in Draufsicht, als Grundriss (siehe Abb. 1.10).

1.4.2 Schnittzeichnung

Die gesamten Höhenmaße sind aus der Schnittzeichnung ersichtlich (siehe Abb. 1.11), wie auch Dachaufbau, Schornsteinverlauf und Treppenanordnung. In der Grundrisszeichnung ist eingetragen, an welcher Stelle der Schnitt vorgenommen ist und in welcher Blickrichtung. Im Fundamentplan sind Entwässerungsleitungen eingezeichnet.

Schnittebenen für Bauzeichnungen sind nach DIN 1356:

- Grundriss = waagerechte Schnittebenen in ca. 1 m Höhe über Oberkante Fertigfußboden,
- Schnitt = senkrechte Schnittebene rechtwinklig oder parallel zu den Bauwerksaußenflächen,
- Querschnitt = senkrechter Schnitt quer zum First,
- Längsschnitt = senkrechter Schnitt parallel zum First.

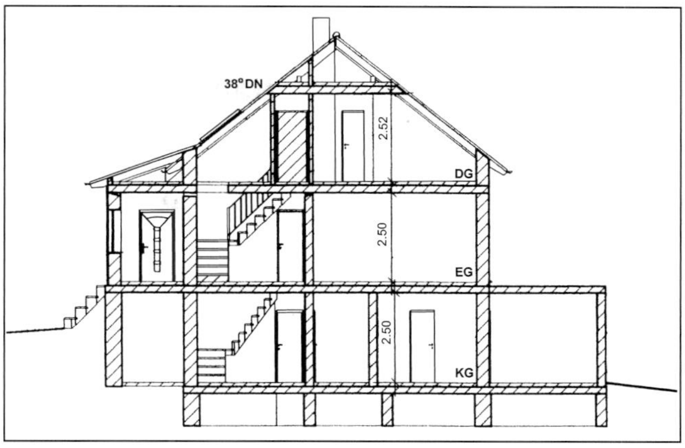

Abb. 1.11: Schnittzeichnung eines Wohnhauses

1.5 Statische Grundbegriffe

Die Statik ist die Lehre von der Standfestigkeit von Baukörpern. Sie ist ein Teil der Mechanik, der Lehre der Bewegung, und betrachtet den Sonderfall des „Gleichgewichts" der Kräfte, d. h., wenn alle Kräfte sich aufheben und somit ihre Gesamtwirkung gleich null ist. Eine Kraft allein kann nie im Gleichgewicht sein, hierzu ist immer eine zweite, gleich große entgegengesetzte Kraft notwendig. Am Bau sind das meist passive Stützkräfte, wie z. B. bei Säulen oder Fundamenten. Einerseits müssen Architekten, Statiker, Bauingenieure und Behörden nachweisen, dass für Bewohner und Benutzer von Gebäuden zu keiner Zeit Gefahren durch die Kräfte der Lasten entstehen, andererseits darf es nicht zu einer Verschwendung von Baustoffen durch eine Überdimensionierung kommen.

Statische Berechnungen für Bauwerke werden erst seit Mitte des 19. Jahrhunderts umfassend angewendet. In früheren Jahren tastete man sich allmählich an größere Bauten heran und ging von Erfahrungswerten in den Belastungsfällen aus. Heute zwingen nicht zuletzt wirtschaftliche Aspekte bei dem umfangreichen Bauvolumen zu genauen statischen Berechnungen von Werk- und Baustoffen.

Es ist zu prüfen, ob die Bauteile der zu erwartenden Belastung durch Eigengewicht und Nutzlast standhalten. Dabei werden folgende Lasten unterschieden.

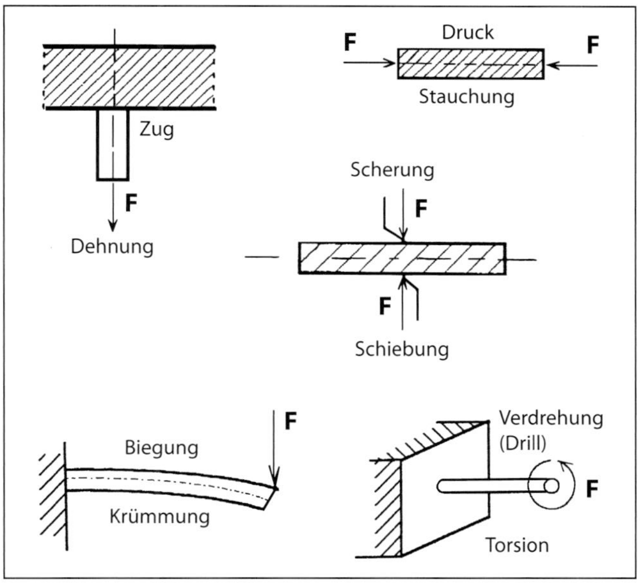

Abb. 1.12: Kraftrichtung (F) und verschiedene Formveränderungen

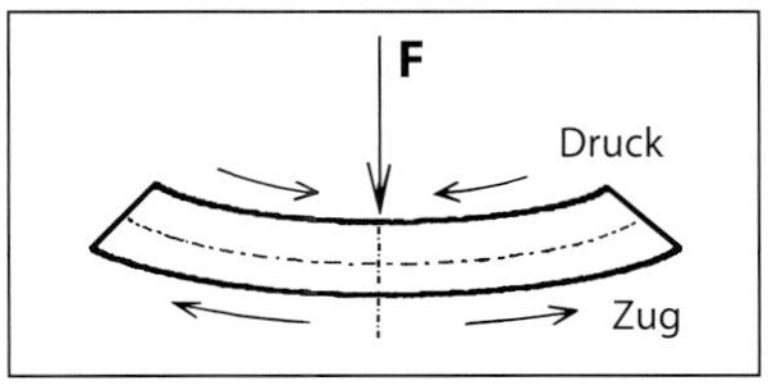

Abb. 1.13: Aufnahme von Zug- und Druckspannungen eines Trägers/Sturzes

Ständige Lasten

Dauernd wirkende Lasten (z. B. Eigengewicht der Bauteile = ständige Lasten) sind Gewichte, die aus dem Produkt von Volumen und Rohdichte ermittelt werden. Einheit: kN/m^2.

Verkehrslasten

Diese Lasten verändern sich nach Ort und Größe (z. B. Personen, Fahrzeuge, Wind/Schnee = Verkehrslasten), sind angenommene Regellasten und werden aus Tabellen entnommen.

Die Angaben können in kN/m^2 je cm Dicke oder in kN/m^3 erfolgen. In der Praxis ist kein Baustoff völlig starr, sondern unter Einfluss von Belastungen mehr oder weniger elastisch. Auftretende Formveränderungen wie Dehnung, Stauchung, Biegung, Verdrehung oder Verschiebung (siehe Abb. 1.12) müssen so klein bleiben, dass sie möglichst nicht in Erscheinung treten.

Bei statischen Betrachtungen werden die Kräfte und Bauwerke nur in Form von Skizzen dargestellt. Es werden leicht verständliche Symbole verwendet, z. B. Pfeile für die Kraftrichtung. Beim Einwirken einer Kraft treten in einem Bauteil meist mehrere Belastungsfälle gleichzeitig auf.

So zeigt Abb. 1.13, dass ein Träger/Sturz aufgrund einer von oben erzeugten Kraft durch das aufliegende Mauerwerk Zug- und Druckspannungen aufnehmen muss.

1.5.1 Lastannahmen für Bauten nach DIN 1055-2:2010-11 „Einwirkungen auf Tragwerke – Teil 2: Bodenkenngrößen"

Bei allen Bauwerken muss eine Verbindung zur Erdoberfläche hergestellt werden. Die Eigenschaften der Böden haben wesentlichen Einfluss auf die Gestaltung der Fundamente.

Wenn die Fundamente die Lasten nicht abtragen bzw. auffangen können, kommt es zu Setzungen (dem sog. Grundbruch), und das Gebäude kann irreversibel beschädigt werden. Vor jeder Baumaßnahme muss der Baugrund untersucht werden. Dazu kann eine Bohrung durchgeführt werden, um verschiedene Schichten zu erkennen. Meist reicht es, in bereits bebauten Gebieten auf Vergleiche mit Nachbarbauten zurückzugreifen. Die üblichen Unterschiede in der Tragfähigkeit des Untergrundes, die unterschiedliche Setzungen bewirken, sind der Grund, weshalb Reihenbauten nicht nur schalldämmtechnisch voneinander getrennt sein müssen. Das in Kapitel 1.12 noch näher behandelte Fundament muss an die Tragfähigkeit des Baugrundes durch entsprechende Bemaßung der Auflagefläche, die die Last überträgt, angepasst werden. Das aufgehende tragende Mauerwerk überträgt die auf ihm aufgebauten Lasten, auch der waagerecht tragenden Bauteile, wie Decken, Balkone und die des Daches, sowie die nicht tragenden Bauteile und Nutzungslasten.

1.5.2 Druckfestigkeit

Die Last des gesamten Baukörpers wird durch das aufgehende Mauerwerk auf die Fundamente übertragen. Um dieser Aufgabe gerecht werden zu können, brauchen alle Baustoffe, aus denen tragende Bauteile hergestellt werden, Druckfestigkeit. Diese Festigkeit wird in N/mm^2 gemessen und beschrieben. Aufgrund der Statik, die die aufliegenden Eigengewichte zuzüglich der maximal zulässigen Nutzlasten erfasst, werden die Druckfestigkeiten ermittelt, die die Baustoffe der tragenden Wände mindestens besitzen müssen.

Die Druckfestigkeit ist eine der Vorgaben, die bei der Auswahl der Baustoffe der Außenwand neben Wärmedämmung (die leichte Baustoffe erfordert) und dem Schallschutz (der Masse verlangt) berücksichtigt werden müssen. Die Stoffeigenschaften der Baustoffe, und somit auch die Einsatzmöglichkeiten, werden von der Rohdichte (kg/m^3) beeinflusst.

Ändert sich die Rohdichte eines Baustoffes, ändern sich auch die Parameter Druckfestigkeit, Wärmedämmung, Schallschutz, Wärmespeichervermögen. So bedeutet eine geringe Rohdichte auch eine geringe Festigkeit, schlechteren Schallschutz, aber bessere Wärmedämmung.

Beispiel

Porenbeton hat eine wesentlich geringere Dichte als Kalksandstein (KS) und wird als hoch wärmedämmender Baustein eingesetzt, wohingegen KS den besseren Schallschutz bietet, aber im Außenmauerwerk nur mit zusätzlicher Wärmedämmung verarbeitet werden kann.

1.5.3 Biegezugfestigkeit durch Stahlbewehrung

So groß auch Härte und Druckfestigkeit der mineralischen Baustoffe teilweise sind, ihre Biegezugfestigkeit reicht für etliche statische Funktionen nicht aus, die am Bau benötigt werden. In waagerechten Bauteilen, vor allem bei tragender Funktion, entsteht auf der unteren Hälfte eine Zugspannung, während die obere Hälfte zusammengedrückt wird. Den Druckkräften halten die hier üblichen Baustoffe, z. B. der Beton, gut stand. Den Zugbelastungen sind die Baustoffe nicht gewachsen. Sie brechen bzw. reißen auf der Zugseite ab. Die grundlegende Erkenntnis war, dem Beton die ihm fehlende Biegezugfestigkeit in Form von Stahl „beizugeben".

Möglich ist dies durch die Tatsache, dass der Zement eine sehr intensive Klebeverbindung mit dem Stahl eingeht und die starke basische Reaktion des Zements (die auf dem Anteil an Calciumhydroxid beruht) den Stahl vor dem Verrosten schützt. Mit der Verwendung so bewehrten Stahlbetons wurden die Träger auf die Funktion als Stützen und Unterzüge verdrängt.

Außer beim Spannbeton werden die Bewehrungsstähle nur in den Beton eingelegt, d. h., bei vor Ort betonierten Bauteilen wird der Baustahl mit Abstandhaltern auf die Schalung aufgebaut und dann durch Einbringen des Betons umhüllt. Man spricht hier von schlaffer Bewehrung. Nach Ausschalen und Belastung biegen sich die Bauteile etwas durch. Dadurch entsteht die Spannung des Stahls, der die fehlende Biegezugfestigkeit des Baustoffs Beton ersetzt.

Beim Spannbeton wird der Stahl vorgespannt, wodurch sich das Bauteil nach oben durchbiegt und erst unter Belastung in die Gerade geht.

Durch Rationalisierung werden immer mehr vorgefertigte Bauelemente verwendet. So werden verstärkt Flachstürze aus Ziegel- oder KS-Material hergestellt und eingesetzt. Dabei ist unbedingt zu beachten, dass diese Flachstürze, anders als der Betonsturz, nur „Zuggurte" sind; ihre Druckfestigkeit erhalten sie erst durch Übermauerung. Nur in dieser Kombination entsteht ein tragfähiger Balken. Beim Übermauern sind Flachstürze zu unterstützen.

1.6 Bauphysik

1.6.1 Wärme

Unter Wärme versteht man die Energie, die bei einem thermischen Vorgang übertragen bzw. freigesetzt wird. Erhitzt man einen Stoff, schwingen dessen Moleküle stärker. Verbrennt man beispielsweise Holz, verbindet sich der Kohlenstoff im Holz mit dem Sauerstoff in der Luft (Oxidation) und es entstehen unter anderem Wärme und CO_2. In der Bauchemie gibt es viele exotherme Prozesse, wie z. B. bei der Entstehung neuer Stoffverbindungen oder der Umschichtung des Kristallgefüges eines Stoffes. Der Transport von Wärmeenergie bzw. der Wärmeaustausch kann in 3 Formen stattfinden, die auch zusammen auftreten können: Wärmeleitung, Wärmestrahlung und Wärmekonvektion.

Joule (J) ist die Einheit für Wärme. Kelvin (K) bezeichnet die Temperaturänderung bei einem thermodynamischen Prozess. Ein Kelvin ist die Änderung der Wärme, also der Wärmeenergie, wenn sie genau $1{,}380\,649 \cdot 10^{-23}$ Joule beträgt.

Wärmeleitung/Wärmeleitfähigkeit

Die Wärmeleitfähigkeit bezeichnet eine Eigenschaft von festen, flüssigen oder auch gasförmigen Stoffen. Die Kenngröße drückt aus, wie schnell sich Wärmeenergie mittels Wärmeleitung durch den Stoff hindurch ausbreitet. Bei Dämmstoffen wünscht man sich, dass die Wärmeleitung möglichst langsam erfolgt. Ein Dämmstoff wirkt umso besser, je geringer seine Wärmeleitfähigkeit ist. Je porenreicher, leichter und trockener das Material, umso langsamer verläuft der Wärmetransport und umso besser ist die Dämmwirkung. Außerdem beeinflussen die Form der Poren, ihre Größe und der Feuchtigkeitsgehalt ihre Wärmeleitfähigkeit. Allgemein gesprochen ist die Wärmeleitfähigkeit umso höher, je dichter der Stoff ist.

Das Formelzeichen für die Wärmeleitfähigkeit ist λ (Lambda), und die Maßeinheit lautet W/(m · K) (Watt pro Meter mal Kelvin). Die Wärmeleitfähigkeit λ eines Stoffes gibt in W/(m · k) an, wie groß der Wärmestrom in W bei einer Temperaturdifferenz von 1 K durch eine Stoffschicht von 1 m Dicke ist. Die Temperaturdifferenz ist die notwendige Bedingung dafür, dass überhaupt Wärme fließt. Auch die Wärme in einem Innenraum fließt nur dann durch die Außenwände des Gebäudes, wenn es draußen kälter ist als drinnen.

Während die Lambda-Werte von Dämmstoffen durchweg eine Null vor (und nach) dem Komma haben, ist das bei anderen Stoffen nicht der Fall. Zum Vergleich: Kupfer hat eine Wärmeleitfähigkeit von mehr als 380 W/(m · K), für Edelstahl liegt der Wert bei 15 W/(m · K) und für Holz bei 0,13 W/(m · K). Aber auch innerhalb der Gruppe der Dämmstoffe gibt es noch ein relativ breites Spektrum. So erreichen Mineralwolle und Kunststoffschäume wie EPS und XPS in der Regel Werte zwischen 0,030 und 0,040 W/(m · K), während Naturdämmstoffe eher im Bereich oberhalb von 0,040 W/(m · K) angesiedelt sind. Mit Vakuum-Isolationspaneelen (VIPs) wiederum lassen sich extrem niedrige Wärmeleitfähigkeiten zwischen 0,004 und 0,008 W/(m · K) erreichen.

Wärmestrahlung

Die zweite grundsätzliche Form des Wärmetransports wird als Strahlung bezeichnet. Das Besondere: Wärmestrahlung funktioniert ganz ohne Medium oder schwingende Moleküle. Sie findet selbst im Vakuum statt, also z. B. im Weltraum. Das beste Beispiel dafür ist die Sonne. Sie sendet Wärmeenergie in Form von elektromagnetischen Wellen quer durch den luftleeren Raum auf die Erde, und das in Lichtgeschwindigkeit. Es kommt also zu einer Wärmeübertragung von der Sonne auf die Erde, ohne dass sich die beiden Himmelskörper berühren (Wärmeleitung) und ohne dass die Wärme über ein materielles Strömungsmedium übertragen wird (Konvektion).

Diese Strahlung macht sich der Mensch aber auch mithilfe selbst geschaffener Wärmequellen zunutze. So funktionieren z. B. Flächenheizungen für Fußboden, Wand und Decke mithilfe von Wärmestrahlung. Die schlaufenförmig verlegten, meist mit warmem Wasser gefüllten Rohrleitungen emittieren elektromagnetische Strahlung, die von anderen Körpern im Raum aufgenommen wird. Die Strahlung hier ist weitaus geringer als bei der Sonne. Auch die bekannten „Heizpilze", die in den letzten Jahren immer häufiger in gastronomischen Außenbereichen anzutreffen sind, beruhen auf dem Prinzip der Wärmestrahlung. Die Vorteile einer Strahlungsheizung liegen einerseits darin, dass die Erwärmung der angestrahlten Körper schneller erfolgt als bei einer Konvektionsheizung, die zunächst vor allem die Luft erwärmt und dann erst die Dinge im Raum. Außerdem gibt es weniger Luftumwälzungen, was der Mensch als angenehmeres Raumklima empfindet.

Einschränkend ist hinzuzufügen, dass die verschiedenen Formen des Wärmetransports in der Praxis nicht isoliert auftreten, sondern sich überlagern. Bei einer Strahlungsheizung wird durch die Erwärmung von Mobiliar und Wänden auch die Luft erhitzt, und eine Konvektionsheizung gibt – wie alle Körper – auch elektromagnetische Strahlung ab. Bei den unterschiedlichen Prozessen überwiegt jedoch immer eine Form der Wärmeübertragung.

Wärmekonvektion

Auch beim Lüften wird Wärmeenergie nach draußen abgeführt, allerdings zusammen mit dem Stofftransport der Raumluft. Bei diesem Vorgang handelt es sich um die zweite Form des Wärmetransports: die sog. Konvektion, auch Wärmemitführung genannt. Sie findet zwischen einem Festkörper und einem vorbeiströmenden Medium statt. Das Medium kann z. B. die Raumluft sein, aber auch das Wasser in einer Heizungsanlage.

Die Konvektion beim Lüften wird ausgelöst, wenn warme Raumluft durch den Windstrom von draußen oder durch den Ventilator einer Lüftungsanlage in Bewegung gerät. Anders als innerhalb eines Feststoffs oder zwischen 2 Feststoffen, die sich berühren, erfolgt aber keine Weitergabe der Wärmeenergie von Molekül zu Molekül. Stattdessen sind es die Luftteilchen selbst, die sich an einen anderen Ort bewegen, mitsamt der in ihnen gespeicherten Wärmeenergie.

Wärmeübertragung durch Konvektion findet auch zwischen Wänden und der Raumluft statt. Entscheidend dabei ist immer, dass die Luft in Bewegung sein muss, nur dann kann sie Wärme mitführen. In einem Raum mit geschlossenen Fenstern und ohne Windzug durch Bauwerksritzen werden die Luftmassen vor allem durch Heizungswärme in Bewegung gesetzt. Konventionelle Heizkörper erwärmen die Luft im unteren Bereich des Raums. Die erwärmte Luft weist eine geringere Dichte auf und steigt durch Verdrängung gegen die Zimmerdecke auf. Es findet also eine Wärmekonvektion in Richtung Zimmerdecke statt. Dort kühlt sich die Luft durch Wärmeleitung bei Vermischung wieder ab, erhöht die Dichte und sinkt erneut ab. Dann beginnt das Wechselspiel von Aufheizung und Abkühlung von Neuem.

1.6.2 Wärmedämmung

Um Wärmedämmung richtig zu verstehen und auch anzuwenden, ist das Verständnis einer Anzahl von Grundbegriffen unerlässlich.

Kälte gibt es in diesem Zusammenhang nicht. Kälte ist ein Mangel an Wärme. Nicht die Kälte dringt in den Raum ein, sondern die vorhandene Wärmeenergie fließt durch die Umfassungswände nach außen ab, dahin, wo weniger Wärme vorhanden ist. Isolieren, also den Durchgang durch einen Stoff unterbinden, kann man bei Wärme nicht. Es gibt keinen Stoff, der sich nicht selbst erwärmen, an die Temperatur der Umgebung anpassen und diese Wärme auch wieder an kältere Stoffe in seiner Umgebung abgeben muss.

Wärme dämmen kann man mit Stoffen, die die Wärme schlecht leiten.

Die Eigenschaft, Wärme schlecht zu leiten, ist Stoffeigenart. Um Wärmedämmung zu verstehen und richtig einzuschätzen, muss man sie in Zahlen sehen und die grundlegenden Rechenwege sicher beherrschen. In Tabelle 1.5 und 1.6 sind einige Kenndaten von Baustoffen und von Wärmedämmstoffen zusammengestellt (einige Zahlenwerte werden in den Wärmedämmberechnungen weiter unten verwendet).

Tabelle 1.5: Rohdichte und Wärmeleitfähigkeit von Baustoffen

Baustoffe	**Rohdichte in kg/m³**	**Wärmeleitfähigkeit in W/(m· K)**
Beton, Putze, Estriche, Mörtelschichten		
Normalbeton	2.000–2.600	2,10
Kalkmörtel, Kalkzementmörtel	1.800	0,87
Zementmörtel	2.000	1,40
Kalkgipsmörtel, Gipsmörtel	1.400	0,70
Leichtputz	1700	0,25
Zementestrich (CT)	2.000	1,40
Calciumsulfatestrich (CA)	2.100	1,20
Mauerwerk		
Vollklinker, Hochlochklinker	2.200	1,20
Vollziegel	1.200	0,50
Hochlochziegel (HLzW)	1550	0,22
KS-Mauerwerk	1.000	0,50
Porenbeton-Mauerwerk	1300	0,10
Hochblockstein (Hbl) Leichtbeton	1450	0,21
Vollblöcke (Vbl SW)	1450	0,16
Bauplatten		
Gipsplatten	1900–1.180	0,21–0,28
Gipsfaserplatten	1.050–1.250	0,23–0,35

Tabelle 1.6: Rohdichte und Wärmeleitfähigkeit für die Bemessung von Dämmstoffen

Wärmedämmstoffe	**Rohdichte in kg/m³**	**Wärmeleitfähigkeit in W/(m · K)**
Korkdämmstoffe	100–220	0,045–0,060
Polystyrol-Partikelschaum (EPS)	10–35	0,031–0,040
Polystyrol-Extruderschaum (XPS)	25–45	0,035–0,045
Polyurethan-Hartschaum (PUR)	30–35	0,020–0,030
Schaumglas (CG)	100–165	0,040–0,060
Zellulose-Dämmstoffplatten	80	0,040
Baumwolle	20–60	0,040
Mineralwolle (MW)	20–200	0,035–0,045

Berechnung der Wärmedämmung

Die Wärmedämmung der Raum umschließenden Bauteile, d. h. der Wände, Fußböden, Decken, Dächer usw., hängt von deren Aufbau ab.

Die **Wärmeleitfähigkeit** λ als Stoffeigenschaft wurde bereits thematisiert. Es erscheint selbstverständlich, dass der Widerstand, den ein Bauteil der Wärmeleitung entgegensetzt, bei gleicher Wärmeleitfähigkeit umso größer wird, je dicker das Bauteil konstruiert ist. Diese Tatsache berücksichtigt der **Wärmedurchlasskoeffizient** Λ, der definiert ist als $\Lambda = \lambda/d$, wobei d die Dicke in m des Bauteils ist. Als Einheit für Λ ergibt sich, wenn λ in W/(m · K) und d in m angegeben wird, W/(m² · K).

Für wärmetechnische Berechnungen wird meist der Kehrwert des Wärmedurchlasskoeffizienten benötigt, der Wärmedurchlasswiderstand $R = d/l$. Die Wärmedurchlasswiderstände von n aufeinanderfolgenden Schichten aus festen Körpern addieren sich zu:

$$d_1/\lambda_1 + d_2/\lambda_2 \ldots + d_n/\lambda_n \qquad (1.1)$$

Beim Übergang von äußerer Bauteiloberfläche zum Außenraum sowie innerer Bauteiloberfläche zum Innenraum entsteht ein Widerstand, der sich aus Einflüssen durch Konvektion und Strahlung zusammensetzt, Wärmeübergangswiderstand genannt wird und in der Regel zu einem Temperatursprung führt (siehe hierzu DIN EN ISO 6946: 2018-03 „Bauteile – Wärmedurchlasswiderstand und Wärmedurchgangskoeffizient – Berechnungsverfahren (ISO 6946:2017)").

Dieser Temperatursprung wird in der Berechnung durch den **Wärmeübergangswiderstand** R_s berücksichtigt.

Es wird unterschieden zwischen R_{si} und R_{se} für die Widerstände an innerer (engl.: internal) und äußerer (engl.: external) Bauteiloberfläche (engl.: surface).

Zusätzlich müssen bei Luftschichten innerhalb des Bauteils, ähnlich wie bei festen Bauteilschichten, Wärmedurchlasswiderstände berücksichtigt werden. Die Größe der Werte ist unter anderem davon abhängig, ob sich die angrenzende Luft bewegt oder ruht.

Die Rechenwerte der Wärmeübergangswiderstände an Bauteiloberflächen und der Wärmedurchlasswiderstände von geschlossenen Luftschichten sowie von Luftschichten in zweischaligem Mauerwerk sind in DIN EN ISO 6946 aufgeführt (vgl. Tabelle 1.7 und 1.8). Zu berücksichtigen ist hierbei, dass Wärmeübergangswiderstände sowie Wärmedurchlasswiderstände von der Richtung des Wärmestroms abhängig sind. Die Summe aller Wärmedurchlass- und Wärmeübergangswiderstände ergibt den **Wärmedurchgangswiderstand**:

$$R = R_{si} + R_1 + R_2 \ldots + R_n + R_{se} \qquad (1.2)$$

mit
si innen
se außen

Tabelle 1.7: Werte des Wärmeübergangswiderstands nach DIN EN ISO 6946

(m² · K)W	aufwärts	horizontal	abwärts
R_{si}	0,10	0,13	0,17
R_{se}	0,04	0,04	0,04

Für eingeschlossene Luftschichten können bestimmte Richtwerte angesetzt werden, die folgende Faktoren berücksichtigen: Die eingeschlossene Luft „ruht" nicht wirklich, sondern in einer Luftschicht bildet sich eine Konvektion (Luftströmung), die einen Ausgleich zwischen warm und kalt verursacht. Je breiter die Luftschicht, desto leichter kommt es zu einer Ausgleichsströmung.

Auch hier gibt die DIN EN ISO 6946 Tabellenwerte vor (vgl. Tabelle 1.8).

Tabelle 1.8: Wärmedurchlasswiderstand ruhender Luftschichten nach DIN EN ISO 6946 (Auszug)

d Luftschicht in mm	*R* in (m² · K/W) für die Richtung des Wärmestroms		
	aufwärts	horizontal	abwärts
5	0,11	0,11	0,11
10	0,15	0,15	0,15
15	0,16	0,17	0,17
25	0,16	0,18	0,19
50	0,16	0,18	0,21

Diese Werte dürfen allerdings nicht für belüftete Luftschichten angewendet werden.

Der Kehrwert des so ermittelten Wärmedurchgangswiderstands ist der **Wärmedurchgangskoeffizient**

$$U = 1/R_{si} + R + R_{se},$$

der in der Praxis als ***U*-Wert** (früher *k*-Wert) bekannt ist.

Der ***U*-Wert** ist nach deutschem Ordnungsrecht die festgelegte Kenngröße für den Wärmeverlust durch ein Bauteil.

Als Einheit ergibt sich für den *U*-Wert genau wie für den Wärmedurchlasskoeffizienten $W/(m^2 \cdot K)$. Für nebeneinanderliegende Bauteile mit unterschiedlichem Aufbau lässt sich ein „mittlerer Wärmedurchgangskoeffizient" berechnen, der sich anteilig aus den Werten der Einzelflächen an der Gesamtfläche ergibt.

Die folgenden Berechnungsbeispiele für eine Decke (siehe Tabelle 1.9) und eine zweischalige Außenwand (siehe Tabelle 1.10) mit Luftschicht zeigen, wie der *U*-Wert ermittelt wird.

In ein Formblatt mit 5 Spalten werden zunächst (nicht abgebildet) eingetragen: Baustelle, Bauteil, Datum.

In die erste leere Spalte erfolgt der Eintrag der einzelnen Baustoffschichten von innen nach außen. Danach werden Rohdichte, Dicke der Schicht und Wärmeleitfähigkeitswert eingetragen.

Dann erfolgt die Berechnung der Wärmedurchlasswiderstände sowie ihrer Summe. Dazu werden die Wärmeübergangswiderstände addiert. Der Kehrwert dieser Summe ist der *U*-Wert.

Tabelle 1.9: Wärmedämmberechnung für Decke

	Baustoffschichten von innen nach außen	Rohdichte in kg/m³	Dicke *s* in m	λ_B in W/(m · K)	d/λ_B in (m² · K)/W
1	Gipsplatten	(900)	0,0095	0,21	0,05
2	Luftraum zwischen Lattung	–	–	–	0,17
3	Stahlbeton	(2.500)	0,16	2,3	0,07
4	Dämmschicht (Wärmeleitfähigkeitsgruppe 040)	–	0,04	0,04	1,00
5	Calciumsulfatestrich	(2.100)	0,04	1,2	0,03
	$\frac{1}{1,49} = 0,67\ W/(m^2 \cdot K)$				1,32 R_{si} 0,13 R_{se} 0,04 **1,49**

Tabelle 1.10: Wärmedämmberechnung für Außenwand

	Baustoffschichten von innen nach außen	Rohdichte in kg/m³	Dicke *s* in m	λ_B in W/(m · K)	*d/l* in (m² · K)/W
1	Kalkputz	(1.800)	0,02	0,87	0,02
2	Hochlochziegel porosiert mit Leichtmauermörtel	(550)	0,24	0,30	0,08
3	Luftschicht	–	–	–	0,17
4	Verblender	(2.000)	0,115	0,96	0,12
	$\frac{1}{1,28} = 0,78\ W/(m^2 \cdot K)$				1,11 R_{si} 0,13 R_{se} 0,04 **1,28**

Nachdämmung und Zusatzdämmung

Die Nachdämmung oder Zusatzdämmung errechnet sich am leichtesten als „Anhang" an die Grundberechnung der Konstruktion, wie sie im Beispiel „Wärmedämmberechnung für Außenwand" ausgeführt ist. Eine Errechnung der nicht geschwächten Konstruktion muss ohnehin vorliegen. Auf diese wird zurückgegangen und es wird unterstellt, dass Heizkörpernischen vorhanden sind, die nachgedämmt werden müssen.

Bei gleicher Wandkonstruktion sind anstelle der porosierten Ziegel in 24 cm Dicke solche in 11,5 cm Dicke verbaut.

Die 24er-Ziegel ergeben:

$$d : \lambda_B = 0{,}24 : 0{,}30 = 0{,}8\ (m^2 \cdot K)/W$$

Die 11,5er-Ziegel ergeben:

$$d : \lambda_B = 0{,}115 : 0{,}30 = 0{,}38\ (m^2 \cdot K)/W$$

Die Differenz beträgt 0,42 $(m^2 \cdot K)/W$.

Daraus errechnet sich die Dicke eines Dämmstoffes der Wärmeleitfähigkeitsstufe (WLS) 040:

$$d = \lambda_B \cdot \text{Differenz} = 0{,}04 \cdot 0{,}42 = 0{,}0168\ m.$$

Die erforderliche Dämmstoffdicke beträgt 1,7 cm.

Wird berücksichtigt, dass hinter dem Heizkörper die Temperaturdifferenz nach draußen am größten ist, demnach die Wärmedämmung zwischen 25 und 50 % **besser** sein sollte, ergibt sich eine angebrachte Dämmstoffdicke von 2,5 cm.

Berechnung des Temperaturverlaufs in einer Wandkonstruktion

Abhängig vom konstruktiven Aufbau einer Raumbegrenzung, sei es Decke, Wand oder Dach, ist auch der Temperaturverlauf. Die unterschiedliche Wärmeleitfähigkeit der Baustoffschichten ist die Ursache dieser Zusammenhänge, für deren Feststellung es 2 wichtige Gründe gibt. Von Bedeutung für die Wohnbehaglichkeit während der kalten Jahreszeit ist die Temperatur der Innenseite der Begrenzungsflächen. Noch wichtiger für die bauphysikalische Funktion einer Wand oder Decke sind der Temperaturverlauf und seine Auswirkung auf den hindurch diffundierenden Wasserdampf. Diese Zusammenhänge werden in Kapitel 1.6.3 erläutert. Dieser Zusammenhang zeigt, wie eng die Bereiche Wärme und Wasserdampf im Baubereich verknüpft sind.

Mit den erforderlichen Zahlenwerten lässt sich der Temperaturverlauf in einer Wandkonstruktion berechnen. Dem Fachberater, der aus dem kaufmännischen Bereich kommt, sind die Formeln, mit denen der Temperaturverlauf sonst errechnet wird, meist zu kompliziert. Also galt es, einen einfacheren Weg zu finden. Dieser Weg der Berechnung des Temperaturverlaufs über einfache Prozentrechnung ist hier dargestellt.

Grundlage für die Berechnung des Temperaturverlaufs ist die tabellarische Errechnung des U-Wertes nach Tabelle 1.11.

Tabelle 1.11: Berechnungsbeispiel Temperaturgefälle

Nr.	Baustoffschichten von innen nach außen	R	% der Summe R	Temperaturgefälle in °C	Innentemperatur der Schicht in °C
1	Wärmeübergangswiderstand innen	0,13	3,13	0,94	+20,00[1)]
2	Kalkputz	0,02	1,56	0,47	+19,06
3	Leichthochlochziegel (LHLZ)	0,80	62,50	18,75	+18,59
4	Luftschicht	0,17	13,28	3,98	−0,16
5	Verblender	0,12	9,37	2,81	−2,97
6	Wärmeübergangswiderstand außen	0,04	10,16	3,05	−6,02
7	Außenluft			3,98	−10,00
		Summe 1,28	100 %	Diff °C	

1) gilt für Raumluft, nicht für die Oberfläche

Aus Tabelle 1.10 werden die Werte der letzten Spalte, die Wärmedurchlasswiderstände R von innen nach außen, in die erste Spalte übertragen und es wird die Summe gebildet (die zusätzliche Spalte für die Außenluft wird bei einem späteren Rechenschritt benötigt).

In der nächsten Spalte wird die prozentuale Verteilung dieser Werte ermittelt nach folgender Formel:

Einzelwert : Summe · 100, z. B. Wärmeübergangswiderstand innen 0,04 : Summe 1,28 = 0,03125 · 100 = 3,13.

Bevor die Berechnung weitergehen kann, muss die Temperatursituation festgelegt werden, die der Berechnung zugrunde liegen soll. Meist geht man dabei von relativ hoher Beanspruchung aus, die jedoch oft vorkommt.

Im Rechenbeispiel wird eine Außentemperatur von −10 °C bei einer Raumtemperatur von +20 °C zugrunde gelegt.

Die Differenz der Lufttemperaturen beträgt 30 °C; dieser Wert entspricht in Prozent dem Temperaturgefälle, und zwar als 100 %.

Das Temperaturgefälle wird nun nach den Prozentanteilen aller Einzelwärmedurchlasswiderstände rechnerisch aufgeteilt in Temperaturunterschied je Schicht (z. B. 3,13 : x = 100 : 30, x = 0,939 = 0,94).

In der letzten Spalte wird nun von innen nach außen das Temperaturgefälle ermittelt und so die Innentemperatur jeder Schicht in °C festgestellt. Beginnend beim Wärmeübergangswiderstand innen (20 °C) wird von 20 der Wert 0,94 abgezogen und für die nächstfolgende Schicht (Kalkputz) der Temperaturwert 19,06 °C ermittelt. Von 19,06 wird der

Wert 0,47 (Kalkputz) abgezogen und für die nächstfolgende Schicht (LHLZ) der Temperaturwert 18,59 °C ermitteln usw.

Diese Darstellung des Temperaturverlaufs ermöglicht es, zu ermitteln, wo der so wichtige **Taupunktbereich** (siehe Kapitel 1.6.3) liegt. Bei Ausgangstemperatur 20 °C und 50 % Luftfeuchte bei 9,3 °C käme es im obigen Rechenbeispiel etwa in der Mitte der LHLZ zur Kondensatbildung.

Wärmebrücken

Die großen Unterschiede in der Wärmeleitfähigkeit der Baustoffe haben einen erhöhten Wärmestrom im Vergleich zur ungestörten Fläche zur Folge. Der erhöhte Wärmestrom, der als Wärmebrücke bezeichnet wird, kann z. B. durch geometrische Gegebenheiten oder baustoffbedingte Unterschiede verursacht werden. Bei der energetischen Berechnung wird der Einfluss der Wärmebrücken pauschal oder individuell als Summe aller errechneten Wärmebrücken angesetzt. Es muss also darauf geachtet werden, Wärmebrücken unbedingt zu vermeiden.

Neben erhöhten Wärmeverlusten können Wärmebrücken auch Bauteilschäden zur Folge haben, z. B. durch die Bildung von Schimmelpilz. Dies ist vor allem dort der Fall, wo durch schlechte Wärmedämmung niedrige Oberflächentemperaturen im Innenraum bei gleichzeitig hoher Luftfeuchtigkeit herrschen. Abb. 1.14 zeigt, an welchen Stellen des Wohngebäudes ein erhöhtes Risiko für Wärmebrücken besteht.

1.6.3 Wasserdampf am Bau

Wasser existiert in 3 verschiedenen Aggregatzuständen, und zwar als Flüssigkeit, Dampf und Festkörper in Form von Eis. Am Bau wird nur ein ganz geringer Teil von Wasser chemisch zur Festigung von Baustoffen benötigt. Die nicht zum Abbindevorgang benötigte Feuchtigkeit muss wieder verdunsten. So ist das Wasser grundsätzlich der natürliche Feind trockener Wohnräume.

Das Wasser, das von außen eindringen will, abzuwehren, gelingt recht sicher. Mehr Schwierigkeiten verursacht das Wasser, das als Wasserdampf in der Luft enthalten ist. Menschen benötigen auch diesen Wasserdampf zu ihrem Wohlbefinden. Zu wenig Wasserdampf in der Luft, also zu trockene Luft, lässt Schleimhäute trocken und anfällig werden für Krankheiten. Zu viel Luftfeuchte empfindet man als Schwüle, wenn sie bei warmer Luft auftritt, und kühle, feuchte Luft empfindet man als „klamm". In zu feuchten Räumen entsteht Schimmel, es bilden sich Modergeruch, Wanddurchfeuchtung bedingt Wärmeverlust, häufig auch Bauschäden.

Menschen fühlen sich wohl bei einer relativen Luftfeuchtigkeit von 40 bis 60 %. Als Grenzen können 35 und 70 % angenommen werden. Luft kann bei einer bestimmten Temperatur eine bestimmte Menge Wasserdampf enthalten. So nimmt z. B. Luft von 20 °C bis zu 17,3 g Wasser in Dampfform (je m^3) auf (siehe Abb. 1.15). Stark vergröbernd kann man die Aufnahme von Wasserdampf in der Luft mit der Lösung von Salzen in Wasser vergleichen. Die Vorgänge ähneln einander.

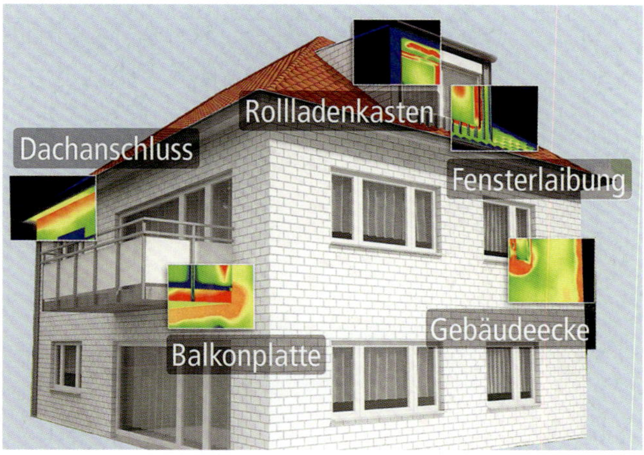

Abb. 1.14: Typische Wärmebrücken an Wohngebäuden (Quelle: Fachvereinigung Extruderschaum e. V., Berlin)

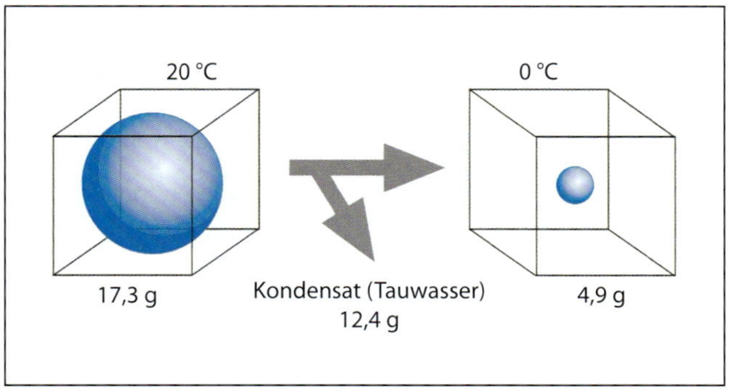

Abb. 1.15: Schematische Darstellung Kondensation: Kühlt man ein 1 m^3 großes gesättigtes Wasserdampf-Luft-Gemisch von 20 °C auf 0 °C ab, werden 12,4 g Wasser als Kondensat abgegeben.

Das Verhältnis (die Relation) des tatsächlichen zu dem bei der vorliegenden Temperatur höchstmöglichen Wasserdampfgehalt der Luft bezeichnet man als relative Luftfeuchte.

Die obere Grenze der Aufnahmefähigkeit, der Sättigungspunkt bei der jeweiligen Temperatur, sind dann 100 % relative Luftfeuchte, absolut trockene, wasserdampffreie Luft hat 0 % relative Luftfeuchte, die Teilmengen drücken sich in % aus.

Die relative Luftfeuchte steigt bei Zufuhr von Wasserdampf bei gleichbleibender Temperatur oder bei gleichbleibendem Wasserdampfgehalt und sinkender Temperatur.

Die relative Luftfeuchte fällt bei ansteigender Temperatur bei gleichbleibendem Wasserdampfgehalt oder bei abnehmendem Wasserdampfgehalt und gleichbleibender Temperatur. Wird der Sättigungspunkt bei Abkühlung überschritten, fällt der überschüssige Wasserdampf aus, er wird wieder zu Wasser (Kondensat). In Anlehnung an die Natur, in der die Taubildung am kühlen Morgen auftritt, nennt man diesen Punkt Taupunkt. Wann der Taupunkt erreicht wird, hängt vom Sättigungsgrad der Luft, also der relativen Luftfeuchte, und der Ausgangstemperatur ab. Bei steigender Temperatur vermag die Luft zusätzlich Wasserdampf aufzunehmen, bei fallender Temperatur wird nach Erreichen des Taupunktes Wasser abgegeben. Die damit zusammenhängenden Erscheinungen sind Nebel, Tau, Regen, beschlagene Fenster, Wandfeuchte.

Tabelle 1.12 gibt eine Übersicht über verschiedene Taupunkttemperaturen, Tabelle 1.13 über die maximale Feuchteaufnahme der Luft bei verschiedenen Temperaturen.

Tabelle 1.12: Taupunkttemperaturen nach „Schall, Wärme, Feuchte" (Gösele, Schüle, 1979)

Ausgangs-Temperatur in °C	relative Ausgangsluftfeuchte			
	30 %	50 %	70 %	90 %
0	-15,7	-9,3	-4,9	-1,5
10	-6,8	0,0	4,8	8,4
20	1,9	9,2	14,3	18,3
30	10,5	18,4	23,9	28,2
40	19,1	27,6	33,5	38,0

Tabelle 1.13: Maximale Feuchteaufnahme der Luft bei verschiedenen Temperaturen in g Wasser je m³ Luft

Lufttemperatur in °C	Wassergehalt in g/m³
-20	0,89
-15	1,39
-5	3,26
0	4,86
5	6,79
10	9,40
15	12,83
20	17,30

Wasserdampfdiffusion

Der in der Luft enthaltene Wasserdampf ist infolge der physikalischen Gesetze bestrebt, sich gleichmäßig überallhin zu verteilen.

Der Dampfdruck, der von der Temperatur abhängt, hat dasselbe Bestreben wie die Wärme: vom Punkt des höheren Vorhandenseins (höheren Drucks) sich in Richtung des Gefälles (Druck- bzw. Temperaturgefälles) „einzuebnen". Im Raum wird durch Heizen oder Kühlen eine andere Temperatur erzeugt, als sie in der Außenluft besteht. Dadurch entstehen zu beiden Seiten der Außenwände, der Decke oder des Daches unterschiedliche Drücke, sog. Teildrücke (Partialdrücke) des Wasserdampfes.

Die Folge davon ist, dass der Druckausgleich durch die Baustoffe hindurch erfolgt. Die Möglichkeit hierzu hängt von der Wasserdampfdurchlässigkeit der Baustoffe ab. Mithilfe der Kennzahl des Wasserdampfdiffusionswiderstands (auch Dampfsperrwert), der sog. Wasserdampfdiffusionswiderstandszahl (Symbol: μ), wird gemessen, wie stark ein Baustoff die Diffusion (Ausbreitung) von Wasserdampf verhindert.

Die Wasserdampfdiffusionswiderstandszahl eines Baustoffs ist ein dimensionsloser Materialkennwert. Sie gibt an, um welchen Faktor das betreffende Material gegenüber Wasserdampf dichter ist als eine gleich dicke, ruhende Luftschicht.

Je größer die μ-Zahl, desto dampfdichter ist ein Baustoff. Benötigt wird die Wasserdampfdiffusionswiderstandszahl zur Berechnung des Dampfdiffusionsstroms durch Bauteile. Die Dampfdiffusion ist abhängig von den Diffusionswiderständen der einzelnen Schichten. Tabelle 1.14 gibt eine Übersicht über die Wasserdampfdiffusionswiderstandzahl unterschiedlicher Stoffe.

Tabelle 1.14: Wasserdampfdiffusionswiderstandszahl einiger Stoffe

Stoff	Wasserdampfdiffusions-widerstandszahl μ
Luft	1
Holz	ca. 50
Ziegel, Porenbeton, Putz	ca. 5
Weichfaserplatte (Holz)	ca. 2
Gipsplatten	8
Glas	10.000
PE-Dichtfolie	100.000
Mineralwolle	1
Polystyrolschaum (PS)	ca. 50
EPS, andere Sorten	bis 200
Beton	50–100

Diese Zahl ist ein Rechenwert, für den eine Bezugstemperatur von 10 °C vorgeschrieben ist.

Der Wert ist für diffusionstechnische Berechnungen im Temperaturbereich von etwa −20 bis +30 °C ausreichend genau. Die *m*-Werte sind die Grundlage zur Errechnung der auf die Stoffdicke bezogenen wasserdampfäquivalenten Luftschichtdicke (s_d-Wert = $\mu \cdot s$; s = Schicht/Stoffdicke in Meter) (Diffusionswiderstand).

Beispiel

s_d-Wert

Ziegel besitzt einen μ-Wert von 5.

Eine 20 cm dicke Ziegelmauer hat also einen Diffusionswiderstand von $5 \cdot 0{,}2$ m = 1 m.

In der kühlen Jahreszeit, wenn die Temperatur in den Räumen höher ist als die der Außenluft, nimmt die Temperatur der Außenwände nach außen hin – abhängig von der Wärmeleitfähigkeit – ab. Der durch die Wände hindurch diffundierende Wasserdampf kühlt mit dem Temperaturgefälle der Wand ab. Es hängt letztlich von den Dämmeigenschaften der Wand ab, wo der Wasserdampf die Taupunktzone erreicht, also von dem Bereich, in dem der Wasserdampf zu einem Teil als Wasser ausfällt. Ist die Wand schlecht isoliert, wird bereits die Innenfläche feucht. Bei gut gedämmten Wänden liegt die Taupunktzone zumindest im äußeren Drittel. Eine geringe Menge von Kondensat (kondensiertes, ausgefallenes Wasser) im Inneren von Bauteilen schadet nicht, solange die Möglichkeit besteht, dass es wieder an die umgebende Luft abgeführt wird. Dabei ist es wichtig, dass die Wandkonstruktion die Wasserabgabe nach außen nicht behindert, sondern möglichst begünstigt. Alte Baukunst fordert, dass die Wasserdampfdurchlässigkeit der Baustoffe einer Wand nach außen hin zunimmt. Das trifft auch für Putz, Dämmung und Anstrich zu.

Kondenswasser im Bauteil führt zwangsläufig zur Minderung der Wärmedämmung, es kann in Pilzbefall, Blasenbildung und Absprengungen resultieren. Oberflächenkondensat kann Ausblühungen und Auslaugung verursachen. Kondensatbildung wird verhindert durch gute Wärmedämmung und durch sachgemäßen Schichtaufbau der Wand.

Bei einschaligen Wänden mit beidseitigem Putz ist die Gefahr der Kondensatbildung gering, soweit die Wärmedämmung ausreicht.

Luftdichte Ebene

Um kritische Luftfeuchte an oder im Bauteil zu verhindern, müssen die Bauteile, sofern nicht durch den verwendeten Baustoff bereits erfüllt, luftdicht ausgeführt bzw. an angrenzende Bauteile luftdicht angeschlossen werden. Hierzu werden meist diffusionsbremsende bzw. diffusionshemmende Folien aus Polyethylen oder Polyamid verwendet (siehe Abb. 1.16).

1.6.4 Dichtigkeit, Porosität und Kapillarität

Dichtigkeit und Porosität

Unter Dichtigkeit (Dichtheit) versteht man den Grad der Dichte eines Stoffes. Gilt ein Stoff als dicht, muss er undurchlässig für bestimmte Flüssigkeiten oder Gase sein. Im Bauwesen sind die Eigenschaften „luftdicht" und „wasserdicht" am bedeutendsten. Die Luftdichtheit des Gebäudes ist besonders hinsichtlich der Wärmedämmung wichtig, aber auch für ein angenehmes Raumgefühl entscheidend. Um den Anforderungen aus der DIN 4108 „Wärmeschutz und Energie-Einsparung in Gebäuden" sowie dem GEG (Gebäudeenergiegesetz) zu entsprechen, müssen an vielen Stellen beim Bauvorhaben luftdichte und wasserdichte Stoffe verwendet werden.

Bei Wasser unterscheidet man zwischen wasserdicht und dampfdicht. Ein Stoff oder ein Bauteil, der bzw. das wasserdicht ist, ist nicht automatisch dampfdicht. Wie dicht ein Stoff ist, hängt mit seiner Porosität zusammen. Je poröser ein Stoff, also je mehr Hohlräume er hat, desto undichter ist er. Porosität ist oft essenziell für bestimmte Funktionen der Bauteile. Dämmstoffe sind ein Beispiel für Stoffe, die gerade wegen ihrer Porosität zur Wärmedämmung genutzt werden können. Die Hohlräume (Poren) kreieren einen Lufteinschluss, was dazu führt, dass Wärme schlechter entweichen kann. Wichtig ist dabei, dass die Poren nicht miteinander verbunden sind, der Stoff also nicht offenporig ist. Dämmstoffe und Wandbaustoffe haben unterschiedliche

Abb. 1.16: Klimamembran aus modifiziertem Polyamid für den Einsatz bei der Zwischensparrendämmung (Quelle: Saint-Gobain Isover G+H AG, Düsseldorf)

Porengrößen. Je größer das Porenvolumen, desto leichter ist der Stoff bzw. das Bauteil.

Im Gegensatz zur Wärmedämmung erreicht man nur mit dichteren Baustoffen einen ausreichenden Schallschutz, weshalb man bei jedem Bauvorhaben auf die individuellen Anforderungen des Schall- und Brandschutzes sowie der Wärmedämmung achten muss. Eine große Halle, die nicht als Wohnraum verwendet wird, muss nicht so stark wärmegedämmt sein wie ein Wohnhaus, weshalb sich hier vermehrt Baustoffe mit höherer Dichte anbieten, die den Schallschutz fokussieren.

Es gibt im Bauwesen viele Stoffe, die je nach Herstellung unterschiedliche Dichten aufweisen. Beton z. B. wird mittels Luftporenbildnern in seinem Porenvolumen vergrößert, damit in den Poren eingeschlossenes Wasser gefrieren kann. Dabei kann jedoch trotzdem ein dichtes Gefüge beibehalten werden. In der Herstellung anderer Stoffe wird Wasser verwendet, von dem sich ein Teil nicht bindet und im Anschluss verdunstet. Dabei entstehen Hohlräume, durch die Feuchtigkeit eindringen und sich bewegen kann.

Kapillarität

Wasser, das sich in einem engen Behälter befindet, steigt bis über die Behälteroberfläche auf. Je enger der Behälter, desto höher steigt das Wasser, wie z. B. bei sehr engen Röhren (Haarröhren bzw. Kapillaren). Der Grund dafür sind die unterschiedlichen Oberflächenspannungen im Behälter. Die Oberflächenspannungen der Wassermoleküle untereinander wirken im Wechsel zu den Grenzflächenspannungen zwischen Wasser und dem festen Behälter. Dadurch entsteht die sog. Kapillarkraft, die Flüssigkeit entgegen der Schwerkraft aufsteigen lässt. In den Baustoffen geschieht dieses Aufsteigen von Wasser beispielsweise über die genannten Poren. Besonders anfällig sind Kelleraußenwände, bei denen die Feuchtigkeit im Erdreich über die Poren im Beton (oder in anderen Baustoffen) nach oben wandert, was auf lange Sicht zu Korrosion und Ausblühungen führen kann. Feuchtesperren fungieren als Schutzschicht, damit die Flüssigkeit nicht ins Mauerwerk und weitere Bauteile eindringen kann. Ebenso helfen Imprägnierungen, die Bauteile wasserabweisend machen, die Kapillarität zu verhindern.

20 dB	30 dB	40 dB	50 dB	60 dB	70 dB	80 dB	90 dB	100 dB	110 dB	120 dB
sehr leise	leise	ziemlich leise	normal	Sprache	laut	sehr laut	sehr laut bis unerträglich, schmerzhaft			
		Psychische Reaktion			Physiologische Reaktion			Gehörschädigungen		

Abb. 1.17: Schalldruckpegel, Wahrnehmungen und Auswirkungen auf den Menschen

1.6.5 Schallschutz

Der Schall ist eine physikalische Größe und gehört in den Bereich der Akustik. Er breitet sich als Schallwelle in einem Medium, z. B. der Luft, oder einem festen Material aus. Dies geschieht, indem die Moleküle schwingen und diese Schwingungen auf benachbarte Moleküle übertragen. Diese mechanischen Schwingungen sind mit Druckschwankungen verbunden. Das Ohr nimmt Schall wahr, weil die Druckschwankungen auf das Trommelfell wirken.

Aus dem großen Feld der Akustik interessiert Bauschaffende wiederum nur ein kleiner Teilbereich, nämlich die Dämmung des Schalls im Hochbau. Dabei geht es um

- Lärm von außen,
- Luftschall, der in den Räumen entsteht,
- Körperschall durch Gebäudenutzung, durch Installationen oder Lüftungen.
- Außerdem ist der Nachhall im Raum zu regeln.

Der Schallschutz ist eine komplexe Aufgabe und muss schon in der Planung berücksichtigt werden. Für komplexe Gebäudetypen (Konzertsäle, Theater, Vortragsräume) ist es unabdingbar, Akustikspezialisten hinzuzuziehen.

Frequenz

Schallwellen schwingen. Die Anzahl der Schwingungen pro Sekunde bezeichnet man als Frequenz. Ihre Einheit ist Hertz (Hz). Für das (gesunde) menschliche Ohr ist der Frequenzbereich von etwa 16 Hz (Tieftonbereich) bis 16.000 Hz (Hochtonbereich) hörbar. Sehr hohe Frequenzen spielen in der Architektur aber kaum eine Rolle. In der Bauakustik wird das Frequenzspektrum von 100 bis 3150 Hz („bauakustischer Frequenzbereich") als zu schützender Bereich betrachtet.

Schalldruckpegel

Eine Größe zum quantitativen Beschreiben des Schalls („Lautstärke") ist der Pegel der Druckschwankung. Das menschliche Ohr nimmt solche Druckschwankungen wahr (siehe Abb. 1.17). Gemessen werden können sie ebenfalls.

Um nicht mit unpraktischen Zahlen arbeiten zu müssen, hat man gemessene Zahlewerte in eine logarithmische Darstellung überführt, das Dezibel (dB). Diese Darstellung hat den Vorteil, dass eine Verdoppelung dieses logarithmischen Wertes auch vom Hörer als Lautstärkeverdoppelung empfunden wird.

Luftschall – Körperschall

Neben dem bekannten Luftschall breitet sich der Schall jedoch auch in festen Körpern und Flüssigkeiten aus. Die Ausbreitungsgeschwindigkeit des Schalls in einem Körper ist umso größer, je dichter ein Stoff ist.

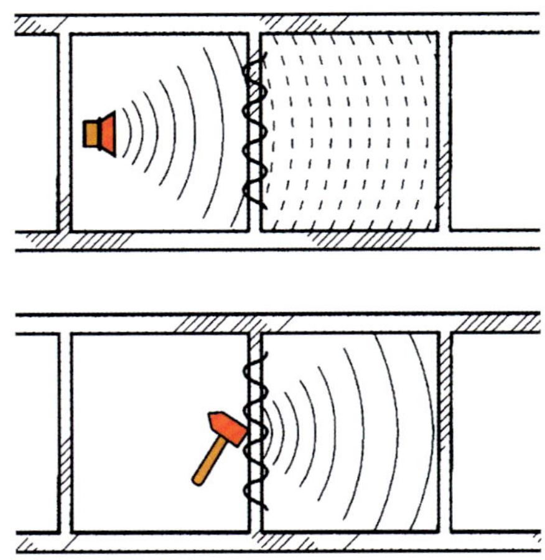

Abb. 1.18: Übertragung von Luftschall (oben) und Körperschall (unten)

Zu unterscheiden sind also

- Luftschall und
- Körperschall,

da sie unterschiedlich zu behandeln sind (siehe Abb. 1.18).

Die Wand aus Beton ist dabei im Vorteil, wenn es darum geht, sie durch Luftschall anzuregen. Beim Körperschall ist sie dagegen leichteren Bauteilen gegenüber im Nachteil.

Körperschall entsteht in vielerlei Form: als Trittschall, durch Schließen von Türen, Wasser- und Abwasserleitungen und fest mit dem Baukörper verbundene Maschinen. Ebenfalls zum Körperschall gehört die Flankenübertragung bei angrenzenden Wänden.

Schallabsorption – Reflexion

Schallabsorption ist physikalisch die Umwandlung von Schallenergie in Wärme. Sie erfolgt durch Reibung im Absorbermaterial, das porös sein muss. Trifft eine Schallwelle auf eine solche poröse Wand, wird nur ein Teil der Schallenergie absorbiert, der Rest der Schallwellen wird durch die schallharten Bereiche in den Raum zurückgeworfen (reflektiert).

Den Anteil der reflektierten Schallwellen nennt nennen Fachleute „Nachhall". Dieser ist definiert als die Zeitspanne, in der ein Schalldruck im Raum nach Abschalten der Schallquelle um 60 dB abnimmt. Ein einfaches Mittel, den Nachhall in einem Raum zu prüfen besteht im Händeklatschen.

In Wohnungen wird der Schallpegel durch Einsatz von Schall schluckenden Wohnungselementen (schwere Vorhänge, Polstermöbel usw.) gemindert. Für gewerblich genutzte Räume stehen industriell gefertigte Schallabsorber zur Verfügung. Sie bestehen meist aus Mineralwolle oder Akustikschaum. Das Maß der Schallschluckung ist der Absorbtionsgrad, der bei vollständiger Reflexion den Wert 1 und bei vollständiger Absorption den Wert 0 annimmt.

Schallschluckung funktioniert nur im Raum selbst, in dem der Schall entsteht. Ist eine Wand ins Schwingen gebracht, schützt Schallschutzmaterial auf der Seite des Nachbarraumes nicht mehr gegen den Schalldurchgang.

Schalldämmung

Die Dämmung des Luftschalls geschieht durch Masse. Gase enthalten pro Raumteil weit weniger Masseteilchen als feste Stoffe. Je mehr Masse, z. B. einer Wand, von den anliegenden Luftteilchen in Schwingung versetzt werden muss, umso weniger dringt durch die Wand hindurch und vermag die auf der anderen Seite der Wand anliegende Wand in Schwingung zu versetzen. Masse dämmt die von der Luft auf feste Stoffe übergehende Schallenergie.

Schwieriger wird es, wenn feste Körper selbst in Schallschwingung versetzt werden. Die Schallwellen breiten sich dort je nach Stoffbeschaffenheit wesentlicher schneller aus als in der Luft und nicht nur auf direktem Wege, sondern über sog. Schallnebenwege. Bauteile, die in Schwingung geraten können, müssen deshalb elastisch getrennt werden.

Schalldämmung bei Trennwänden

Wo man entweder aus statischen Gründen oder aus wirtschaftlichen Gründen (Wandstärken) kein hohes Wandgewicht unterbringen will oder kann, trotzdem jedoch eine hohe Schalldämmung benötigt wird, werden zweischalige leichte Trennwände eingesetzt.

Bei der zweischaligen Trennwand verhindert man eine direkte Verbindung der beiden die Wand bildenden Schalen (sog. „Entkoppelung“), um die Übertragung der Schwingungen von der einen Schale auf die andere zu vermeiden. Eine zwischen beiden Schalen eingebaute Mineralfaserschicht vermindert dabei die Weiterleitung der Schallenergie durch die Luftschicht. Für diesen Zweck werden Mineralfaserplatten/-matten eingebaut.

Wichtig ist dabei auch, dass die direkte Schallübertragung in die angrenzenden Wände (Schallnebenwege) verhindert wird. Das geschieht durch Dämmstoffstreifen an den berührenden Wänden.

Bewertetes Schalldämmmaß R'_w

Das bewertete Schalldämmaß R'_w ist das nach den Vorgaben der DIN 4109 „Schallschutz im Hochbau“ berechnete Schalldämmaß unter Berücksichtigung der Schallübertragung über flankierende Bauteile (siehe Abb. 1.19). Es gibt Auskunft über die Schalldämmung einers Bauteils (z. B. einer Wand) ohne Berücksichtigung der Frequenzabhängigkeit. Diese vereinfachte Charakterisierung berücksichtigt allerdings nur den Frequenzbereich von 100 bis 3.150 Hz. Zu beachten ist daher im Einzelfall, dass vor allem der Bereich unter 100 Hz („Tieftonbereich“) von Nutzern und Bewohnern als sehr störend empfunden wird.

In der Praxis orientiert sich der erforderliche Schallschutz von Außenbauteilen eines Gebäudes an der Lärmbelästigung durch Fassade, Fenster und Türen. Für Außenwände ergibt sich daher aus den verschiedenen Komponenten, (Wand und Fenster) ein resultierendes Schalldämmmaß $R'_{w,res}$. Dabei ist die schalltechnische Qualität der Fassade

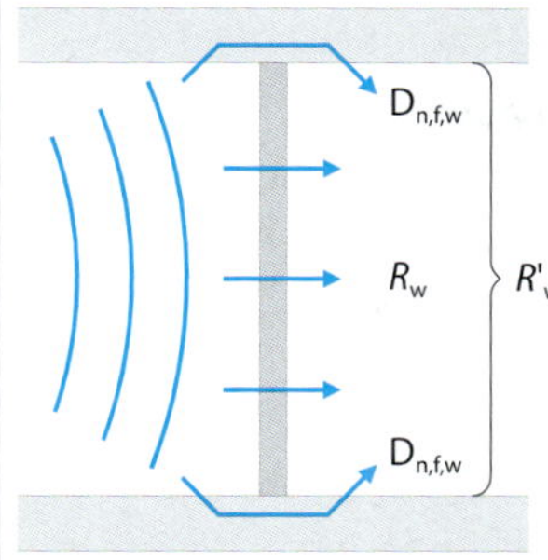

R_w Bewertetes Schalldämm-Maß ohne Schallübertragung über flankierende Bauteile
$D_{n,f,w}$ Bewertete Norm-Flankenpegeldifferenz
R'_w Bewertetes Bau-Schalldämm-Maß mit Schallübertragung über flankierende Bauteile

Abb. 1.19: Luftschalldämmung zwischen 2 Räumen (Quelle: Knauf Insulation GmbH, Simbach am Inn)

Abb. 1.20: Mit einer Verbundtrittschalldämmung für Fliesenbeläge lässt sich der Trittschall deutlich reduzieren. (Quelle: Schlüter-Systems KG, Iserlohn)

im Wesentlichen vom Schalldämmmaß der Fenster abhängig.

Trittschalldämmung

Trittschall ist ein Störfaktor, der durch das Begehen der Decken entsteht. Technisch reagiert man darauf mit einem schwimmenden Estrich. Dadurch wird die zu begehende Scheibe durch Dämmstreifen von den angrenzenden Wänden schallentkoppelt. Die Platte „schwimmt“ quasi auf der darunterliegenden Dämmstoffebene. Die Schwingungen, die durch Schuhwerk erzeugt werden, übertragen sich daher nur zu einem geringen Teil auf die Decke darunter und auf alle umgebenden Wände (siehe Abb. 1.20).

Schallbrücken

Von Schallbrücken spricht man, wenn der Schall die Dämmung „umgehen“ kann. Ein Nagel, der 2 schalltechnisch voneinander getrennte Bauteile ungewollt verbindet, ein Materialbrocken, ein Korn in der Trittschalldämmung, ein durchgelaufener Zementestrich oder die fest angedrehte Befestigungsschraube einer Trennwand können den Wert der Schallschutzmaßnahme infrage stellen. Schallbrücken sind ein Baumangel und müssen unbedingt vermieden werden.

Anforderungen und Empfehlungen für den Schallschutz

Grundlage für den Schallschutz ist die DIN 4109. Diese Norm beinhaltet Mindestanforderungen an den Schallschutz gegenüber einem fremden Wohn- oder Arbeitsbereich, die auch ohne vertragliche Vereinbarungen einzuhalten sind. Allerdings definieren Landesbauordnungen einzelne Räume unterschiedlich und formulieren daher unterschiedliche Schallschutzanforderungen.

Anforderungen und Orientierung für Schallschutzmaßnahmen, die über das bauaufsichtlich geschuldete Mindestmaß der DIN 4109 hinausgehen, bietet die VDI-Richtlinie 4100 „Schallschutz im Hochbau". Die Richtlinie ist nicht baurechtlich eingeführt, wird aber als Stand der Technik angesehen. Sie legt 3 Schallschutzstufen (SST) fest:

- Die SST I entspricht den Anforderungen der DIN 4109.
- Die SST II entspricht etwa den Anforderungen aus DIN 4109, Beiblatt 2.
- Die SST III liegt deutlich über den Anforderungen aus DIN 4109, Beiblatt 2.

Alle Anforderungen, die über die Mindestanforderungen der DIN 4109 hinausgehen, müssen vertraglich gesondert vereinbart werden.

Lärmschutz

Als Verursacher von Lärm gelten Straßenverkehr, Schienenverkehr, Flugverkehr, Gewerbebetriebe, sowie Sport- und Freizeitanlagen. So fühlen sich z. B. ca. 25 % aller Bundesbürger durch Straßenverkehr belästigt. Lärmschutz ist grundsätzlich eine städtebauliche Aufgabe. Der Mensch muss insbesondere in seinen Wohn- und Ruhegebieten gegen Belästigung und Gesundheitsschädigung durch Lärm geschützt werden.

1.7 Baulicher Brandschutz

1.7.1 Allgemeines

Vorbemerkung

Dieser Beitrag bezieht sich stellenweise auf Inhalte der Musterbauordnung (MBO) Fassung 2002, zuletzt geändert durch Beschluss der Bauministerkonferenz vom 25.09.2020, und auf die Muster-Verwaltungsvorschrift Technische Baubestimmungen (MVV TB) Ausgabe 2021/1 vom 17.01.2022. Im konkreten Einzelfall gelten die Landesbauordnungen (LBO) und die landesspezifischen technischen Baubestimmungen des Bundeslandes, in dem das Bauwerk errichtet wird. Im baulichen Brandschutz sind zum Zeitpunkt der Erstellung dieses Beitrages viele der hier beschriebenen Grundlagen aus der „Muster-Welt" bundesweit identisch im Landesrecht. In Einzelfällen können jedoch Abweichungen in einzelnen Bundesländern auftreten.

In den bauaufsichtlichen Vorschriften und Regelwerken, vornehmlich den LBO, den sog. „Sonderbauvorschriften" und den Technischen Baubestimmungen, nimmt der bauliche Brandschutz einen großen Raum ein. Brandschutz ist eine der Grundanforderungen an Bauwerke nach der sog. Bauproduktenverordnung (Verordnung (EU) Nr. 305/2011 des Europäischen Parlamentes und des Rates vom 9. März 2011 zur Festlegung harmonisierter Bedingungen für die Vermarktung von Bauprodukten und zur Aufhebung der Richtlinie 89/106/EWG des Rates) und ist weltweit Gegenstand von Anforderungen an Bauwerke und ihre Teile. Neben dem baulichen Brandschutz sind der sog. anlagentechnische Brandschutz (z. B. Löschanlagen, Entrauchungsanlagen), der betrieblich-organisatorische Brandschutz und der abwehrende Brandschutz weitere wichtige Brandschutzaspekte. Erstes Schutzziel ist stets, der Entstehung eines Brandes vorzubeugen. Sollte es dennoch zu einem Brand kommen, muss

- der Ausbreitung von Feuer und Rauch (Brandausbreitung) vorgebeugt werden und
- sowohl die Rettung von Menschen und Tieren
- als auch wirksame Löscharbeiten möglich sein (§ 14 MBO).

Brandverhalten – Feuerwiderstand

Der bauliche Brandschutz umfasst neben der Konzeptionierung von Flucht- und Rettungswegen in Gebäuden vorrangig die Bauprodukte und Bauteile, die bei einem Brand im Bauwerk beansprucht werden. Es ist elementar, hierbei zwischen dem Brandverhalten der Baustoffe und dem Feuerwiderstand der Bauteile zu unterscheiden (siehe Tabelle 1.15).

Tabelle 1.15: Brandverhalten und Feuerwiderstand von Baustoffen

Brandverhalten der Baustoffe	Feuerwiderstand der Bauteile
Beschreibt, wie sich Baustoffe und Bauprodukte bei einer kleinräumigen oder mittleren Brandbeanspruchung, z. B. durch eine Feuerzeug- oder Kerzenflamme oder durch einen brennenden Abfalleimer, verhalten und wie weit sie bei einem Vollbrand selbst einen Beitrag zum Brand leisten. Es handelt sich hierbei im Wesentlichen, jedoch nicht ausschließlich, um eine Eigenschaft des isolierten Baustoffes/Bauproduktes.	Gibt an, wie weit ein statisch wirksames Bauteil seine Standsicherheit im Brandfall behält („tragend feuerwiderstandsfähiges Bauteil") und wie weit es die Brandausbreitung in andere Räume oder Bereiche des Bauwerks verhindert („raumabschließend feuerwiderstandsfähige Bauteile"). Bauteile können (nur) tragend oder (nur) raumabschließend feuerwiderstandsfähig sein oder (kombiniert) tragend und raumabschließend feuerwiderstandsfähig.

Wichtig

Der Feuerwiderstand ist in den meisten Fällen keine Eigenschaft eines handelbaren Bauproduktes, sondern eines Bauteils in einer bestimmten Bauart, das aus mehreren Bauprodukten zusammengefügt ist. Ein einzelner Mauerstein kann keinen Feuerwiderstand haben – sehr wohl aber eine aus Mauersteinen, Mörtel und Putz hergestellte Mauerwerkswand. Sie kann sowohl unter Brandbeanspruchung eine gewisse Zeit standsicher sein (was nicht nur vom Wandaufbau selbst, sondern auch von der Belastung im Brand abhängt), als auch die Ausbreitung des Brandes auf den benachbarten Raum verhindern. Dabei sind auch die Anschlüsse an angrenzende/flankierende Bauteile von Bedeutung. Damit der Feuerwiderstand erreicht wird, ist eine korrekte Ausführung des Bauteils essenziell. Nur für wenige handelbare Bauprodukte kann sinnvoll ein Feuerwiderstand angegeben werden. Dies sind z. B. feuerwiderstandsfähige Abschlüsse (Türen und Tore) oder Absperrvorrichtungen für Lüftungsanlagen („Brandschutzklappen"). Auch sie erreichen den mit ihnen angegebenen Feuerwiderstand nur, wenn sie korrekt eingebaut und an die sie umgebenden Bauteile angeschlossen werden.

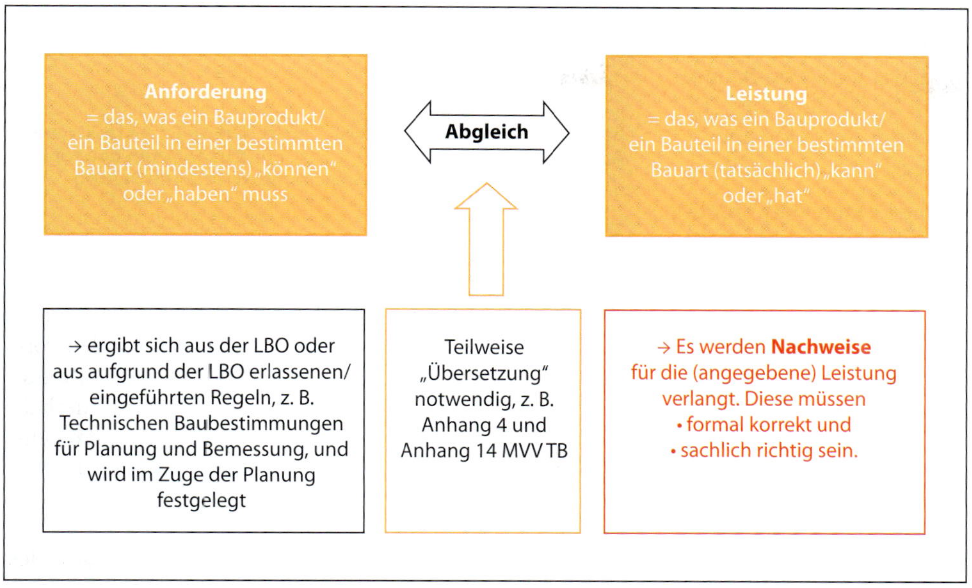

Abb. 1.21: Unterscheidung von Anforderung und Leistung bei Bauprodukten und Bauarten

Anforderung – Leistung

Eine weitere wichtige Unterscheidung – nicht nur im Brandschutz – betrifft die Unterscheidung zwischen Anforderungen an und Leistungen von bestimmten Eigenschaften von Bauprodukten. Die Zusammenhänge zeigt Abb. 1.21. Bauprodukte dürfen („nur dann") verwendet werden, wenn ihre Leistungen die Anforderungen erfüllen. Die Anforderungen der Bauordnungen an das Bauwerk können häufig auf unterschiedliche Weise erfüllt werden, sodass im Zuge der Planung die objekt- und einbauortspezifischen konkreten Anforderungen an die Eigenschaften von Bauprodukten festgelegt werden müssen. Diese müssen den ausführenden Fachunternehmen klar kommuniziert werden. In bestimmten Fällen bestehen „Standardanforderungen", die Fachunternehmen auch bekannt sein sollten.

Anforderungen an das Brandverhalten

Für die Anforderungen an das Brandverhalten der Baustoffe nutzen die LBO allgemein die folgenden Begriffe:

- nichtbrennbar,
- schwerentflammbar,
- normalentflammbar,

teilweise ergänzt um zusätzliche Anforderungen an die sog. Brandnebenerscheinungen

- nicht brennend abtropfend,
- geringe Rauchentwicklung.

Bauprodukte, die nicht mindestens normalentflammbar sind („leichtentflammbare Baustoffe"), dürfen nicht verwendet werden – es sei denn, sie sind in Verbindung mit anderen Baustoffen nachgewiesenermaßen nicht mehr leichtentflammbar. Bauprodukte müssen also grundsätzlich mindestens normalentflammbar sein. In speziellen Einbausituationen gibt es höhere Anforderungen, die in den LBO angegeben sind. Im Planungsprozess werden die konkreten Anforderungen an die Bauprodukte festgelegt. Über Brandschutzkonzepte kann auch von den Standardanforderungen der LBO abgewichen werden. Eine konkrete Anforderung ist gemäß § 36 Abs. 6 Nr. 1 MBO beispielsweise, dass in notwendigen Fluren Bekleidungen, Putze, Unterdecken und Dämmstoffe aus nichtbrennbaren Baustoffen bestehen müssen.

Anforderungen an den Feuerwiderstand

Für die Anforderungen an den Feuerwiderstand der Bauteile werden seit Langem die Begriffe

- feuerbeständig,
- hochfeuerhemmend,
- feuerhemmend

genutzt. Daneben gibt es weitere Anforderungen speziell im Bereich der Brandwände, der Wände, die anstelle von Brandwänden zulässig sind, für den Industriebau (Feuerwiderstandsfähigkeit von 120 Minuten) und seit MVV TB Ausgabe 2020/2 neue Begriffe speziell für Massivholzbauteile im Anwendungsbereich der Muster-Richtlinie über brandschutztechnische Anforderungen an Bauteile und Außenwandbekleidungen in Holzbauweise (MHolzBauRL), Fassung Oktober 2020. Auch hier ergeben sich – wie oben beim Brandverhalten ausgeführt – die konkreten Anforderungen aus der Landesbauordnung und/oder Brandschutzkonzepten. Konkrete Anforderungen sind beispielsweise, dass die Wände notwendiger Flure von Nichtkellergeschossen als raumabschließende Bauteile feuerhemmend sein müssen (§ 36 Abs. 4 Satz 1 MBO) oder dass die Abschlüsse von Öffnungen („Türen") in Trennwänden zwischen Nutzungseinheiten feuerhemmend, dicht- und selbstschließend sein müssen (§ 29 Abs. 5 MBO).

Leistungen

Die Leistung der Baustoffe und Bauprodukte hinsichtlich des Brandverhaltens und der Bauteile hinsichtlich des Feuerwiderstandes werden häufig in Form von Klassen des Brandverhaltens bzw. des Feuerwiderstandes angegeben (siehe Kapitel 1.7.2 und 1.7.3). Es liegen quasi „verschiedene Sprachen" für die Beschreibung der Anforderung einerseits und der Leistung andererseits vor. Diese müssen für den notwendigen Abgleich, ob die (vorhandene) Leistung den Anforderungen genügt, ineinander „übersetzt" werden.

Dies erfolgt über die sog. „Zuordnungstabellen" in Anhang 4 MVV TB (Technische Regel „Bauaufsichtliche Anforderungen, Zuordnung der Klassen, Verwendung von Bauprodukten, Anwendung von Bauarten"). In den Tabellen 1.16 bis 1.23 ist diese Zuordnung für wichtige Produkte und Bauteile im Baustoffhandel mit angegeben.

Schließlich werden Nachweise für die Leistung des Brandverhaltens benötigt, die formal und sachlich richtig sein müssen (siehe Kapitel 1.7.4).

1.7.2 Brandverhalten von Baustoffen

Für das Brandverhalten von Baustoffen bestehen parallel das europäische Klassifizierungssystem nach DIN EN 13501-1:2019-05 „Klassifizierung von Bauprodukten und Bauarten zu ihrem Brandverhalten – Teil 1: Klassifizierung mit den Ergebnissen aus den Prüfungen zum Brandverhalten von Bauprodukten", verbreitet als Euroklassen bezeichnet, und das nationale Klassifizierungssystem nach DIN 4102-1:1998-95 „Brandverhalten von Baustoffen und Bauteilen – Teil 1: Baustoffe; Begriffe, Anforderungen und Prüfungen", die als 2 verschiedene technische Sprachen zur Angabe der Leistung hinsichtlich des Brandverhaltens gesehen werden können. Die Leistungsangabe mit den sog. Euroklassen ist vielfältiger möglich als die Leistungsangabe nach nationalen Klassen. In beiden Fällen sind jedoch die Brandnebenerscheinungen Rauch und brennendes Abtropfen oder Abfallen mit zu berücksichtigen. Zusätzlich werden das Brandverhalten von Bodenbelägen und das Brandverhalten von Kabeln vom Brandverhalten anderer Baustoffe unterschieden und anders klassifiziert, weil sie anders geprüft werden. Lineare Rohrdämmstoffe werden ebenfalls anders geprüft, haben am Ende aber dieselben Klassenbezeichnungen wie Bauprodukte außer Bodenbelägen und Kabeln. Für Bedachungen gibt es ein weiteres Klassifizierungssystem.

Euroklassen für Bauprodukte außer Bodenbelägen, Kabeln, Bedachungen

DIN EN 13501 kennt für Bauprodukte außer Bodenbelägen insgesamt 40 verschiedene Klassen des Brandverhaltens, die sich aus einer der 7 Hauptklassen (A1, A2, B, C, D, E und F; A1 am besten, F am schlechtesten) und (teilweise) zusätzlichen Angaben zu den Brandnebenerscheinungen Rauch (s1, s2 oder s3) und brennendes Abtropfen oder Abfallen (d0, d1 oder d2) zusammensetzen. Kleinere Zahlen bei den Brandnebenerscheinungen sind besser. Die wichtigsten bauaufsichtlichen Anforderungen an das Brandverhalten von Baustoffen und die ihnen zugeordneten Klassen des Brandverhaltens nach EN 13501-1 zeigt Tabelle 1.16. Die Tabelle gilt analog für lineare Rohrdämmstoffe, dann ist die Klasse mit dem zusätzlichen Index „L" versehen (z. B. $A2_L$–s1, d0). Die Zusammenstellung basiert auf Anhang 4, Tabelle 1.2 der MVV TB 2021/1, die für wenige spezielle Fälle von Anforderungen noch weiter differenziert. Zur Vereinfachung wird hier darauf verzichtet.

Tabelle 1.16: Zuordnung bauaufsichtlicher Anforderungen zu Klassen des Brandverhaltens nach EN 13501-1 für ausgewählte Anforderungen an das Brandverhalten

bauaufsichtliche Anforderung	mindestens erforderliche Klasse	weitere mögliche Klassen bis zur nächsthöheren bauaufsichtlichen Anforderung		
nichtbrennbar[1)]	A2–s1, d0		A1	
schwerentflammbar und nicht brennend abtropfend oder abfallend[1)]	C–s2, d0		A2–s2, d0	
			B–s2, d0	B–s1, d0
				C–s1, d0
schwerentflammbar[1)]	C–s2, d2		A2–s2, d1	A2–s1 ,d1
			A2–s2, d2	A2–s1, d2
			B–s2, d1	B–s1, d1
			B–s2, d2	B–s1, d2
			C–s2, d1	C–s1, d1
				C–s1, d2
normalentflammbar	E–d2	A2–s3, d0		
		A2–s3, d1		
		A2–s3, d2		
		B–s3, d0		
		B–s3, d1		
		B–s3, d2		
		C–s3, d0		
		C–s3, d1		
		C–s3, d2		
		D–s3, d0	D–s2, d0	D–s1, d0
		D–s3, d1	D–s2, d1	D–s1, d1
		D–s3, d2	D–s2, d2	D–s1, d2
		E		
leichtentflammbar[2)]	*NPD[2)]*	*F[2)]*		

1) Hinweis zum kontinuierlichen Schwelen oder Glimmen im Text beachten
2) nicht in MVV TB angegeben

Wichtig: Änderung gemäß MVV TB 2019/1

Seit MVV TB 2019/1 sind Bauprodukte mit der Brandnebenerscheinung s3 nicht mehr schwerentflammbar. So kann auch ein Produkt mit der Euroklasse A2, B oder C nur noch als normalentflammbar eingestuft werden, wenn es s3-klassifiziert ist.

Die Prüfungen, auf denen die Klassifizierung nach DIN EN 13501-1 beruht, berücksichtigen nicht, dass bestimmte Bauprodukte eine Neigung zum kontinuierlichen Schwelen oder Glimmen zeigen. Wenn Bauprodukte nichtbrennbar oder schwerentflammbar sein müssen, so ist sicherzustellen, dass es nicht durch unbemerktes fortschreitendes Glimmen und/oder Schwelen zu einer Brandausbreitung kommen kann (vgl. A 2.1.2 MVV TB). Für bestimmte glimmgefährdete Bauprodukte wird deshalb zusätzlich ein Nachweis gefordert, dass diese (nur dann, wenn sie nichtbrennbar oder schwerentflammbar sein müssen) einen zusätzlichen Nachweis benötigen, dass sie keine Neigung zum kontinuierlichen Schwelen zeigen. Dafür genügt ein Prüfbericht nach DIN EN 16733:2016-07 „Prüfungen zum Brandverhalten von Bauprodukten – Bestimmung der Neigung eines Bauprodukts zum kontinuierlichen Schwelen" mit der Angabe „Die Prüfung wurde bestanden: das Produkt zeigt keine Neigung zum kontinuierlichen Schwelen." Anhang 4, 1.3 MVV TB enthält eine Auflistung der glimmgefährdeten Produkte. Dies betrifft insbesondere viele Faserdämmstoffe, z. B. Mineralwolle- oder Holzfaserdämmstoffe.

Euroklassen für Bodenbeläge

Bodenbeläge werden mit einer anderen simulierten Brandbeanspruchung geprüft als die zuvor genannten Bauprodukte. Zudem ist brennendes Abtropfen oder Abfallen für diese nicht relevant, da sie sich bereits am Boden befinden. Deshalb werden Bodenbeläge anders klassifiziert als Bauprodukte außer Bodenbelägen. Die Klassen für Bodenbeläge werden durch den Index „fl" (engl. „flooring") gekennzeichnet. Die wichtigsten bauaufsichtlichen Anforderungen an das Brandverhalten von Bodenbelägen nach DIN EN 13501-1 und die ihnen zugeordneten Klassen des Brandverhaltens zeigt Tabelle 1.17.

Tabelle 1.17: Zuordnung bauaufsichtlicher Anforderungen zu Klassen des Brandverhaltens nach EN 13501-1 für Bodenbeläge

bauaufsichtliche Anforderung	**mindestens erforderliche Klasse**	**weitere mögliche Klassen bis zur nächsthöheren bauaufsichtlichen Anforderung**
nichtbrennbar	$A2_{fl}$-s1	$A1_{fl}$
schwerentflammbar	C_{fl}-s1	B_{fl}-s1
normalentflammbar	E_{fl}	$A2_{fl}$-s2
		B_{fl}-s2
		C_{fl}-s2
		D_{fl}-s1
		D_{fl}-s2
leichtentflammbar[1)]	NPD[1)]	F_{fl}[1)]
1) nicht in MVV TB angegeben		

Euroklassen für Kabel

Die Klassifizierung des Brandverhaltens von Kabeln ist außerhalb von DIN EN 13501-1 geregelt. Für Kabel kommen weitere spezielle Prüfverfahren zum Einsatz, die zu bis zu insgesamt 187 möglichen Klassifizierungen führen. Die Klassen werden durch den Index „ca" (engl. „cable") gekennzeichnet. Da für die bauaufsichtliche Anforderung an das Brandverhalten mehrheitlich Kabel der Klasse E_{ca} genügen und nur für eine spezielle Sonderregelung zur offenen Verlegung von Leitungen in Rettungswegen mindestens $B1_{ca}$-s1, d2, a3 notwendig ist, wird hier nicht weiter darauf eingegangen.

Euroklassen für Bedachungen

Die Klassifizierung von Bedachungen wird in DIN EN 13501-5:2016-12 „Klassifizierung von Bauprodukten und Bauarten zu ihrem Brandverhalten – Teil 5: Klassifizierung mit den Ergebnissen aus Prüfungen von Bedachungen bei Beanspruchung durch Feuer von außen" behandelt. In Abhängigkeit vom genutzten Prüfverfahren sind eine Reihe verschiedener Klassifizierungen möglich. Wenn eine Bedachung gegen eine Brandbeanspruchung von außen durch Flugfeuer und strahlende Wärme ausreichend lang widerstandsfähig sein muss, sog. harte Bedachung, dann muss die (beste) Klasse B_{ROOF} (t1) ausgewiesen sein. Eine Kenntnis des restlichen Klassifizierungssystems im Detail ist insofern nicht notwendig. Alle anderen Klassen sind eine weiche Bedachung und dürfen nur verwendet werden, wenn die entsprechenden Bedingungen der LBO für Dächer ohne harte Bedachung eingehalten sind.

Nationale Klassen für Bauprodukte außer Bodenbeläge und Kabel

DIN 4102-1 dient nach wie vor zur Angabe des Brandverhaltens für all jene Bauprodukte, die nicht unter die BauPVO fallen. Sie wird also keinesfalls abgelöst oder ersetzt und muss auch nicht zurückgezogen werden. Neben den bekannten Klassen A1, A2, B1, B2 und B3 sind auch hier die Brandnebenerscheinungen Rauch und brennendes Abtropfen/Abfallen zu betrachten.

Nach DIN 4102-1 muss zusätzlich zur Klassifizierung angegeben werden, wenn starke Rauchentwicklung oder brennendes Abtropfen oder Abfallen aufgetreten ist. Früher galt deshalb automatisch: Wenn „starke Rauchentwicklung" oder „brennend abtropfend oder abfallend" nicht (!) neben der Klassifizierung angegeben war, dann zeigten die Bauprodukte diese Phänomene nicht. Abweichend vom Normentext fordert MVV TB Anhang 4, 1.1 seit Ausgabe 2019/1, dass (außer für Bodenbeläge) sowohl der Wert der Rauchentwicklung (ein Zahlenwert mit der Einheit „% · s", der sich aus dem Prüfverfahren ergibt) als auch die Aussage zum brennenden Abtropfen immer mit der Klasse nach DIN 4102-1 anzugeben sind. Dies hat sich zum Zeitpunkt der Erstellung dieses Beitrages noch nicht verbreitet durchgesetzt. Die wichtigsten bauaufsichtlichen Anforderungen an das Brandverhalten von Baustoffen (außer Bodenbelägen) nach DIN 4102-1 und die ihnen zugeordneten Klassen des Brandverhaltens zeigt Tabelle 1.18. Für diese Fälle kann auch weiterhin der bisherige Umgang mit den Brandnebenerscheinungen genutzt werden. MVV TB 2021/1 Anhang 4 Tabelle 1.1 differenziert auch hier (wie bei den Euroklassen) für wenige spezielle Fälle von Anforderungen weiter; auf diese Spezialfälle wird hier verzichtet.

Tabelle 1.18: Zuordnung bauaufsichtlicher Anforderungen zu Klassen des Brandverhaltens nach DIN 4102-1 für Baustoffe außer Bodenbeläge für ausgewählte Anforderungen an das Brandverhalten

bauaufsichtliche Anforderung	mindestens erforderliche Klasse und zusätzliche Merkmale	weitere mögliche Klassen, ggf. zusätzliche Angaben bis zur nächsthöheren bauaufsichtlichen Anforderung
nichtbrennbar	A2	A1
schwerentflammbar und nicht brennend abtropfend oder abfallend	B1 mit Angabe „I ≤ 400 % · min“ 1) mit zusätzlicher Angabe „nicht brennend abtropfend oder abfallend“ oder ohne Angabe „brennend abtropfend oder abfallend“	–
schwerentflammbar	B1 mit Angabe „I ≤ 400 % · min“ 1) (auch mit Angabe „brennend abtropfend oder abfallend“)	–
normalentflammbar	B2 (auch mit Angabe „brennend abtropfend oder abfallend“)	B1 mit Angabe „I > 400 % · min“ 2) (auch mit Angabe „brennend abtropfend oder abfallend“)
leichtentflammbar 3)	keine Angabe 3)	B3 3)

1) Stattdessen kann auch „begrenzte Rauchentwicklung bestanden“ angegeben sein.
2) Stattdessen kann auch „starke Rauchentwicklung“ angegeben sein.
3) nicht in MVV TB angegeben

Nationale Klassen für Bodenbeläge

Bodenbeläge werden zwar anders geprüft, aber nach DIN 4102-1 analog klassifiziert. Die Brandnebenerscheinungen werden hier nicht betrachtet. Entsprechend zeigt Tabelle 1.19 die möglichen Klassen und ihre Zuordnung zu bauaufsichtlichen Anforderungen.

Tabelle 1.19: Zuordnung bauaufsichtlicher Anforderungen zu Klassen des Brandverhaltens nach DIN 4102-1 für Bodenbeläge

bauaufsichtliche Anforderung	mindestens erforderliche Klasse	weitere mögliche Klassen bis zur nächsthöheren bauaufsichtlichen Anforderung
nichtbrennbar	A2	A1
schwerentflammbar	B1	–
normalentflammbar	B2	–
leichtentflammbar 1)	keine Angabe 1)	B3 1)

1) nicht in MVV TB angegeben

Nationale Klassen für Kabel

Die Klassifizierung des Brandverhaltens von Kabeln orientiert sich ebenfalls an DIN 4102-1. Aufgrund der Pflicht zur CE-Kennzeichnung von Kabeln spielt diese jedoch kaum noch eine Rolle. Wenn in Ausnahmefällen eine nationale Bewertung erfolgt, genügt in der Regel B2 für normalentflammbar. Für eine (sehr spezielle) Ausführungsmöglichkeit werden Kabel benötigt, die als sog. Leitungen mit verbessertem Brandverhalten die Baustoffklasse B1 haben und eine nur geringe Rauchentwicklung aufweisen. Dazu muss für die oben bereits erwähnte Rauchentwicklung ein Wert I mit nicht mehr als 100 % · min oder die pauschale Angabe „geringe Rauchentwicklung“ vorhanden sein.

Nationale Angabe zum Brandverhalten für Bedachungen

Das Brandverhalten von Bedachungen wird national nach DIN 4102-7:2018-11 „Brandverhalten von Baustoffen und Bauteilen – Teil 7: Bedachungen - Anforderungen und Prüfungen“ behandelt. Die Bedachung ist gegen eine Brandbeanspruchung von außen durch Flugfeuer und strahlende Wärme ausreichend lang widerstandsfähig, wenn ihre Leistung als Beschreibung „widerstandsfähig gegen Flugfeuer und strahlende Wärme“ angegeben ist. Eine Klassifizierung wie in den anderen Fällen oben erfolgt hier nicht.

Besonderheiten Schmelzpunkt und Dichte

Im Brandschutz werden dem Schmelzpunkt von Mineralwolldämmstoffen und der Dichte von verschiedenen Produkten (z. B. Dämmstoffe, Holzwerkstoffplatten, Holzfaserplatten) ein wesentlicher Einfluss auf den Feuerwiderstand der Bauteile beigemessen, sodass an diese Merkmale Anforderungen bestehen können. Anhang 4 Tabelle 1.2 MVV TB koppelt diese Merkmale an das Brandverhalten. Diese Kopplung ist diskutabel, aber unabhängig von der formalen Frage muss den Anforderungen Rechnung getragen werden. Wird also in bestimmten Verwendungssituationen ein „Schmelzpunkt ≥ 1000 °C nach DIN 4102-17“ gefordert, ist auf eine entsprechende Leistung des Produktes zu achten, ebenso bei (sehr unterschiedlich großen) Anforderungen an die Dichte von Bauprodukten.

1.7.3 Feuerwiderstand der Bauteile

Wie in Kapitel 1.7.1 ausgeführt ist der Feuerwiderstand eine Leistung von Bauteilen; nur sehr selten kann er sinnvoll handelbaren Bauprodukten zugewiesen werden. In diesem Beitrag soll deshalb nicht intensiv darauf eingegangen werden. Vereinfachend können den Anforderungen an den Feuerwiderstand die in Tabelle 1.20 dargestellten Feuerwiderstandsdauern unter einer normierten Brandbeanspruchung (sog. ETK) zugewiesen werden.

Tabelle 1.20: Feuerwiderstandsdauer bei unterschiedlichen Anforderungen

Anforderung an die Feuerwiderstandsfähigkeit	Feuerwiderstandsdauer
feuerhemmend	≥ 30 Minuten
hochfeuerhemmend	≥ 60 Minuten
feuerbeständig	≥ 90 Minuten

Tabelle 1.21: Ausgewählte Aspekte zur Klassifizierung des Feuerwiderstandes nach den Normenreihen DIN 4102 und DIN EN 13501

Normenreihe DIN 4102	Normenreihe DIN EN 13501
• Klassifizierung F für Wände, Decken, Unterdecken, Dächer, Stützen, Balken nach DIN 4102-2 mit Angabe der Feuerwiderstandsdauer in Minuten, z. B. - F30 - F60 - F90	• differenzierte Klassifizierung für zahlreiche Bauteile - R („Résistance", Tragfähigkeit) - E („Étanchéité", Raumabschluss/Durchgang von Feuer) - I („Isolation", Oberflächentemperatur auf der feuerabgewandten Seite) • zusätzliche Zeitangabe in Minuten
• Der Unterschied tragend/nichttragend und raumabschließend/ nicht raumabschließend ist an dieser Klassifizierung nicht erkennbar.	• Der Unterschied tragend/nichttragend sowie raumabschließend/ nicht raumabschließend ist an der Klassifizierung eindeutig erkennbar, z. B. R30, REI 60, EI90.
• Zusatzangabe zu verwendeten Baustoffen: - A nur aus nichtbrennbaren Baustoffen - AB tragende Teile aus nichtbrennbaren Baustoffen, bei raumabschließenden Bauteilen (mindestens) eine in Bauteilebene durchgehende Schicht aus nichtbrennbaren Baustoffen - B tragende Teile aus brennbaren Baustoffen oder bei raumabschließenden Bauteilen keine in Bauteilebene durchgehende Schicht aus nichtbrennbaren Baustoffen	• Keine Zusatzangabe zum Brandverhalten der verwendeten Baustoffe. Das Brandverhalten der Baustoffe muss aus der Anschauung geklärt werden.
• besondere Klassifizierung für spezielle Bauteile: - Brandwände (ohne Klasse) - W für nichttragende Außenwände (sowohl raumhoch als auch Brüstungen, Schürzen) - T für Abschlüsse (Türen, Tore) - L für Lüftungsleitungen - K für Absperrvorrichtungen für Lüftungsleitungen („Brandschutzklappen") - S für Abschottungen von Elektroleitungen oder kombiniert Rohr-/ Elektroleitungen - I für Installationsschächte und -kanäle, - R für Rohrdurchführungen/Rohrabschottungen - G für Verglasungen, die raumabschließend, aber nicht wärmedämmend sind (umgangssprachlich „strahlungsdurchlässig") - F für Verglasungen, die raumabschließend und wärmedämmend sind - E für Funktionserhalt elektrischer Leitungen	• Zusatzangaben für spezielle Bauteile, z. B.: - Angabe der Brandbeanspruchungsrichtung mit der Klassifizierung: - (i → o) = von innen (inside) nach außen (outside), - (i ← o) = von außen (outside) nach innen (inside) - (i ↔ o) = sowohl von innen nach außen als auch von außen nach innen - (a ↔ b) = sowohl von oben (above) nach unten (below) als auch von unten nach oben - Angabe der Brandbeanspruchung abweichend von der ETK - ef – Außenbrandkurve („external fire" = abgeminderte ETK) - IncSlow – Schwelbrandkurve - W – für Begrenzung des Strahlungsdurchtrittes - M – widerstandsfähig gegen mechanische Beanspruchung (für Brandwände und Wände anstelle von Brandwänden) - S_a – Begrenzung des Rauchdurchtrittes von Abschlüssen unter Normaltemperatur - S_{200} – Begrenzung des Rauchdurchtrittes von Abschlüssen unter erhöhter Temperatur - C … – Angabe zur Dauerfunktion selbstschließender Abschlüsse

Allerdings sind für die geforderte Feuerwiderstands**fähigkeit** mehr Kriterien notwendig als die Feuerwiderstands**dauer**. So bestehen in Abhängigkeit von der Anforderung an die Feuerwiderstandsfähigkeit auch Anforderungen an das Brandverhalten der in den Bauteilen verwendeten Baustoffe. Die geforderte Feuerwiderstandsfähigkeit wird auch nur dann erreicht, wenn die Anschlüsse an angrenzende Bauteile entsprechend ausgeführt werden.

Nationale und europäische Klassifizierung

Analog zur Parallelexistenz des europäischen und nationalen Klassifizierungssystems für das Brandverhalten gibt es auch parallele Klassifizierungssysteme für den Feuerwiderstand aus den Normenreihen EN 13501 und DIN 4102. Beide Systeme sind vielfältig und können hier nicht erschöpfend ausgeführt werden. Grundsätzlich gilt jedoch, dass die DIN-EN-Klassifizierung detaillierter erfolgt als die DIN-Klassifizierung. Für ein grundlegendes Verständnis sind beide Systeme mit wichtigen Aspekten in Tabelle 1.21 gegenübergestellt. Die notwendigen Details für die Zuordnung der Klassifizierungen zu den bauaufsichtlichen Anforderungen an den Feuerwiderstand sind in Anhang 4 (und teilweise Anhang 14) der MVV TB enthalten und nicht trivial. Auf eine Darstellung wird an dieser Stelle verzichtet.

Türen und Tore

Mit Blick auf den Baustoffhandel soll kurz auf den Feuerwiderstand der handelbaren Bauprodukte „Feuer- und/ oder Rauchschutzabschlüsse" von Öffnungen in Bauteilen eingegangen werden. Mit dieser Bezeichnung nach LBO sind vor allem Türen und Tore erfasst, es gibt aber auch Sonderfälle wie Abschlüsse von Förderanlagen.

Für Innentüren (und -tore) ist zum Zeitpunkt der Erstellung dieser Auflage nach wie vor überwiegend die Klassifizierung nach DIN 4102-5:1977-09 „Brandverhalten von Baustoffen und Bauteilen; Feuerschutzabschlüsse, Abschlüsse in Fahrschachtwänden und gegen Feuer widerstandsfähige Verglasungen, Begriffe, Anforderungen und Prüfungen" im Zusammenhang mit nationalen Ver- und Anwendbarkeitsnachweisen maßgebend. Zusätzlich ist stellenweise das Kriterium „dichtschließend" erforderlich.

Die MVV TB regelt in Anhang 4, 5.4:

„Türen sind dann dichtschließend, wenn sie formstabile Türflügel haben und mit dreiseitig umlaufenden dauerelastischen Dichtungen ausgestattet sind, die aufgrund ihrer Form (Lippen-/Schlauchdichtung) und des Dichtungsweges bei geschlossenen Türen nach dem Einbau sowohl an den Zargen als auch an den Türflügeln anliegen. Türflügel sind

dann formstabil, wenn sie geschlossen sind und Verformungen ≤ 4 mm, bezogen auf die Türflügelebene in Längsrichtung (im Sinne von RAL-GZ 426/1), aufweisen."

In manchen Bundesländern wird zusätzlich für bestimmte Türen gefordert, dass sie „vollwandig" sein müssen. Dies ist gegeben, wenn ein *„Türblatt keine Öffnungen und auch keine Hohlräume hat und bei Hitzebeaufschlagung nicht leicht durchbrennt oder zerstört wird. [...] So gelten als ‚vollwandig' im Sinn der BayBO z. B. Türblätter aus Vollholz oder Spanplatten mit ca. 4 cm Stärke oder als gleichwertig auch Türblätter mit Hartholz- oder Stahlrahmen und Einlage aus einer widerstandsfähigen Verglasung (Glas, das für die Verwendung in einer G-Verglasung nach DIN 4102 geeignet wäre). Auch ‚Nur-Glastüren' mit dieser Verglasung können als vollwandig angesehen werden.*" (Bayerisches Staatsministerium für Wohnen, Bauen und Verkehr, o. J.). Ähnliche Ausführungen finden sich in den Bayerischen Technischen Baubestimmungen (BayTB) (Ausgabe Juni 2022, A 2.1.11).

Eine Glasfüllung aus Einscheibensicherheitsglas (ESG) oder auch Verbundsicherheitsglas (VSG), das bei Brandbeanspruchung schnell zerspringen würde, genügt also nicht. Tabelle 1.22 zeigt die Zuordnung von ausgewählten wichtigen bauaufsichtlichen Anforderungen zu den mindestens erforderlichen Klassen und weiteren Merkmalen in Anlehnung an MVV TB Anhang 4, 5.4. Auch hier ist die MVV TB selbst ausführlicher, bei Bedarf kann dort nachgesehen werden.

Tabelle 1.22: Zuordnung ausgewählter bauaufsichtlicher Anforderungen zu Klassen des Feuerwiderstandes von Abschlüssen nach DIN 4102-5 bzw. DIN 18095 „Türen; Rauchschutztüren; Begriffe und Anforderungen" und MVV TB Anhang 4, 5.4

bauaufsichtliche Anforderung	**mindestens erforderliche Klasse und/oder weitere Merkmale**
feuerhemmend, dicht- und selbstschließend	T 30 und konstruktive Kriterien „dichtschließend" erfüllt
feuerhemmend, rauchdicht und selbstschließend	T 30-RS
feuerbeständig, dicht- und selbstschließend	T 90 und konstruktive Kriterien „dichtschließend" erfüllt
rauchdicht und selbstschließend	RS
dicht- und selbstschließend[1)]	konstruktive Kriterien „dichtschließend" erfüllt und selbstschließend (keine Nachweisführung)[1)]
dichtschließend	konstruktive Kriterien „dichtschließend" erfüllt

1) nicht in MVV TB angegeben

Für Außentüren ist bereits die CE-Kennzeichnung nach BauPVO obligatorisch. Diese sind allerdings selten Anforderungen an Feuer- und/oder Rauchabschlüssen ausgesetzt. Mit Blick auf die mittelfristig zu erwartende CE-Kennzeichnungspflicht für Innentüren und heute schon angebotene CE-gekennzeichnete Innentüren mit europäischem Bewertungsdokument sollen hier dennoch die möglichen Klassifizierungen nach DIN EN 13501 angegeben werden. Sollten Außentüren dichtschließend oder rauchdicht sein müssen, müssen zusätzlich die Verformungsklassen unter Differenzklima 2 (d) und 2 (e) nachgewiesen sein. Die notwendigen Klassifizierungen in Abhängigkeit von der bauaufsichtlichen Anforderung zeigt Tabelle 1.23.

Tabelle 1.23: Zuordnung ausgewählter bauaufsichtlicher Anforderungen zu Klassen des Feuerwiderstandes von Abschlüssen nach EN 13501 und MVV TB Anhang 4, 5.1.5, 5.4

bauaufsichtliche Anforderung	**mindestens erforderliche Klasse und/oder weitere Merkmale**
feuerhemmend, dicht- und selbstschließend	EI_2 30 S_a C x[1)]
feuerhemmend, rauchdicht und selbstschließend	EI_2 30 S_{200} C x[1)]
feuerbeständig, dicht- und selbstschließend	EI_2 90 S_a C x[1)]
rauchdicht und selbstschließend	S_{200} C x[1)]
dicht- und selbstschließend	S_a C x[1)]
dichtschließend	konstruktive Kriterien „dichtschließend" erfüllt (keine Klassifizierung notwendig, aber S_a möglich)

1) Die benötigte Ziffer x zur Eigenschaft C („Closing") zur Beschreibung der Zyklen bei der Dauerfunktionsprüfung hängt von der Art des Abschlusses ab:
- Feuerschutz-/Rauchschutztüren (Drehflügelabschlüsse), Schlupftüren in Toren sowie Tore nach DIN EN 13241:2016-12 „Tore - Produktnorm, Leistungseigenschaften", die einschließlich vorhandener Seitenteile und Oberlichter nicht breiter und nicht höher sind als 2,50 m: C 5 (bedeutet 200.000 Zyklen),
- sonstige Feuerschutz-/Rauchschutzabschlüsse (z. B. Klappen, Tore, die einschließlich vorhandener Seitenteile und Oberlichter breiter oder höher sind als 2,50 m): C 2 (bedeutet 10.000 Zyklen).

Auch für andere handelbare Bauprodukte kann ein Feuerwiderstand erklärt werden, z. B. für Absperrvorrichtungen von Lüftungsleitungen. Abschottungen für Leitungsanlagen sind häufig schon Systeme, die ihre Feuerwiderstandsfähigkeit nur im eingebauten Zustand erreichen. Hier werden Systeme gehandelt. Die Produkte bzw. Systeme sind jedoch komplex. Für diese Fälle sei auf die MVV TB mit ihren Anhängen 4 und 14 verwiesen sowie auf spezielle Publikationen der Unternehmen, die solche Produkte herstellen. In jüngerer Zeit werden bei vielen der Ver- und Anwendbarkeitsnachweise für diese Fälle die Leistungen mit den Begriffen der bauaufsichtlichen Anforderungen angegeben, sodass die „Übersetzung" zwischen Anforderung und Leistung nicht mehr notwendig ist.

1.7.4 Nachweise

Sowohl für Bauprodukte als auch für Bauteile in ihren jeweiligen Bauarten sind Nachweise für die angegebenen Leistungen erforderlich (vgl. Abb. 1.21). Obwohl diese

Nachweise in allen anderen Fachgebieten ebenso notwendig sind, wird im Brandschutz besonders darauf geachtet. Nach § 55 MBO muss der Unternehmer im Sinne der Bauordnung, also das ausführende Fachunternehmen, *„die zur Erfüllung der Anforderungen [des Bauordnungsrechtes] erforderlichen Nachweise und Unterlagen zu den verwendeten Bauprodukten und den angewandten Bauarten* ***zu erbringen und auf der Baustelle bereitzuhalten****. Bei Bauprodukten, die die CE-Kennzeichnung nach der [Bauproduktenverordnung] tragen, ist die Leistungserklärung bereitzuhalten.“* Die Formulierung „zu erbringen“ bedeutet, dass die Unternehmen die Nachweise „sich beschaffen“ und auf Verlangen vorlegen müssen. Es ist also von besonderer Bedeutung für die Kundschaft des Baustoffhandels.

Bauprodukte

Insgesamt gibt es eine Vielzahl an möglichen Nachweisen für Bauprodukte. In der Regel sind förmliche Nachweise über das Brandverhalten erforderlich, insbesondere, sobald erhöhte Anforderungen an das Brandverhalten bestehen, Produkte also nicht nur normalentflammbar sein müssen. Bauprodukte, für die ausnahmsweise ein Feuerwiderstand angegeben werden kann, benötigen in der Regel kombinierte Nachweise, die sowohl einen Nachweisteil für das Bauprodukt an sich als auch einen Nachweis für die Bauart, d. h., den Einbau des Produktes in das Bauwerk mit den Anschlüssen an die angrenzenden Bauteile, enthält.

Bauprodukte nach allgemein anerkannten Regeln der Technik (aaRdT) und von untergeordneter Bedeutung für die Sicherheit baulicher Anlagen

Für einige Produkte wird kein förmlicher Nachweis verlangt. Dies betrifft

- Produkte nach allgemein anerkannten Regeln der Technik, z. B. Elektro- oder Sanitärausstattung im Bereich von z. B. VDE- oder DVGW-Regeln (beispielhaft aufgeführt in MVV TB D 2.1), und
- Produkte von untergeordneter Bedeutung für die Sicherheit baulicher Anlagen (abschließend aufgeführt in MVV TB D 2.2, sofern keine weitergehenden Brandschutzanforderungen und keine Anforderungen an den Schall- und Wärmeschutz gestellt werden).

Diese Produkte müssen dennoch ebenso mindestens normalentflammbar sein, auch wenn kein förmlicher Nachweis verlangt wird.

Bauprodukte im Geltungsbereich der BauPVO

Für Produkte im Geltungsbereich der BauPVO erfolgt der Nachweis des Brandverhaltens regelmäßig über die Leistungserklärung und die CE-Kennzeichnung mit der darin angegebenen Euroklasse zum wesentlichen Merkmal Brandverhalten (siehe Tabelle 1.16 und Tabelle 1.17). Es gibt wenige Ausnahmen, bei denen das Brandverhalten kein wesentliches Merkmal nach der zugrunde liegenden harmonisierten technischen Spezifikation ist. Dies sind insbesondere Fenster und Außentüren, aber auch eine Reihe anderer Produkte (zum Teil aufgeführt in der sog. Prioritätenliste des DIBt).

Wichtig

In diesen Fällen müssen die verwendenden Unternehmen beim Einkauf darauf achten, nur solche Produkte einzukaufen, für die auf einer zivilrechtlichen Basis die geforderte Leistung sichergestellt wird. Wenn das wesentliche Merkmal Brandverhalten in der harmonisierten technischen Spezifikation fehlt (und nur dann), können entweder herstellende Unternehmen von sich aus freiwillig mit ihren Produkten das Brandverhalten angeben und zusichern, oder die einkaufenden Unternehmen fordern im Zuge des Einkaufs eine solche Angabe und Zusicherung auf zivilrechtlicher Basis von den herstellenden Unternehmen ab.

Produkte mit CE-Kennzeichnung nach anderem EU-Recht

Auch Produkte, die aufgrund anderer EU-Rechtsvorschriften die CE-Kennzeichnung tragen, können Bauprodukte sein (z. B. Türantriebe mit CE-Kennzeichnung aufgrund der Maschinen-Richtlinie). Auch hier gilt die grundsätzliche Forderung nach der Normalentflammbarkeit, die wieder keines speziellen Nachweisverfahrens bedarf. Für bestimmte Produkte fordert MVV TB B 3 einen zusätzlichen Verwendbarkeitsnachweis für diese Produkte, u. a. bei höheren Anforderungen an das Brandverhalten als normalentflammbar.

„Geregelte“ Bauprodukte

Die verbreitet als „geregelte Bauprodukte“ bezeichneten Bauprodukte heißen offiziell „Bauprodukte nach technischen Baubestimmungen“. Für diese enthält MVV TB Teil C 2 eine Liste von Bezugsdokumenten, meist Normen, in denen in der Regel konkrete Anforderungen an die Produkte gestellt werden. Produkte, die die Kriterien der betreffenden Normen einhalten, dürfen entsprechend bezeichnet werden und werden Ü-gekennzeichnet. Damit wird die Übereinstimmung mit der genannten Norm erklärt. Beispiele aus MVV TB C 2 sind Beton, Rollladenkästen mit Anforderungen an den Wärme- und Schallschutz oder eine ganze Reihe von Rohren und Zubehör für Leitungen. Das Brandverhalten für diese Produkte ist zumeist normativ festgelegt und leitet sich aus der Übereinstimmung mit dem jeweiligen Bezugsdokument ab. In der Regel wird die Leistung als Klasse nach DIN 4102-1 angegeben (vgl. Tabelle 1.18 und 1.19).

Bauprodukte mit Verwendbarkeitsnachweis

Produkte, die in keine der zuvor aufgeführten Rubriken eingeordnet werden können, brauchen einen (nationalen) Verwendbarkeitsnachweis. Dafür kommen 3 Dokumente infrage:

- allgemeines bauaufsichtliches Prüfzeugnis (abP) für Bauprodukte,
- allgemeine bauaufsichtliche Zulassung (abZ),
- Zustimmung im Einzelfall (ZiE).

MVV TB C 3 gibt an, für welche Produkte ein abP genügt, weil sie nach allgemein anerkannten Prüfverfahren beurteilt werden können. Ist das nicht gegeben, ist eine abZ erforderlich. Sofern keiner der beiden allgemeingültigen Verwendbarkeitsnachweise vorliegt, besteht die Möglichkeit, über eine ZiE das Produkt im konkreten Einzelfall nutzbar zu machen. Für das Brandverhalten werden auch hier die Klassen nach DIN 4102-1 genutzt (vgl. Tabelle 1.18 und 1.19).

Bauarten

Auch für Bauarten gibt es eine Reihe möglicher Nachweise. Begrifflich wird differenziert: Bauarten werden angewendet, während Bauprodukte verwendet werden. Die Nachweise betreffen eigentlich Bauteile in der jeweiligen Bauart (z. B. Bauteile Stütze, Wand, Träger oder Decke in Bauart Stahlbetonbau), nicht immer die Bauart allgemein. Ähnlich wie bei den Bauprodukten gibt es

- Bauarten nach allgemein anerkannten Regeln der Technik,
- „geregelte“ Bauarten und
- Bauarten mit Anwendbarkeitsnachweis.

Auch bei den Anwendbarkeitsnachweisen wird heute begrifflich auf eine stärkere Differenzierung zu den Nachweisen für Bauprodukte geachtet. So gibt es hier:

- allgemeines bauaufsichtliches Prüfzeugnis (abP) für Bauarten,
- allgemeine Bauartgenehmigung (aBg),
- vorhabenbezogene Bauartgenehmigung (vBg).

Da dies weniger ein Thema der Baustoffkunde ist, sondern mehr ein Thema der Bauausführung, soll an dieser Stelle nicht weiter auf die Nachweise für Bauarten eingegangen werden.

1.7.5 Fazit

Der Brandschutz nimmt einen wichtigen Platz in der Reihe der bauaufsichtlichen Anforderungen an Bauprodukte und Bauteile ein. Planerinnen und Planer müssen die Anforderungen an Bauwerke aus dem Bauordnungsrecht in konkrete Anforderungen an die (handelbaren) Bauprodukte „übersetzen“. Ausführende Fachunternehmen müssen beim Einkauf der Bauprodukte darauf achten, dass die konkreten Anforderungen in der jeweiligen Einbausituation erfüllt werden, sie müssen „passende“ Produkte einkaufen und einbauen („verwenden“). Dafür sind teilweise bestimmte Nachweise notwendig, die von den Fachunternehmen erbracht und bereitgehalten werden müssen.

1.7.6 Relevante Normen

DIN 4102 Brandverhalten von Baustoffen und Bauteilen (gesamte Normenreihe)

DIN 18095 Türen; Rauchschutztüren; Begriffe und Anforderungen

DIN EN 13501 Klassifizierung von Bauprodukten und Bauarten zu ihrem Brandverhalten (gesamte Normenreihe)

DIN EN 13241:2016-12 Tore – Produktnorm, Leistungseigenschaften

DIN EN 16733:2016-07 Prüfungen zum Brandverhalten von Bauprodukten – Bestimmung der Neigung eines Bauprodukts zum kontinuierlichen Schwelen

1.8 Baustoffchemie

Die Baustoffchemie umfasst ein sehr großes Themengebiet. Alle am Bau beteiligten Materialien, deren Eigenschaften chemisch beeinflussbar oder erklärbar sind, fallen in dieses Fachgebiet. Wenn es um die im Bau verwendeten Materialien und deren chemische Eigenschaften geht, so ist je nach Material der baustoffchemische Charakter stärker oder schwächer ausgeprägt. Gläser beispielsweise haben wenige Anknüpfungspunkte, Metalle schon mehr, weil deren Korrosion ein elektrochemischer Vorgang ist.

Die Kenntnis chemischer Eigenschaften ist immer dann gefragt, wenn es um den Zusammenhang zwischen einer beobachteten Eigenschaft eines Stoffes mit dessen Zusammensetzung oder mikroskopischer Struktur geht.

Die Chemie ist die Lehre von den Stoffen und deren Aufbau. Sie behandelt die Entstehung neuer Stoffe durch Reaktion von Ausgangsstoffen und deren Umwandlung. Bei chemischen Reaktionen werden Bindungen zwischen Atomen getrennt und neu gebildet, was zu Stoffveränderungen führt. Die Grundlage der Chemie ist das Verständnis der den Menschen umgebenden Materie und deren elementare Zusammensetzung. Jegliche Materie im Universum baut sich aus den Elementen des Periodensystems auf. Die Elemente unterscheiden sich untereinander durch die Anzahl der Protonen, aus denen sie aufgebaut sind. Neben Protonen bestehen die Atome jedes Elements außerdem aus Neutronen und so vielen Elektronen wie Protonen. Die einzige Ausnahme bildet Wasserstoff, das erste Element des Periodensystems, das nur aus einem Proton und einem Elektron besteht. Als H_2 kommt es außerdem nur paarweise vor.

Elemente können untereinander Verbindungen eingehen, die festen Regeln folgen. Hierbei spielt die Anzahl der Elektronen die größte Rolle, denn bei einer Reaktion tauschen die Elemente oft Elektronen aus. So kann beispielsweise Kohlenstoff 4 Elektronen abgeben, Sauerstoff jedoch nur 2 aufnehmen, sodass das Reaktionsprodukt CO_2 ist.

Es gibt allerdings auch Reaktionen, bei denen keine Elektronen ausgetauscht werden und trotzdem die Endprodukte eine andere Zusammensetzung und andere Eigenschaften aufweisen als die Ausgangsprodukte. Die Vorgänge bei der Verfestigung von Baustoffen z. B. gehen oft mit der Bildung von Hydratphasen einher. Dabei wird Wasser in die Kristallstruktur der entstehenden Reaktionsprodukte eingebaut. Das ist streng genommen keine typisch chemische, sondern eine mineralogische Reaktion, oder, anders gesagt, ein Kristallisationsprozess. Man spricht in diesem Fall nicht von Reaktionsprodukten, sondern von Fällungsprodukten: Aus einer übersättigten Lösung fallen schwer lösliche Produkte aus und bilden Kristalle, die miteinander verfilzen und sich verzahnen. Bei der Reaktion von Zement mit Wasser spricht man von Hydratation.

Wasser spielt also bei der Entstehung von Bauteilen schon als Reaktionspartner eine wichtige Rolle. Und auch bei der Verwitterung ist Wasser ein entscheidender Faktor. Bei beiden Vorgängen fungiert Wasser als Reaktionsmedium. Feuchtigkeit ist ursächlich für sehr viele Bauschäden, daher ist ein wichtiges Gebot der Bauwerkserhaltung, Wasser aus Konstruktionen fernzuhalten.

Ein großes Fachgebiet innerhalb der Baustoffchemie ist die Bindemittelchemie. Hierbei bietet sich die Unterteilung in anorganische und organische Bindemittel an.

1.8.1 Anorganische Bindemittel

Wichtige anorganische Bindemittel sind Portlandzement, Tonerdezement, Sulfoaluminatzement, Kalk (Branntkalk, Löschkalk, hydraulische Kalke), Gips (Anhydrit und Halbhydrat) und Wasserglas. In Tabelle 1.24 sind die Hauptbestandteile aufgeführt.

Tabelle 1.24: Hauptbestandteile wichtiger anorganischer Bindemittel

Bindemittel-bezeichnung	Hauptbe-standteile	typische Menge in %	Formel
Portlandzement	Tri-Calcium-silikat	~ 60 (50–75)	Ca_3SiO_5
Tonerdezement	Mono-Calcium-aluminat	~ 55 (40–80)	$CaAl_2O_4$
Sulfoaluminat-zement (CSA)	Calcium-sulfoaluminat (Ye'elimit)	~ 50 (33–66)	$Ca_4Al_6[O_{12}\|SO_4]$
Kalk	Calcium-hydroxid	~90 (70–100)	$Ca(OH)_2$
Gips	Anhydrit/ Halbhydrat	> 90	$CaSO_4$/ $CaSO_4{}^{*1}/_2H_2O$
Wasserglas	Alkalisilikat	> 90 (Feststoff)	K_2SiO_3

Die Reaktionsprodukte der anorganischen Bindemittel sind meistens Hydratphasen, d. h., vormals flüssiges Wasser wird durch die Bildung von wasserhaltigen Kristallen zu einem Teil des Feststoffs. In Tabelle 1.25 sind lediglich die Hauptreaktionsprodukte dargestellt. Die Indizes x und y deuten an, dass die Zusammensetzung der „Phasen" variabel ist.

Tabelle 1.25: Hauptreaktionsprodukte anorganischer Bindemittel

Hauptbestand teil des Bindemittels	Reak-tions-partner	Hauptreak-tionsprodukt	Formel
Ca_3SiO_5	H_2O	Calciumsilikat-Hydrate	C_x-S-H_y-Phasen
$CaAl_2O_4$	H_2O	Calciumaluminat-Hydrate	C_x-A-H_y-Phasen
$Ca_4Al_6[O_{12}\|SO_4]$	H_2O + $CaSO_4$	Ettringit	$Ca_6Al_2[(OH)_{12}(SO_4)_3]\cdot 26\,H_2O$
$Ca(OH)_2$	CO_2	Calciumcarbonat (hauptsächlich Calcit)	$CaCO_3$
$CaSO_4$ / $CaSO_4{}^{*1}/_2H_2O$	H_2O	Gips = Calcium-sulfat-Dihydrat	$CaSO_4{}^*2H_20$
K_2SiO_3	H_2O (als Aktivator)	kondensierte Kieselsäure	$nSiO_2{}^*mH_2O$

Eines der wichtigsten Reaktionsprodukte anorganischer Bindemittel ist, neben C-S-H-Phasen, Ettringit. Ettringit besteht aus Calcium-, Aluminium- und Schwefeloxiden bzw. -hydroxiden sowie Wassermolekülen. Es sorgt dafür, dass Zement nicht zu schnell abbindet, dass Baustoffe nicht zu stark schwinden, zu frühen Zeitpunkten hohe Festigkeiten erreicht werden und ein dichtes Gefüge entsteht.

Da Zemente bei ihrer Herstellung sehr viel CO_2 freisetzen, sucht die baustoffchemische Forschung nach umweltfreundlichen Alternativen.

1.8.2 Organische Bindemittel

Die Unterscheidung zwischen organischer und anorganischer Materie kann leicht nach den enthaltenen Elementen vorgenommen werden. Üblicherweise bestehen organische Materialien hauptsächlich aus Kohlenstoff, meist in Verbindung mit Wasserstoff und Sauerstoff, häufig auch Stickstoff. Stoffe, die aus Erdöl oder nachwachsenden Rohstoffen entstanden sind, sind fast immer organischer Natur.

Organische Bindemittel können in reaktive und nicht reaktive differenziert werden.

Nicht reaktive Bindemittel sind hauptsächlich Polymerdispersionen bzw. deren sprühgetrocknete, redispergierbare Pulver. Die Bindung erfolgt durch Austrocknung des Wassers und damit einhergehende Verfilmung der kleinen Latexpartikel in der Dispersion.

Beispiele für reaktive Bindemittel sind Polyurethane, Epoxydharze, silikonmodifizierte Polymere (MS-Polymere), Acrylatharze, Phenolharze und Polyesterharze. Je nach Bindemittel unterscheiden sich die Polyreaktionstypen (vgl. Tabelle 1.26):

- Polyaddition: 2 funktionelle Gruppen verschiedener Moleküle reagieren unter Bildung einer Verknüpfung.
- Polykondensation: entspricht einer Polyaddition, jedoch wird während der Knüpfung der Bindung noch ein Molekül abgespalten.
- Polymerisation: Ein aktiviertes Molekül (Initiator) knüpft eine Verbindung zu einem weiteren Molekül, wodurch dieses wiederum aktiviert wird.

Tabelle 1.26: Polyreaktionstypen in Abhängigkeit vom Hauptbestandteil des Bindemittels

Hauptbestandteil des Bindemittels	typische Härter/ Initiatoren	Polyreaktiontyp
Polyurethane	Alkohole, Wasser	Polyaddition
Epoxydharze	Amine, Mercaptane	Polyaddition
Silikonmodifizierte Polymere	Luftfeuchtigkeit	Polykondensation
Acrylatharze	Peroxide	Polymerisation
Phenolharze	Wärme	Polykondensation
Polyesterharze	Peroxide	Polymerisation

Neben organischen Bindemitteln gibt es viele organische Substanzen, die als Additive spezielle Baustoffeigenschaften hervorrufen. Geringe Einsatzmengen dieser Additive können erhebliche Eigenschaftsänderungen hervorrufen. Ihre optimale chemische Zusammensetzung steht daher auch im zentralen Interesse der Forschung.

Neben Bindemitteln und Additiven sind Füllstoffe (auch Funktionsfüllstoffe), Pigmente und Fasern weitere Bestandteile von Baustoffen.

1.9 Kunststoffe

Die Zahl der Problemstellungen am Bau, die mit Kunststoffen gelöst werden, ist in den letzten Jahren sprunghaft angestiegen.

Mittlerweile existieren so fundierte Kenntnisse, dass die Kunststoffe mit spezifischen Eigenschaften am Bau auf einigen Gebieten ungeahnte Anwendungsmöglichkeiten ergeben.

Wie sind Kunststoffe definiert? Der Laie bezeichnet sie als „Plastik", der Wissenschaftler spricht von makromolekularen (griech. „makrós" = groß, lang) Verbindungen. Kunststoffe sind Chemiewerkstoffe mit polymerem (griech. „polys" = viel, „meros"= Teil) Aufbau. „Künstlich" sind sie insoweit, als es neue synthetisch aufgebaute oder durch chemische Umwandlung von Naturstoffen (z. B. Cellulose) geschaffene Verbindungen sind, „organisch", weil sie in der chemischen Zusammensetzung überwiegend aus dem Element Kohlenstoff bestehen. Makromoleküle sind „riesenhafte" Molekülgebilde, die aus zahlreichen kleinen Grundmolekülen (Monomere) gleicher oder unterschiedlicher Art durch chemische Aufbaureaktionen (Kettenwachstum, Polymerisation) entstehen. Die Ausgangsstoffe, die Monomere, gehen dabei aus der ursprünglich monomeren (griech. „mónos" = einzig/allein, „meros" = Teil) Form in ein polymeres (griech. „polys" = viel) Kettenmolekül über.

Hinter dem Sammelbegriff „Kunststoff" verbirgt sich eine Vielzahl an Produkten mit unterschiedlichen Eigenschaften. Um diese Produktvielfalt auch nur annähernd überschaubar zu machen, ist eine einigermaßen verständliche Klassifizierung erforderlich. Für den Anwender genügt als Orientierung die gruppenweise Einteilung der Kunststoffe gemäß ihren physikalischen Eigenschaften.

1.9.1 Elastomere

Elastomere (griech. „elastikose" = federnd) – auch Elaste genannt – sind chemisch weitmaschig vernetzt und ermöglichen im Gebrauchsbereich hochelastische Formänderungen, die schon mit sehr kleinem Kraftaufwand zu erreichen sind (reversibler Vorgang, hohe Rückstellelastizität). Elastomere haben gummielastische Eigenschaften. Als typische Elastomere gelten die synthetischen Kautschuke. Ein besonderes Merkmal dieser Stoffe ist es, dass sie die geschilderten Eigenschaften auch im Bereich tiefer Temperaturen beibehalten. Einige Elastomere sind z. B. noch bis −50 °C hochelastisch und zäh. Demzufolge dominieren sie als Dichtstoffe, für die eine thermisch unabhängige Elastizität erforderlich ist. Tabelle 1.27 gibt einen Überblick über die bautechnisch wichtigsten Elastomere.

Tabelle 1.27: Bautechnisch wichtigste Elastomere

Kurzzeichen	chemische Bezeichnung	Beispiele bautechnischer Anwendungen
CR	Polychloropen	Dichtungsprofile, Flachdach-Dichtungsbahnen, elastische Baulager
II R	Butylkautschuk	Flachdachplanen, Bauten-Schutzfolien, Dichtungsmassen
PUR	Polyurethan (weitmaschig vernetzt)	elastische Baulager
Si	Silikonkautschuk	Dichtungsmassen, elastische Formteile
SR	Polysulfidkautschuk	Dichtungsmassen
CSM	chlorsulfoniertes Polyethylen	Flachdach-Dichtungsbahnen

1.9.2 Thermoplaste (Plastomere)

Thermoplastische (griech. „thermós" = warm, „plastós" = formbar, biegsam) Kunststoffe bestehen vorwiegend aus unvernetzten, fadenförmigen Makromolekülen mit meist unverzweigtem Aufbau. Thermoplaste erweichen bei Temperaturerhöhung und sind dann mechanisch verformbar. Typische Verarbeitungstechniken sind das Extrudieren (Profile, Rohre usw.), das Spritzgussverfahren (Formkörper), das Blasformen (Hohlkörper) und das Folienblasen (Folien, Schläuche). In Tabelle 1.28 sind die bautechnisch wichtigsten Thermoplaste dargestellt.

Tabelle 1.28: Bautechnisch wichtigste Thermoplaste

Kurzzeichen	chemische Bezeichnung	Beispiele bautechnischer Anwendungen
PVC hart	Polyvinylchlorid	Rohre, Fassadenplatten, Fenster, Rollläden, Lichtplatten, Profile, Spülkästen, Dachrinnen
PVC weich	Polyvinylchlorid mit Weichmacher	Folien, Dachplanen, Bodenbeläge, Profile, Schläuche, Kabelisolierungen
HDPE	Polyethylen hart (Niederdruckpolyethylen)	Rohre, Lüfter, Mülltonnen, Behälter, Planen aus Bändchengewebe
LDPE	Polyethylen weich (Hochdruckpolyethylen)	Folien für Bauten- und Witterungsschutz, Kabelisolierungen
PS	Polystyrol	Schaumstoffe, Gehäuse, Leuchten
PMMA	Polymethylmethacrylat	Lichtkuppeln, Lichtplatten, Dachplatten, Sanitärobjekte, Sanitärzellen
PIB	Polyisobutylen	Folien zur Bautenabdichtung, Fugendichtungsmasse, Klebstoffe
PA	Polyamid	Beschläge, Schrauben, Dübel, Fasern für Teppichböden
PP	Polypropylen	Rohre (auch heißwasserbeständig), Fittings, Behälter, Fasern
PC	Polycarbonat	unzerbrechliche Lichtplatten, Leuchten, Profile, Rohre, einbruchs- und beschusshemmende Verglasungen
CAB	Celluloseacetobutyrat	schwer zerbrechliche Lichtkuppeln, Wellplatten, Beschläge, Werkzeuggriffe

1.9.3 Duroplaste (Duromere)

Duroplastische (lat. „durus" = hart) Kunststoffe bestehen in der Regel aus räumlich hochvernetzten Makromolekülen. Im Gegensatz zu den Thermoplasten zeigen Duroplaste keinen Schmelzpunkt. Duroplaste können hart, aber auch elastisch bzw. gummiartig sein; dies hängt von der Glasübergangstemperatur (TG) ab. Diese Kenngröße bestimmt auch die Verwendung. So haben Dichtmassen üblicherweise eine TG unterhalb der Einsatztemperatur, damit sie elastisch bleiben. Die mechanischen Eigenschaften ober- bzw. unterhalb dieser Temperatur unterscheiden sich deutlich (bis zu mehreren Zehnerpotenzen in Fall des E-Moduls).

Tabelle 1.29 gibt eine Übersicht über die bautechnisch wichtigsten Duroplaste.

Tabelle 1.29: Bautechnisch wichtigste Duroplaste

Kurzzeichen	chemische Bezeichnung	Beispiele bautechnischer Anwendungen
UP	ungesättigtes Polyesterharz	Glasfaser-Kunststoffe (GFK) als Lichtplatten, Lichtkuppeln, Verbundelemente, Schwimmbecken, Tanks, Rohre, Konstruktionsteile; ohne Faserarmierung als Beschichtung, Klebstoffe, Mörtel
PUR	Polyurethan	Schaumstoffe, Beschichtung, Lacke, Kleber, Dichtmassen
PF	Phenol-Formaldehydharz	Pressmassen, Elektroteile, Schaumstoffe, Bindemittel für Faserdämmstoffe, Schichtpressholz
MF	Melamin-Formaldehydharz	Schichtpressstoffplatten, Formteile im Möbelbau, Elektroteile
UF	Harnstoff-Formaldehydharz	Schaumstoffe, Bindemittel für Spanplatten, Pressmassen
EP	Epoxidharze	Gießharze für Beschichtungen, Mörtel, Kunststoffbeton, hochfeste Klebstoffe

1.9.4 Thermoelaste

Eine weitere Gruppe bilden die Thermoelaste, die erst bei höheren Temperaturen gummielastische Eigenschaften annehmen und als Konstruktionswerkstoff eine Rolle spielen.

1.9.5 Gemeinsame Merkmale von Kunststoffen

Die verschiedenen Duroplaste unterscheiden sich in ihren Eigenschaften, Epoxidharze beispielsweise zeigen gute Hafteigenschaften zu Metallen. Typische Eigenschaften verschiedener Duroplaste sind:

- geringes Gewicht gepaart mit guter Festigkeit und Korrosionsbeständigkeit (feuchtigkeitsunempfindlich und nicht korrodierend),
- geringer Pflegeaufwand (teils fast wartungsfrei).
- leichte, beliebige Formgebung (vielfältige Verarbeitungsmethoden und Möglichkeiten der Strukturgebung, spritz- und gießfähig, Halbzeuge und Fertigteile in fast unbegrenzten Variationen),

Abb. 1.22: Stahl in Verbindung mit Glas inspiriert die moderne Gebäudearchitektur (Quelle: sissoupitch – stock.adobe.com).

- gute Wärmedämmung (geringe Wärmeleitfähigkeit mit den entsprechenden Vorteilen, z. B. Vermeidung von Kondenswasserbildung),
- gute Chemikalienbeständigkeit (u. a. im Außeneinsatz beständig gegenüber Klima und Atmosphäre),
- Typenvielfalt/Anpassungsfähigkeit (zahlreiche Zustandsformen: fest, zäh, geschäumt, elastisch, plastisch, flüssig),
- elektrisch hochisolierend (hohe Oberflächenwiderstände und Durchschlagfestigkeiten).

1.10 Metalle

Metalle sind alle chemischen Elemente, die eine metallische Bindung eingehen. Durch diese Bindungsart kommen besondere Stoffeigenschaften zustande. Unter anderem besitzen Metalle gute elektrische und Wärmeleitfähigkeit und weisen zum Teil ferromagnetisches Verhalten auf. Man unterscheidet Metalle z. B. nach Eisen- und Buntmetallen. Eisenwerkstoffe und Aluminium sind im modernen Bauwesen von großer Bedeutung. Das gilt insbesondere für das veredelte Material Stahl, das aus Eisen gewonnen wird. Stahl ist beispielsweise im Industriebau allgegenwärtig und wird dort für Profile und Stützen eingesetzt oder auch für Dacheindeckungen und Fassadenverkleidungen (siehe Abb. 1.22). Zudem spielt das Material eine große Rolle als Bewehrung im Stahlbetonbau.

Legierungen

Reines Eisen ist allerdings für die meisten Anwendungen im Bauwesen ein zu weicher Werkstoff. Um ihn fester zu machen, wird der Rohstoff daher legiert. Unter einer Legierung versteht man die Veredelung des Metalls mithilfe von Elementen wie Kohlenstoff, Schwefel und Silicium sowie anderen Metallen. Diese Legierungselemente gehen keine feste chemische Verbindung mit dem Eisen ein, sie erzielen ihre Wirkung vielmehr durch lose Einlagerung in die Kristallgitterstruktur des Metallgitters.

Insbesondere Kohlenstoff spielt eine wichtige Rolle als Härter. Er macht das Eisen fester, aber auch spröder. Eine größere Härte lässt sich aber auch erzielen, wenn man Eisen mit Metallen wie Mangan oder Wolfram legiert. Eine Legierung mit Chrom, Nickel, Aluminium oder Kupfer macht Eisen dagegen korrosionsbeständiger. Darüber hinaus existieren noch zahlreiche andere Legierungsmöglichkeiten. Es gibt mehr als 3.000 Stahlsorten. Auf diese Weise lassen sich Eisenwerkstoffe mit unterschiedlichsten Eigenschaften herstellen.

Gusseisen und Stahl

Durch Eisen-Kohlenstoff-Legierung entstehen neue Materialien mit verbesserten Eigenschaften. Wenn das Eisen mit einem Kohlenstoffanteil von mehr als 2,06 % angereichert wurde, spricht man von Gusseisen. Es wird im Bauwesen beispielsweise häufig für Kanaldeckel verwendet. Gusseisen ist sehr druckbeständig und auch weniger rostanfällig als normaler Stahl. Dafür ist das Material aber ausgesprochen spröde und daher bruchanfällig bei Zug- und Biegespannungen. Außerdem ist Gusseisen nicht kalt verformbar und lässt sich wegen des hohen Kohlenstoffgehalts nicht schmieden. Die Formgebung kann nur durch Gießen des geschmolzenen Materials erfolgen. Eine thermische Nachbehandlung ist häufig nicht möglich.

Letzteres ist einer der größten Unterschiede zum Stahl, der sich kalt und warm verformen lässt. Stahl ist per Definition Eisen mit einem Kohlenstoffgehalt von weniger als 2,06 %. Bei Baustahl liegt der Kohlenstoffgehalt meist zwischen 0,1 und 0,5 %. Seit im Zuge der Industrialisierung moderne Formen der Stahlerzeugung entwickelt worden sind, ist Stahl der mit Abstand am häufigsten verwendete metallische Werkstoff. Er hat das alte Gusseisen in den meisten Bereichen abgelöst. In der Praxis gibt es – je nach Art der Legierung – eine schier unüberschaubare Anzahl von Stahlsorten mit unterschiedlichsten Eigenschaften. Sie alle enthalten Eisen als Hauptbestandteil sowie Kohlenstoff. Hinzu kommen weitere Metall- und Nichtmetallbeimischungen.

Stahlherstellung

Für die Stahlherstellung werden die meist feinkörnigen natürlichen Eisenerze in einem ersten Schritt gesintert. Das bedeutet, dass sie unter Zugabe von Stoffen wie Koks und Kalkstein geschmolzen und dadurch zu größeren Klumpen „zusammengebacken" werden. In dieser Form sind sie besser geeignet für den Hochofen, wo das Eisenerz abwechselnd mit Lagen aus Koks aufgeschichtet und dann bei Temperaturen bis 1.500 °C erneut geschmolzen wird.

Durch die Behandlung im Hochofen schmelzen die Gesteinsanteile im Eisenerz. Da sie leichter als das Roheisen sind, schwimmen sie auf diesem und können deshalb als Schlacke leicht abgetrennt werden. Zugleich entweicht ein Großteil des Sauerstoffs aus den Eisenoxidverbindungen. Dafür hat das nun reinere Eisen aber Kohlenstoff aus dem Brennstoff Koks aufgenommen. Bei den meisten Stahlsorten wird der Kohlenstoffgehalt im Verlauf weiterer Produktionsschritte wieder gesenkt.

Abb. 1.23: Dachgaube mit Titanzink-Deckung (Quelle: Rheinzink GmbH & Co. KG, Datteln)

NE-Metalle

Nichtmetalle sind wesentlich weniger anfällig gegen Korrosion als Stahl. Im Folgenden werden Zink, Aluminium, Kupfer und Blei in ihren wichtigsten Eigenschaften und Einsetzungsmöglichkeiten erläutert.

Zink

Zink ist ein relativ günstig herzustellendes Material, das sich leicht verarbeiten lässt und an der Luft schnell eine Oxidoberfläche ausbildet, die das darunter liegende Metall sehr gut vor Rost schützt. Aufgrund dieser Eigenschaft wird es im Bauwesen vor allem als Korrosionsschutzmittel eingesetzt. So werden Stahlerzeugnisse häufig verzinkt. Sie werden also an der Oberfläche mit Zink beschichtet, um sie vor Durchrostung zu schützen. Aber auch reine Zinkbleche kommen im Bauwesen zum Einsatz, wenn auch nicht so häufig wie Stahl oder Aluminium. Sie werden z. B. für Dachdeckungen, Dachrinnen, Regenfallrohre, Außenfensterbänke oder auch als Fassadenbekleidung verwendet. Allerdings nutzt man dafür in der Regel kein reines Zink, sondern Zinklegierungen. Standard ist hier Titanzink, das auch geringe Mengen an Kupfer, Titan und Aluminium enthält (siehe Abb. 1.23). Dadurch wird es weniger spröde und noch korrosionsbeständiger.

Aluminium

Das Leichtmetall Aluminium kommt zwar noch häufiger in der Erdkruste vor als Eisen, wird aber trotzdem erst seit der zweiten Hälfte des 19. Jahrhunderts als Werkstoff verwendet. Das liegt daran, dass die Existenz dieses Elements überhaupt erst im Jahr 1825 entdeckt wurde. Aluminium wird vor allem aus rotem Bauxit gewonnen, einer aluminiumhaltigen Tonerde. Durch Zugabe von Natronlauge isoliert man zunächst Aluminiumhydroxid, das dann im Drehofen entwässert wird. Dadurch entsteht pulverförmiges Aluminiumoxid. Dieser Stoff wird dann zusammen mit geschmolzenem Kryolith per Elektrolyse in reines

Abb. 1.24: Pressfittings (Verbindungsstücke) aus Kupfer für Trinkwasser, Heizung, Gas und Industrie (Quelle: Geberit Vertriebs GmbH, Pfullendorf)

Abb. 1.25: Verschiedene Holzprodukte (Quelle: Marco2811 – stock.adobe.com)

Aluminium und Sauerstoff aufgespalten. Dafür benötigt die Verhüttungsindustrie große Mengen an Strom.

Neben Eisen/Stahl ist Aluminium heute das am meisten eingesetzte Baumetall. Man verwendet es etwa für Fensterrahmen und -bänke, Rollläden, Türen, Fassadenbekleidungen und Dachdeckungen. Zu den größten Vorteilen des Metalls gehört sein geringes Gewicht. Aluminium ist nur etwa halb so schwer wie Stahl. Da es relativ weich ist, lässt es sich zudem kalt und warm verformen und gut verarbeiten. Man kann es beispielsweise schweißen, löten, nieten und auch kleben. Außerdem ist Aluminium, wie alle hier vorgestellten Baumetalle, durch eine Oxidationsschicht vor Korrosion geschützt. Schließlich lässt sich das Material vielfältig legieren, sodass auch Sorten mit höheren Härtegraden möglich sind.

Kupfer

Lange bevor der Mensch das Eisen entdeckt hat, nutzte er bereits Kupfer als Werkstoff. Die Zeitspanne von etwa 5.000 bis 3.000 v. Chr. wird in vielen Regionen der Welt heute als Kupferzeit bezeichnet. Der Rohstoff findet sich in der Natur sowohl eingebettet in Erzmaterial als auch in reiner Form als kupferrote und metallisch glänzende „Nuggets". Nach der Entdeckung des Eisens hat die Bedeutung des Kupfers als Baustoffs allerdings stark abgenommen. Eine Renaissance erlebte das Material im Zeitalter der Elektrizität. Kupfer leitet Strom so gut wie kein anderes Metall (außer Silber) und wurde daher zum Standardmaterial für Stromkabel. Nicht zuletzt aufgrund dieser Eigenschaft ist das Halbedelmetall aber auch vergleichsweise teuer. Im Bauwesen findet man Kupfer insbesondere als Material für Rohre und im Dachbereich (siehe Abb. 1.24). Kupferdächer gelten als extrem langlebig, vor allem auf Prachtbauten wie Kirchen kann man sie vielerorts sehen. Sie sind zu erkennen an der grünen Patina. Kupfer bildet bei Kontakt mit Luft gleich 2 Schutzschichten: zunächst eine Oxidschicht und etwas später dann noch den grünfarbenen Belag, der aus Kupfersalzen besteht. Kupfer ist auch das Ausgangsmaterial für einige bekannte Legierungen. So entsteht Bronze aus Kupfer, wenn es mit Zinn und Blei gemischt wird. Messing ist eine Kupfer-Zink-Legierung.

Blei

Auch Blei gehört zu den uralten Metallwerkstoffen der Menschheit. Die Römer stellten daraus z. B. in großem Umfang Wasserrohre her. Seit dem Mittelalter verwendet man das aus Bleierzen gewonnene Material auch verstärkt für Dachrinnen und Sprossen von Fensterverglasungen. Aus gewalzten Bleiblechen werden Dachdeckungen hergestellt. Außerhalb des Bauwesens kennt man das Metall z. B. als Bestandteil von Batterien. Als Strahlenschutzmaterial kommt es in Kernkraftwerken und in der Röntgentechnik zum Einsatz. Die Mine eines Bleistiftes besteht dagegen gar nicht aus Blei, sondern aus einem Graphit-Ton-Gemisch.

Blei ist ein korrosionsbeständiges und zugleich sehr weiches Metall. Es lässt sich nicht nur kalt verformen, sondern auch ganz einfach schneiden – man kann es sogar mit dem Fingernagel einritzen. Außerdem ist es lötbar. Es ist somit also eigentlich ein ideales Material, besonders für kleinflächige Anwendungen im Außenbereich. Blei wurde deshalb bis in die 1970er-Jahre häufig im Bauwesen verwendet. Doch mittlerweile hat sich die Erkenntnis durchgesetzt, dass das Schwermetallmetall ein Umweltgift ist, das sowohl Mensch als auch Natur schwer schädigen kann. Man versucht daher heute in den meisten Bereichen, Blei durch andere Materialien zu ersetzen. Der Neueinbau von Trinkwasserleitungen aus Blei ist in ganz Deutschland bereits seit 1973 verboten. Seit Ende 2013 sind Hausbesitzer hierzulande nun auch grundsätzlich verpflichtet, alte Bleirohre auszutauschen.

1.11 Baustoff Holz

1.11.1 Rohstoff Holz

Holz ist in Europa und vielen anderen Erdteilen der wichtigste nachwachsende Rohstoff. Im Bauwesen erfährt Holz derzeit eine Renaissance, da Baustoffe gesucht werden, die die zentralen Baumaterialien des 20 Jahrhunderts (Beton, Stein, Stahl) ersetzen oder ergänzen können, um klimaschonend und nachhaltig bauen zu können.

Holz und Holzprodukte (siehe Abb. 1.25) haben im Vergleich mit anderen Baumaterialien oft einen entscheidenden Vorteil: die meist sehr gute Klimabilanz. Um Biomasse (im konkreten Fall Holz) zu erzeugen, benötigen Pflanzen Kohlenstoff als Gerüstsubstanz. Diesen gewinnen sie aus dem Kohlendioxid (CO_2) der Umgebungsluft. Fotosynthese heißt dieser wichtigste Prozess der Biologie, in dem aus Wasser und CO_2 energiereiche Zuckermoleküle produziert werden. Aus den Zuckern können äußerst stabile und große Molekülketten gebildet werden, die die Pflanzenstruktur und eben auch Holz bilden. Auch sämtliche fossilen Rohstoffe (Kohle, Erdöl, Erdgas) wurden auf diesem Weg vor Millionen von Jahren produziert, diese sind allerdings endlich.

Auch das Bauen mit Holz hat sich über die Jahre und Jahrhunderte weiterentwickelt. Das Stichwort Holzhäuser weckt oft Assoziationen mit alten Fachwerkhäusern oder wildromantischen Blockhütten. Der moderne Holzbau stellt sich jedoch anders dar: Holzbauelemente werden modular in Produktionswerkstätten gefertigt und reduzieren die Bauzeiten eines Gebäudes. Neben Ein- und Zweifamilienhäusern werden zunehmend auch mehrgeschossige Gebäude bis hin zu Hochhäusern, Dachaufstockungen sowie Gewerbe- und landwirtschaftliche Bauten in Holzbauweise realisiert. Von allen neu erbauten Gebäuden in Deutschland (Wohn- und Nichtwohnbau) sind mittlerweile (Stand: 2022) knapp über 20 % maßgeblich aus Holz errichtet.

Holz und Holzprodukte kommen aber nicht nur in der Gebäudekonstruktion zum Einsatz, sondern auch als Fenster, Fußböden, Treppen, Türen, Möbel sowie Holzverpackungen und nicht zuletzt auch bei der Energie: Feuer am heimischen Kamin, Blockheizkraftwerke und moderne Pelletöfen tragen zur Energiegewinnung bei.

Zum Einsatz kommen neben Massivholz mittlerweile meist weiterveredelte Holzprodukte wie Brettsperrholz, Brettschichtholz, Holzwerkstoffe aus Holzfasern oder -spänen (siehe Kapitel 1.11.5). Es können so selbst Reste aus den Sägewerken und aus Recyclingmaterialien wieder zu vollwertigen Holzprodukten verarbeitet werden.

1.11.2 Wald und Baum

In Deutschland besteht ca. ein Drittel (11,5 Mio. ha) der Gesamtfläche aus Wald. Das heißt, die Produktionsstätten des Holzes befinden sich in regionaler Nähe, was Transportwege verkürzt und Klimabilanzen verbessert. Nichtsdestotrotz werden Holz und Holzprodukte auch weltweit gehandelt, da nicht alle nachgefragten Holzarten in Deutschland verfügbar sind und einige Holzprodukte im Ausland gefertigt werden. Deutschland ist ein bedeutender Exporteur von Holzprodukten in die Welt.

Wie eingangs beschrieben, unterscheiden sich Bäume vom Aufbau kaum von anderen Pflanzen – wichtig sind aber 2 Aspekte: zum einen das sog. „Verholzen", die Bildung von festem und für das Wachsen in die Höhe notwendigem Pflanzenmaterial. Zum anderen zeichnen sich Bäume durch einen meist aufrechten und geraden Wuchs aus, der durch das Dickenwachstum ermöglicht wird – so wächst ein Baum nicht nur in die Höhe, sondern, insbesondere ab einem gewissen Alter, in die Breite. Aus diesen geraden Stämmen lässt sich auch das beste

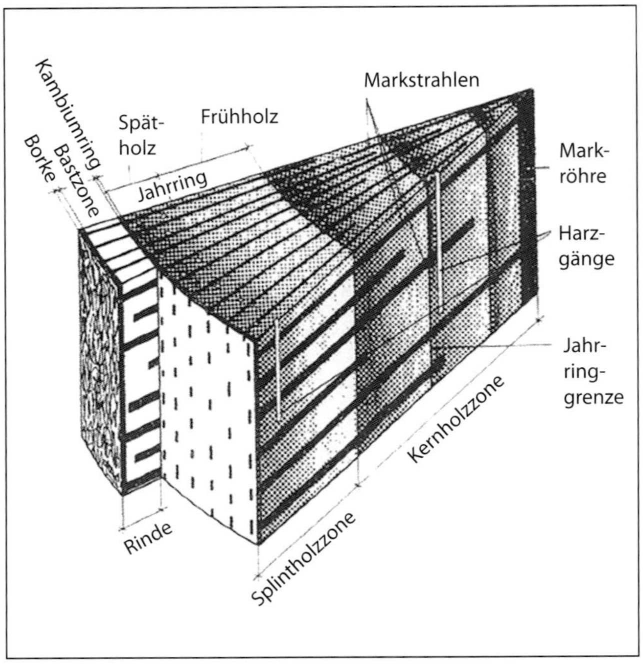

Abb. 1.26: Aufbau von Holz (Quelle: Gesamtverband Deutscher Holzhandel e. V., Berlin)

Schnittholz gewinnen. Die jährlich gebildeten Jahrringe (siehe Kapitel 1.11.3) sind ein Zeugnis dieses jährlichen Umfangzuwachses.

Bäume und Sträucher sind zweikeimblättrige Pflanzen (Dikotyledonen) und unterscheiden sich damit von baumähnlichen einkeimblättrigen Pflanzen (Monokotyledonen) wie z. B. Rattan, Bambus oder Palmen.

1.11.3 Aufbau von Holz

Ein Baum nimmt mit seinen Wurzeln Wasser auf, das im **Holz** zu den Blättern aufsteigt. In den Blättern werden durch Fotosynthese Zuckermoleküle als Gerüstbausteine erzeugt. Diese Gerüstbausteine können in der **Rinde** im gesamten Baum befördert werden. Sie sind die Bausteine für das Wachstum des Baumes und das Entstehen des Holzes.

Zwischen Holz und Rinde liegt eine Zellschicht von besonderer Bedeutung: die **Wachstumsschicht**, die auch als **Kambium** bezeichnet wird. Von diesen Zellen geht das Dickenwachstum des Stammes aus. Aus den vom Kambium nach innen abgeteilten Zellen werden die verschiedenen Elemente des Holzes gebildet, während nach außen hin die Elemente der Rinde gebildet werden.

In Abb. 1.26 ist der Aufbau des Holzes dargestellt, wie er mit bloßem Auge oder mithilfe einer Lupe erkennbar ist. Man spricht hier vom Grobaufbau des Holzes.

Jahrringe

Bäume, die durch Kälte oder Trockenheit ihr Wachstum unterbrechen müssen, bilden Jahrringe. In Europa werden zu Beginn der Wachstumsperiode im Frühjahr in jedem Jahr zuerst dünnwandige und oft größere Zellen gebildet. Durch die größeren Hohlräume können sie das Wasser optimal leiten (Leitungsgewebe). Diese Zellen bilden das

Frühholz. Der Baum benötigt im Frühjahr große Wassermengen, weil er durch das Austreiben der Knospen und die Entfaltung der Blätter viel Wasser verbraucht.

Im Laufe des Jahres werden allmählich dickwandige, oft kleinere Zellen gebildet. Durch ihre dicken Zellwände verleihen sie dem Holz seine Festigkeit (Festigungsgewebe). Diese Zellen bilden das **Spätholz**. Das Spätholz ist im Querschnitt des Holzes als dunklere Zone erkennbar.

Wenn im folgenden Frühjahr abrupt wieder helleres Frühholz gebildet wird, entsteht eine mehr oder weniger scharfe Grenze. Ein Jahrring besteht somit aus hellerer Frühholz- und dunklerer Spätholzzone.

Splint- und Kernholz

Bäume verfügen über Splint- und Kernholz, die sich in wesentlichen Eigenschaften voneinander unterscheiden.

Splintholz leitet und speichert Wasser, es besitzt eine hohe Feuchte. Die Speicherzellen sind im Splintholz lebendig. Splintholz ist weniger dauerhaft als Kernholz, weil die Kerninhaltsstoffe fehlen.

Im **Kernholz** sind alle Zellen abgestorben. Das Holz hat seine Wasserleitungs- und Speicherungsfunktion aufgegeben. Das Kernholz hat einen geringen Feuchtegehalt. Bei der Umwandlung von Splint- zu Kernholz (das gesamte von der Wachstumsschicht neu gebildete Holz ist zunächst Splintholz) entstehen Kerninhaltsstoffe. Sie können dem Holz eine erhöhte Dauerhaftigkeit verleihen. Bei Farbkernhölzern bewirken sie die dunkle Farbe des Kerns.

1.11.4 Forst- und Holzwirtschaft

Die in Deutschland am häufigsten anzutreffende Baumart ist Fichte (*Picea abies*), die fast ein Drittel der Waldfläche einnimmt (32 %); es folgen Kiefer (*Pinus sylvestris*) mit 21 % und Buche (*Fagus sylvativa*) als die am weitesten verbreitete Laubholzart mit 17 %. Weitere 10 % werden von Eiche (*Quercus robur* und *Quercus petraea*) beansprucht. Andere Nadelbäume wie Tanne (*Abies alba*), Lärche (*Larix decidua*) und Douglasie (*Pseudotsuga menziesii*) nehmen 8 % ein. Eine Vielzahl weiterer Laubbäume wie Ahorn (*Acer spp.*), Birke (*Betula spp.*), Pappel (*Populus spp.*) oder Erle (*Alnus spp.*) sind auf den verbleibenden 10 % zu finden.

Die Baum- und Holzarten mit den größten Flächenanteilen sind auch diejenigen mit den meisten Anwendungen.

Ohne Im- und Exporte betrug das Holzaufkommen in Deutschland 2017 ca. 75 Mio. m^3; davon wurde ca. die Hälfte zu Schnittholz verarbeitet, 10 % zu Holzwerkstoffen (Span- und Faserplatten), weitere 8 % sind für Zellstoff und Papier verwendet worden. Gut 30 % des Holzaufkommens werden energetisch genutzt, z. B. als Holzpellets für private Heizungen.

1.11.5 Holzprodukte

Für das Bauen mit Holz sind in erster Linie Holz und Holzwerkstoffe aus den in Kap. 1.11.4 genannten Nadelhölzern wichtig. Für das Errichten von Holzbaukonstruktionen werden für das Gebäudeskelett Vollholzelemente eingesetzt: Konstruktionsvollholz (KVH), Brettschichtholz und Brettsperrholz für Träger, Versteifungen, Dachsparren usw. Um das verfügbare Holz optimal auszunutzen, werden diese Werkstoffe meist in Länge und Breite verklebt. So erhöht man die Ausbeute aus dem Stamm und kann fehlerhafte Stellen mit Ästen oder Wuchsanomalien auskappen. Auch die Formstabilität wird dadurch verbessert.

Ist die Gebäudestruktur errichtet, werden flächige Werkstoffe benötigt um das Gerüst einzuhausen – meist von außen und von innen, um einen funktionalen Wandaufbau zu erhalten. Als Füllung zwischen den Wandabschlüssen werden moderne Dämmstoffe eingesetzt, um das Haus möglichst energieeffizient zu gestalten. Die Wandabschlüsse bestehen oft aus sog. Oriented-Strand-Board(OSB)-Platten; zur Dämmung können Holzfaserdämmplatten eingesetzt werden. So ist ein Wandaufbau möglich, der größtenteils aus dem nachwachsenden Rohstoff Holz besteht.

Weitere wichtige Werkstoffe sind Schalungsbretter, Span- und Faserplatten, beschichtete Platten und Holzprofile für Verkleidungen und Fassaden.

Daneben werden viele weitere Elemente eines Hauses mit Holzprodukten ausgestattet:

- Möbel im Innenausbau,
- Fußböden, z. B. Dielenböden, Parkett oder Laminatböden,
- Türen,
- Außenbereiche, z. B. Vordächer, Carports, Terrassen.

1.11.6 Besonderheiten bei der Arbeit mit Holz

Holz ist ein Naturprodukt. Das heißt auch, dass es natürliche Holzeigenschaften gibt, die bei Planung, Konstruktion und Wartung zu berücksichtigen sind. Des Weiteren ist Holz einfach form- und verarbeitbar. Die Verarbeitung von Holz ist vergleichsweise einfach, es lässt sich gut sägen, fräsen und schleifen. Anschlüsse können leicht über Nagel-Schraub-Verbindungen hergestellt werden. Zudem weisen Holzprodukte eine hohe Festigkeit bei geringem Gewicht auf.

Holzprodukte sind in der Lage, Wasser aus der Umgebungsluft aufzunehmen. Das ist vorteilhaft für das Raumklima, kann aber auch bedeuten, dass die Produkte Dimensionsänderungen erfahren. Holz quillt und schwindet entsprechend der Umgebungsluftfeuchte. Im Außenbereich kann dies auch zu Rissen im Holz führen, die aber in der Regel unbedenklich sind.

Hat das Holz eine sehr hohe Feuchte – dies ist meist auch nur im Außenbereich der Fall –, kann es für Pilze und Insekten ein geeigneter Nährboden sein. Daher ist bei der Planung darauf zu achten, dass alle Holzkonstruktionen nach einer Auffeuchtung auch wieder leicht trocknen können. In dem Fall ist eine Auffeuchtung kein Problem.

Holzprodukte ändern ihre Farbe; auch das tritt im Außenbereich wesentlich stärker auf als im Innenbereich. „Holz vergraut", heißt dies in der Fachsprache; Holz kann eine dunkelgraue bis schwarze Patina bekommen. Verschiedene Oberflächenbehandlungen können aber auch dafür sorgen, dass dies nicht stattfindet und eine einheitliche Farbe über mehrere Jahre sichergestellt ist. Das bedeutet aber meist auch, dass Pflege- oder Wartungsanstriche nach einiger Zeit nötig werden.

1.11.7 Nachhaltige Beschaffung

Neben den Kapitel 1.11.4 genannten heimischen Holzarten gibt es weltweit über 100 Holzarten, die gehandelt werden und technische Anwendung finden. Nicht überall auf der Welt werden die Wälder nachhaltig bewirtschaftet. Nachhaltigkeit bedeutet, dass keine Kahlschläge stattfinden und nur so viel Holz entnommen wird, wie auch wieder nachwachsen kann. Insbesondere Holz aus Tropenregionen ist dadurch immer wieder unter Beobachtung. Der deutsche Wald und die Wälder Mitteleuropas werden schon seit vielen Generationen nachhaltig bewirtschaftet, d. h., es wird nur so viel Holz entnommen, wie auch wieder nachwächst.

Waldgebiete sind von ökologischer, ökonomischer und sozialer Bedeutung. Flora und Fauna, Klimaleistung des Waldes und sozioökonomische Strukturen gilt es zu erhalten. Holz und Holzprodukte, die importiert und gehandelt werden, müssen gemäß gesetzlichen Bestimmungen aus nachweislich legalen Quellen stammen und können zusätzliche Zertifizierungen aufweisen. Zudem hat das Ziel einer nachhaltigen Holzbeschaffung an Bedeutung gewonnen.

Nach Europäischer Holzhandelsverordnung (European Timber Regulation [EUTR]) ist ein Importeur dazu verpflichtet, die Legalität der Herkunft von Holz und Holzprodukten zu prüfen, also seiner Sorgfaltspflicht nachzukommen.

Mit der Zertifizierung von Wäldern und daraus entnommenem zertifiziertem Holz kann eine nachhaltige Forst- und Holzwirtschaft entlang der Produktkette (Chain of Custody) nachvollziehbar und prüfbar dargelegt werden. Die bekanntesten Forst- und Holz-Zertifizierungssysteme sind FSC® (Forest Stewardship Council) und PEFC™ (Programme for the Endorsement of Forest Certification). Während die Einhaltung der EUTR legalen Holzeinschlag sicherstellt, liefern Zertifizierungssysteme Aussagen zur Nachhaltigkeit bzw. stellen sicher, dass vorgegebene Standards einer nachhaltigen Forstwirtschaft eingehalten werden.

1.12 Bauteile/Anwendungsbereich

1.12.1 Fundamente

Auf dem Fundament lastet das ganze Gewicht des Bauwerks. Es hat die Aufgabe, alle Vertikal- und Horizontallasten sicher und ohne Setzungen in den Baugrund einzuleiten.

Die Dimensionierung hängt von der Art der Belastung und der Tragfähigkeit des Bodens (zulässige Bodenpressung) ab.

Streifenfundamente

Für Streifenfundamente (siehe Abb. 1.27) z. B. unter tragenden Wänden werden Fundamentstreifen ausgeschachtet und eine Schalung bis zur Unterkante Bodenplatte aufgestellt. Dafür stehen neben konventionellen Schalungen und Schalungssystemen auch spezielle Fundamentschalungen zu Verfügung. In die Schalung wird Ortbeton eingebaut. Werden die Fundamente bewehrt ausgeführt, wird vor dem Aufstellen der Schalung auf dem Baugrund eine Sauberkeitsschicht aus z. B. Beton C8/10 eingebaut, die als Auflage der Abstandhalter der Bewehrung dient. Bei Grenzbebauungen dürfen die Streifenfundamente nicht das fremde Grundstück in Anspruch nehmen. Es sind sog. Winkelfundamente auszuführen, bei denen die auftretenden Biegemomente in die aufgehende Betonwand/Stütze eingeleitet werden.

Abb. 1.27: Fundamentierung aus geschalten Stahlbeton-Streifenfundamenten mit seitlicher Wärmedämmung (Quelle: Jansen Bau GmbH, Lohmar)

Abb. 1.28: Erstellung einer wärmegedämmten Fundamentplatte (Einbringung der Bewehrung) (Quelle: BRAUN. Ihr Keller. | Partnerbau Braun GmbH & Co. KG, Niederahr)

Fundamentplatten

Bei Flächenfundamenten (siehe Abb. 1.28) entfallen die für Streifenfundamente erforderlichen zusätzlichen Aushub- und Schalarbeiten. Dafür müssen die als Fundamentplatte dienenden Bodenplatten in der Regel dicker und bewehrt ausgeführt werden. Sie sind bei Abwägung aller Einflüsse bei kleineren in den Baugrund einzuleitenden Lasten oft wirtschaftlicher als Streifenfundamente. Bei problematischen Bodenverhältnissen, wie sie z. B. in Bergsenkungsgebieten anzutreffen sind, werden die Lasten außerdem besser verteilt.

Zunächst ist eine Sauberkeitsschicht aus ca. 5 cm Beton C8/10 einzubauen. Dann erfolgen das Setzen der Randschalung und der Einbau der Bewehrung. Anschließend kann der Beton für die Fundamentplatte eingebracht werden.

Einzelfundamente

Eine Besonderheit bei den Schalungen von Einzelfundamenten (siehe Abb. 1.29) in Ortbetonbauweise ist, dass untere Ankerstäbe nicht eingebaut werden, da durch die Böschung der spätere Ausbau problematisch wäre. Bei sehr großen Fundamenten ist der Ausbau eines unteren Ankerstabs wegen der Verformung auch problematisch. Stattdessen werden häufig unten Bandeisenspanner einbetoniert. Die obere Abspannung erfolgt oberhalb der Fundamentschalung.

Im Regelfall übernehmen im Skelettbau in Einzelfundamente eingespannte Stützen die Aussteifung. Bei Stützen in Ortbetonbauweise kann durch eine entsprechend dimensionierte Anschlussbewehrung einfach und sicher eine Einspannung in das Fundament aus Ortbeton hergestellt werden.

Bei Stützen in Fertigteilbauweise wird die Einspannwirkung durch Einbinden der Stützen in Köcher- und Blockfundamente erreicht. Kleinere Köcherfundamente können auch als Fertigteile geliefert werden. Dem geringeren Betonverbrauch beim Köcherfundament steht der geringere Schalungsaufwand beim Blockfundament gegenüber. Bei kleineren Fundamenten bis 2 m Seitenlänge ist das Blockfundament häufig wirtschaftlicher. Bei standfesten Böden kann das Blockfundament auch ohne Seitenschalung gegen das Erdreich betoniert werden. Nach dem Einheben und Ausrichten der Betonfertigteilstütze wird der Köcher vergossen und die Stütze bindet kraftschlüssig in das Fundament ein.

Bei der Stütze als Betonfertigteil kommen häufig angeformte Fundamente zum Einsatz. Dabei wird das Fundament zusammen mit der biegesteif angeschlossenen Stütze im Fertigteilwerk hergestellt und zur Baustelle transportiert. Aus produktionstechnischen Gründen und wegen der maximal zulässigen Transportabmessungen ist die Fundamentgröße in der Regel auf 3,0 m × 3,5 m begrenzt. Die kürzere Bauzeit und der durch die geringere Gründungstiefe bedingte geringere Aushub machen das angeformte Fundament in vielen Fällen zur wirtschaftlichsten Lösung.

Eine weitere Möglichkeit des Anschlusses der Betonfertigteilstütze an das Fundament ist der Schraubanschluss, der neben dem Vorteil der Demontierbarkeit die Möglichkeit einer flachen Gründung auch bei hohen Lasten bietet.

1.12.2 Bauwerksabdichtungen an erdberührten Bauteilen und Kellermauerwerk

Wirksamkeit und Langlebigkeit einer Bauwerksabdichtung sind von einer Vielzahl von Faktoren abhängig. So müssen im Vorfeld die statischen, konstruktiven, bauphysikalischen und nutzungsspezifischen Erfordernisse berücksichtigt werden.

Auch ein abgestimmtes Produktsystem für die Fundamentabdichtung sowie eine ordnungsgemäße Untergrundvorbereitung und Verarbeitung sind maßgeblich.

Abb. 1.29: Einzelfundamente eines mehrstöckigen Ärztehauses in der Duisburger Innenstadt (Quelle: Redaktion/sch)

Grundlegend bei einer Fundamentabdichtung ist die Kenntnis über die vorliegende Wassereinwirkungsklasse, die auch in DIN 18195:2017-07 „Abdichtung von Bauwerken – Begriffe“ bzw. DIN 18533:2017-07 „Abdichtung von erdberührten Bauteilen“ detailliert beschrieben wird.

Die DIN 18533 unterscheidet nach 4 Klassen der Wassereinwirkung auf das Gebäude.

W1-E Bodenfeuchte und nicht drückendes Wasser

Die Mindestwassereinwirkung auf ein erdberührtes Bauwerk ist Bodenfeuchte und liegt bei stark durchlässigem Boden vor. Bei wenig durchlässigem Boden kann durch Dränung die gleiche Wassereinwirkungsklasse erreicht werden.

W2-E drückendes Wasser

Wirkt Stau-, Grund- oder Hochwasser auf den Baukörper ein, liegt die Wassereinwirkungsklasse W2-E vor. Unterschieden wird zwischen mäßiger Einwirkung (W2.1-E) mit einem maximalen hydrostatischen Wasserdruck bis 3 m und hoher Einwirkung (W2.2-E) mit mehr als 3 m Wassersäule.

W3-E nicht drückendes Wasser auf erdüberschütteter Decke

Mit dieser Wassereinwirkung ist zu rechnen, wenn auf eine nicht befahrene erdüberschüttete Deckenkonstruktion Niederschlags- oder Sickerwasser einwirkt und durch die wasserdurchlässige Erdüberschüttung bis zur Abdichtung absickert.

W4-E Spritzwasser am Wandsockel sowie Kapillarwasser in und unter Wänden

Am Wandsockel wirken Spritz- und Sickerwasser auf die Sockeloberflächen, Bodenplatten oder Fundamente ein. Wasser kann über Bodenplatten kapillar aufsteigen und in Außen- sowie Innenwände gelangen. Diese Einwirkungen machen eine Fußpunkt-, Sockel- und Querschnittsabdichtung erforderlich.

Des Weiteren unterscheidet die DIN 18533 nach Rissüberbrückungsklassen und Raumnutzungsklassen.

Abb. 1.30 gibt eine Übersicht über die verschiedenen Abdichtungen am Fundament, Abb. 1.31 stellt schematisch eine Abdichtung unter Bodenplatte und an aufsteigendem Mauerwerk dar. Die einzelnen Abdichtungen werden in den Kapiteln 1.12.2.1 bis 1.12.2.6 beschrieben.

1.12.2.1 Horizontalabdichtung

Die Horizontalabdichtung (Querschnittsabdichtung) dient zum Schutz vor kapillar aufsteigender Feuchtigkeit in der Wand. Diese Querschnittsabdichtung kann mit einer rissüberbrückenden mineralischen Dichtungsschlämme (in mindestens 2 Aufträgen) oder alternativ mit einer Mauersperrbahn durchgeführt werden. Die Mauersperrbahn wird dabei unter der ersten Ziegelreihe angebracht und muss aus mindestens 1 Lage bestehen. Die Auflageflächen für die Bahnen sind mit dem jeweils verwendeten Mauermörtel so dick abzugleichen, dass waagerechte Oberflächen – ohne für die Bahnen schädliche Unebenheiten – entstehen. An Stößen ist auf eine Überlappung von ca. 20 cm zu achten. Die Überdeckungen dürfen verklebt werden. Die über den Ziegel an der Außenwand hinausragende Mauersperrbahn wird vor dem Auftrag der Bitumen-Dickbeschichtung bündig abgeschnitten und der Übergang von Betonsohle zu Mauerwerk mit einer Dichtungskehle versehen. Die innenseitig überstehende Bahn dient zum Anschluss an die Horizontalabdichtung der Bodenplatte.

Eine Horizontalsperre kann auch bei einer Sanierung nachträglich durch chemische Injektage eingebracht werden.

1.12.2.2 Hinterfeuchteschutz

Die Bitumendickbeschichtung kann durch negativ drückendes Wasser (z. B. im Rohbau stehendes Wasser) beschädigt werden. Um die Bitumendickbeschichtung vor rückseitig einwirkender Feuchtigkeit zu schützen, sollte der Bereich von der Bodenplatte ausgehend über die Hohlkehle bis über die erste Ziegelreihe hinweg zusätzlich abgedichtet werden.

Dazu wird dieser Bereich mit einem Systemvoranstrich grundiert und anschließend „frisch in frisch" eine mineralische Dichtungsschlämme aufgebracht.

Dieser Systemaufbau verhindert wirksam, dass Wasserdruck von der Innenseite (z. B. durch Regen in der Bauphase) gegen die frische Bitumenabdichtung wirken kann. Ein Ablösen der Bitumenabdichtung vom Untergrund wird so wirksam verhindert.

1.12.2.3 Sockelabdichtung

Die Sockelabdichtung wird aus einer mineralischen Elastikschlämme hergestellt. Sie schützt den spritzwassergefährdeten Bereich der Außenwand, der nach Anfüllen der Baugrube oberhalb des Bodenniveaus sichtbar ist.

Im Spritzwasserbereich ist die mineralische Abdichtung mindestens 30 cm (Planmaß) über und 20 cm unter die spätere Geländeoberkante (GOK) auszuführen. Nach der Geländeanpassung muss die Abdichtung mindestens bis 15 cm über die Geländeoberkante reichen.

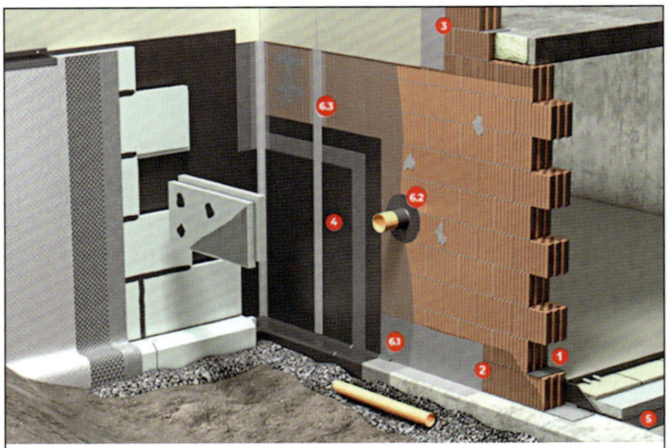

1 Horizontalabdichtung in oder unter Wänden im Mauerwerk
2 Hinterfeuchteschutz
3 Sockelabdichtung
4 Vertikalabdichtung
5 Bodenplattenabdichtung
6 Abdichtungsdetails
6.1 Ausbildung einer Hohlkehle
6.2 Abdichtung von Durchdringungen
6.3 Abdichtung von Bewegungsfugen

Abb. 1.30: Verschiedene Arten von Abdichtungen am Fundament (Quelle: Bornit-Werk Aschenborn GmbH, Zwickau)

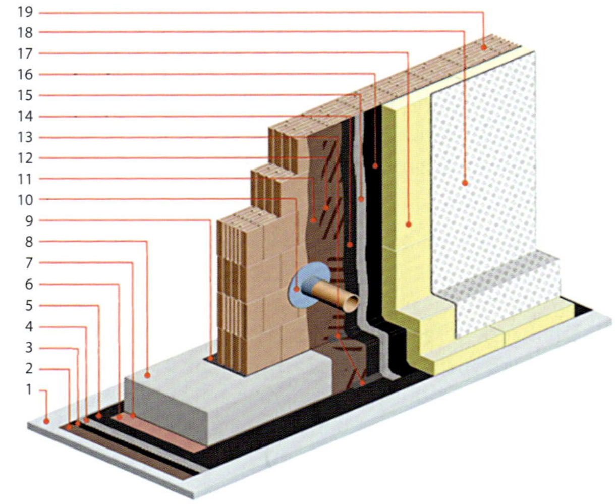

1 Sauberkeitsschicht
2 Grundierung
3 Bitumendickbeschichtung – 1. Lage
4 Armierungsgewebe
5 Bitumendickbeschichtung – 2. Lage
6 Trennfolie
7 Bautenschutzbahn
8 Bodenplatte
9 Horizontalsperre im Mauerwerk
10 Mauerdurchführung (Rohr/Kabel)
11 Grundierung
12 Kratzspachtelung
13 Holzkehle
14 Bitumendickbeschichtung – 1. Lage
15 Armierungsgewebe
16 Bitumendickbeschichtung – 2. Lage
17 Dämmung XPS
18 Noppenbahn mit Filtervlies und Gleitfolie
19 Ziegel-Kellerwand

Abb. 1.31: Schematischer Aufbau einer Abdichtung unter Bodenplatte und an aufsteigendem Mauerwerk (Quelle: Bornit-Werk Aschenborn GmbH, Zwickau)

Die Überlappungszone von mineralischer Abdichtung und der Bitumendickbeschichtung liegt unter der Geländeoberkante und beträgt mindestens 10 cm. Die Bitumendickbeschichtung endet somit im nicht sichtbaren Bereich der Kiesschüttung des Spritzsockels (ca. 5 bis 20 cm unter GOK).

Wichtig

Die mineralische Abdichtung ist immer unter der bituminösen Abdichtung aufzubringen. Zuerst sind die mineralischen Abdichtungsprodukte und anschließend die Bitumendickbeschichtung überlappend zu verarbeiten. Zu hoch aufgetragene Bitumendickbeschichtung (über GOK) kann nur mit hohem Aufwand mechanisch entfernt werden.

1.12.2.4 Vertikalabdichtung

Diese Abdichtung dient zum Schutz des gesamten erdberührten Bereichs des Fundaments vor Feuchtigkeit bzw. Wasser sowie allen im natürlichen Boden vorkommenden aggressiven Stoffen.

Grundierung des erdberührten Bereiches

Es ist dafür zu sorgen, dass der Untergrund fest, sauber, staub-, frostfrei und frei von trennenden Substanzen (z. B. Öle, Fette, Schalmitteln) ist. Der Untergrund sollte saugfähig sowie frei von Graten oder scharfkantigen Unebenheiten sowie Erdreich sein.

Schlecht oder nicht verschlossene Vertiefungen wie Mauerwerksfugen, Mörteltaschen oder Ausbrüche über 5 mm sind mit einem Sperrmörtel zu verschließen. Bei voll und bündig verfugtem Mauerwerk ist keine Putzschicht erforderlich. Im Anschluss wird der vorbereitete Untergrund mit einer lösemittelfreien Bitumengrundierung bzw. Haftemulsion mittels Quast, Rolle oder geeignetem Spritzgerät grundiert.

Fehlstellen kleiner 5 mm sowie Poren im Untergrund können mittels einer Kratzspachtelung mit der Bitumendickbeschichtung verschlossen werden. Speziell bei Betonflächen ist zur Vermeidung von Blasenbildung ebenfalls eine Kratzspachtelung zu empfehlen; diese ist gemäß DIN 18533 vorgeschrieben.

Aufbringen der ersten Lage der Bitumendickbeschichtung

Einkomponentige Dickbeschichtungen können direkt aus dem Liefergebinde verarbeitet werden; sie werden nicht aufgerührt. Zweikomponentige Dickbeschichtungen werden mit einem Rührgerät und einem Ankerrührer vor der Verarbeitung gemäß Technischem Merkblatt gemischt.

Wichtig

Die Wassereinwirkungsklasse gemäß DIN 18533 ist zu beachten!

Die Bitumendickbeschichtung wird mit Kammspachtel, Glättkelle oder geeignetem Spritzgerät auf den vorbereiteten Untergrund aufgetragen; bei Auftrag mit Kammspachtel ist auf eventuelle Lufteinschlüsse zu achten.

Wichtig

Lösemittelfreie Bitumendickbeschichtungen dürfen nicht bei Frost oder drohendem Regen verarbeitet werden. Frisch beschichtete Flächen müssen bei Sonne und/oder sommerlichen Temperaturen geeignet abgeschattet werden; außerdem ist in der Baugrube für ausreichende Luftumwälzung zu sorgen. Die Verarbeitungstemperatur (Umgebungs- und Untergrundtemperatur) darf nicht unter +5 °C und soll nicht über +30 °C liegen. Für Abdichtungen nach DIN 18533 (Wassereinwirkungsklasse W2.1-E) müssen Schichtdickenkontrollen verpflichtend durchgeführt und protokolliert werden; für alle anderen Wassereinwirkungsklassen wird die Dokumentation empfohlen.

Bei vorstehender Bodenplatte ist die Bitumendickbeschichtung aus dem Wandbereich über die Bodenplatte bis mindestens 10 cm (bei W1-E) bzw. 15 cm (bei W2.1-E) auf die Stirnfläche der Bodenplatte fortzuführen.

Bei Arbeitsunterbrechungen muss die Bitumendickbeschichtung „auf null" ausgestrichen werden; bei Fortführen der Arbeiten wird überlappend weitergearbeitet. An Gebäudeecken dürfen keine Arbeitsunterbrechungen erfolgen.

Einbetten von Glasgittergewebe bei Abdichtung nach DIN 18533 (W2.1-E/W3-E) und Aufbringen der zweiten Lage der Bitumendickbeschichtung

Erfolgt die Abdichtung nach DIN 18533, Wassereinwirkungsklasse W1-E/W4-E, kann die zweite Lage der Dickbeschichtung „frisch in frisch" (ohne Verstärkungseinlage) aufgebracht werden.

Bei einer Abdichtung nach DIN 18533 Wassereinwirkungsklasse W2.1-E/W3-E wird ein Glasgittergewebe in die noch frische erste Lage der Bitumendickbeschichtung oberflächig eingebettet. Die zweite Lage der Dickbeschichtung darf erst appliziert werden, wenn die erste Lage so weit getrocknet ist, dass sie durch den nachfolgenden Auftrag nicht beschädigt wird.

Zuerst werden alle Außen- und Innenecken mit dem Glasgittergewebe vorgearbeitet. Anschließend wird das Glasgittergewebe in die frische Bitumendickbeschichtung eingearbeitet. Eine Überlappung zwischen den einzelnen Bahnen von mindestens 10 cm ist beim Ansatz einzuhalten.

Es empfiehlt sich, das Glasgittergewebe bis auf die Stirnseite der Bodenplatte in die Bitumendickbeschichtung einzubetten.

Anbringen der Dämmplatten und Schutzlagen

Die Dämmplatten bzw. Schutzlagen dürfen erst nach vollständiger Durchtrocknung der Dickbeschichtung angebracht werden. Die Dämmplatten werden punktuell (bei

W1-E) oder vollflächig (bei W2.1-E) verklebt. Die Dränage- bzw. Schutzlage wird mit der Gleitfolie zur Mauerseite zugewandt angebracht; die Noppen und das Filtervlies sind außen sichtbar.

Beim lagenweisen Verfüllen der Baugrube ist darauf zu achten, dass die Schutzlage nicht durch Verdichtungsgeräte (z. B. Rüttelplatte) beschädigt wird.

Wichtig

Die Noppenbahn darf auf keinen Fall mit Nägeln o. Ä. im Abdichtungsbereich geheftet werden; der obere Bereich der Noppenbahn ist bei der Verfüllung mit Latten abzustützen, um ein Herunterklappen zu verhindern.

Bei Einschnitten in die Noppenbahn (z. B. bei Lichtschächten) ist die obere, offene Kante zu verschließen (z. B. mit umgeschlagenem Geotextil), um ein Eindringen von Fremdkörpern zu verhindern. Diese können den wasserleitenden Noppenbereich verstopfen.

1.12.2.5 Bodenplattenabdichtung

Die Bodenplatte ist immer gegen aufsteigende Feuchtigkeit abzudichten. Dies kann entweder mit einer geeigneten Bitumendickbeschichtung oder einer Bitumenschweißbahn erfolgen. Es ist darauf zu achten, dass die Bodenplattenabdichtung in die Horizontalabdichtung eingebunden wird.

Für die Abdichtung der Bodenplatte ist ein standfester Untergrund erforderlich und die Abdichtung ist vor Beschädigungen zu schützen.

Die Sauberkeitsschicht (Betonschicht unterhalb der Bodenplatte) wird mit einem Bitumenvoranstrich grundiert und anschließend ganzflächig mit Bitumenschweißbahnen (z. B. PYE PV 250 S5) verschweißt. Dabei ist auf eine Überlappung der Schweißbahnen von mindestens 10 cm zu achten. Die Abdichtung muss mindestens aus 1 Lage hergestellt und punktweise oder vollflächig auf dem Untergrund verklebt werden. Im Anschluss kann die Bodenplatte auf die verschweißte Fläche gegossen werden.

Nachfolgend kann eine Bitumen-Dickbeschichtung zur Zwischenabdichtung (unter Estrich) von Bodenplatten eingesetzt werden. Abdichtungen mit polymermodifizierten Bitumendickbeschichtungen sind in 2 Arbeitsgängen aufzubringen. Die Trockenschichtdicke muss mindestens 3 mm betragen. Die Bitumendickbeschichtung wird hierbei bis an die Zwischenabdichtung der Wände herangeführt und verbunden.

1.12.2.6 Abdichtungsdetails

Ausbildung der Hohlkehle zwischen Bodenplatte und Wandanschluss

Im Kehlbereich zwischen Bodenplatte und der aufgehenden Wand sollte eine Hohlkehle ausgebildet werden. Die Hohlkehle kann entweder bituminös (z. B. mit einem Bitumendreiecksband oder einer zweikomponentigen Bitumendickbeschichtung) oder mineralisch (z. B. Sperrmörtel) ausgebildet werden.

Zur Ausbildung der Hohlkehle zwischen der Bodenplatte und der aufgehenden Wand eignet sich ein bituminöses Dreiecksfugenband bestens. Dazu wird das Dreiecksband an der 90°-Seite angeflammt und in die Kehle gedrückt. Nach dem Erkalten des ersten Ansatzstücks wird das Band gleichmäßig bis zum Schmelzen erwärmt und in das Schmelzbad eingedrückt. Zur Randverschmelzung wird abschließend nochmals über das Band geflammt und mit einer temperierten 20-mm-Spachtel glatt gezogen.

Alternativ kann die Hohlkehle auch mineralisch mit einem Sperrmörtel ausgebildet werden. Der Sperrmörtel bildet ebenso einen wasserdichten Kehlenschutz, allerdings in starrer Ausführung. Eventuelle Bauwerksbewegungen können hier nicht so gut wie beim Bitumendreiecksband ausgeglichen werden. Hinzu kommt, dass der Abbindevorgang der zementösen Mischung vor weiteren Arbeitsgängen abgewartet werden muss.

Durch ihre schnell trocknenden Eigenschaften sind auch zweikomponentige Bitumendickbeschichtungen zur Ausbildung von Hohlkehlen geeignet. Dabei ist ein maximaler Radius in der Kehle von 2 cm nicht zu überschreiten.

Abdichtung von Durchdringungen

Durchdringungen (z. B. Rohr- oder Kabeldurchführungen durch die Wand) bedürfen besonderer Aufmerksamkeit. Die Durchführungen können mit geeigneten Rohrabdichtungssystem bzw. -manschetten sicher und schnell in die Vertikalabdichtung eingebunden werden und die Durchdringungen sicher abdichten.

Abdichtung von Bewegungsfugen

Eine Bewegungsfuge ist der Zwischenraum zwischen 2 Bauteilen oder Bauwerksabschnitten, der diesen unterschiedliche Bewegungen ermöglicht. Bewegungsfugen können mit einem Fugenflexband flexibel überbrückt werden; diese werden anschließend in die Vertikalabdichtung eingebunden.

An Bewegungsfugen dürfen sich Bewegungen aus Gebäudeteilen nicht so auswirken, dass die Funktionsfähigkeit der Abdichtung gefährdet ist. Daher müssen die Ausführung und die Abdichtung der Bewegungsfugen auf die zu erwartenden Bewegungen abgestimmt sein.

In der Regel sind im erdberührten Bereich Fugen des Typs I zu erwarten. Dies sind Fugen für langsam ablaufende und einmalige oder selten wiederholte Bewegungen, z. B. Setzungsbewegungen. Die Bewegungen der Fugenflanken dürfen dabei insgesamt 5 mm nicht überschreiten. Bewegungsfugen des Typs I werden mit einem Fugendichtungsband abgedichtet, das in Schlaufen in die Fuge eingelegt wird. Ein Überspachteln der Fugen ist unzulässig. Bewegungsfugen können nur zuverlässig abgedichtet werden, wenn eine lückenlose Verbindung der Fugendichtungsbänder über die ganze Länge der Fuge sichergestellt ist.

Die verwendete Bitumendickbeschichtung wird bis an die zu überbrückende Fuge herangearbeitet. Anschließend wird das Fugendichtungsband sofort frisch in frisch aufgelegt und fixiert. Nach Trocknung der Beschichtung wird nochmals mit gleichem Abdichtungsmaterial beidseitig mindestens 100 mm des Fugendichtungsbands (Geweberand und Gummibeschichtung) deckend überarbeitet, sodass sich eine geschlossene Abdichtungslage ergibt.

1.12.2.7 Relevante Normen

DIN 18533:2017-07 Abdichtung von erdberührten Bauteilen

DIN 18195:2017-07 Abdichtung von Bauwerken – Begriffe

1.12.3 Waagerecht tragende, bewehrte Bauteile

Decken

Die Decken unterteilen den umbauten Raum waagerecht in die einzelnen Geschosse. Die Anforderungen, die an Decken zu stellen sind, sind denen der Wände sehr ähnlich. Verhinderung der Ausbreitung eines Brandes durch die Geschosse ist eine sehr wichtige Aufgabe. Der Wärmeschutz an Decken, der die Wärmeverluste bei aneinandergrenzenden, unterschiedlich beheizten Räumen verhindern muss, wird weithin stark vernachlässigt. Neben den Temperaturunterschieden unterschiedlich genutzter Räume sind vor allem jene der Kellerdecke und der Decke unter nicht ausgebautem Dachgeschoss besonder zu beachten.

Durch Begehen der Decke entsteht Trittschall. Gut wärmedämmende, leichte Decken leiten den Trittschall, aber auch den Luftschall besser als schwere Decken, die wiederum schlecht wärmedämmend sind. Hier muss in jedem Fall die zu kurz kommende Dämmung durch entsprechende Zusatzmaßnahmen aufgebessert werden. Nahezu alle Decken benötigen sowohl eine zusätzliche Wärmedämmung als auch eine ausreichende Dämmung des Trittschalls.

Decken werden in verschiedenen vorgefertigten Ausführungen oder als vor Ort betonierte Massivdecke (Ortbetondecke) hergestellt.

Zu nennen ist die **Spannbeton-Fertigdecke** aus standardisierten Formteilen mit Hohlräumen in ihrem Inneren, die das Eigengewicht reduzieren und eine bessere Wärmedämmung ermöglichen.

Daneben gibt es die **Beton-Hohlsteindecke**, die aus vorgefertigten Hohlsteinen auf Metallträgern mit Betonfuß besteht. Sie wird per Kran auf das Gebäude aufgesetzt und dann mit Beton vergossen.

Die **Filigrandecke** (Elementdecke) wird als Halbfertigteildecke aus Stahlbeton ausgeführt. Jedes Halbfertigteil besitzt auf seiner Unterseite eine Bewehrung aus Gitterträgern und Baustahlmatten.

Die **Ortbetondecke** hat den Vorteil, dass sie an kein Raster gebunden ist. Dadurch ist die Anpassung an jede Grundrissform des Gebäudes recht einfach. Beim Einbau vor Ort betonierter Massivdecken, vor allem mit nicht ganz kleinen Spannweiten, sollte jedoch auf folgenden Sachverhalt geachtet werden: Der in die Deckenschalung eingebrachte und verdichtete Beton verbindet sich fest mit dem Mauerwerk, auf das er am Rande aufbetoniert wird. Nach der Entschalung hängt die Decke ganz leicht durch. Die Austrocknung (Schwindung) bedingt eine zusätzliche Verringerung der Maße. So entsteht im Mauerwerk eine Zugspannung, die häufig zu waagerechten Rissen in den Außenwänden führt. Aus diesem Grunde sollten einbetonierte Decken auf 2 Seiten durch eine Gleitfolie vom darunterliegenden Mauerwerk getrennt werden. Um Risse in der Außenwand zu vermeiden und um Wärmeverluste durch die Decken bei guter Wärmeleitung zu verhindern, müssen Decken in ausreichender Dicke im Außenbereich mit dem Material „abgestellt" werden, aus dem die Außenwand gemauert ist. Die Wärmeverluste durch die Decke an Hausecken sind erheblich. Sie sind die Ursache so mancher „Schimmelecke".

Abb. 1.32: Einlegen der Bewehrung in einen KS-Sturz (Quelle: Kai Nielsen/KS Original)

Abb. 1.33: Ziegel-Wärmedämmstürze (Quelle: Deutsche Poroton GmbH, Berlin)

Tür- und Fensterstürze

Über jeder Tür- oder Fensteröffnung oder auch über jedem offen gelassenen Durchgang muss ein bewehrtes Bauteil eingebaut werden, das die senkrechten Lasten der darüberliegenden Bauteile trägt. Diese tragenden Bauteile werden Stürze genannt. Vorgänger dieser Bauweise waren die gemauerten Bogen, die von den Betonstürzen abgelöst wurden, die eingeschalt und mit eingelegter Bewehrung betoniert wurden. Um diese aufwendige Arbeit, die Wartezeiten zur Folge hat – der Beton muss bis zur Tragfähigkeit abbinden, erhärten –, zu vereinfachen, wurden Fertigstürze aus verschiedenen Baustoffen entwickelt (siehe Abb. 1.32). Zuerst waren diese Stürze 24,0 oder 17,5 cm hoch. Sie enthielten sowohl die Druck- als auch die Zugzone. Dadurch waren sie schwer zu handhaben. Im Zuge der Weiterentwicklung baut man nur noch die zu bewehrende Zugzone als Sturz ein. Die Druckzone entsteht durch eine feste Verbindung des abgebundenen Mauermörtels mit dem darüberliegenden Mauerwerk. So reduziert sich die Höhe der Stürze bis auf 5,2 cm. Einzige Folge ist, dass die Stürze bis zur Erhärtung des Mörtels in der Mitte abgestützt werden müssen.

Bei Stürzen ist besonders darauf zu achten, dass sie weitgehend aus demselben Wandbaustoff bestehen wie das Mauerwerk, also bindemittelhaltig oder keramisch gebrannt. Zur Minimierung der Wärmebrückenwirkung empfiehlt sich beim Einsatz im wärmedämmenden monolithischen Mauerwerk die Verwendung von Wärmedämmstürzen oder eine zusätzliche Wärmedämmung im Sturzbereich (siehe Abb. 1.33).

Abb. 1.34: Balkonanschluss mit veredeltem-Rohbau-Isokorb (Quelle: Schöck Bauteile GmbH, Baden-Baden)

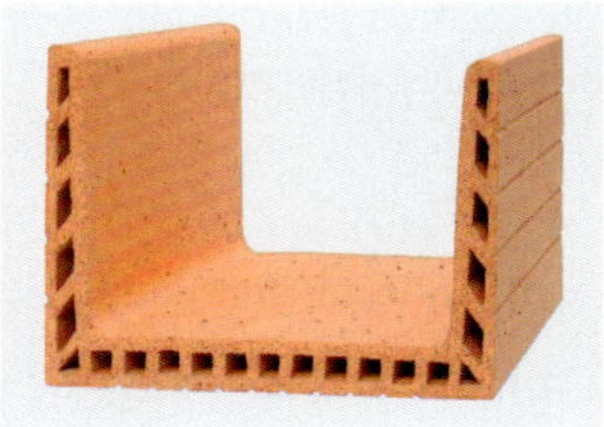

Abb. 1.35: Ziegel-U-Schale für die Erstellung des Ringankers (Quelle: Keraform Projektentwicklung GmbH & Co. KG, Bad Vilbel)

Abb. 1.36: WU-Schale mit integrierter Wärmedämmung (Quelle: Deutsche Poroton GmbH, Berlin)

Auskragende Bauteile

Diese Bauteile sind als Balkone und als Kragbalken bekannt. Es sind Bauteile, die ohne eine Unterstützung über eine tragende Wand überstehen. Bei ihnen ist die Zug-Druck-Situation im umgekehrten Sinne zu Decken und Stürzen zu verstehen. Eine überstehende Platte oder ein Kragbalken würden ohne Bewehrung im oberen Bereich reißen. Die Zugkräfte wirken hier also gegensätzlich zu den vorher beschriebenen Bauteilen. Besondere Beachtung muss im Bereich der auskragenden Bauteile die Wärmedämmung finden. Die Wärmebrückenwirkung des Betons muss durch zusätzliche Dämmmaßnahmen minimiert werden (siehe Abb. 1.34).

Ringanker/Ringbalken

Ringanker sind horizontale, in Wandebene liegende Bauteile zur zusätzlichen Aussteifung der Wandkonstruktion. Sie haben die Aufgabe, Zugkräfte infolge äußerer Einwirkungen (z. B. Wind) oder Kräfte aufgrund von Verformungsunterschieden aufzunehmen. Ringbalken können zusätzlich auch Biegemomente aufnehmen. Dabei ist es vor allem das geneigte Dach, das durch Eigengewicht und Windlasten Belastungen auf die Außenwände überträgt. Deshalb wird der Dachstuhl meist direkt auf den Ringanker aufgelegt und befestigt. Um einen einheitlichen Putzgrund zu erzielen, werden Ringanker und -balken meist aus U-Schalen des Materials erstellt, aus dem die Außenwände bestehen (siehe Abb. 1.35). In die U-Schalen wird Bewehrung eingelegt und einbetoniert. U-Schalen werden auch als WU-Schalen mit integrierter Wärmedämmung zur Eindämmung der durch den eingebrachten Beton entstehenden Wärmebrückenwirkung angeboten (siehe Abb. 1.36).

1.12.4 Außenmauerwerk

Außenmauerwerke haben zahlreiche Aufgaben zu erfüllen. An erster Stelle ist die statisch tragende Funktion zu nennen, d. h. die Lastabtragung des Gebäudes. Diese Funktion kann durch 2 unterschiedliche Bauweisen erfüllt werden:

- **Massivbauweise:** Bei dieser Bauweise bilden flächige Elemente aus Massivbaustoffen das Tragwerk eines Gebäudes (Mauerwerksbau). Geeignete Baustoffe sind: Ziegel, Porenbeton, Kalksandstein, Leichtbeton und Beton. Auch Massivdecken gehören zum Tragwerk. Neben der eigentlichen Mauerwerksbauweise zählt auch die Stahlbeton-Skelettbauweise mit Ausfachung aus Mauerwerk zur Massivbauweise.
- **Skelettbauweise:** Bei dieser Bauweise übernehmen tragende Stützen (horizontal) und Träger (vertikal) die Funktion der Lastabtragung. Typische Baumaterialien der Skelettbauweise sind Holz, Stahl und Stahlbeton. Mit diesen Materialien können große Stützweiten überbrückt werden, und sie lassen sich modular zusammensetzen.

Im privaten Hausbau ist überwiegend der Mauerwerksbau anzutreffen, in geringerem Maße auch der Holzbau. Der Stahlbetonbau und der Stahlbau sind im Ingenieurbau angesiedelt. Dort findet man auch Bauwerke in Holzbauweise. Die folgenden Ausführungen beschränken sich auf die wichtigsten Formen des Mauerwerksbaus und des Holzbaus.

Anforderungen an die massive Außenwand

Die Außenwand bildet den Abschluss des Wohnraumes nach außen und schützt diesen vor den Witterungseinflüssen, also Hitze, Kälte und Niederschlägen. Die Außenwand muss außerdem gegen den Außenlärm schützen und verhindern, dass Geräusche von innen nach außen dringen. Die Außenwand muss den umgebenen Raum vor Feuer schützen und hat darüber hinaus die statische Funktion, die darüberliegenden Bauteile wie Decken, Dach, Drempel oder weiter aufgehende Wände und auskragende Bauteile wie Balkone zu tragen. Diese Vielzahl von Funktionen fordert multiple Wandbaustoffe, die allen Anforderungen gerecht werden können. Gegensätze wie der Wärmeschutz, der leichte, poröse Baustoffe verlangt, der Schallschutz, der möglichst schwere Massivbauteile mit großer flächenbezogener Masse fordert und hohe Festigkeit für die statische Wirkung, führen zu Außenwänden, die in der Regel aus mindestens 2, meist aber aus 3 oder mehr Baustoffschichten bestehen. Bei der einschaligen Bauweise, beidseitig verputzt, sind es lediglich 3 Baustoffschichten: Innenputz, Wandbaustoff und Außenputz.

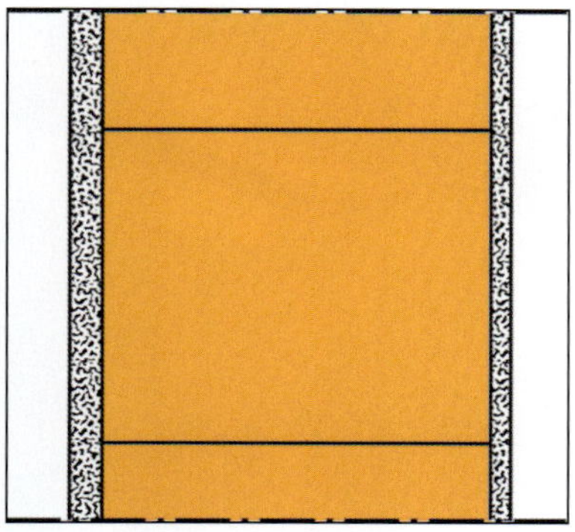

Abb. 1.37: Schnitt durch eine einschalige, verputzte Außenwand (Quelle: Wienerberger GmbH, Hannover)

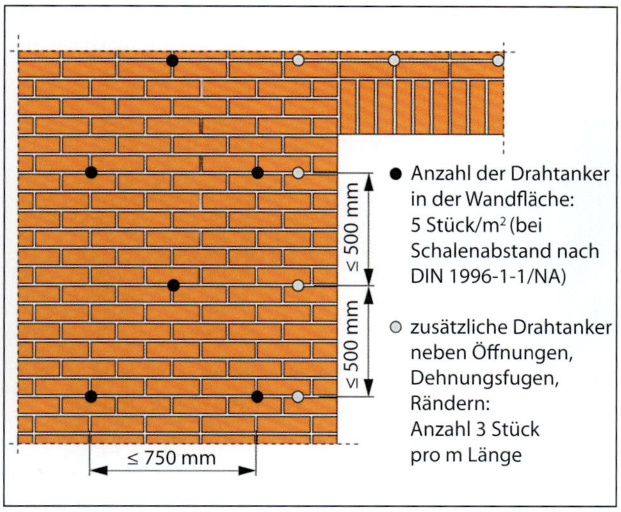

Abb. 1.39: Anordnung und Anzahl von Drahtankern im zweischaligen Mauerwerk nach DIN EN 1996-2/NA (Quelle: Bauen mit Ziegel GbR, Berlin)

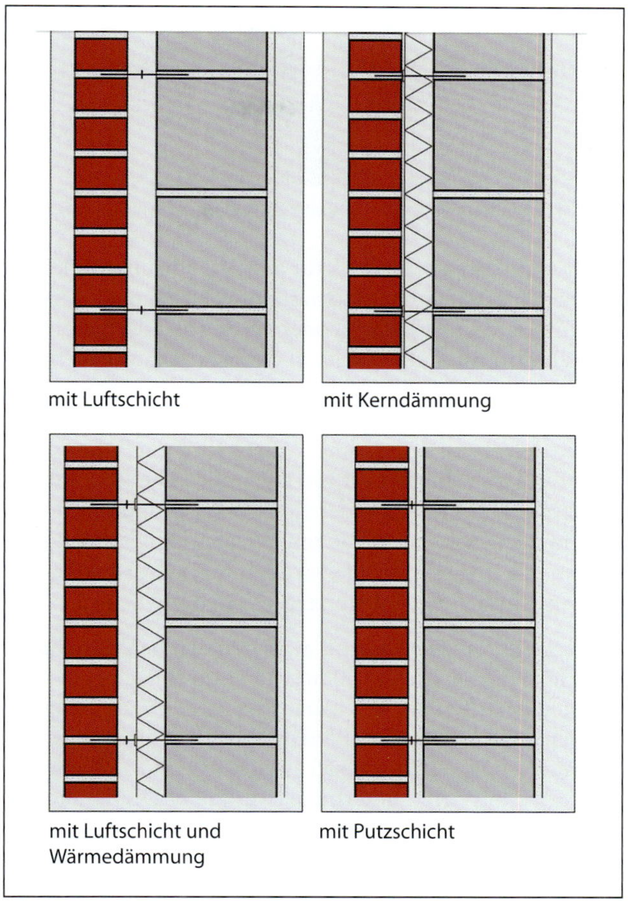

Abb. 1.38: Ausführungen von zweischaligem Mauerwerk (Quelle: Wienerberger GmbH, Hannover)

Abb. 1.40: Zweischaliges Mauerwerk mit Kerndämmung (Passivwand) (Quelle: Wienerberger GmbH, Hannover)

Einschaliges Mauerwerk

Einschalige (monolithische) Außenwände bestehen aus einer tragenden Mauerwerksschale, die durch zusätzliche Schichten ergänzt werden kann (siehe Abb. 1.37). Aus statischen Gründen liegt die Mindestdicke bei 17,5 cm, aus Wärmeschutzgründen sind die Wände aber in der Regel dicker. Der Wärmeschutz bedingt die Einteilung nach Schichten. Einschichtige Wände übernehmen die Tragfunktion sowie den Wärme- und Schallschutz. Bei zwei- oder mehrschichtigen Aufbauten sind die Funktionen verteilt.

Ausführungen sind:

- einschalige Außenwände, verputzt,
- einschalige Außenwände mit Wärmdämm-Verbundsystem (WDVS),
- einschalige Außenwände mit Vorhangfassade,
- einschalige Außenwände mit Innendämmung,
- einschaliges Sichtmauerwerk (baupraktisch unbedeutend).

Monolithische Außenwandsysteme erreichen mittlerweile Wärmedämmwerte, wie sie vom Passivhausstandard gefordert werden, ohne dass eine Zusatzwärmedämmung der Außenwände (WDVS) erforderlich ist.

Zweischaliges Mauerwerk

Zweischaliges Mauerwerk (siehe Abb. 1.38) besteht aus 2 Wandschalen – Vor- und Hintermauerschale –, die parallel oder nacheinander gemauert und mit Drahtankern verbunden werden (siehe Abb. 1.39). Ausführungen sind nach DIN EN 1996-1-1:2013-02 „Eurocode 6: Bemessung und Konstruktion von Mauerwerksbauten – Teil 1-1: Allgemeine Regeln für bewehrtes und unbewehrtes Mauerwerk":

- zweischalige Außenwand mit Luftschicht,
- zweischalige Außenwand mit Luftschicht und Wärmedämmung,
- zweischalige Außenwand mit Kerndämmung (siehe Abb. 1.40),
- zweischalige Außenwand mit Putzschicht.

Abb. 1.41: Luftschichtanker (Quelle: Bever GmbH, Kirchhundem)

Das Konstruktionsprinzip ist für alle Ausführungen gleich. Die Vormauerschale aus frostbeständigen Mauersteinen wie Klinker, Vormauerziegel oder KS-Verblendern dient dem Witterungsschutz und kann dabei durchaus Feuchtigkeit aufnehmen. Feuchtigkeit (im Mauerwerk wie auch freies Wasser) trocknet aufgrund der Hinterlüftung zwischen den Schalen ab, eindringendes Wasser wird am Fußpunkt durch Entwässerungsöffnungen abgeführt. Die Abdichtung des Fußpunktes innerhalb der Konstruktion und die Stoßfugen in der Vormauerschale müssen sorgfältig ausgeführt werden. Die tragende Schale wird Hintermauerwerk genannt und besteht aus Mauerziegeln oder -steinen.

Der vorgeschriebene Abstand zwischen den beiden Schalen ist normativ zwischen 60 und 150 mm festgelegt. Ankersysteme nach allgemein bauaufsichtlichen Zulassungen erlauben auch größere Schalenabstände. Die nicht tragende Vormauerschale – in der Regel zwischen 9 und 11,5 cm dick – wird mit dem Hintermauerwerk über Drahtanker verbunden. Deren Mindestanzahl und Höchstabstände sind in der DIN EN 1996-2:2010-12 „Eurocode 6: Bemessung und Konstruktion von Mauerwerksbauten – Teil 2: Planung, Auswahl der Baustoffe und Ausführung von Mauerwerk" oder in entsprechenden Zulassungen festgelegt. Eine Kunststoffscheibe auf den Ankern dient dem Festklemmen des Dämmstoffes und gewährleistet das Abtropfen eventuell am Anker entlanglaufender Feuchtigkeit (siehe Abb. 1.41). Die Vormauerschale muss vollflächig horizontal gelagert, außerdem in Höhenabständen von maximal 12 m mittels Stahlwinkeln (Edelstahl) abgefangen werden. Verzinkte Abfangungen oder Anker dürfen nur an zugänglichen und revisionierbaren Stellen eingebaut werden. Weitere Vorschriften für die Abfangung finden sich ebenfalls in der DIN 1996-1-1.

In der Außenschale sind außerdem senkrechte Dehnungsfugen einzubringen, die entweder offen (bei Abdichtung der inneren Schale durch Folien und geringer Fugenbreite) ausgeführt oder mit Dichtstoff, Fugenbändern bzw. Dichtprofilen geschlossen werden. Die Lastabtragung wird in Deutschland von der Hintermauerschale übernommen.

Der Wärmeschutz wird entweder durch wärmedämmendes Hintermauerwerk erbracht und/oder durch eine Zusatzwärmedämmung im Schalenzwischenraum. Dementsprechend eignen sich für die Hintermauerschale auch alle leichten Mauersteine, die zusätzlich mit Leicht- oder Dünnbettmörtel verarbeitet werden können.

Prinzipiell werden alle Steinarten in der Hintermauerschale eingesetzt – eben leichte (Wärmeschutz) oder schwere (erhöhte Lasten).

Steinarten und Vermauerung müssen zur Vermeidung von Verformungsrissen aufeinander abgestimmt werden. Die Vormauerschale wird entweder hinterlüftet (freier Querschnitt der Luftschicht zwischen Wärmedämmung und Vormauerschale 40 mm) oder ohne Luftschicht (Kerndämmung) eingebaut. Die Hinterlüftung erlaubt eine schnellere Rücktrocknung von eventuell eingedrungener Feuchtigkeit, hat bauphysikalische Vorteile für den gesamten Wandaufbau und schützt die Dämmstoffe (Faserplatten) vor Feuchtigkeit. Die Variante Kerndämmung erfolgt mit feuchteunempfindlichen Wärmedämmstoffen.

Abb. 1.42: Holzskelettbauweise (Quelle: Architekt J.-Ulrich Blecke, Warstein)

Abb. 1.43: Deckenmontage bei einer Holzrahmenbauweise (Quelle: Architekt J.-Ulrich Blecke, Warstein)

Holzbauweisen

In Deutschland lag im Jahr 2021 die Anzahl der genehmigten Wohngebäude bei 21,3 %, bei Nichtwohngebäuden bei 21,7 %. Unterschieden werden stabförmige Konstruktionen (Holzskelettbau), flächige Systeme mit zusammengesetzten Querschnitten (Holzrahmenbau/Holztafelbau) sowie massive Konstruktionen (Blockbau, moderne Holz-Massivbausysteme).

Beim **Holzskelettbau** (siehe Abb. 1.42) wird ein stabförmiges Tragsystem aus Stützen (Ständern) und Trägern/Balken erstellt. Die Aussteifung übernehmen diagonale Streben oder integrierte Scheiben.

Der **Holzrahmenbau/Holztafelbau** (siehe Abb. 1.43) ist eng verwandt mit dem flächigen (scheibenförmigen) Tragsystem. Die Scheiben bestehen aus Vollholzrahmen mit aussteifender, flächiger Beplankung und integrierter Wärmedämmung. Insofern nimmt der Holzrahmenbau/Holztafelbau eine Zwischenstellung zwischen dem Holzskelettbau und den Holz-Massivbauweisen ein.

Abb. 1.44: Holzmassivbau aus Brettsperrholz (Quelle: Architekt J.-Ulrich Blecke, Warstein)

Abb. 1.45: Tragende Innenwände aus KS-Mauersteinen sowie einschaliges Poroton-Außenmauerwerk (Quelle: Deutsche Poroton GmbH, Berlin)

Beim **Holzmassivbau** (siehe Abb. 1.44) handelt es sich um ein flächiges (scheibenförmiges) Tragsystem. Die Scheiben sind durchgehend aus Holz aufgebaut. Die älteste, auch heute noch angewendete Holz-Massivbauweise ist der Blockbau mit Stämmen oder Blockbohlen. Moderne Systeme verwenden flächige, aus Brettern oder Bohlen vernagelte/verleimte Elemente.

Die Holzbauweisen entwickeln sich heute teils zu in Konstruktion und Materialkombination geregelten Holzbausystemen (Holzfertighaus) weiter, auch mit Schnittstellen zu ergänzenden Systemen der Haustechnik und des Ausbaus. Ein Beispiel ist das Agepan®-Bausystem von Glunz.

Relevante Normen

DIN EN 1996-1-1:2013-02 Eurocode 6: Bemessung und Konstruktion von Mauerwerksbauten – Teil 1-1: Allgemeine Regeln für bewehrtes und unbewehrtes Mauerwerk

DIN EN 1996-2:2010-12 Eurocode 6: Bemessung und Konstruktion von Mauerwerksbauten – Teil 2: Planung, Auswahl der Baustoffe und Ausführung von Mauerwerk

1.12.5 Innenwände

Innenwände und Decken unterteilen den umbauten Raum des Hauses in Etagen sowie einzelne Wohn- und Nutzräume oder Geschäftsräume. Sie bilden mit den Außenwänden die Raumbegrenzung und damit die Form der Räume. Weitergehende, detaillierte Aufgaben sind:

- Brandschutzabtrennung von Wohnung zu Wohnung oder zum Treppenhaus,
- Schallschutz von Raum zu Raum, und zwar Luftschall-, Körper- und Trittschallschutz in allen Richtungen,
- warme Räume und Feuchträume müssen wärmedämmend von kühlen Räumen getrennt werden,
- Wasser-, Gas-, Heizungs- und Elektroinstallationen müssen von Wänden und Decken aufgenommen werden,
- die Wände müssen Sanitäreinrichtungen und einzelne Möbelstücke tragen.

Technische Beschaffenheit /Ausführungen der Wände

Aus statischer Sicht unterscheiden sich tragende Wände von nicht tragenden Wänden.

Tragende Wände werden gemauert, betoniert oder aus Fertigteilen hergestellt (siehe Abb. 1.45). Das Gewicht einer tragenden Wand muss statisch eingeplant sein. Tragende Wände stehen meist übereinander auf einem Fundament. Tragende Innenwände dienen den Decken als Auflage. Die Wände können zusätzlich aussteifende Wände sein, die dem Ausknicken anderer tragender Bauteile entgegenwirken. Die Mindestdicke tragender Innenwände aus Mauerwerk beträgt 11,5 cm nach DIN EN 1996-3:2010-12 „Eurocode 6: Bemessung und Konstruktion von Mauerwerksbauten – Teil 3: Vereinfachte Berechnungsmethoden für unbewehrte Mauerwerksbauten".

Abb. 1.46: Entkoppelungsanschlussprofile mit Nut-Feder-Verbindung zur schalltechnischen Entkopplung leichter, nichttragender Wände, z. B. aus Leichtziegelmauerwerk (Quelle: Wienerberger GmbH, Hannover)

Gemauerte Innenwände sollten aus Material derselben Materialgruppe erstellt werden wie die Außenwände. Bestehen die Außenwände aus gebranntem Material, sollten die Innenwände ebenfalls aus gebranntem Material bestehen. Dasselbe gilt für bindemittelhaltige Wandbaustoffe. Missachtung dieser Forderung hat meist Rissbildung infolge unterschiedlichen Schwindverhaltens zur Folge.

Nichttragende Wände haben nach DIN 4103 „Nichttragende innere Trennwände" keine statischen Aufgaben, sie sind nicht dafür vorgesehen, Lasten aus dem Bauwerk aufzunehmen. Sie dienen nur der Raumbildung, -abgrenzung oder -unterteilung. Im Gegensatz zur tragenden Wand übertragen sie nur ihr Eigengewicht auf den Unterbau. Leichte Trennwände können meist ohne zusätzliche statische Maßnahmen auf eine Decke gestellt werden, soweit die Tragfähigkeit der Decke dies zulässt. Damit ist auch begründet, dass nichttragende Wände, die nicht auf einer darunterliegenden tragenden Wand oder einer Tragekonstruktion (Unterzug und dergleichen) gebaut werden, nur aus Wandbaustoffen mit geringer Dichte, speziell geeignet für leichte Trennwände, gemauert oder als Montagewand erstellt werden. Für die vorteilhafte schalltechnische Entkopplung leichter nichttragender Innenwände stehen entsprechende Entkopplungsanschlussprofile zur Verfügung (siehe Abb. 1.46).

Montagewände bestehen aus einem Rahmentragwerk, Ständerwerk genannt, das mit bauüblichen, großformatigen Platten nach Bedarf und Anforderung beplankt wird (siehe Abb. 1.47). Das Ständerwerk entstand ursprünglich aus Kanthölzern, meist 6/6 oder 6/8 cm. Weitgehend abgelöst wurde das Holzständerwerk von Ständerwerken aus verzinkten, bei höheren Anforderungen an den Korrosionsschutz auch speziell beschichteten, Stahlblechprofilen, die in U- und C-Form zur Anwendung kommen.

An der Decke und am Fußboden werden U-Profile je nach Anforderung auf Mineralwolldämmstreifen angeschraubt (der Anschraubdruck ist so zu wählen, dass sowohl eine ausreichende Steifigkeit der Verbindung als auch die dämmende Wirkung der Trennschicht gewährleistet sind) bzw. als Anschlussdichtungstreifen aus Filz oder PE von der Rolle auf die Unterseite der U-Profile geklebt.

In die U-Profile werden senkrecht C-Profile in den für die Befestigung der Beplankung erforderlichen Abständen eingestellt. Dieses Ständerwerk kann unterschiedlich beplankt werden. Folgende Möglichkeiten bestehen für die Beplankung:

- einseitig einfach (einseitig beplankte Wände = „Schachtwände"),
- beidseitig einfach,
- einseitig doppelt,
- erste Seite einfach, zweite Seite doppelt,
- beidseitig doppelt beplankt,
- dreilagig beplankt,
- Hybridwandkonstruktionen (d. h., es werden 2 unterschiedliche Plattenwerkstoffe als erste und zweite Beplankungslage verwendet).

In Abhängigkeit vom gewählten System (Ständerwerk, Beplankung, Lagigkeit der Beplankung, Hohlraumdämmung) ergeben sich bei den Montagewänden verschiedene Anwendungsbereiche hinsichtlich der Anforderungen an z. B. Schallschutz, Brandschutz, Wärmeschutz, Feuchteschutz, Gestaltung (z. B. geschwungene Wände) oder Strahlenschutz (Röntgenstrahlung sowie auch Schutz vor hochfrequenter und niederfrequenter Strahlung). Eine zusätzliche Verbesserung des Schallschutzes erbringt z. B. auch eine zweischalige (entkoppelte) Ausführung, bestehend aus 2 voneinander unabhängig erstellten, einseitig außen beplankten Wänden. Als Material zur Beplankung der Ständerwand stehen Innenausbauplatten zur Verfügung, z. B. verschiedene Gipsplatten, Gipsfaserplatten oder Holzspanplatten.

Hohlraumverfüllung: Durch Verfüllung des zwischen den Beplankungen entstehenden Hohlraums mit biegeweichem, gut schalldämpfendem Mineralwolldämmstoff können diese leichten Trennwände gute bis sehr gute Luftschalldämmwerte erreichen. Das gilt sowohl für die einschalige als auch für die zweischalige Bauweise. Der Raum zwischen den beidseitigen Beplankungen soll möglichst weitgehend ausgefüllt sein. Der Dämmstoff darf jedoch im unverpressten Zustand nicht dicker sein als der lichte Abstand zwischen den Beplankungen.

Sind Öffnungen und/oder Einbauten (wie z. B. Türen) in Montagewänden mit besonderen Anforderungen (z. B. Brandschutzanforderungen) erforderlich, so ist ihr Erhalt auch inklusive dieser Öffnungen und/oder Einbauten sicherzustellen.

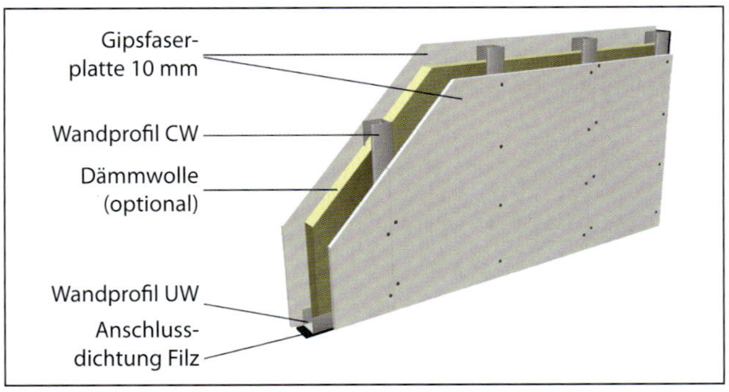

Abb. 1.47: Aufbau einer Montagewand (Quelle: Saint-Gobain Rigips GmbH, Düsseldorf)

Relevante Normen

DIN 4103 Nichttragende innere Trennwände

DIN EN 1996-3:2010-12 Eurocode 6: Bemessung und Konstruktion von Mauerwerksbauten – Teil 3: Vereinfachte Berechnungsmethoden für unbewehrte Mauerwerksbauten

1.12.6 Terrassen und Balkone

Terrassen- und Balkonbeläge gibt es in unterschiedlichen Materialien und Ausführungen. Das Kapitel beschränkt sich auf die 7 wichtigsten Aspekte, die bei Terrassen auf Decken über Räumen (Dachterrassen) und bei Balkonen zu beachten sind: Wärmedämmung, Abdichtung, Entwässerung. Bei den Belägen sollen der keramische Belag und der Belag aus Beton- und Naturwerksteinplatten im Vordergrund stehen.

Wärmedämmung

Bei der Wahl der Wärmedämmung ist zum einen in Bezug auf die Wärmeleitfähigkeitsklasse (WLG) die Mindestanforderung aus der DIN 4108-2:2013-02 „Wärmeschutz und Energie-Einsparung in Gebäuden – Teil 2: Mindestanforderungen an den Wärmeschutz", zum anderen die Anforderung aus dem Wärmeschutznachweis für das jeweilige Gebäude zu beachten. Bei der Wahl der Wärmedämmung ist die erforderliche Druckfestigkeit in Abhängigkeit von dem geplanten Belag zu wählen. Gemäß DIN 4108-10:2015-12 „Wärmeschutz und Energie-Einsparung in Gebäuden – Teil 10: Anwendungsbezogene Anforderungen an Wärmedämmstoffe", Tabelle 2 ist für eine Dachterrasse, die als genutzte Dachfläche einzustufen ist, eine hohe Belastbarkeit der Dämmung erforderlich. Somit ist mindestens die Produkteigenschaft mit dem Kennzeichen „DH" erforderlich.

Abdichtungen (gemäß DIN 18531, Flachdachrichtlinie, AIV)

Die Abdichtung ist in Abhängigkeit vom geplanten Belag und zu den der darunter liegenden Räume entsprechend den Anforderungen der DIN 18531:2017-07 „Abdichtung von Dächern sowie von Balkonen, Loggien und Laubengängen" bzw. den „Fachregeln für Abdichtungen des deutschen Dachdeckerhandwerkes" (Flachdachrichtlinie) zu wählen. Dachterrassen (begehbare Dächer) bedürfen der hochwertigsten Abdichtung, gegenüber Balkonen sind geringfügigere Anforderungen möglich. Für einen Fliesenbelag besteht auch die Möglichkeit der Ausführung einer Abdichtung im Verbund (AIV-F) gemäß dem ZDB-Merkblatt „Abdichtungen im Verbund" (2022).

Belagsaufbauten auf Normabdichtungen

Auf Abdichtungen gemäß der DIN 18531 bzw. der Flachdachrichtlinie sind lose verlegte Plattenbeläge aus Betonwerksteinplatten auf Stelzlagern bzw. Flächendränagen oder auch Dielenbeläge (aus Holz oder WPC) zu empfehlen. Anfallendes Wasser kann ungehindert in den Hohlräumen unter dem Oberbelag abgeführt werden. Verunkrautungen der Beläge werden deutlich minimiert. Unebenheiten durch Bildung von Eislinsen auf der Abdichtung (im Winter) werden vermieden.

Belagsaufbauten auf Balkonen und Terrassen auf Abdichtungen im Verbund (AIV)

Keramische Beläge sind nicht wasserdicht, da über ihre Fugen Sickerwasser in die Konstruktion eindringen kann. In dem ZDB-Merkblatt „Außenbeläge – Belagskonstruktionen mit Fliesen und Platten außerhalb von Gebäuden" (2019) wird darauf hingewiesen, dass bei Verlegung von keramischen Belägen auf Abdichtungen eine kapillarbrechende Dränage einzubauen ist (siehe Abb. 1.48). Dadurch wird ein Kontakt zwischen eventuell an Überlappungen der Bahnenabdichtungen stehendem Wasser und der Lastverteilungsschicht unterbunden – einer, neben fehlendem Gefälle (mindestens 1,5 % zur Entwässerungsvorrichtung hin), der wesentlichen Gründe, die zu Schäden an Belägen auf Balkonen und Terrassen führen (Ausblühungen, Frostabplatzungen). Die Einsatzgebiete und Ausführungshinweise für sog. „alternative Abdichtungen" sind im ZDB-Merkblatt „Abdichtungen im Verbund" (2022) geregelt.

Normgerechte Entwässerung nach DIN 1986-100

Nach DIN 1986-100:2016-12 „Entwässerungsanlagen für Gebäude und Grundstücke – Teil 100: Bestimmungen in Verbindung mit DIN EN 752 und DIN EN 12056" Abschnitt 9.1. sollten *„Balkone und Loggien einen Ablauf oder eine vorgehängte Rinne erhalten. Nur wenn Dritte dadurch nicht beeinträchtigt werden, darf Regenwasser auch direkt über Wasserspeier und Tropfleisten auf das Grundstück geleitet werden."* Dies bedeutet, dass bei übereinanderliegenden Balkonen Regenrinnen angeordnet werden müssen. Hierzu bieten Hersteller Randprofillösungen mit Balkonrinnensystemen an.

Schwellenausbildungen

Oft schließen Aufbauhöhen einen regelgerechten Anschluss der Abdichtung an aufgehenden Bauteilen nach DIN 18531 (auch an Türen 15 cm über Oberkante Belag) aus, es sei denn, es werden dort besondere Maßnahmen gegen das Eindringen von Wasser oder das Hinterlaufen der Abdichtung eingeplant (z. B. ausreichend große Vordächer, Dränroste oder -rinnen). Ebenso wird in der Flachdachrichtlinie, Abschnitt 4.4 (2) angeführt: *„In Ausnahmefällen ist eine Verringerung der Anschlusshöhe möglich, wenn sich im unmittelbaren Türbereich Terrassenabläufe oder andere Entwässerungsmöglichkeiten befinden. In solchen Fällen sollte die Anschlusshöhe jedoch mindestens 5 cm betragen."* Diese Lösung bieten Dränroste in Verbindung mit einer Flächendränage.

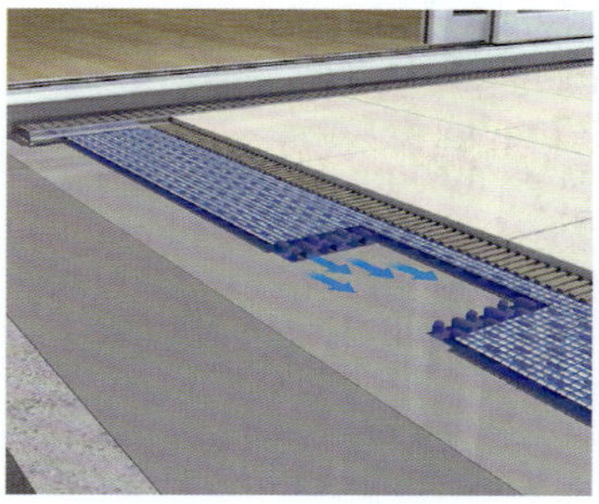

Abb. 1.48: Belagaufbau eines fest verlegten Keramikbelages, Türanschluss mit Dränrost (Quelle: Gutjahr Systemtechnik GmbH, Bickenbach)

Abb. 1.49: Barrierefreier Übergang (Quelle: Gutjahr Systemtechnik GmbH, Bickenbach)

Barrierefreie Übergänge

Barriere- oder schwellenfreie Übergänge gewinnen zunehmend an Bedeutung, da sie einen bequemen Übergang von außen nach innen gewährleisten. Bei öffentlichen Gebäuden sind nach DIN 18040-1:2010-10 „Barrierefreies Bauen – Planungsgrundlagen – Teil 1: Öffentlich zugängliche Gebäude" Schwellen bis maximal 2 cm zulässig. Im Wohnungsbau ist auch nach DIN 18040-2:2011-09 „Barrierefreies Bauen – Planungsgrundlagen – Teil 2: Wohnungen" schwellenfrei auszuführen. Sollten Schwellen nicht vermeidbar sein, dürfen sie dort maximal 2 cm betragen. Dadurch ergeben sich erhöhte Anforderungen an Planung und Ausführung. Hierzu wird auf die ZVDH-Planungshilfe (2020) „Barrierefreie Übergänge bei Dachterrassen und Balkonen" (Zentralverband des Deutschen Dachdeckerhandwerks [ZVDH], 2020) verwiesen. Dies kann nur durch den Einbau geeigneter Dränroste in Verbindung mit leistungsfähigen, verzögerungsfrei entwässernden Flächendränagen gewährleistet werden (siehe Abb. 1.49). Wichtig: Barrierefreie Übergänge müssen als Detail gesondert vereinbart und beauftragt werden.

Relevante Normen

DIN 1986-100:2016-12 „Entwässerungsanlagen für Gebäude und Grundstücke – Teil 100: Bestimmungen in Verbindung mit DIN EN 752 und DIN EN 12056

DIN 4108-2:2013-02 „Wärmeschutz und Energie-Einsparung in Gebäuden – Teil 2: Mindestanforderungen an den Wärmeschutz"

DIN 4108-10:2015-12 „Wärmeschutz und Energie-Einsparung in Gebäuden - Teil 10: Anwendungsbezogene Anforderungen an Wärmedämmstoffe"

DIN 18040-1:2010-10 „Barrierefreies Bauen – Planungsgrundlagen – Teil 1: Öffentlich zugängliche Gebäude

DIN 18040-2:2011-09 „Barrierefreies Bauen – Planungsgrundlagen – Teil 2: Wohnungen

DIN 18531:2017-07 „Abdichtung von Dächern sowie von Balkonen, Loggien und Laubengängen"

1.12.7 Haus- und Grundstücksentwässerung

Kanalisationssysteme

Jedes Gebäude, das mit fließendem Wasser ausgestattet ist, produziert Abwasser. Niederschlagswasser, das früher noch einen „natürlichen" Weg nach draußen gefunden hat, kann mit der zunehmenden Größe der Besiedlungen sowie der Beton-, Teer- und anderen Bauflächen nicht mehr von allein abfließen, weshalb man eingreifen muss, um das Wasser abzuleiten. Bei der Entwässerung unterscheidet man zwischen Schmutzwasser/Abwasser und Niederschlagswasser. Schmutzwasser/Abwasser ist das Wasser, das aus den Badezimmern oder der Spülung anfällt, also in privaten oder unternehmerischen Gebäuden genutzt und damit stärker verschmutzt wurde. Aus hygienischen Gründen ist ein effizientes System zur Entwässerung essenziell, weshalb jegliches Abwasser in eine Kläranlage zum Aufbereiten geleitet werden muss. Bei der Ableitung unterscheidet man zwischen 2 Systemen:

- Beim **Trennsystem** gibt es individuelle Leitungen, die jeweils nur das Schmutzwasser oder das Niederschlagswasser ableiten. Letzteres wird oft ohne weitere Aufbereitung in nahe Gewässer geleitet.
- Beim **Mischsystem** gibt es eine gemeinsame Leitung, die Schmutz- und Niederschlagswasser in die Kläranlage leitet. Wird berücksichtigt, dass beim Niederschlagswasser allerlei Schadstoffe, wie Ruß und Abgasverschmutzungen von den Straßen und Dächern, mitgetragen werden können, ist diese Variante wesentlich sauberer und gewässerschonender, weshalb sie manchmal in Gebieten mit Naturschutz- bzw. Wasserschutzgebieten vorgeschrieben wird.

Abwasserleitung/Grundstücksentwässerung

Die Art der Abwasserleitungen im Gebäude hängt vom Kanalisationssystem des Gebietes ab. Die Beschaffenheit der Leitungen muss allerdings gewissen Standards entsprechen.

Zum einen dürfen jegliche Abwasser- und Wasserzuleitungen nicht in die Außenwände eingebaut werden, um das Gefrieren der Leitungen zu verhindern. Informationen zum Einbau und zur Prüfung von Abwasserleitungen sind in der DIN EN 1610:2015-12 „Einbau und Prüfung von Abwasserleitungen und -kanälen“ zu finden. Um die daraus resultierende Lärmbelastung zu vermindern, werden die Leitungen in Form einer Außenhülle gedämmt. Bei Fallleitungen fällt das Wasser durch die Schwerkraft bis zur Grundleitung. Je nachdem, wie hoch die Fallleitung ist, wird dabei ein mehr oder weniger großer Unterdruck erzeugt. In jedem Fall muss dieser Unterdruck durch eine entsprechende Belüftung ausgeglichen werden.

Grundleitungen verbinden die Fallrohre mit der Kanalisation. Bei der Planung und Umsetzung der Grundleitungen muss die Möglichkeit einer Verstopfung unbedingt mitgedacht werden. Daher sollte die Reinigungsöffnung gut platziert werden. Außerdem ist die Überleitung vom Fallrohr zu den Grundleitungen mit 2 45°-Bogen besser gewährleistet als bei einem einzigen 90°-Bogen. Die DIN EN 12056 „Schwerkraftentwässerungsanlagen innerhalb von Gebäuden“ in Verbindung mit der Normenreihe DIN 1986 „Entwässerungsanlagen für Gebäude und Grundstücke“ regelt, bei welchen Systemen und an welcher Stelle ein oder mehrere 90°-Bogen eingebaut werden dürfen.

Bei der Entwässerung rund um die Gebäude unterscheidet man zwischen Punkt- und Linienentwässerung. Welches System am besten gewählt werden sollte, hängt von der Ausrichtung der zu entwässernden Fläche ab. Handelt es sich um eine zu **einer** Seite geneigten Fläche ohne viele weitere Erhöhungen, kann die Linienentwässerung das Wasser gut auffangen. Bei kleineren Flächen mit **mehreren** Erhöhungen bietet sich eine Punktentwässerung an, die das Wasser von allen Seiten her am tiefsten Punkt auffängt.

Abb. 1.50: Rückstauverschluss für die Sicherung von Ablaufstellen unterhalb der Rückstauebene (Quelle: Kessel AG, Lenting)

Hinweise zum Rückstau

Bei starkem Regen kann es zum Rückstau im Kanalisationssystem und damit auch im damit verbundenen Grundstückentwässerungssystem kommen. Da sich diese Möglichkeit nicht ausschließen lässt, sind gewisse Maßnahmen zu ergreifen, die die Anlagen vor den Auswirkungen eines Rückstaus schützen. Genaue Informationen finden sich in DIN EN 12056-4:2001-01 „Schwerkraftentwässerungsanlagen innerhalb von Gebäuden – Teil 4: Abwasserhebeanlagen; Planung und Bemessung“. Am häufigsten werden Rückstauschleifen verwendet. Diese leiten das Abwasser über die Rückstaubebene (gewöhnlich die Straßenoberkante der jeweiligen Anschlussstelle) und sorgen so dafür, dass gerade die Räume unterhalb der Rückstauebene (Keller) nicht von der Überflutung geschädigt werden. Ein Rückstauverschluss (siehe Abb. 1.50) bietet sich nur dann an, wenn die Entwässerungsgegenstände oberhalb des Kanals liegen und genügend alternative Anlagen oberhalb der Rückstaubebene im Haus vorhanden sind.

1.12.8 Abgasabführung und Schornsteintechnik

Feuer hat seit jeher das Leben, die Entwicklung und den technischen Fortschritt des Menschen begleitet und mitgeprägt. Mit der Verlegung des Feuers in geschlossene Räume begann die Entwicklung des Schornsteins. Leckagen im Dach und gewöhnliche Öffnungen in der Außenwand der Behausung übernahmen am Anfang den Rauchabzug. Nachdem jedoch die Rauchbelästigung in den Räumen auf Dauer zu groß geworden war, hielt das „Rauchloch“ im Dach oder in der Giebelwand Einzug in die damalige Bauausführung.

Mit der Teilung des Einraumhauses in Ober- und Untergeschoss (10./11. Jahrhundert) entstand der erste Rauchfang, um die Abgase sicher durch die Geschosse und über Dach ins Freie zu führen. Aufgrund der meist brennbaren Dacheindeckung war der lichte Schornsteinquerschnitt sehr groß gewählt, um Funkenflug bereits im Schornstein verglühen zu lassen und nur geringe Schornsteinaußenwandtemperaturen zu erhalten. Allerdings war so nur ein schlechter Schornsteinzug gegeben. Die Häuser und Stuben waren oft rauchgeschwängert.

Mit der Weiterentwicklung der Feuerstätten veränderten sich auch die Konstruktionen und verwendeten Materialien: Schiefer und Ziegel lösten die brennbaren Reet- und Strohdächer ab. Kachelöfen und Herde bändigten das offene Feuer, was einen kontrollierten Abbrand und so einen kleineren Schornsteinzug ermöglichte.

Bereits im 19. Jahrhundert wurde in Deutschland festgelegt, wie ein Schornstein ausgeführt sein muss. So existiert eine lange Schornsteintradition, deren Entwicklung eng mit dem Fortschritt der Heiztechnik verknüpft ist.

Schornstein und Physik

Heute müssen Abgassysteme so aufeinander abgestimmt sein, dass unzumutbare Belästigungen oder Gefahren erst gar nicht entstehen können. Sie haben die Aufgabe, die für die Gesundheit der Menschen gefährlichen Schadstoffkomponenten sicher über das Dach zu leiten, damit sie sich in der Atmosphäre verdünnen.

Die Veränderungen bei den Brennstoffen zum stark verbreiteten Erdgas sowie die Weiterentwicklung der Feuerstätten vom Einzelofen zur Zentralheizung mit Brennwerttechnik erforderten auch ständig Änderungen bzw. Anpassungen in der Schornsteintechnik.

Zur sicheren Betriebsweise von Feuerstätte und Abgasführung muss Letztere so dimensioniert sein, dass die Verbrennungsgase ordnungsgemäß nach außen abgeführt werden. Feuerstätten sollen möglichst viel der in ihnen erzeugten Energie in Raumwärme umwandeln. Das Verhältnis der nutzbar gemachten zur eingesetzten Energie wird als Wirkungsgrad angegeben. Je höher der Wirkungsgrad, desto besser ist die Effizienz des eingesetzten Brennstoffes. Ziel ist es daher, die Verluste gering zu halten und den Wirkungsgrad zu steigern. Das erreicht man vor allem, indem man die Abgastemperatur senkt, also wenig Wärme zum Abtransport der Abgase verbleibt. Die Rauchgase kommen heute mit – im Vergleich zu früher – recht niedrigen Temperaturen in den Schornstein, bis unter 40 °C. Vom Schornstein wird erwartet, dass er diese Abgase sicher ins Freie führt.

Mit immer dichter werdenden Gebäudehüllen muss auch der Zusammenhang vom Abbrand der Feuerstätte und der benötigten Verbrennungsluft berücksichtigt werden.

Eine Feuerstätte benötigt Luft für die Verbrennung. Diese Luft wird entweder der Raumluft entnommen oder direkt von außen über einen Kanal oder Schacht der Feuerstätte zugeführt. Man spricht deshalb von einer raumluftabhängigen oder raumluftunabhängigen Feuerstätte:

- Raumluftabhängig: Die notwendige Verbrennungsluft für die Feuerstätte wird aus dem Aufstellraum genommen. Diese Funktionsweise wird als raumluftabhängig bezeichnet und kommt aktuell immer weniger zum Einsatz, da aufgrund der gesetzlich geforderten dichten Gebäudehüllen kein Nachströmen von frischer Luft über Gebäudeleckagen gegeben ist.
- Raumluftunabhängig (Gegenstromprinzip): Die notwendige Verbrennungsluft für die Feuerstätte wird über eine separate Leitungsführung von außen zur Feuerstätte geführt. Dient der Schornstein als Luft-Abgas-System, erfolgt die Verbrennungsluftversorgung über die Schornsteinmündung und den Ringspalt zwischen Mantelstein und Keramikrohr (Gegenstromprinzip) bzw. einen angeformten Lüftungsschacht (siehe Abb. 1.51).

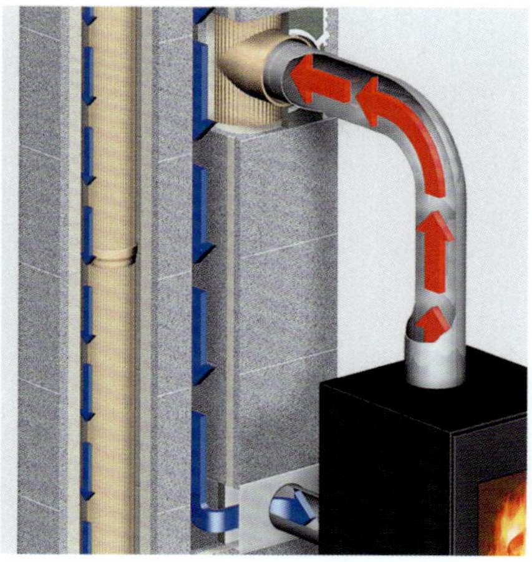

Abb. 1.51: Links Gegenstromprinzip: Frischluft wird im Ringspalt nach unten geführt; rechts Luftführung im separaten Luftschacht (Quelle: Schiedel GmbH & Co. KG, München – www.schiedel.de).

Einschaliger, gemauerter Schornstein

Die gebräuchlichste Ausführung im Hausschornsteinbau war lange Zeit der einschalige, gemauerte Schornstein. Aus Gründen der einfacheren und schnelleren Montage wurde diese Bauweise durch den einschaligen Schornstein aus Formstücken nach DIN 18150-1:1979-09 „Baustoffe und Bauteile für Hausschornsteine; Formstücke aus Leichtbeton, Einschalige Schornsteine, Anforderungen" abgelöst (zurückgezogen, empfohlen wird DIN EN 1858:2011-09 „Abgasanlagen - Bauteile – Betonformblöcke").

Zweischaliger Schornstein

Ende der 1950er-, Anfang der 1960er-Jahre begann die massive Umstellung der Heizungen von Festbrennstoffen auf Öl, mit der Folge, dass die Temperaturen im Schornstein und der Abgasstrom spürbar zurückgingen. Besonders im Dach- und Überdachbereich des Schornsteins wurde die Taupunkttemperatur der Abgase unterschritten, was zu Feuchtigkeitsanfall (Kondensation) führte. Das heißt, der zunehmende Einsatz von Ölfeuerungsanlagen erforderte – neben der Stand- und Brandsicherheit – auch noch die Säurebeständigkeit. Dies führte zum zweischaligen Schornstein. Das Innenrohr aus Schamotte erfüllte die Anforderungen hinsichtlich der Säurebeständigkeit, der Außenmantel die Forderung der Standsicherheit und beide Bauteile gemeinsam brachten die Brandsicherheit.

Ein- und zweischalige Schornsteine sind heute noch zugelassen und in den einschlägigen technischen Regelwerken beschrieben. Für den modernen Hausbau und energiesparende Feuerstätten sind sie jedoch praktisch überholt.

Dreischaliger Schornstein

Die Energiekrisen der 1970er-Jahre hatten Weiterentwicklungen der Feuerungstechnik zur Folge. Sie führten schließlich dazu, dass Heizkessel mit besserer Energieausnutzung und niedrigeren Abgastemperaturen auf den Markt kamen. Dieser Trend führte zum dreischaligen Schornstein. Bei diesem System wird das Innenrohr aus Schamotte mit einer speziellen Wärmedämmschicht umgeben. Sie sorgt dafür, dass die gering temperierten Abgase im Schornstein nicht zu stark abkühlen und sicher und schadlos über das Dach abgeführt werden. Hierbei muss die Wärmedämmschicht gewährleisten, dass die zur Aufnahme von Wärmedehnungen notwendige Beweglichkeit der Innenschale gegeben ist.

Abb. 1.52: LAS-Schornstein mit gedämmten Schamotterohr (Quelle: Schiedel GmbH & Co. KG, München – www.schiedel.de)

Abb. 1.53: LAS Schornstein mit separaten, gedämmten Luftschacht (Quelle: Schiedel GmbH & Co. KG, München – www.schiedel.de)

Abb. 1.54: Zweizügiges Schornsteinsystem für Zentralheizung und Kamin-/Kachelofen mit Schacht für Zuluft und Installationsleitungen (Quelle: Schiedel GmbH & Co. KG, München – www.schiedel.de)

Darüber hinaus verfügen dreischalige Schornsteinsysteme oftmals auch über eine Hinterlüftung. Diese dient(e) zum Schutz gegen Feuchtigkeitsbildung an der Schornsteinwand. Durch eine Zuluftöffnung am Schornsteinfuß und eine Abluftvorrichtung an der Schornsteinmündung wird die Luft in den Schornstein-Hinterlüftungszellen kontinuierlich ausgetauscht.

Hinweis

Eine Hinterlüftung dient nicht der Verbrennungsluftversorgung der angeschlossenen Feuerstätte.

Schornstein als Luft-Abgas(LAS)-System

Mit der immer dichter werdenden Gebäudeausführung erweitert sich die Aufgabe heutiger Schornsteinsysteme. Neben der Abgasabführung gewährleistet die Konstruktion des Schornsteins auch die Verbrennungsluftzuführung von außen – ohne dass sich die kalte Frischluft mit der warmen Raumluft vermischt.

Es gibt 2 Funktionsweisen:

- Das Innenrohr aus dünnwandiger Keramik ist von einem Ringspalt umgeben wird. In diesem Ringspalt wird die Verbrennungsluft geführt (siehe Abb. 1.52).
- Der Mantelstein beherbergt zum einen die keramische Rauchgasführung und verfügt zusätzlich über einen separaten, angeformten Zuluftschacht (siehe Abb. 1.53). Der Mantelstein, die Außenschale, besteht aus Ziegel oder Leichtbeton.

An beide Varianten können raumluftunabhängige Feuerstätten direkt mit der Verbrennungsluftzuführung und Abgasabführung angeschlossen werden.

Moderne Schornsteinsysteme

In der Regel zeigen moderne Schornsteinsysteme einen zwei- oder dreischaligen Aufbau (siehe Abb. 1.54). Die Konstruktionsvarianten basieren auf einem Außenmantel mit Ziegel-/Leichtbetonmantelstein mit gedämmtem Keramikrohr oder mit bereits werkseitig gedämmtem Leichtbetonmantelstein und jeweils mit einem hochtemperaturbeständigen, dichtgepressten (isostatischen) Keramik-Innenrohr. Die Systeme sind W3G-geprüft, was bestätigt, dass sie eine Rußbrandbeständigkeit bis 1.000 °C aufweisen und dabei rissfrei und kondensatdicht sind. Durch die extrem hohe Dichtheit der Keramikrohre kann auf eine Hinterlüftung verzichtet werden.

Moderne Schornsteine sind Universalsysteme, bieten ein breites Einsatzspektrum und decken alle Anforderungen der aktuellen und zu erwartenden Heiztechnik sowie den Einsatz aller üblichen Brennstoffe wie Gas und Öl, aber auch der nachwachsenden Biomassen, wie Pellets oder Hackschnitzel, als Heizmaterial ab.

Relevante Norm

DIN EN 1858:2011-09 Abgasanlagen – Bauteile – Betonformblöcke

1.12.9 Lüftung

Lüftung ist ein Prozess des Luftaustausches, der als Be- und Entlüftung bezeichnet wird. Be- und Entlüftung tragen nicht nur zum (subjektiv empfundenen) Raumklima, sondern vor allem zur Gewährleistung einer ausreichenden Wohnungs- und Raumhygiene bei.

Die wichtigste Aufgabe der Be- und Entlüftung ist der Luftwechsel in einem Gebäude bzw. in den Räumen eines Gebäudes. Unter Luftwechsel wird der Austausch zwischen Außenluft und Raumluft verstanden.

Dieser Luftwechsel ist erforderlich, um Feuchtigkeitsanreicherungen abzubauen und um den CO_2-Anteil der Raumluft zu reduzieren.

Wie oft gelüftet werden muss, hängt sehr stark von der Witterung und von der Umgebung des Gebäudes ab. Lufthygieniker empfehlen in Wohngebäuden eine Luftwechselrate von 0,5 bis 1. Die Luftwechselrate gibt an, wie oft pro Stunde das Luftvolumen eines Gebäudes ausgewechselt wird. Eine Luftwechselrate von 0,5 pro Stunde bedeutet demnach, dass alle 2 Stunden die Gebäudeluft erneuert wird. Grundsätzlich wird zwischen der freien Lüftung und der Be-/Entlüftung mithilfe elektrisch betriebener Lüftungsanlagen unterschieden. Neben der Lüftungstechnik gibt es noch die Klimatechnik, auf die im vorliegenden Buch nur kurz hingewiesen werden kann. Bei modernen, dichten Gebäuden ist die Lüftung für einen Großteil der Wärmeverluste verantwortlich, weshalb der Trend immer mehr in Richtung Wärmerückgewinnung geht.

Lüften nach Konzept

Die wachsenden Anforderungen an Dichtigkeit und Wärmedämmung der Gebäudehülle machten ein verändertes Lüftungskonzept für Wohngebäude erforderlich. Maßgebend für die Raumlufttechnik sind die DIN 1946-6:2019-12 „Raumlufttechnik – Teil 6: Lüftung von Wohnungen – Allgemeine Anforderungen, Anforderungen an die Auslegung, Ausführung, Inbetriebnahme und Übergabe sowie Instandhaltung" sowie DIN 1946-6 Beiblatt 1:2012-09 „Raumlufttechnik – Teil 6: Lüftung von Wohnungen – Allgemeine Anforderungen, Anforderungen zur Bemessung, Ausführung und Kennzeichnung, Übergabe/Übernahme (Abnahme) und Instandhaltung – Beiblatt 1: Beispielberechnungen für ausgewählte Lüftungssysteme".

In dieser Norm sind für Planer und Verarbeiter verbindliche Regeln für die Belüftung von Wohngebäuden festgelegt, ebenso Grenzwerte und Berechnungsmethoden für den notwendigen Luftaustausch. Kern des neuen Lüftungskonzeptes ist die Festlegung von 4 Lüftungsstufen unterschiedlicher Intensität:

- Lüftung zum Feuchteschutz: nutzerunabhängig (bei Abwesenheit des Nutzers),
- reduzierte Lüftung: nutzerunabhängig (bei zeitweiser Abwesenheit des Nutzers),
- Nennlüftung: bei Anwesenheit des Nutzers,
- Intensivlüftung: mit zusätzlichen Lasten (bei Anwesenheit des Nutzers).

Darauf aufbauend wird ein Lüftungskonzept für alle Neubauten und Renovierungen verlangt. Planer oder Verarbeiter müssen verbindlich festlegen, ob die eventuell noch vorhandenen Gebäudeundichtigkeiten eine ausreichende Lüftung zum Feuchteschutz des Gebäudes gewährleisten oder ob eine lüftungstechnische Maßnahme vorzusehen ist. Faktoren, die bei der Erarbeitung des Konzeptes in die Berechnungen einfließen, sind u. a. der Dämmstandard sowie Art und Lage des Gebäudes.

Lüftungstechnische Maßnahmen

Freie Lüftungssysteme

Wenn die Infiltration über die Gebäudehülle zum Feuchteschutz nicht ausreicht, ist eine lüftungstechnische Maßnahme in Form eines freien oder ventilatorgestützten Lüftungssystems erforderlich.

Freie Lüftungssysteme sind:

- Querlüftung: Frischluftzuführung und Fortluftableitung über Außenluftdurchlässe. Die Wirkungsweise entsteht überwiegend durch Winddruck und Windsog auf die Gebäudeaußenflächen (siehe Abb. 1.55).
- Schachtlüftung: Frischluftzuführung über Außenluftdurchlässe und entsprechende Fortluftableitung über Lüftungsschächte (siehe Abb. 1.56). Die Wirkungsweise entsteht überwiegend durch den thermischen Auftrieb in den senkrechten Lüftungsschächten.

Ventilatorgestützte Lüftungssysteme

Bei ventilatorgestützten Lüftungsanlagen ist zwischen zentraler und dezentraler Lüftung zu unterscheiden. Während

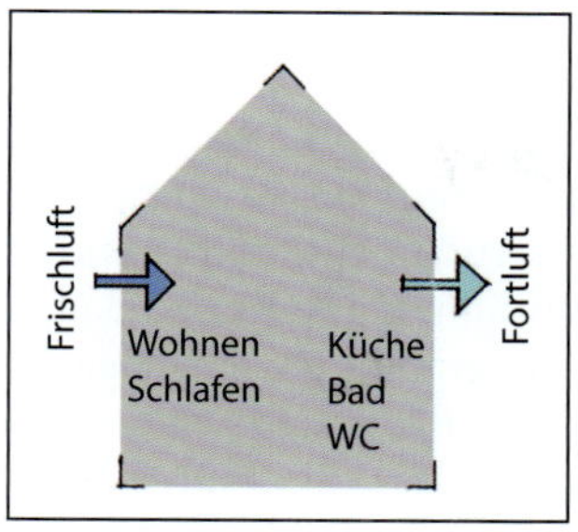

Abb. 1.55: Querlüftung: Frischluftzuführung und Fortluftableitung durch Außendurchlässe abhängig von Winddruck und Windsog[1)] (Quelle: Rolf Schmidt, Bundesverband für Wohnungslüftung e.V., Berlin)

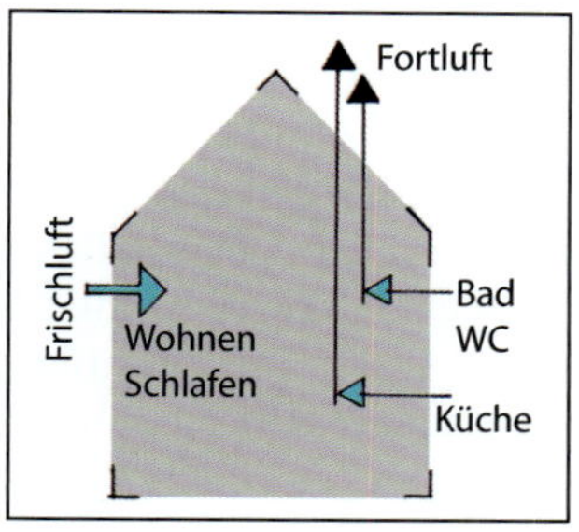

Abb. 1.56: Schachtlüftung: Frischluftzuführung durch Außenluftdurchlässe und Fortluftableitung in senkrechten Lüftungsschächten – abhängig vom thermischen Auftrieb[1)] (Quelle: Rolf Schmidt, Bundesverband für Wohnungslüftung e.V., Berlin)

1) Zur Vermeidung von Haftungsrisiken für Planer und Verarbeiter empfehlen sich eindeutige Hinweise auf die Konsequenzen der notwendigen aktiven Fensterlüftung durch den Nutzer (vgl. Rechtsgutachten „Haftungsrisiken bei Verzicht auf lüftungstechnische Maßnahmen in Wohnungen", Bundesverband für Wohnungslüftung [VfW], 2014).

die dezentrale Lüftung in jedem Raum installiert wird und dementsprechend raumweise Einstellungen erlaubt, ist die zentrale Lüftung vor allem zum Lüften einer ganzen Immobilie geeignet, beispielsweise eines Einfamilienhauses. Über ein zentrales Lüftungsgerät führen diese Lüftungssysteme Rohre in alle Räume, um ein einheitliches und konstantes Klima zu schaffen.

Bei dezentralen Zu- und Abluftanlagen handelt es sich um Lüftungssysteme für Einzelräume, die im Verbund auch für die Lüftung einer Wohneinheit eingesetzt werden können. Eine fortschrittliche Steuerungstechnik ermöglicht dem Nutzer dabei eine individuelle Ansteuerung der Lüftungsgeräte. Dezentrale Lüftungsgeräte bieten sich besonders wegen des geringen Installationsaufwandes für die Sanierung an. Es wird auf lange Rohrleitungen verzichtet und lediglich eine Kernbohrung über die Außenwand vorgenommen, in der Montagerohr samt Lüftungssystem Platz finden.

Bei dezentralen Zu- und Abluftanlagen mit Wärmerückgewinnung erfolgt diese entweder über einen Wärmespeicher oder einen Wärme- bzw. Enthalpietauscher. Dabei werden zwei Betriebsarten unterschieden: Im bilanzierten Betrieb haben Zu- und Abluft getrennte Kanäle. Dies ermöglicht es, die Wärme der Abluft über den Wärmetauscher der Frischluft zuzuführen. So wird ein ausgewogenes Raumklima gefördert. Im wechselseitigen Betrieb (Pendellüftung) wird die Wärme der Abluft zwischengespeichert und im Zuluftmodus in die Wohneinheit zurückgeführt. Diese auch „Push-Pull-Systeme" genannten Anlagen stellen die am häufigsten verwendete Technik für Wohnraumlüftung mit Wärmerückgewinnung dar. Der Ventilator fördert 60 Sekunden lang warme, verbrauchte Luft (Abluft) nach außen. Die Wärmeenergie wird im keramischen Wärmespeicher zurückgehalten. Der Ventilator ändert seine Drehrichtung und wechselt in die Zuluftphase. Kalte Außenluft wird 60 Sekunden lang durch den warmen Keramikspeicher geführt und als vorgewärmte und frische Zuluft in den Wohnraum befördert. Danach wechselt der Ventilator wieder in die Abluftphase.

Ventilatorgestützte Lüftungssysteme gibt es auch ohne Wärmerückgewinnung (siehe Abb. 1.57). Sie sind einfache, zuverlässige und kostengünstige Lösungen, die mithilfe von Ventilatoren den erforderlichen Raumluftaustausch zum Feuchteschutz sicherstellen. Die verbrauchte, feuchte und belastete Luft wird aus den Ablufträumen wie Küche, Bad und WC mit einem Ventilator über ein Rohrsystem abgesaugt und über das Dach oder die Außenwand nach draußen abgeleitet. Frischluft strömt über Außenluftdurchlässe (Ventile mit Filtern in den Außenwänden) in die Wohn-, Kinder- und Schlafzimmer nach und stellt eine kontinuierliche Durchlüftung der gesamten Wohnung sicher. Auch Fenster können in die Lüftung einbezogen werden, indem sog. Schalldämmlüftungsgeräte (auch mit Wärmerückgewinnung) für die Be- und Entlüftung im Glasfalz, Blendrahmen oder in der Brüstung eingesetzt werden. Dies wird heutzutage selten verwendet.

Die Technik mit Wärmerückgewinnung (siehe Abb. 1.58) entlastet das Heizungssystem. Wärmeübertrager gibt es in unterschiedlichen Konstruktionen. Kreuzstrom-Wärmeübertrager erreichen Wärmerückgewinne von etwa 80 bis 90 %, bei Rotationswärmeübertragern liegen die Werte um 90 %.

Zentrale Zu- und Abluftsysteme mit Wärmerückgewinnung werden für Einfamilienhäuser als Gerätekombinationen zusammen mit Wärmepumpen eingesetzt. Die Komplettgeräte decken die Funktionen Heizung, Lüftung mit Wärmerückgewinnung und die Warmwasserbereitung ab.

Klimatechnik

Ein kurzer Hinweis zur Klimatechnik, die nicht im Rahmen dieses Buches beschrieben werden kann: Im Objektbereich gelangen ausgefeilte Be- und Entlüftungssysteme zum Einsatz, die aufgrund ihrer umfassenden thermodynamischen Luftbehandlungsfunktionen (Heizen, Kühlen, Befeuchten und Entfeuchten) als Klimaanlagen bezeichnet werden. Nach ihren Anwendungsbereichen werden sie unterteilt in sog. Komfort- oder Industrieklimaanlagen. Komfortanlagen (auch Human-Klimaanlagen genannt) findet man in Bürogebäuden, Theatern, Kaufhäusern, Krankenhäusern usw. Sie dienen dazu, das für den Menschen jeweils günstigste Raumklima aufrechtzuerhalten (je nach Wetter oder persönlichen Wünschen eine Temperatur von 20 bis 26 °C und eine relative Luftfeuchte zwischen 35 und 65 %).

Industrieklimaanlagen hingegen haben die Aufgabe, den für die Fabrikation günstigsten Luftzustand herzustellen und aufrechtzuerhalten (z. B. höchste Luftreinheit bei der Produktion elektronischer Bauteile oder Befeuchtung der Luft in Baumwollwebereien).

Relevante Normen

DIN 1946-6:2019-12 „Raumlufttechnik – Teil 6: Lüftung von Wohnungen – Allgemeine Anforderungen, Anforderungen an die Auslegung, Ausführung, Inbetriebnahme und Übergabe sowie Instandhaltung

DIN 1946-6 Beiblatt 1:2012-09 Raumlufttechnik – Teil 6: Lüftung von Wohnungen – Allgemeine Anforderungen, Anforderungen zur Bemessung, Ausführung und Kennzeichnung, Übergabe/Übernahme (Abnahme) und Instandhaltung – Beiblatt 1: Beispielberechnungen für ausgewählte Lüftungssysteme

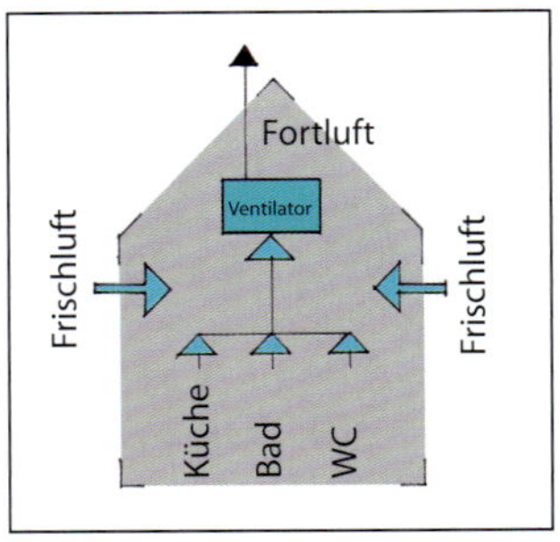

Abb. 1.57: Abluftsysteme ohne Wärmerückgewinnung: Durch die kontrollierbare Regelbarkeit ergibt sich eine anrechenbare Reduzierung der Lüftungswärmeverluste. Permanente Lüftungspräsenz ohne aktives Öffnen der Fenster ist gegeben (Quelle: Rolf Schmidt, Bundesverband für Wohnungslüftung e.V., Berlin).

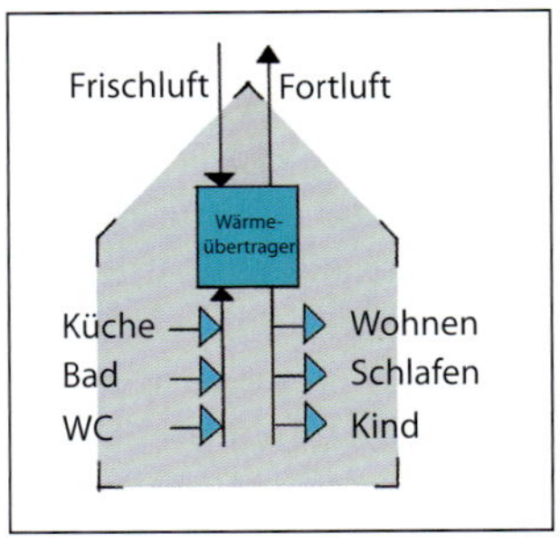

Abb. 1.58: Zu- und Abluftsysteme mit Wärmerückgewinnung: deutliche Reduzierung der Primär- und Endenergiewerte sowie der anzusetzenden Heizlasten durch verringerte Lüftungswärmeverluste. Permanente hohe Lüftungspräsenz ohne aktives Öffnen der Fenster ist gegeben (Quelle: Rolf Schmidt, Bundesverband für Wohnungslüftung e.V., Berlin).

1.13 Dach

Das Dach bildet die Begrenzung eines Gebäudes nach oben. Es besitzt vielfältige Schutzfunktionen – Schutz des Gebäudes und seiner Bewohner und Einrichtungen vor Umwelteinflüssen wie Niederschlag, Sonneneinstrahlung, Wärmeverlusten im Winter, Überhitzung im Sommer, Staub und Lärm – und spielt eine wesentliche Rolle für die Werterhaltung des Gebäudes. Als architektonisch gestaltetes Element trägt das Dach – gewissermaßen als fünfte Fassade – wesentlich zum Erscheinungsbild und zur Einpassung des Gebäudes in sein Umfeld bei. Gemäß dem Regelwerk des Zentralverbandes des Deutschen Dachdeckerhandwerks (ZVDH) werden Dächer in Steildächer und Dächer mit Abdichtung unterschieden. Umgangssprachlich hat sich der Begriff „Flachdach" für Dächer mit Abdichtung etabliert. Dies schließt jedoch nicht aus, dass Dächer mit Abdichtung nicht auch „steil" sein können. Die Richtlinien werden in Dachdeckung und Abdichtung unterschieden.

Bei beiden Ausführungen kann von einer „harten" Bedachung gesprochen werden, auch wenn man beim zähflüssigen Bitumen tendenziell nicht direkt den Zusammenhang sieht. Dieses gilt, wenn für den gesamten Aufbau der Nachweis erbracht wurde, dass dieser gegen strahlende Wärme und Flugfeuer beständig ist.

Im Regelwerk des ZVDH sind die Grundregeln für Dachdeckungen, die Richtlinien für die Planung und Ausführung von Dächern mit Abdichtungen, Hinweise für hinterlüftete Außenwandbekleidungen und diverse Merkblätter enthalten.

Sie sind in der Praxis bei dem nach neuestem Erkenntnisstand vorgebildeten Techniker durchweg bekannt und haben sich aufgrund fortdauernder praktischer Erfahrung bewährt. Sie stellen nach Werkvertragsrecht für den Sollzustand eine Minimalforderung dar und bei Nichteinhaltung liegt ein Mangel vor, soweit die Abweichung nicht zuvor mit dem Auftraggeber vereinbart worden ist. In diesem

Zusammenhang ist der Auftraggeber vollumfänglich über die geplante Abweichung zu informieren und auf die daraus resultierenden Folgen hinzuweisen.

1.13.1 Geneigtes Dach

Die natürliche Umgebung (schneereiche oder regen- und windreiche Regionen), aber auch die jeweilige Nutzfunktion der Gebäude und die verwendeten Materialien (Reet, Naturstein, Legschindel) trugen im Laufe der Geschichte zur Ausbildung einer Vielzahl von Dachformen bei. Heute gewinnt das Dach nach einer Phase der Vereinheitlichung wieder eine neue architektonische Bedeutung, sodass auch die Dachformen verstärkt Beachtung finden. Abb. 1.59 zeigt einige geläufige Dachformen, die auch kombinierbar sind.

Das **Satteldach** ist die Dachform, die man in Mitteleuropa am häufigsten antrifft. Als Sparren- oder Pfettendach ausgeführt, hat sich diese Dachform architektonisch wie konstruktiv bewährt.

Pultdächer waren lange auf Nebengebäude, einfache Bauten sowie Produktions- und Lagerstätten beschränkt. In neuerer Zeit jedoch werden aus zusammengesetzten Pultdächern reizvolle Dachlandschaften gebildet.

Das **Walmdach** gehört zu den ältesten Dächern, unterstreicht die elementaren Schutzfunktionen des Daches und wirkt zugleich repräsentativ. Vor allem mit Gauben lassen sich beim Walmdach architektonische Akzente setzen.

Auch das **Krüppelwalmdach** gehört in diese lange Tradition und besitzt eine interessante, eigenständige Optik. Diese Dachform auch heute dort noch gern gewählt, wo Giebel vor rauer Witterung geschützt werden müssen.

Andere Dachformen sind im Bereich der Wohngebäude selten (z. B. Zeltdach) oder finden Verwendung bei repräsentativen oder sakralen Bauwerken (z. B. Ringpultdach, Zwiebeldach).

Bestandteile des Daches

Das Steildach besitzt eine Unterkonstruktion, die **Dachstuhl** genannt wird. Sie besteht bis heute meist aus Holz und wird von Zimmerleuten aufgestellt (gerichtet). Das Richten des Dachstuhls ist die letzte Arbeit am Rohbau. Der Dachstuhl trägt die Dachdämmung und die Dachhaut mit ihrem Unterbau.

Die Dachdämmung kann zwischen den Sparren (den Holzbalken, die von der Traufe zum First liegen und die Dachschräge und den Dachüberstand bilden) eingebaut sein – also von den Sparren unterbrochen – oder durchgehend auf oder zusätzlich unter den Sparren liegen.

Einzelheiten der Dachdämmung werden bei den jeweiligen Abschnitten über die Dämmstoffe behandelt. Der Aufbau des Daches auf den Sparren sieht in der Regel wie folgt aus (sofern keine Außendämmung, die Aufsparrendämmung, vorgesehen ist): Unterspannbahn, Unterdeckung oder Unterdach (regensichernde Zusatzmaßnahme), dann Konterlattung parallel zu den Sparren, Traglattung für Ziegel oder Dachsteine bzw. Lattung oder Pfetten für Wellplatten (siehe Abb. 1.60). Bei Dachplatten oder Schiefer wird in Abhängigkeit vom Deckbild anstelle der Dachlatten eine geschlossene Fläche aus Schalbrettern aufgenagelt und mit einer Vordeckung, z. B. aus Bitumendachbahnen oder einer diffusionsoffenen Schalungsbahn, versehen, ehe die Hartbedachung aufgebracht wird.

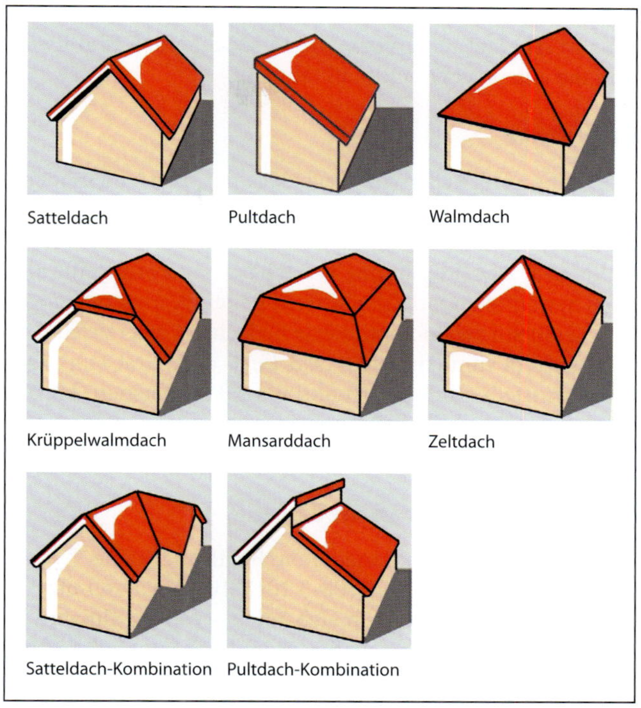

Abb. 1.59: Gängige Dachformen

Abb. 1.60: Verlegung von Dachsteinen auf der Traglattung (Quelle: BMI Deutschland GmbH, Oberursel)

Die Montageart ist jeweils aus den technischen Verlegeanleitungen der Dachbaustoffe ersichtlich. Die Wahl der harten Bedachung, wie die Dachdeckung auch genannt wird, wird in Abhängigkeit von der Gestaltung und dem Wunsch des Bauherrn meist in Zusammenarbeit mit dem Planer festgelegt.

Beanspruchung geneigter Dächer

Wie kaum ein anderes Bauteil ist das Dach vielfältigen extremen Einflüssen ausgesetzt und damit einer erheblichen Beanspruchung von außen und innen unterworfen. Dächer müssen diesen Belastungen Jahrzehnte widerstehen. Umso wichtiger ist es, ihre Beanspruchung zu kennen und die richtigen konstruktiven Maßnahmen zu treffen. Abb. 1.61 zeigt in schematischer Form die zu beachtenden Einflüsse und die entsprechenden Maßnahmen.

Dachsysteme

Die großen Hersteller von Dachziegeln, Dachsteinen oder anderen Dachbaustoffen bieten heute recht umfassende Dachsysteme an, die ständig weiterentwickelt werden. Im Rahmen dieser Programme werden sowohl Formsteine als auch Systemteile und Zubehörteile geliefert, um eine möglichst einheitliche und optimierte Bedachung zu erzielen. Die Palette reicht vom Formstein (z. B. First- oder Gratstein) über den Formstein mit Sonderfunktion (z. B. Lüfterstein) bis hin zu Dachfenstern, Kehlbändern oder gar Solarelementen. Diese Sortimente sind im Kapitel 4 näher beschrieben.

Unbelüftete wärmegedämmte Dächer

Für Steildachkonstruktionen ohne Belüftung (siehe Abb. 1.62) stellt die DIN 4108-3:2018-10 „Wärmeschutz und Energie-Einsparung in Gebäuden – Teil 3: Klimabedingter Feuchteschutz – Anforderungen, Berechnungsverfahren und Hinweise für Planung und Ausführung Anforderungen und Berechnungsverfahren" hinsichtlich des klimabedingten Feuchteschutzes. Hervorzuheben sind die Verfahren zur Berechnung der Tauwasser- und Verdunstungsmasse. Die Dächer müssen luftdicht sein, um die Bildung von Tauwasser in der Konstruktion zu verhindern. Außerdem sorgt eine Dampfsperre dafür, dass keine Feuchtigkeit aus dem Raum in die Konstruktion gelangt. Feuchtigkeit von außen in Form von Niederschlag wird über eine Unterdeckbahn abgetragen. Die unbelüfteten Konstruktionen stellen heute den Regelfall dar, sowohl im Neubau als auch in der Sanierung.

Belüftete wärmegedämmte Dächer

Bei geneigten Dächern, die in der Dachschräge gedämmt sind, sollte eine Belüftung zwischen Dämmung und Zusatzmaßnahme, z. B. einer Unterdeckbahn, angeordnet werden, wenn diese nicht diffusionsoffen ist, um die Abführung von Kondens- und Tauwasser in der Konstruktion zu gewährleisten (siehe Abb. 1.63). Die Hartbedachung muss – im Gegensatz zum Flachdach – nicht wasserdicht sein. Sie muss jedoch das Regenwasser sicher ableiten. Die durch die Fugen der Hartbedachung eindringende Feuchtigkeit muss durch Zusatzmaßnahmen (z. B. Unterspannungen oder Unterdeckungen) nach außen abgeführt werden. Das Regelwerk des deutschen Dachdeckerhandwerks, die sog. Dachdeckerfachregeln, fordert bestimmte Maßnahmen, abhängig von der Konstruktion und der Dachneigung.

Regeldachneigungen und Zusatzmaßnahmen

Als Regeldachneigung (RDN) bezeichnet man die unterste Dachneigungsgrenze in Abhängigkeit von Werkstoff und Deckungsart, bei der sich in der Praxis eine Dachdeckung als regensicher erwiesen hat. So beträgt die Regeldachneigung beispielsweise bei Schiefer 25° (altdeutsche Doppeldeckung 22°), bei Doppelmuldenfalzziegeln 30° und bei Betondachsteinen und Flachdachpfannen 22°.

Soll diese Regeldachneigung unterschritten werden, müssen Zusatzmaßnahmen ergriffen werden. Zu diesen Maßnahmen zählen regensichere oder wasserdichte Unterdächer, Unterdeckungen und Unterspannungen.

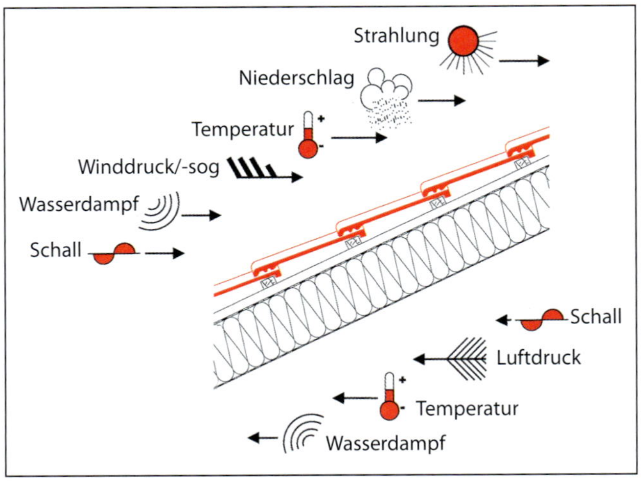

Abb. 1.61: Witterungseinflüsse, denen das geneigte Dach ausgesetzt ist

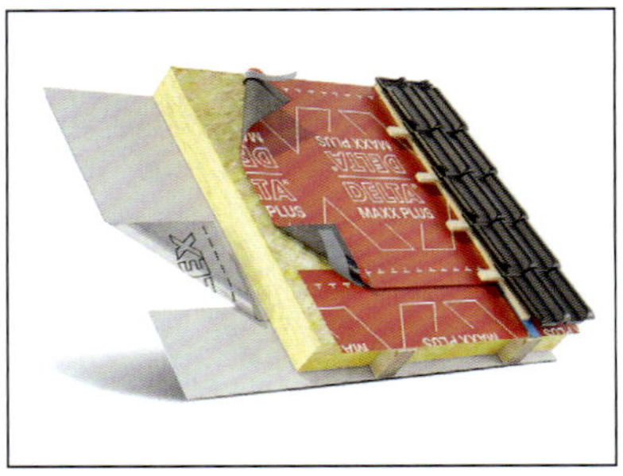

Abb. 1.62: Unbelüftete Dachkonstruktion; von innen nach außen: Luft- und Dampfsperre, Zwischensparrenvolldämmung, diffusionsoffene Unterdeckbahn (hier mit Selbstkleberandzur winddichten Verklebung) (Quelle: Ewald Dörken AG, Herdecke)

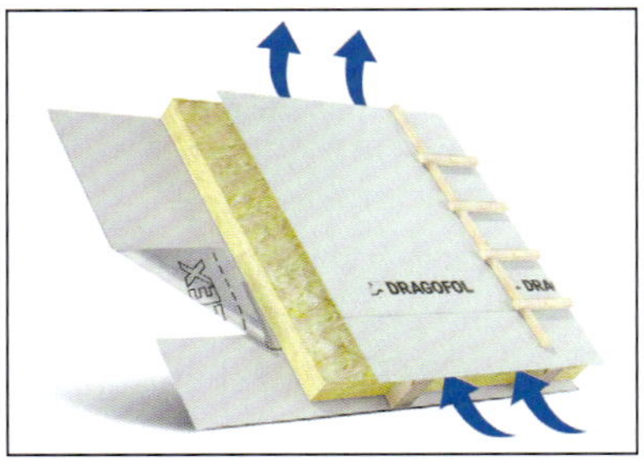

Abb. 1.63: Belüftete Dachkonstruktion; von innen nach außen: Luft- und Dampfsperre, Zwischensparrendämmung mit 2 bis 4 cm Lüftungsquerschnitt zwischen Wärmedämmung und Unterspannung (Quelle: Ewald Dörken AG, Herdecke)

Windsogsicherung

Planer und Dachdecker müssen das Regelwerk des ZVDH zur Windsogsicherung beachten. Das Regelwerk entspricht dem Status einer anerkannten Regel der Technik und ist deshalb verbindlich.

Die Fachinformation des ZVDH, „Windlasten auf Dächern mit Dachziegel- und Dachsteineindeckungen" (2011), definiert nicht nur die Berechnung der Windlast neu, sondern teilt auch den Dachbereich neu auf (Ortgang-, Innen-, Trauf- und Firstbereich) und stellt höhere Anforderungen an die Befestigung.

In die Änderungen sind insbesondere die Daten der Windzonenkarte, der DIN EN 1991-1-4:2010-12 „Eurocode 1: Einwirkungen auf Tragwerke – Teil 1-4: Allgemeine Einwirkungen – Windlasten" sowie der DIN EN 14437:2005-02 „Bestimmung des Abhebewiderstandes von Dachdeckungen mit Dachziegeln oder Dachsteinen (Dachpfannen) – Prüfverfahren für Dachsysteme" eingeflossen.

In der Praxis werden zusätzliche Sturmklammern eingebaut. Die Hersteller bieten dazu ihre Dachziegel-/ Dachsteinmodelle und die dazugehörigen Sturmklammern als Windsogsicherungssysteme an (siehe Abb. 1.64). Die Kombination muss nach DIN EN 14437 geprüft sein.

Gauben

Die Formen des geneigten Dachs können mit Aufbauten (Gauben, Türme usw.) und Einbauten (Loggia, Dachbalkon usw.) versehen werden. Im Ergebnis haben diese Elemente sowohl eine architektonisch-gestaltende Funktion als auch die der Wohnraumbeschaffung, -gestaltung oder -belichtung. Dachaufbauten und -einbauten verleihen dem Dach, von außen gesehen, zusätzlich Individualität und Charakter. Von der inneren Nutzung her betrachtet geben sie dem Wohnraum Licht und Atmosphäre. Die bekannteste Ausführung sind Gauben. Seltener anzutreffen sind Dachausschnitte oder Loggien. Abb. 1.65 zeigt verschiedene Arten von Gauben.

1.13.2 Dächer mit Abdichtung (Flachdach)

Während beim geneigten Dach die Dacheindeckung grundsätzlich den Schutz vor eindringendem Wasser übernimmt, erfüllt beim „Flachdach" die wasserdichte Dachabdichtung diese Funktion (siehe Abb. 1.66).

Auch Flachdächer besitzen ein – wenn auch geringes – Gefälle. Nach den Regeln soll ein Flachdach mindestens 2 % Gefälle haben, das sind 2 cm pro m. Dieses Gefälle wird in einem Gefälleplan festgelegt und in der Regel über den Einbau einer Gefälledämmung (spezielle Dämmplatten) hergestellt. Dies ist zugleich Voraussetzung für die Planung und den Bau einer funktionstüchtigen Dachflächenentwässerung (zur Entwässerung von Flachdächern siehe Kapitel 4.14).

Wird die offizielle Bezeichnung, sprich „Dächer mit Abdichtung", zugrunde gelegt, dann sind auch „steile" Dachformen möglich. Eine häufige Dachform, bei der Abdichtungen im „steilen" Flachdachbereich eingesetzt werden, ist das Sheddach oder Sägezahndach. Dieses findet man meistens im Bereich von Industriedächern (siehe Abb. 1.67).

Die nicht abgedichtete Seite des Daches wird dann als Belichtungsquelle für die Räumlichkeiten genutzt und wird, wenn möglich, Richtung Norden geplant. Hierbei werden je nach Vorgaben Lichtbänder eingesetzt, die neben der Belichtung auch die Belüftung beinhalten. Im Bedarfsfall zur Erfüllung der Brandschutzvorschriften werden diese auch als Rauch-Wärme-Abzugsanlagen (RWA) ausgeführt.

Flach geneigte Dächer findet man häufig als Garagen- und Carportdächer, Bungalow- und Hochhausdächer, aber auch (in der Regel) als Dächer von Industriegebäuden und -hallen. Flach geneigte Dächer werden insbesondere aus funktionellen Gründen ausgeführt. Aufgrund vorgegebener Firsthöhen kann bei einem Flachdach die komplette Höhe genutzt werden, ohne Verluste durch Dachschrägen zu erhalten. Ferner entstehen große Flächen, um ggf. im Industriebereich Lüftungsanlagen, Fotovoltaikanlagen, Schächte oder Mastanlagen aufzunehmen. Aber nicht nur funktionelle Gründe sind ausschlaggebend für die Wahl eines Flachdachs. Auch architektonische Motive beeinflussen die Dachform. Es kann die gerade, kubistische Linienführung

Abb. 1.64: Die Dacheindeckungen müssen sturmsicher ausgeführt werden (Quelle: Wienerberger GmbH, Hannover).

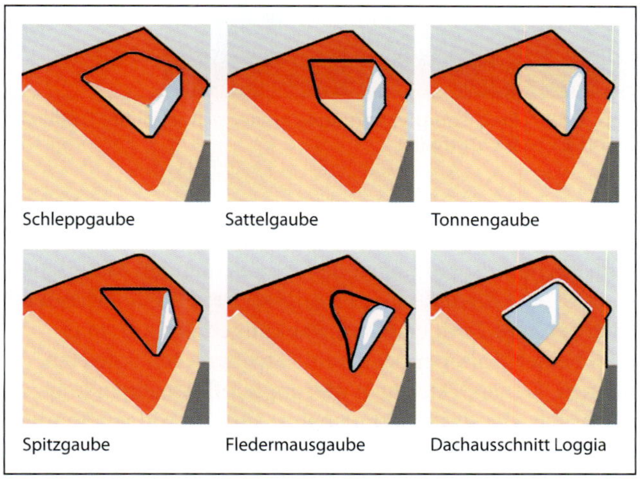

Abb. 1.65: Gaubenarten

Abb. 1.66: Herstellung der Abdeckung für ein Flachdach (Quelle: Zintek Srl, Venedig)

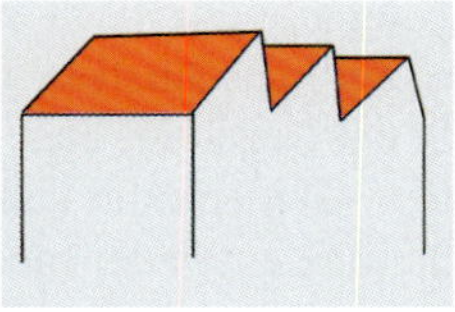

Abb. 1.67: Das Sheddach ist im Industriebau anzutreffen.

sein oder die Schaffung von Flächen, die zur Entspannung genutzt werden, z. B. Dachgärten. Auch die Einführung sog. Passivhäuser hat dazu geführt, dass das Flachdach heute auch bei Wohnhäusern gefragt ist.

Eine Kombination aus Funktionalität und Ästhetik bieten als Gründächer ausgelegte Flachdächer (siehe Kapitel 1.13.3). Bei extensiven Gründächern wird auf der einen Seite der Zufluss von Regenwasser in die Kanalisation verzögert, auf der anderen Seite bieten die Pflanzungen ansprechende Gestaltungsmöglichkeiten. Die Abdichtung der Flächen kann mit Bitumenbahnen, Kunststoffbahnen oder Flüssigkunststoffabdichtungen erfolgen. Unabhängig davon, mit welchem Material die Abdichtung ausgeführt wird, muss sie in der Regel die Anforderungen als harte Bedachung erfüllen, und sie muss zwingend wasserdicht sein. Ferner muss eine

Abb. 1.68: Eine Extensivbegrünung eignet sich schon für Dachkonstruktionen mit geringer Tragfähigkeit (Quelle: Paul Bauder GmbH & Co. KG, Stuttgart).

Abdichtung den unterschiedlichsten Einflüssen standhalten. Das sind neben Bewegungsaufnahmen durch unterschiedliche Ausdehnungen der abzudichtenden Materialien, z. B. eine Betondecke mit aufgesetztem Metallgeländer, auch extreme Temperaturschwankungen, die z. B. in einem heißen Sommer bei einem Gewitterregen auftreten können. Generell stellen Witterungseinflüsse einen hohen Anspruch. Bei starker Sonneneinstrahlung können Temperaturen über 90 °C entstehen, im Winter hingegen, wenn Wasser auf der Dachfläche verblieben ist, bildet sich eine Eisschicht. Bei beiden extremen Ansprüchen muss die Oberfläche die Abdichtung gewährleisten.

Bei allen Dachaufbauten mit darunter beheizten Räumen muss zusätzlich gewährleistet sein, dass kein Kondenswasser aus den Räumen in den Dachaufbau, insbesondere die Wärmedämmung, eindringt. Aus diesem Grund ist es unerlässlich, dass eine Dampfsperre zur warmen Seite der Konstruktion hin eingebracht wird. In Bezug auf die Verlegung gibt es zwischen den Abdichtungsmaterialien unterschiedliche Ausführungen. Werden Bitumenabdichtungen in der Regel mit dem Untergrund verbunden, durch Schweißen, Gießen oder kaltselbstklebend, werden Kunststoffbahnen entweder mechanisch befestigt oder durch Auflast gegen Windsog gesichert. Die Auflast stellt erhöhte Ansprüche an die Statik, bietet aber zusätzlich Schutz gegen UV-Einstrahlung. Die Auflast kann durch eine Dachbegrünung, Plattenbeläge oder Kies erfolgen. Bei Flüssigkunststoffabdichtungen erfolgt die Verbindung ebenfalls fest mit dem Untergrund.

1.13.3 Dachbegrünung

Durch Begrünung von Dachflächen gelingt es, Teile der durch Besiedelung und Verkehrsflächen verlorenen Grünflächen zu ersetzen. In diesem Fall wird auch von einem Gründach gesprochen. Dachbegrünungen besitzen nicht nur ökologische, sondern auch ökonomische und nicht zuletzt bauphysikalische Vorteile, die sich – vor allem, wenn sie im Rahmen eines größeren Bauvorhabens (z. B. Wohnsiedlungen oder Betriebsstätten) gebündelt werden können – als interessante Verbesserungen erweisen. So geht von Dachbegrünungen ein positiver Einfluss auf das Strahlungsverhältnis, auf die Lufttemperatur und -feuchtigkeit aus. Sie leisten einen nicht zu unterschätzenden Beitrag zur Verbesserung des Wohn- und Arbeitsplatzumfeldes und schließlich des Mikroklimas auf dem Dach.

Vermehrte Dachbegrünungen helfen auch, die Abwassersysteme der Städte zu entlasten, indem sie Niederschlagwasser auffangen und verzögert wieder abgeben (Minderung der Gefahr von Hochwasser). Außerdem schaffen begrünte Flachdächer neue Lebensräume für Tiere und Pflanzen. Am Gebäudekörper selbst wirken Dachbegrünungen zusätzlich wärmedämmend, schützen die Dachhaut vor UV-Strahlungen und vor großen Temperaturschwankungen. Insgesamt erhöhen sie die Lebensdauer eines Daches. Dachbegrünungen sind nicht nur für Neubauten, sondern vor allem auch für die Sanierung von Flachdächern eine empfehlenswerte Maßnahme. Um Dächer begrünen zu können, muss beachtet werden, dass

- das Gewicht des für das Pflanzenleben erforderlichen Substrats statisch berücksichtigt sein muss, wie eine Kiesschüttung auch,
- die Dichtungsschicht des Daches vor Beschädigung durch die Pflanzenwurzeln sicher geschützt werden muss,
- die Möglichkeit geschaffen werden muss, den Dachbewuchs im Rahmen des Nötigen zu pflegen.

Unterschieden werden 2 Formen der Dachbegrünung.

Extensivbegrünung

Unter Extensivbegrünung (siehe Abb. 1.68) versteht man die naturnahe Begrünung mit bodenbedeckenden Pflanzen und Stauden auf einer Vegetationsschicht (Erd-/Substratschicht) von etwa 6 bis 12 cm Dicke. Das wassergesättigte Flächengewicht beträgt einschließlich Vegetation ca. 70 bis 150 kg/m^2. Die Pflanzenauswahl ist begrenzt auf anspruchsloses Grün, das keiner besonderen Pflege bedarf, wie z. B. Moos-Sedum, Sedum-Moos-Kraut, Sedum-Gras-Kraut oder Gras-Kraut (Trockenrasen).

Lediglich in der Anwachsphase sind eine Bewässerung und die Zugabe von Nährstoffen erforderlich; danach passt sich die Vegetation den Standortbedingungen an. Durch Samenflug stellt sich mit der Zeit eine dem Dach entsprechende Pflanzengesellschaft von allein ein. Die extensive Begrünung ist auch für leicht geneigte Dächer (bis ca. 15°) geeignet. Sie ist wirtschaftlich und mit nur geringem Aufwand verbunden, sollte jedoch zweimal im Jahr gewartet werden, um Fremdbewuchs zu entfernen und Abläufe zu säubern.

Intensivbegrünung

Intensivbegrünungen (siehe Abb. 1.69) stellen hohe Anforderungen an die Statik und müssen regelmäßig gepflegt werden. Auch Rasen mit seinen hohen Ansprüchen an Wasser- und Nährstoffversorgung ist eine Form von Intensivbegrünung. Bei einer Aufbauhöhe des Vegetationssubstrats von ca. 22 bis 60 cm sind der Bepflanzungsvielfalt kaum Grenzen gesetzt. Vegetationsformen sind Rasen, Gehölzstauden, Strauch- und Baumpflanzungen. Das wassergesättigte Flächengewicht beträgt einschließlich Vegetation ab 250 kg/m². Intensivbegrünungen finden sich zunehmend z. B. auf Tiefgaragendächern; sogar öffentliche Grünanlagen wie Parks und Spielwiesen können mit dem Intensivsystem erstellt werden. Mehr noch als bei der Extensivbegrünung ist auf Dachabdichtung und Wurzelschutz zu achten. Sowohl für die Extensiv- als auch für die Intensivbegrünung werden zunehmend komplette Systeme angeboten, deren Komponenten (Substrat, Filter- und Dränschicht usw.) aufeinander abgestimmt ein Höchstmaß an Wuchssicherheit und Langzeitverhalten bieten.

Abb. 1.69: Intensivbegrünungen bieten zahlreiche Gestaltungsmöglichkeiten und können als Garten auf dem Dach genutzt werden (Quelle: Paul Bauder GmbH & Co. KG, Stuttgart).

1.13.4 Relevante Normen

DIN 4108-3:2018-10 Wärmeschutz und Energie-Einsparung in Gebäuden – Teil 3: Klimabedingter Feuchteschutz – Anforderungen, Berechnungsverfahren und Hinweise für Planung und Ausführung Anforderungen und Berechnungsverfahren

DIN EN 1991-1-4:2010-12 Eurocode 1: Einwirkungen auf Tragwerke – Teil 1-4: Allgemeine Einwirkungen – Windlasten

DIN EN 14437:2005-02 Bestimmung des Abhebewiderstandes von Dachdeckungen mit Dachziegeln oder Dachsteinen (Dachpfannen) – Prüfverfahren für Dachsysteme

1.14 Energetisches Bauen und Sanieren/GEG

Rund 35 % des gesamten Energieverbrauchs in Deutschland entfallen auf Gebäude. Sie sind (Stand: 2022) verantwortlich für etwa 115 Mio. t des Treibhausgases CO_2 pro Jahr. Um weniger abhängig von Energieimporten zu werden und die Klimaschutzziele bis 2030 zu erreichen, müssten diese Emissionen um mehr als 40 % reduziert werden.

Als zentraler Baustein der deutschen Wärmewende wurde deshalb zum 1. November 2020 das sog. Gebäudeenergiegesetz (GEG) eingeführt. Es gilt für alle Gebäude, die beheizt oder klimatisiert werden und soll zum 1.1.2023 sowie in den Folgejahren mehrmals novelliert werden. Mit dem neuen **Gesetz zur Einsparung von Energie und zur Nutzung erneuerbarer Energien zur Wärme- und Kälteerzeugung in Gebäuden** (GEG) werden das Energieeinsparungsgesetz (EnEG), die Energieeinsparverordnung (EnEV) und das Erneuerbare-Energien-Wärmegesetz (EEWärmeG) zusammengeführt. Ziel des GEG ist ein möglichst sparsamer Einsatz von Energie in Gebäuden einschließlich steigender Nutzung erneuerbarer Energien zur Erzeugung von Wärme, Kälte und Strom für den Gebäudebetrieb. Das neue GEG setzt die europäischen Vorgaben zur Gesamtenergieeffizienz von Gebäuden vollständig um und integriert die Regelung des Niedrigstenergiegebäudes in das Energieeinsparrecht. Die aktuell geltenden Anforderungen für Neubauten und Sanierung werden nicht weiter verschärft.

Die energetischen Vorgaben des GEG beziehen sich überwiegend auf die Heizungstechnik und den Wärmedämmstandard eines Gebäudes. Eine Novellierung des Gesetzes gilt ab 2023. Ein Neubau darf dann nur noch höchstens 55 % der Primärenergie eines Referenzwerts verbrauchen, der für jedes Gebäude individuell ausgerechnet wird. Zuvor betrug diese Anforderung 75 %. Die Kriterien für die bauliche Hülle, also die energetische Qualität von Fenstern und Dämmung, wurden für Neubauten im Jahr 2020 gelockert und bleiben ab 2023 unverändert.

Um den Energiehaushalt des Gebäudes zu ermitteln, werden neben der Raumheizung und -kühlung auch die Warmwassererzeugung, der Betrieb von Lüftungsanlagen sowie der Strom berücksichtigt, den diese Geräte im Betrieb benötigen (z. B. Heizungspumpen, Heizkessel, Regler). Zusätzlich muss ein Gebäude bestimmte Vorgaben zum Luftaustausch und zur Minimierung von Wärmebrücken erfüllen. Letzteres sind Gebäudeecken oder Stellen, die weniger gut gedämmt sind.

Außerdem legt das GEG die Anforderungen an vorhandene Klimatechnik sowie an Sonnen- bzw. Wärmeschutzmaßnahmen für den Sommer fest. Das GEG setzt damit neue Impulse zur Nutzung neuer Ansätze beim energieeffizienten Bauen und trägt damit auch dazu bei, den Bedarf an Heizenergie zu reduzieren.

Energieausweis: der energetische Status auf einen Blick

Die Vorgaben zum Energieausweis (siehe Abb. 1.70) sind ebenfalls Bestandteil des GEG. Verpflichtend ist der Ausweis bei Verkauf oder Vermietung einer Immobilie, hilfreich beim Kauf und bei der Sanierung, denn er liefert wichtige Hinweise auf Einsparpotenziale und konkrete Vorschläge für Sanierungsmaßnahmen. Grundsätzlich gibt es 2 Varianten des Energieausweises. Einen Verbrauchsausweis erhalten Hausbesitzer zum Beispiel bei vielen Energieversorgern und Energiedienstleistern, die Heizdaten ablesen. Der Verbrauchsausweis wird aus den Verbrauchsdaten (Heizkostenabrechnung) der letzten 3 Jahre erstellt.

Den Bedarfsausweis erstellt ein Architekt, Bauingenieur, Handwerksmeister oder Energieberater, zum Beispiel aus der Liste der Architektenkammern. Gültig sind beide Ausweisvarianten jeweils 10 Jahre. Wann Hausbesitzer welchen Energieausweis brauchen, hängt vom Baujahr und von der Größe des Hauses ab. Häuser unter Denkmalschutz benötigen keinen Energieausweis.

Der Energieausweis macht auf den ersten Blick deutlich, ob ein Haus Heizenergie verschwendet oder sparsam ist. Die farbige Skala oben auf dem Energieausweis zeigt, ob das Haus im roten (hoher Energieverbrauch = großer Sanierungsbedarf) oder grünen Bereich (niedriger Energieverbrauch) liegt. Ergänzt wird die Farbskala im Energieausweis durch sog. Effizienzklassen. Häuser und Wohnungen werden damit anhand ihrer Energiekennwerte in 9 Effizienzklassen von A+ (niedriger Energiebedarf) bis H (hoher Energiebedarf) eingeteilt. Das ermöglicht zum einen den Vergleich verschiedener Objekte bundesweit. Zum anderen liefert der Energieausweis Hausbesitzern wichtige Informationen und Anhaltspunkte für eine energetische Sanierung. Er enthält individuelle Modernisierungsempfehlungen, mit denen der Energieverbrauch reduziert werden kann.

Zu beachten ist, dass einfache Maßnahmen der Instandhaltung und Instandsetzung nicht als Sanierung gelten, beispielsweise kleine Reparaturen, wie der Austausch einiger schadhafter Dachpfannen. Bei einer Sanierung handelt es sich um eine umfangreichere Maßnahme zur Wiederherstellung bzw. Ertüchtigung der baulichen und technischen Gegebenheiten, um Mängel zu beseitigen oder den Wohn- und Lebensstandard zu erhöhen. Eine Sanierung schließt oft die Modernisierung mit ein. In der Regel werden durchgreifende Reparaturen oder Erneuerungen von Bauteilen, Gebäudeabschnitten oder des gesamten Bauwerks durchgeführt.

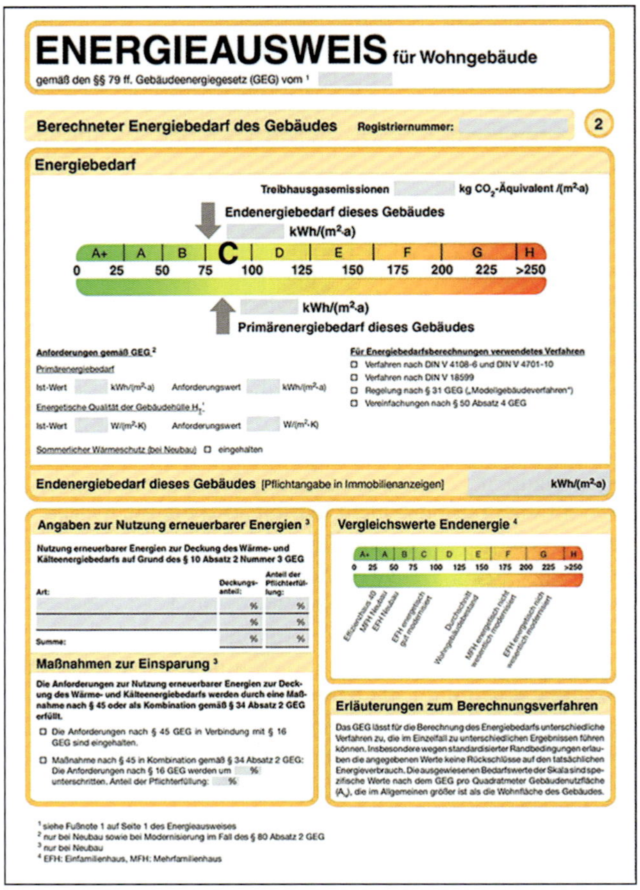
ENERGIEAUSWEIS für Wohngebäude
gemäß den §§ 79 ff. Gebäudeenergiegesetz (GEG) vom [1]

Berechneter Energiebedarf des Gebäudes Registriernummer: 2

Energiebedarf

Treibhausgasemissionen kg CO_2-Äquivalent /(m²·a)

Endenergiebedarf dieses Gebäudes kWh/(m²·a)

A+ | A | B | C | D | E | F | G | H
0 25 50 75 100 125 150 175 200 225 >250

kWh/(m²·a) Primärenergiebedarf dieses Gebäudes

Anforderungen gemäß GEG [2]
Primärenergiebedarf
Ist-Wert kWh/(m²·a) Anforderungswert kWh/(m²·a)
Energetische Qualität der Gebäudehülle H_T'
Ist-Wert W/(m²·K) Anforderungswert W/(m²·K)
Sommerlicher Wärmeschutz (bei Neubau) ☐ eingehalten

Für Energiebedarfsberechnungen verwendetes Verfahren
☐ Verfahren nach DIN V 4108-6 und DIN V 4701-10
☐ Verfahren nach DIN V 18599
☐ Regelung nach § 31 GEG („Modellgebäudeverfahren")
☐ Vereinfachungen nach § 50 Absatz 4 GEG

Endenergiebedarf dieses Gebäudes [Pflichtangabe in Immobilienanzeigen] kWh/(m²·a)

Angaben zur Nutzung erneuerbarer Energien [3]

Nutzung erneuerbarer Energien zur Deckung des Wärme- und Kälteenergiebedarfs auf Grund des § 10 Absatz 2 Nummer 3 GEG

Art:	Deckungsanteil:	Anteil der Pflichterfüllung:
	%	%
	%	%
Summe:	%	%

Maßnahmen zur Einsparung [3]

Die Anforderungen zur Nutzung erneuerbarer Energien zur Deckung des Wärme- und Kälteenergiebedarfs werden durch eine Maßnahme nach § 45 oder als Kombination gemäß § 34 Absatz 2 GEG erfüllt.

☐ Die Anforderungen nach § 45 GEG in Verbindung mit § 16 GEG sind eingehalten.

☐ Maßnahme nach § 45 in Kombination gemäß § 34 Absatz 2 GEG: Die Anforderungen nach § 16 GEG werden um % unterschritten. Anteil der Pflichterfüllung: %

Vergleichswerte Endenergie [4]

A+ | A | B | C | D | E | F | G | H
0 25 50 75 100 125 150 175 200 225 >250

Effizienzhaus 40
MFH Neubau
EFH Neubau
EFH energetisch gut modernisiert
Durchschnitt Wohngebäudebestand
MFH energetisch nicht wesentlich modernisiert
EFH energetisch nicht wesentlich modernisiert

Erläuterungen zum Berechnungsverfahren

Das GEG lässt für die Berechnung des Energiebedarfs unterschiedliche Verfahren zu, die im Einzelfall zu unterschiedlichen Ergebnissen führen können. Insbesondere wegen standardisierter Randbedingungen erlauben die angegebenen Werte keine Rückschlüsse auf den tatsächlichen Energieverbrauch. Die ausgewiesenen Bedarfswerte der Skala sind spezifische Werte nach dem GEG pro Quadratmeter Gebäudenutzfläche (A_N), die im Allgemeinen größer ist als die Wohnfläche des Gebäudes.

[1] siehe Fußnote 1 auf Seite 1 des Energieausweises
[2] nur bei Neubau sowie bei Modernisierung im Fall des § 80 Absatz 2 GEG
[3] nur bei Neubau
[4] EFH: Einfamilienhaus, MFH: Mehrfamilienhaus

Abb. 1.70: Energieausweis

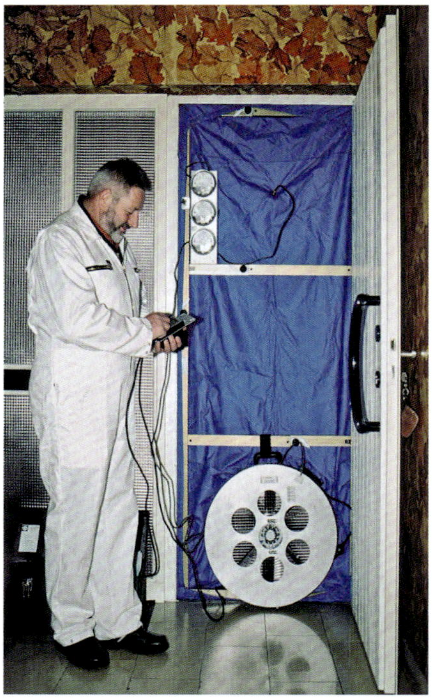

Abb. 1.71: Einsatz der Blower Door in der Haustür eines Wohngebäudes (Quelle: Knauf Insulation GmbH, Simbach am Inn)

Bei solchen Schritten ist es unabdingbar, dass das GEG berücksichtigt wird. Bei Neubauten sind die vorgeschriebenen Dämmwerte des GEG einzuhalten. Zur Überprüfung des effizienten Zusammenspiels aller Einzelmaßnahmen hinsichtlich der luftdichten Ausführung der Gebäudehülle wird der sog. Blower-Door-Test eingesetzt (siehe Abb. 1.71).

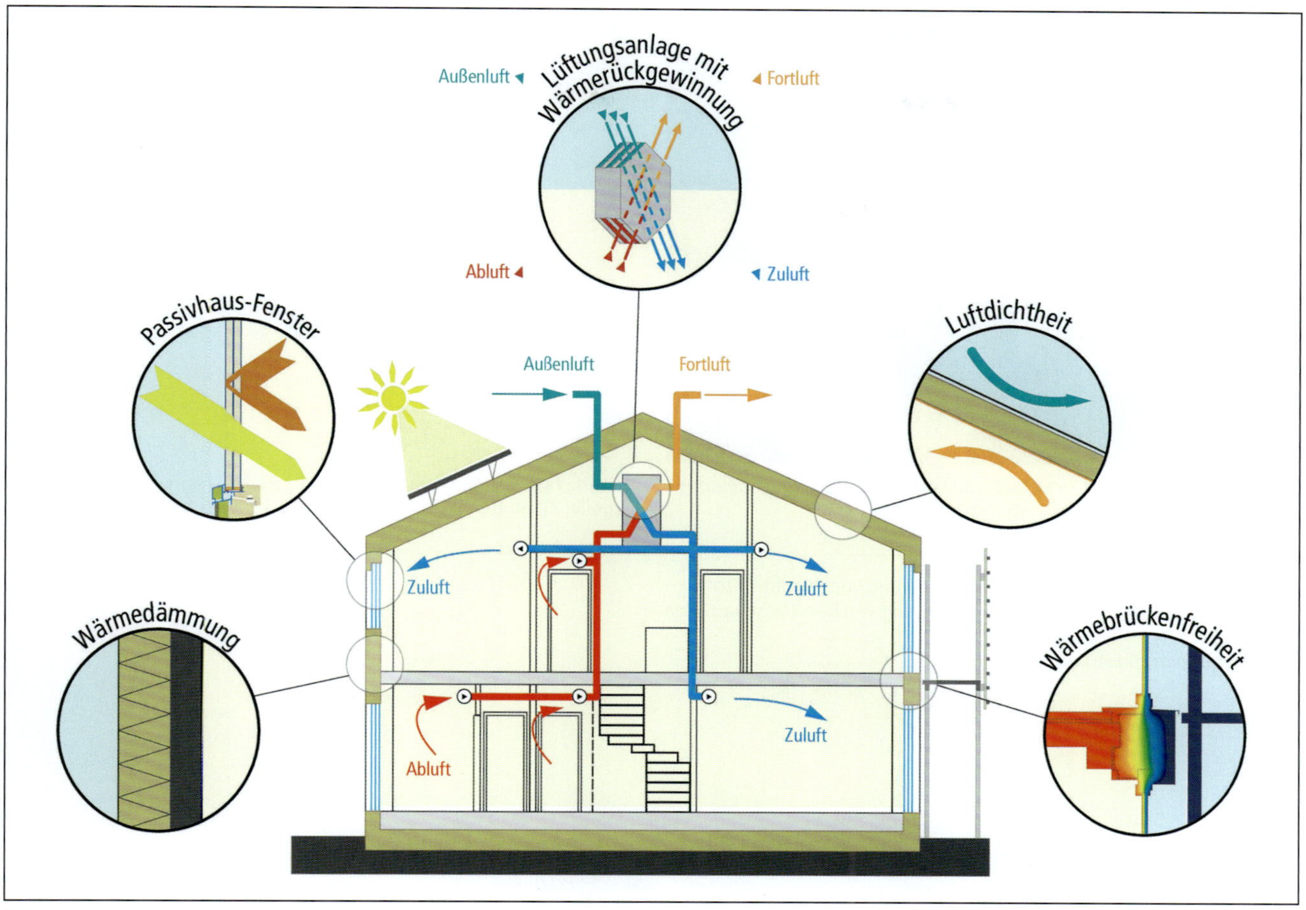

Abb. 1.72: Funktionsskizze eines Passivhauses (Quelle: Passivhaus Institut GmbH, Darmstadt)

Mit diesem Verfahren wird geprüft, ob die Gebäudehülle luftdicht ist und somit keine Wärme über Leckagen unkontrolliert verloren geht. Dieses hätte neben dem Energieverlust weiterhin zur Folge, dass das Bauteil an dieser Stelle stark auskühlt und sich ggf. Schimmelpilz bildet, zumindest jedoch, dass die Behaglichkeit im Raum erheblich gestört wird. Um den gesamten Energieverbrauch eines Gebäudes festzulegen, wird der **Jahresprimärenergiebedarf** ermittelt. Hierbei werden neben dem Energiebedarf für Heizung und Warmwasser auch die Verluste, die von der Gewinnung des Energieträgers über die Aufbereitung und den Transport bis zur Verteilung und Speicherung im Gebäude anfallen, berücksichtigt. Zuschläge oder Abschläge sind dann in Ansatz zu bringen, wenn unvermeidbare Wärmebrücken entstehen, solare Wärmegewinnung eingebaut wird, sommerlicher Wärmeschutz vorhanden ist, mechanische Lüftungsanlagen zur Wärmerückgewinnung zum Tragen kommen oder zur Raumkühlung gedachte Klimageräte eingesetzt werden.

Passivhaus

Gesondert betrachtet werden muss das Passivhaus, das auch als Niedrigenergiehaus bezeichnet werden kann. Es lässt sehr wenig Wärme entweichen und ist hochgedämmt. Es nutzt passive interne sowie externe Wärmequellen, wie die Sonneneinstrahlung, die Wärmerückgewinnung der Lüftungsanlage sowie die Abwärme von elektrischen Geräten. Der Energiebedarf des Gebäudes wird damit weitestgehend gedeckt. Zusätzlich muss der Frischluftstrom regelmäßig nachgeheizt oder nachgekühlt werden, um eine ausreichende Luftqualität zu gewährleisten, dafür wird jedoch keine Umluft verwendet.

Das Wirkprinzip des Passivhauses beruht auf 2 wesentlichen Strategien: einerseits der bestmöglichen Wärmedämmung der thermischen Außenhülle. Andererseits ist ein Passivhaus so gebaut, dass es einen sog. hohen solaren Eintrag hat. Große Fenster oder Glasdächer auf der Südseite sorgen für möglichst viel Sonnenwärme.

In erster Linie ist es das Ziel eines Passivhauses, die Wärmeverluste durch die Außenwände, das Dach und den Keller so gering wie möglich zu halten (Wärmedurchgangskoeffizient *U*-Wert maximal 0,15 W/[m^2 · K]) und die Wärmeverluste durch Lüftung zu minimieren. Auch der Stromverbrauch der elektrischen Geräte im Haus muss optimiert werden: Der Primärenergiebedarf des gesamten Gebäudes inklusive Haushaltstrom darf 60 kWh/m^2 Nutzfläche im Jahr nicht überschreiten. Das Passivhaus bewertet damit alle Energieverbräuche im Gebäude, nicht nur für Warmwasser und Heizung (siehe Abb. 1.72).

Rein rechnerisch liegt der jährliche Heizenergieverbrauch eines Passivhauses bei nicht mehr als 1,5 l Heizöl oder 1,5 m^3 Erdgas pro m^2 Wohnfläche. Zum Vergleich: Ein normales Gebäude verbraucht rund 6 l oder mehr. Die Heizkosten sind bei einem Passivhaus sehr niedrig, sie liegen im Schnitt bei 1 Euro pro m^2 und Jahr.

Abb. 1.73: Passivhaus in Holzrahmen-Bauweise (Quelle: Kitzlinger-Haus GmbH & Co. KG, Sulz/Neckar)

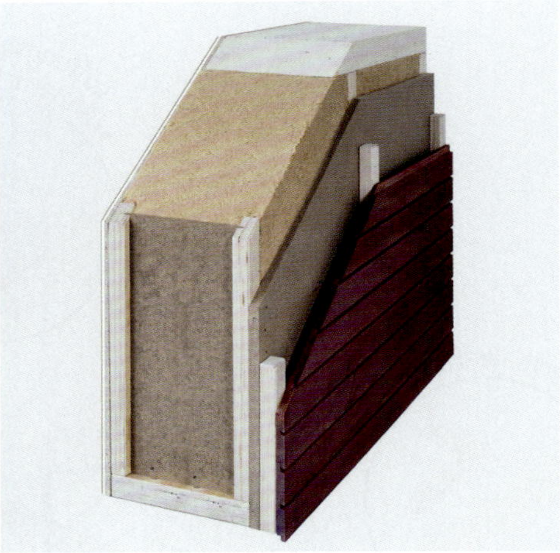

Abb. 1.74: Schichtenaufbau einer Passivhauswand (Quelle: KitzlingerHaus GmbH & Co. KG, Sulz/Neckar)

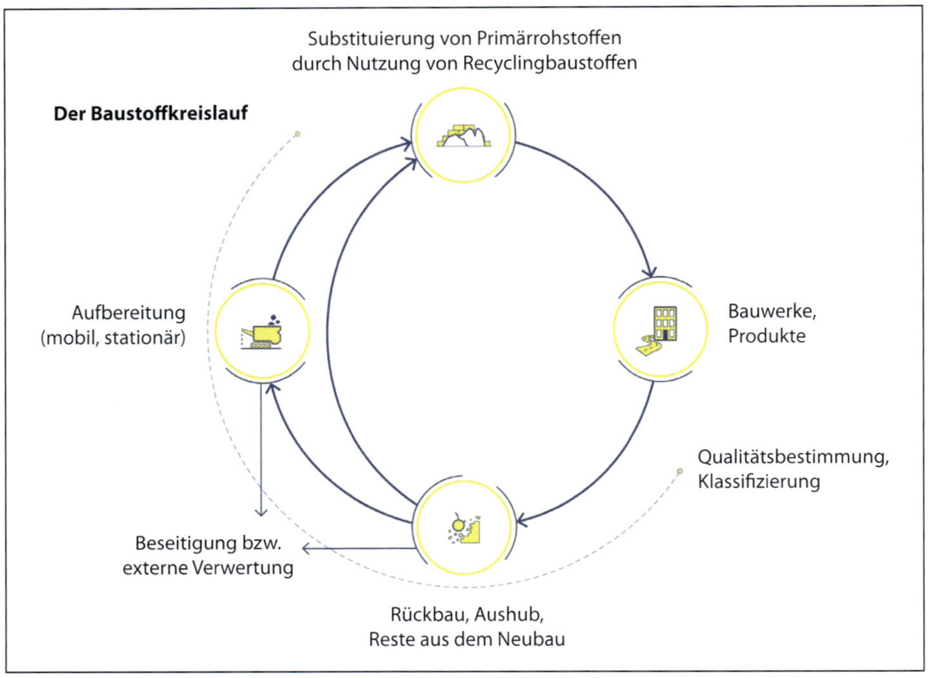

Abb. 1.75: Aspekte ökologischen Bauens (Quelle: PORR AG, Wien)

Die Bauweise an sich ist nicht festgeschrieben, jedoch hilft eine kompakte Bauweise, das Verhältnis zwischen Volumen und Oberfläche bestmöglich zu gestalten (siehe Abb. 1.73). Um die erforderlichen Energieeinsparwerte zu erzielen, ist eine gute Wärmedämmung aller Außenbauteile notwendig (siehe Abb. 1.74), ebenfalls eine kontrollierte Wohnraumlüftung mit einer Wärmerückgewinnung aus der Abluft und eine Dichtigkeit der Gebäudehülle ohne Wärmebrücken.

Auch wenn die Beschreibung eines Passivhauses auf den ersten Blick kompliziert scheint, ist es im Grundprinzip einfach. Naheliegende Wärme- und Kühlungsquellen werden im Bau berücksichtigt, wie z. B. Abkühlung des Luftstromes im Sommer und Erwärmen im Winter durch die Verlegung der Lüftungsrohre im Erdreich.

Diese Bauweise nutzt vorhandene natürliche Energiequellen und kann im Neubau mit einem geringen Kostenmehraufwand von ca. 5 bis 15 % realisiert werden. Diese Investition amortisiert sich durch die laufende Einsparung von fossilen Brennstoffen schnell. In der Modernisierung ist eine Umsetzung zum Passivhaus mit mindestens 15 bis 20 % Mehrkosten verbunden und oft aus objektbezogenen Gegebenheiten eher aufwendig umzusetzen. Hierzu gibt es das Energiesparhaus, das der Modernisierung Rechnung trägt und einen Verbrauch mit 2,5 l Heizöl im Jahr pro m^2 Wohnfläche zulässt. Langfristig ist aber auch hier die Amortisation gegeben; neben den Heizkosten ist der sofortige Komfortgewinn allerdings schwer zu beziffern.

1.15 Ökologisch orientiertes Planen und Bauen

1.15.1 Grundsätzliche Aspekte

Unter dem Begriff „Ökologisches Planen und Bauen" werden zahlreiche Ansätze in Planung und Ausführung von Bauwerken zusammengefasst, von denen jeder als aktiver Beitrag zur Umweltentlastung und Ressourcenschonung verstanden werden kann. Im Mittelpunkt des ökologischen Baukonzeptes steht die ganzheitliche Sicht des Bauwerks: Ziel ist es, möglichst viele ökologisch sinnvolle (und wirtschaftlich vertretbare) Maßnahmen in Planung wie in Ausführung zu ergreifen und in ein ausgewogenes Verhältnis zueinander zu setzen (siehe Abb. 1.75).

Die wichtigsten bauökologischen Ansätze und Aktivitäten im Bausektor zielen auf Lösungen für folgende Problemstellungen ab:

- Verringerung des Ausstoßes von Verbrennungsabgasen bzw. Kohlendioxid (CO_2-Ausstoß),
- Verbesserung der Wärmedämmung möglichst aller Bauten, der Neubauten wie der Altbauten,
- Begrünung bebauter Flächen (Intensivbegrünung),
- Verringerung der Versiegelung bebauter Flächen (Entwässerung, Grundwasserspiegel),
- Nutzung des Regenwassers zur Schonung der Trinkwasserreserven,
- Nutzung natürlicher Energien (Sonnenenergie, Windenergie).

Bei der Planung des Gebäudes sollten folgende Aspekte Beachtung finden:

- das Gebäude an topografische Lage und Mikroklima sinnvoll anpassen;
- einfachen Baukonstruktionen den Vorzug geben, wenn damit der gewünschte Zweck erreicht werden kann, sie sind leicht und weniger schadensanfällig herzustellen;
- langlebige Bauteile und Baustoffe mit guter Ökobilanz wählen, die wiederverwendet bzw. recycelt werden können oder deren Ablagerung (Deponierung) keine Probleme verursacht;
- den Nutzungswert der Bauteile und Baustoffe sehr genau prüfen;
- unkomplizierter Technik den Vorzug geben, wenn mit ihr der gewünschte Zweck erreicht werden kann.

Gelingt es, diese Prinzipien umzusetzen, wird die schadensfreie Nutzung verlängert; damit werden Instandhaltungskosten, teilweise sogar Investitionskosten gespart – und dies ist ökonomisch sinnvoll. Gleichzeitig wird damit jedoch auch ein ökologischer Nutzen erzielt, denn die Verlängerung der schadensarmen Nutzungszeit verschiebt den Abbruch von Gebäuden und Bauteilen. Negative ökologische Auswirkungen bei Gewinnung, Nutzung und Beseitigung von Baustoffen werden erst später wirksam. Der Zyklus möglicher Belastungen wird zeitlich gespreizt. Die immer knapper werdenden und kostspieligen Deponieräume werden entlastet, und es wird Zeit für die Entwicklung und Einführung von geeigneten Recyclingverfahren gewonnen.

Der Baustoffhandel ist heute zunehmend als Berater im Hinblick auf ökologisches und gesundes Bauen gefragt. Das natürliche Vertrauen, das der Bauherr dem Fachhändler entgegenbringt, sollte Letzterer als Marktchance begreifen.

1.15.2 Ökologie und Baustoffe

Grundsätzlich wird man bei der Wahl der Baustoffe abwägen müssen zwischen ökologisch wünschenswerten Baustoffen und kostengünstigeren Massenbaustoffen, deren Ökobilanz jedoch weniger günstig ausfällt. Auf der anderen Seite sollte nicht vergessen werden, dass zahlreiche herkömmliche Baustoffe hinsichtlich der Ökobilanz unproblematisch sind. Information und Beratung des Bauherrn spielen daher bei der Baustoffauswahl eine immer wichtigere Rolle. Heute wird eine breite Palette ökologischer und baubiologischer Produkte sowohl für den Rohbau als auch für den Innenausbau angeboten. Man findet diese Produkte vor allem in den Sortimenten der Dämmstoffe, Bodenbeläge, Wandbeschichtungen, Farben- und Holzschutzprogramme sowie der Verarbeitungsmittel und Kleber.

Anlagen und Aggregate werden speziell für die Regenwassernutzung sowie für die Nutzung von Sonnenenergie angeboten.

1.15.3 Ökologie und Architektur

Früher bestimmte die Natur die Bau- und Lebensform sehr stark. Der Mensch passte seine Bauwerke, so gut er konnte, dem jeweils herrschenden Klima an. Auch im ökologisch orientierten Bauen geht es wieder um das klimagerechte Bauen, d. h. um die Anpassung der Bauten vor allem an das lokale Klima. Ein Gebäude ist in mitteleuropäischen Breitengraden sowohl wechselhaften Wetterlagen (kürzere Perioden) als auch jahreszeitlichen Schwankungen (längere Perioden) ausgesetzt. Die Wetterlagen können positiv genutzt und bei der Gebäudeplanung berücksichtigt werden, z. B. für die Nutzung

- der Sonne zur Wärmeerzeugung,
- der Kälte zur Kühlung und Lagerung,
- des Regens zur Gartenbewässerung usw.,
- des Windes zur Lüftung und Trocknung.

Im Idealfall sollte ein Haus so ausgelegt sein, dass es im Wechsel der Jahreszeiten, aber auch bei längeren Witterungsperioden, gegensätzliche Funktionen übernehmen kann. Beispiele sind das Sammeln von Regen und Wärme oder das Ausgleichen von Temperatur, Frost und Feuchte. So kann bei entsprechender Gebäudekonzeption ein nicht unerheblicher Bedarf an Wärme im Winter oder ein Wasserdefizit im Sommer ausgeglichen werden. Im Einzelnen können folgende Punkte Berücksichtigung finden.

Topografische Lage und Mikroklima

Geografische Gegebenheiten wie z. B. die Einstrahlungsintensität der Sonne, Niederschläge, und Luftströme sind von großer Bedeutung. Mulden und Kaltluftbereiche können bis zu 6 °C niedrigere Temperaturen, Südhänge dagegen 2 bis 3 °C höhere Temperaturen aufweisen. Vorhandene Bepflanzungen bzw. Neuanpflanzungen sowie die klimaausgleichende Wirkung von Wasserflächen (Lage am See, Anlage eines Teiches im Garten) sind positive Faktoren.

Lage zur Windrichtung

Bei einem Gebäude in exponierter Lage mit undichter Gebäudehülle kann der Wärmeverlust durch Wind bis zu 50 % der Gesamtbilanz ausmachen.

A/V-Verhältnis eines Gebäudes

Dieses beschreibt das Verhältnis der wärmeübertragenden Umfassungsflächen eines Gebäudes (A) zu seinem beheizbaren Volumen (V). Gelingt es, dieses Verhältnis zu reduzieren, so vermindert man die Transmissionswärmeverluste. Das Idealmodell wäre die „Iglu-Form". Auch durch die Addition von Baukörpern können Wärmeverluste verringert werden. So hat z. B. ein Reihenmittelhaus bessere Werte als ein Eckhaus.

Abmessungen des Gebäudes und Orientierung nach den Himmelsrichtungen

Die Südseite des Gebäudes sollte länger sein als die Westseite. Bei einem Längenverhältnis der Westfassade zur Südfassade von 2 : 3 bis 1 : 2 ergeben sich hohe Wärmegewinne über die Fensterflächen durch die tief stehende Wintersonne bei entsprechenden Gebäudeabständen. Die südlichen Fensterflächen sollten im Winter und in der Übergangszeit nicht im Schatten liegen.

Orientierung und Größe der Fenster

Hohe Wärmegewinne sind erzielbar, wenn die Südfassade einen hohen Fensteranteil besitzt, während auf der Nordseite kleinere Fenster eingeplant werden sollten. Hinzu kommen bauliche Maßnahmen wie Ausstattung der Fenster mit Wärmeschutzverglasung sowie das Anbringen von wärmegedämmten Fensterläden, Rollladenkästen und Rollläden.

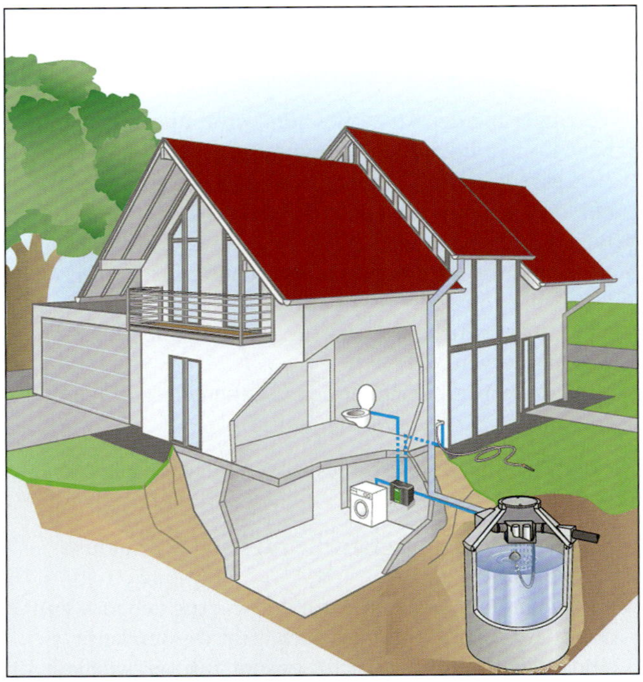

Abb. 1.76: Funktionsskizze einer Regenwassernutzungsanlage zur Versorgung von Toilette, Waschmaschine und Gartenbewässerung (Quelle: Mall GmbH, Donaueschingen)

Wintergärten

Sie wirken wie eine zusätzliche Wärmedämmung. Dieser Glasanbau wird in der Regel dem eigentlichen Wohngebäude vorgelagert und bewirkt so einen sanften Übergang zwischen innen und außen sowie zwischen warm und kalt. Speziell im Winter können durch den sog. Treibhauseffekt solare Wärmegewinne entstehen. Die eingestrahlte Sonnenenergie wird in Wärme umgewandelt, eine Wärmerückstrahlung erfolgt jedoch nicht. Ein Wintergarten sollte nach Süden ausgerichtet werden. Energiespareffekte lassen sich nur erzielen, wenn er nicht beheizt wird. Bei einer entsprechenden Planung und Nutzung kann mit einer Reduzierung des Heizenergieverbrauchs eines Gebäudes um bis zu 15 % gerechnet werden.

1.15.4 Energieeinsparung durch Wärmedämmung

Dieses Thema wird in Kapitel 1.6.2 gesondert behandelt.

1.15.5 Bepflanzung und Bewuchs

Die mit der Errichtung von Bauten zwangsläufig erfolgende Verringerung des Pflanzenbestands führt zu zusätzlichen Schäden, da nur die Pflanzen auf der Erde das von Menschen produzierte CO_2 abzubauen in der Lage sind. Das ist ein Grund dafür, dass die Begrünung bebauter Flächen mehr Aufmerksamkeit und Interesse finden und mehr angewandt werden sollte. Dabei muss erkannt werden, dass die Extensivbegrünung nur wenig Erfolg hinsichtlich des CO_2-Abbaus erzielt. Dieser Effekt ist nämlich abhängig von Größe und Assimilationsleistung der Pflanzen. Architekten sowie Garten- und Landschaftsbauer können hier wertvolle Tipps und Anregungen geben, die auf Standort und Gebäudetyp abgestimmt sind. Zu nennen ist z. B. die dichte Strauch- und Baumbepflanzung in Hauptwindrichtung. Ihr Effekt ist darüber hinaus die Senkung der Windgeschwindigkeit, wodurch sich der Wärmebedarf eines Gebäudes reduziert, da Lüftungs- und Transmissionswärmeverluste zurückgehen. Die Dachbegrünung ist bei Gebäuden mit Flachdächern und Terrassenhäusern empfehlenswert. Laubbäume um das Haus sind im Sommer Schattenspender, während sie im Winter, wenn sie ohne Blätter sind, die Einstrahlung der niedrig stehenden Sonne in Südräume erlauben.

1.15.6 Verringerung der Bodenversiegelung (Flächenversiegelung)

Bauen bedeutet generell Versiegelung der Erdoberfläche, d. h., die Flächen, die der natürlichen Versickerung dienen, werden kleiner. Folgen sind Hochwasserschäden und Veränderung des Grundwassers, was letztlich auch eine Verringerung der Trinkwasserreserven bedeutet. Hier ist die Verringerung der Versiegelung der Verkehrswege, z. B. durch Pflasterung mit wasserdurchlässigen Fugen oder den Einsatz wasserdurchlässiger Pflaster, ein möglicher Weg. Zu beachten ist dabei allerdings, dass Pflasterungen beim Befahren mit Fahrzeugen wesentlich stärkere Fahrgeräusche verursachen. Fußgängerwege und Parkplätze hingegen lassen sich vielfach zur Entsiegelung nutzen. Auch der private Bauherr kann sein Grundstück umweltbewusst mit ökologisch befestigten Flächen ausstatten.

1.15.7 Regenwassernutzung

Regenwassernutzungsanlagen (siehe Abb. 1.76) stellen eine nicht unbedeutende Investition dar und bedürfen einer sorgfältigen Planung und Ausführung. Umfassende Informationen zu diesem Thema finden sich in der Publikation „Ratgeber Regenwasser. Ein Ratgeber für Kommunen und

Planungsbüros" des Architekten und Regenwasser-Experten Klaus W. König (Ökologie Aktuell, Mall GmbH, 9. Auflage, Donaueschingen, 2022).

Im Bereich der Haustechnik hat die Regenwassernutzung (z. B. für die Gartenbewässerung und die WC-Spülung) zur Schonung der Trinkwasserreserven an Bedeutung gewonnen. Haushalte, die über die sparsame Trinkwasserverwendung hinaus auch noch Regenwasser nutzen, können bis zu ⅔ Einsparung beim Trinkwasserbezug erzielen. Neben der Einsparung von kostbarem Trinkwasser gibt es einen zweiten Vorteil, von dem vor allem die Kommunen als Betreiber des Kanalnetzes profitieren: Jeder Kubikmeter Niederschlag, der in Zisternen aufgefangen wird, entlastet bei starkem Regen den Betrieb von Kläranlagen und ist ein bescheidener Beitrag zur Vermeidung von Hochwasser. Dies ist Grund genug, dass viele Kommunen in ihrer Abwassersatzung einen Teil der Niederschlagsgebühr erlassen, wenn zwischen Gebäude und Kanal ein Regenspeicher eingebaut ist und genutzt wird.

Regenwasseranlagen

Regenwasseranlagen bestehen im Wesentlichen aus einem Speicherbehälter, einem Filtersystem, einer elektrischen Pumpe und einem Druckleitungssystem. Je nach Regenspeichertyp reichen die Nutzinhalte von ca. 1 bis zu 1.000 m^3. Durch die Koppelung mehrerer Behälter sind die Volumen erheblich erweiterbar. Speicherbehälter werden entweder aus hochwertigem Stahlbeton oder aus Kunststoff gefertigt. Das auf den Dachflächen anfallende Niederschlagswasser wird über Anschlüsse an den Fallrohren der Regenrinnen in den Speicherbehälter eingeleitet, wobei eine Reinigung durch Filter erfolgt. Verbliebene Feinstoffe sedimentieren auf dem Behälterboden. Lichtundurchlässige Speicher in der Erde sind eine Voraussetzung, um Algenbildung zu vermeiden. Mit einer speziellen Pumpe wird das gereinigte Regenwasser in ein separates, vom Trinkwasser getrenntes Leitungsnetz gepumpt (Druckleitung) und kann an den eingerichteten Anschlussstellen entnommen werden. Das im Haus genutzte Regenwasser wird, wie das übrige Abwasser auch, über den Hausabfluss in die Kanalisation abgeleitet. Ein wichtiger Punkt bei der Errichtung einer Regenwasseranlage ist der Überlauf. Hier können grundsätzlich zwei Möglichkeiten genutzt werden:

- Versickerung des überschüssigen Regenwassers,
- Ableitung des überschüssigen Regenwassers in das Abwasserkanalnetz der Gemeinde (zu beachten ist hier das Problem des Rückstaus).

Außerdem muss eine Trinkwasser-Nachspeisung vorhanden sein (Ausführung gemäß DIN 1989 „Regenwassernutzungsanlagen" und DIN EN 1717:2011-08 „Schutz des Trinkwassers vor Verunreinigungen in Trinkwasser-Installationen und allgemeine Anforderungen an Sicherungseinrichtungen zur Verhütung von Trinkwasserverunreinigungen durch Rückfließen; Technische Regel des DVGW"), damit ein ständiger Wasservorrat, auch in Trockenperioden, vorhanden ist und das Druckleitungssystem immer mit Wasser befüllt ist. Öffentliche Fördermittel helfen bei der Finanzierung.

Abb. 1.77: Vakuum-Röhrenkollektoren (Quelle: Viessmann Climate Solutions SE, Allendorf (Eder))

1.15.8 Nutzung natürlicher Energiequellen

Um die Natur so wenig wie nötig zu belasten, empfiehlt sich die Nutzung regenerierbarer Energiequellen. Zu nennen sind hier die Sonnenenergie und die Windenergie, wobei die Windenergie (Windräder) für den Privatbau heute noch ohne große Bedeutung ist. Die Nutzung der Sonnenenergie kann auf vielfältige Weise und durch geeignete Umwandlungsmaßnahmen erfolgen:

- passive Maßnahmen (z. B. die genannten Südfenster und Wintergärten),
- aktive Maßnahmen (z. B. Kollektoren) zur Wärmegewinnung,
- fotoelektrische Umwandlung (z. B. mittels Solarzellen) zur Elektrizitätserzeugung,
- Fotosynthese zur Produktion von Biomasse.

In Deutschland wird im Mittel eine jährliche Sonneneinstrahlung von rund 1.000 kWh gemessen. Eine Solaranlage mit 6 % Deckung liefert je m^2 Kollektorfläche und Jahr eine nutzbare Wärme von ca. 300 bis 350 kWh.

Sonnenkollektor-Anlagen

Für die aktive Wärmegewinnung sind im Gegensatz zur passiven technische Geräte erforderlich. Die wichtigsten ökonomisch und ökologisch sinnvollen Alternativen zu den modernen Heizsystemen sind Sonnenkollektor-Anlagen (sog. Solarkollektoren). Diese können einen großen Teil der täglichen Warmwasserbereitung übernehmen. Als Auslegungsziel für die Trinkwassererwärmung im Ein- und Zweifamilienhaus werden üblicherweise rund 60 % solare Deckung angestrebt. Im Sommer wird dabei rechnerisch Volldeckung erreicht.

Die Solarkollektor-Systeme sind heute technisch ausgereift und zählen in vielen modernen Heizungsanlagen schon zum Standard. Im Wesentlichen wird zwischen Vakuum-Röhrenkollektoren (siehe Abb. 1.77 und 1.78) und Flachkollektoren (siehe Abb. 1.79) unterschieden.

Beide Anlagen arbeiten nach dem gleichen Funktionsprinzip: Die Kollektoren sind mit einer speziellen Flüssigkeit

Abb. 1.78: Eingebauter Röhrenkollektor (Quelle: Bosch Thermotechnik GmbH – Buderus Deutschland, Wetzlar)

Abb. 1.79: Flachkollektor (Quelle: Bosch Thermotechnik GmbH – Buderus Deutschland, Wetzlar)

gefüllt. Dieses wird durch die Sonneneinstrahlung erhitzt, die in der Flüssigkeit gespeicherte Wärme (Solarkreislauf) wird über einen Wärmeaustauscher auf einen Wasserablauf übertragen. Die Vakuum-Röhrenkollektoren besitzen einen etwas höheren Wirkungsgrad als die preisgünstigeren Flachkollektoren. Als Faustformel für die Dimensionierung von Solarkollektoren kann man ansetzen: Bei einem Wasserbedarf von 40 l/Person und Tag wird eine Flachkollektor-Fläche von ca. 1 bis 1,5 m^2 benötigt und eine Vakuum-Röhrenkollektor-Fläche von ca. 0,7 bis 1,0 m^2 pro Person. Das Speichervolumen des Solarboilers sollte dem 1,5 bis 2-fachen gesamten Tagesbedarf an Warmwasser entsprechen.

Solarstromanlagen

Zur direkten Umwandlung von Sonnenenergie in elektrische Energie werden Fotovoltaikzellen in sogenannten Solarmodulen eingesetzt.

Kleinanlagen mit Spitzenleistungen von 10 bis ca. 100 Watt eignen sich für den Einsatz in Kleingärten, Wochenendhäusern, auf Booten oder in Wohnmobilen, Wohnwagen, Berghütten usw. Außerdem stehen spezielle Solarmodule zur Verfügung, z. B. für die Energieversorgung eines Garagentorantriebs oder als Ladegerät für Batterien.

Netzgekoppelte Solarstromanlagen (auch: Fotovoltaikanlagen) sind eine interessante Alternative bei der Energieversorgung des Hauses. Je nach Anzahl und Leistungsstärke der eingesetzten Solarmodule, die die sog. Generatorfläche bilden, können auf der nach Süden gerichteten Dachfläche eines durchschnittlichen Einfamilienhauses ca. 4.000 kWh Strom im Jahr gewonnen werden. Dieser Ertrag deckt den jährlichen Strombedarf eines Vier-Personen-Haushalts.

Die Netzkoppelung erlaubt die direkte Einspeisung des netzgerecht umgeformten Solarstroms. Der Strom wird gegen eine Vergütung in das öffentliche Stromnetz eingespeist. Für den eigenen Verbrauch hingegen wird aus dem Netz entsprechend zugeliefert. Die Solarmodule werden entweder auf Montagegestellen oberhalb der Dacheindeckung befestigt („aufgeständert") oder sie werden in die Dachhaut integriert. Dies erfolgt mit speziellen Solarmodulen in Rahmen, die regensicher in die Dachfläche eingefügt werden. Die integrierten Module passen sich vorzüglich in eine Wohndachlandschaft ein. Die Errichtung von netzgekoppelten Solarstromanlagen kann mit Bundes- oder Landeszuschüssen gefördert werden. Das Erneuerbare-Energien-Gesetz (EEG) verpflichtet die Energieversorger in der Bundesrepublik, den erzeugten Strom abzunehmen und zu vergüten.

Wärmepumpen

Die Wärmepumpe nutzt im Erdreich, im Grundwasser und in der Luft gespeicherte Sonnenwärme und kann bis zu $^4/_5$ der benötigten Energie für Haus oder Wohnung liefern. Sie versorgt Haus oder Wohnung außerdem mit warmem Brauchwasser. Lediglich für den Antrieb der Wärmepumpe wird Strom benötigt. Die Nutzung der Wärmequelle Erdreich mittels Erdsonden (siehe Abb. 1.81) oder Erdkollektoren (siehe Abb. 1.80) in Form von unterirdischen Rohrschlangensystemen sei kurz vorgestellt. Nutzbar gemacht wird der Umstand, dass die Temperatur des Erdreichs nahe der Oberfläche während des ganzen Jahres relativ konstant (zwischen 8 und 12 °C) ist. Erdkollektoren bestehen aus einem Rohrschlangensystem, das in einer Tiefe von 1,2 bis 1,4 m unter der Erde verlegt wird. Genauso wie in den Erdsonden fließt darin ein frostsicheres Sole-Wasser-Gemisch. Allerdings wird eine größere Grundstücksfläche benötigt. Als Faustregel gilt: Die für Erdkollektoren benötigte Fläche muss etwa 1,2- bis 1,5-mal so groß sein wie die Fläche, die beheizt werden soll. Erdsonden werden bis zu 100 m tief in den Boden eingelassen (Erlaubnis des jeweiligen Landratsamts bzw. der jeweiligen Kreisverwaltung erforderlich). Sie bestehen aus zwei U-förmigen Kunststoffrohren, in denen ein frostsicheres Sole-Wasser-Gemisch fließt. Da Erdsonden wenig Platz brauchen, sind sie besonders für kleinere Grundstücke geeignet.

1.15.9 Förderung ökologischer Baumaßnahmen

Die Bundesländer haben zahlreiche Förderprogramme aufgelegt, die die Investition in ökologische Baumaßnahmen erleichtern sollen. Da diese Programme sich ständig ändern, sollte der interessierte Bauherr sich bei den zuständi-

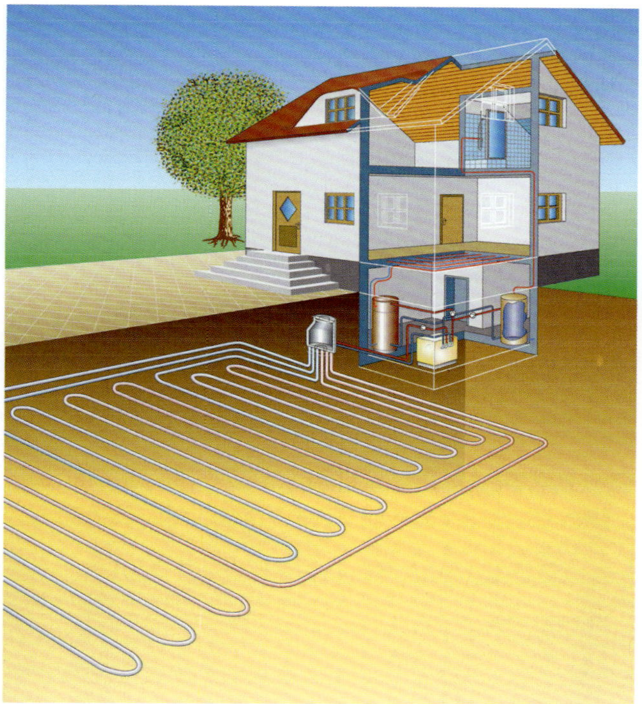

Abb. 1.80: Funktionsskizze einer Erdkollektoren-Anlage mit Wärmepumpe (Quelle: Bosch Thermotechnik GmbH – Buderus Deutschland, Wetzlar)

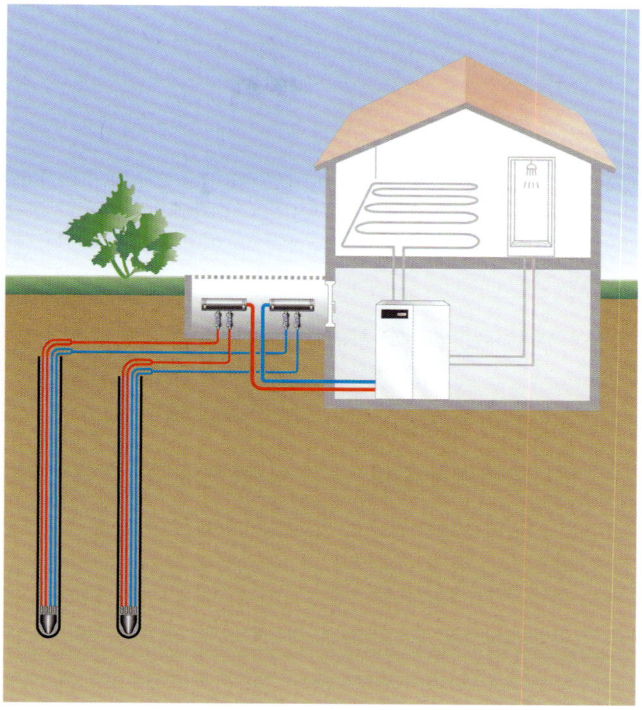

Abb. 1.81: Schema einer geoplus® Erdsondenanlage (Quelle: Max Weishaupt GmbH, Schwendi)

gen Behörden genau informieren. Die folgende Liste gibt einen Überblick über typische bauliche Maßnahmen, die im Rahmen von Förderprogrammen der Länder auf unterschiedliche Weise gefördert werden (z. B. Zuschuss, zinsgünstige Kredite):

- Sonnenkollektoren,
- Sonnenzellen,
- Brennwertkessel,
- Wärmepumpen,
- Biogas,
- Niedrigenergiehäuser,
- Verbesserung der Wärmedämmung,
- Heizungsmodernisierung,
- Pelletheizung mit Umwälzpumpe.

1.15.10 Relevante Normen

DIN 1989 Regenwassernutzungsanlagen

DIN EN 1717:2011-08 Schutz des Trinkwassers vor Verunreinigungen in Trinkwasser-Installationen und allgemeine Anforderungen an Sicherungseinrichtungen zur Verhütung von Trinkwasserverunreinigungen durch Rückfließen; Technische Regel des DVGW

1.16 Gefahrstoffe und Gefahrgüter im Baustoffsortiment

Beim Umgang mit Baustoffen sind zum Schutz von Beschäftigten, Verbrauchern, Verbraucherinnen und Umwelt eine Vielzahl von gesetzlichen Regelungen einzuhalten. Ein Teil dieser Vorschriften ist allgemeiner Natur. Aber da ein Großteil der Baustoffe chemische Produkte sind, ergibt sich meist eine ganze Reihe zusätzlicher Bestimmungen, die es zu beachten gilt. Zu den chemischen Baustoffen zählen (um nur wenige Beispiele zu nennen) zweikomponentige Beschichtungssysteme, Polyurethanschäume, Abbeizer, lösemittelhaltige Farben und Lacke, aber auch Zemente und die große Gruppe zementhaltiger Produkte wie Spachtel, Kleber und andere Mörtel.

1.16.1 Sicherer Umgang mit Baustoffen

Es ist schwer, eine vollständige Übersicht aller zu beachtenden Vorschriften zu geben, da die Bestimmungen zum einen unterschiedliche Schutzziele verfolgen und zum anderen sich auf so unterschiedliche Tätigkeiten wie Lagerung, Transport oder Umgang beziehen. Daher kann lediglich auf einige wesentliche Bestimmungen hingewiesen werden, ohne den Anspruch zu erheben, vollständig zu sein. Dies wäre auch kaum möglich, da es im Bereich des Umweltrechtes rund 800 Gesetze und weit über 2.000 Verordnungen gibt. Die 3 wichtigsten Schutzziele sind:

Arbeitsschutz

Eine Vielzahl der Gesetze und Verordnungen gilt dem Gesundheitsschutz von Beschäftigten. Beim gewerblichen Umgang mit chemischen Baustoffen (damit ist auch Lagern gemeint) müssen im Handel, aber auch im verarbeitenden Betrieb, staatliche und berufsgenossenschaftliche Vorschriften zum Arbeitsschutz umgesetzt werden. Verantwortlich hierfür sind die Personen, die für die Gestaltung und Bedingungen an einem Arbeitsplatz verantwortlich sind (Arbeitgeber).

Verbraucherschutz

Der Verbraucherschutz hingegen bezieht sich nur auf den privaten Endverbraucher, der z. B. im Haushalt oder Garten mit Gefahrstoffen arbeitet. Hier ist vor allem über den sachgemäßen Umgang und die sachgerechte Entsorgung zu informieren. Dies geschieht in der Regel über die vorgeschriebene Sicherheitskennzeichnung der Produkte. Für die korrekte Einstufung und Kennzeichnung ist der Lieferant verantwortlich.

Umweltschutz

Dazu gibt es eine Vielzahl von Bestimmungen, die sich auf den Schutz der Umwelt, insbesondere den Schutz von Boden, Grundwasser, sonstigen Gewässern und der Luft beziehen.

Relevanten Bestimmungen zugrunde liegende Produkte

Ob und wann welche Bestimmungen zu beachten bzw. umzusetzen sind, richtet sich nach dem Produkt selbst. Ein Bauprodukt besitzt bestimmte Eigenschaften. Diesbezüglich dient das Sicherheitsdatenblatt (SDB) als Informationsquelle. Das SDB ist ein mehrseitiges Dokument mit umfassenden Angaben z. B. zu gefährlichen Inhaltsstoffen, möglichen Gefahren, Erste-Hilfe-Maßnahmen, Handhabung, Lagerung, physikalischen und chemischen Eigenschaften, mit Angaben zur Ökologie, zur Entsorgung, zum Transport und der vorgeschriebenen Kennzeichnung eines bestimmten Produkts. Sicherheitsdatenblätter (siehe Abb. 1.82) gibt es für alle Produkte, die kennzeichnungspflichtig sind.

Rechtsgrundlage für die Erstellung von Sicherheitsdatenblättern ist die Verordnung (EG) Nr. 1907/2006. Bei der Abgabe von Gefahrstoffen an berufliche Verwender ist ein Sicherheitsdatenblatt zwingend unaufgefordert abzugeben.

Bei einer wesentlichen Änderung eines Sicherheitsdatenblattes ist die aktualisierte Fassung dem Kunden nachzureichen, wenn er innerhalb der letzten 12 Monate das entsprechende Produkt erworben hat.

Alle im weiteren Verlauf der in diesem Kapitel genannten Eigenschaften von Bauprodukten, die zur Beachtung von bestimmten Verordnungen und Gesetzen führen, können dem Sicherheitsdatenblatt eines Bauproduktes entnommen werden. Insofern kann jedem, der ein Bauprodukt verwendet, empfohlen werden, sich anhand von Sicherheitsdatenblättern zu informieren.

1.16.2 Tätigkeiten mit Gefahrstoffen

Tätigkeiten und insbesondere die Verarbeitung von kritischen Produkten werden in erster Linie durch das Chemikaliengesetz und die untergesetzlichen Regeln und Verordnungen, wie z. B. die Gefahrstoffverordnung (GefStoffV), festgelegt. Für die Einstufung und Kennzeichnung gibt es Regelungen, die teilweise mit den Kriterien für die Klassifizierung gefährlicher Güter vergleichbar sind.

Gefährliche Stoffe bzw. gefährliche Gemische sind Chemikalien, die aufgrund ihrer Eigenschaft eine Gefährdung für Mensch und Umwelt darstellen. Die Gefahr ergibt sich aus der physikalisch-chemischen Eigenschaft (z. B. Brennbarkeit) und/oder einer Gesundheitsgefährdung (z. B. giftig, ätzend, reizend) und/oder einer Gefahr für die Umwelt (Boden, Wasser, Luft).

Die Kennzeichnung nach der CLP-Verordnung (EG) Nr. 1272/2008 weist Piktogramme mit einem roten Rand

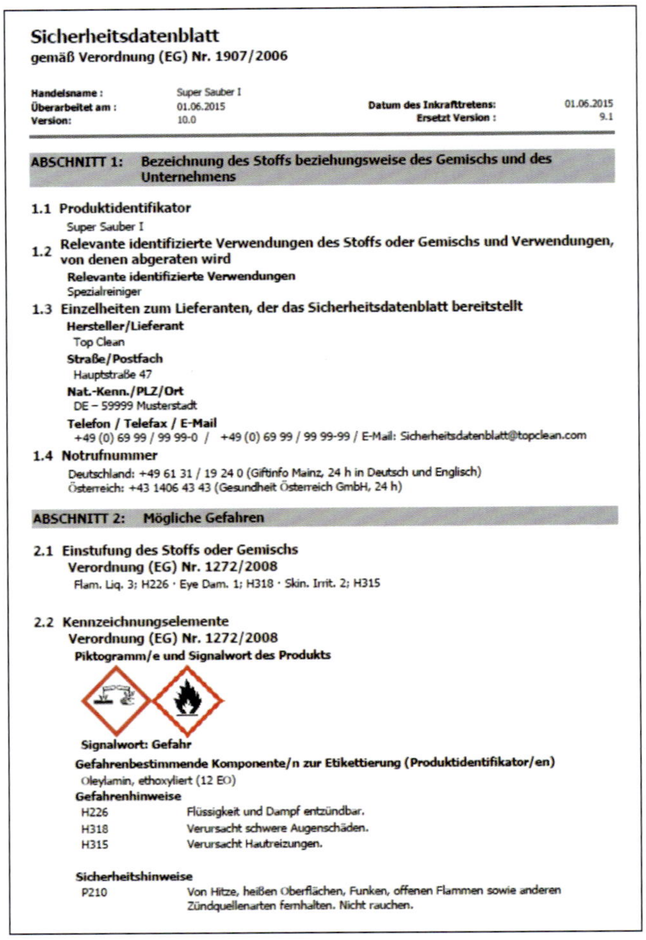

Sicherheitsdatenblatt
gemäß Verordnung (EG) Nr. 1907/2006

Handelsname : Super Sauber I
Überarbeitet am : 01.06.2015 **Datum des Inkrafttretens:** 01.06.2015
Version: 10.0 **Ersetzt Version :** 9.1

ABSCHNITT 1: Bezeichnung des Stoffs beziehungsweise des Gemischs und des Unternehmens

1.1 Produktidentifikator
Super Sauber I
1.2 Relevante identifizierte Verwendungen des Stoffs oder Gemischs und Verwendungen, von denen abgeraten wird
Relevante identifizierte Verwendungen
Spezialreiniger
1.3 Einzelheiten zum Lieferanten, der das Sicherheitsdatenblatt bereitstellt
Hersteller/Lieferant
Top Clean
Straße/Postfach
Hauptstraße 47
Nat.-Kenn./PLZ/Ort
DE – 59999 Musterstadt
Telefon / Telefax / E-Mail
+49 (0) 69 99 / 99 99-0 / +49 (0) 69 99 / 99 99-99 / E-Mail: Sicherheitsdatenblatt@topclean.com
1.4 Notrufnummer
Deutschland: +49 61 31 / 19 24 0 (Giftinfo Mainz, 24 h in Deutsch und Englisch)
Österreich: +43 1406 43 43 (Gesundheit Österreich GmbH, 24 h)

ABSCHNITT 2: Mögliche Gefahren

2.1 Einstufung des Stoffs oder Gemischs
Verordnung (EG) Nr. 1272/2008
Flam. Liq. 3; H226 · Eye Dam. 1; H318 · Skin. Irrit. 2; H315

2.2 Kennzeichnungselemente
Verordnung (EG) Nr. 1272/2008
Piktogramm/e und Signalwort des Produkts

Signalwort: Gefahr
Gefahrenbestimmende Komponente/n zur Etikettierung (Produktidentifikator/en)
Oleylamin, ethoxyliert (12 EO)
Gefahrenhinweise
H226 Flüssigkeit und Dampf entzündbar.
H318 Verursacht schwere Augenschäden.
H315 Verursacht Hautreizungen.

Sicherheitshinweise
P210 Von Hitze, heißen Oberflächen, Funken, offenen Flammen sowie anderen Zündquellenarten fernhalten. Nicht rauchen.

Abb. 1.82: Ausschnitt aus einem Sicherheitsdatenblatt (Quelle: Gabriele Jansen)

(siehe Tabelle 1.30), ein Signalwort und Gefahren-/Sicherheitshinweise auf.

Gefahrstoffe sind mit einem Kennzeichnungsschild versehen. Gefahrstoffe im Baustoffhandel sind keine Seltenheit. Zement und fast alle zementhaltigen Spachtelmassen, Klebe- und Fugenmörtel sind Gefahrstoffe, ebenso auch Produkte wie Zweikomponenten-Epoxid- oder Polyurethanbeschichtungen, Lacke, Korrosionsschutzanstriche, Holzschutzmittel usw.

Viele Angaben sind gesetzlich vorgeschrieben. Für den Endverbraucher, der mit dem Produkt umgeht, müssen diese Angaben ausreichend und verständlich formuliert sein. Er kann dieser Kennzeichnung entnehmen, ob eine Gefährdung von dem Produkt ausgeht und ob er z. B. bestimmte Vorsichtsmaßnahmen bei der Verarbeitung oder bei der Entsorgung einhalten muss. Weitergehende Informationen finden sich in den Sicherheitsdatenblättern.

Überall dort, wo man gewerblich mit Gefahrstoffen umgeht, also mit Ausnahme des privaten Bereichs, ist ein Verzeichnis über alle Gefahrstoffe, ein sog. Gefahrstoffverzeichnis, zu erstellen. Das Gefahrstoffverzeichnis muss beinhalten: die Bezeichnung des Gefahrstoffs, die Einstufung des Gefahrstoffs oder die Angabe der gefährlichen Eigenschaften, die Mengen des Gefahrstoffs (geschätzte

Tabelle 1.30: Gefahrenpiktogramme und Anwendungsbeispiele

Gefahrenpiktogramm	Anwendungsbeispiele
 GHS01	explosive oder selbstzersetzliche Stoffe oder Gemische
 GHS02	entzündbare, pyrophore, selbsterhitzungsfähige, desensibilisierte explosive Chemikalien; Stoffe und Gemische, die in Berührung mit Wasser entzündbare Gase entwickeln
 GHS03	entzündend (oxidierend) wirkende Chemikalien
 GHS04	gelöste, verdichtete, verflüssigte oder tiefgekühlt verflüssigte Gase sowie Gase unter Druck
 GHS05	Metallkorrosion, haut- oder augenätzende Wirkung
 GHS06	akute Toxizität (Giftigkeit)
 GHS07	narkotisierende, haut-, augen- oder atemwegsreizende Wirkung, gesundheitsschädlich, Ozonschicht schädigend
 GHS08	krebserzeugende, mutagene, reproduktionstoxische (CMR) Substanzen, Aspirationsgefahr
 GHS09	akut und langfristig gewässergefährdende Chemikalien

Jahresmenge), die Arbeitsbereiche, in denen die Gefahrstoffe verwendet werden (z. B. Lager).

Zum Schutz von Mitarbeitern und Mitarbeiterinnen, die in einem Betrieb mit Gefahrstoffen umgehen, müssen arbeitsplatzbezogene Betriebsanweisungen aushängen und die Arbeitnehmer vor Aufnahme der Beschäftigung und danach mindestens einmal jährlich unterwiesen werden.

1.16.3 Auflagen für bestimmte Bauprodukte

MDI-Bauschäume (MDI = Methylendiphenyldiisocyanat, das Monomer des Polyurethans) – in der geläufigeren Bezeichnung als PU-Schäume bekannt – werden im Baustoffbereich vielseitig eingesetzt, z. B. als Füll- und Dämmstoff bei der Montage von Fenster- und Außentürelementen, zum Verschließen und Dämmen von Installationsdurchbrüchen oder auch zum Einbau von Innentürelementen.

Insbesondere beim Spritzen von PU-Produkten können Isocyanate vorwiegend über die Atemwege, aber auch über die Haut in den Körper gelangen. Das Einatmen kann zu Asthma führen.

Daher müssen Verbraucherprodukte, die MDI in einer Konzentration von mehr als 0,1 % enthalten, folgende Sicherheitshinweise tragen: „Bei Personen, die bereits für Diisocyanate sensibilisiert sind, kann der Umgang mit diesem Produkt allergische Reaktionen auslösen. Bei Asthma, ekzematösen Hauterkrankungen oder Hautproblemen Kontakt, einschließlich Hautkontakt, mit dem Produkt vermeiden. Das Produkt nicht bei ungenügender Lüftung verwenden oder Schutzmaske mit entsprechendem Gasfilter (Typ A1 nach EN 14387) tragen."

Zudem muss die Verpackung Chemikalienschutzhandschuhe enthalten.

Werden in Industrie oder Gewerbe Produkte verwendet, die mehr als 0,1 % Diisocyanate enthalten, tragen diese folgende Kennzeichnung: „Nur für die industrielle und gewerbliche Verwendung. Nach dem 24.08.2023 muss vor der Zulassung der industriellen oder gewerblichen Verwendung eine angemessene Schulung erfolgen."

Die Schulung beinhaltet Anleitungen zur Kontrolle der Exposition am Arbeitsplatz gegenüber Diisocyanaten durch Hautkontakt sowie Einatmen und geeignete Schutzmaßnahmen. Sie wird von einem entsprechend ausgebildeten Experten auf dem Gebiet der Sicherheit und des Gesundheitsschutzes am Arbeitsplatz durchgeführt. Es gibt einen allgemeinen Teil, eine Aufbau- und eine Fortgeschrittenenschulung. Welche Schulung erforderlich ist, orientiert sich an der Verwendung. Der Arbeitgeber dokumentiert den erfolgreichen Abschluss der Schulung, die online durchgeführt warden kann. Die Schulung muss mindestens alle 5 Jahre wiederholt werden.

1.16.4 Lagerung von Baustoffen

Bei der Lagerung von Baustoffen ergeben sich Beschränkungen, wenn es sich um die Lagerung von wassergefährdenden Stoffen handelt. Es ist nicht zulässig, unbegrenzte Mengen – insbesondere Stoffe mit WGK 2 und 3 (siehe nächsten Abschnitt) – in nicht nach Wasserhaushaltsgesetz (WHG) genehmigten Lagerbereiche zu lagern.

Wassergefährdende Stoffe

Zum Schutz der Gewässer müssen nach dem WHG Anlagen zum Umgang mit wassergefährdenden Stoffen so gebaut und betrieben werden, dass keine Gefahr einer Verunreinigung oder nachteiligen Veränderung der Gewässer besteht.

Tabelle 1.31: Einstufung und Kennezeichnung brennbarer Flüssigkeiten

Transportrecht				Gefahrstoffrecht			
Gefahrzettel	**Verpackungsgruppe**	**Flammpunkt**	**Siedepunkt**	**Piktogramm Signalwort**	**Kategorie**	**Flammpunkt**	**Siedepunkt**
	I	–	≤ 35 °C	 Gefahr	Flam. Liq. 1	< 23 °C	≤ 35 °C
	II	< 23° C	> 35 °C	 Gefahr	Flam. Liq. 2	< 23 °C	> 35 °C
	III	23 bis ≤ 60 °C	> 35 °C	 Achtung	Flam. Liq. 3	23 bis ≤ 60 °C	–

Die Einstufung der Stoffe erfolgt nach der Verordnung über Anlagen zum Umgang mit wassergefährdenden Stoffen (AwSV).

Unterschieden werden 3 Wassergefährdungsklassen (WGK):

- WGK 1: schwach wassergefährdend,
- WGK 2: deutlich wassergefährdend,
- WGK 3: stark wassergefährdend.

Zudem können Stoffe als nicht wassergefährdend (nwg) eingestuft werden oder als allgemein wassergefährdend (awg) gelten.

Die Einstufung eines Stoffes in Wassergefährdungsklassen kann durch den Hersteller oder Anlagenbetreiber gemäß Anlage 1 der AwSV erfolgen. Diese WGK-Dokumentation ist beim Umweltbundesamt (UBA) einzureichen. Das UBA veröffentlicht die Einstufung von Stoffen im Bundesanzeiger und in der Onlinedatenbank „Rigoletto". Stoffe, deren Einstufung bislang nicht durch das UBA veröffentlicht wurde, gelten als nicht eingestuft und müssen vorsorglich als stark wassergefährdend (WGK 3) betrachtet werden.

Die Einstufung von Gemischen wie Farben und Lacken in Wassergefährdungsklassen ist ebenfalls in der AwSV geregelt. Sie erfolgt anhand der Einstufungen der Bestandteile. Die Einstufung muss dokumentiert warden. Diese Dokumentation ist der zuständigen Behörde im Rahmen der Zulassung der Anlage sowie auf Verlangen im Rahmen der Überwachung der Anlage vorzulegen.

1.16.5 Brennbare Flüssigkeiten

Brennbare Flüssigkeiten werden nach CLP-Verordnung in Gefahrenklassen eingeteilt. Die Kriterien entsprechen denjenigen, die auch für die Beförderung gefährlicher Güter auf öffentlichen Verkehrswegen wie der Straße gelten.

Tabelle 1.31 zeigt eine Gegenüberstellung der Gefahrklassen entzündbarer Flüssigkeiten.

Für die Lagerung entzündbarer Flüssigkeiten müssen Schutzmaßnahmen getroffen warden. Diese sind in der Technischen Regel für Gefahrstoffe (TRGS) 510 „Lagerung von Gefahrstoffen in ortsbeweglichen Behältern" festgelegt.

1.16.6 Pflichten im Bereich des Handels

Der Baustoffhandel ist je nach Situation gleichzeitig Absender, Auftraggeber, Verlader, Beförderer und/oder Fahrzeugführer und muss in diesen Funktionen besondere Aufgaben erfüllen. Eine Beschreibung der Beteiligten ergänzt um Beispiele ihrer jeweiligen Aufgaben zeigt Tabelle 1.32.

1.16.7 Bedingungen für Be- und Entladung und Transport

Bei der Beförderung gefährlicher Güter sind eine ganze Reihe von Bedingungen zu beachten, von denen hier nur die wichtigsten genannt werden können:

- Das Fahrzeug muss in seinem Zustand und seiner Ausrüstung geeignet sein.
- Das Ladegut muss stets so gesichert sein, dass weder durch plötzliche Ausweichmanöver noch durch eine schlechte Wegstrecke, auch im Falle einer Vollbremsung, von der Ladung eine Gefahr für andere Verkehrsteilnehmer oder für Leib und Leben der Fahrzeugbesatzung ausgehen kann.
- Gefahrgüter müssen von Lebens-, Genuss- und Futtermitteln getrennt gehalten werden.
- Bei deklarierungspflichten Gütern muss der Fahrzeugführer ferner über eine ADR-Schulungsbescheinigung gemäß Kapitel 8.2 des ADR verfügen.
- Beschädigte oder undichte Verpackungen dürfen nicht befördert werden.

Tabelle 1.32: An der Gefahrgutbeförderung Beteiligte

Beteiligter	Beschreibung der Person	beispielhafte Aufgaben
Auftraggeber des Absenders	Auftraggeber des Absenders ist derjenige, der einen Absender beauftragt, als solcher aufzutreten und Gefahrgut selbst oder durch einen Dritten zu versenden.	muss sich vor der Auftragserteilung vergewissern, ob die gefährlichen Güter klassifiziert sind
Absender	Absender ist das Unternehmen, das selbst oder für einen Dritten gefährliche Güter versendet. Erfolgt die Beförderung aufgrund eines Beförderungsvertrages, gilt als Absender der Absender gemäß diesem Vertrag. Der Beförderungsvertrag ist Werkvertrag und regelt die Rechte und Pflichten der Vertragsparteien (Absender, Beförderer).	hat vor Erteilung des Beförderungsauftrags sicherzustellen, dass das Gut klassifiziert ist
Beförderer	Beförderer ist das Unternehmen, das die Beförderung mit oder ohne Beförderungsvertrag durchführt.	muss der Besetzung die schriftlichen Weisungen übergeben
Befüller	Der Betreiber der Abfüllanlage, der gefährliche Güter z. B. in einen Tank, Groß- oder Kleincontainer für Güter in loser Schüttung, einen Schüttgutcontainer oder ein Fahrzeug für Güter in loser Schüttung einfüllt. Auch der Betrieb, der als unmittelbarer Besitzer das gefährliche Gut dem Beförderer zur Beförderung übergibt oder selbst befördert, ist Befüller.	darf Tanks befüllen, wenn das Datum der nächsten Prüfung nicht überschritten ist
Empfänger	Der Empfänger ist der durch den Beförderungsvertrag präzisierte Empfänger der Ware. Bezeichnet der Empfänger gemäß den für den Beförderungsvertrag geltenden Bestimmungen einen Dritten, so gilt dieser als Empfänger. Wird die Beförderung ohne Beförderungsvertrag durchgeführt, so ist Empfänger das Unternehmen, das die gefährlichen Güter bei der Ankunft übernimmt.	hat das Gut ohne Verzögerung anzunehmen
Entlader	Entlader ist derjenige der, z. B. • einen Container, Schüttgutcontainer oder ortsbeweglichen Tank von einem Fahrzeug absetzt oder • verpackte gefährliche Güter aus oder von einem Fahrzeug oder Container entlädt oder • Gefahrgut aus einem Tank (Tankfahrzeug, Aufsetztank, ortsbeweglicher Tank oder Tankcontainer) oder aus einem Fahrzeug, Großcontainer in loser Schüttung entleert.	vor und während der Entladung prüfen, ob Schäden an Verpackungen, Tank oder Fahrzeug eine Gefahr besteht
Fahrzeugführer	Fahrzeugführer ist, wer das Fahrzeug lenkt.	darf nur keine beschädigten oder undichten Versandstücke befördern
Verlader	Verlader ist derjenige, der verpackte Gefahrgüter, Kleincontainer oder ortsbewegliche Tanks in oder auf ein Fahrzeug oder einen Container verlädt. Wer als unmittelbarer Besitzer das gefährliche Gut dem Beförderer zur Beförderung übergibt oder selbst befördert, gilt ebenfalls als Verlader.	darf dem Beförderer nur gefährliche Güter übergeben, die auch befördert werden dürfen
Verpacker	Wer gefährliche Güter in Verpackungen einschließlich Großverpackungen und Großpackmittel (IBC) einfüllt oder die Versandstücke zur Beförderung vorbereitet, ist Verpacker im Sinne der Gefahrgutvorschriften. Wer gefährliche Güter verpacken lässt oder Versandstücke oder deren Kennzeichnung ändert oder ändern lässt, gilt ebenfalls als Verpacker.	muss die Vorschriften über das Verpacken und die Kennzeichnung einhalten

- Jedes Versandstück muss mit der Kennzeichnungsnummer (UN-Nummer) des Gutes, dem die Buchstaben UN vorangestellt sind, sowie mit Gefahrzettel (n) gekennzeichnet sein.
- Ein Beförderungspapier mit allen erforderlichen Angaben ist mitzuführen.

Von diesen allgemeinen Bedingungen gibt es eine ganze Reihe von Ausnahmebestimmungen, von denen hier nur 4 genannt werden können.

Beförderung kleiner Gefahrgutmengen

Bei Beachten von Mengenschwellen kann eine Reihe von Kleinverpackungen (Innenverpackungen) in einer Transportverpackung (Außenverpackung) befördert werden, ohne dass die sonst geltenden Beförderungsvorschriften eingehalten werden müssen.

Ausnahme 18 (S) der Gefahrgutausnahmeverordnung – GGAV

Innerhalb von Deutschland können Gefahrgüter ohne Beförderungspapier befördert werden, wenn die Versandstücke für die Beförderung nicht an Dritte übergeben werden und die Gesamtmenge je Beförderungseinheit die in der Tabelle 1.1.3.6.3 ADR genannten Höchstgrenzen (< 1.000 Gefahrgutpunkte) nicht überschreitet (die Menge ist abhängig von der Gefahrgutklasse und liegt zwischen 20 und 1.000 kg oder l). Die Befreiung vom Beförderungspapier gilt nicht mehr für ungereinigte leere Verpackungen.

Erleichterung gemäß Unterabschnitt 1.1.3.1 a ADR „Privatpersonen"

Sofern die betreffenden Güter für den persönlichen, häuslichen Gebrauch oder für Freizeit und Sport bestimmt sind, sind „Privatpersonen" von fast allen Vorschriften der

Tabelle 1.33: Gefahrgutklassen (Auswahl)

Klasse	**2**	**3**	**5.2**	**8**	**9**
Bezeichnung	feuergefährliche, entzündbare, flüssige Stoffe	feuergefährliche, entzündbare, flüssige Stoffe	organische Peroxide	ätzende Stoffe	andere gefährliche Stoffe
Beispiel	Polyurethan, Aerosoldosen, Propangas	Verdünnungen, Lacke, Tiefgrund, Lösemittel	Peroxidhärter	Härter von Epoxydsystemen, Zementschleierentferner	Epoxidharze, Reiniger
Symbol Gefahrzettel					

Abb. 1.83: Internetseite der Arbeitsgruppe Logistik im Gesprächskreis Baustoffindustrie/BDB (Quelle: www.ladungssicherung-baustoffe.de)

GGVSEB/ADR befreit. Dies gilt nur, wenn die Gesamtmenge je Beförderungseinheit die in der Tabelle 1.1.3.6.3 ADR genannten Höchstgrenzen (< 1.000 Gefahrgutpunkte) nicht überschritten werden (die Menge ist abhängig vom Gefahrgut und liegt zwischen 20 und 1.000 l/kg). Ladungssicherungsvorschriften sind unbedingt zu beachten. Im Schadensfall kann es zu Einschränkungen des Versicherungsschutzes kommen.

Erleichterung Unterabschnitt 1.1.3.1 c ADR „Handwerkerregelung"

Beförderer, die in Ausübung ihrer gewerblichen Tätigkeit Gefahrgüter zu einer Baustelle im Hoch- und Tiefbau transportieren oder im Zusammenhang mit Messungen, Reparatur- und Wartungsarbeiten, können dies tun, ohne dass weitere Vorschriften über Kennzeichnung, Verpackung usw. beachtet werden müssen, sofern die unter 1.1.3.6 genannten Höchstgrenzen nicht überschritten werden und je Verpackung nicht größer als 450 l ist. Es muss jedoch jedes einzelne Gebinde (Versandstück) das Gefahrgut sicher umschließen (bei Gasflaschen müssen die Entnahmeventile mit einer Schutzkappe gesichert sein) und die Ladung ist ausreichend gegen Umfallen und Verrutschen zu sichern.

Tabelle 1.33 gibt einen exemplarischen Überblick über Gefahrgutklassen; auf der Website der Arbeitsgruppe Logistik im Gesprächskreis Baustoffindustrie/BDB (www.ladungssicherung-baustoffe.de) finden sich Informationen zum Thema „Gefahrgut" (siehe Abb. 1.83).

Personen, die in Ausübung ihres Berufes, d.h. innerhalb einer Firma, mit Gefahrgütern umzugehen haben, müssen ausreichende Kenntnisse über die für ihren Bereich maßgeblichen Gefahrgutvorschriften besitzen und sind regelmäßig zu schulen und zu unterweisen. Alle Unternehmen, die gefährliche Güter versenden, befördern oder zur Beförderung übergeben, müssen darüber hinaus einen Gefahrgutbeauftragten schriftlich bestellen, der eine besondere Schulung und alle 5 Jahre eine Fortbildung bzw. Prüfung absolvieren muss. Ausnahmen von der Bestellung eines Gefahrgut beauftragten gelten u.a., wenn

- es sich um freigestellte und begrenzte Mengen und andere handelt, sofern die Höchstgrenzen beachtet werden, oder
- die Menge für den Eigenbedarf in einem Kalenderjahr 50 t netto nicht übersteigt.

Beim gewerblichen Umgang mit Gefahrstoffen gibt es darüber hinaus eine Vielzahl von Verordnungen und technischen Regeln, die insbesondere dem Arbeitsschutz gelten. Sie regeln unter anderem die Gestaltung des Arbeitsplatzes und der Tätigkeiten oder bestimmen z. B. erlaubte Grenzwerte für die Raumluftbelastung durch einen oder mehrere Stoffe bei der Verarbeitung.

Wichtige Gesetze und Verordnungen

Dieser Abschnitt kann nur einen groben Eindruck von den möglicherweise einzuhaltenden Vorschriften und Einschränkungen beim Umgang mit Baustoffen vermitteln. Für deren Umsetzung ist die genaue Kenntnis unabdingbar. Insofern sei auf die entsprechenden Behörden oder Verbände verwiesen.

Lagerung

Relevante Vorschriften sind:

- Betriebssicherheitsverordnung (BetrSichV),
- Technische Regeln zur Betriebssicherheit (TRBS),
- Technische Regeln für Gefahrstoffe (TRGS),
- Wasserhaushaltsgesetz (WHG),
- Verordnung über Anlagen zum Umgang mit wassergefährdenden Stoffen (AwSV).

Transport

Relevante Vorschriften sind:

- Gesetz über die Beförderung gefährlicher Güter (GGBefG),
- Verordnung über die innerstaatliche und grenzüberschreitende Beförderung gefährlicher Güter auf der Straße, mit Eisenbahnen und auf Binnengewässern (GGVSEB),
- Verordnung über die Bestellung von Gefahrgutbeauftragten und die Schulung der beauftragten Personen in Unternehmen und Betrieben (Gefahrgutbeauftragten-Verordnung (GbV),
- Übereinkommen über die internationale Beförderung gefährlicher Güter auf der Straße (ADR).

Verwendung

Relevante Vorschriften sind:

- Gesetz zum Schutz vor gefährlichen Stoffen (Chemikaliengesetz),
- Gesetz über die Durchführung von Maßnahmen des Arbeitsschutzes zur Verbesserung der Sicherheit und des Gesundheitsschutzes der Beschäftigten bei der Arbeit (Arbeitsschutzgesetz),
- Verordnung zum Schutz vor Gefahrstoffen (Gefahrstoffverordnung),
- Verordnung über Verbote und Beschränkungen des Inverkehrbringens und über die Abgabe bestimmter Stoffe, Gemische und Erzeugnisse nach dem Chemikaliengesetz (Chemikalienverbotsverordnung),
- Technische Regeln für Gefahrstoffe (TRGS),
- diverse Unfallverhütungsvorschriften (DGUV-Vorschriften),
- diverse Merkblätter der Berufsgenossenschaften.

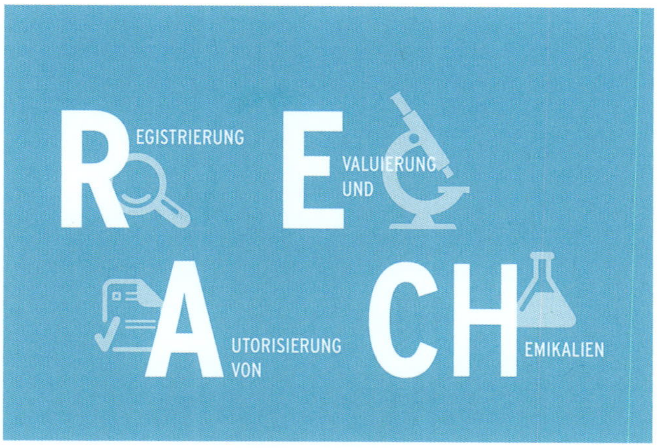

Abb. 1.84: Das Akronym REACH (Quelle: Umweltbundesamt, Dessau-Roßlau)

REACH-Verordnung

Von besonderer Bedeutung für die herstellende Industrie ist die sog. REACH-Verordnung (EG) Nr. 1907/2006. REACH steht für Registration, Evaluation, Authorisation and Restriction of Chemicals; also für die Registrierung, Bewertung, Zulassung und Beschränkung von Chemikalien (siehe Abb. 1.84). REACH harmonisiert und vereinfacht das bisherige Chemikalienrecht und besitzt gleichermaßen und unmittelbar in allen Mitgliedstaaten Gültigkeit. Das REACH-System basiert auf dem Grundsatz der Eigenverantwortung der Industrie. Nach dem Prinzip „no data, no market" dürfen innerhalb des Geltungsbereiches nur noch chemische Stoffe in Verkehr gebracht werden, die vorher auf ihre Umwelt- und Gesundheitswirkungen geprüft und registriert worden sind. Jeder Hersteller oder Importeur, der seine Stoffe in Verkehr bringen will, muss für die Stoffe eine eigene Registrierungsnummer besitzen.

2 Tiefbau

2.1 Beton- und Stahlbetonrohre

Beton- und Stahlbetonrohre werden aufgrund ihrer Anpassungsfähigkeit an alle baulichen und betrieblichen Erfordernisse sowie wegen ihrer Wirtschaftlichkeit für Abwasserkanäle und -leitungen und Bauwerke der unterirdischen Infrastruktur bevorzugt eingesetzt. Beton- und Stahlbetonrohre für erdverlegte Abwasserkanale und -leitungen müssen den Anforderungen der DIN EN 1916:2003-04 „Rohre und Formstücke aus Beton, Stahlfaserbeton und Stahlbeton" entsprechen, die zusammen mit der nationalen Ergänzungsnorm DIN V 1201:2004-08 „Rohre und Formstücke aus Beton, Stahlfaserbeton und Stahlbeton für Abwasserleitungen und -kanäle – Typ 1 und Typ 2 – Anforderungen, Prüfung und Bewertung der Konformität" angewendet werden. Bei Schächten gilt die DIN EN 1917:2003-04 „Einsteig- und Kontrollschächte aus Beton, Stahlfaserbeton und Stahlbeton" zusammen mit DIN 4034-1:2020-04 „Schächte aus Beton-, Stahlfaserbeton- und Stahlbetonfertigteilen – Teil 1: Anforderungen, Prüfung und Kennzeichnung für Abwasserleitungen und -kanäle in Ergänzung zu DIN EN 1917:2003-04".

Mit der Neufassung ihrer Qualitätsrichtlinien hat die Fachvereinigung Betonrohre und Stahlbetonrohre e. V. (FBS) dieser Normenentwicklung Rechnung getragen und ein neues Qualitätssicherungssystem erarbeitet. Eine umfassende werkseigene Produktionskontrolle (WPK) sichert die lückenlose Qualitätskontrolle von den Ausgangsstoffen über die Herstellung bis zu den Endprodukten. Mit dem FBS-Qualitätszeichen wird die geprüfte Qualität der FBS-Kanalbauteile dokumentiert.

2.1.1 Betonrohre

FBS-Betonrohre werden nach DIN EN 1916 und DIN V 1201 sowie den erhöhten Anforderungen der FBS-Qualitätsrichtlinie gefertigt. Sie werden für den Transport von Schmutz-, Regen- und Mischwasser sowie für den Bau von Maßnahmen der Regenwasserbewirtschaftung verwendet. Die Rohre werden durch zugehörige Formstücke, FBS-Schachtfertigteile und FBS-Schachtbauwerke aus Beton und Stahlbeton ergänzt. Die Rohre haben in der Regel Kreis- oder Eiquerschnitt. Andere Querschnittsformen, z. B. nach DIN 4263:2011-06 „Kennzahlen von Abwasserkanälen und -leitungen für die hydraulische Berechnung im Wasserwesen", können ebenfalls ausgeführt werden.

Betonrohre mit Kreisquerschnitt werden in Nennweiten von DN 300 bis DN 1.500 ohne Fuß (Form K) und mit Fuß (Form KF) (siehe Abb. 2.1) hergestellt. Für Rohre ≤ DN 1.200 sind nur werkseitig fest in der Muffe eingebaute Gleitringdichtungen zugelassen. Betonrohre mit eiförmigem Durchflussquerschnitt werden im Nennweitenbereich WN/HN 300/450 bis WN/HN 1200/1800 mit Fuß hergestellt. Betonrohre werden mit werkseitig fest in der Muffe eingebauter Gleitringdichtung, mit werkseitig auf dem Spitzende in einer Kammer eingebauter Gleitringdichtung oder vor einer Schulter werkseitig aufgebrachter Gleitringdichtung hergestellt.

Abb. 2.1: Betonrohre mit Fuß (Quelle: Berding Beton GmbH, Steinfeld)

Abb. 2.2: Stahlbetonrohre ohne Fuß (Quelle: Fachvereinigung Betonrohre und Stahlbetonrohre e. V. [FBS], Bonn)

FBS-Rohre mit Eiquerschnitt werden im Allgemeinen in Stahlschalungen mit Formerhärtern gefertigt.

2.1.2 Stahlbetonrohre

Stahlbetonrohre nach DIN EN 1916 und DIN V 1201 sowie der FBS-Qualitätsrichtlinie Teil 1 werden zum Bau von drucklos betriebenen Kanälen und Leitungen – Freispiegelleitungen – für Wasser und Abwasser, aber auch für sonstige Leitungen aller Art, z. B. begehbare Leitungsgänge, verwendet. Sie eignen sich besonders für hohe Belastungen, z. B. bei hohen Erdüberschüttungen oder dynamischen Beanspruchungen aus schwerem Verkehr bei geringen Erdüberdeckungen, darüber hinaus aber auch für besondere Einbaubedingungen, wie das Rohrvortriebsverfahren usw.

Stahlbetonrohre mit Kreisquerschnitt werden im Nennweitenbereich von DN 300 bis DN 4.000 und größer ohne und mit Fuß (siehe Abb. 2.2) sowie mit Glocken- oder Falzmuffen hergestellt. Andere Querschnittsformen nach DIN 4263 können ebenso ausgeführt werden (siehe Abb. 2.3).

Stahlbetonrohre ≤ DN 1.200 werden mit werkseitig fest in der Muffe eingebauten oder werkseitig auf dem Spitzende in einer Kammer aufgebrachten Gleitringdichtungen geliefert.

Für FBS-Stahlbetonrohre > DN 1.200 sind werkseitig fest in der Muffe eingebaute, auf dem Spitzende in einer Kammer oder vor einer Schulter aufgebrachte Gleitringdichtungen zugelassen.

Stahlbetonrohre können auch zum Bau von Wasser- und Abwasserdruckleitungen mit niedrigen Betriebsdrücken, von Staukanälen und Rückhaltebecken mit zeitweisem Überstau sowie von Abwasserleitungen in Wassergewinnungsgebieten der Schutzzone II eingesetzt werden.

Für Einsatzgebiete mit hohen Betriebsdrücken und Sonderbelastungen können Spannbetondruckrohre hergestellt werden. Sie sind in DIN EN 639:1994-12 „Allgemeine Anforderungen für Druckrohre aus Beton, einschließlich Rohrverbindungen und Formstücke" bis DIN EN 642:1994-12 „Spannbetondruckrohre, mit und ohne Blechmantel, einschließlich Rohrverbindungen, Formstücke und besondere Anforderungen an Spannstahl für Rohre" genormt.

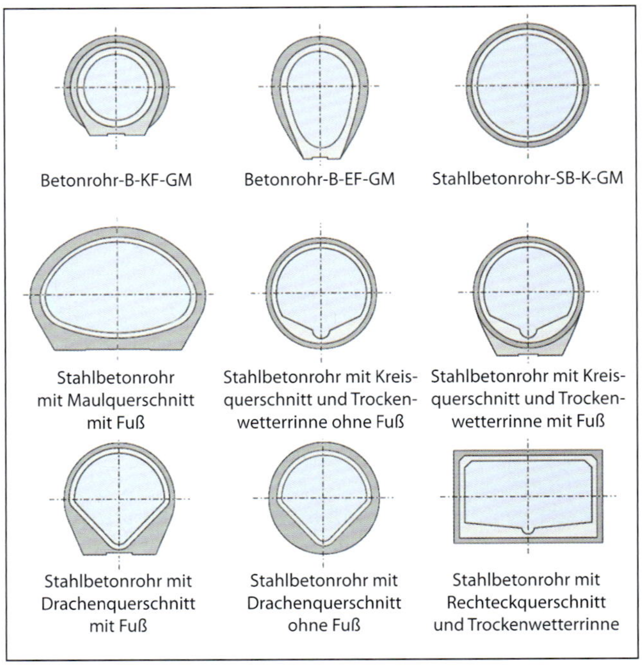

Abb. 2.3: Querschnittsvielfalt der Beton- und Stahlbetonrohre (Quelle: Fachvereinigung Betonrohre und Stahlbetonrohre e. V. [FBS], Bonn)

2.1.3 Vortriebsrohre

Vortriebrohre aus Stahlbeton werden dort eingesetzt, wo der Verkehr nicht unterbrochen werden soll bzw. eine offene Baugrube für den Einbau nicht möglich ist (z. B. Straßen-, Bahn-, Fluss- und Gebäudeunterquerungen) (siehe Abb. 2.4).

Abb. 2.4: Vortriebsrohr DN 2800 (Quelle: Fachvereinigung Betonrohre und Stahlbetonrohre e. V. [FBS], Bonn)

Die Rohre werden nach DIN EN 1916 und DIN V 1201 in Baulängen von 2,0 m bis 4,5 m hergestellt. Die Rohrverbindung ist in der Regel mit fest eingebautem Stahlführungsring und Lippen-Gleitdichtung ausgebildet.

Die hohen Druckfestigkeiten von Stahlbetonrohren bieten ideale Voraussetzungen für das Vortriebsverfahren und erlauben hohe Presskräfte. Die Rohrstrecke kann als vertikale oder horizontale Kurve oder in einer Kombination der Kurven aufgefahren werden. Der Rohrvortrieb kann auch unter Druckluft ausgeführt werden.

2.1.4 Formstücke

An Formstücken gibt es bei den verschiedenen Rohrarten entsprechende Abzweige für seitlichen oder für den Scheitelzulauf. Bögen werden ein- oder zweischnittig aus Segmenten hergestellt. Außerdem gibt es Anschlussstücke, Passstücke, Gelenkstücke, Böschungsstücke u. a.

2.1.5 Technische Eigenschaften

Korrosionsbeständigkeit

FBS-Beton- und Stahlbetonrohre sind für alle üblichen kommunalen Abwässer geeignet. Rohre aus Hochleistungsbeton sollten dann eingesetzt werden, wenn der pH-Wert des Abwassers auf 4,5 absinkt.

Die Rohre können mit einem Korrosionsschutz ausgekleidet werden, wenn stark aggressive Industrieabwässer abgeleitet werden sollen.

FBS-Beton- und Stahlbetonrohre sind außerdem beständig gegenüber Lösungs- und Reinigungsmitteln sowie Mineralölen (CKW, AKW) und daher besonders geeignet für Industriegebiete, Tankstellen, Werksgelände, Flughäfen usw.

Temperaturbeständigkeit

Die Rohre halten hohen Temperaturen stand, können bei kurzfristiger Beanspruchung eine Abwassertemperatur von 95 °C verkraften und sind für einen ständigen Abfluss von bis zu 35 °C geeignet. Sie bleiben auch bei zunehmender Temperatur formstabil (im Gegensatz zu thermoplastischen Werkstoffen wie z. B. Kunststoff). In Sonderfällen wie z. B. bei Kühlwasserleitungen, können FBS-Beton und Stahlbetonrohre dauerhaft 300 °C widerstehen.

Wasserdichtheit

FBS-Beton- und Stahlbetonrohre sind dauerhaft dicht und auch sicher gegen Wurzeleinwuchs, da sie nur mit Gleitringen aus Elastomeren mit dichter Struktur und hohlraumfreiem Dichtquerschnitt ausgestattet sind. Die Verbindungen werden im Rahmen der Erstprüfung mit 2,5 bar, mit hohen Anforderungen und zusätzlich auch bei Abwinklung und unter Scherlast geprüft. Hierdurch wird auch die Eignung für den Einsatz in Wassergewinnungsgebieten der Schutzzone II nachgewiesen. Im Rahmen der Eigen- und Fremdüberwachung wird mit 1,0 bar geprüft. Alle Rohre < DN 1.000 werden einer serienmäßigen Dichtheitsprüfung sowie einer Vermessung des Spitzendes unterzogen.

2.1.6 Ökologische Gesichtspunkte

FBS-Beton- und Stahlbetonrohre erfüllen den Standard der EU-Kommission „Buying Green!". Durch flächendeckend verteilte FBS-Herstellerwerke ergeben sich kurze Transportwege. Nach Ablauf ihrer Nutzungsdauer sind die Rohre leicht und problemlos recycelbar und können als Baustoff wiederverwendet werden.

Die Herstellung von Beton ist besonders umweltverträglich, da der Werkstoff aus reinen, natürlichen Bestandteilen besteht. Bei der Herstellung von Betonrohren wird wesentlich weniger Energie als bei der Herstellung von Rohren aus anderen Werkstoffen verbraucht. Die Produktion von Beton- und Stahlbetonrohren ist sehr energiearm, da keine prozessbedingte Wärmezufuhr erforderlich ist. Die CO_2-Emissionen sind ebenfalls im Gegensatz zu anderen Werkstoffen gering, was durch aktuelle Untersuchungen aus dem Jahr 2022 bestätigt werden kann (siehe u. a. www.klimarechner.de).

2.1.7 Relevante Normen und Richtlinien

Normen

DIN 4034-1:2020-04 – Schächte aus Beton-, Stahlfaserbeton- und Stahlbetonfertigteilen – Teil 1: Anforderungen, Prüfung und Kennzeichnung für Abwasserleitungen und -kanäle in Ergänzung zu DIN EN 1917:2003-04

DIN EN 1916:2003-04 Rohre und Formstücke aus Beton, Stahlfaserbeton und Stahlbeton (berichtigt durch DIN EN 1916 Berichtigung 1:2004-05 und DIN EN 1916 Berichtigung 2:2008-08)

DIN EN 1917:2003-04 Einsteig- und Kontrollschächte aus Beton, Stahlfaserbeton und Stahlbeton (berichtigt durch DIN EN 1917 Berichtigung 1:2004-05 und DIN EN 1917 Berichtigung 2:2008-08)

Richtlinien

FBS-Qualitätsrichtlinie Teil 1: Rohre und Formstücke aus Beton und Stahlbeton in FBS-Qualität für erdverlegte Abwasserleitungen und -kanäle. Ausführungen, Anforderungen und Prüfungen. Stand 2013. Bonn: Fachvereinigung Betonrohre und Stahlbetonrohre e. V. (FBS), 2013

FBS-Qualitätsrichtlinie Teil 2: Schachtfertigteile aus Beton und Stahlbeton und Schachtbauwerke aus Stahlbetonfertigteilen in FBS-Qualität für erdverlegte Abwasserleitungen und -kanäle. Allgemeines, Ausführungen, Anforderungen und Prüfungen. Stand: August 2005. Bonn: Fachvereinigung Betonrohre und Stahlbetonrohre e. V. (FBS), 2005

2.2 GFK-Druck- und -Kanalrohre

Seit den 1950er-Jahren hat sich glasfaserverstärkter Kunststoff (GFK) im Pipelinebau etabliert. Das Anwendungsspektrum der GFK-Rohrleitungssysteme ist heute breit gefächert. GFK-Rohre werden als Druckrohrsysteme für Anwendungen wie Wasserkraft, Bewässerung, Trinkwasserleitungen oder im industriellen Anlagenbau eingesetzt. Als drucklose Rohrsysteme finden sie sich in der Kanalisation, in Entwässerungssystemen oder Regenwasseranwendungen.

Sie zeichnen sich durch ihre hohe Maßhaltigkeit, große Baulängen, eine hohe chemische Widerstandsfähigkeit und eine leichte Handhabung aus.

2.2.1 Werkstoff und Herstellung

GFK ist ein Verbund aus einer Polymermatrix und Glasfasern. Die Polymermatrix besteht üblicherweise aus einem Epoxidharz, einem Vinylesterharz oder einem thermisch aushärtbaren Polyesterharz.

Das Harz verleiht dem Produkt Umwelt- und Chemikalienbeständigkeit und dient als Bindemittel für die Fasern der Laminatstruktur. Die Glasfasern sorgen für die notwendige Elastizität des Verbundstoffes bei einem ansonsten sehr hochfesten und steifen duroplastischen Kunststoff. Zur Erhöhung der Steifigkeit werden dem GFK-Materialverbund auch inerte, nicht quellfähige Zuschlagstoffe wie Quarzsand zugesetzt. Aus GFK lassen sich mechanisch, thermisch und chemisch hochfeste Rohre mit hoher Tragfähigkeit, großer Elastizität und langer Lebensdauer fertigen.

Der mehrlagige Aufbau unterscheidet sich in der Verteilung von Glasfaserarmierung, Sand, Füllstoff und Duroplast-Kunststoff in den Einzelschichten. GFK ist ein duroplastischer Kunststoff, d. h., der Polymerisationsvorgang des Harzes ist durch Wärmezufuhr nicht umkehrbar.

Es wird zwischen 2 grundsätzlichen Möglichkeiten der GFK-Rohrherstellung unterschieden, dem Schleuderverfahren und dem Wickelverfahren, wobei die Ausgangsstoffe für die verschiedenen Verfahren weitgehend identisch sind.

Die Rohrwand besteht jeweils aus einzelnen Schichten oder Lagen, d. h., dass der Wandaufbau den speziellen Einsatzanforderungen des Rohres angepasst werden kann.

2.2.1.1 Schleuderverfahren

Zur Herstellung geschleuderter GFK-Rohre werden die Ausgangsstoffe Glas, Harz, Quarzsand-Harz-Gemische und andere Zuschlagstoffe entsprechend dem gewünschten Wandaufbau lagenweise in eine rotierende Schleuderform eingegeben.

Nach Eintrag des Materials wird die Rotationsgeschwindigkeit der Form erhöht, sodass das Material durch die Fliehkraft mit hohem Druck gegen die Schleuderform gepresst, vollständig entlüftet und verdichtet wird. Es entsteht eine blasenfreie, dichte und über den gesamten Rohrumfang gleichmäßige Rohrwand. Anschließend wird durch Wärmezufuhr die Polymerisation, d. h. die Aushärtung der Harze, eingeleitet. Die Aushärtung erfolgt bei rotierender Form, sodass eine gleichmäßige Wanddicke über den gesamten Rohrumfang erreicht wird. Durch den Herstellungsprozess hat das Rohr eine exakt runde Form, einen sehr maßgenauen Außendurchmesser und eine vollkommen glatte Außenkontur.

2.2.1.2 Wickelverfahren

Bei GFK-Wickelverfahren werden lagenweise Glasfasern, Glasvlies und Füllstoffe mit speziellen Harzen auf einen variablen, sich drehenden Wickelkern aufgebracht. Der Wickelkern ist in seinem Außendurchmesser variabel, sodass Rohre in einem Nennweitenbereich von 300 bis 4.000 mm hergestellt werden.

Die Herstellung der Rohre erfolgt einzeln oder in kontinuierlicher Endlosfertigung. Ein Stahlband wird auf eine Stützkonstruktion gewickelt und am Ende wieder abgewickelt. Die Stützkonstruktion mit dem Stahlband bildet den Wickelkern. Der durch das Wickeln wandernde Kern erzeugt einen axialen Vorschub für die kontinuierliche Fertigung. Auf den beheizten und rotierenden Kern werden alle Ausgangs- und Hilfsstoffe aufgebracht: Zuerst eine Trennfolie, danach mehrere Schichten Polyesterharz mit eingebettetem Glasfaser-Vlies, Wirrfasern und Endlosfaserbündeln (Rovings), im mittleren Bereich der Rohrwand wird ein hoher Anteil Quarzsand eingearbeitet. Nach dem Aufbau der Rohrwand durchläuft das Rohr einen Aushärtungsbereich, in dem durch Wärmezufuhr von außen die Polymerisation beschleunigt wird. Anschließend wird das kontinuierlich gefertigte Rohr auf die gewünschte Baulänge abgeschnitten.

Während des Produktionsprozesses kann Einfluss auf die Art der Wicklung und die Wandstärke genommen werden. Dadurch lassen sich z. B. hohe Steifigkeiten erreichen.

Mit dem Wickelverfahren können neben Kreisprofilen auch andere Querschnittformen wie Ei- oder Maulprofile hergestellt werden.

2.2.2 Rohre und Rohrleitungsteile

Rohre

GFK-Rohre und Formteile für den Infrastrukturbau werden mit Durchmessern von DN 200 bis DN 4.000, mit Baulängen von 3, 6 oder 12 m hergestellt. Rohre aus GFK werden in verschiedenen Regelsteifigkeitsklassen produziert, üblich sind SN 2.500 N/m^2, SN 5.000 N/m^2 und SN 10.000 N/m^2. GFK-Rohre für den grabenlosen Einbau im Rohrvortrieb weisen eine Standardringsteifigkeit zwischen SN 32.000 und SN 1.000.000 auf. Die Einbaubedingungen entscheiden darüber, welche der Steifigkeiten zum Einsatz kommt.

Im Freispiegelbereich findet das GFK-Kanalrohrsystem der Nenndruckstufe PN 1 Verwendung. Die gängigen GFK-Druckrohrsysteme reichen von PN 6 über PN 10, PN 16, PN 25 bis PN 32.

GFK-Formstücke werden in der Regel aus Rohrsegmenten gefertigt und durch Laminieren zusammengefügt. In dieser Segmentbauweise ist es möglich, z. B. eine Vielzahl von Formstücken zu fertigen. Dazu gehören Bögen, T-Stücke, Abzweige und Sattelstücke. GFK- Formstücke werden in den gleichen Nenndruckstufen wie die Rohre angeboten.

Abb. 2.5: GFK-Rohre mit Steckverbindung (Quelle: Amiblu Germany GmbH, Trollenhagen)

Rohrverbindung

GFK-Rohre werden mit glatten Rohrenden für Doppelsteckmuffen (Stecksystem, siehe Abb. 2.5) oder Laminatverbindungen (zugfest) wie auch mit Nut-Feder-Verbindung für zugfeste Scherstabkupplung produziert.

Rohre werden üblicherweise mit GFK-Kupplungen verbunden. Längskraftschlüssige Steckverbindungen werden mit einer zugfesten Scherstabkupplung realisiert. Bei dieser Verbindungsart sind in der Rohrmuffe und der Kupplung Nuten für den Scherstab vorgesehen. Die Rohre werden zusammengeschoben und anschließend wird der Scherstab in die Kupplung eingeführt. Der Scherstab liegt danach je zur Hälfte in der Nut im Rohr bzw. in der Kupplung.

GFK-Rohre mit Doppelsteckmuffe dürfen in der Kupplungsverbindung abgewinkelt werden. Bei der Abwinkelung ist der Betriebsdruck der Rohrverbindung zu beachten.

Das Laminieren wird in aller Regel bei der Herstellung von GFK-Rohren, -Formteilen, -Schächten sowie bei besonders großen und komplexen GFK-Bauteilen als stoffschlüssige und längskraftschlüssige Verbindungstechnik zur Verbindung von Einzelbauteilen eingesetzt.

Zum Laminieren werden Glasmatten und Glasgewebe zugeschnitten und die Harzmischung angesetzt. Mit einer Lammfellrolle wird das Harz auf die vorbereitete Oberfläche aufgetragen. Danach wird die erste Glasmatte aufgelegt, mit Laminierharz getränkt und angewalzt. Ebenso wird mit der zweiten Lage verfahren. Das Anwalzen erfolgt mit einer Entlüftungswalze, z. B. einer Stahlrillenwalze. Die entsprechend dem weiteren Laminataufbau folgenden Lagen werden modulweise aufgelegt. Dafür wird wieder mit der Lammfellrolle Harz auf das vorhandene Laminat aufgetragen, eine Lage Glasgewebe aufgelegt, mit Harz getränkt, angewalzt und entlüftet, bis die erforderliche Stärke erreicht ist. Die Mattenlage wird in gleicher Weise aufgebracht.

Darüber hinaus ist es möglich, die Rohre mit Flanschverbindungen zu verbinden.

2.2.3 Anwendungsgebiete

GFK-Rohrsysteme werden für eine Vielzahl von Anwendungen als Freispiegel- oder Druckleitungen eingesetzt.

Dazu gehören z. B. Trinkwasser- und Rohwasserleitungen und Speicher für Trink-, Roh- und Löschwasser, Abwassersammel- und Rückhaltsysteme sowie Transportleitungen, Wasserkraft-Druckleitungen, Meerwasser-Ansaug- und -Auslaufleitungen, Rohre für Entsalzungsanlagen, Kühlwasserzirkulationsleitungen, Turbinenleitungen für Kraftwerke, Brückenentwässerung, Bergbauanwendungen oder Brunnenrohre, im Anlagenbau und der chemischen Prozessindustrie.

Neben der oberirdischen Neuverlegung oder im offenen Graben finden sie Anwendung als Relining-Rohre und Vortriebsrohre für den grabenlosen Einbau. Im Produktportfolio der Hersteller finden sich auch Schächte.

2.2.4 Eigenschaften und Vorteile

Durch die große Zahl positiver Merkmale bieten GFK-Rohre ein optimales System im Hinblick auf Installation und Unterhaltungskosten.

GFK-Rohrsysteme sind korrosionsbeständig, haben sehr glatte Innenoberflächen, eine hohe Abriebfestigkeit und ermöglichen somit konstantes hydraulisches Abflussverhalten sowie ablagerungs- und inkrustationsfreien Betrieb über einen langen Zeitraum.

Individuelle Rohrlängen (siehe Abb. 2.6), Druck- und Steifigkeitsklassen können nach Kundenwunsch angefertigt werden. Sie ermöglichen aufgrund des geringes Rohrgewichts ein gutes Handling auf der Baustelle und weisen eine hohe Längs- und Ringsteifigkeit auf.

GFK-Rohre sind witterungs- und UV-beständig. Es sind keine weiteren Schutzmaßnahmen erforderlich. Elastomerdichtungen sollten vor Verschmutzung und langfristiger Sonneneinstrahlung geschützt werden.

GFK-Rohrsysteme ermöglichen sehr lange Nutzungsdauern.

2.2.5 Relevante Normen

DIN 16868-1:2016-10 Rohre aus glasfaserverstärktem Polyesterharz (UP-GF) – Teil 1: Gewickelt, gefüllt, Maße

DIN 16868-2:1016-10 Rohre aus glasfaserverstärktem Polyesterharz (UP-GF) – Teil 2: Gewickelt, gefüllt, allgemeine Güteanforderungen, Prüfung

DIN 16869-1:2014-12 Rohre aus glasfaserverstärktem Polyesterharz (UP-GF), geschleudert, gefüllt – Teil 1: Maße

DIN 16869-2:2014-12 Rohre aus glasfaserverstärktem Polyesterharz (UP-GF), geschleudert, gefüllt – Teil 2: Allgemeine Güteanforderungen, Prüfung

DIN EN 1796: 2013-05 Kunststoff-Rohrleitungssysteme für die Wasserversorgung mit oder ohne Druck – Glasfaserverstärkte duroplastische Kunststoffe (GFK) auf der Basis von ungesättigtem Polyesterharz (UP)

DIN EN 14364: 2013-05 Kunststoff-Rohrleitungssysteme für Abwasserleitungen und -kanäle mit oder ohne Druck – Glasfaserverstärkte duroplastische Kunststoffe (GFK) auf der Basis von ungesättigtem Polyesterharz (UP) – Festlegungen für Rohre, Formstücke und Verbindungen

Abb. 2.6: GFK-Rohre in Standardlänge und als Kurzrohr (Quelle: Amiblu Germany GmbH, Trollenhagen)

Abb. 2.7: KG-Rohr aus Polypropylen (PP-MD) (Quelle: blende11.photo – stock.adobe.com)

2.3 Kanalrohre (KG-Rohre)

2.3.1 Werkstoffe und Werkstoffeigenschaften

Die als KG-Rohre bezeichneten Kanalrohre aus Polyvinylchlorid PVC-U (das U steht für Unplasticized) werden überwiegend im Bereich der Grundstücksentwässerung, d. h. für die Abwasserableitung im Erdreich von einem Gebäude bis zur öffentlichen Kanalisation verwendet. Das Kürzel KG steht für Kanalgrundleitung. Die Rohre und Formstücke sind an ihrer orangebraunen Farbe zu erkennen. PVC-U ist ein thermoplastischer Kunststoff, der durch die Polymerisation von Vinylchlorid hergestellt wird. PVC-U besteht somit zu 56 % aus Bestandteilen des Steinsalzes. Der Werkstoff ist weichmacherfrei, schwerentflammbar und zu 100 % recycelbar. PVC-U ist einer der ältesten Massenkunststoffe. Er hat sich aufgrund seiner sehr guten chemischen Beständigkeit, hohen Widerstandsfähigkeit gegen aggressive Medien, Korrosionsbeständigkeit und mechanischen Steifigkeit seit den 1950er-Jahren bewährt.

Hauptanwendungsgebiet für Rohre aus dem Werkstoff Polypropylen PP-MD (MD = mineralische Additive, z. B. Calciumcarbonat, Magnesiumcarbonat oder Talkum) sind erdverlegte und drucklose Abwasser-/Kanalrohre, wie beispielsweise Schmutz- und Regenwasserkanäle im Straßenbau oder in der Grundstücksentwässerung (siehe Abb. 2.7). Die Rohre haben eine grüne Farbe und werden als KG2000 bezeichnet. Sie weisen eine hohe Steifigkeit auf, verfügen über eine hohe Widerstandsfähigkeit gegen aggressive Medien und sind korrosionsbeständig. Die Schlagzähigkeit und Steifigkeit sind charakteristisch für Kanalrohre aus Polypropylen. Rohre aus PP haben werkseitig eingebaute Dichtungen und sind zu 100 % recycelbar.

Abwasserrohre müssen eine hohe Widerstandsfähigkeit gegen Chemikalien aufweisen; so müssen sie beständig gegen korrosive Abwässer sein, aber auch in einem sehr sauren Erdreich bestehen. Alle zum Einsatz kommenden Bauteile müssen dauerhaft und zuverlässig den Einwirkungen von aggressiven Medien widerstehen, um einen sicheren Betrieb der Kanalrohrsysteme dauerhaft zu gewährleisten. Grundsätzlich sind Kunststoffrohrsysteme für die Ableitung von aggressiven Medien im Bereich pH 2 bis pH 12 geeignet. Eine besonders problematische Form der Korrosion im Kanal ist die biogene Schwefelsäurekorrosion, die Mörtel und Beton angreift. Kunststoffe besitzen eine außerordentlich hohe chemische Widerstandsfähigkeit – daher besitzt biogene Schwefelsäurekorrosion bei Kunststoffrohrsystemen keine Relevanz.

Kunststoffrohre können im Freien gelagert werden. Sie sind z. B. durch UV-Stabilisatoren gegen den schädigenden Einfluss des Sonnenlichtes geschützt. Kunststoffrohre, die über eine sehr lange Zeit im Freien gelagert werden, können zwar ihre Farbe an der Oberfläche verändern, nicht aber ihre technischen Eigenschaften. Die Veränderung im Aussehen der Rohre wird durch eine Veränderung der Farbpigmente unter Einwirkung von UV-Strahlung hervorgerufen. Kunststoffrohre werden auch nach langer Freilagerungszeit den statischen Anforderungen an einen dauerhaften und funktionsfähigen Abwasserkanal gerecht. Elastomerdichtungen hingegen sollten bei mehrjährigen Lagerungszeiträumen vor Sonneneinstrahlung geschützt werden.

2.3.2 Herstellung

Kunststoffrohre werden in der Regel im Extrusionsverfahren produziert und in unterschiedlichen Konstruktionen hergestellt. Formteile werden in der Regel im Spritzgussverfahren hergestellt.

Vollwandrohre bestehen aus einer homogenen Schicht eines Materials. Mehrschichtrohre bestehen aus 2 oder mehr Schichten, die untrennbar miteinander verbunden sind. Die Schichten können unterschiedliche Farben und Materialzusammensetzungen haben. Im Verbund erfüllen sie so die unterschiedlichsten Anforderungen.

Besonderen Stellenwert zur Sicherstellung eines sehr hohen Standards genießen Zertifizierungen und Zulassungen, die auf Basis zusätzlicher Güterichtlinien und der Fremdüberwachung neutraler Zertifizierer und Prüfinstitute basieren. Die Zertifizierung ist die unabhängige Bestätigung, dass ein Produkt alle geforderten Qualitäts- und Sicherheitsanforderungen erfüllt. Seit 2004 setzt die DIN CERTCO Gesellschaft für Konformitätsbewertung mbH die Grundsätze der Qualitätspolitik für Kunststoffrohrsysteme als Nachfolger der Gütegemeinschaft für Kunststoffrohre GKR fort.

Eine CE-Kennzeichnung von Kunststoffrohren ist bislang normativ noch nicht möglich, da die hierzu erforderlichen europäischen Normgrundlagen nicht vorliegen.

2.3.3 Verbindungstechnik

Ein Kanalrohrsystem besteht aus verschiedenen Komponenten, die auf der Baustelle miteinander verbunden werden. Bei Kunststoffrohrsystemen ist der Verbindungsbereich sohlengleich und weist eine hydraulisch optimale glatte Oberfläche auf. Rohre und Formstücke vom Typ KG und KG2000 werden in der Regel durch Steckverbindungen verbunden. Dabei werden Elastomerdichtungen verwendet. Die Dichtung ist so geformt, dass sie das Einschieben der Rohre in die Verbindung erleichtert und gleichzeitig sicher abdichtet. Die glatten Oberflächen, die engen Fertigungstoleranzen und die ausgereiften Konstruktionen ermöglichen somit dauerhaft dichte Steckverbindungen.

Vor dem Einbau sind die Lage und die Unversehrtheit bei werkseitig eingelegten Dichtmitteln zu überprüfen. Das Gleitmittel muss unbedingt sauber und für den Verwendungszweck geeignet sein. Es wird dazu geraten, nur werkseitig empfohlenes Gleitmittel einzusetzen. Es ist dünn auf das Einsteckende und im Bereich der Anfasung aufzutragen.

Vor der Herstellung der Steckmuffenverbindungen ist darauf zu achten, dass die Achsen des bereits verlegten und des einzuschiebenden Rohres oder Formstückes eine Linie bilden. Zum Einschieben des Einsteckendes in die Muffe können je nach Nennweite Hebe- oder spezielle Verlegegeräte der Rohrhersteller eingesetzt werden.

Steckmuffenverbindungen können keine bzw. nur in sehr geringem Maße Axialkräfte aufnehmen (z. B. Druckprüfung), sodass ungesicherte Formstücke, wie z. B. Bögen und Abzweige, durch den Innendruck weggeschoben werden. Die Sicherung bei frei liegenden Leitungen kann durch Widerlager oder durch geeignete Schubsicherungsklemmen erfolgen.

2.3.4 Statische Bemessung

Bei Kunststoffrohren bildet das Zusammenwirken von Rohrsteifigkeit und Bodenverformbarkeit das statische Tragsystem. Kunststoffrohre aktivieren unter Lasteinwirkung Stützkräfte in der Seitenverfüllung. Flexible Rohre passen sich der Setzung des seitlichen Erdreichs an. Über dem Rohr bildet sich ein Gewölbe, das die Kräfte an ihm vorbei in den Baugrund ableitet.

Die Ringsteifigkeit ist ein Bemessungsparameter, der indirekt über die Wanddicke, den Wandaufbau und das Elastizitätsmodul des Werkstoffes in die statische Berechnung des Rohres eingeht. Höhere Rohrsteifigkeiten führen nicht automatisch zu einer höheren Belastbarkeit des Rohr-Boden-Systems. In den europäischen Normen für thermoplastische Kunststoffrohrsysteme ist die Nennringsteifigkeit SN in die Klassen 2, 4, 8 und 16 eingeteilt. Für unterschiedliche Anforderungen gibt es somit Rohre in unterschiedlichen Ringsteifigkeitsklassen.

2.3.5 Lieferprogramm

Das Lieferprogramm der Hersteller beinhaltet KG-Rohre von DN 110 bis DN 500 mit Baulängen bis zu 6 m. Rohre und Formstücke vom Typ KG2000 aus PP-MD werden in den Nennweiten DN 110 bis DN 630 mit Baulängen der Rohre bis 6 m angeboten.

Ein umfangreiches Formstückeprogramm steht für beide Rohrsysteme zur Verfügung. Dieses umfasst Bögen, Abzweige, Aufsteckmuffen, Doppelmuffen, Überschiebmuffen, Reduktion, Reinigungsrohre und Muffenstopfen.

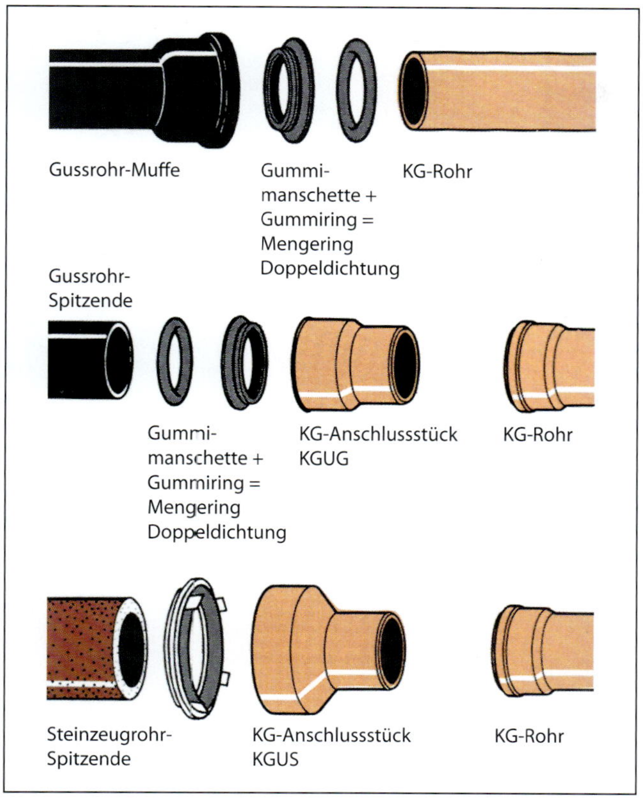

Abb. 2.8: KG-Formstücke für den Anschluss an Leitungen aus anderem Rohrmaterial (Quelle: Marley Deutschland GmbH, Wunstorf)

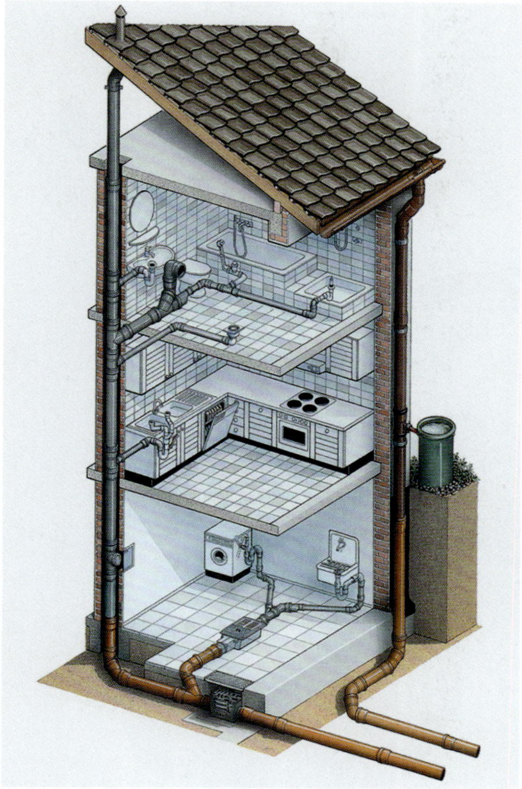

Abb. 2.9: Hausabflussrohrsystem (Quelle: Marley Deutschland GmbH, Wunstorf)

Daneben gibt es spezielle Formstücke, um Anschlüsse an Leitungen aus anderem Rohrmaterial herzustellen (siehe Abb. 2.8):

- Anschluss an Steinzeugrohr-Spitzende,
- Anschluss an Steinzeugrohr-Muffe,
- Anschluss an Beton,
- Anschluss an Gussrohr.

Profilierte Rohre können je nach Material und Anforderung z. B. als Wellenprofil, Rippenprofil oder Hohlkammerprofil ausgeführt sein. Durch die Konstruktion werden, insbesondere bei großen Durchmessern, mit optimiertem Materialeinsatz die statischen Anforderungen an Kanalrohre erreicht.

Eigengewicht und die einfache Handhabung gewährleisten einen schnellen, sicheren und effizienten Baufortschritt. Dank ihrer Flexibilität in Längsrichtung können Kunststoffrohre in Längen von 6 m ohne Gefahr von Beschädigungen zur Baustelle transportiert und dort gehandhabt werden. Biegen führt nicht zu Brechen. Flexibilität verhindert Muffenversatz und Muffenbruch.

2.3.6 Relevante Normen

DIN EN 1401:2019-09 Kunststoff-Rohrleitungssysteme für erdverlegte drucklose Abwasserkanäle und -leitungen – Weichmacherfreies Polyvinylchlorid (PVC-U) – Teil 1: Anforderungen an Rohre, Formstücke und das Rohrleitungssystem

DIN EN 13476-1:2018-10 Kunststoff-Rohrleitungssysteme für erdverlegte drucklose Abwasserkanäle und -leitungen – Rohrleitungssysteme mit profilierter Wandung aus weichmacherfreiem Polyvinylchlorid (PVC-U), Polypropylen (PP) und Polyethylen (PE) –Teil 1: Allgemeine Anforderungen und Leistungsmerkmale

DIN EN 13476-2:2020-12 Kunststoff-Rohrleitungssysteme für erdverlegte drucklose Abwasserkanäle und -leitungen – Rohrleitungssysteme mit profilierter Wandung aus weichmacherfreiem Polyvinylchlorid (PVC-U), Polypropylen (PP) und Polyethylen (PE) – Teil 2: Anforderungen an Rohre und Formstücke mit glatter Innen- und Außenfläche und an das Rohrleitungssystem, Typ A

DIN EN 13476-3:2020-12 Kunststoff-Rohrleitungssysteme für erdverlegte drucklose Abwasserkanäle und -leitungen – Rohrleitungssysteme mit profilierter Wandung aus weichmacherfreiem Polyvinylchlorid (PVC-U), Polypropylen (PP) und Polyethylen (PE) – Teil 3: Anforderungen an Rohre und Formstücke mit glatter Innen- und profilierter Außenfläche und an das Rohrleitungssystem, Typ B

DIN EN 14758-1:2012-05 Kunststoff-Rohrleitungssysteme für erdverlegte drucklose Abwasserkanäle und -leitungen – Polypropylen mit mineralischen Additiven (PP-MD) – Teil 1: Anforderungen an Rohre, Formstücke und das Rohrleitungssystem

2.4 HT-Hausabflussrohre aus Kunststoff

Hausabflussrohre sind Rohre für die Abwasserentsorgung innerhalb von Gebäuden. Seit Anfang der 1970er-Jahre kommen zum Anschluss von Handwaschbecken, Dusch- und Badewannen, Spülen, Geschirrspülern oder Waschmaschinen die sog. HT-Rohrsysteme (HT = hochtemperaturbeständig) zum Einsatz (siehe Abb. 2.9).

Abb. 2.10: Sortimentsübersicht (Quelle: Marley Deutschland GmbH, Wunstorf)

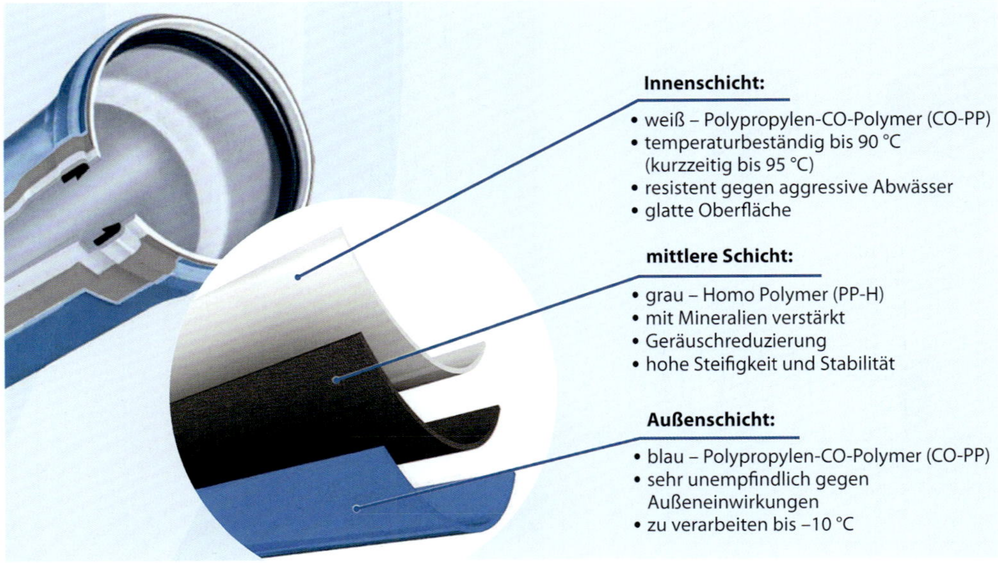

Abb. 2.11: Aufbau eines Drei-Schicht-HT-Rohres für die Schalldämmung in der Innenentwässerung (Quelle: Marley Deutschland GmbH, Wunstorf)

Rohre, Formstücke und Rohrverbindungen aus Kunststoff für den Hausabflussbereich besitzen eine Reihe wichtiger Eigenschaften: Sie haben ein geringes Gewicht, glatte Innenflächen, sind einfach zu installieren, abriebfest, korrosionsbeständig gegen haushaltsübliche Salze, Laugen und Säuren im häuslichen Abwasser und sind für eine kurzfristige Abwassertemperatur von maximal 95 °C geeignet sowie dauertemperaturbeständig gegenüber Abwassertemperaturen von 90 °C.

Je nach Anwendungsbereich kommen noch weitere Anforderungen an die Rohre hinzu, wie z. B. die Schalldämmung. Hausabflussleitungen im gewerblichen und industriellen Bereich – wie z. B. in Laboreinrichtungen – müssen zudem auch resistent gegen Chemikalien und aggressive Medien sein.

Die HT-Rohre und -Formstücke entsprechen DIN EN 1451-1:2018-10 „Kunststoff-Rohrleitungssysteme zum Ableiten von Abwasser (niedriger und hoher Temperatur) innerhalb der Gebäudestruktur – Polypropylen (PP) – Teil 1: Anforderungen an Rohre, Formstücke und das Rohrleitungssystem". Diese europäische Norm legt für Vollwand-Rohrleitungssysteme aus Polypropylen Anforderungen an Rohre, Formstücke und das Rohrleitungssystem für Abwasserleitungen fest, die in Schwerkraftentwässerungsanlagen zum Ableiten von Abwasser (niedriger und hoher Temperatur) eingesetzt werden.

Die verwendeten Rohre müssen heißwasserbeständig und dauerhaft schwerentflammbar nach DIN 4102 „Brandverhalten von Baustoffen und Bauteilen", Brandschutzklasse B1, sein.

2.4.1 Sortiment

Das Rohrsystem wird in den Nennweiten DN 32 bis DN 160 angeboten und umfasst ein umfangreiches Programm an Formstücken. Die Rohre werden mit glatten Enden ohne Muffe als 5-m- Stangen oder mit einseitiger Steckmuffe in Längen von 150 bis 2.000 mm angeboten.

Das Formstückprogramm setzt sich aus Bögen (15°, 30°, 45°, 67°, 87°) Einfachabzweigen (45°, 67°, 87°), Doppelabzweigen (67°, 87°), Eckdoppelabzweigen (67°), sowie Übergangsrohren, Reinigungsrohren, Muffenstopfen, Siphonbögen und Überschiebmuffen zusammen (siehe Abb. 2.10). Zum Übergang auf andere Metallrohre werden Anschlussstücke angeboten.

HT-Rohrsysteme sind mit vormontierten Lippendichtringen ausgestattet, die die Steckmontage erleichtern.

Entsprechend DIN 4109-1:2018-01 „Schallschutz im Hochbau – Teil 1: Mindestanforderungen" darf der kennzeichnende Schalldruckpegel infolge von Installationsgeräuschen aus Wasserversorgungs- und Abwasseranlagen in Wohn- und Schlafräume nicht mehr als 30 dB(A) betragen. Ergänzend zu den Anforderungen der DIN enthält die Richtlinie VDI 4100:2012-10 „Schallschutz im Hochbau – Wohnungen – Beurteilung und Vorschläge für erhöhten Schallschutz" Empfehlungen für einen erhöhten Schallschutz. Diese Richtlinie definiert Schallschutzklassen für die Planung und Bewertung des Schallschutzes für Mehrfamilienhäuser, Einfamilien-Doppelhäuser und Einfamilien-Reihenhäuser. Um diese über die Mindestanforderungen der DIN hinausgehenden Anforderungen an den Schallschutz zu erfüllen, stehen schalldämmende Schmutz- und Abwasserrohrleitungssysteme aus mehrschichtigem mineralverstärktem Polypropylen zur Verfügung (siehe Abb. 2.11).

Der entsprechende Nachweis zur Schallschutzprüfung kann nach DIN EN 14366:2020-02 „Messung der Geräusche von Abwasserinstallationen im Prüfstand" geführt werden.

Für den Brandschutz stehen geprüfte und vom Deutschen Institut für Bautechnik (DIBt) zugelassene Brandschutzmanschetten für die jeweiligen Systeme zur Verfügung. Abschottungen mit allgemeiner bauaufsichtlicher Zulassung (abZ) oder allgemeiner Bauartgenehmigung (aBG) verhindern bei Abwasserleitungen aus Kunststoff durch ihre Funktionsweise wirkungsvoll den Durchtritt von Feuer und Rauchgasen durch vollständiges Verschließen des Rohrquerschnitts im Brandfall.

2.4.2 Installation

Abwasserrohre sind grundsätzlich so zu führen, dass sie spannungsfrei sind und durch temperaturbedingte Längenänderungen nicht behindert werden. Bei der Verlegung von Hausabflussrohren ist es aus Schallschutzgründen erforderlich, Körperschallbrücken im Bereich von Durchbrüchen, gemauerten Vorwänden und Befestigungen zu vermeiden. Dämmschläuche vermeiden effektiv Körperschallübertragungen. Zur Befestigung der Rohre sollten schalldämmende Rohrschellen verwendet werden, deren Abmessungen auf die Außendurchmesser der Rohre abgestimmt sind und die Rohre vollständig umschließen.

Verlegungs- und Bemessungsgrundsätze für Entwässerungsanlagen innerhalb von Gebäuden sind in der europäischen Normenreihe DIN EN 12056 „Schwerkraftentwässerungsanlagen innerhalb von Gebäuden" geregelt. Die Entwässerungsanlagen werden danach in 4 Systemtypen unterteilt, wobei in Deutschland grundsätzlich das System I Einzelfallleitungen mit teilbefüllten Anschlussleitungen und einem Füllungsgrad von h/d 0,5 (50 %) anzuwenden ist.

Die Mindestanschlusswerte (DU) der verschiedenen Einzelanschlüsse (z. B. Handwaschbecken, Badewanne) sind in DIN EN 12056-2:2001-01 „Schwerkraftentwässerungsanlagen innerhalb von Gebäuden – Teil 2: Schmutzwasseranlagen, Planung und Berechnung", Tabelle 2, festgelegt. Mit dem Anschlusswert DU (vom englischen Begriff Design Unit) wird die zu erwartende Abwassermenge für einen Entwässerungsgegenstand beschrieben: 1 DU = 1 l/s.

Zu beachten ist, dass Schmutzwasserleitungen auf keinen Fall an Regenleitungen angeschlossen werden, wenn getrennte Systeme vorhanden sind.

2.4.3 Relevante Normen

DIN EN 1451-1:2018-10 Kunststoff-Rohrleitungssysteme zum Ableiten von Abwasser (niedriger und hoher Temperatur) innerhalb der Gebäudestruktur – Polypropylen (PP) – Teil 1: Anforderungen an Rohre, Formstücke und das Rohrleitungssystem

DIN EN 12056-1:2001-01 Schwerkraftentwässerungsanlagen innerhalb von Gebäuden – Teil 1: Allgemeine und Ausführungsanforderungen

DIN EN 12056-2:2001-01 Schwerkraftentwässerungsanlagen innerhalb von Gebäuden – Teil 2: Schmutzwasseranlagen, Planung und Berechnung

2.5 Drän- und Sickerrohre, Versickerungssysteme

Stauwasser gefährdet Gebäude, Verkehrsflächen und landwirtschaftliche Nutzflächen. Ursachen sind z. B. schwere Böden und schlechte Wasserdurchlässigkeit der Bodenschichten. Ein hoher Wasseranteil im Boden kann u. a. zur Versäuerung und Bodenverschlechterung führen.

Durch eine Dränage kann überschüssiges Grundwasser dauerhaft von gefährdeten Bodenflächen abgeleitet werden. Neben der Entwässerung erreicht man darüber hinaus in der Landwirtschaft eine Belüftung der Bodenstruktur. Auf der anderen Seite gehört die gezielte Versickerung von Niederschlagswasser zu den essenziellen Maßnahmen der Regenwasserbewirtschaftung.

So fordern auch z. B. die „Richtlinien für die Entwässerung von Straßen" (REwS; FGSV, 2021), dass ungebundenes Bodenwasser, also Grund-, Sicker- und Stauwasser, gefasst werden muss, bevor es Schäden am Straßen- oder Gleiskörper verursacht.

Darüber hinaus führt die wachsende Flächen- bzw. Bodenversiegelung durch Bebauung, Kanalisierung und Bodenverdichtung dazu, dass Niederschlagswasser nicht mehr natürlich versickern kann (= langsames Abfließen in tiefere Bodenschichten), sondern schnell von den versiegelten Flächen abläuft und in Kanalsysteme geleitet wird, sodass der natürliche Wasserkreislauf unterbrochen wird. Die Folge sind sinkende Grundwasserspiegel und schnell anschwellende Wasserstände der natürlichen Wasserläufe (Bäche, Flüsse).

Mit einer naturnahen Regenwasserbewirtschaftung und Systemen zur Regenwasserversickerung wird dieser Entwicklung entgegengesteuert.

So wird z. B. mit Dränrohren dem Boden überschüssiges Wasser entzogen, während mit Rohr- und Füllkörperrigolen Oberflächenwasser langsam dem Boden zugeführt wird.

In der Dränage- und Entwässerungstechnik ist ein umfangreiches Systemsortiment entstanden, das für alle wichtigen Anwendungsgebiete Lösungen bietet. Die vielfältigen Problemstellungen lassen sich grob in 4 große Bereiche einteilen:

- Dränage landwirtschaftlich genutzter Flächen,
- Entwässerung erdberührter Bauteile nach DIN 4095:1990-06 „Baugrund; Dränung zum Schutz baulicher Anlagen; Planung, Bemessung und Ausführung" (Gebäudedränage),
- Entwässerung im Verkehrswegebau,
- Regenwasserbewirtschaftung/-behandlung.

2.5.1 Steinzeug-Drän- und -Versickerungsrohre

Steinzeug-Drän- und -Versickerungsrohre sind gelochte Rohre mit Steckmuffe L oder K nach Verbindungssystem F oder C in den Nennweiten DN 150 bis DN 300. Sie dienen der Aufnahme von Sickerwässern. Einsatzgebiete sind Quellfassungen, die Entwässerung von Straßen- und Gleiskörpern (Verkehrswegebau) sowie von Mülldeponien.

Eingesetzt werden ebenfalls geschlitzte Muffenrohre. Diese Mehrzweckrohre in der Nennweite DN 400 können zur Aufnahme und Ableitung von Sickerwässern eingesetzt werden und dienen der Entwässerung von Straßen- und Gleiskörpern (Verkehrswegebau).

Gelochte Steinzeugrohre und geschlitzte Muffenrohre sind in DIN EN 295-5:2013-05 „Steinzeugrohrsysteme für Abwasserleitungen und -kanäle – Teil 5: Anforderungen an gelochte Rohre und Formstücke“ genormt.

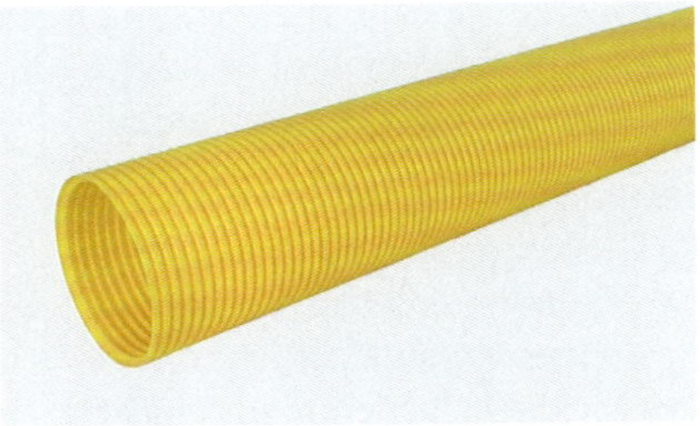

Abb. 2.12: Flexibles Dränrohr (Quelle: Fränkische Rohrwerke Gebr. Kirchner GmbH & Co. KG, Königsberg/Bayern)

2.5.2 PVC- und PE-HD-Drän- und -Sickerrohre

Flexible Dränrohre aus PVC-U nach DIN 1187 (Farbe: Gelb)

Diese Rohre (siehe Abb. 2.12) sind auch mit Ummantelungen aus Polypropylenfasern oder Kokosfasern sowie ungelocht lieferbar. Die Standardschlitzbreite beträgt 1,2 mm. Die Rohre sind Ringware (50-Meter-Ringe bis 200-Meter-Ringe) und werden in den Nennweiten DN 50, 65, 80, 100, 125, 160 und 200 hergestellt.

Anwendung: im landwirtschaftlichen Dränbau für dränbedürftige Böden, Tiefbau, Garten- und Landschaftsbau, Friedhöfe. Die Rohre besitzen eine hohe Wasseraufnahmefähigkeit und eignen sich auch für die grabenlose Verlegung.

Stangendränrohre aus PVC-U nach DIN 1187 (Farbe: Orange)

Diese Rohre werden in den Nennweiten DN 100, 125, 160 und 200 angeboten. Die Standardlänge beträgt 2,5 m, bauseitiges Kürzen ist möglich.. Die Verbindung erfolgt mit Steckmuffe.

Die Rohre besitzen eine erhöhte Wassereintrittsfläche, die für eine maximale Wasseraufnahme sorgt.

Diese Rohre haben sich insbesondere im Bereich der Gebäudedränung bewährt, um Stau-, Schicht- und Sickerwasser im Erdreich von den Kelleraußenwänden fernzuhalten. Mit entsprechenden Dränsystemen wird eine dauerhaft sichere Gebäudedränung entsprechend DIN 4095 gewährleistet.

Ein Dränsystem wird so ausgelegt, dass die Dränleitung alle erdberührten Wände erfasst (siehe Abb. 2.13). Es empfiehlt sich, eine geschlossene Ringleitung zu planen. Außerdem muss eine geradlinige Verlegung mit gleichmäßigem Gefälle gewährleistet sein.

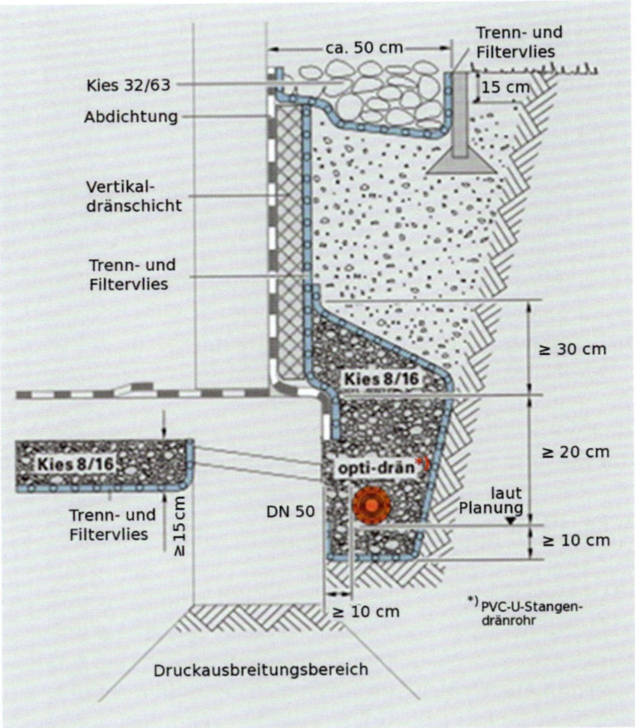

Abb. 2.13: Aufbau einer Gebäudedränage im Querschnitt: Filtervlies und Dränrohr schützen die erdberührte Außenwand (Quelle: Fränkische Rohrwerke Gebr. Kirchner GmbH & Co. KG, Königsberg/Bayern).

Abb. 2.14: Kontrollschacht am Tiefpunkt einer Dränleitung Kontrollschacht am Tiefpunkt einer Dränleitung (Quelle: Fränkische Rohrwerke Gebr. Kirchner GmbH & Co. KG, Königsberg/Bayern)

Senkrechte Spül-, Kontroll- (siehe Abb. 2.14) und Sammelschächte (ebenfalls aus PVC-U) sind bei jedem Richtungswechsel der Rohre, bei seitlichen Anschlüssen sowie am Hoch- und Tiefpunkt, mindestens jedoch alle 50 m vorzusehen. Sie besitzen eine gewellte Wandgeometrie mit hoher Schlag- und Druckfestigkeit.

2.5.3 Betondrän- und -sickerrohre, Betondränsteine

Betondränrohre (Betonfilterrohre) und Betondränsteine werden zum Abführen von aufsteigendem Grundwasser und wasserführenden Bodenschichten verwendet. Sie finden vor allem Verwendung im Straßen- und Autobahnbau, Erd- und Wasserbau, auf Sportplätzen sowie bei der Versickerung von Oberflächen- und Sickerwasser.

Die Rohre und Steine werden aus haufwerksporigem Beton gefertigt. Bei haufwerksporigem Beton werden dichte, annähernd gleich große Zuschlagstoffe nur punktweise mit einem hydraulischen Bindemittel verkittet, sodass Hohlräume entstehen. Die Hohlräume werden als Haufwerksporen bezeichnet.

Um eine Kolmation (Verstopfung) der Poren des Betonsickerrohres zu verhindern, muss das Rohr mit einem filterstabilen Korngemisch umhüllt werden. Eine dauerhafte Dränung funktioniert nur bei einem ungestörten Zusammenwirken von zu entwässerndem Boden, mineralischem Filtermaterial und mineralischem Dränfilter.

Rohrarten, -formen und -maße

Betonsickerrohre (siehe Abb. 2.15) werden in 2 Arten hergestellt:

- Sickerrohre aus haufwerksporigem Beton,
- Sickerrohre aus gefügedichtem Beton mit Wassereintrittsöffnungen.

Weiterhin unterscheidet man Voll- und Teilsickerrohre.

Bei dem vollporösen Betonsickerrohr besteht der gesamte Rohrumfang aus haufwerksporigem Beton. Das teilporöse Betonsickerrohr hat eine dichte Fließsohle, und nur die obere Rohrhälfte besteht aus haufwerksporigem Beton oder hat beim gefügedichten Beton Wassereintrittsöffnungen.

Die Formen der Betonsickerrohre werden bezeichnet als

- K-F = Rohr mit Kreisquerschnitt, Falzverbindung,
- KF-F = Rohr mit Kreisquerschnitt mit Fuß, Falzverbindung,
- KW-F = Rohr mit Kreisquerschnitt, wandverstärkt, Falzverbindung,
- KFW-F = Rohr mit Kreisquerschnitt mit Fuß, wandverstärkt, Falzverbindung.

Betonsickerrohre werden in den Baulängen 500, 750 und 1.000 mm hergestellt.

Abb. 2.15: Betonsickerrohre (Quelle: Porosit-Betonwerke GmbH, Felsberg)

Abb. 2.16: Betondränsteine (Quelle: Porosit-Betonwerke GmbH, Felsberg)

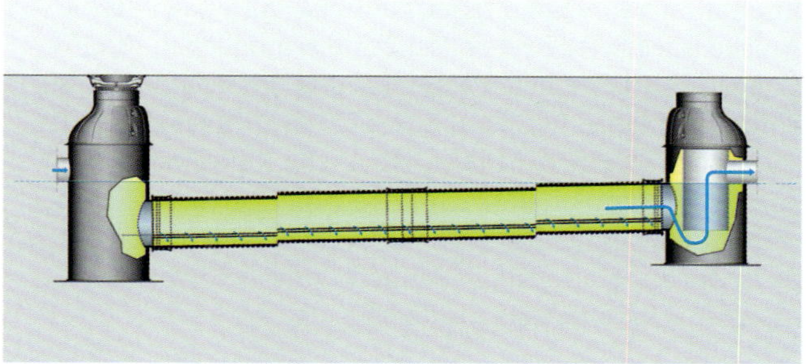

Abb. 2.17: In der Sedi-Pipe-Anlage wird belastetes Regenwasser durch Sedimentation von Grob- und Feinstoffen behandelt (Quelle: Fränkische Rohrwerke Gebr. Kirchner GmbH & Co. KG, Königsberg/Bayern).

Dränsteine aus haufwerksporigem Beton

Die Dränsteine entsprechen der DIN 4095; die Anforderungen sind in den Güterichtlinien für Dränsteine aus haufwerksporigem Beton des Bundesverbandes Deutsche Beton- und Fertigteilindustrie e. V. festgelegt. Dränsteine aus haufwerksporigem Beton werden zu einer Dränwand aufgebaut, um erdberührte Bauwerke vor nicht drückendem Wasser zu schützen (siehe Abb. 2.16). Sie nehmen das anfallende Wasser flächenhaft auf und leiten es über Betonsickerrohre dem Vorfluter zu. Für die unterschiedlichsten Verwendungsmöglichkeiten werden verschiedene Formen von Dränsteinen wie Filterplatten, Vollfiltersteine und Filterkörper hergestellt.

Dränsteine nehmen, ohne sich zu verformen, vertikale und horizontale Lasten auf. Gleichzeitig schützen sie die Bauwerksabdichtung vor schädigenden Schubbelastungen.

2.5.4 Rigolen

Um der Versiegelung der Erdoberfläche in bebauten Gebieten entgegenzuwirken und die natürliche Versickerung von Regenwasser zu verbessern, können verschiedene Arten von Versickerungsanlagen zum Einsatz kommen. Von besonderer Bedeutung für die Wahl ist die Belastung des Niederschlagswassers. Sind die Wässer unbelastet, können sie problemlos oberflächig oder platzsparend über unterirdische Rohr- oder Füllkörperrigolen versickert werden. Belastete Wässer hingegen müssen durch geeignete Vorbehandlungsmaßnahmen gereinigt werden. Neben Muldenrigolen-Systemen werden dafür zunehmend technische Sedimentations- und /oder Filteranlagen verwendet (siehe Abb. 2.17).

Rohrrigolen

Rohrrigolen haben einen Speicherkoeffizienten von ca. 33 %. Das Niederschlagswasser wird unterirdisch zugeleitet und verteilt sich in der Kiesrigole. Die Rohrversickerung nutzt – im Vergleich zur häufig verwendeten punktuellen Schachtversickerung – das Schutzpotenzial des Bodens wesentlich besser. Mitgeführte Feinteile werden durch flächenhafte Wasserverteilung und Reinigungswirkung des Bodens weitestgehend zurückgehalten. Deshalb empfiehlt das Arbeitsblatt DWA-A 138 „Planung, Bau und Betrieb von Anlagen zur Versickerung von Niederschlagswasser" (DWA, 2005), die Rohrversickerung der Schachtversickerung vorzuziehen.

Muldenrigolen

Muldenrigolen-Systeme können unabhängig von der Bodenart eingesetzt werden. Je nach Versickerungsfähigkeit des Bodens überwiegt die Versickerung oder die Retention mit stark gedrosseltem, zeitverzögertem Ablauf in den Kanal oder natürlichem Vorfluter.

Damit ist das System auch für Gebiete geeignet, in denen wenig durchlässige Böden vorherrschen, die einen ungünstigen K_f-Wert (= rechnerischer Wert der Durchlässigkeit von Böden für Wasser) aufweisen. Die Vegetations-/Bodenschicht der Mulde bewirkt einen hohen Reinigungseffekt. Damit können Muldenrigolen-Systeme auch bei stärker belastetem Oberflächenwasser wie z. B. bei stark befahrenen Straßen, Industrie- und Gewerbeflächen eingesetzt werden. Sie haben jedoch einen relativ hohen Flächenbedarf.

Füllkörperrigolen

Mit Füllkörperrigolen lassen sich sehr platzsparend kiesfreie Versickerungs-, Rückhalte- und Speicherrigolen herstellen (siehe Abb. 2.18). Die Füllkörper besitzen üblicherweise einen Hohlraumanteil von ca. 95 %. Das Speichervolumen beträgt nahezu 1.000 l/m³. Zur Kontrolle des gesamten Rigolenvolumens mit allen statisch relevanten Tragelementen muss der Füllkörper einen durchgehenden Inspektionstunnel in offener Bauweise aufweisen. In die Anlage integrierte Kontrollschächte ermöglichen das Einbringen handelsüblicher Kamera- und Spültechnik in die Füllkörperrigole. Durch den Inspektionstunnel ist die Anlage kamerabefahrbar und spülbar. Die Rigolenelemente können in allen 3 Raumrichtungen aneinandergelegt und verbunden werden. Halbblöcke werden bei Anlagen eingesetzt, die nur eine geringe Bauhöhe zulassen. Der Einbau ist unter Verkehrsflächen möglich.

Gedichtete Füllkörperrigolen als Nutzungs- und Rückhalteanlagen

Füllkörperrigolen lassen sich mit einer wasserdicht verschweißten Folienummantelung auch als unterirdische Regenwasserspeicher bzw. Speicherbecken ausbilden. Durch die modulare und variable Bauweise lassen sich Anlagen in nahezu beliebiger Größe und Geometrie zur Regenwassernutzung und -rückhaltung planen.

2.5.5 Beckenversickerung

Bei größeren zusammenhängenden Flächen, wie es sie in Wohnsiedlungen und Gewerbegebieten gibt, bietet sich die Beckenversickerung an. Bei diesem Verfahren wird der Niederschlag über ein Regenwassernetz einer zentralen Versickerung zugeführt. Die oberflächennahe Erfassung kann dabei mit den unterschiedlichsten Linienentwässerungssystemen erfolgen. Die Einleitung in das Becken erfolgt über Auslaufbauwerke oder Rohranschlüsse. Diese können naturnah gestaltet werden. Als bepflanzte Teichbiotope passen sie sich sehr gut in die Landschaft ein.

Abb. 2.18: Modulares Füllkörperrigolen-System mit Steckverbindungen (Quelle: ACO Passavant GmbH, Dermbach)

2.5.6 Relevante Normen und Literatur

Normen

DIN 4095:1990-06 Baugrund; Dränung zum Schutz baulicher Anlagen; Planung, Bemessung und Ausführung

DIN 4262-3:2010-10 Rohre und Formstücke für die unterirdische Entwässerung im Verkehrswege- und Tiefbau: Rohre und Formstücke aus Beton und deren Verbindungen

Literatur

Arbeitsblatt DWA-A 102-1/BWK-A 3-1. Grundsätze zur Bewirtschaftung und Behandlung von Regenwetterabflüssen zur Einleitung in Oberflächengewässer – Teil 1: Allgemeines. Dezember 2020. Stand: korrigierte Fassung April 2022. Hennef: Deutsche Vereinigung für Wasserwirtschaft, Abwasser und Abfall e. V., 2022

Arbeitsblatt DWA-A 117. Bemessung von Rückhalteräumen. Dezember 2013. Hennef: Deutsche Vereinigung für Wasserwirtschaft, Abwasser und Abfall e. V., 2013

Arbeitsblatt DWA-A 138. Planung, Bau und Betrieb von Anlagen zur Versickerung von Niederschlagswasser. April 2005. Stand: korrigierte Fassung März 2006. Hennef: Deutsche Vereinigung für Wasserwirtschaft, Abwasser und Abfall e. V., 2006

Merkblatt DWA-M 153. Handlungsempfehlungen zum Umgang mit Regenwasser. August 2007. Hennef: Deutsche Vereinigung für Wasserwirtschaft, Abwasser und Abfall e. V., 2007

Richtlinien für die Entwässerung von Straßen (REwS). Ausgabe 2021. Hrsg.: Forschungsgesellschaft für Straßen- und Verkehrswesen e. V. (FGSV) Köln: FGSV Verlag GmbH, 2021

2.6 Kabelschutzsysteme

Kabelschutz-Abdeckhauben und -rundprofile sowie Kabelschutzrohre dienen dem Schutz erdverlegter Energie- und Telekommunikationskabel vor mechanischen Einflüssen und Feuchtigkeit.

Kabelschutzrohre werden entweder als Leerrohr beim Errichten eines Bauwerks eingebaut, sodass später ein Kabel hindurchgezogen werden kann, oder um bestehende Leitungen herum gebaut (Kabelschutz-Abdeckhauben). Dazu besteht das Kabelschutzrohr aus 2 Halbkreis-Schalen, die um das Kabel gelegt werden.

Kabelschutzrohre aus Kunststoff bestehen aus den Werkstoffen PVC-U und PE sowie PP.

2.6.1 Kabelschutz-Abdeckhauben

Kabelschutz-Abdeckhauben sowie Abdeckplatten werden verwendet, wenn ein oder mehrere Kabel im Sandbett eines Kabelgrabens nebeneinander verlegt werden. Zahl und Querschnitt der nebeneinandergelegten Kabel entscheiden über die verwendete Breite der Kabelabdeckung.

Die Längssicken der Kabelabdeckplattenprofile dienen einerseits der höheren mechanischen Steifigkeit und gleichzeitig der besseren Fixierung im Sandbett.

Kabelabdeckrundprofile werden eingesetzt, wenn ein Kabel direkt geschützt verlegt wird (siehe Abb. 2.19). Der Querschnitt der Kabel entscheidet über die zu verwendende Breite.

Geschützt werden erdverlegte Kabel im Hoch- und Niederspannungsbereich sowie Fernmelde-, Signal- und Steuerleitungen.

2.6.2 Kabelschutzrohre

Kabelschutzrohre werden als Stangenware (3- oder 6-m-Stangen) oder als biegsame Trommel-/Ringbundware in unterschiedlichen Durchmessern gefertigt (siehe Abb. 2.20).

Die Rohre werden entweder als Vollwandrohr oder in Verbundrohrbauweise hergestellt, d. h., ein gewelltes Außenrohr wird im Fertigungsprozess mit einem glatten Innenrohr verschweißt. Moderne Technologie lässt dieses hochfeste, biegbare Verbundrohr zu einer homogenen Einheit werden. Die Rohre lassen sich mühelos bauseits kürzen und aufgrund ihrer Biegefähigkeit leicht verlegen. Die Verbindung erfolgt mit Doppelsteckmuffen.

2.6.3 Relevante Normen

DIN 16873:2018-09 Rohre und Formstücke aus weichmacherfreiem Polyvinylchlorid (PVC-U) für den Kabelschutz – Maße und Technische Lieferbedingungen

DIN 16874:2018-09 Rohre aus Polyethylen hoher Dichte (PE-HD) für die erdverlegte Telekommunikation – Maße und technische Lieferbedingungen

DIN 16875:2013-03 Rohre und Formstücke aus weichmacherfreiem Polyvinylchlorid (PVC-U) für erdverlegte Schutzrohrleitungen – Maße und technische Lieferbedingungen

DIN 16876:2016-12 Rohre und Formstücke aus Polyethylen hoher Dichte (PE-HD) für erdverlegte Kabelschutzrohrleitungen – Maße und technische Lieferbedingungen

DIN 16878:2017-07 Rohre und Formstücke aus Polypropylen (PP) für erdverlegte Kabelschutzrohrleitungen – Maße und technische Lieferbedingungen

DIN EN 61386-24; VDE 0605-24:2011-08 Elektroinstallationsrohrsysteme für elektrische Energie und für Informationen – Teil 24: Besondere Anforderungen für erdverlegte Elektroinstallationsrohrsysteme (IEC 61386-24:2004)

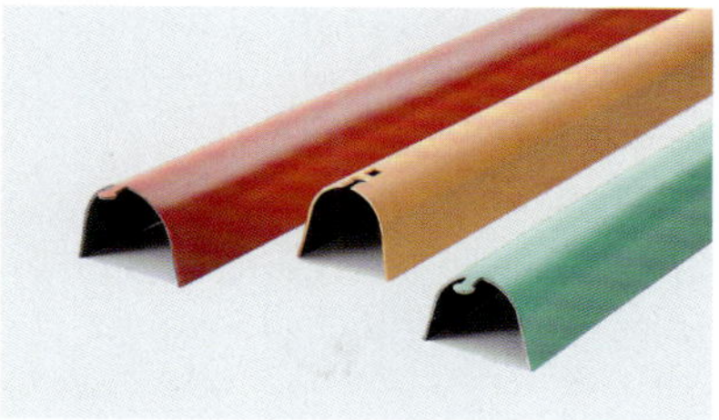

Abb. 2.19: Kabelabdeckrundprofile aus PVC-U/PE-HD (Quelle: Z.I.S. Kunststoff GmbH, Altenbeken-Buke)

Abb. 2.20: PE-Kabelschutzverbundrohre mit biegefähiger Wellenprofilierung (Quelle: Fränkische Rohrwerke Gebr. Kirchner GmbH & Co. KG, Königsberg/Bayern)

2.7 Kleinkläranlagen

Wasser ist ein elementarer Bestandteil des Naturhaushalts und wichtigstes Lebensmittel. Ohne eine funktionierende Trinkwasserversorgung und Abwasserentsorgung sind keine Gewerbeansiedlung, kein Wohnungsbau, kein Tourismus usw. denkbar. Nach dem Gesetz zur Reinhaltung des Wasserhaushalts (kurz: Wasserhaushaltsgesetz [WHG]) sind deshalb Gewässer, unabhängig davon, ob Oberflächengewässer oder Grundwasser, so zu bewirtschaften, dass sie dem Wohl der Allgemeinheit, aber auch dem Nutzen Einzelner dienen. Jede vermeidbare Beeinträchtigung eines Gewässers hat zu unterbleiben. In Ballungsräumen wird Abwasser in Kanälen und Leitungen gesammelt, einer zentralen Kläranlage zugeführt und dort so gereinigt, dass es dem Wasserkreislauf mit der nach dem Stand der Technik geringsten Belastung wieder zugeführt werden kann. Dieser Technologie sind z. B. bei einzelnen oder mehreren Gebäuden, in ländlichen Gebieten und Ferienzentren, auf Campingplätzen usw. technische und ökonomische Grenzen gesetzt.

Für Entwässerungsanlagen zur Ableitung von Abwasser in Gebäuden und auf Grundstücken gilt DIN 1986 „Entwässerungsanlagen für Gebäude und Grundstücke". Danach sind Abwässer, die schädliche Stoffe beinhalten, in geeigneten Anlagen so aufzubereiten, dass sie nicht mehr schädlich sind. Durch die Landeswassergesetze der Bundesländer sind für eine dezentrale Abwasserreinigung Kleinkläranlagen als Dauerlösung zugelassen. Bei sinkstoffhaltigem Abwasser sind Sand- bzw. Schlammfänge vorzusehen. Abwasser, das Leichtflüssigkeiten enthält, ist über Leichtflüssigkeitsabscheider nach DIN 1999 „Abscheideranlagen für Leichtflüssigkeiten" abzuleiten. Fetthaltiges Abwasser erfordert Fettabscheider.

Einbau und Betrieb von Kleinkläranlagen sowie die Wahl der Einbaustelle unterliegen baurechtlichen und wasserrechtlichen Vorschriften. Die Bemessung erfolgt nach Einwohnerwerten (EW). Das ist die Summe von Einwohnerzahl (EZ) und Einwohnergleichwerten (EGW).

Die Einwohnerzahl ist die Bemessungsgröße für das häusliche Schmutzwasser, der Einwohnergleichwert die Bemessungsgröße für industrielles und gewerbliches Schmutzwasser. Häusliches Schmutzwasser ist Schmutzwasser aus Küchen, Waschküchen, Wasch-, Bade- und Aborträumen sowie ähnlich genutzten Räumen. Nicht eingeleitet werden dürfen industrielle und gewerbliche Schmutzwässer, soweit sie nicht mit häuslichem Abwasser vergleichbar sind, ferner Kondensate aus Feuerstätten mit pH-Werten unter 6,5, Fremd-, Kühl- und Niederschlagwasser sowie Ablaufwasser aus Schwimmbecken. Bis zur Größe von 50 EW gilt DIN EN 12566-1 bis -7 „Kleinkläranlagen für bis zu 50 EW“ zusammen mit DIN 4261-1:2010-10 „Kleinkläranlagen – Teil 1: Anlagen zur Schmutzwasservorbehandlung“.

Kleinkläranlagen aus Beton oder Stahlbeton bestehen meistens aus Rundbehältern. Bis zu einem Durchmesser von 3 m können sie monolithisch als vorgefertigtes Bauteil hergestellt werden. Bei größeren Anlagen kommen auch Rechteckbehälter zur Anwendung.

2.7.1 Kleinkläranlagen als Vorbehandlungsanlagen

Kleinkläranlagen ohne Abwasserbelüftung nach DIN EN 12566-1:2016-12 „Kleinkläranlagen für bis zu 50 EW – Teil 1: Werkmäßig hergestellte Faulgruben“ und DIN 4261-1 sind beispielsweise MehrkammerAbsetzgruben oder -Ausfaulgruben. Diese rein mechanische Abwasserbehandlung entspricht nicht den Vorgaben der europäischen Wasserrahmenrichtlinie. Daher ist eine alleinige Behandlung nach DIN EN 12566-1 nicht mehr zulässig. Mehrkammergruben dienen nur noch als Vorreinigung vor zugelassenen biologischen Verfahren. Konstruktion und Funktion dieser Anlagen sind vom Hersteller durch eine Typenprüfung nachzuweisen und in Form der CE-Kennzeichnung zu dokumentieren. Die CE-Kennzeichnung erfolgt aufgrund der Herstellererklärung, die durch Prüfungen bei zugelassenen Stellen erhärtet wird. Zu prüfen sind die Leistungsfähigkeit der Anlagen sowie die Standfestigkeit, Dauerhaftigkeit und die Wasserdichtheit.

Mehrkammer-Absetzgruben müssen ein Nutzvolumen von 300 l/Einwohnerwert und ein Mindestnutzvolumen von 2.000 l haben. Für Mehrkammer-Ausfaulgruben werden ein Nutzvolumen von 1.500 l/Einwohnerwert und ein Mindestnutzvolumen von 6.000 l angesetzt.

In Mehrkammergruben werden absetzbare Stoffe und Schwimmstoffe aus dem Abwasser entfernt. Der abgesetzte Schlamm wird zusammen mit eventuell aus der biologischen Stufe stammendem Schlamm bis zur Entsorgung gelagert.

2.7.2 Kleinkläranlagen als Behandlungsanlagen

Mit der Einführung der Europäischen Wasserrahmenrichtlinie wurde das WHG des Bundes novelliert: Alle Abwässer, auch die aus Kleinkläranlagen, müssen biologisch behandelt werden und Grenzwerte müssen eingehalten werden.

DIN EN 12566-3:2016-12 „Kleinkläranlagen für bis zu 50 EW – Teil 3: Vorgefertigte und/oder vor Ort montierte

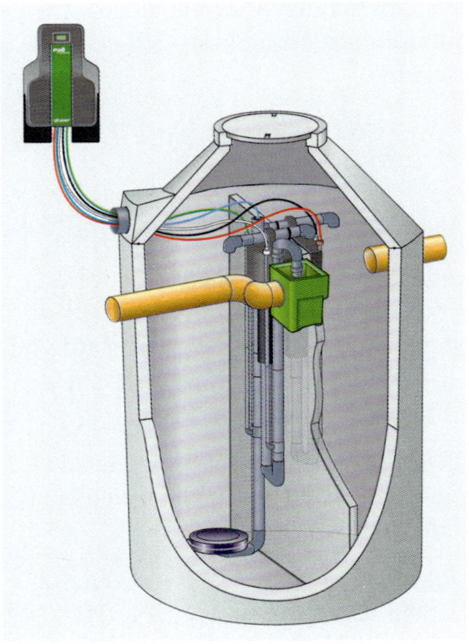

Abb. 2.21: SBR-Kleinkläranlage mit Steuerungseinheit für die automatische Regulierung des vollbiologischen Klärprozesses (Quelle: Mall GmbH, Donaueschingen)

Anlagen zur Behandlung von häuslichem Schmutzwasser“ beschreibt ein Prüfverfahren, dem zufolge die Anforderungen nach den Wassergesetzen für einen Zeitraum von 38 Wochen sicher unterschritten werden müssen. Geprüft wird weiterhin das Verhalten der Anlagen bei Überlastung, Unterlastung, Ferienbetrieb und Stoßbelastung.

Als häufigstes Reinigungsverfahren wird das sog. SBR-Verfahren angeboten (SBR = Sequencing Batch Reactor = sequenziell beschickter Reaktor) (siehe Abb. 2.21). Entgegen den meisten anderen Verfahren, bei denen 3 Reinigungsschritte benötigt werden (Vorklärung/biologische Reinigung/Nachklärung), werden bei dieser Technologie der zweite und dritte Schritt in einem „Reaktor“ (einer Kammer/einem Behälter) zusammengefasst. Dadurch sind bei diesem System nur 2 anstatt 3 Kammern nötig. Das separate Nachklärbecken entfällt.

Weiterhin werden die Wasserdichtheit, die Dauerhaftigkeit und die Standfestigkeit (Standsicherheit) der Behälter unter realitätsnahen Bedingungen überprüft. Aufgrund der Ergebnisse erstellt der Hersteller eine Konformitätserklärung, die die wesentlichen Eigenschaften der Anlagen beschreibt. Der Hersteller kennzeichnet seine Produkte mit CE und stellt damit die Konformität mit den europäischen Normen sicher. Neben den Prüfungen nach DIN EN 12566 werden gegebenenfalls auch andere Bereiche der EU-Richtlinien (Maschinenrichtlinie, Niederspannungsrichtlinie, Explosionsschutz, Gerätesicherheit, EMV usw.) geprüft.

2.7.3 Relevante Normen

DIN 4261:2010-10 Kleinkläranlagen – Teil 1: Anlagen zur Schmutzwasservorbehandlung

DIN 4261:2012-10 Kleinkläranlagen – Teil 5: Versickerung von biologisch aerob behandeltem Schmutzwasser

DIN 4281:1998-08 Beton für werkmäßig hergestellte Entwässerungsgegenstände – Herstellung, Anforderungen, Prüfungen und Überwachung

DIN EN 12566-1:2016-12 Kleinkläranlagen für bis zu 50 EW – Teil 1: Werkmäßig hergestellte Faulgruben

DIN EN 12566-3:2016-12 Kleinkläranlagen für bis zu 50 EW – Teil 3: Vorgefertigte und/oder vor Ort montierte Anlagen zur Behandlung von häuslichem Schmutzwasser

DIN EN 12566-4:2016-12 Kleinkläranlagen für bis zu 50 EW – Teil 4: Bausätze für vor Ort einzubauende Faulgruben

DIN EN 12566-6:2016-12 Kleinkläranlagen für bis zu 50 EW – Teil 6: Vorgefertigte Anlagen für die weitergehende Behandlung des aus Faulgruben ablaufenden Schmutzwassers

2.8 Oberflächenentwässerung

Die Entwässerung versiegelter Verkehrsflächen ist von großer Bedeutung im öffentlichen, industriellen und privaten Bereich. Sie sichert die Aufnahme und Ableitung von Oberflächenwasser, das über Rohrleitungen der Kanalisation oder den sog. Vorflutern zugeführt wird. Vorfluter sind per Definition offene Gewässer, meist Fließgewässer sowie Seen und das Grundwasser.

2.8.1 Linienentwässerung

Unter Linienentwässerung versteht man – im Gegensatz zur Punktentwässerung –, dass die verlegten Entwässerungsrinnen auf ihrer gesamten Länge das zufließende Wasser aufnehmen und bis zum Grundleitungsanschluss ableiten. Straßenmulden, -gräben und -rinnen dienen der offenen Längsentwässerung.

Wenn es praktikabel ist, sollte man Rasenmulden den Vorzug geben. Dabei handelt es sich um flache, begrünte Bodenvertiefungen. Bei starkem Wasseranfall, beschränktem Platz oder starkem Gefälle können Straßengräben oder -rinnen erforderlich sein.

2.8.2 Entwässerung von Verkehrsflächen mit Rinnen

Straßenrinnen

Straßenrinnen verlaufen längs der Verkehrsflächen, nehmen das seitlich auf sie zuströmende Wasser auf und leiten es in der Regel zu Straßenabläufen weiter. Sie gewährleisten eine kontinuierliche Ableitung des Oberflächenwassers. Man unterscheidet offene Rinnen (Bord-, Spitz- und Muldenrinnen sowie Pendelrinnen bei Längsgefälle von unter 0,5 %) und geschlossene Rinnen (Kasten-, Schlitz- und monolithisch gefertigte Rinnen). Für diese geschlossenen Rinnen aus Fertigteilen gelten in Deutschland DIN EN 1433:2005-09

„Entwässerungsrinnen für Verkehrsflächen – Klassifizierung, Bau- und Prüfgrundsätze, Kennzeichnung und Beurteilung der Konformität“ sowie DIN 19580:2010-07 „Entwässerungsrinnen für Verkehrsflächen – Dauerhaftigkeit, Einheitsgewicht und Bewertung der Konformität“. Je nach Anforderung stehen hierbei verschiedene Nennweiten und Bauhöhen zur Verfügung.

Entsprechend ihrer Verwendung werden Rinnen nach DIN EN 1433 in sog. Belastungsklassen sowie Gruppen von Einbaustellen eingeteilt. Beide hängen unmittelbar zusammen und sind mit der jeweiligen Definition in Tabelle 2.1 angegeben.

Tabelle 2.1: Gruppen von Einbaustellen und Belastungsklassen nach DIN EN 1433

Gruppe	Klasse[1)]	Einsatzbereiche
1	mindestens A 15	Verkehrsflächen, die ausschließlich von Fußgängern und Radfahrern benutzt werden können
2	mindestens B 125	Gehwege, Fußgängerbereiche und vergleichbare Flächen, Pkw- Parkflächen und Pkw-Parkdecks
3	mindestens C 250	Bordrinnenbereich, unbefahrene Seitenstreifen und Ähnliches
4	mindestens D 400	Fahrbahnen von Straßen (auch Fußgängerstraßen), Seitenstreifen von Straßen und Parkflächen, die für alle Arten von Straßenfahrzeugen zugelassen sind
5	mindestens E 600	Flächen, die mit hohen Radlasten befahren werden, z. B. Häfen und Dockanlagen
6	F 900	Flächen, die mit besonders hohen Radlasten befahren werden, z. B. Flugbetriebsflächen

1) Der Wert ist die Prüfkraft in kN nach DIN EN 1433.

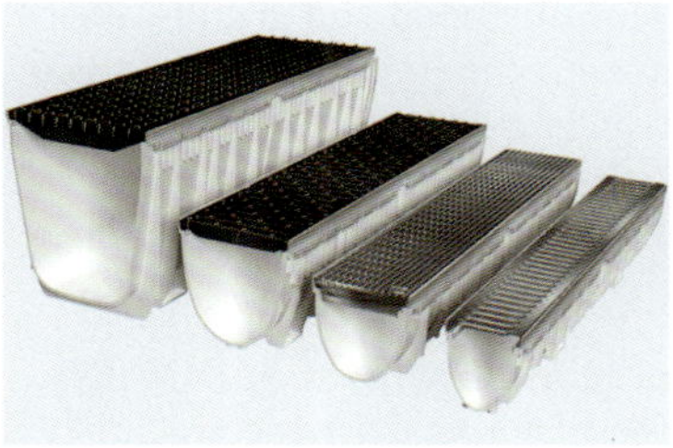

Abb. 2.22: Entwässerungsrinne aus glasfaserverstärktem Polyester (UP-GF) mit verzinkter Kante und verschiedenen Abdeckungen (Quelle: MEA Bautechnik GmbH, Aichach)

Abb. 2.23: Entwässerungsrinnen aus Polymerbeton und mit beschichteten Gussrosten (Quelle: ACO Passavant GmbH, Dermbach)

Für Rinnen mit einer Länge von weniger als 500 mm gelten geringere Werte.

Material

Für Entwässerungsrinnen legt DIN EN 1433 folgende Werkstoffe fest: Gusseisen mit Lamellengrafit oder mit Kugelgrafit, Stahlguss, Walzstahl, nicht rostender Stahl, bewehrter oder unbewehrter Beton, Kunstharzbeton, Faserbeton oder einer der 6 erstgenannten Werkstoffe in Kombination mit Beton/Kunstharzbeton und Faserbeton.

Für Roste und Deckel steht eine leicht abweichende Materialwahl zur Verfügung: Gusseisen mit Lamellengrafit oder mit Kugelgrafit, Stahlguss, Walzstahl, nicht rostendem Stahl, Kupferlegierungen, Stahlbeton und Kunstharzbeton.

Rinnenkörper, Roste und Deckel aus Kunststoff (siehe Abb. 2.22) sind in Deutschland explizit in DIN 19580 geregelt.

Speziell der Werkstoff Polymerbeton (siehe Abb. 2.23) hat sich für Anwendungen in der Entwässerung als besonders

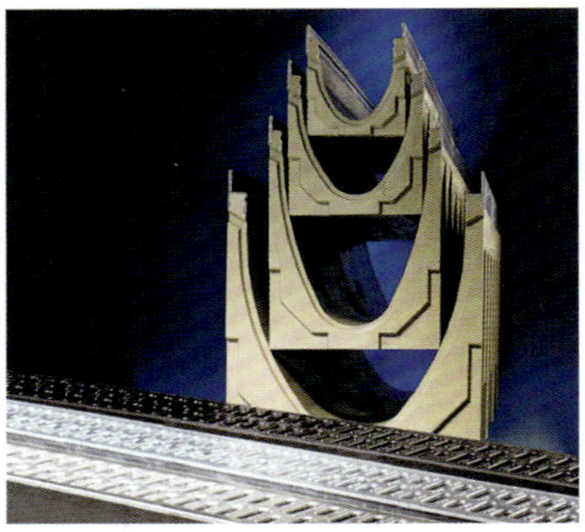

Abb. 2.24: Entwässerungsrinnen mit unterschiedlichen Nenngrößen mit V-Querschnitt sowie unterschiedliche Stegroste (Quelle: ACO Passavant GmbH, Dermbach)

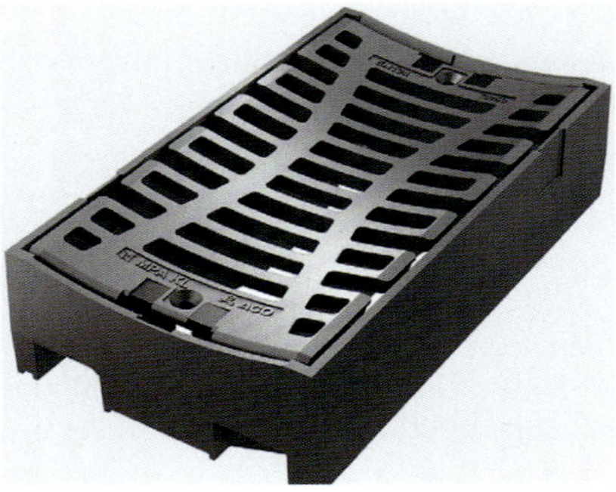

Abb. 2.25: Aufsatz für Straßenabläufe, Belastungsklasse C 250 (Quelle: ACO Passavant GmbH, Dermbach)

geeignet erwiesen. Mineralische Füllstoffe und Reaktionsharz machen dieses Material – ohne zusätzliche Beschichtung – flüssigkeitsdicht, hinzu kommt die Resistenz gegen aggressive Medien. Polymerbeton weist bereits bei einem geringen Gewicht eine sehr hohe Festigkeit auf. Deshalb sind Rinnen gleicher Belastbarkeit im Vergleich zu klassischen Betonprodukten leichter. Außerdem ist der Werkstoff sehr langlebig und lässt sich gut recyceln.

Besonderheiten

In allen Anwendungsbereichen, wo neben dem normalen Niederschlagswasser mit dem Austreten von grundwassergefährdenden Flüssigkeiten zu rechnen ist, müssen Entwässerungssysteme flüssigkeitsdicht ausgeführt werden (z. B. Tankstellen- oder Industrieflächen). Für diese Anwendungen spricht man von sog. LAU-Anlagen (Lagern, Abfüllen, Umschlagen).

Für diesen Anwendungsfall gelten zusätzlich zu DIN EN 1433 die „Verordnung zur Feststellung der wasserrechtlichen Eignung von Bauprodukten und Bauarten durch Nachweise nach der Landesbauordnung" (WasBauPVO) und die „Verordnung über Anlagen zum Umgang mit wassergefährdenden Stoffen" (AwSV). Das Deutsche Institut für Bautechnik (DIBt) erteilt für diese Produkte und Bauarten allgemeine bauaufsichtliche Zulassungen (abZ) und/oder allgemeine Bauartgenehmigungen (aBG). Unter anderem müssen bei diesen Rinnensystemen die Rinnenstöße dauerhaft elastisch abgedichtet sein. Deshalb verfügen sie über einen sog. Sicherheitsfalz, der mit einem speziellen Dichtstoff abgedichtet wird.

Rinnensysteme mit V-Querschnitt (siehe Abb. 2.24) sorgen für eine verbesserte Hydraulik sowohl bei Spitzenbelastungen als auch bei kleinen Regenspenden. Denn im unteren, engeren Teil des V-Querschnitts fließt das Wasser schon bei geringen Durchflussmengen schneller. Dank dieser verbesserten Hydraulik und der glatten Oberfläche des Polymerbetons wird die Selbstreinigung der Rinne unterstützt, sodass sie auch für Starkregenereignisse ihren vollen Ablaufquerschnitt behält.

Normen, Rechtsvorschriften und Literatur

Normen

DIN EN 1433:2005-09 Entwässerungsrinnen für Verkehrsflächen – Klassifizierung, Bau- und Prüfgrundsätze, Kennzeichnung und Beurteilung der Konformität

DIN 19580:2010-07 Entwässerungsrinnen für Verkehrsflächen – Dauerhaftigkeit, Einheitsgewicht und Bewertung der Konformität

Rechtsvorschriften

Verordnung zur Feststellung der wasserrechtlichen Eignung von Bauprodukten und Bauarten durch Nachweise nach der Landesbauordnung (WasBauPVO) v. 06.03.2000

Verordnung über Anlagen zum Umgang mit wassergefährdenden Stoffen (AwSV) vom 18. April 2017 (BGBl. I S. 905), die durch Artikel 256 der Verordnung vom 19. Juni 2020 (BGBl. I S. 1328) geändert worden ist

Literatur

Richtlinien für die Entwässerung von Straßen (REwS). Ausgabe 2021. Hrsg.: Forschungsgesellschaft für Straßen- und Verkehrswesen (FGSV). Köln: FGSV Verlag GmbH, 2022

2.8.3 Aufsätze und Abdeckungen für Verkehrsflächen

Schachtabdeckungen und Aufsätze sorgen dafür, dass die unterschiedlichen Öffnungen der Abläufe von Entwässerungssystemen sowie die Öffnungen von Schachtbauwerken (z. B. Kontrollschächte, Einsteigschächte und Versorgungskanäle) verkehrssicher ausgeführt sind. Sie nehmen nicht nur die statische, sondern auch die dynamische Belastung – resultierend aus Größe und Anzahl der Lastwechsel durch Verkehrsbeanspruchung – auf. Aus der Beanspruchung ergeben sich bestimmte Konsequenzen für die Konstruktion. Verkehrssicher sind Schachtabdeckungen und Aufsätze dann, wenn sie die Forderungen der DIN-Normen erfüllen, darunter die DIN EN 124 „Aufsätze und Abdeckungen für Verkehrsflächen". Dazu gehören u. a. Einlegetiefe, Ausführung der Auflagefläche, das Gewicht des Deckels und die korrekte Verwendung der in Klassen eingeteilten Bauteile entsprechend der jeweiligen Einbaustelle.

Aufsätze

Aufsätze bilden nach DIN 4052 „Betonteile und Eimer für Straßenabläufe" den oberen Abschluss der Abläufe aus Betonfertigteilen (siehe Abb. 2.25). Sie dienen zur Aufnahme des auf den Verkehrsflächen anfallenden Niederschlagwassers. Die Aufsätze müssen den Anforderungen nach DIN EN 124/DIN 1229 entsprechen. Aufsätze sind für alle Einsatzbereiche wie Bordrinnen, Fahrbahnen, Fußgängerbereiche, Park- und Industrieflächen geeignet.

Rinnenaufsätze

Rinnenaufsätze werden in der Regel in befestigte Muldenrinnen eingebaut, kommen in Sonderfällen aber auch in Straßenmulden zum Einsatz. Beim Einbau von Aufsätzen in von Fußgängern und Radfahrern genutzten Bereichen sind die speziellen Anforderungen an die Schlitzgeometrie für diesen Einsatzbereich nach DIN EN 124-1:2015-09 „Aufsätze und Abdeckungen für Verkehrsflächen – Teil 1: Definitionen, Klassifizierung, allgemeine Baugrundsätze, Leistungsanforderungen und Prüfverfahren" zu beachten.

Ablaufkombinationen

Aus den Betonteilen nach DIN 4052 lassen sich unterschiedliche Abläufe zusammenstellen. Der Innendurchmesser der Betonfertigteile beträgt nach DIN 4052 450 mm. Diese Fertigteile sind verwendbar als Abläufe für Straßen, Autobahnen, Fußgängerstraßen und ähnliche Verkehrsflächen. Betonfertigteile nach DIN 1236 „Betonteile und Eimer für Abläufe" haben einen Innendurchmesser von 300 mm. Sie sind verwendbar für Verkehrsflächen der Klassen A 15 und B 125. Die gebräuchlichen Ablaufkombinationen sind den Betonteilen des jeweiligen Durchmessers zugeordnet.

Aufsätze mit Scharnier/Verschluss

Aufsätze mit Scharnier/Verschluss in Pult- oder Rinnenform schützen gegen unbefugte Entnahme (z. B. Vandalismus, Diebstahl). Durch eine verkehrssichere Arretierung kann illegitimes Öffnen verhindert werden.

Schachtabdeckungen

Schachtabdeckungen bilden den oberen Abschluss eines Schachtbauwerks und werden – je nach Einsatzbereich und Belastung – aus Gusseisen, Stahl oder Aluminiumlegierungen, Stahlbeton, Verbundwerkstoffen oder Kunststoffen (PP, PE und PVC-U) hergestellt. Tagwasserdichte Schachtabdeckungen verhindern, dass drucklos auftretendes Oberflächenwasser (Regenwasser, Schmutzwasser) in die darunterliegenden Schächte eindringt. Die Tagwasserdichtheit wird entweder erreicht durch eine Dichtung zwischen Rahmen und Deckel, die durch den Verschluss verpresst wird, durch einen Innendeckel mit Abdichtung oder durch einen übergreifenden Innendeckel. Die Ausführungen mit Gummidichtung sind auch gas- und geruchsdicht, falls kein nennenswerter Druck auftritt. Dies verhindert das Entweichen von Gerüchen durch die Abdeckung.

Größere Abdeckungen haben einen übergreifenden Innendeckel, der das zwischen Rahmen und Deckel eindringende Wasser in eine Rinne des Rahmens leitet. Um ein Aufstauen des Wassers in der Rinne und ein Überlaufen aus der Rinne zu verhindern, sind bauseits Entwässerungsleitungen anzuschließen. Zu diesem Zweck befinden sich am Rahmen dieser Abdeckungen Anbohrungen mit Rohrgewinde.

Rückstausichere Schachtabdeckungen verschließen Öffnungen in Verkehrsflächen gegen drückendes Wasser von unten und oben. Die Rückstausicherheit wird entweder erreicht durch eine Abdichtung zwischen Rahmen und Deckel in Kombination mit Schraubverschlüssen bzw. Verschraubung oder durch einen verschraubten Innendeckel mit Abdichtung. Alle rückstausicheren Schachtabdeckungen sind bei drucklos auftretendem Kanal- und Fäkaliengas zugleich tagwasser- sowie gas- und geruchsdicht. Schachtabdeckungen mit Verriegelung sind mit Sicherungen ausgestattet, die ein unbefugtes Öffnen der Deckel verhindern. Denn dafür ist ein spezieller Schlüssel nötig. Schachtabdeckungen mit Deckelsicherung können auch dort eingesetzt werden, wo ein Herausheben des Deckels durch Wasser- und/oder Luftstau im Kanal verhindert werden muss. Sie ermöglichen ein temporäres, begrenztes Anheben des Deckels, verhindern aber dessen Wegspülen.

Abb. 2.26: Einwalzbare Schachtabdeckung (Quelle: ACO Passavant GmbH, Dermbach)

Schachtabdeckungen mit Zentraldeckel werden z. B. zum Abdecken von Domschächten von Öltanks oder bei Großabscheideranlagen eingesetzt. Für Inspektionszwecke wird der kleine, leichte Zentraldeckel geöffnet. Diese Schachtabdeckungen sind auch für Wasserzählerschächte geeignet. Mit Gummidichtung und Verschlüssen sind sie ebenfalls tagwasserdicht.

Schachtabdeckungen mit Öffnungshilfe sind dann erforderlich, wenn das Öffnen schwerer Deckel leicht möglich sein muss, z. B. bei Bedienung durch nur eine Person. Die Öffnungshilfe bewirkt, dass sich der Deckel leicht öffnen und schließen lässt. Zum Einsatz kommen entweder Gasdruckfedern oder Hydraulikzylinder (geeignet auch für große und schwere Schachtabdeckungen). Bei der Verwendung eines Hydraulikaggregats ist je nach Modell auch eine Fernsteuerung möglich. Bei Bedarf stehen auch bei dieser Ausführungsvariante tagwasserdichte Schachtabdeckungen zur Verfügung. Einfache Ausführungen verfügen über keine Dichtung. Schachtabdeckungen mit Öffnungshilfe eignen sich besonders für Inspektions- und Revisionsschächte, da diese für die regelmäßige Wartung häufig geöffnet und geschlossen werden müssen.

Bei Abdeckungen, die sich von innen öffnen lassen, genügt die Drehung des Handgriffs. Der Deckel schwingt bei leichtem Druck von unten auf. Das ist wichtig, wenn die Schachtabdeckung über dem Notausstieg eines Fluchtwegs angeordnet ist.

Schachtabdeckungen für Brunnenschächte und Quellfassungen bestehen aus Rahmen und übergreifendem Deckel mit Scharnier. Sie werden mit dem Flanschfuß des Rahmens auf die Schachtkrone aufgesetzt. Sie stehen über die Geländeoberkante hinaus und sind somit nicht befahrbar. Aufgrund der Einbauart und der übergreifenden Deckelkonstruktion sind diese Abdeckungen tagwasserdicht. Eine Gummidichtung zwischen Rahmen und Deckel verhindert, dass Schmutz und Insekten eindringen.

Besonderheiten

Für besonders dauerhafte Abdeckungen in Verkehrsflächen haben sich sog. einwalzbare Schachtabdeckungen bewährt, die oberflächenbündig in den Straßenbelag eingewalzt oder eingerüttelt und nicht direkt auf den Schachtkopf aufgesetzt werden (siehe Abb. 2.26). Dadurch reduziert sich die Belastung des Schachtwerks erheblich.

Normen

DIN 4052-1:2006-05 Betonteile und Eimer für Straßenabläufe – Teil 1: Allgemeine Anforderungen und Einbau

DIN 4052-2:2006-05 Betonteile und Eimer für Straßenabläufe – Teil 2: Zusammenstellungen und Bezeichnungen

DIN 4052-3:2006-05 Betonteile und Eimer für Straßenabläufe – Teil 3: Betonteile

DIN 4052-4: 2006-05 Betonteile und Eimer für Straßenabläufe – Teil 4: Eimer

DIN 1229:2015-09 Aufsätze und Abdeckungen für Verkehrsflächen – Sicherung des Deckels oder Rostes im Rahmen

DIN EN 124-1:2015-09 Aufsätze und Abdeckungen für Verkehrsflächen – Teil 1: Definitionen, Klassifizierung, allgemeine Baugrundsätze, Leistungsanforderungen und Prüfverfahren

DIN EN 124-2:2015-09 Aufsätze und Abdeckungen für Verkehrsflächen – Teil 2: Aufsätze und Abdeckungen aus Gusseisen

DIN EN 124-3:2015-09 Aufsätze und Abdeckungen für Verkehrsflächen – Teil 3: Aufsätze und Abdeckungen aus Stahl oder Aluminiumlegierungen

DIN EN 124-4:2015-09 Aufsätze und Abdeckungen für Verkehrsflächen – Teil 4: Aufsätze und Abdeckungen aus Stahlbeton

DIN EN 124-5:2015-09 Aufsätze und Abdeckungen für Verkehrsflächen – Teil 5: Aufsätze und Abdeckungen aus Verbundwerkstoffen

DIN EN 124-6:2015-09 Aufsätze und Abdeckungen für Verkehrsflächen – Teil 6: Aufsätze und Abdeckungen aus Polypropylen (PP), Polyethylen (PE) oder weichmacherfreiem Polyvinylchlorid (PVC-U)

2.8.4 Straßenabläufe

Straßenabläufe dienen dazu, das Oberflächenwasser, das ihnen über Straßenrinnen oder -mulden zufließt, aufzunehmen und es über Anschluss- und Sammelleitungen weiterzuführen. Sie sollten aus genormten Fertigteilen bestehen, und zwar aus Aufsatz und Unterteil.

Der Abstand der Straßenabläufe ist vom Wasseranfall, vom Schluckvermögen des Aufsatzes sowie vom Gefälle abhängig. Er kann mithilfe der „Richtlinien für die Entwässerung von Straßen“ (RewS) (2021) bestimmt werden.

Bei Betonfahrbahnen, starkem Längsgefälle oder großem Wasseranfall sind Ablaufbuchten zweckmäßig. Für Straßenabläufe werden verschiedenste Ausführungsvarianten angeboten, die bedarfsgerechte Anwendungen in den Klassen C 250/D 400 nach DIN EN 124 gestatten.

Straßenabläufe aus hochfestem Kunststoff in Modulbauweise (siehe Abb. 2.27), analog zur Baukastenlogik der Betonteile nach DIN 4052, bringen zahlreiche Vorteile mit sich. Diese Systeme sind gegenüber der herkömmlichen Bauweise aus Beton lastentkoppelt, drehbar, dicht, teleskopierbar, neigbar und kürzbar. Das leichte Fertigteilgewicht sorgt für einen wirtschaftlichen Einbau.

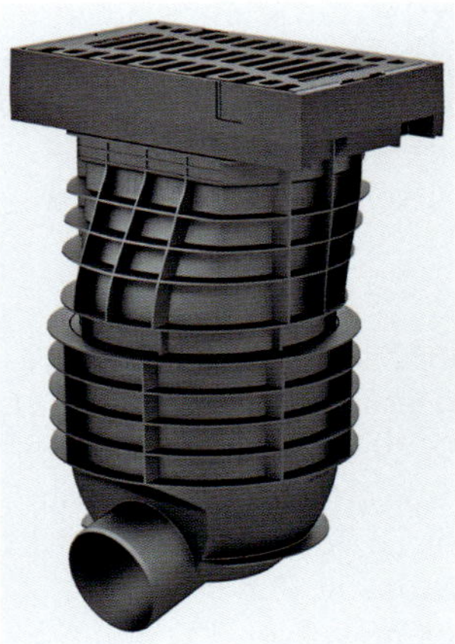

Abb. 2.27: Straßenablaufsystem aus hochfestem Kunststoff (Quelle: ACO Passavant GmbH, Dermbach)

Abb. 2.28: Höhenverstellbarer Brückenablauf (Quelle: ACO Passavant GmbH, Dermbach)

2.8.5 Brückenabläufe

An die Entwässerung von Brücken werden aufgrund des erhöhten Gefahrenpotenzials für die Verkehrsteilnehmerinnen und -teilnehmer sowie zum Schutz des Bauwerks besondere Anforderungen gestellt:

- Um Aquaplaning oder Glatteisbildung auf Brücken zu vermeiden, muss Oberflächenwasser schnell und wirkungsvoll abgeführt werden.
- Das Brückenbauwerk muss vor dem Eindringen von Nässe sowie chlorid-, öl- und benzinhaltigem Oberflächenwasser geschützt werden.
- Im Fahrbahnbelag darf zur Vermeidung von Frostschäden keine Staunässe auftreten.

Zur Erfüllung dieser vielfältigen Aufgaben wurden Brückenabläufe entwickelt, die auf diesen speziellen Anwendungsbereich abgestimmt sind (siehe Abb. 2.28).

Der Bordrinnenbereich ist nach DIN EN 124 eigentlich eine Einbaustelle der Klasse C 250. Für Brückenabläufe von Straßenbrücken werden davon abweichend Abläufe der Klasse D 400 gefordert. Dies erklärt sich wie folgt: Die Nutzungsdauer von Brückenbelägen ist – im Vergleich zu normalen Straßen – wesentlich kürzer. Deshalb stehen bei Brückenbelägen häufiger Sanierungen an. Um den Belag zuerst auf einer und dann auf der anderen Seite erneuern zu können, wird der Verkehr beider Fahrtrichtungen über die jeweils andere Brückenhälfte geleitet. Dabei werden die Abläufe in den Bordrinnen regelmäßig befahren und sie müssen die Lasten des in dieser Spur rollenden Schwerlastverkehrs aufnehmen.

Fußgängerbrücken

Die Roste der Abläufe für Fußgängerbrücken haben schmale Schlitze und erfüllen damit eine Forderung der DIN EN 124. Gegen Diebstahl und unbefugtes Öffnen können die Roste mit dem Ablaufkörper verschraubt geliefert werden. Für Fußgängerbrücken sind Abläufe nach Klasse B 125 ausreichend.

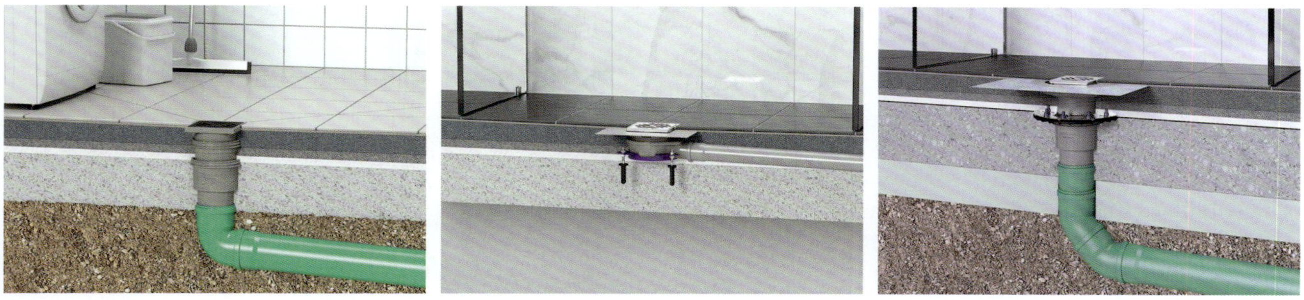

Abb. 2.29: Verschiedene Abläufe: Ablauf mit Abschlussrand (links), Ablauf mit Klebeflansch (Mitte), Ablauf mit Dünnbettaufsatz und Pressdichtungsflansch (rechts) (Quelle: Kessel AG, Lenting)

Spann- und Stahlbetonbrücken

Funktionalität, Sicherheit und Wirtschaftlichkeit bei der Entwässerung von Spann- und Stahlbetonbrücken werden mit speziellen Brückenabläufen in den Varianten HSD-2 (Kennmaß 300 × 500) und HSD-5 (Kennmaß 500 × 500) erreicht. Beide Ausführungen entsprechen Klasse D 400 nach DIN EN 124/DIN 1229.

Brückenabläufe HSD sind stufenlos höhenverstellbar, damit das Oberteil der Fahrbahn angepasst werden kann, sowie zusätzlich seitenverschieb- und drehbar (HSD). Die Roste der HSD-Abläufe sind mit Scharnier ausgerüstet, um sie gegen Diebstahl zu sichern. Mit einem zusätzlichen Sicherheitsverschluss kann unbefugtes Öffnen verhindert werden. Abläufe mit Scharnier/Verschluss gibt es mit senkrechtem und seitlichem Auslauf in verschiedenen Abmessungen und Nennweiten.

Schotterbrücken

Hier muss ein Anschlussrand für den angrenzenden Schutzestrich vorhanden sein. Je nach Beschotterungsart muss auf eine angepasste Größe der Rostschlitzweite geachtet werden.

2.8.6 Abläufe für Gebäude

Die Auswahl geeigneter Abläufe zur Ableitung von Schmutz und Regenwasser im Gebäude ist bereits im Planungsstadium von besonderer Bedeutung und richtet sich nach dem späteren Decken- bzw. Bodenaufbau. Ausgehend von den verschiedenen Deckenarten im Gebäude, wie

- Übergrunddecke (Decke gegen das Erdreich),
- Geschossdecke (Decke zwischen den Etagen),
- Dachdecke (Decke, die das Gebäude nach oben und außen abschließen),

wird, je nach vorgegebener Beanspruchung durch Wasser, ein entsprechender Bodenaufbau festgelegt. Damit die Entwässerung des Bodenaufbaus fachgerecht durchgeführt werden kann, müssen die dafür infrage kommenden Abläufe besondere konstruktive Merkmale aufweisen und DIN EN 1253 genügen.

Beim Bodenaufbau bzw. den Konstruktionsmerkmalen wird vielfach unterschieden, z. B. in Bodenaufbau mit Abdichtung durch Bodenbelag, Bodenaufbau oder Dacheindeckung mit Abdichtung durch Dichtungsbahn oder Bodenaufbau mit Abdichtung im Dünnbettverfahren, optional mit Brandschutzset (siehe Abb. 2.29).

Brandschutz bei Abläufen

Durch Leitungen der Haustechnik können Feuer und Rauch auf das nächste Stockwerk übergreifen. Im Bereich der Rohrleitungen können Öffnungen entstehen, Rohrleitungen abbrennen oder Rohrleitungsteile sich durch fehlerhafte Montage vom Bodenaufbau lösen. Eine der Haupttodesursachen bei Bränden sind giftige Gase. Das oberste Ziel ist es daher, die Brandweiterleitung und damit das Entstehen und Ausbreiten von giftigen Gasen zu verhindern. Deshalb spielt nicht die Brandschutzklasse des Materials, aus dem der Ablauf gefertigt ist, die entscheidende Rolle, sondern die Feuerwiderstandsklasse der integrierten Brandschutzelemente. So benötigen beispielsweise auch nichtbrennbare Gussabläufe zusätzliche Brandschutzelemente, die eine Brandweiterleitung verhindern müssen.

Grundlage für die brandschutztechnischen Anforderungen und Prüfungen bei Bodenabläufen ist die Bauordnung (BauO) oder die Landesbauordnung (LBO) des jeweiligen Bundeslandes, die „Richtlinie über brandschutztechnische Anforderungen an Leitungsanlagen“ (RbALei) (bzw. in Baden-Württemberg, Bayern, Brandenburg, Hamburg und Rheinland-Pfalz die jeweilige Leitungsanlagen-Richtlinie [LAR]) sowie die DIN

DIN 4102-11:1985-12 „Brandverhalten von Baustoffen und Bauteilen; Rohrummantelungen, Rohrabschottungen, Installationsschächte und -kanäle sowie Abschlüsse ihrer Revisionsöffnungen; Begriffe, Anforderungen und Prüfungen“ als Prüfnorm.

Normen

DIN EN 1253-1:2015-03 Abläufe für Gebäude – Teil 1: Bodenabläufe mit Geruchverschluss mit einer Geruchverschlusshöhe von mindestens 50 mm

DIN EN 1253-2:2015-03 Abläufe für Gebäude – Teil 2: Dachabläufe und Bodenabläufe ohne Geruchverschluss

DIN EN 1253-3:2016-09 Abläufe für Gebäude – Teil 3: Bewertung der Konformität

DIN EN 1253-4:2016-07 Abläufe für Gebäude – Teil 4: Abdeckungen

DIN EN 1253-5:2017-05 Abläufe für Gebäude – Teil 5: Abläufe mit Leichtflüssigkeitssperre

DIN 4102-11:1985-12 Brandverhalten von Baustoffen und Bauteilen; Rohrummantelungen, Rohrabschottungen, Installationsschächte und -kanäle sowie Abschlüsse ihrer Revisionsöffnungen; Begriffe, Anforderungen und Prüfungen

2.8.7 Baumschutzsysteme

Bäume spielen in der Stadtplanung und im privaten Bereich sowohl als Gestaltungselement als auch zur Verbesserung des Mikroklimas eine immer wichtigere Rolle. In vielen Fällen ist die Pflanzung von Bäumen sogar gesetzlich vorgesehen. Das Durchwurzeln der Trag- und Frostschutzschicht und somit das Anheben von Pflaster-, Beton- oder Asphaltflächen durch Baumwurzeln kann durch den Einsatz von Baumpflanzquartieren verhindert werden. Gleichzeitig sind die Wurzeln selbst vor Belastungen geschützt.

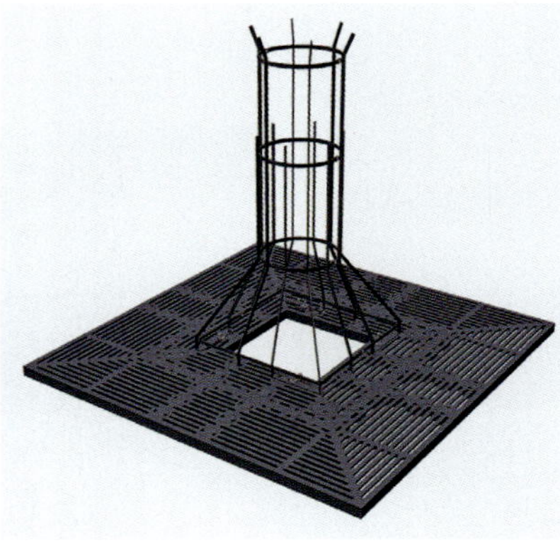

Abb. 2.30: Baumschutzrost mit Schutzgitter (Quelle: ACO Passavant GmbH, Dermbach)

Baumschutzroste und -gitter

Baumschutzroste, auch kurz Baumroste genannt, werden als freitragende Scheiben konzipiert, die mit oder ohne Unterkonstruktion lediglich am äußeren Rand der Baumgrube auf einem bauseits hergestellten Streifenfundament aufgelagert werden (siehe Abb. 2.30). Bei Systemen mit Unterkonstruktion werden die Segmente der Gussroste in den Rahmen der Unterkonstruktion eingelegt und mit Bügelschrauben verbunden.

Bei Systemen ohne Unterkonstruktion werden die einzelnen Teilroste mittels eines diebstahlgesicherten Knebelverschlusses tragfest miteinander verbunden. Es stehen quadratische, rechteckige und runde Formen in verschiedenen Größen zur Verfügung.

Baumschutzgitter in unterschiedlichen Designs werden mithilfe von Verbindungshaken an Baumroste montiert und schützen den Baumstamm gegen Anfahren, Anlehnen von Fahrrädern oder sonstige Verletzungen.

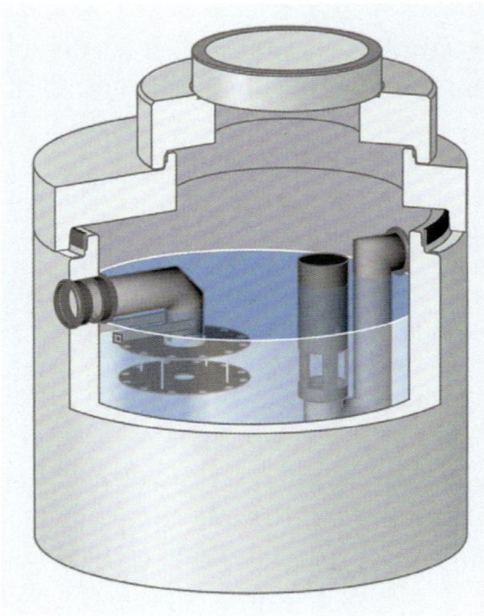

Abb. 2.31: Leichtflüssigkeitsabscheider Klasse I (Quelle: Mall GmbH, Donaueschingen)

2.9 Abscheideranlagen

Um die Qualität des Wassers zu erhalten, darf weder mit sog. Leichtflüssigkeit noch mit Fett oder Stärke verschmutztes Wasser in die Kanalisation oder gar in die Vorfluter gelangen. Um diese Verunreinigung des Wassers zu verhindern, werden Leichtflüssigkeits- und Fettabscheider eingesetzt. Wenn sie der DIN EN 858-1:2005-02 „Abscheideranlagen für Leichtflüssigkeiten (z. B. Öl und Benzin) – Teil 1: Bau-, Funktions- und Prüfgrundsätze, Kennzeichnung und Güteüberwachung“ entsprechen, ist eine CE-Kennzeichnung ausreichend. Für alle Anlagen, die nicht von dieser Norm erfasst werden, kann das Deutsche Institut für Bautechnik (DIBt) eine allgemeine bauaufsichtliche Zulassung (abZ) in Kombination mit einer allgemeinen Bauartgenehmigung (aBG) erteilen. Außerdem gibt es Abscheideranlagen mit dem RAL-Gütezeichen 693: Nur so gekennzeichnete Produkte erfüllen wesentliche bautechnische Anforderungen in Bezug auf Sicherheit, Langlebigkeit und Nachhaltigkeit.

2.9.1 Leichtflüssigkeitsabscheider

Leichtflüssigkeiten, beispielsweise Benzin, Schmierstoffe und Heizöl, haben eine geringere Dichte als Wasser und sind deshalb in Wasser nur in sehr geringem Maße löslich. Leichtflüssigkeitsabscheider halten diese mineralischen Leichtflüssigkeiten zurück. Sie werden nach DIN EN 858 und DIN 1999-100:2016-12 „Abscheideranlagen für Leichtflüssigkeiten – Teil 100: Anwendungsbestimmungen für Abscheideranlagen für Leichtflüssigkeiten nach DIN EN 858-1 und DIN EN 858-2“ bzw. DIN 1999-101:2009-05 „Abscheideranlagen für Leichtflüssigkeiten – Teil 101: Zusätzliche Anforderungen an Abscheideranlagen nach DIN EN 858-1, DIN EN 858-2 und DIN 1999-100 für Leichtflüssigkeiten mit Anteilen von Biodiesel bzw. Fettsäure-Methylester (FAME)“ in 2 Klassen unterschieden. Die Einteilung in eine dieser 2 Klassen erfolgt ausschließlich aufgrund der Reinigungsleistung. Der zulässige Höchstgehalt an Restöl beträgt bei Klasse I 5,0 mg/l. Bei Klasse II liegt er mit 100 mg/l deutlich höher. Zu einer Abscheideranlage gehören außerdem immer ein Schlammfang und eine genormte Probenahmestelle. Viele dieser funktionalen Anforderungen werden in 1 oder in 2 Bauwerken vereint. Unter Berücksichtigung der DIN 1999-101 dürfen auch Leichtflüssigkeiten mit Anteilen an Biodiesel bzw. Fettsäure-Methylester (FAME, für engl.: fatty acid methyl ester) in der Abscheideranlage behandelt werden.

DIN 1999-100 schreibt für diese Abscheideranlagen für Leichtflüssigkeiten nun zwingend eine selbsttätige Warneinrichtung vor. Diese muss die Leichtflüssigkeitsschichtdicke und das Flüssigkeitsniveau im Abscheider erfassen und spätestens dann warnen, wenn 80 % der maximalen Speichermenge erreicht sind. Auf diese Warneinrichtung kann nur verzichtet werden, wenn die örtliche Behörde zustimmt und weitere Voraussetzungen erfüllt sind.

Leichtflüssigkeitsabscheider Klasse I

Klasse-I-Abscheider (siehe Abb. 2.31) müssen eingesetzt werden, damit der laut Abwasserverordnung (AbwV) einzuhaltende Grenzwert für Kohlenwasserstoffe vor der Vermischung des Abwassers von unter 20 mg/l erreicht wird. Typische Einsatzbereiche sind Kfz-Werkstätten und Autowaschanlagen. In diesen Abwässern finden sich kleinste, fein verteile Öl- und Benzinteilchen, die aufgrund ihrer geringen Größe nicht mehr aufschwimmen.

Deshalb wird bei Klasse-I-Abscheideranlagen ein Trägermaterial mit sehr großer Oberfläche in den Strömungsweg eingebracht. Dadurch lagern sich die Leichtflüssigkeitströpfchen am Material an. Sie üben aufgrund der Oberflächenspannung und der Bindungskräfte eine Anziehung auf die nächsten Tröpfchen aus und kumulieren. Dieser Vorgang setzt sich fort, bis ein Tropfen groß genug ist, um aufgrund der Schwerkraft aufzusteigen. Das Zusammenspiel dieser Vorgänge nennt man Koaleszenz, was sich vom lateinischen Wort „coalescere" ableitet und mit „zusammenwachsen" übersetzt werden kann. Deshalb werden die Abscheider der Klasse I auch Koaleszenzabscheider genannt. Das Koaleszenzmaterial muss je nach Beanspruchung in bestimmten Intervallen gereinigt werden.

Filterlose Leichtflüssigkeitsabscheider der Klasse I

Leichtflüssigkeitsabscheider mit sogenannter Mehrkanaltechnologie kommen ohne Koaleszenzfilter aus, weshalb sie auch als filterfreie Abscheider bezeichnet werden (siehe Abb. 2.32). Feinschlamm und Schwebstoffe werden bereits bei Eintritt in den Abscheideraum getrennt. Mithilfe einer speziellen Koaleszenzeinrichtung wird der Koaleszenzvorgang ausgelöst.

Hierzu wird das einströmende Wasser über eine Prallplatte in die äußeren, verstopfungsfreien Koaleszenzkanäle geleitet, wo sich der Separationsprozess vollzieht. Der freie Kugeldurchgang beträgt mindestens 150 mm und ist verstopfungsfrei. Die Koaleszenzeinrichtung ist wartungsfrei und selbstreinigend und muss somit auch nicht ausgetauscht werden. Die Vorteile dieser Technologie sind geringere Wartungs- und Ersatzteilkosten sowie erhöhte Betriebssicherheit.

Leichtflüssigkeitsabscheider Klasse II

Bei diesen Leichtflüssigkeitsabscheidern, die auch als Öl- oder Benzinabscheider bezeichnet werden, erfolgt die Reinigung idealerweise allein durch die Schwerkraft, d. h., die leichteren Öltröpfchen steigen aufgrund der geringeren Dichte im Vergleich zum Wasser auf und sammeln sich an der Oberfläche. Von dort werden sie abgesaugt und entsorgt. Leichtflüssigkeitsabscheider der Klasse II werden vielfach zur Vorbehandlung von verschmutzten Abwässern eingesetzt. Sie funktionieren ohne Einsätze.

Material/Einsatzgebiete

Leichtflüssigkeitsabscheider dürfen nach DIN 858 aus unbewehrtem oder faserverstärktem Beton oder Stahlbeton, aus Gusseisen und (nichtrostendem) Stahl sowie glasfaserverstärkten Kunststoffen und Polyethylen hergestellt werden. Alle anderen Baustoffe müssen umfassend den Anforderungen der Norm entsprechen. Betonbehälter müssen innen zusätzlich beschichtet oder ausgekleidet sein, um gegenüber den einwirkenden Medien dauerhaft dicht und beständig zu sein. Bei starkem chemischen Angriff wird der

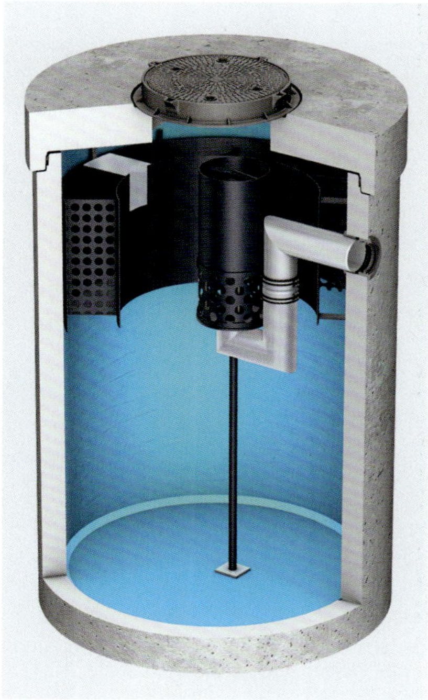

Abb. 2.32: Filterloser Leichtflüssigkeitsabscheider Klasse I (Quelle: ACO Passavant GmbH, Dermbach)

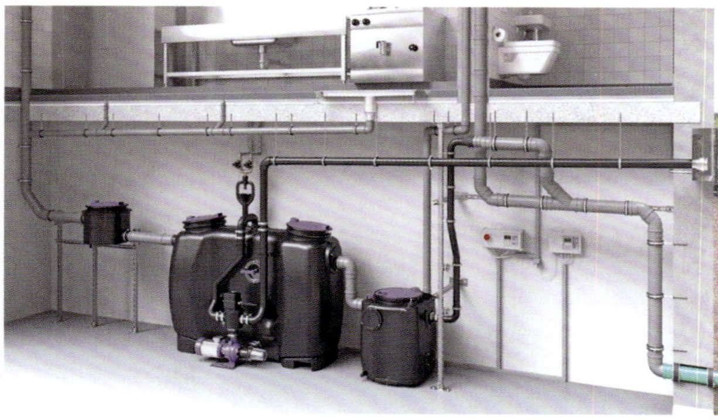

Abb. 2.33: Fettabscheider mit Hebeanlage (Quelle: Kessel AG, Lenting)

Beton beispielsweise mit einer HD-PE-Auskleidung ausgestattet.

Einsatzgebiete sind Waschplätze, Waschstraßen, Tankstellen, Umfüllplätze, Parkflächen, Trafostationen, Kraftwerke, Industrie- und Gewerbeflächen, Parkflächen u. a.

2.9.2 Fettabscheider

Überall dort, wo in Gewerbebetrieben regelmäßig Abwasser mit Fetten und Ölen pflanzlichen oder tierischen Ursprungs anfällt, muss es durch einen Fettabscheider behandelt werden (siehe Abb. 2.33).

Ein Fettabscheider arbeitet rein physikalisch nach dem Schwerkraftprinzip, also mithilfe des Dichteunterschieds zweier Stoffe. Das bedeutet, dass schwere Abwasserinhaltsstoffe auf den Boden sinken und leichte Stoffe wie tierische Öle und Fette im Abscheider nach oben steigen. Anforderungen und Anwendungsfälle sowie Betreiberpflichten sind in DIN EN 1825 „Abscheideranlagen für Fette" und DIN 4040-100:2016-12 „Abscheideranlagen für Fette – Teil 100: Anwendungsbestimmungen für Abscheideranlagen für Fette nach DIN EN 1825-1 und DIN EN 1825-2" geregelt. Um starke Geruchsbelästigungen während der

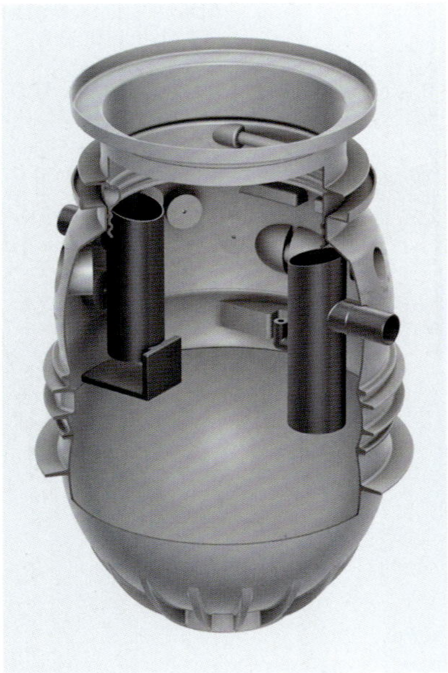

Abb. 2.34: Fettabscheider aus Kunststoff (Quelle: ACO Passavant GmbH, Dermbach)

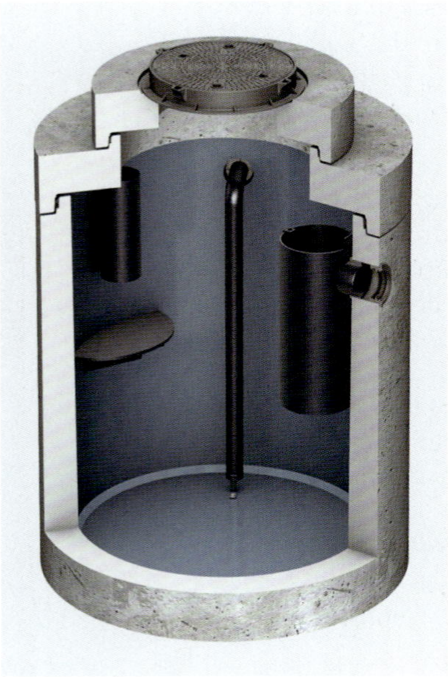

Abb. 2.35: Fettabscheider aus Stahlbeton (Quelle: ACO Passavant GmbH, Dermbach)

Abb. 2.36: Fettabscheider aus Stahlbeton mit integrierter Pumpstation (Quelle: ACO Passavant GmbH, Dermbach)

Entsorgung zu vermeiden, sollte der Fettabscheider mit einer sog. Direktabsaugung ausgerüstet sein, bei der die Saugleitung im Erdreich, z. B. an die Gebäudeaußenwand, verlegt wird. So bleibt der Zugang für das Entsorgungsfahrzeug gewährleistet. Hierbei bleiben die Deckel während des Absaugvorganges oder sogar während der gesamten Entsorgung geschlossen, sodass keine Geruchsbelästigung entsteht. Bei der ersten Variante, der sog. Ausbaustufe 1, werden die Deckel erst geöffnet, wenn der Entsorgungsschacht zum Nachspülen mit Druckwasser aus dem Entsorgungsfahrzeug gefüllt wird. Da die Abscheiderkammer zuvor bereits durch Absaugen geleert worden ist, ist der Geruch minimiert. Ab Ausbaustufe 2 verfügt der Fettabscheider zusätzlich über eine Hochdruckinnenreinigung. Die Deckel können somit dauerhaft geschlossen bleiben und eine Geruchsbelästigung wird komplett vermieden.

Liegt der Betriebswasserspiegel der Fettabscheideranlage unterhalb der Rückstauebene, muss nach DIN EN 1825-2: 2002-05 „Abscheideranlagen für Fette – Teil 2: Wahl der Nenngröße, Einbau, Betrieb und Wartung“ eine Abwasserhebeanlage nachgeschaltet werden.

Material/Einsatzgebiete

Für den Erdeinbau werden größtenteils Behälter aus Stahlbeton und Kunststoff verwendet (siehe Abb. 2.34 bis 2.36). Bei Freiaufstellung in Kellern werden Behälter aus Kunststoff und Edelstahl bevorzugt.

DIN EN 1825-1:2004-12 „Abscheideranlagen für Fette – Teil 1: Bau-, Funktions- und Prüfgrundsätze, Kennzeichnung und Güteüberwachung“ erlaubt darüber hinaus unbewehrten und faserverstärkten Beton, Gusseisen, nichtrostenden Stahl und Stahl, glasfaserverstärkten Kunststoff und Steinzeug. Die Einbauteile müssen gegen Fettsäure beständig sein. Für die medienberührenden Bauteile hat sich Polyethylen (PE) bewährt.

Der Einsatz hat laut der DIN EN 1825-2, Abschnitt 4, dann zu erfolgen, *„wenn Fette und Öle pflanzlichen und tierischen Ursprungs aus dem Schmutzwasser zurückgehalten werden müssen.“* Dies betrifft unter anderem alle Großküchen, Metzgereien mit und ohne Schlachtung, Seifenfabriken, Ölmühlen und alle Hersteller von Fertiggerichten.

Um der Anforderung Rechnung zu tragen, dass Fettabscheider mit einem Ruhewasserspiegel unterhalb der Rückstauebene durch den Einsatz einer Pumpstation gegen Rückstau zu schützen sind, entwickelten verschiedene Hersteller kompakte Konzepte in einem Bauwerk. Dazu sind die Komponenten Fettabscheider, höher liegender Probenahmeschacht und Pumpstation zu einer 3-in-1-Lösung vereint.

2.9.3 Relevante Normen

DIN 1999-100:2016-12 Abscheideranlagen für Leichtflüssigkeiten – Teil 100: Anwendungsbestimmungen für Abscheideranlagen für Leichtflüssigkeiten nach DIN EN 858-1 und DIN EN 858-2

DIN 1999-101:2009-05 Abscheideranlagen für Leichtflüssigkeiten – Teil 101: Zusätzliche Anforderungen an Abscheideranlagen nach DIN EN 858-1, DIN EN 858-2 und DIN 1999-100 für Leichtflüssigkeiten mit Anteilen von Biodiesel bzw. Fettsäure-Methylester (FAME)

DIN 4040-100:2016-12 Abscheideranlagen für Fette – Teil 100: Anwendungsbestimmungen für Abscheideranlagen für Fette nach DIN EN 1825-1 und DIN EN 1825-2

DIN EN 858-1:2005-02 Abscheideranlagen für Leichtflüssigkeiten (z. B. Öl und Benzin) – Teil 1: Bau-, Funktions- und Prüfgrundsätze, Kennzeichnung und Güteüberwachung

DIN EN 858-2:2003-10 Abscheideranlagen für Leichtflüssigkeiten (z. B. Öl und Benzin) – Teil 2: Wahl der Nenngröße, Einbau, Betrieb und Wartung

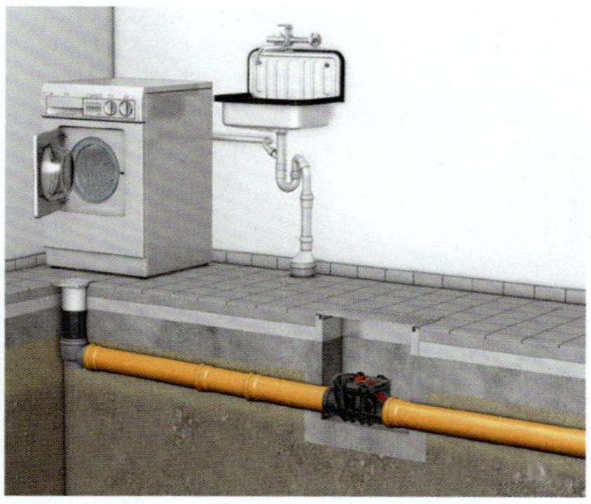

Abb. 2.37: Rückstauverschluss (Quelle: ACO Haustechnik, Dermbach)

Abb. 2.38: In der Altbausanierung können für den nachträglichen Einbau moderne Abläufe mit Rückstauverschluss in die Aussparung eines vorherigen Kellerablaufs mit geringen Einbaumaßen eingesetzt werden. (Quelle: ACO Passavant GmbH, Dermbach)

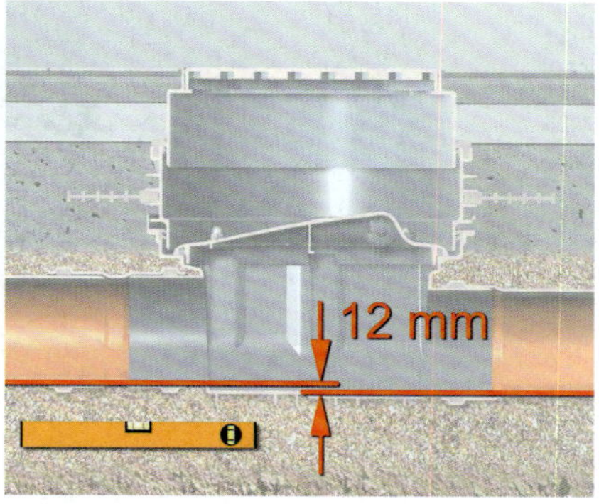

Abb. 2.39: Montagefreundliches Rückstausystem mit nur 12 mm Abstand zwischen Ein- und Auslauf der Rückstaueinheit („Gefällesprung") (Quelle: ACO Passavant GmbH, Dermbach)

DIN EN 1825-1:2004-12 Abscheideranlagen für Fette – Teil 1: Bau-, Funktions- und Prüfgrundsätze, Kennzeichnung und Güteüberwachung

DIN EN 1825-2:2002-05 Abscheideranlagen für Fette – Teil 2: Wahl der Nenngröße, Einbau, Betrieb und Wartung

2.10 Rückstauverschlüsse und Hebeanlagen

Öffentliche Misch- und Regenwasserkanäle sind auf die langjährigen durchschnittlichen Niederschlagsmengen ausgelegt und lassen sich aus wirtschaftlichen Gründen nicht so dimensionieren, dass sie auch die Wassermengen, die bei einem Starkregenereignis anfallen, einwandfrei ableiten können. Bei starkem Regen muss daher mit Stau im Kanal und Rückstau in den Anschlussleitungen gerechnet werden. Auch andere Gründe wie Rohrbrüche und Hochwasser im Vorfluter (fließende Gewässer) können zu einem Rückstau führen.

Entwässerungsanlagen im Gebäude wie Bodenabläufe, Waschmaschinen, Waschbecken, Duschabläufe (Grauwasser, also fäkalienfreies Wasser) oder Toiletten (Schwarzwasser, also fäkalienhaltiges Wasser), die unterhalb der Rückstauebene liegen, müssen deshalb wirkungsvoll und dauerhaft gegen Rückstau geschützt sein. Abwasserleitungen mit freiem Gefälle zum Kanal können durch eine passive Rückstausicherung, auch Rückstauverschluss genannt, abgesichert werden (siehe Abb. 2.37). Diese lässt sich auch in die Bodenplatte einbauen. Ein solcher ist allerdings nur in Ausnahmefällen zulässig. Ferner müssen die detaillierten Einsatzvoraussetzungen nach DIN EN 12056-4:2001-01 „Schwerkraftentwässerungsanlagen innerhalb von Gebäuden – Teil 4: Abwasserhebeanlagen; Planung und Bemessung" erfüllt sein.

Technische Lösungen/Konstruktion

Eine weitere Voraussetzung für einen Rückstauverschluss – zusätzlich zum natürlichen Gefälle zum öffentlichen Kanal hin – ist, dass die angeschlossenen Ablaufstellen während eines Rückstaus nicht entwässert werden müssen. Dies umfasst beispielsweise Waschküchen, Keller- und Hobbyräume. Das Funktionsprinzip der passiven Rückstausicherung: Drückt das Wasser aus der öffentlichen Kanalisation ins Hausabwassersystem zurück, schließt das rückfließende Wasser automatisch eine Sperre. Beim nachträglichen Einbau in die Bodenplatte sollten Modelle mit einer möglichst geringen Absatzhöhe („Gefällesprung") Verwendung finden (siehe Abb. 2.38 und 2.39).

Moderne Rückstauverschlüsse verfügen über ein integriertes, stufenlos höhenverstellbares Aufsatzelement oder bieten ein optionales Dichtungsset, das auch die Möglichkeit bietet, den Rückstauverschluss dicht in wasserundurchlässigen Beton, sog. WU-Beton, zu verbauen. Außerdem sind auf dem Markt Modelle mit Zusatzfunktionen verfügbar, die bei Rückstau Alarm auslösen und/oder Schaltsteckdosen und somit angeschlossene Wasserverbraucher wie Waschmaschinen automatisch abschalten.

Typisierung der Rückstauverschlüsse

Rückstauverschlüsse für durchgehende Rohrleitungen stellen eine ideale technische und vor allem auch finanzielle Alternative zu Hebeanlagen dar. Nach DIN EN 13564-1: 2002-10 „Rückstauverschlüsse für Gebäude – Teil 1: Anforderungen" werden in der Europäischen Norm 6 Typen von Rückstauverschlüssen unterschieden. In Deutschland sind für fäkalienfreies Abwasser die Typen 2, 3 und 5 zugelassen, für fäkalienhaltiges Abwasser lediglich Typ 3 mit Kennzeichnung „F".

Rückstauverschlüsse nach Europäischer Norm:

- Typ 0: Rückstauverschluss für die Verwendung in horizontalen Leitungen mit nur einem selbsttätigen Verschluss
- Typ 1: Rückstauverschluss für die Verwendung in horizontalen Leitungen mit einem selbsttätigen Verschluss sowie einem Notverschluss, wobei dieser Notverschluss mit dem selbsttätigen Verschluss kombiniert sein darf
- Typ 2: Rückstauverschluss für die Verwendung in horizontalen Leitungen mit 2 selbsttätigen Verschlüssen und einem Notverschluss, wobei dieser Notverschluss mit einem der beiden selbsttätigen Verschlüsse kombiniert sein darf
- Typ 3: Rückstauverschluss für die Verwendung in horizontalen Leitungen mit einem durch Fremdenergie (elektrisch, pneumatisch oder andere) betriebenen selbsttätigen Verschluss und einem Notverschluss, der unabhängig vom selbsttätigen Verschluss ist

- Typ 4: Rückstauverschluss, der in Ablaufgarnituren oder Bodenabläufen eingebaut ist, mit einem selbsttätigen Verschluss und einem Notverschluss, wobei dieser Notverschluss mit dem selbsttätigen Verschluss kombiniert sein darf
- Typ 5: Rückstauverschluss, der in Ablaufgarnituren oder Bodenabläufen eingebaut ist, mit 2 selbsttätigen Verschlüssen und einem Notverschluss, wobei dieser Notverschluss mit einem der beiden selbsttätigen Verschlüsse kombiniert sein darf

Die Materialien, aus denen Rückstauverschlüsse hergestellt werden, müssen folgenden Temperaturen standhalten:

- Typ 0 bis 3: 75 °C,
- Typ 4 und 5: 93 °C.

Rückstauschächte

Ein Rückstauschutz außerhalb des Gebäudes eignet sich besonders für den nachträglichen Einbau. Meist kann in diesem Fall der bestehende Hausanschlussschacht einfach durch einen Rückstauschacht ersetzt werden. Dies ist oft kosten- und zeitsparender als der nachträgliche Einbau in den Keller. Denn im Keller muss die Bodenplatte geöffnet werden, um den Rückstauschutz an die Grundleitung anzuschließen.

Rückstauschächte mit offenem Durchgangsgerinne verfügen über verschiedene Anschlüsse für Grundleitung, Dachabläufe und Dränageleitungen. Bei Bedarf können weitere seitliche Anschlüsse angebracht werden.

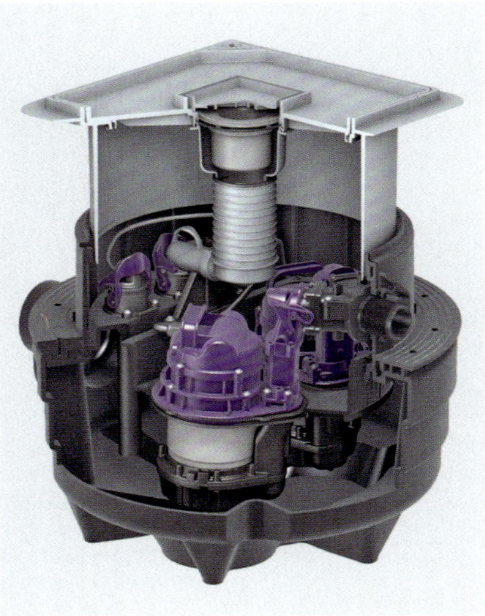

Abb. 2.40: Fäkalienhebeanlage (Quelle: Kessel AG, Lenting)

Abb. 2.41: Kleinhebeanlage (Quelle: ACO Passavant GmbH, Dermbach)

Hebeanlagen

Hebeanlagen werden eingesetzt, wenn anfallendes Grauwasser und/oder Schwarzwasser nicht abgeleitet werden können, da der Abwasserkanal höher liegt als die Entwässerungsstelle im Kellerraum. Die eingebaute Pumpe sorgt dafür, dass das Abwasser bei Rückstau nach oben gepumpt wird (siehe Abb. 2.40). Nach DIN 12056-4 muss das Wasser mit einer Druckleitung über die Rückstauebene geführt werden (Rückstauschleife). Um zu vermeiden, dass sich die Hebeanlage während des Betriebs oder bei Überflutung bewegt, ist die Hebeanlage bauseitig auf der Abstellfläche zu befestigen.

Kleinhebeanlagen (siehe Abb. 2.41), die nur geringe Abwassermengen verarbeiten können, besitzen platzsparende Abmessungen und eignen sich für die Überfluraufstellung in frostgeschützten Räumen unterhalb der Rückstauebene. Sie werden beispielsweise unter einem Waschtisch eingebaut und können direkt an den Siphon angeschlossen werden. Auf dem Markt sind auch Modelle zu finden, die in die Vorwandinstallation eingebaut werden können und damit fast unsichtbar sind. Außerdem sind WCs und Duschwannen mit integrierter Hebeanlage erhältlich.

Normen

DIN 1986-100:2016-12 Entwässerungsanlagen für Gebäude und Grundstücke – Teil 100: Bestimmungen in Verbindung mit DIN EN 752 und DIN EN 12056

DIN EN 12050-1:2015-05 Abwasserhebeanlagen für die Gebäude- und Grundstücksentwässerung – Teil 1: Fäkalienhebeanlagen

DIN EN 12050-2:2015-05 Abwasserhebeanlagen für die Gebäude- und Grundstücksentwässerung – Teil 2: Abwasserhebeanlagen für fäkalienfreies Abwasser

DIN EN 12050-3:2015-08 Abwasserhebeanlagen für die Gebäude- und Grundstücksentwässerung – Teil 3: Hebeanlagen zur begrenzten Verwendung

DIN EN 12050-4:2015-05 Abwasserhebeanlagen für die Gebäude- und Grundstücksentwässerung – Teil 4: Rückflussverhinderer für fäkalienfreies und fäkalienhaltiges Abwasser

DIN EN 12056-4:2001-01 Schwerkraftentwässerungsanlagen innerhalb von Gebäuden – Teil 4: Abwasserhebeanlagen; Planung und Bemessung

DIN EN 13564-1:2002-10 Rückstauverschlüsse für Gebäude – Teil 1: Anforderungen

2.11 Betonsteine und -elemente für befestigte Verkehrsflächen

Eine befestigte Fläche erfüllt in der Regel folgende Kriterien: Sie ist planiert, frostsicher, tragfähig, verschiebesicher befestigt und leitet Wasser fachgerecht ab (ins Abwassernetz oder durch natürliche Versickerung). Beispiele, auf die das zutrifft, sind Straßen, Wege, (Park-)Plätze und andere befestigte Verkehrsflächen.

Der Baustoff, der in Deutschland für diesen Zweck am großflächigsten eingesetzt wird, ist Beton. Er bringt Vorteile mit wie eine große Bandbreite an Formen und Farben, Robustheit und Langlebigkeit, schnelle Verfügbarkeiten, erschwingliche Preise, je nach Verarbeitung Frostsicherheit und eine rutschfeste Oberfläche.

Zu den verschiedenen Formen, die ein Betonstein auf bzw. an befestigten Flächen annehmen kann, gehören Pflastersteine, Platten, Winkelstützen (auch Stützwinkel oder Mauerscheiben genannt) und L-Steine, Hoch- und Tiefborde, Mauersteine, Palisaden, Blockstufen, Pflanzringe sowie viele Sonderbauteile.

2.11.1 Grundstoffe und Herstellung

Betonsteine werden aus Beton, einer Zusammensetzung aus Zement, Wasser, Sand, Kies und Splitt, hergestellt. Je nach Anwendungsgebiet können weitere Stoffe, wie z. B. Farbpigmente oder Fasern, hinzugefügt werden. Die genaue Rezeptur eines Betonsteins ist abhängig von der gewünschten Eigenschaft und dem Verwendungszweck. So kann Beton gefügedicht (z. B. Pflastersteine, Bordsteine), haufwerksporig (z. B. Pflanzkörper) oder mit Stahl versehen (Winkelstützelemente) sein.

Viele Produkte (besonders Pflastersteine und Platten) werden zweischichtig und aus erdfeuchten Betonen hergestellt (siehe Abb. 2.42), die von speziellen Maschinen in einem Rüttel-Press-Verfahren in einer Form hoch verdichtet werden. Die 2 Schichten bestehen aus der Kernbetonschicht und einer dünneren, meist gefärbten Vorsatzbetonschicht mit Natursteinkörnungen, die die Optik ausmachen. So bleiben die Kosten überschaubar und die Gestaltungsmöglichkeiten vielfältig.

Zur weiteren Gestaltung der Produktoberflächen gibt es eine Vielzahl von aus der Betonwerksteintechnologie bekannten Bearbeitungsmethoden, wie Kugelstrahlen, Wasserstrahlen, Schleifen, Bürsten oder Kollern.

Abb. 2.42: Zweischichtiger Pflasterstein (Quelle: Ehl AG, Kruft)

Abb. 2.43: Pflasterstein mit Verbundnocken (Quelle: Ehl AG, Kruft)

Hinweis

Ausblühungen und Farbschwankungen können bei Betonelementen herstellungsbedingt vorkommen und werden nur in den wenigsten Fällen bei Herstellern als Reklamationsgrund anerkannt.

Ausblühungen entstehen durch eine chemische Reaktion. Nicht gebundener, in Wasser gelöster Kalk wird durch das Kapillarsystem des Steins an die Oberfläche geführt und reagiert dort mit dem Kohlendioxid aus der Luft zu Calciumcarbonat (Kalkstein). Sobald das Wasser verdunstet, bleibt ein weißer Schleier zurück. Auch nach der Herstellung können solche Ausblühungen bei falscher Lagerung (unter Plastik, übereinander, zu langen Standzeiten vor dem Einbau) entstehen.

Die Güteeigenschaften des Betons bleiben hiervon unberührt. Durch normale Bewitterung (weiches Regenwasser) und mechanische Beanspruchung lösen sich die Kalkausblühungen nach und nach auf. Um die Auflösung zu beschleunigen, können säurehaltige Reiniger zusätzlich eingesetzt werden.

Farbschwankungen ergeben sich durch unvermeidbare Farbunterschiede in den natürlichen Rohstoffen, wie dem Zement oder Natursteinkörnungen. Auch nach dem Erhärtungsprozess können leichte Schwankungen auftreten. Die Unterschiede sind für den Gebrauchswert ohne Belang, da die Helligkeitsdifferenzen unter Benutzung der Erzeugnisse und bei normaler Bewitterung ausgeglichen werden. Um großflächige Farbabweichungen zu vermeiden, empfiehlt es sich, Pflastersteine immer wechselweise aus mehreren Paketen zu verlegen.

2.11.2 Sortiment

Pflastersteine mit integrierter Verschiebesicherung

Besonders im Straßen- und Wegebau ist es vorteilhaft, Pflastersteine zu verwenden, die sich durch die Lastabtragung von Horizontalkräften (z. B. durch Bremsen, Anfahren, Schwerlastverkehr) nicht so einfach verschieben lassen. Dafür gibt es zum einen verschiedene Formen von Pflastersteinen, die speziell für diesen Zweck entworfen wurden, und zum anderen einige Einbaumethoden, die eine Verschiebung erschweren.

Zu den speziell geformten Pflastersteinen gehören Verbundsteine und Pflastersteine mit angeformten Verbundnocken (siehe Abb. 2.43). Beide Arten sorgen dafür, dass benachbarte Steine verzahnt sind und so weniger leicht über die Fläche „wandern" können.

Verbundsteine nennt man Pflastersteine, die nicht klassisch rechteckig oder quadratisch sind, sondern so geformt sind, dass benachbarte Steine in der Fläche ineinandergreifen. So ist das bekannteste Verbundpflaster beispielsweise das Doppel-T-Verbundpflaster (umgangssprachlich auch als Knochenpflaster bekannt) (siehe Abb. 2.44). Verbundpflastersteine sind werkseitig häufig für das maschinelle Verlegen konzipiert.

Verbundnocken sind kleine Ausbeulungen (Rundumverzahnung) an den Flanken eines Pflastersteins, die 2 nebeneinanderliegende Steine miteinander verzahnen (siehe Abb. 2.45 und 2.46). Durch das kontinuierliche Verfüllen der Fugen während des Verlegevorgangs sind die Nocken in der Draufsicht und im gesamten Fugenbild von außen nicht mehr sichtbar. Dabei ist es wichtig, zu beachten, dass Verbundnocken nicht die nötige Fugenbreite vorgeben. Das heißt, dass die Nocken den benachbarten Stein nicht berühren dürfen. Das Rastermaß ist immer wieder durch Schnurkontrolle einzuhalten.

Auch im Einbau können besondere Maßnahmen getroffen werden, die ein Verschieben der Steine erschweren. Befestigte Verkehrsflächen sollten Randeinfassungen erhalten, fachgerecht verfugt werden und bestimmte Verlegemuster bevorzugen bzw. vermeiden.

Randeinfassungen, wie Palisaden und Bordsteine, verhindern ein seitliches Ausbrechen bzw. Abrutschen des Belags, das insbesondere durch eine ungebundene Bauweise begünstigt wird. Besonders bei befahrenen Flächen sind die Betonsteine so weniger anfällig für Verschiebungen. Sie werden noch vor der Verlegung des Pflasters oder der Platten auf ein Fundament aus Beton gesetzt und erhalten eine Rückenstütze aus Beton.

Auch intakte Fugen stützen die Steine untereinander und verteilen die horizontalen Lasten auf die Fläche. So trägt der gesamte Pflasterbelag die Lasten ab. Bei Steinen bis 100 mm Nenndicke beträgt die vorgegebene Regelfugenbreite 4 mm (± 2 mm), bei Steinen mit einer größeren Nenndicke liegt sie bei 6 mm (± 3 mm). Typische Schadensbilder bei nicht intakten Fugen sind sog. Klappersteine, Kantenabplatzungen und Verschiebungen ganzer Steinreihen.

Wichtig ist es auch, bei befahrenen Flächen auf die genaue Verlegung zu achten (siehe Abb. 2.47). Dabei gilt:

- **Nicht geeignet für befahrbare Flächen sind**: Kreuzfugenverband, Blockverband und alle Verbände mit durchgehenden Längsfugen in Fahrtrichtung.
- **Bedingt geeignet für befahrbare Flächen sind**: Läufer- und Reihenverband.
- **Geeignet für befahrbare Flächen sind**: Ellbogenverband, Fischgrätenverband, wilder (römischer) Verband, Läufer- und Reihenverband als Diagonalverband.

Abb. 2.44: Doppel-T-Verbundpflaster (Quelle: Ehl AG, Kruft)

Abb. 2.45: Zeichnung Verbundnocken (Quelle: Ehl AG, Kruft)

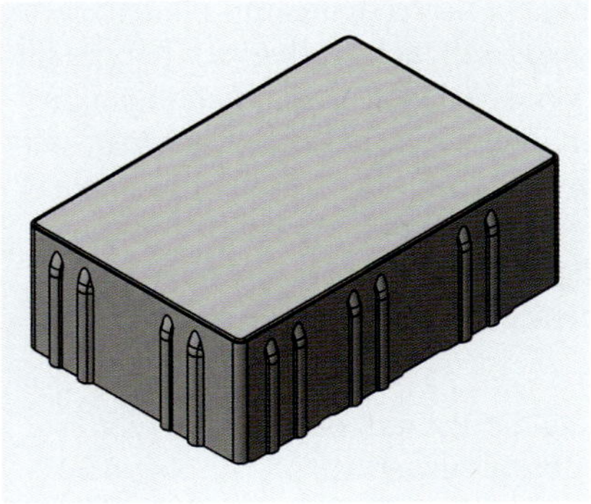

Abb. 2.46: Zeichnung Verbundnocken am Pflasterstein (Quelle: Ehl AG, Kruft)

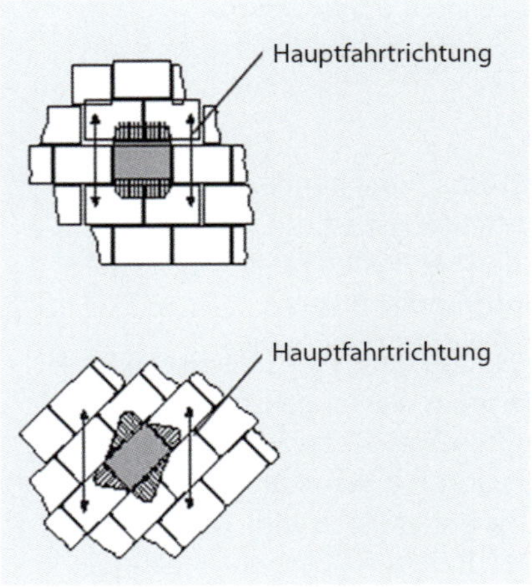

Abb. 2.47: Berücksichtigung der Hauptfahrtrichtung bei der Verlegung zur Vermeidung von Verschiebungen (Quelle: Ehl AG, Kruft)

Versickerungsfähige Pflastersteine

Versickerungsfähiges Pflaster kommt immer mehr zum Einsatz, um befestigte Flächen zu entsiegeln. Entsiegeln bedeutet dabei, auftretendem Wasser (z. B. durch Niederschlag oder Tau) die Möglichkeit zu geben, ganz natürlich in der Fläche zu versickern. Das entlastet die öffentliche Kanalisation, verbessert das Klima direkt in Bodennähe (Mikroklima) und beugt Überschwemmungen und Wasserschäden vor. Die Förderung einer umweltfreundlichen Umgebung ist auch der Grund, warum viele Kommunen inzwischen Abwasser- bzw. Niederschlagskosten für entsiegelte Fläche erstatten.

Versickerungsfähige Verkehrsflächen dürfen nicht immer und überall gebaut werden. So gibt es beispielsweise Einschränkungen für Flächen in einem Wasserschutzgebiet, die vorab mit der Gemeinde abgeklärt werden müssen. Allgemein sind Mindestabstände bis zur Grundwasseroberfläche einzuhalten. Auch stark beschmutzte Verkehrsflächen durch z. B. Öl oder andere umweltschädliche Verunreinigungen dürfen nicht als versickerungsfähige Fläche umgesetzt werden.

Es gibt 3 Arten von Pflastersteinen, mit denen versickerungsfähige Fläche gebaut werden können. Sie sind umgangssprachlich auch als Ökopflaster bekannt:

- Steine aus haufwerksporigem Beton,
- Steine, mit denen sich breite/viele Fugen legen lassen,
- Steine mit Sickeröffnungen.

Haufwerksporige Steine sind von sich aus wasserdurchlässig und transportieren das Wasser durch ihr offenporiges Gefüge ins Splittbett ab.

Steinsysteme mit erhöhtem Fugenanteil fördern z. B. durch angeformte Nocken oder kleine Steinformate den Wasserdurchfluss (siehe Abb. 2.48). Dabei ist es wichtig, die Fugen mit wasserdurchlässigem Material zu befüllen, wie Splitt mit Gesteinskörnungen von 1/3 mm, 2/5 mm oder 2/8 mm. Auf Null-Korn-Material (Feinanteile weniger als 1 mm) muss unbedingt verzichtet werden.

Auch Steine mit Sickeröffnungen (siehe Abb. 2.49) vergrößern die Fläche, durch die Wasser versickern kann. Sie haben Sickerkammern im Stein (Beispiel: Rasengittersteine, Längsfugensysteme). Der Öffnungsanteil in der gesamten Fläche liegt damit häufig über 10 %. Auch diese Öffnungen müssen mit einem wasserdurchlässigen Mineralgemisch gefüllt werden, wie Splitt mit Gesteinskörnungen von 1/3 mm, 2/5 mm oder 2/8 mm. Je nach Öffnung und Stärke der Steine sind diese nur eingeschränkt befahrbar und müssen besonders schonend oder auch gar nicht abgerüttelt werden (z. B. mit einer Rüttelplatte mit Kunststoffschürze oder mittlerweile am Markt erhältlichen Spezialmaschinen).

Versickerungsfähige Pflastersteine sind ideal für die Entwässerung von Regenwasser. Sie haben eine hohe Durchlässigkeit und können daher auch bei starkem Regen sehr gut entwässern. Allerdings ist es empfehlenswert, alle versickerungsfähigen Pflasterflächen mit einer Notentwässerung zu versehen, um mögliche Überschwemmungen zu vermeiden.

Eine Notentwässerung kann nach derzeitigen Erfahrungen für einen Abflussbeiwert von 30 bis 50 % ausgelegt werden. Sie kann in Form eines Kanalanschlusses erfolgen oder durch eine Mulde oder Rigole auf dem Grundstück realisiert werden.

Begrünbare Pflastersteine

Begrünbare Pflastersteine (siehe Abb. 2.50) haben größere Vegetationskammern oder große Fugenbreiten (30 mm und größer), in denen Pflanzen wachsen können. Sie fördern damit das Kleinklima und werden daher gerne für befestigte Flächen eingesetzt, die sich in einen Vegetationsbereich integrieren.

Durch den Bewuchs werden die Kammern mit feinteiligem Humus und Wurzelwerk gefüllt, das die Versickerungsfähigkeit der Fläche beeinträchtigt. So muss auch in diesem Fall immer für eine Notentwässerung gesorgt sein.

Abb. 2.48: Pflastersteine mit Dränfuge (Quelle: Ehl AG, Kruft)

Abb. 2.49: Pflastersteine mit Sickeröffnung (Quelle: Ehl AG, Kruft)

Abb. 2.50: Begrünbare Pflastersteine (Quelle: Ehl AG, Kruft)

Abb. 2.51: Stützwinkel (Quelle: Ehl AG, Kruft)

Die Öffnungen in und zwischen den Steinen wirken sich auch auf die Belastbarkeit der Fläche aus. So sind begrünbare Pflastersteine meist nur für Stellflächen geeignet und dürfen nur schonend oder auch gar nicht abgerüttelt werden. Mittlerweile sind Spezialmaschinen für besonders schonendes Abrütteln erhältlich.

Stützwinkel oder Winkelstützelemente

Stützwinkel (auch Winkelstützen oder Mauerscheiben genannt) (siehe Abb. 2.51) werden aus verschiedenen Gründen eingesetzt. Zum einen dienen sie der Sicherung und Befestigung von Hängen im Gelände, zum anderen können sie auch als Stütze für andere Bauwerke oder Strukturen dienen. Stützwinkel besitzen in der Regel eine Höhe von 0,5 bis 4 m. Auch höhere Varianten sind serienmäßig oder als Sonderanfertigung anzutreffen. Nach dem Einbau und dem Verfüllen sind sie durch ihr Eigengewicht sowie die Erdauflast auf dem Fuß standsicher. Der Einbau erfolgt in der Regel aufgesetzt auf einem entsprechenden Fundament. Durch das hohe Gewicht eines einzelnen Elements ist dazu immer technisches Equipment wie ein Bagger, Kran oder Ähnliches notwendig.

Im Gegensatz zu den optisch ähnlichen L-Steinen sind Stützwinkel mit Stahl ausgestattet (bewehrt). Die Bewehrung gibt zusätzlich Halt und macht die Betonelemente zu einem robusten Bauteil für hohe Belastungen. Bei fachgerechtem Einbau anhand einer statischen Berechnung vor Ort kann die Fläche, die von Stützwinkeln abgefangen wird, befahren werden. L-Steine dagegen dienen eher einem gestalterischen Zweck.

Bord- und Einfassungssteine

Bordsteine sind ein wesentliches Element der Straßenverkehrsinfrastruktur. Sie dienen zur Abgrenzung und Trennung verschiedener Verkehrsbereiche und sorgen für die Standfestigkeit der Verkehrsflächen sowie eine adäquate Straßenentwässerung. Sie haben wichtige orientierungs- und verkehrstechnische Aufgaben zu erfüllen und sind unverzichtbar für die Sicherheit im Straßenverkehr. Sie trennen Fahrbahn und Gehbereich und verhindern so, dass Kraftfahrzeuge auf den Gehweg oder in andere Bereiche fahren.

Bordsteine sind in verschiedenen Ausführungen erhältlich, je nachdem, welche Funktion sie erfüllen sollen:

- **Hochborde** sorgen für den richtigen Höhenunterschied als Abgrenzung von einer befahrenen zu einer verkehrsberuhigten Fläche.
- **Rundbordsteine** erlauben ein leichtes Überfahren, da sie sich in der Höhe nicht viel vom Pflaster absetzen. Das ist z. B. bei Einfahrten oder Parkplätzen von Vorteil.
- **Flachbordsteine** können auf verkehrstüchtigen Flächen zum Einsatz kommen und machen den Fahrer durch einen kleinen, ungefährlichen Rückstoß auf das Verlassen der Fahrbahn aufmerksam.
- **Tiefbordsteine** und **Einfassungssteine** wie Rasenkanten dienen zur Abgrenzung von Grün- oder Pflasterflächen oder zur Abtrennung von Verkehrsflächen.
- Für die richtige Entwässerung sorgen **Bordrinnensteine** oder **Muldensteine**. Bordrinnensteine kombinieren einen Bordstein und eine Rinne in einem Element. Muldensteine sorgen für überfahrbare Entwässerungsrinnen z. B. mitten auf der Fahrbahn oder Fläche.

2.11.3 Normen und Literatur

Normen

DIN EN 1338:2003-08 Pflastersteine aus Beton – Anforderungen und Prüfverfahren

DIN EN 1339:2003-08 Platten aus Beton – Anforderungen und Prüfverfahren

DIN EN 1340:2003-08 Bordsteine aus Beton – Anforderungen und Prüfverfahren

DIN EN 15258:2009-05 Betonfertigteile – Stützwandelemente

DIN EN 13198:2003-09 Betonfertigteile – Straßenmöbel und Gartengestaltungselemente

Literatur

M FG Merkblatt für Flächenbefestigungen mit Großformaten. Ausgabe 2022. Köln: Forschungsgesellschaft für Straßen- und Verkehrswesen e. V. (FGSV), 2022

M FP Merkblatt für Flächenbefestigungen mit Pflasterdecken und Plattenbelägen in ungebundener Ausführung sowie für Einfassungen. Ausgabe 2015. Köln: Forschungsgesellschaft für Straßen- und Verkehrswesen e. V. (FGSV), 2015

MVV Merkblatt für Versickerungsfähige Verkehrsflächen. Ausgabe 2013, Stand: Änderungen von August 2016. Hrsg.: Forschungsgesellschaft für Straßen- und Verkehrswesen e. V. (FGSV). Köln: FGSV Verlag GmbH, 2013

Richtlinie für die Planung, Ausführung und Unterhaltung von begrünbaren Flächenbefestigungen. Ausgabe 2018. Bonn: Forschungsgesellschaft Landschaftsentwicklung Landschaftsbau e. V. (FLL), 2018

Richtlinien für die Entwässerung von Straßen (REwS). Ausgabe 2021. Hrsg.: Forschungsgesellschaft für Straßen- und Verkehrswesen e. V. (FGSV) Köln: FGSV Verlag GmbH, 2021

RStO 12 – Richtlinien für die Standardisierung des Oberbaus von Verkehrsflächen. Ausgabe 2012. Hrsg.: Forschungsgesellschaft für Straßen- und Verkehrswesen e. V. (FGSV). Köln: FGSV Verlag GmbH, 2012

TL Pflaster-StB – Technische Lieferbedingungen für Bauprodukte zur Herstellung von Pflasterdecken, Plattenbelägen und Einfassungen. Ausgabe 2006. Stand: 2015. Hrsg.: Forschungsgesellschaft für Straßen- und Verkehrswesen e. V. (FGSV). Köln: FGSV Verlag GmbH, 2006

ZTV Ew-StB 14 – Zusätzliche Technische Vertragsbedingungen und Richtlinien für den Bau von Entwässerungseinrichtungen im Straßenbau. Ausgabe 2014. Hrsg.: Forschungsgesellschaft für Straßen- und Verkehrswesen e. V. (FGSV). Köln: FGSV Verlag GmbH, 2014

ZTV Pflaster-StB 20 – Zusätzliche Technische Vertragsbedingungen und Richtlinien zur Herstellung von Pflasterdecken, Plattenbelägen und Einfassungen. Ausgabe 2020. Hrsg.: Forschungsgesellschaft für Straßen- und Verkehrswesen e. V. (FGSV). Köln: FGSV Verlag GmbH, 2020

2.12 Pflasterklinker

2.12.1 Anforderungen an Pflasterziegel und Pflasterklinker

Pflasterziegel und die noch stärker gebrannten Pflasterklinker werden beide nach den Anforderungen der DIN EN 1344:2015-10 „Pflasterziegel – Anforderungen und Prüfverfahren" bewertet. Dabei sind die unterschiedlichen Klassen zur Festigkeit, zum Rutsch- und Gleitwiderstand sowie zum Abriebverhalten besonders hervorzuheben. Die Pflasterklinker haben zusätzliche Anforderungen nach DIN 18503:2003-12 „Pflasterklinker – Anforderungen und Prüfverfahren". Ihre Wasseraufnahme muss laut diesen Anforderungen noch geringer sein und ihre Scherbenrohdichte muss ein Mittelwert von 2,0 kg/dm^3 festgestellt werden.

Pflasterklinker

Klinker sind besonders hart gebrannte Ziegel. Durch den Herstellungsprozess entsteht ein sehr dichtes Material ohne Luftporen. Dieses eignet sich bestens als Pflasterbelag für Wege, Straßen und Plätze (siehe Abb. 2.52), denn Klinker sind pflegeleicht und besitzen zeitlose Optik sowie vor allem Unverwüstlichkeit. Nicht zuletzt bietet der Baustoff auch eine überzeugende Ökobilanz – trotz der hohen Brenntemperaturen.

Der klassische Pflasterklinker ist rot wie gebrannter Ton. Bunte Klinker (siehe Abb. 2.53), die das Rot mit einem blau-violetten Schimmer kombinieren, entstehen durch Sauerstoffreduzierung während des Brennens. Doch diese typisch kräftigen Klinkerfarben eignen sich nicht für jede Umgebung. Wo bereits überall rote Klinkerhäuser stehen – wie in Norddeutschland – passen die klassischen Pflasterklinker für Wege und Straßen meist ideal. Mit einer gelben Putzfassade harmonisieren sie dagegen nicht so gut.

In Bezug auf die Farbvielfalt ist die Klinkerindustrie zwar nicht so breit aufgestellt wie die Hersteller von Betonwerksteinen, gleichwohl hat sich auf diesem Gebiet in den letzten Jahrzehnten viel getan. Durch Hinzumischung verschiedener Zuschlagstoffe wurde das Farbspektrum erweitert, sodass es heute z. B. auch Klinker in Braun- und Gelbtönen gibt. Darüber hinaus lässt sich der Baustoff – ähnlich wie Dachziegel – auch glasieren, wodurch viele weitere Farben möglich sind.

Abb. 2.52: Pflasterklinkerbelag einer Fußgängerstraße (Quelle: Wienerberger GmbH, Hannover)

Abb. 2.53: Bunter Bockhorner Pflasterklinker (Quelle: Bockhorner Klinkerziegelei Uhlhorn GmbH & Co. KG, Bockhorn-Grabstede)

2.12.2 Eigenschaften

Aufgrund ihrer geschlossenen Poren nehmen Klinker kaum Wasser auf, sind ausgesprochen hart, frost- und abriebfest sowie widerstandsfähig gegen Schmutz und Chemikalien. Natürliche Verschmutzungen werden in der Regel vom Regen wieder ausgewaschen, eine besondere Pflege ist nicht notwendig. Das Material ist zudem säurefest und bleicht nicht aus.

Als industriell hergestellte Kunststeine sind Klinker zudem sehr maßhaltig und erlauben daher die Erstellung ebener Oberflächen. Die Glattheit der Oberfläche birgt jedoch die Gefahr, dass der Pflasterbelag rutschig wird, zumal das Material kaum Wasser aufsaugt. Doch auch dafür bietet die Industrie Lösungen, indem sie die Steinoberflächen beispielsweise rumpelt oder riffelt. Mithilfe solcher Nachbehandlungen entstehen trittsichere Klinker.

2.12.3 Ökobilanz in Bezug auf Herstellung und Nutzungsdauer

Brennt man tonhaltigen Lehm bei hohen Temperaturen – aber noch unterhalb von 1.200 °C –, dann entstehen normale Ziegel, wie sie beispielsweise in Form von Dachziegeln oder Mauerziegeln bekannt sind. Diese Produkte enthalten noch relativ viele Luftporen und sind daher auch entsprechend leicht. Erst ab einer Brenntemperatur von 1.200 °C beginnt die sog. Sinterung. Die Rohstoffmasse wird dann zunehmend dichter, vorhandene Luftporen schließen sich. Das Ergebnis sind sehr feste Steine, die einen hellen Klang erzeugen, wenn man sie aneinanderschlägt. Daher haben sie auch ihren „klangvollen" Namen: Klinker.

Die hohe Brenntemperatur hat allerdings den Nachteil, dass bei der Klinkerproduktion viel Energie verbraucht wird und somit auch viele CO_2-Emissionen entstehen. Wenn man die Ökobilanz von Klinkern allein auf Grundlage dieses Herstellungsprozesses bewertet, fällt das Ergebnis zwangsläufig negativ aus. Zwar weist die Industrie mit Recht darauf hin, dass in der jüngeren Vergangenheit viel Geld in moderne Öfen mit weniger Energieverbrauch und CO_2-Emissionen investiert und zudem verstärkt auf regenerative Energien gesetzt wurde, doch trotzdem wird für das Brennen (und Trocknen) von Pflasterklinkern auch weiterhin viel Energie benötigt.

Wenn man unter der Ökobilanz eines Produkts allerdings sämtliche Umweltwirkungen über dessen gesamte Lebensdauer versteht – von der Rohstoffgewinnung über die Herstellung und Nutzungsphase bis hin zur Entsorgung bzw. Wiederverwendung –, dann fällt die Bilanz deutlich besser aus. So argumentiert z. B. die Arbeitsgemeinschaft Pflasterklinker im Bundesverband der Deutschen Ziegelindustrie, dass Pflasterklinker in der Regel aus heimischem Ton ohne Zusatz von Chemikalien gebrannt würden. Die Tongruben befänden sich meist in der Nähe der Produktionsstätten, sodass lange Transportwege entfielen.

Die Arbeitsgemeinschaft verweist zudem auf die außerordentliche Langlebigkeit der Produkte. Die durchschnittliche Nutzungsdauer von Pflasterklinkern läge bei mehr als 100 Jahren. Verschmutzte oder defekte Klinker ließen sich zudem leicht reinigen, austauschen oder auch einfach umdrehen, zumindest, wenn die Flächen in der ungebundenen Regelbauweise verlegt würden – also lose auf Splittbett.

Die Arbeitsgemeinschaft Pflasterklinker weist ferner darauf hin, dass auch gebrauchte Pflasterklinker als Baumaterial gerne wiederverwendet werden. Das Material altere in Würde und erhalte mit den Jahren eine charmante Patina, die bei Kennern beliebt sei. Der niederländische Hersteller Vandersanden hat bei seinen Pflasterklinkern sogar eine

Wiederverwendungsrate von etwa 90 % beobachtet und attestiert ihnen eine durchschnittliche Lebensdauer von 125 Jahren.

Wenn die Wiederverwendung der Steine doch nicht mehr möglich ist, bleibt immer noch die Option, sortenrein rückbaubare Klinker in Form von Gesteinskörnungen für den Straßen-, Wege- und Sportplatzbau oder als Vegetationssubstrat zu recyceln. Darüber hinaus – so die Arbeitsgemeinschaft – könne man Klinkerbruch auch in die Produktion neuer Ziegelbaustoffe einfließen lassen oder das Material als rezyklierte Gesteinskörnungen für die Herstellung von ressourcenschonendem Beton verwenden, dem sog. R-Beton.

2.12.4 Bauweise und Verlegung

Pflasterklinker können in gebundener und ungebundener Ausführung verlegt werden. In ungebundener Form ist der Läuferverband, bei dem die Klinker meist quer zur Fahrtrichtung und an der unteren Linie leicht versetzt liegen, eine gängige und leicht verlegbare Form, die sehr stabil ist. Eine Bogen- bzw. Kreisform wird gerne aus optischen Gründen verwendet, ist aber auch komplizierter zu gestalten. Generell sind Verlegemuster, bei denen die Längsfugen entweder quer oder horizontal zur Fahrtrichtung verlaufen, stabiler, da sie den Horizontalkräften der Fahrzeuge als Verband besser entgegenwirken können.

Bevor man die Pflasterklinker verlegen kann, müssen 2 Prozesse abgeschlossen sein. Zunächst muss der Untergrund vorbereitet werden. Diese Tragschicht wird meist mit einer Rüttelplatte verdichtet, bis man darauf stehen kann. Danach kann man mit einer Randeinfassung den Rahmen der Fläche abgrenzen und das Pflaster so stärken. Im Anschluss erfolgt die Bettung. Sie besteht im Normalfall aus Splitt, Sand oder Granulat. Ist die Schicht gleichmäßig verteilt, sollte sie zwischen 3 und maximal 5 cm dick sein. Die Pflasterklinker werden auf das Bett gelegt und an entsprechenden Stellen zugeschnitten (siehe Abb. 2.54). Die entstehenden Fugen sind mit Fugenmaterial zu füllen. Der Fugenmörtel wird auf die Klinker gegeben und dann eingekehrt. Danach wird das fast fertige Pflaster bis zur Standfestigkeit gerüttelt.

2.12.5 Relevante Normen

DIN 18503:2003-12 Pflasterklinker – Anforderungen und Prüfverfahren

DIN EN 1344:2015-10 Pflasterziegel – Anforderungen und Prüfverfahren

2.13 Schall- und Lärmschutzwände

Wohngebiete benötigen einen besonderen Schutz gegen den Verkehrslärm stark befahrener Straßen und Autobahnen oder Eisenbahnstrecken.

Beim Schallschutz an Straßen kommt es darauf an, die gradlinige Ausbreitung des Schalls zu den Wohngebieten durch Masse zu verhindern und die Reflexion des Schalls, die ein „Aufschaukeln" zur Folge hätte, durch Schallschluckung (= Schallabsorption) zu vermeiden.

Abb. 2.54: Verlegen der Pflasterklinker auf dem abgezogenen Sandbett (Quelle: Wienerberger GmbH, Hannover)

Abb. 2.55: Schallschutzwall mit Solarkollektorflächen in Crailsheim (Quelle: Stadtmarketing Crailsheim GmbH, Crailsheim)

Der sich nach oben ausbreitende Schallanteil kann zwar verringert, aber nicht ganz vermieden werden. Dieser verringerte Anteil erreicht auf diesem „Umweg" trotz aller Schallschutzmaßnahmen die Wohngebiete. Das Maß hängt sehr wesentlich von dem Schallschluckeffekt der Schallschutzeinrichtungen und von deren Höhe ab.

3 Bauweisen von Schallschutzmaßnahmen an Straßen haben sich als wirkungsvoll erwiesen.

Schallschutzwände

Schallschutzwälle werden häufig gewählt, weil sie sich besonders gut in das Landschaftsbild einfügen lassen. Als naturnahe Lösung werden sie in den „Empfehlungen für die Gestaltung von Lärmschutzanlagen an Straßen" (2005) der Forschungsgesellschaft für Straßen- und Verkehrswesen e. V. (FGSV) gefordert.

Sie bestehen aus aufgeschüttetem und verdichtetem Erdmaterial (siehe Abb. 2.55). Die Wirksamkeit hängt nicht zuletzt von der Höhe des Walls und von der Bepflanzung ab. Mit wachsender Bepflanzung durch Sträucher und Bäume erhöht sich auf lange Sicht der Schallschutz spürbar.

Um den Flächenbedarf zu reduzieren, wurden verschiedene **Steilwallsysteme** entwickelt, die sich nach kurzer Zeit als schalldichte Steilwallhecken „unsichtbar" in das Umfeld einfügen. Ausführungsarten sind:

- Metallprofil/Erde,
- Stahlrohr/Gitter-Stützkonstruktionen/Erde,
- Drahtgeflechtkonstruktion/Steinkorb (Gabionen),
- Drahtgeflechtkonstruktion/Steinwollblöcke,
- aufbereitetes Kunststoffrecycling-Material/Erde,
- Betonelemente/Erde.

Abb. 2.56: Bau eines Steilwandsystems aus Betonelementen (Quelle: Gisela Franke/Schäfer-Bauten GmbH)

Abb. 2.57: Privatgrundstück mit bepflanzter Schallschutzwand (Quelle: Ehl AG, Kruft)

Mit einem Beton-Erde-System (siehe Abb. 2.56) lässt sich der Grundflächenbedarf im Vergleich zu einem klassischen Erdwall um bis zu 50 % reduzieren. Die Verfüllung der Systeme erfolgt mit setzungsarmem Substrat. Danach wird die Anlage mit Efeu, wildem Wein u. a. bepflanzt.

Steilwälle erfüllen aufgrund ihrer großen Masse mit einem Flächengewicht > 40 kg/m^2 die Anforderungen zur Schalldämmung nach den „Zusätzlichen Technische Vertragsbedingungen und Richtlinien für die Ausführung von Lärmschutzwänden an Straßen" (ZTV-Lsw 22, FGVS 2022).

Gestaltete Schallschutzwände

Diese Schallschutzwände werden häufig in Wohnlagen eingesetzt und bieten zusätzliche Möglichkeiten in Optik und Bepflanzung (siehe Abb. 2.57). Beliebt sind bepflanzbare Betonteile, z. B. Pflanzringe oder Pflanzbalkone, die ein steileres Ansteigen der Wand, einen höheren Aufbau sowie individuelle Flächengliederungen ermöglichen. Das Erdmaterial, die Flächengliederung und auch die Bepflanzung bewirken eine gute Schallschluckung bei verringertem Raumbedarf. Die Elemente besitzen eine spezielle porige Betonstruktur mit pflanzen- und klimagerechten Eigenschaften. Verbundkehlen und Verzahnungen sowie der Aufbau als Einfach- oder Doppelreihe gewährleisten eine hohe statische Sicherheit.

Lärmschutzwände

Lärmschutzwände werden besonders häufig zur Schallabschirmung im Verkehrsbereich eingesetzt. Sie werden fabrikmäßig vorgefertigt, lassen sich schnell montieren und besitzen nur einen geringen Raumbedarf.

Da sie in der Regel in besonders kritischen Bereichen eingesetzt werden (Autostraßen, Stadtgebiete usw.), müssen sie den „Richtlinien für Lärmschutz an Straßen" (RLS 19, FGSV 2019) entsprechen und die Anforderungen der ZTV-Lsw 22 erfüllen.

Sie sind hochabsorbierend, wenn sie einen Kennwert für die Schallabsorption von ≥ 8 dB und ein Schalldämm-Maß von > 25 dB besitzen.

Das Flächengewicht einer Lärmschutzwand muss mindestens 40 kg/m^2 betragen. Außerdem muss für den Einsatz an Bundesstraßen, Autobahnen oder Bundesbahnstrecken die Belastbarkeit durch Windkräfte nachgewiesen werden (Windlast von 1,45 kN/m^2).

Hergestellt werden Elemente aus Aluminium, Beton, Glas, transparenten Kunststoffen, Holz und Ziegel.

Verbreitet sind Lärmschutzwände aus offenporigem Beton mit hochabsorbierender Oberfläche. Ihre Vorteile sind Dauerhaftigkeit, vielfältige Gestaltungsmöglichkeiten, geringe Unterhaltungskosten sowie einfache Recycelbarkeit.

3 Hochbau

3.1 Zement

3.1.1 Allgemeines

Zement ist ein mineralisches, fein gemahlenes, hydraulisches Bindemittel für Mörtel, Estrich und Beton. Nach dem Mischen mit Wasser erhärtet Zement sowohl an der Luft als auch unter Luftabschluss oder unter Wasser. Im erhärteten Zustand ist der Zementstein wasserbeständig. Portlandzement wurde ab 1843 zunächst in England hergestellt. In der Folgezeit traten Portlandhüttenzement und Hochofenzement hinzu.

Heute hat sich die Anzahl der Zementsorten vervielfacht, sodass eine Nutzung für die differenziertesten Bauaufgaben nach speziellen Bauverfahren möglich ist. Die europäisch harmonisierte Norm für Normalzemente DIN EN 197-1: 2011-11 „Zement – Teil 1: Zusammensetzung, Anforderungen und Konformitätskriterien von Normalzement" ist seit 2002 in allen EU-Ländern verbindlich eingeführt. Diese Norm behandelt die Zusammensetzung, Anforderungen und Konformitätskriterien von Normalzement. Sie definiert u. a. die Anforderungen an Zemente mit niedriger Hydratationswärme (LH) und Zemente mit hohem Sulfatwiderstand (SR). In Ergänzung dazu sind in DIN EN 197-5:2021-07 „Zement – Teil 5: Portlandkompositzement CEM II/C-M und Kompositzement CEM VI" weitere, in den letzten Jahren entwickelte Kompositzemente geregelt.

Die nicht europäisch genormten Zemente sind in DIN 1164-10:2023-02 „Zement mit besonderen Eigenschaften – Teil 10: Zement mit niedrigem wirksamen Alkaligehalt – Zusammensetzung und Anforderungen" und DIN 1164-11:2023-02 „Zement mit besonderen Eigenschaften – Teil 11: Zement mit verkürztem Erstarren – Zusammensetzung und Anforderungen" geregelt. In DIN 1164-10 sind Normalzemente mit niedrigem wirksamem Alkaligehalt (NA) genormt und in DIN 1164-11 Zemente mit verkürztem Erstarren. Die DIN EN 14216:2015-09 „Zement – Zusammensetzung, Anforderungen und Konformitätskriterien von Sonderzement mit sehr niedriger Hydratationswärme" berücksichtigt Zemente mit sehr niedriger Hydratationswärme (VLH).

3.1.2 Zementarten

In den Normen ist für jede Zementart festgelegt, aus welchen Hauptbestandteilen sich die Zemente zusammensetzen, welche Anforderungen sie erfüllen müssen und in welchen Mengenverhältnissen die verschiedenen Haupt-

Abb. 3.1: Zementwerk in Rüdersdorf (Quelle: Thomas Weber, CEMEX Deutschland AG, Rüdersdorf b. Berlin)

Abb. 3.2: Blick in das Rundmischbett des Zementwerks (Quelle: Thomas Weber, CEMEX Deutschland AG, Rüdersdorf b. Berlin)

Abb. 3.3: Rohmühle und Wärmetauscher des Zementwerkes (Quelle: Thomas Weber, CEMEX Deutschland AG, Rüdersdorf b. Berlin)

bestandteile kombiniert werden können. DIN EN 197-1 unterteilt in 5 Hauptzementarten:

- **Portlandzement CEM I** enthält außer Portlandzementklinker keine weiteren Hauptbestandteile.
- **Portlandkompositzemente CEM II/A** und **CEM II/B** enthalten außer Portlandzementklinker noch zwischen 6 und 35 % andere Hauptbestandteile. Diese Hauptbestandteile sind Hüttensand (gekennzeichnet durch den Buchstaben S), natürliches Puzzolan (P) (hierbei handelt es sich im Wesentlichen um Trass), kieselsäurereiche Flugasche (V), gebrannter Ölschiefer (T) und Kalkstein (LL, L). Des Weiteren können Silicastaub (D), natürliche getemperte Puzzolane (Q) oder kalkreiche Flugasche (W) eingesetzt werden. In Portlandkompositzementen CEM II/A-M oder CEM II/B-M können auch mehrere Hauptbestandteile kombiniert werden.
- **Hochofenzemente CEM III/A bis C** enthalten neben Portlandzementklinker zwischen 36 und 95 % Hüttensand.
- **Puzzolanzemente CEM IV/A und B** bestehen neben Portlandzementklinker zu mindestens 11 bis maximal 55 % aus wenigstens 2 Hauptbestandteilen von Silicastaub, Puzzolanen und/oder Flugasche.
- **Kompositzemente CEM V/A und B** weisen außer den Hauptbestandteilen Portlandzementklinker und Hüttensand noch 18 bis 49 % andere Hauptbestandteile auf. Diese können Puzzolane (P und Q) und/oder kieselsäurereiche Flugasche (V) sein.

In DIN EN 197-5 wurden ergänzend Portlandkompositzemente mit niedrigerem Klinkergehalt und zusätzliche Kompositzemente berücksichtigt. Die Norm definiert 2 weitere Zementarten:

- **Portlandkompositzemente CEM II/C-M** haben neben Portlandzementklinker noch 2 weitere Hauptbestandteile (Kombination aus S, P, Q, D, T, L bzw. LL) mit einem Anteil von 36 bis 50 %.
- **Kompositzemente CEM VI** setzen sich neben 35 bis 49 % Portlandzementklinker und 31 bis 59 % Hüttensand (S) noch aus einem weiteren Zementhauptbestandteil (P, V, L bzw. LL) mit einem Anteil von 6 bis 20 % zusammen.

Die in DIN EN 197-1, DIN EN 197-5 und DIN 1164-10 genormten Zementarten sind grundsätzlich geeignet für Mörtel, Estriche und Beton nach den entsprechenden Produktnormen. Das heißt nicht, dass alle Eigenschaften der Zemente im Einzelnen gleich wären. Sie unterscheiden sich z. B. nach Festigkeitsklassen und -verläufen. DIN EN 206:2021-06 „Beton – Festlegung, Eigenschaften, Herstellung und Konformität" und DIN 1045-2:2008-08 „Tragwerke aus Beton, Stahlbeton und Spannbeton – Teil 2: Beton – Festlegung, Eigenschaften, Herstellung und Konformität – Anwendungsregeln zu DIN EN 206-1" enthalten u. a. Regeln für die Anwendung der Zemente nach DIN EN 197-1, DIN EN 197-5, DIN 1164 sowie DIN EN 14216.

3.1.3 Festigkeitsklassen der Normzemente nach DIN EN 197-1 bzw. DIN 1164-10 bis 11

Die 3 Norm-Festigkeitsklassen 32,5 42,5 und 52,5 entsprechen den Mindest-Normdruckfestigkeiten der Zemente im Alter von 28 Tagen, geprüft nach DIN EN 196-1:2016-11 „Prüfverfahren für Zement – Teil 1: Bestimmung der Festigkeit" mit w/z = 0,50. Darüber hinaus werden Zemente mit hoher Anfangsfestigkeit mit R und Zemente mit üblicher Anfangsfestigkeit mit N bezeichnet. Hochofenzemente mit niedriger Anfangsfestigkeit werden mit L charakterisiert.

Die Festigkeitsklassen kennzeichnen sich durch eine zulässige Unter- und Obergrenze, nur die höchste Klasse 52,5 ist nach oben offen (vgl. Tabelle 3.1). Diese beidseitige Begrenzung erfordert eine hohe Gleichmäßigkeit bei der Zementherstellung bezüglich der wichtigen Eigenschaft Festigkeit.

Tabelle 3.1: Festigkeitsklassen von Zement

Festigkeitsklassen	Druckfestigkeit, MPa			Kennfarbe	Farbe des Aufdrucks
	Anfangsfestigkeit		Normfestigkeit		
	2 Tage	7 Tage	28 Tage		
32,5 N	–	≥ 16	≥ 32,5 ≤ 52,5	hellbraun	schwarz
32,5 R	≥ 10	–			rot
42,5 N	≥ 10	–	≥ 42,5 ≤ 62,5	grün	schwarz
42,5 R	≥ 20	–			rot
52,5 N	≥ 20	–	≥ 52,5	rot	schwarz
52,5 R	≥ 30	–			rot

3.1.4 Besondere Eigenschaften der Zemente

Zemente mit niedriger Hydratationswärme LH (Low Heat) nach DIN EN 197-1 kennzeichnen sich durch eine Hydratationswärme ≤ 270 J/g nach 7 Tagen Hydratation. Zemente mit sehr niedriger Hydratationswärme VLH (Very Low Heat) sind in DIN EN 14216 geregelt und weisen eine Hydratationswärme ≤ 220 J/g nach 7 Tagen Erhärtung auf. LH- und VLH-Zemente eignen sich für dickwandige Bauteile aus Beton, bei denen ein übermäßiger Temperaturanstieg infolge der Wärmefreisetzung bei der exothermen Zementhydratation Risse und sonstige Schäden erzeugen könnte.

Normalzemente mit hohem Sulfatwiderstand SR (Sulphate Resistance) sind ebenfalls in DIN EN 197-1 genormt. Solche Zemente eignen sich für Betone, die starkem Sulfatangriff ($[SO_4]^{2-}$) durch Grundwasser, Abwasser oder sulfathaltige Böden ausgesetzt sind.

DIN 1164-10 regelt Normalzemente mit niedrigem wirksamem Alkaligehalt (NA), die mit reaktionsfähigen Gesteinskörnungen verarbeitet werden können.

Zemente mit frühem Erstarren (FE) sowie schnell erstarrende Zemente (SE) werden in DIN 1164-11 geregelt. Sie eignen sich besonders für Beton mit kurzen Verarbeitungszeiten, z. B. für Betonfertigteile oder Trockenspritzbeton.

Zemente mit erhöhtem Anteil an organischen Zusätzen (HO) können beispielsweise verflüssigend wirkende Zusätze enthalten.

Bei Sulfathüttenzementen handelt es sich um hüttensandhaltige Zemente, deren Reaktion auf einer sulfatischen Anregung beruht. Die europäische Norm DIN EN 15743: 2015-06 „Sulfathüttenzement – Zusammensetzung, Anforderungen und Konformitätskriterien" ist in Deutschland eingeführt. Die Verwendung von Sulfathüttenzementen in Beton ist jedoch nur mit allgemeiner bauaufsichtlicher Zulassung erlaubt.

Die folgenden besonderen Eigenschaften sind nicht normativ geregelt:

- **Hydrophober Zement** ist wasserabweisend, sodass er sich besonders für Bodenverfestigung, Tragschichten u. Ä. im Straßenbau eignet. Zunächst lässt er sich, ohne zu klumpen, in den feuchten Boden einarbeiten. Bei der Verarbeitung verliert er seine Hydrophobierung, sodass er anschließend normal hydratisiert.
- **Zemente für den Bau von Betonfahrbahndecken** unterliegen besonderen Anforderungen des Bundesverkehrsministeriums und weisen für Betonstraßenbau günstige Verarbeitungs- und Erhärtungsverläufe auf. Es handelt sich um Sondervorschriften für genormte Eigenschaften, die auf Anfrage vom Hersteller in Eigen- und Fremdüberwachung nachgewiesen werden.
- **Weißzemente** haben ihre besondere Eigenschaft in ihrer weißen Farbe. Technisch entsprechen sie den gleichnamigen Grauzementen, z. B. Portlandzement CEM I 42,5 R. Weißzemente sind Normzemente nach DIN EN 197-1 bzw. DIN 1164-10 und geeignet für alle Anwendungen bis hin zum Stahl- und Spannbeton. Sie enthalten kaum Eisenoxide, die die graue Farbe bedingen. Weißzemente eignen sich für weißen oder farbigen Sichtbeton, für Putze, Betonwerkstein und alle Arten von weißen, hellen oder farbigen mineralischen Mörteln.
- **Tiefbohrzemente** werden für Auskleidungen von Bohrlöchern z. B. bei der Erdöl- und Erdgasgewinnung eingesetzt. Aufgrund ihrer Zusammensetzung erstarren und erhärten sie auch bei höheren Temperaturen normal.
- **Quellzemente** weisen eine kontrollierte Volumenzunahme während der Hydratation auf. Dies wird erreicht durch Zugabe von Calciumsulfaten, Calciumaluminatsulfaten oder freiem Kalk.

3.1.5 Zementherstellung und Nachhaltigkeit

Zement – als Bindemittel – ist die Grundlage für Beton, einen der wichtigsten Baustoffe weltweit. Ohne Beton bzw. Stahlbeton wären viele Gebäude, Brücken, Wasserbauwerke nicht denkbar. Mit der Herstellung von Betonbauwerken sind jedoch CO_2-Emissionen verbunden. Im Sinne der Nachhaltigkeit und der Dekarbonisierung von Industrie und Gesellschaft ist die Vermeidung von Treibhausgasemissionen jedoch eines der wichtigsten Ziele. Hierfür gibt es verschiedene Ansatzpunkte.

Neben der Verbesserung der Betonzusammensetzung selbst wären auch Anpassungen in der Betonbauweise möglich, wie z. B. bei Bauteilen mit reduziertem Betoneinsatz (vgl. Verein Deutscher Zementwerke [VDZ], 2020) mit möglichst schlanken Bauteilabmessungen (Betonfertigteile, Carbonbeton) oder effizienten Querschnitten (Flach- und Hohldecken). Diese Einsparmöglichkeiten sind jedoch begrenzt.

Im Vergleich dazu ergeben sich beim Zement erhebliche Emissionsvermeidungspotenziale. Neben der Verbesserung in der Effizienz des Klinkerherstellungsprozesses können vor allem durch die Verminderung des Klinkerfaktors im Zement Treibhausgasemissionen deutliche vermieden werden.

Die Zementherstellung ist ein energieintensiver Prozess. Bei der Herstellung einer Tonne Zement in Deutschland entstehen durchschnittlich Emissionen in Höhe von rund 600 kg CO_2 (vgl. VDZ, 2020). Davon entfällt nur etwa 1 Drittel auf brennstoffbedingte Emissionen. Rund 2 Drittel der CO_2-Emissionen entfallen auf rohstoffbedingte Prozessemissionen aus der Entsäuerung des bei der Herstellung des Portlandzementklinkers verwendeten Kalksteins. Die kontinuierliche Verringerung des Klinkergehaltes im Zement ist deshalb eine sehr wirksame Maßnahme, um den CO_2-Fußabdruck der Zementherstellung zu verbessern. Mittelfristig wird sich jedoch die Verfügbarkeit weiterer, bisher üblicher Zementhauptbestandteile drastisch verändern. So wird die Verfügbarkeit an Flugaschen in Deutschland durch den Ausstieg aus der Kohleverstromung zurückgehen, neue und klimafreundliche Herstellungsverfahren in der Roheisenerzeugung werden zu einem massiven Rückgang des Hüttensands führen.

Dies setzt jedoch die Entwicklung von Kompositzementen mit mehreren Hauptbestandteilen voraus, in denen leistungsstarker Klinker mit weiteren Zementhauptbestandteilen, z. B. mit Hüttensandmehl, Puzzolanen, Flugaschen oder Kalksteinmehl, kombiniert wird. Diese Vorgehensweise ermöglicht besonders klinkereffiziente Zemente wie z. B. CEM-II-/C-M-Zemente, bei deren Herstellung ein sehr großer Teil der prozessbedingten CO_2-Emissionen im Vergleich zu konventionellen Portlandzementen vermieden werden kann – bei gleicher Leistungsfähigkeit im Vergleich zu konventionellen Zementen.

Zum anderen erfordern die Dekarbonisierung und die damit einhergehende Transformation der Industrie die Erschließung weiterer neuer Materialien, die als Zementhauptbestandteile genutzt werden können. Auch die Zementnormen und die Anwendungsregeln für Zemente unterliegen deshalb einer Anpassung und Erneuerung. So werden schon bald neue Zemente einsetzbar werden, bei denen der Zementklinkergehalt noch weiter reduziert und durch die hochwertige Verwendung von rezyklierten Rest- bzw. Sekundärstoffen ein wichtiger Beitrag zur Kreislaufwirtschaft geleistet wird.

3.1.6 Wirkungsweise im Beton

Beton ist ein „künstlicher Stein". Nach DIN EN 206 ist er in der Regel ein „Fünf-Stoff-System" aus Zement, Gesteinskörnungen, Wasser, Betonzusatzstoffen und Betonzusatzmitteln.

Fast alle Eigenschaften des Betons werden durch die Qualität des Zementsteins und diese wiederum durch die Zusammensetzung des Zementleims geprägt. Als Zementstein wird der erhärtete Zementleim bezeichnet, der sich wiederum aus seiner Mischung aus Zement und Wasser – ggf. mit Betonzusatzstoffen oder Betonzusatzmitteln – zusammensetzt. Druckfestigkeit, Wasserundurchlässigkeit, Frostwiderstand, Korrosionsschutz für die Bewehrung, Kriechen und Schwinden und anderes mehr werden ganz wesentlich durch den Wasserzementwert bestimmt. Der Wasserzementwert (w/z-Wert) (siehe Abb. 3.4) ergibt sich aus der Zusammensetzung des Zementleims im Beton nach:

Wassergehalt zu Zementgehalt = w/z.

Bei einem „idealen“ Wasserzementwert um 0,40 wird theoretisch der gesamte Zement mit dem Wasser umgesetzt, er hydratisiert vollständig. Bei höheren Wasserzementwerten ist rechnerisch Wasser im Überschuss vorhanden, kann also nicht gebunden werden und bildet Kapillarporen. Je höher die Kapillarporosität, umso ungünstiger ist dies für die Dauerhaftigkeit des Betons, wie z. B. Frostwiderstand, Korrosionsschutz, Kriechen und Schwinden. Die Betonnorm begrenzt deshalb in Abhängigkeit von den Umgebungsbedingungen, denen der Beton ausgesetzt ist (Expositionsklassen nach DIN EN 206), den Wasserzementwert aus Gründen der Dauerhaftigkeit. Hochfeste Betone erfordern Wasserzementwerte um 0,35 und niedriger, um ein dichtes Gefüge zu erzeugen. Dies bedeutet aber, dass nicht ausreichend Wasser zur Verfügung steht, um den Zement vollständig zu hydratisieren.

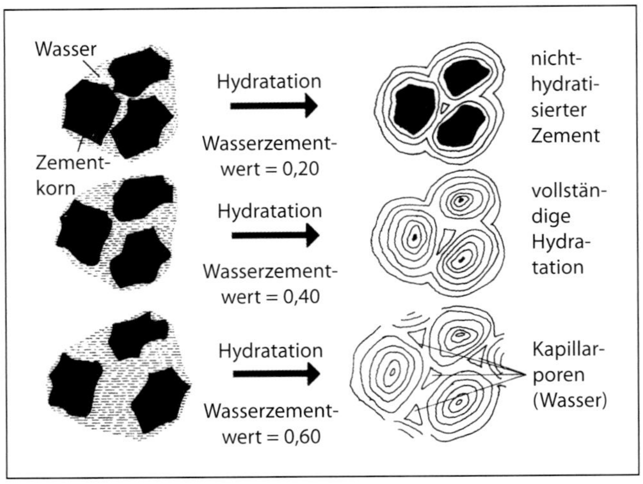

Abb. 3.4: Bedeutung des Wasserzementwertes w/z (Prinzip) (nach „Zement Taschenbuch 2008“, 51. Ausgabe, Hrsg.: Verein deutscher Zementwerke e.V., Verlag Bau+Technik GmbH, Düsseldorf 2008)

3.1.7 Bautechnische Eigenschaften

Beton muss bei der Herstellung und dem Einbau möglichst vollständig verdichtet werden. Frischbeton benötigt dazu eine günstige und auch ausreichend lange Verarbeitbarkeit. Die Zementeigenschaften beeinflussen diese wichtige Anforderung an die Betonherstellung insbesondere über ihre Granulometrie und ihr Erstarrungsverhalten. Entsprechende Zementkennwerte sind der Wasseranspruch für Normensteife und der Erstarrungsanfang. Teilweise wird der Einfluss des Zementes auf den Wasseranspruch des Betons überschätzt. In der Regel besteht der Beton zu 70 Vol.-% aus Gesteinskörnungen, die allein durch ihren großen Anteil den Wasseranspruch des Betons in Abhängigkeit von der gewünschten Konsistenz wesentlich mitbestimmen.

Zusätzliche Anforderungen, z. B. für Betonagen bei höheren Betontemperaturen, kann der Betonhersteller durch die Zugabe von Zusätzen, die in diesem Fall die Verarbeitbarkeitszeiten beeinflussen können, aussteuern und ggf. in Eignungsprüfungen vorab prüfen.

Wichtigste bautechnische Eigenschaft von Zement und Beton ist die Druckfestigkeit, die in der Regel nach ausreichender Erhärtung im Alter von 28 Tagen ermittelt wird. Dabei erfolgt die Ermittlung der Zementfestigkeit nach DIN EN 196-1:2016-11 „Prüfverfahren für Zement – Teil 1: Bestimmung der Festigkeit“ am Normmörtel mit einem vorgegebenen Wasserzementwert w/z = 0,50. Aufgrund der zunehmenden Kapillarporosität ab w/z > 0,40 ist die Festigkeit von Betonen stark vom Wasserzementwert des Betons abhängig. Entsprechende Gesetzmäßigkeiten sind bekannt als sog. „Walz-Kurven“, die für die Konzeption der Betonrezeptur (siehe Kapitel 3.6) Anwendung finden.

Langsam erhärtende Zemente, z. B. Hochofenzemente CEM III/B, werden zwar auch nach ihrer Festigkeit im Alter von 28 Tagen eingestuft. Falls bautechnisch erforderlich (z. B. massive Bauteile), können über 28 Tagen hinaus noch deutliche Festigkeitsanstiege geplant werden.

Alle Zemente bis auf CEM III/C enthalten mindestens 20 % Portlandzementklinker. Bei der Umsetzung mit dem Zugabewasser, der Hydratation, wird u. a. Kalkhydrat gebildet, das sich auch in gelöster Form in den Kapillarporen wiederfindet. Deshalb ist der Zementstein im Beton alkalisch mit pH-Werten um 12 bis 13. Diese hohe Alkalität schützt den Stahl im Stahlbeton vor Korrosion. Feuchtigkeit und Sauerstoff können den Stahl nicht korrodieren, solange er im alkalischen Milieu „passiviert“ ist. Aus Korrosionsschutzgründen muss Stahlbeton deshalb auch einen Mindestzementgehalt und einen maximal zulässigen Wasserzementwert einhalten.

3.1.8 Lieferformen und Lagerung

Beim Zement unterscheidet man hinsichtlich der Lieferung grundsätzlich zwischen losem Zement und Sackzement. Loser Zement wird in Silolastzügen geliefert, die durch Druckluft entleert werden. Die Zementsäcke, bzw. bei losem Zement ein Blatt zum Anheften am Silo, müssen mit einem Aufdruck gemäß der relevanten Zementnorm gekennzeichnet sein. Zement ist hygroskopisch und nimmt aus der Luft Feuchtigkeit auf, was zu einem Verklumpen des Zements und zu einer Festigkeitsminderung führt.

Als Faustregel für Sackzement gilt, dass bei sachgemäßer Lagerung in trockenen Räumen nach ca. 3 Monaten ein Festigkeitsverlust von 10 bis 20 % auftreten kann. Da die Minderung der Anfangsfestigkeit bei Zementen der Festigkeitsklasse 52,5 R größer sein kann, sollten diese nicht länger als 1 Monat gelagert werden, die Zemente der übrigen Festigkeitsklassen nicht länger als 2 Monate.

3.1.9 CE-Kennzeichnung und Leistungserklärung

Die am 1. Juli 2013 eingeführte europäische Bauproduktenverordnung (BauPVO) gilt für alle Bauprodukte nach europäisch harmonisierten Normen. Sie gilt damit auch für Zemente nach DIN EN 197-1 und erfordert eine entsprechende CE-Kennzeichnung. Die CE-Kennzeichnung muss auf einem Etikett oder der Verpackung oder den Lieferdokumenten angebracht sein. Mit der CE-Kennzeichnung dokumentiert der Hersteller, dass er die Verantwortung für die Übereinstimmung des Bauproduktes mit der in der Leistungserklärung (bisher Konformitätserklärung) angegebenen Leistung und die Einhaltung der europäischen Rechtsvorschriften übernimmt. Dies beinhaltet die Einhaltung der Inhalte der zugehörigen Norm oder einer Europäischen Technischen Bewertung (bisher Europäische Technische Zulassung).

3.1.10 Gesundheitliche Aspekte beim Umgang mit Zement

Zemente, die Portlandzementklinker enthalten, reagieren beim Mischen mit Wasser stark basisch (pH-Wert > 12,5). Bei längerem und ungeschütztem Kontakt kann dies zu Hautreizungen und -schäden führen. Bei Augenkontakt führt bereits trockener Zement zu Reizungen.

Kennzeichnung gemäß EG-Verordnung 1272/2008

Gemäß der Chemikalienverordnung der EU Nr. 1907/2006, (Registration, Evaluation, Authorisation and Restriction of Chemicals [REACH]) sowie der EG-Verordnung Nr. 1272/2008 (Regulation on Classifcation, Labeling and Packaging of Substances and Mixtures [CLP]), die die Einstufung, Kennzeichnung und Verpackung von Stoffen und Gemischen regelt, ist Zement als Gemisch eingestuft.

Die Angaben zum Umgang und zur gesundheitlichen Relevanz von Zement sind den Sicherheitsdatenblättern zu entnehmen. Auf den Verpackungen sowie den Lieferscheinen sind die entsprechenden Piktogramme (siehe Abb. 3.5), Gefahrenhinweise usw. anzugeben.

Gefahrenhinweise:

- H318 – verursacht Hautreizungen
- H315 – verursacht schwere Augenschäden
- H335 – kann die Atemwege reizen

Sicherheitshinweise:

- P280 – Schutzhandschuhe/Schutzkleidung/Augenschutz tragen
- P305 + P351 + P338 + P310 – bei Berührung mit den Augen: einige Minuten lang behutsam mit Wasser ausspülen. Eventuell vorhandene Kontaktlinsen nach Möglichkeit entfernen. Weiter ausspülen. Sofort Giftinformationszentrum oder Arzt anrufen.
- P302 + P352 + P333 + P313 – bei Berührung mit der Haut: mit viel Wasser und Seife waschen. Bei Hautreizung oder -ausschlag: ärztlichen Rat einholen/ärztliche Hilfe hinzuziehen.
- P261 + P304 + P340 + P312 – Einatmen von Staub vermeiden. Bei Einatmen: die betroffene Person an die frische Luft bringen und in einer Position ruhigstellen, in der sie leicht atmet. Bei Unwohlsein Giftinformationszentrum oder Arzt anrufen.

Ist das Produkt für jedermann erhältlich, zusätzlich:

- P102 – darf nicht in die Hände von Kindern gelangen,
- P501 – Inhalt/Behälter zu geeigneten Abfallsammelpunkten bringen.

Ein weitere seit 2020 verbindliche Information in den Sicherheitsdatenblättern entsprechend der EG-Verordnung Nr. 1272/2008 (CLP) auf den Lieferdokumenten und auf Etiketten von Sackware-Zementen ist der sog. UFI-Code.

Abb. 3.5: Kennzeichnung gemäß EG-Verordnung 1272/2008

In Notfällen kann dieser eindeutige und produktspezifische 16-stellige Code der Giftnotrufzentrale übermittelt werden, damit diese gezielte Hilfe leisten kann.

3.1.11 Normen, Rechtsvorschriften und Literatur

Normen

DIN 1045-2:2008-08 Tragwerke aus Beton, Stahlbeton und Spannbeton – Teil 2: Beton – Festlegung, Eigenschaften, Herstellung und Konformität – Anwendungsregeln zu DIN EN 206-1

DIN 1164-10:2023-02 Zement mit besonderen Eigenschaften – Teil 10: Zement mit niedrigem wirksamen Alkaligehalt – Zusammensetzung und Anforderungen

DIN 1164-11:2023-02 Zement mit besonderen Eigenschaften – Teil 11: Zement mit verkürztem Erstarren – Zusammensetzung und Anforderungen

DIN EN 197-1:2011-11 Zement – Teil 1: Zusammensetzung, Anforderungen und Konformitätskriterien von Normalzement

DIN EN 197-5:2021-07 Zement – Teil 5: Portlandkompositzement CEM II/C-M und Kompositzement CEM VI

DIN EN 196-1:2016-11 Prüfverfahren für Zement – Teil 1: Bestimmung der Festigkeit

DIN EN 206:2021-06 Beton – Festlegung, Eigenschaften, Herstellung und Konformität

DIN EN 14216:2015-09 Zement – Zusammensetzung, Anforderungen und Konformitätskriterien von Sonderzement mit sehr niedriger Hydratationswärme

DIN EN 15743:2015-06 Sulfathüttenzement – Zusammensetzung, Anforderungen und Konformitätskriterien

Rechtsvorschriften

[Bauproduktenverordnung]: Verordnung (EU) Nr. 305/2011 des Europäischen Parlaments und des Rates vom 9. März 2011 zur Festlegung harmonisierter Bedingungen für die Vermarktung von Bauprodukten und zur Aufhebung der Richtlinie 89/106/EWG des Rates; Amtsblatt der Europäischen Union L 88/5 vom 04.04.2011

[REACH-Verordnung]: Verordnung (EG) Nr. 1907/2006 des Europäischen Parlaments und des Rates vom 18. Dezember 2006 zur Registrierung, Bewertung, Zulassung und Beschränkung chemischer Stoffe (REACH), zur Schaffung einer Europäischen Chemikalienagentur, zur Änderung der Richtlinie 1999/45/EG und zur Aufhebung der Verordnung (EWG) Nr. 793/93 des Rates, der Verordnung (EG) Nr. 1488/94 der Kommission, der Richtlinie 76/769/EWG

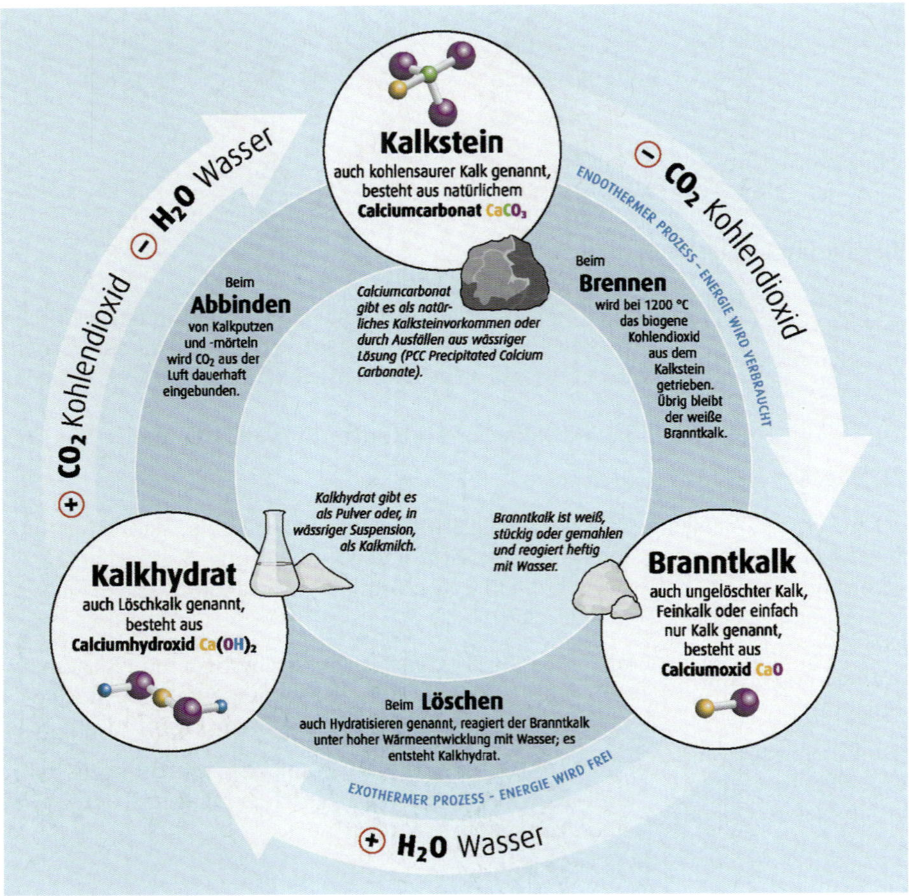

Abb. 3.6: Kalkreislauf (Quelle: Bundesverband der deutschen Kalkindustrie e. V., Köln)

des Rates sowie der Richtlinien 91/155/EWG, 93/67/EWG, 93/105/EG und 2000/21/EG der Kommission; Amtsblatt der Europäischen Union L 136/3 vom 29.5.2007

Verordnung (EG) Nr. 1272/2008 des Europäischen Parlaments und des Rates vom 16. Dezember 2008 über die Einstufung, Kennzeichnung und Verpackung von Stoffen und Gemischen, zur Änderung und Aufhebung der Richtlinien 67/548/EWG und 1999/45/EG und zur Änderung der Verordnung (EG) Nr. 1907/2006; Amtsblatt der Europäischen Union L 353/1 vom 31.12.2008

Literatur

Dekarbonisierung von Zement und Beton – Minderungspfade und Handlungsstrategien [online]. Düsseldorf: Verein Deutscher Zementwerke (VDZ), 2020. Internet: https://www.vdz-online.de/dekarbonisierung [Zugriff: 24.01.2023]

3.2 Kalk

Kalkprodukte gehören zu den ältesten und natürlichsten Baustoffen der Welt und sind bis heute wichtige Rohstoffe für die Industriegesellschaft. In der Industrie z. B. dient Kalk als Zuschlagstoff bei der Eisen- und Stahlerzeugung oder bei der Herstellung einer Vielzahl von Produkten wie Soda, Glas, Seife, Kunststoffen, Kosmetika, Papier. Im Umweltschutz gelangt Kalk zum Einsatz bei der Rauchgasreinigung, Abwasserreinigung, Klärschlammbehandlung, Enthärtung und Entsäuerung von Trinkwasser oder zur Fällung von Schwermetallen. Die Landwirtschaft nutzt Kalk als Düngekalk, Futterkalk oder zur Desinfektion.

Als bedeutender Baustoff findet Kalk im Hochbau Verwendung bei der Herstellung von Kalksandsteinen, Porenbeton, Putzen und Mörtel. Im Tiefbau dient er der Bodenverbesserung und -verfestigung.

3.2.1 Entstehung und Gewinnung

Der Rohstoff für die Kalkherstellung ist Kalkstein, der in mehreren geologischen Zeitaltern, oft aus den Überresten von kalkschaligen Meeresbewohnern wie Korallen und Muscheln, entstanden ist. Enthält er neben Calciumcarbonat ($CaCO_3$) noch Magnesiumcarbonat ($MgCO_3$), so spricht man von Dolomitstein. Tonhaltiger Kalkstein wird Mergel genannt. Er kann für die Herstellung von hydraulischem Kalk und Zement verwendet werden. Kalkstein wird meist im Tagebau gewonnen, zerkleinert und in Schachtöfen oder Drehrohröfen gebrannt. Bei Temperaturen zwischen 900 und 1.200 °C entweicht die gebundene Kohlensäure und es entsteht Calciumoxid (CaO). Dieses wird in Form von Stückkalk für die Stahlherstellung oder in gemahlener Form als Weißfeinkalk für viele verschiedene Bereiche verwendet.

Beim Löschen des gebrannten Kalkes entsteht unter großer Wärmeentwicklung und in Abhängigkeit von der zugegebenen Wassermenge ein trockener, gelöschter Kalk (Calciumhydroxid, $Ca[OH]_2$), Weißkalkhydrat genannt, Sumpfkalk oder Kalkmilch. Die Reaktion des gelöschten Kalkes mit der Kohlensäure der Luft führt wieder zur Verfestigung. Mit dieser Reaktion schließt sich der Kalkkreislauf (siehe Abb. 3.6).

3.2.2 Baukalk

Als Baukalk wurde früher hauptsächlich Stückkalk, heute Weißkalkhydrat und Weißfeinkalk eingesetzt. Die Qualitätsanforderungen sind in DIN EN 459-1:2015-07 „Baukalk – Teil 1: Begriffe, Anforderungen und Konformitätskriterien“ festgelegt. Es werden 3 Qualitätsstufen Weißkalk (CL 90, CL 80, CL 70), 4 Qualitätsstufen Dolomitkalk (DL 90-30, DL 90-5, DL 85-30, DL 80-5), 3 Qualitätsstufen hydraulischer Kalk (HL 2,5, HL 3,5 und HL 5), 3 Qualitätsstufen natürlicher hydraulischer Kalk (NHL 2, NHL 3,5 und NHL 5) sowie 9 Qualitätsstufen formierter Kalk (FL 2 [A, B oder C], FL 3,5 [A, B oder C], FL 5 [A, B oder C]) unterschieden.

Weißkalke werden aus reinem Kalkstein, Dolomitkalke aus Dolomitstein und natürliche hydraulische Kalke aus tonhaltigem oder kieselsäurehaltigem Kalkstein gebrannt. Hydraulische Kalke oder formulierte Kalke werden durch Mischen vorwiegend aus Calciumhydroxid, Calciumsilikaten und Calciumaluminaten hergestellt.

Weißkalke und Dolomitkalke erhärten nur an der Luft durch Reaktion mit dem Kohlendioxid, sind also Luftkalke. Diese werden darüber hinaus nach ihren Lieferbedingungen als ungelöschte Kalke (Q) oder Kalkhydrate (S) klassifiziert. Bei gelöschten Dolomitkalken wird der Grad der Hydratation als S1: halbgelöscht und S2: vollständig gelöscht bezeichnet.

Hydraulischer Kalk enthält auch hydraulisch abbindende Komponenten und erreicht dadurch eine höhere Frühfestigkeit; er erstarrt und erhärtet auch mit Wasser.

3.2.3 Anwendung und Verarbeitung

Putz- und Mauermörtel werden heute üblicherweise als Werkmörtel aus Weißkalkhydrat, Zement und Sand hergestellt.

Kalkfarben werden aus Weißkalkhydrat oder aus Kalkteig hergestellt. Der Auftrag muss dünn erfolgen, um ein Abblättern der Farbe zu verhindern. Zur Verbesserung der Abrieb- und Wasserfestigkeit können Weißzement, Leinöl und innen auch Methylzellulose verwendet werden. Eine Zumischung von kalkechten Pigmenten zur Farbgebung ist möglich. Fertige Kalkfarben nach DIN 55945:2016-08 „Beschichtungsstoffe und Beschichtungen – Ergänzende Begriffe zu DIN EN ISO 4618“ bieten hier eine gute Alternative.

Weißfeinkalk im Straßen-, Wege- und Schienenbau reduziert den Wassergehalt von feuchten, bindigen Böden und ermöglicht so die Verdichtung. Ein Bodenaustausch kann so in den meisten Fällen vermieden werden. Kiesvorkommen werden durch dieses Verfahren geschont und der Baustellenverkehr wird auf ein Minimum reduziert.

Kalksteinsplitte und -sande sind gut geeignet für die Herstellung von Beton, Putz und Mörtel.

3.2.4 Handelsformen, Lieferung und Lagerung

Kalkprodukte werden in Säcken, Big-Bags und lose im Silo-Lkw geliefert. Weißfeinkalk kann in Säcken nur sehr begrenzt, maximal 2 Monate, gelagert werden, da er durch die Aufnahme von Feuchtigkeit aus der Luft abgelöscht wird und die damit verbundene Volumenvergrößerung die Säcke zum Platzen bringen kann. Weißkalkhydrat kann in trockenen Räumen dagegen 6 Monate und mehr gelagert werden. Lose im Silo-Lkw angeliefert werden Kalkprodukte in geeigneten Silos mit Filteranlagen bevorratet. Baukalke werden ständig güteüberwacht und tragen die CE-Kennzeichnung mit Angabe der überwachenden notifizierten Stelle und entsprechender Leistungserklärung. Werke, die der Gütegemeinschaft Naturstein, Kalk und Mörtel e. V. (GG-CERT), Köln, angehören und entsprechend fremdüberwacht werden, führen ergänzend das RAL-Gütezeichen Baukalk (siehe Abb. 3.7).

Abb. 3.7: RAL-Gütezeichen Baukalk (Quelle: GG-CERT e. V., Köln)

3.2.5 Relevante Normen

DIN 55945:2016-08 Beschichtungsstoffe und Beschichtungen – Ergänzende Begriffe zu DIN EN ISO 4618

DIN EN 459-1:2015-07 Baukalk – Teil 1: Begriffe, Anforderungen und Konformitätskriterien

DIN EN 459-2:2021-09 Baukalk – Teil 2: Prüfverfahren

DIN EN 459-3:2015-07 Baukalk – Teil 3: Konformitätsbewertung

3.3 Gips

Seit Jahrhunderten wird Gips als einfach zu beherrschendes, wirtschaftliches und kreatives Baumaterial eingesetzt. Gips ist heute also nicht von ungefähr der Leitwerkstoff für Wände, Decken und Böden im modernen Innenausbau. Mit Gips und Gipsprodukten verbunden sind die Einführung rationeller Trockenbauweisen und die zeitgemäße Funktionstrennung von tragendem Rohbau und leichtem Ausbau. Hochwertige, funktionale Innenputz- und Spachtelsysteme, schnell abbindende, selbstnivellierende Calciumsulfat-Fließestriche und massive Gips-Wandbauplatten sind weitere Beispiele für die Bedeutung des Minerals Gips im Bauwesen. Gipsplatten, ihre Eigenschaften und Einsatzgebiete werden in Kapitel 3.23 genauer beschrieben.

Dieses Kapitel thematisiert Gipsbinder nach DIN EN 13279-1:2008-11 „Gipsbinder und Gips-Trockenmörtel – Teil 1: Begriffe und Anforderungen“. Gipsbinder bilden die Grundlage für die Herstellung von Gips-Trockenmörteln (Gipsmaschinenputz, Gipshandputz), Gips-Spachtelmate-

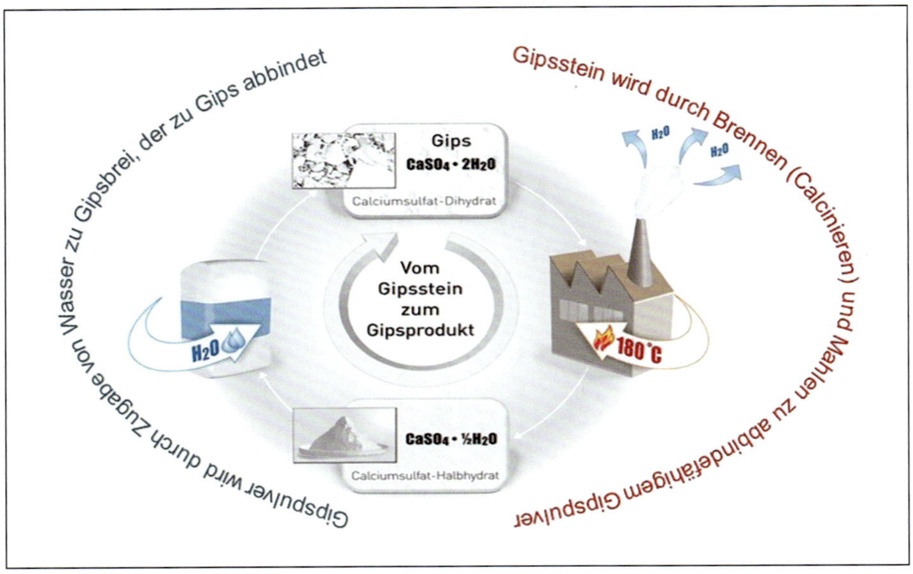

Abb. 3.8: Gipskreislauf: Gips ist unendlich recycelbar (Quelle: Bundesverband der Gipsindustrie e.V., Berlin).

rialien, Gipsklebern sowie für Modell-, Stuck- und Ansetzgipse.

Gips verfügt über Eigenschaften, die besonders im Innenausbau nützlich sind: leichte und rationelle Verarbeitbarkeit, schnelle Austrocknung, dem jeweiligen Anwendungsfall angepasste Druckfestigkeit und Oberflächenhärte, sehr gute Haftfestigkeit sowie gute Sorptionsfähigkeit, hervorragende Formbarkeit und Recyclingfähigkeit.

3.3.1 Rohstoff Gips

Gips ist Calciumsulfat ($CaSO_4$), das in verschiedenen Hydratstufen (Kristallwasser) vorliegen kann. Zusätzlich zu Naturgips wird auch Gips verwendet, der in verschiedenen technischen Prozessen als Nebenprodukt entsteht, so z. B. in der Rauchgasentschwefelung (REA) von Kohlekraftwerken. REA-Gips entsteht in einem Prozess des Umweltschutzes im Rahmen der Kohleverstromung. In dem technischen Verfahren der nassen Rauchgasentschwefelung werden die Bildungsprozesse des Naturgipses im „Zeitraffertempo" nachgestellt. Die Nutzung dieser Nebenprodukte spart den Aufwand für deren Beseitigung oder Deponierung und schont gleichzeitig die natürlichen Ressourcen. Je nach technischem Prozess können sehr spezielle und teilweise hochreine Calciumsulfat-Verbindungen für die Gipsindustrie gewonnen werden.

Die weiteren Schritte in der Produktion von Gipsprodukten werden am Beispiel von Naturgips dargestellt.

In der Natur tritt Gips als dichtes weißes Gipsgestein auf mit der chemischen Bezeichnung Calciumsulfat-Dihydrat ($CaSO_4 \cdot 2\,H_2O$). Ebenfalls in der Natur kommt das kristallwasserfreie Calciumsulfat vor, das als Anhydrit ($CaSO_4$) bezeichnet wird.

Das über oder unter Tage gewonnene natürliche Gipsgestein wird mechanisch zerkleinert, dann gemahlen und anschließend gebrannt. Während des Brennens, des sog. Kalzinierens, wird das in der Kristallstruktur des Gesteins enthaltene Wasser langsam ausgetrieben. Aus dem Dihydrat ($CaSO_4 \cdot 2\,H_2O$) entstehen je nach Brenntemperatur verschiedene Formen von Halbhydrat ($CaSO_4 \cdot ½\,H_2O$) bis zum wasserfreien Anhydrit ($CaSO_4$). Nun liegt das Ausgangsgestein in einer abbindefähigen Form vor. Daher zählt Gips zu den mineralischen Bindemitteln.

Bei der Herstellung von Baustoffen aus Gips und bei der bauseitigen Verarbeitung von Produkten mit Gips als Hauptbindemittel (z. B. in Gips-Trockenmörteln) wird dieser Prozess wieder umgekehrt. Es wird wieder Wasser zugegeben, ein Teil dieses Zugabewassers wird in den Kristallverband eingelagert, und es entsteht während des Erhärtungsprozesses wieder ein Dihydrat, das dem ursprünglichen Gipsgestein entspricht. Der Gips befindet sich jetzt allerdings in einer gewünschten „gebauten" Form. Calciumsulfat-Dihydrat ist also gleichzeitig das Ausgangs- und das Endprodukt von Gipsbaustoffen. Dazwischen liegt der Brennprozess, der abbindefähiges Bindemittel hervorbringt, aus dem durch Wasseranlagerung ein Baustoff, z. B. eine Gipsplatte, oder ein Bauteil, z. B. ein Gipsputz, wird. Dass dieser Prozess theoretisch unendlich wiederholt werden kann, macht Gips zu einem idealen „Kreislaufwerkstoff" (siehe Abb. 3.8).

Je nach gewünschtem Ergebnis kann der dargestellte Prozess variiert werden. Gipsstein wird dann in Abhängigkeit vom darauffolgenden Brennprozess in bestimmte Korngrößen zerkleinert (Korndurchmesser 2 bis 60 mm) und zu verschiedenen Hydratstufen calciniert:

- β-Calciumsulfat-Halbhydrat ist der Hauptbestandteil von Stuckgips oder Niederbrandgips.
- Anhydrit II ist der charakteristische Bestandteil des Hochbrandgipses.
- Durch Zumischen von Additiven und ggf. von Füllstoffen werden auf dieser Basis in den Gipswerken unterschiedliche Arten von Gips-Trockenmörteln erzeugt, die in Abhängigkeit von ihrem jeweiligen Versteifungsbeginn in die beiden großen Gruppen der Gipsmaschinen- bzw. der Gipshandputze unterschieden werden.
- Aus Naturgips und aus synthetischem Gips kann durch besondere Verfahren in Druckbehältern das sog. α-Halbhydrat erzeugt werden. Dieses erreicht als Spezialgips oder als Formgips nach dem Erhärten Festigkeiten, die denen von Zement kaum nachstehen.

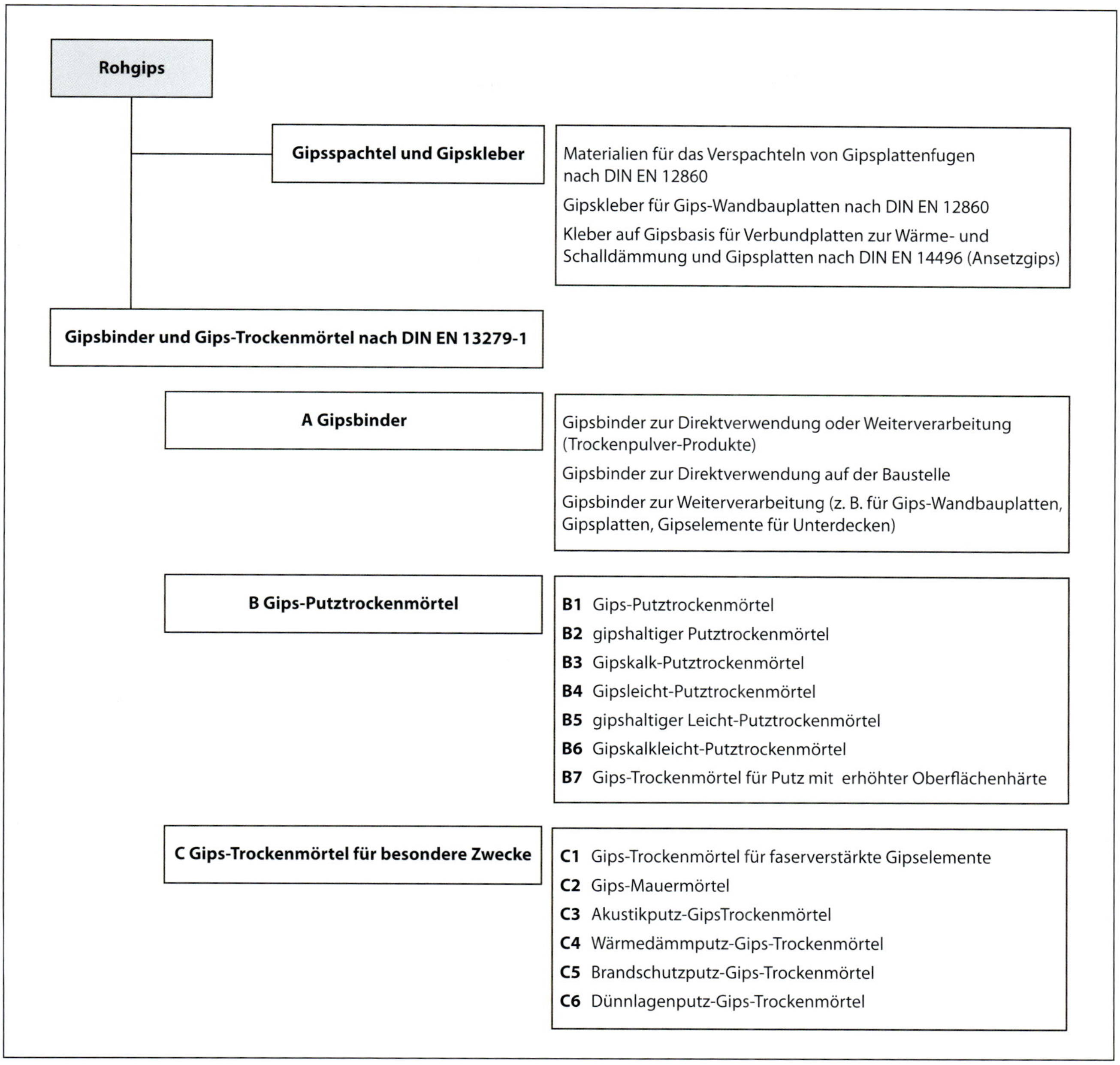

Abb. 3.9: Gipsbinder und Systematik der daraus hergestellten Gipsprodukte (Quelle: Bundesverband der Gipsindustrie e.V., Berlin)

- Schließlich wird die völlig kristallwasserfreie Form des Calciumsulfats ($CaSO_4$) als Anhydrit bezeichnet. Anhydrit findet sich in der Natur, kann aber auch bei bestimmten technischen Prozessen entstehen. Bei entsprechender Behandlung und Anregung ist dieses Material das Hauptbindemittel in Anhydrit-Fließestrichen.

3.3.2 Gips-Trockenmörtel – Einteilung und Verarbeitung

Gips-Trockenmörtel ist der Oberbegriff für alle Arten von gipsbasierten Putztrockenmörteln für die Verwendung in Gebäuden. Sie unterscheiden sich nach der Einteilung in DIN EN 13279-1 dem Bindemittelgehalt und werden mit einem Kurzzeichen gekennzeichnet (siehe Abb. 3.9):

- Gips-Putztrockenmörtel (Kurzzeichen **B1** nach DIN EN 13279-1) aus mindestens 50 % Gipsbinder als aktivem Hauptbindemittel und nicht mehr als 5 % Baukalk (Calciumhydroxid)
- gipshaltige Putztrockenmörtel (**B2**) aus weniger als 50 % Gipsbinder als aktivem Hauptbindemittel und nicht mehr als 5 % Baukalk
- Gipskalk-Putztrockenmörtel (**B3**) als Gips-Trockenmörtel nach Punkt 1 oder gipshaltige Putztrockenmörtel nach Punkt 2 mit mehr als 5 % Baukalk. Zusatzstoffe und Zuschläge dürfen jeweils vom Hersteller beigemischt werden.
- Als Zusatzstoffe und Zusatzmittel können z. B. Füllstoffe, Fasern, Pigmente, Baukalk, Abbindeverzögerer sowie luftporenbildende, wasserrückhaltende und verflüssigende Stoffe beigemischt werden, um die Eigenschaften des Gips-Trockenmörtels zu verbessern oder besondere Eigenschaften zu erzielen. Zuschläge sind natürliche oder synthetische Werkstoffe oder Werkstoffe aus der Wiederverwertung, die für die Anwendung in Gebäuden geeignet sind, z. B. leichte Zuschläge (Perlite, Vermiculite) oder Zuschläge wie Quarzsand oder gebrochener Kalkstein.

- Mit anorganischen Leichtzuschlägen wie geblähten Perliten oder Blähglimmer bzw. organischen Leichtzuschlägen werden Gipsleicht-Putztrockenmörtel (**B4, B5, B6**), die eine Trockenrohdichte des abgebundenen Putzes < 1.000 kg/m^3 aufweisen, erzeugt.
- Daneben gibt es Gips-Trockenmörtel mit erhöhter Oberflächenhärte (**B7**).
- Gips-Trockenmörtel für besondere Zwecke (**C1– C7**), zu denen auch die Gips-Dünnlagenputz-Trockenmörtel zur Herstellung von Dünnlagenputzen in Schichtdicken von 3 mm bis 6 mm zählen (**C6**)

Auf der Baustelle wird Gips-Trockenmörtel mit sauberem Wasser und ohne weitere Zusatze bis zu einer verarbeitungsgerechten Konsistenz gemischt. Der anschließende Putzauftrag erfolgt maschinell oder manuell. Der Beginn der Versteifung ist werkseitig bereits vorgegeben (Maschinenputz > 50 Minuten, Handputz > 20 Minuten). Danach beginnt die Wassereinbindung oder Hydratation, denn bei Gips handelt es sich um die einzige natürliche Substanz, die durch Zugabe von Wasser erneut in ihren ursprünglichen gesteinsähnlichen Zustand zurückversetzt werden kann. Das Porenvolumen von Gipsputzen liegt in der Regel zwischen 50 und 65 Vol.-%. Es handelt sich um ein offenporiges Gefüge mit relativ großen Kapillaren. Diese Kapillaren transportieren flüssiges Wasser sehr schnell, was ein zügiges Austrocknen bis zur Gleichgewichtsfeuchte ermöglicht. Im Nutzungszustand sorgt das Porenvolumen für ein schnelles Ausgleichen der Luftfeuchtigkeit im Raum. Diese hohe Porosität verleiht dem Gipsputz gute Wärmedämmeigenschaften sowie die Fähigkeit der Feuchtpufferung: Schwankende Luftfeuchtigkeit wird schnell aufgenommen bzw. rasch wieder abgegeben. So sorgt das Material für eine angenehme Oberfläche und ein gutes Raumklima.

Abb. 3.10 zeigt exemplarisch die Gipsverarbeitung.

3.3.3 Relevante Normen

DIN EN 12860:2002-07 Gipskleber für Gips-Wandbauplatten – Begriffe, Anforderungen, Prüfverfahren

DIN EN 13279-1:2008-11 Gipsbinder und Gips-Trockenmörtel – Teil 1: Begriffe und Anforderungen

DIN EN 13963:2014-09 Materialien für das Verspachteln von Gipsplattenfugen – Begriffe, Anforderungen und Prüfverfahren

DIN EN 14496:2017-09 Kleber auf Gipsbasis für Verbundplatten zur Wärme- und Schalldämmung und Gipsplatten – Begriffe, Anforderungen und Prüfverfahren

3.4 Gesteinskörnungen für Beton und Mörtel, Betonzusatzstoffe

3.4.1 Definitionen und Begriffe

Unter Gesteinskörnungen versteht man körniges Material für die Verwendung im Bauwesen. Gesteinskörnungen können natürlich, industriell hergestellt oder rezykliert sein und aus gebrochenen und/oder ungebrochenen Anteilen bestehen. Die Unterteilung in normale, schwere und leichte Körnungen bezieht sich auf die Kornrohdichte der Materialien.

Abb. 3.10: Typischer Arbeitsschritt: das Glattziehen von Gipsputz mit einem Richtscheit (Quelle: VG-ORTH GmbH & Co. KG, Stadtoldendorf)

Abb. 3.11: Kies aus dem Oberrheingraben (Quelle: Heidelberg Cement AG, Heidelberg)

Normale Gesteinskörnungen

„Normale" Gesteinskörnungen für Beton und Mörtel weisen eine Kornrohdichte > 2,00 Mg/m^3 (2.000 kg/m^3) auf. Verwendung finden z. B. Kies (siehe Abb. 3.11) und Sand, Basalt, Granit, Kalkstein, Porphyr und Hochofenschlacke. Anforderungen, Prüfungen und Konformitätsbewertung sind in DIN EN 12620:2008-07 „Gesteinskörnungen für Beton" sowie DIN EN 13139:2002-08 „Gesteinskörnungen für Mörtel" geregelt.

Schwere Gesteinskörnungen

Zur Herstellung von Schwerbetonen mit Trockenrohdichten > 3,00 Mg/m^3, z. B. für den Einsatz als Strahlenschutzbeton, Ballastbeton, Schallschutzbeton finden natürliche und/oder industriell hergestellte „schwere" Gesteinskörnungen mit Kornrohdichten von deutlich über 3,00 Mg/m^3 Verwendung. Zum Einsatz gelangen z. B. Baryt (Schwerspat), Magnetit und Hämatit (beides Eisenerze).

In der Natur abgebaute schwere Gesteinskörnungen müssen im Allgemeinen gebrochen und nach Korngruppen klassiert werden. Gegebenenfalls müssen erhöhte Anteile < 0,25 mm abgesiebt werden.

Um eine hohe Betonrohdichte und möglichst günstige Verarbeitbarkeit zu erreichen, sind eine kubische Kornform sowie eine Kornzusammensetzung im Sieblinienbereich A/B der DIN EN 206:2021-06 „Beton – Festlegung, Eigenschaften, Herstellung und Konformität" bzw. der DIN 1045-2: 2008-08 Tragwerke aus Beton, Stahlbeton und Spannbeton – Teil 2: Beton – Festlegung, Eigenschaften, Herstellung und Konformität – Anwendungsregeln zu DIN EN 206-1“ zu bevorzugen.

Sind nur Korngruppen lieferbar, die nicht den im Betonbau üblichen entsprechen, hat sich eine Kornzusammensetzung mit vermindertem Feinstsandanteil bewährt. Das Größtkorn kann durchaus bis 150 mm betragen, wenn eine sichere Betonumhüllung – auch der Bewehrung – gewährleistet bleibt.

Leichte Gesteinskörnungen

Leichte Gesteinskörnungen sind Gesteinskörnungen mineralischen Ursprungs mit einer Kornrohdichte von nicht mehr als 2,00 Mg/m³ (2.000 kg/m³) oder einer Schüttdichte von nicht mehr als 1,20 Mg/m³ (1.200 kg/m³). Verwendung finden z. B. Blähschiefer, Blähton, Hüttenbims, Naturbims. Die niedrige Rohdichte ergibt sich aus der Porosität der Körner. Zur Herstellung von Beton und Mörtel wird leichte Gesteinskörnung ggf. unter Zumischung von Gesteinskörnungen mit dichtem Gefüge verwendet. Anforderungen, Prüfungen und Konformitätsbewertung sind in DIN EN 13055:2016-11 „Leichte Gesteinskörnungen“ geregelt.

Gebräuchliche Lieferkörnungen sind in Tabelle 3.2 dargestellt.

Tabelle 3.2: Gebräuchliche Lieferkörnungen

Körnung	**Korngruppe *d/D* in mm**			
feine Gesteinskörnung (Sand) *d* = 0 und *D* ≤ 4 mm	0/1	0/2	0/4	
grobe Gesteinskörnung eng gestuft *D* ≤ 11,2 mm und *D/d* = 4 mm oder *D* > 11,2 mm und *D/d* ≤ 2 mm	2/4 8/16	2/8 16/32	4/8	
grobe Gesteinskörnung weit gestuft *D* > 11,2 mm und *D/d* ≥ 2 mm oder *D* < 11,2 mm und *D/d* > 4 mm	2/16 1/8	4/16	4/32	8/3

3.4.2 Anforderungen

In DIN 1045-2, Anhang U, sind Regelanforderungen festgelegt, denen die Gesteinskörnung entsprechen muss. Sichergestellt werden soll mit diesen Anforderungen, dass die Gesteinskörnung keine Eigenschaften aufweist, die

- den Korrosionsschutz der Bewehrung,
- den Erhärtungsverlauf des Betons sowie
- die Dauerhaftigkeit des Bauteils beeinträchtigen.

Außerdem darf die Gesteinskörnung unter Einwirkung von Wasser nicht erweichen oder quellen, sich nicht zersetzen und keine schädlichen Verbindungen mit dem Zement eingehen. Erfordert Beton aufgrund seiner Beanspruchung und damit aufgrund der Forderungen des Betonverarbeiters (Baustelle) Gesteinskörnungen mit erhöhten Anforderungen, z. B. für bestimmte Expositionsklassen, sind diese zwischen dem Betonhersteller, z. B. dem Trans-

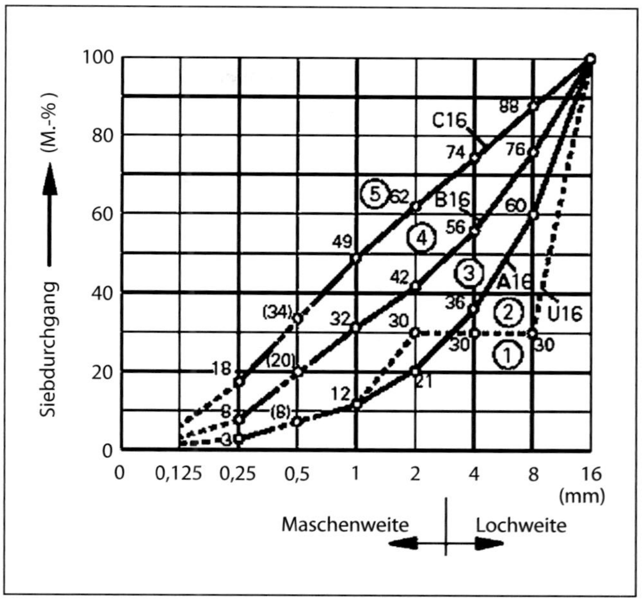

Abb. 3.12: Sieblinien mit einem Größtkorn von 16 mm

portbetonwerk, und dem Hersteller der Gesteinskörnung zu vereinbaren und von Letzterem sicherzustellen. Gesteinskörnungen nach DIN EN 12620 dürfen nur verwendet werden, wenn die Alkaliempfindlichkeitsklasse angegeben ist. Die DAfStb-Richtlinie „Vorbeugende Maßnahmen gegen schädigende Alkalireaktion im Beton (Alkali-Richtlinie)“ (Deutscher Ausschuss für Stahlbeton e. V. [DAfStb], 2013) ist anzuwenden.

Für die Verwendung rezyklierter Gesteinskörnungen sind die Regelungen der DAfStb-Richtlinie „Beton nach DIN EN 206-1 und DIN 1045-2 mit rezyklierten Gesteinskörnungen nach DIN EN 12620“ (DAfStb, 2010) zu beachten. Je nach stofflicher Zusammensetzung der rezyklierten Gesteinskörnung werden die Typen Betonsplitt (Typ 1) und Bauwerkssplitt (Typ 2) unterschieden. Die zulässige Zugabemenge ist abhängig vom verwendeten Typ und der Expositionsklasse des Betons. Derzeit dürfen nur grobe (≥ 2 mm) rezyklierte Gesteinskörnungen eingesetzt werden. Der Einsatz ist für Beton bis zu einer Druckfestigkeitsklasse C30/37 möglich, die Verwendung für Spannbeton und Leichtbeton ist dagegen ausgeschlossen. Rezyklierte Gesteinskörnungen dürfen keine umweltschädlichen Auswirkungen haben. Der Nachweis ist durch das Einhalten der Anforderungen der DIN 4226-101:2017-08 „Rezyklierte Gesteinskörnungen für Beton nach DIN EN 12620 – Teil 101: Typen und geregelte gefährliche Substanzen“ in Verbindung mit DIN 4226-102: 2017-08 „Rezyklierte Gesteinskörnungen für Beton nach DIN EN 12620 – Teil 102: Typprüfung und Werkseigene Produktionskontrolle“ zu erbringen.

Kornzusammensetzung von Körnungsgemischen

Die Kornzusammensetzung von Körnungsgemischen lässt sich grafisch durch sog. Sieblinien darstellen (siehe Abb. 3.12). Dies sind Diagramme, bei denen auf der Ordinate (senkrecht) die Siebdurchgänge in M.-% in unverzerrtem Maßstab aufgetragen werden, während auf der Abszisse (waagerecht) die Siebweiten in logarithmischem Maßstab eingetragen sind. Da sich die Öffnungen aufeinanderfolgender Normensiebe jeweils um den Faktor 2 unterscheiden, ergibt sich somit auf der Abszisse ein gleichmäßiger Abstand der Lochweiten. Je feiner das Körnungsgemisch, desto höher liegt die Sieblinie im Diagramm. Die prozentualen Siebdurchgänge und damit die Sieblinien werden durch Siebversuche mit dem Norm-Prüfsiebsatz an der getrockneten Gesteinskörnung ermittelt. Sind alle Norm-Korngrößen im Körnungsgemisch in bestimmten Mengen vorhanden, ergibt sich eine stetige Sieblinie. Fehlen eine oder mehrere Korngruppen zwischen der feinsten und der gröbsten Gruppe, ergibt sich eine unstetige Sieblinie mit waagerechtem Verlauf im Bereich der fehlenden Gruppen („Ausfallkörnung").

In DIN 1045-2 sind für Kornzusammensetzungen mit einem Größtkorn von 8, 16, 32 und 63 mm jeweils Regelsieblinien angegeben.

In diesen Regelsieblinien-Diagrammen sind für jedes Größtkorn die Grenzsieblinien A, B, C und U bzw. die dazwischen oder außerhalb liegenden Sieblinienbereiche 1 bis 5 definiert, wobei stets

- die untere (grobe) Grenzsieblinie mit A,
- die mittlere Grenzsieblinie mit B,
- die obere (feine) Grenzsieblinie mit C und
- die unstetige Grenzsieblinie mit U

bezeichnet ist. Die Angabe von Regel-Sieblinienbereichen begründet sich in der Tatsache, dass in der Praxis linienförmige Idealsieblinien nicht einzuhalten sind.

3.4.3 Konformitätsnachweis

Grundlage der europäischen Normen für Gesteinskörnungen ist die europäische Bauproduktenverordnung (BauPVO). Danach ist der Hersteller verpflichtet, eine Leistungserklärung zu den Produkten anzufertigen und dem Kunden zur Verfügung zu stellen. Die Leistungserklärung enthält alle spezifischen Angaben inkl. Eigenschaftskennwerten bezogen auf den Anwendungszweck. Zusätzlich ist bei jeder Lieferung eine CE-Kennzeichnung zu übergeben, die nach Möglichkeit entweder auf dem Lieferschein dargestellt oder als separates Dokument beigefügt werden kann. Die CE-Kennzeichnung umfasst neben dem CE-Zeichen folgende Informationen:

- die letzten beiden Ziffern des Jahres, in dem die CE-Kennzeichnung zuerst erstellt wurde,
- Name und Anschrift oder eindeutiges Kennzeichen des Herstellers,
- Kenncode des Produkttyps,
- Verwendungszweck,
- Verweis auf die jeweilige europäische Norm,
- Nummer der Leistungserklärung,
- in der Leistungserklärung erklärte Leistung (Eigenschaftskennwerte),
- Kennnummer der Zertifizierungsstelle.

Die Bewertung und Überprüfung der Leistungsbeständigkeit werden nach dem „System 2+" durchgeführt. Danach muss der Hersteller von Gesteinskörnungen Erstprüfungen und eine werkseigene Produktionskontrolle durchführen, um sicherzustellen, dass das Produkt den jeweiligen europäischen Normen und den angegebenen Werten entspricht. Eine Zertifizierungsstelle führt nach der Erstinspektion eine regelmäßige Überwachung der werkseigenen Produktionskontrolle durch.

3.4.4 Bezeichnung, Lieferung, Lagerung

Gesteinskörnungen müssen anhand der folgenden Begriffe bezeichnet werden:

- Vorkommen und Hersteller (falls das Material über ein Lager ausgeliefert worden ist, müssen das Vorkommen und das Lager angegeben werden),
- Art der Gesteinskörnung (petrografischer Typ),
- Korngruppe.

Darüber hinaus je nach den Gegebenheiten und der Art der Verwendung:

- eine Kennziffer zum Bezug der Bezeichnung auf die Beschreibung,
- alle weiteren zusätzlichen zur Bezeichnung einer bestimmten Gesteinskörnung erforderlichen Angaben.

Der Lieferschein muss mindestens die folgenden Angaben enthalten:

- Datum der Abgabe,
- Seriennummer des Lieferscheins,
- die Nummer der jeweiligen europäischen Norm.

Bei der Lagerung von Gesteinskörnungen sind nachstehende Punkte besonders zu beachten:

- getrennte Lagerung jeder Sorte,
- Vermeidung von Entmischungen,
- Schutz vor Verschmutzung,
- Aussonderung nicht normgemäßer Gesteinskörnungen.

Unterschiedliche Korngruppen/Lieferkörnungen dürfen auf einem Fahrzeug nur dann gemeinsam verladen werden, wenn eine wirksame Trennung des Verladegutes sichergestellt ist. Der für das Transportbehältnis (Fahrzeug, Schiff usw.) Verantwortliche muss dafür sorgen, dass die Ladefläche bzw. der Laderaum vor der Beladung sauber und frei von fremdem Material ist.

3.4.5 Betonzusatzstoffe

Neben den Zusatzmitteln (siehe Kapitel 3.6) werden als Betonzusätze sog. Betonzusatzstoffe eingesetzt. Es handelt sich um fein verteilte Stoffe, die im Beton verwendet werden, um bestimmte Eigenschaften zu verbessern oder zu erreichen. Nach DIN 1045-2 und DIN EN 206 werden 2 Typen unterschieden:

- Typ I: nahezu inaktive Zusatzstoffe (Füller, Pigmente),
- Typ II: puzzolanische oder latent hydraulische Zusatzstoffe.

Zusatzstoffe des Typs I sind z. B. Füller wie Quarzmehl und Kalksteinmehl (nach DIN 12620) sowie Pigmente (nach DIN EN 12878:2014-07 „Pigmente zum Einfärben von zement- und/oder kalkgebundenen Baustoffen – Anforderungen und Prüfverfahren"). Zusatzstoffe des Typs II sind (Steinkohle-)Flugasche (nach DIN EN 450 „Flugasche für Beton" und Zulassung für die Umweltverträglichkeit), Trass (nach DIN 51043 „Trass"), Hüttensandmehl (nach DIN EN 15167 „Hüttensandmehl zur Verwendung in Beton, Mörtel und Einpressmörtel" und Zulassung), Silikatstaub (nach DIN EN 13263 „Silikastaub für Beton") und Silikatsuspension (nach DIN EN 13263). Zum Nachweis der Eignung ist die DAfStb-Richtlinie „Anforderungen an Ausgangsstoffe zur Herstellung von Beton nach DIN EN 206-1 in Verbindung mit DIN 1045-2" (DAfStb, 2019) zu beachten. Von großer Bedeutung ist die Steinkohleflugasche, deren chemische Zusammensetzung vergleichbar ist mit der von natürlichen Puzzolanen. Mit Steinkohleflugasche lassen sich zahlreiche Betoneigenschaften optimieren, z. B. Reduzierung des Wasseranspruchs, Verbesserung der Pumpfähigkeit, Verbesserung des Korrosionsschutzes der Bewehrung oder größerer Widerstand des Betons gegen chemische Angriffe.

3.4.6 Relevante Normen und Richtlinien

Normen

DIN 1045-2:2008-08 Tragwerke aus Beton, Stahlbeton und Spannbeton – Teil 2: Beton – Festlegung, Eigenschaften, Herstellung und Konformität – Anwendungsregeln zu DIN EN 206-1

DIN 4226-101:2017-08 Rezyklierte Gesteinskörnungen für Beton nach DIN EN 12620 – Teil 101: Typen und geregelte gefährliche Substanzen

DIN 4226-102:2017-08 Rezyklierte Gesteinskörnungen für Beton nach DIN EN 12620 – Teil 102: Typprüfung und Werkseigene Produktionskontrolle (2017-08)

DIN EN 206:2021-06 Beton – Festlegung, Eigenschaften, Herstellung und Konformität

DIN EN 12620:2008-07 Gesteinskörnungen für Beton

DIN EN 13139:2002-08 Gesteinskörnungen für Mörtel

DIN EN 13055:2016-11 Leichte Gesteinskörnungen

Richtlinien

DAfStb Alkali-Richtlinie:2013-10 Vorbeugende Maßnahmen gegen schädigende Alkalireaktion im Beton (Alkali-Richtlinie)

DAfStb Beton, rezyklierte Gesteinskörnung:2010-09 Beton nach DIN EN 206-1 und DIN 1045-2 mit rezyklierten Gesteinskörnungen nach DIN EN 12620

DAfStb Beton, rezyklierte Gesteinskörnung Berichtigung 1:2019-09 Beton nach DIN EN 206-1 und DIN 1045-2 mit rezyklierten Gesteinskörnungen nach DIN EN 12620; Berichtigung 1

DAfStb Beton, Ausgangsstoffe:2019-08 Anforderungen an Ausgangsstoffe zur Herstellung von Beton nach DIN EN 206-1 in Verbindung mit DIN 1045-2

3.5 Werkmörtel

Im Bauwesen sind Werkmörtel unersetzliche Baustoffe, die Mauersteine verbinden und zum Verputzen im Innen- und Außenbereich verwendet werden. Die verschiedenen Werkmörtel können entweder als Werktrockenmörtel oder als Werkfrischmörtel geliefert werden. Sie werden außerdem zum Kleben, als Estrich, zur Wärmedämmung, als Funktionsmörtel, wie z. B. Rand- und Schallschutz, und für viele weitere Funktionen verwendet.

Abb. 3.13: Trockenmörtelsilos auf der Baustelle (Quelle: Verband für Dämmsysteme, Putz und Mörtel e. V., Berlin)

Abb. 3.14: Anlieferung von Werk-Frischmörtel mit dem Fahrmischer (Quelle: Verband für Dämmsysteme, Putz und Mörtel e. V., Berlin)

Werktrockenmörtel werden in trockener Form geliefert und erst auf der Baustelle unter Zugabe von Wasser gemischt. Die erforderliche Wassermenge wird vom Hersteller angegeben. Typisch sind Lieferungen im Sack mit bis zu 35 kg oder als Siloware mit bis zu 15 t pro Silo (siehe Abb. 3.13).

Bei Werkfrischmörtel werden die Ausgangsstoffe im Werk unter Zugabe von Wasser gemischt und in Mischfahrzeugen fertig zur Baustelle geliefert (siehe Abb. 3.14). Da sie möglichst schnell verwendet werden müssen, sollten sie nur nach sorgfältiger Planung und sichergestelltem Bedarf am Liefertag geordert werden.

Im Folgenden werden die häufigsten Werkmörtelarten beschrieben und in ihren typischen Anwendungsmöglichkeiten erklärt.

3.5.1 Mauermörtel

Im Mauerwerk müssen Mörtel die Mauersteine so zusammenhalten, dass sowohl die Tragfähigkeit als auch die Wärme-, Schall- und Brandschutzvorgaben an das Mauerwerk gewährleistet sind. Als Schicht zwischen den Steinen, die dann verhärtet, überträgt sich die Kraft im Mauerwerk gleichmäßig von Stein zu Stein, da der Mörtel sämtliche Zwischenräume füllt und somit eine gleichmäßige Fläche zur Übertragung der Gravitationskräfte im Mauerwerk sicherstellt. Die DIN EN 998-2:2017-02 „Festlegungen für Mörtel im Mauerwerksbau – Teil 2: Mauermörtel" regelt die Anforderungen an Mauermörtel im Mauerwerksbau hinsichtlich Druck- und Verbundfestigkeit, Wasseraufnahme, Wärmeleitfähigkeit, Brandverhalten usw. Zusätzlich gibt die DIN 20000-412:2019-06 „Anwendung von Bauprodukten in Bauwerken – Teil 412: Regeln für die Verwendung von Mauermörtel nach DIN EN 998-2:2017-02“ für Normalmauermörtel, Leichtmauermörtel und Dünnbettmörtel geeignete Gesteinskörnungen, Bindemittel und Zusatzstoffe an sowie Anforderungen für wesentliche Merkmale, die nach Eignungsprüfung mindestens angegeben werden müssen.

Normalmauermörtel

Mit Normalmauermörtel entsteht das klassische Mauerwerk mit einer Fugendicke von 12 mm. Die Festigkeitsklasse gibt der Statiker vor. So ist sichergestellt, dass ein standfestes Gebäude entsteht, das seinen Bewohnern die höchstmögliche Sicherheit bietet. Gerade die 12 mm dicke Fuge hat viele positive Eigenschaften. Sie wirkt im Mauerwerk wie ein ausgleichender Puffer und kann unvorhergesehene Verformungen viel besser ausgleichen als dünnere Fugen.

Normalmauermörtel ist relativ dicht und schwer und dämmt daher nicht besonders gut. In einer Wand mit ansonsten hochdämmenden Mauersteinen würden Fugen aus Normalmauermörtel als Wärmebrücken dienen.

Leichtmauermörtel

Bei Außenwänden mit hochwärmedämmenden Mauersteinen ohne Zusatzdämmung ist dagegen darauf zu achten, dass der Wärmeschutz auch im Fugenbereich sichergestellt wird. Eine Möglichkeit ist die Verwendung von sog. Leichtmauermörtel. Er kommt zum Einsatz, wenn die Mauersteine neben ihrer tragenden Funktion auch den Wärmeschutz übernehmen sollen. Er enthält Leichtzuschläge wie Perlite, Blähton, Blähglas oder Bims und wird genauso wie Normalmauermörtel in einer Fugenbreite von 12 mm vermauert. Aufgrund seiner geringeren Rohdichte dämmt er besser, ist aber nicht so druckfest.

Leichtmauermörtel sorgt dafür, dass moderne Mauersteine mit Dämmstofffüllung ihre Wirkung besser entfalten können und die Wärme nicht so leicht durch das Fugenmaterial entweichen kann. Jedoch bleibt der Fugenbereich auch bei der Verwendung von Leichtmauermörtel eine gewisse Schwachstelle im ansonsten hochwärmedämmenden Mauerwerk. Gefüllte Mauersteine erreichen bei der Wärmeleitfähigkeit heute sehr niedrige Werte um 0,08 W/(m · K). Bei Leichtmauermörtel liegen die Spitzenwerte eher um 0,2 W/(m · K), also deutlich höher.

Dünnbettmörtel

Da die Fugen im Mauerwerk eine Schwachstelle bei der Wärmedämmung sind, gilt im Umkehrschluss: je weniger Fugen, umso besser der Wärmeschutz. Bei der Verarbeitung von Hintermauerwerk im Außenwandbereich wird deshalb heute sehr oft Dünnbettmörtel verwendet. Dieser wird nur in Stärken von 1 bis 3 mm verarbeitet, es ergeben sich entsprechend geringe Fugenstärken.

Dünnbettmörtel heißt so, weil er nur auf die Auflagefläche der Mauersteine aufgetragen wird und dort ein „Bett“ für die nächste Steinlage bildet. Er eignet sich ausschließlich für Mauerwerk aus Plansteinen. Das sind Steine mit plan geschliffenen Oberflächen, die sehr maßhaltig, eben und glatt sind, sodass sich die einzelnen Steine praktisch lückenlos aufeinandersetzen lassen. Der Mörtel hat dann im Grunde nur die Funktion eines Klebers und wird nicht mehr zum Ausgleich von Unebenheiten benötigt. Passende Dünnbettmörtel gibt es sowohl für Kalksandsteine als auch für Porenbeton-, Leichtbeton- und Ziegelmauerwerk, somit praktisch für alle Arten von Mauersteinen.

Aufgrund der hohen Maßhaltigkeit der Plansteine kann auf einen Großteil der früher üblichen Fugen verzichtet werden. Die Stoßfugen – also die Fugen zwischen den Steinen einer Mauerwerkslage – werden in der Regel nicht mehr vermörtelt. Die Plansteine werden hier knirsch aneinandergereiht. Der Mörtelauftrag erfolgt nur noch auf der Auflagefläche der Steine, also zwischen 2 Lagen, und das nur im Dünnbett. Fugen als Wärmebrücke verschwinden auf diese Weise weitgehend.

Die Rezeptur von Dünnbettmauermörtel unterscheidet sich nicht grundsätzlich von Normalmauermörtel. Sand, Wasser und Bindemittel sind in beiden Fällen die Zutaten. Dünnbettmörtel enthält allerdings feiner gemahlene Sand- bzw. Bindemittelkörner. Diese haben einen Durchmesser von maximal 1 mm. Die Verarbeitung von Dünnbettmörtel erfolgt heute meist nicht mehr mit der Mörtelkelle, sondern wesentlich effektiver mit dem Mörtelschlitten.

Mauermörtel für Verblendmauerwerk

Verblendmauerwerk hat sich seit Jahrzehnten besonders in Nord- und Westdeutschland als wetterbeständige, langlebige und nahezu wartungsfreie Fassadenkonstruktion bewährt. Als Bestandteil der Außenwand schützt es das Gebäude nachhaltig vor Witterungseinflüssen, insbesondere vor Feuchtigkeit. Darüber hinaus ist Verblendmauerwerk ein wichtiges optisches Gestaltungselement von Gebäuden. Beide Funktionen erfordern eine sehr sorgfältige Ausführung des Verblendmauerwerks.

Die optische Gestaltung der Fugen im Verblendmauerwerk erfolgt durch zeitnahen Fugenglattstrich des Vormauermörtels oder durch nachträgliches Verfugen mit speziellem Fugenmörtel. Für eine nachhaltige Verblendmauerwerkfassade ist sicherzustellen, dass der Mauermörtel den Mauersteinqualitäten angepasst ist und den Witterungsbeanspruchungen dauerhaft standhält. Grundsätzlich sollte die Mörtelfestigkeit nicht höher sein als die Steinfestigkeit. Aufgrund der hohen Anforderungen, die an den Mörtel für Verblendmauerwerk zu stellen sind, sollte grundsätzlich auf Baustellenmörtel verzichtet werden.

In Anlehnung an den Begriff Vormauerstein werden Mauermörtel, die für Verblendmauerwerk geeignet sind, Vormauermörtel genannt. Dies ist jedoch kein genormter Begriff. Vormauermörtel wird auf die speziellen Anforderungen des Verblendmauerwerks eingestellt. Maßgeblich hierbei ist die Saugfähigkeit der Mauersteine. Es wird unterschieden zwischen schwach und stark saugenden Steinen. Deshalb ist bei der Bestellung von Vormauermörtel anzugeben, welches Saugverhalten die Steine aufweisen. In Deutschland muss Werkmörtel für Verblendmauerwerk der DIN EN 998-2 und zusätzlich entweder der DIN 20000-412 oder der DIN 18580:2019-06 „Baustellenmauermörtel“ entsprechen.

3.5.2 Putzmörtel

Als Putz wird Mörtel bezeichnet, mit denen Wände oder Decken ein- oder mehrlagig beschichtet werden (siehe Abb. 3.15). Die grundsätzliche Zusammensetzung entspricht der aller anderen Mörteltypen: Sand, Wasser, Bindemittel. In der Praxis gibt es zahlreiche Putzprodukte mit teilweise sehr verschiedenen Eigenschaften, wobei die Unterschiede nicht nur vom Bindemittel abhängen, sondern auch von den Zusatzstoffen, die die Hersteller verwenden. Allgemein unterscheidet man beispielsweise Unter- und Oberputze sowie Außen- und Innenputze.

Die häufigsten Bindemittel für mineralische Putze sind Kalk und Zement. Gips und Lehm werden dagegen nur für Innenputze verwendet, weil diese Bindemittel bei längerer Bewitterung weich werden oder sich auflösen. Als sehr witterungsbeständig gilt Kunstharzputz. Dieser besitzt – vor allem im Vergleich zu Zementputz – zudem den Vorteil, dass er besonders elastisch und damit weniger rissanfällig ist.

3.5.2.1 Außenputz

Außenputze schützen die Außenwand u. a. vor Wasser in Form von Niederschlag, physischen Schäden durch Einwirkungen von Tieren und Menschen sowie Witterung und sorgen für eine bessere Wärmedämmung. Der Außenputz prägt darüber hinaus das Aussehen des Gebäudes und soll hinsichtlich Farbe und Oberflächenbeschaffenheit viele individuelle Wünsche erfüllen. Die Putze können entweder maschinell oder per Hand mit einem Putzwerfer geworfen werden. Gängige Oberputze für den Außenbereich sind mineralischer Edel- und Edelkratzputz, Dispersionsputz, Silikatputz und Silikonharzputz.

Während Putzmörtel im Innenbereich auch einlagig verarbeitet wird, sind im Außenbereich mehrere Lagen üblich. Dabei besteht der Unterputz in der Regel aus weicherem Material als der Oberputz. Letzterer steht in direktem Kontakt zur Außenwelt, ist Wind und Wetter ausgesetzt und dient als Schutzschicht für die Außenwand sowie ggf. vorhandene Fassadendämmstoffe.

Der weichere Unterputz hat z. B. die Funktion, klimatisch bedingte Spannungen im Wandaufbau „abzupuffern". Insbesondere Fassaden sind im Tagesverlauf oft starken Temperaturschwankungen ausgesetzt. Das sorgt für Bewegungen im Material und kann zu Rissen im Oberputz führen, wenn die Spannung nicht durch die höhere Elastizität des Unterputzes ausgeglichen wird.

Der gewünschte Spannungsausgleich erfordert – je nach Anwendungsfall – eine bestimmte Mindeststärke der Putzschicht. An der Fassade sollte Außenputz z. B. eine Mindestdicke von 2 cm haben, damit Verformungen des Untergrundes ohne Rissbildung abgefangen werden können. Während Oberputz in der Regel sehr dünn aufgetragen wird, sorgt vor allem der Unterputz für die Einhaltung der Mindestschichtstärke.

Neben der oben bereits erwähnten Funktion des Spannungsausgleichs gibt es noch weitere Gründe für den Auftrag einer speziellen Unterputzschicht. Allgemein gilt, dass die Wahl des Putzmörtels auf den vorhandenen Untergrund

Abb. 3.15: Beschichtung mit Putzmörtel (Quelle: Kadmy – stock.adobe.com)

abgestimmt sein muss. Dabei sind oft Eigenschaften gefragt, die von typischen Oberputzen nicht erfüllt werden. So sind z. B. moderne, wärmedämmende Ziegelbaustoffe sehr porös und aufgrund ihrer geringen Rohdichte auch relativ weich. Nun gilt im Maurerhandwerk aber die Faustregel, dass Druckfestigkeit und Steifigkeit des Untergrundes höher sein müssen als die des verwendeten Putzes. Im Umkehrschluss bedeutet das, dass der Unterputz weicher und poröser sein muss als das wärmedämmende Mauerwerk.

Die vergleichsweise dicke Unterputzschicht hat traditionell auch noch eine ganz andere Funktion: Sie sorgt dafür, dass Unebenheiten im Untergrund ausgeglichen werden und somit eine ebene Oberfläche für den Oberputz entsteht. Bei den Unebenheiten muss es sich nicht unbedingt um Wandschäden handeln. Modernes, wärmedämmendes Ziegelhintermauerwerk bietet auch fabrikneu keinen glatten Putzgrund. Dieser muss mithilfe des Unterputzes geschaffen werden. Aufgrund ihrer porigen Struktur haben die genannten Ziegelsteine zudem ein hohes Saugvermögen. Auch in diesem Zusammenhang gilt: Unterputz ist immer auf den verwendeten Wanduntergrund abzustimmen und muss zu dessen Saugverhalten passen.

Auch wenn keine Unebenheiten im Untergrund auszugleichen sind, erfüllt der Unterputz eine wichtige Funktion für den abschließenden Oberputz. Auf glatten Wandbaustoffen wie Beton oder Kalksandstein finden Oberputzmörtel nämlich nur schwer Halt und können daher leicht wieder abblättern. Ein passend ausgewählter Unterputz löst auch dieses Problem, indem er als Haftgrund für den Oberputz fungiert.

3.5.2.2 Innenputz

Putze auf Wänden und Decken haben in Innenräumen einen hohen Flächenanteil. Allein deshalb haben sie erheblichen Einfluss auf das Raumklima und das Erscheinungsbild eines Raumes. Sie dienen nicht nur zum Verputzen einer Rohbauwand oder als Träger einer Wandbekleidung und/oder von Beschichtungen. Innenputze können mit ihren geglätteten oder strukturierten Oberflächen Räume gestalten. Eine Innenputzlage gewährleistet auch eine ausreichende Luftdichtheit nach DIN 4108-7:2011-01 „Wärmeschutz und Energie-Einsparung in Gebäuden – Teil 7: Luftdichtheit von Gebäuden – Anforderungen, Planungs- und Ausführungsempfehlungen sowie -beispiele". Mineralische Außenputze sind zur Anwendung im Innenbereich geeignet. Bei pastösen Putzen sind die Herstellerangaben zu beachten, da aufgrund ihrer Zusammensetzung nicht alle Außenputze auch im Innenbereich eingesetzt werden können. Die Planung und Ausführung von Innenputzen sind in DIN EN 13914-2:2016-09 „Planung, Zubereitung und Ausführung von Innen- und Außenputzen – Teil 2: Innenputze" und ergänzend in DIN 18550-2:2018-01 „Planung, Zubereitung und Ausführung von Außen- und Innenputzen – Teil 2: Ergänzende Festlegungen zu DIN EN 13914-2: 2016-09 für Innenputze" geregelt.

3.5.2.3 Mineralische Putzmörtel

Als Hauptbindemittel für mineralische Innenputze werden Gips, Kalk, Zement oder Lehm verwendet. Putze, deren Hauptbindemittel Gips ist, müssen DIN EN 13279-1:2008-11 „Gipsbinder und Gips-Trockenmörtel – Teil 1: Begriffe und Anforderungen", Innenputze mit Kalk und/oder Zement als Hauptbindemittel müssen DIN EN 998-1:2017-02 „Festlegungen für Mörtel im Mauerwerksbau – Teil 1: Putzmörtel" entsprechen. Für Lehmputze gilt DIN 18947:2018-12 „Lehmputzmörtel – Anforderungen, Prüfung und Kennzeichnung". Mineralische Innenputze haben ein feinporiges, diffusionsoffenes Gefüge und können Luftfeuchtigkeit aufnehmen und wieder abgeben. Diese Pufferwirkung trägt zu einem ausgeglichenen Raumklima bei. Sie kommt am besten zur Wirkung, wenn die erforderlichen Schichtdicken eingehalten werden und die Sorptionsfähigkeit dieser Putze nicht durch Beschichtungen oder Wandbekleidungen eingeschränkt wird. Zur Erhaltung der Sorptionsfähigkeit von Putzen haben sich diffusionsoffene Materialien bewährt. Mineralische Innenputze sind lösemittelfrei und nicht brennbar. Mit den fein abgestimmten Sieblinien der eingesetzten Körnungen und Feinanteile lassen sich verschiedene Putzoberflächen gestalten. Bei geriebenen bzw. gefilzten Oberflächen tritt die eingesetzte Körnung als Gestaltungselement in den Vordergrund, während bei geglätteten Oberflächen ein ebenmäßiges Erscheinungsbild gefragt ist. Geglättete Putzoberflächen eignen sich als Untergrund für nachfolgende dekorative Maßnahmen, wie z. B. verschiedene Beschichtungen, Oberputze oder auch Wandbeläge.

Gipsputze

Gipsputze sind als Hand- und Maschinenputze erhältlich und ermöglichen einen einlagigen Putz an Wänden und Decken. Sie sind grundsätzlich für alle Räume und die Bereiche W0-I und W1-I nach DIN 18534-1:2017-07 „Abdichtung von Innenräumen – Teil 1: Anforderungen, Planungs- und Ausführungsgrundsätze" geeignet. Unterschieden werden Gips-Trockenmörtel nach DIN EN 13279-1 in B1 bis B7 und Gips-Trockenmörtel für besondere Zwecke in C1 bis C6. Die Standardputze der Klassen B1 bis B6 unterscheiden sich in ihrer Zusammensetzung hinsichtlich des Bindemittels, nicht jedoch in ihrem Anwendungsbereich.

Kalkputze

Das eigenschaftsbestimmende Bindemittel von Kalkinnenputzen ist hydraulischer Kalk und/oder Luftkalk. Kalkputze werden auch als Kalk-Leichtputze angeboten. Sie sind geeignet für Räume mit normaler Luftfeuchte sowie für häusliche Küchen und Bäder.

Kalkzementputze

Die eigenschaftsbestimmenden Bindemittel von Kalkzementputzen sind hydraulischer Kalk und/oder Luftkalk und Zement. Im Innenbereich können je nach Untergrund und Anforderungen (z. B. Wassereinwirkungsklassen) Kalkzement-Normalputze oder Kalkzement-Leichtputze eingesetzt werden. Kalkzementputze sind feuchtebeständig und deshalb auch für die Verwendung in Feuchträumen geeignet.

Zementputze

Zementputze, die als eigenschaftsbestimmendes Bindemittel Zement enthalten, werden nur in speziellen Anwendungsfällen verwendet, z. B. in Umgebungen mit einer außergewöhnlichen Feuchtebelastung oder wenn eine hohe Festigkeit verlangt wird. Zementputze entwickeln hohe Druckfestigkeiten (in der Regel > 6 N/mm^2), sind infolgedessen sehr dicht und kaum verformungsfähig (starr). Sie können nur auf dafür geeigneten Untergründen, z. B. Betonwänden, zur Anwendung kommen.

Lehmputze

Lehmputze nach DIN 18947 werden als erdfeuchte Mischung oder Werktrockenmörtel auf die Baustelle geliefert und dort mit Wasser homogen aufbereitet. Ihre Festigkeit erlangen sie durch Trocknung. Sie sind geeignet für Räume mit normaler Luftfeuchte, auch für häusliche Küchen und Bäder mit Ausnahme der spritzwasserbelasteten Bereiche. Sie sind nicht geeignet für Räume mit dauerhaft hoher Luftfeuchte und Nassräume.

Pastöse Putze

Pastöse Innenputze mit organischen Bindemitteln werden vorzugsweise als dünnschichtige Oberputze nach DIN EN 15824:2017-09 „Festlegungen für Außen- und Innenputze mit organischen Bindemitteln" und als Spachtelmassen eingesetzt. Im Innenbereich werden z. B. die folgenden Putzarten eingesetzt:

- Dispersionssilikatputz (Silikatputz), der als eigenschaftsbestimmende Bindemittel Kali-Wasserglas und Polymerdispersion enthält. Dispersionssilikatputze sind überwiegend mineralisch und teilweise organisch gebunden. Für die Erhärtung („Verkieselung") ist ein geeigneter mineralischer Untergrund erforderlich.
- Dispersionsputz (Kunstharzputz), dessen eigenschaftsbestimmendes Bindemittel aus einer Polymerdispersion besteht.

3.5.2.4 Putzsysteme

Der Aufbau eines Putzsystems richtet sich nach den Anforderungen an den Putz und nach der Beschaffenheit des Untergrundes. Als Putzsystem werden die Lagen eines Putzes bezeichnet, die in ihrer Gesamtheit und in Wechselwirkung mit dem Putzgrund die Anforderungen an den Putz erfüllen. Eine Putzlage wird in einem Arbeitsgang durch eine oder mehrere Schichten des gleichen Mörtels (nass in nass) hergestellt. Untere Lagen werden Unterputz, die oberste Lage wird Oberputz genannt. Zwischen dem Unterputz und dem Oberputz kann eine Armierungsputzlage verwen-

det werden. Die Eigenschaften der verschiedenen Putzlagen eines Systems sollen so aufeinander abgestimmt sein, dass die zwischen den Putzlagen und zwischen Putzgrund und Putz auftretenden Spannungen (z. B. infolge Schwindens oder Temperaturdehnungen) aufgenommen werden können. Diese Forderung kann bei Putzaufbauten ohne Armierungsputz mit mineralischen Bindemitteln im Allgemeinen dann als erfüllt angesehen werden, wenn die Festigkeit des Oberputzes geringer als die Festigkeit des Unterputzes ist oder beide Putzlagen gleich fest sind. Dies gilt jedoch nicht für z. B. Wärmedämmputz oder Leichtunterputz, wenn auf diese einen Armierungsputz mit Gewebeeinlage aufgebracht werden. Dünnlagige geriebene Oberputze, die auf Leichtunterputze aufgebracht werden, können auch fester als der Unterputz sein. Bei diesen Putzen entstehen aufgrund der geringen Dicke keine wirksamen Spannungen, die sich auf den Unterputz negativ auswirken können.
DIN EN 998-1 unterteilt Putzmörtel nach der Art der Eigenschaften und/oder dem Verwendungszweck in Normalputzmörtel (ohne besondere Eigenschaften), Leichtputzmörtel, Edelputzmörtel, Einlagenputzmörtel für außen, Sanierputzmörtel und Wärmedämmputzmörtel.

Leichtputzsysteme

Als Leichtputz (Abkürzung: LW, englisch: light-weight) wird nach DIN EN 998-1 ein Putzmörtel mit einer Trockenrohdichte ≤ 1.300 kg/m³ bezeichnet. Aufgrund der geringen Rohdichte, der begrenzten Festigkeit (Festigkeitsklasse CS I und CS II) und ihrer günstigen Schwindwerte sind Leichtputze für das Verputzen wärmedämmender Wandbaustoffe geeignet. Abhängig von der Wärmeleitfähigkeit und der Trockenrohdichte der Wandbaustoffe bieten Hersteller als Unterputz verschiedene Leichtputze an. Leichtputze müssen im Außenbereich wasserabweisend sein.

Leichtputz Typ I

Für das Verputzen von wärmedämmenden Wandbaustoffen haben sich Leichtputze mit Trockenrohdichten von ca. 1.000 bis 1.300 kg/m³ bewährt. Um sie von noch leichteren Putzen zu unterscheiden, werden sie als Leichtputz Typ I bezeichnet.

Leichtputz Typ II

Für das Verputzen von hochwärmedämmendem Mauerwerk werden z. B. Leichtputze Typ II mit einer Trockenrohdichte von ca. 600 bis ca. 1.100 kg/m³ verwendet. Leichtputze Typ II sind hinsichtlich ihrer Elastizität und Schwindverformung optimiert. Untersuchungen haben gezeigt, dass die genannten Leichtputze Typ II ein günstiges Verhältnis E-Modul (Putz) : E-Modul (Untergrund) deutlich < 1 besitzen und damit speziell auf hochwärmedämmende Untergründe abgestimmt sind.

Putzaufbau aus Leichtunterputz, Armierungsputz und Oberputz

Die Zugabe von Füllstoffen (z. B. Fasern) in Leichtputzen Typ I und II kann die Anwendungssicherheit in der frühen Phase der Putzerstellung verbessern und das Auftreten von Frühschwindrissen minimieren. Größere Zugkräfte können jedoch auf diese Weise nicht aufgenommen werden. Zur Minimierung des Risikos von Putzrissen hat es sich bewährt, einen Armierungsputz mit vollflächiger Gewebeeinlage auf einen Leichtputz aufzubringen. Andere Ausführungen sind möglich, wenn das Putzsystem dafür gemäß Herstellerangaben geeignet ist; dies ist objektbezogen zwischen Auftragnehmer und Auftraggeber zu vereinbaren.

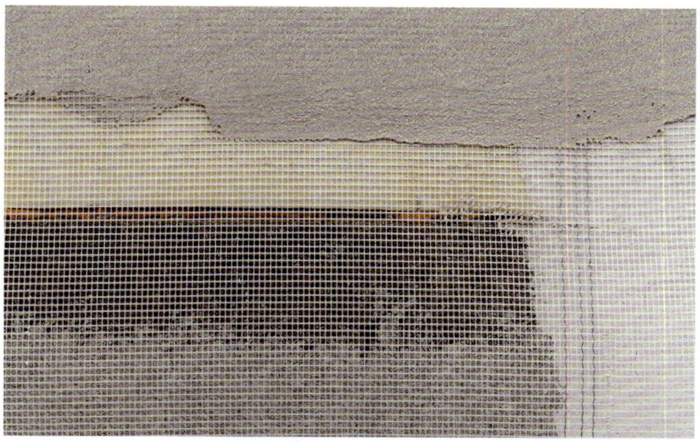

Abb. 3.16: Armierungsgewebe (Quelle: mhp – stock.adobe.com)

Armierungsputzlage

Als Armierungsputzlage bezeichnet man eine polymermodifizierte mineralische oder organische Putzlage, die ein vollflächiges Armierungsgewebe enthält. Die Mindestdicke sollte bei der Verwendung von mineralischen Armierungsputzlagen 3 mm und bei der Verwendung von pastösen Armierungsputzlagen 2 mm betragen. Mineralische Armierungsputze müssen DIN EN 998-1 und pastöse Armierungsputze DIN EN 15824 entsprechen. Bewährt haben sich Armierungsputze, die in Wärmedämm-Verbundsystemen bzw. auf Wärmedämmputze angewendet werden oder vom Hersteller für diesen Anwendungsfall freigegeben sind. Die Eigenschaften eines Armierungsputzes sind vor allem von seiner Schichtstärke abhängig. Von besonderer Bedeutung ist die Abstimmung des Armierungsputzes auf den Unterputz. Die Eigenschaften von Armierungsputzen sind den technischen Unterlagen der Hersteller zu entnehmen. Mit einem Armierungsputz mit Gewebeeinlage auf einem Leichtputz wird eine weitgehende Entkopplung der oberen Putzlagen vom Untergrund erreicht. Dadurch können auftretende Spannungen im Putzsystem aufgefangen und verteilt werden. Bei mineralischen Baustoffen ist die Zugfestigkeit deutlich geringer als die Druckfestigkeit. Die Zugfestigkeit beträgt in der Regel nur rund 1/10 der Druckfestigkeit; d. h., ein mineralischer Putz mit feiner Druckfestigkeit von 5 N/mm² weist lediglich eine Zugfestigkeit von 0,5 N/mm² auf. Das Überschreiten der Zugfestigkeit führt zu Rissen. Mit der Einbettung eines Armierungsgewebes in den Armierungsputz wird die Zugfestigkeit des Putzsystems deutlich erhöht, wenn die auf den Putz einwirkenden Zugspannungen möglichst vollständig auf das Armierungsgewebe übertragen werden können (siehe Abb. 3.16). Dazu ist ein guter Verbund zwischen Armierungsputz und Armierungsgewebe notwendig. Für einen ausreichenden Verbund ist es erforderlich, dass das Armierungsgewebe kraftschlüssig und vollständig in die Mörtelmatrix eingebettet ist. Ein polymermodifizierter Armierungsputz mit Gewebeeinlage ist eine weitaus effektivere Maßnahme zur Verhinderung von Rissen als das Einbetten eines Gewebes in einen (Leicht-)Unterputz. Übliche Leichtputze (Typ I und Typ II) lassen aufgrund ihres Porengefüges einen ausreichenden Verbund zwischen Gewebe und Putz nicht erwarten. Ungeeignete, zu feine Gewebe können sogar zu einer Trennung der Putzschicht unter und über dem Gewebe führen. Zur Minderung der Kerbrissgefahr ist an allen Gebäudeöffnungsecken eine zusätzliche Diagonalarmierung einzulegen.

Mineralische Edelputze als Oberputze

Für die Oberflächengestaltung werden als Oberputze häufig mineralische Edelputze (Abkürzung: „CR", englisch: coloured rendering mortar) nach DIN EN 998-1 verwendet. Farbige Edelputze enthalten neben ausgewählten strukturgebenden Körnungen auch UV- und alkalibeständige Farbpigmente. Falls herstellerseitig eine vorherige Grundierung empfohlen wird, muss diese auf den jeweiligen Untergrund und den Oberputz gleichermaßen abgestimmt sein. Ob eine Grundierung erforderlich ist, sollte vom ausführenden Fachunternehmen beurteilt werden. Es wird zwischen dünnlagigen und dicklagigen Edelputzen unterschieden. Dünnlagige Edelputze sind in Korngröße aufgetragene und strukturierte (geriebene) Putze, z. B.:

- Münchner Rauputz,
- Reibeputz,
- Rillenputz,
- Scheibenputz.

Die Putzdicke ergibt sich aus der Korngröße des Strukturkorns (meist 2 bis 5 mm). Dicklagige Edelputze sind Putze, deren Dicke größer als die maximale Korngröße ist, z. B.:

- Kellenwurfputze,
- Kratzputze,
- Modellierputze.

Kellenwurfputz erhält seine Struktur durch das Anwerfen eines Putzmörtels mit grober Gesteinskörnung. Kratzputz entsteht dadurch, dass die verputzte Fläche nach dem Anhärten (in der Regel 1 Tag nach dem Aufbringen) mit einem sog. Kratz-Igel bearbeitet wird und dadurch ihre raue, gleichmäßig strukturierte Oberfläche erhält. Dicklagige Kratzputze weisen u. a. ein größeres Wärmespeichervermögen auf und verringern dadurch beim nächtlichen Auskühlen die Kondenswasserbildung durch Taupunktunterschreitung an der Oberfläche. Der Bildung von Algen und Pilzen kann auf natürliche Weise entgegengewirkt werden. Das charakteristische Lösen von Körnern („Absanden") kann zu einer Art natürlichem Selbstreinigungseffekt an der Putzoberfläche beitragen. Vereinzelt auftretende Haarrisse (≤ 0,2 mm) sind bei mineralischen Putzsystemen technisch unkritisch. Optisch sind sie umso auffälliger, je feiner die Putzoberfläche ist. Diesbezüglich sind rauere Oberflächenstrukturen weniger empfindlich.

Pastöse Putze als Oberputze

Pastöse Putze nach DIN EN 15824 werden als Oberputze meist auf mineralischen Untergründen oder mineralischen Unterputzen eingesetzt. Falls herstellerseitig eine vorherige Grundierung empfohlen wird, muss diese auf den jeweiligen Untergrund und den Oberputz gleichermaßen abgestimmt sein. Ein geeigneter mineralischer Unterputz muss der Druckfestigkeitskategorie CS II, CS III oder CS IV entsprechen und die deklarierte Druckfestigkeit muss mindestens 2 N/mm^2 betragen oder die Eignung des Unterputzes muss vom Hersteller bestätigt werden. Pastöse Putze können z. B. folgende Putzstrukturen aufweisen:

- Reibe-/Rillenputz-Struktur,
- Kratzputz-Struktur (kratzputzähnliches Aussehen),
- Modellierputz,
- Buntsteinputz.

Die Putzdicke ergibt sich aus der Korngröße des Strukturkorns (meist 1,5 bis 3 mm, in Ausnahmen auch größer bzw. feiner).

Wärmedämmputzsysteme

In DIN EN 998-1 werden Putze als Wärmedämmputzmörtel (Abkürzung: „T", englisch: thermal mortar) bezeichnet, wenn deren Rechenwert der Wärmeleitfähigkeit ≤ 0,2 W/(m · K) beträgt. Diese Anforderung gilt als erfüllt, wenn die Trockenrohdichte ≤ 600 kg/m^3 ist. Nach DIN EN 998-1 werden die Wärmeleitfähigkeitsgruppen

- T 1 ≤ 0,1 W/(m · K) und
- T 2 ≤ 0,2 W/(m · K)

unterschieden.

Nach DIN 18550-1:2018-01 „Planung, Zubereitung und Ausführung von Außen- und Innenputzen – Teil 1: Ergänzende Festlegungen zu DIN EN 13914-1:2016-09 für Außenputze" ergeben sich als Bemessungswerte für

- T 1 B = 0,12 W/(m · K) und
- T 2 B = 0,24 W/(m · K).

Wärmedämmputzmörtel werden üblicherweise in einem Putzsystem, bestehend aus Unterputz (Wärmedämmputzmörtel), einem Armierungsputz mit Gewebeeinlage als Zwischenlage und einem Oberputz, angewendet.

Der Unterputz aus Wärmedämmputzmörtel muss mindestens 20 mm und soll in der Regel höchstens 100 mm dick sein. In Abhängigkeit von der Putzdicke ist der Einsatz eines geeigneten Putzträgers empfehlenswert. Die Druckfestigkeit muss mindestens der Kategorie CS I nach DIN EN 998-1 entsprechen. Der Koeffizient der Wasserdampfdurchlässigkeit (μ) muss nach DIN EN 998-1 ≤ 15 sein. Bei der Anwendung für Außenbauteile muss die kapillare Wasseraufnahme mindestens der Kategorie WC1 nach DIN EN 998-1 entsprechen. Für die Anwendung auf Innenbauteilen gibt es keine Anforderungen an die kapillare Wasseraufnahme.

Die mittlere Dicke des ein- oder mehrlagigen Oberputzes auf einem Wärmedämmputzmörtel muss mindestens 8 mm und darf höchstens 15 mm betragen. Bei mehrlagigen Oberputzen sollte der Armierungsputz im Mittel 6 mm dick sein. Die Zeitspanne zwischen Fertigstellung des Unterputzes und dem Aufbringen der Oberputze sollte mindestens 7 Tage betragen, bei größeren Dicken des Unterputzes jedoch mindestens 1 Tag je 10 mm Putzdicke. Bei ungünstigen Witterungsbedingungen (hohe Luftfeuchte und niedrige Temperaturen) sind diese Zeiten zu verlängern. Die Druckfestigkeit des Oberputzes sollte mindestens

0,8 N/mm² betragen und 3,0 N/mm² nicht überschreiten. Bei der Anwendung im Außenbereich sollte der Oberputz der Kategorie der Wasseraufnahme WC2 nach DIN EN 998-1 entsprechen. Es dürfen auch Putze der Kategorie WC1 nach DIN EN 998-1 eingesetzt werden, wenn diese Produkte zusätzlich die Anforderungen an wasserabweisende Außenputze mit $w \leq 0{,}5$ kg/(m² · h^{0,5}) nach DIN EN ISO 15148:2018-12 „Wärme- und feuchtetechnisches Verhalten von Baustoffen und Bauprodukten – Bestimmung des Wasseraufnahmekoeffizienten bei teilweisem Eintauchen (ISO 15148:2002 + Amd 1:2016)" erfüllen.

Sockelputze

Im spritzwassergefährdeten Bereich wird ein Außensockelputz verwendet. Außensockelputze müssen ausreichend fest, wasserabweisend und widerstandsfähig gegen Feuchte und Frost sein. Bewährt haben sich Putze der Festigkeitsklasse CS IV nach DIN EN 998-1. Auf leichteren und weicheren Wandbaustoffen (Steine der Festigkeitsklasse ≤ 8) sollen jedoch Außensockelputze (Unterputze) der Kategorie CS III nach DIN EN 998-1 (Druckfestigkeit 3,5 bis 7,5 N/mm²) aufgebracht werden. Mineralische Oberputze im Sockelbereich dürfen eine Druckfestigkeit von 2,5 N/mm² nicht unterschreiten. Bei Außensockelputzen auf Dämmplatten muss der Putzgrund mit kunststoffmodifizierten mineralischen Haftmörteln vorbehandelt werden. Putze im Sockel- und erdberührten Bereich sind immer zusätzlich mit einer Putzabdichtung als Feuchteschutz zu versehen. Diese Leistung gemäß VOB C/ATV DIN 18350:2019-09 „VOB Vergabe- und Vertragsordnung für Bauleistungen – Teil C: Allgemeine Technische Vertragsbedingungen für Bauleistungen (ATV) – Putz- und Stuckarbeiten", Abschnitt 4.2.29, ist bei der Planung und Ausschreibung als eigene Position zu berücksichtigen. Abweichend von dieser Regelausführung sind auch Sonderlösungen möglich. Diese sind zwischen Auftraggeber und Auftragnehmer zusätzlich zu vereinbaren.

Kellerwandaußenputze

Kellerwandaußenputze als Träger von Beschichtungen/Bauwerksabdichtungen müssen aus Mörteln der Druckfestigkeitskategorie CS IV nach DIN EN 998-1 hergestellt werden. Bei Mauerwerk aus Steinen der Druckfestigkeitsklassen ≤ 8 sollte jedoch die Mindestdruckfestigkeit für CS IV von 6 N/mm² nicht wesentlich überschritten werden. Kellerwandaußenputz im erdberührten Bereich muss nach DIN 18533 „Abdichtung von erdberührten Bauteilen" zusätzlich abgedichtet werden. Für hochwärmedämmendes monolithisches Mauerwerk können Sockel-Leichtputze eingesetzt werden.

Sanierputze und Sanierputzsysteme nach WTA

Sanierputze (Abkürzung: „R", englisch: renovation mortar) sind porenreiche Spezialputze (Porosität > 40 Vol.-%) mit sehr hoher Wasserdampfdiffusionsfähigkeit und verminderter kapillarer Leitfähigkeit. Sie werden zum Verputzen von feuchtem und/oder salzbelastetem Mauerwerk eingesetzt. Das Grundprinzip der Sanierputze besteht darin, dass die gelösten Salze in den Porenraum transportiert werden und dort auskristallisieren, ohne dass diese Salze an der Putzoberfläche sichtbar werden oder das Putzgefüge durch bauschädliche Salze zerstört wird. Die Anforderungen an Sanierputze sind im WTA-Merkblatt 2-9-20/D „Sanierputzsysteme" (Wissenschaftlich-Technische Arbeitsgemeinschaft für Bauwerkserhaltung und Denkmalpflege e. V. [WTA], 2020) festgelegt und gehen über die Anforderungen der DIN EN 998-1 hinaus. Mauerwerk mit schwacher Salzbelastung kann mit Sanierputz einlagig oder mehrlagig (Mindestputzdicke 20 mm, je Lage 10 mm) verputzt werden. Bei hohen Salzgehalten empfiehlt sich die Verwendung eines Sanierputzsystems (Spritzbewurf, Porengrundputz, Sanierputz). Der Porengrundputz dient auch zum Ausgleichen von Unebenheiten. Saugfähigkeit und Porosität sind höher als beim Sanierputz, sodass bereits ein großer Teil des Salzgehaltes im Porengrundputz gespeichert wird. Die Gesamtdicke aus Porengrundputz-WTA und Sanierputz-WTA beträgt mindestens 25 mm, wobei die Dicke des Sanierputzes mindestens 15 mm betragen muss. Nach ausreichender Trocknung (Richtwert 1 Tag pro 1 mm Auftragsdicke) wird auf den Sanierputz ein Oberputz aufgetragen. Eine Beschichtung kann zusätzlich aufgebracht werden. Sowohl Oberputz als auch Beschichtung dürfen die Wasserdampfdiffusion aus dem Sanierputz nicht wesentlich beeinträchtigen.

Schnell abbindende mineralische Putze

Bei schnell abbindenden Putzen wird das Putzsystem unabhängiger von äußeren Einflüssen, wie z. B. dem Saugverhalten des Untergrundes, der Außentemperatur oder unterschiedlichen Putzdicken. Die übrigen technischen Eigenschaften, z. B. Druckfestigkeit oder E-Modul, bleiben davon unberührt. Schnell abbindende Putzsysteme beschleunigen in der Regel nur das Erstarrungsverhalten, nicht aber das Trocknungsverhalten. Bei schnell abbindenden Putzen können deren Oberflächen noch am gleichen Tag bzw. nach wenigen Stunden aufgeraut (rabbotiert) bzw. fertig bearbeitet werden. Die allgemein anerkannten Standzeiten von 1 Tag pro 1 mm Putzstärke müssen auch bei derartigen Putzsystemen eingehalten werden, bevor der nachfolgende Oberputz aufgetragen werden kann. Eine Abweichung ist möglich, wenn vom Hersteller kürzere Standzeiten ausdrücklich zugelassen werden.

3.5.3 Estrichmörtel und Estriche

Als Estrich wird der Untergrund eines Fußbodens bezeichnet. Er dient der Aufnahme von Bodenbelägen und stellt ein eigenständiges Bauteil dar. Doch Estriche sind nicht nur die notwendige Basis für die Verlegung von Bodenbelägen, sondern erfüllen je nach Konstruktionsaufbau Aufgaben zum Schallschutz, Wärmeschutz, Beheizen von Räumen sowie zur Bereitstellung von Installationsebenen. Aufgrund der Nutzung durch Begehen, Befahren und Aufstellen von Möbeln o. Ä. sind sie eines der am stärksten beanspruchten Bauteile in Gebäuden. Die Estricharten unterscheiden sich im Bindemittel und in der Art des Einbaus. Zementestriche werden in der Regel auf der Baustelle gemischt, erdfeucht eingebaut und händisch oder maschinell geglättet. Gussasphaltestriche z. B. werden mit einer Temperatur von etwa 200 bis 230 °C in wärmegedämmten Rührwerkskesseln vom Asphaltmischwerk zur Baustelle transportiert, in Behältern per Hand auf die Baustelle getragen und dort händisch eingebaut. In die noch heiße Oberfläche wird Sand eingestreut, damit Bodenbeläge darauf verlegt werden können. Calciumsulfat-Fließestriche werden computergesteuert und qualitätsüberwacht in Herstellwerken produziert. Sie werden als Trockenmörtel im Silo oder in Säcken, als Mischung im Mixmobil oder als fertiger Mörtel im Fahrmischer auf die Baustelle angeliefert. Der fließfähige Mörtel wird auf den vorbereiteten Untergrund gepumpt, nivelliert sich dort weitestgehend selbst und wird mittels Schwabbelstangen entlüftet und geebnet.

Calciumsulfat-Fließestrich

Calciumsulfat ist das Bindemittel bei diesem Estrichmörtel. Die hohe Biegezugfestigkeit und das homogene Gefüge von Calciumsulfat-Fließestrichen ermöglichen es, die Estrichdicke gegenüber konventionellen Baustellenestrichen um bis zu 20 % zu reduzieren, bei einer nichtsdestotrotz hohen Belastbarkeit des Estrichs. Das bedeutet einen größeren Spielraum in den Aufbauhöhen und einen geringeren Materialbedarf. Die dadurch gewonnene Aufbauhöhe kann für zusätzliche Wärme- und Trittschalldämmung genutzt werden. Calciumsulfat-Fließestrich bietet sich aufgrund der optimalen Heizrohrumschließung, der hohen Wärmeleitfähigkeit und der geringen Estrichnenndicke besonders für Fußbodenheizungen an (siehe Abb. 3.17). Der Fließestrich nimmt die Wärme schnell von den Heizrohren an und gibt sie direkt an die Raumluft weiter. Hierdurch erhält man einen Heizestrich, der energieeffizient ist und schnell auf Temperaturveränderungen reagieren kann.

Zementfließestrich

Zementfließestrich (CT) ist ein CE-gekennzeichneter Estrichmörtel nach DIN EN 13813:2003-01 „Estrichmörtel, Estrichmassen und Estriche – Estrichmörtel und Estrichmassen – Eigenschaften und Anforderungen" und wird in seiner Anwendung nach DIN 18560 „Estriche im Bauwesen" geregelt. Zementfließestrich gibt es in verschiedenen Lieferformen: als fertig gemischten Werkfrischmörtel aus dem Fahrmischer, als Werktrockenmörtel in Form von Sack- oder Siloware und als Mehrkammer-Silomörtel. An die Herstellung, die Planung und die Verarbeitung von Zementfließestrich werden hohe Anforderungen gestellt.

3.5.3.1 Estrichkonstruktionen

Verbundestrich nach DIN 18560-3

Diese Estriche, die mit oder ohne Belag genutzt werden können, bilden eine gut nutzbare Oberfläche eines tragenden Untergrundes. Damit eine ganzflächige und sichere Übertragung der Lasten gewährleistet ist, muss der Untergrund zuvor entsprechend bearbeitet werden. Es dürfen keine Risse bestehen, durch die Feuchtigkeit eindringen oder die Kräfteübertragung punktierter und damit ungleichmäßig werden könnte. Durch eine gleichmäßige Übertragung ist die Nenndicke nicht maßgeblich für die Tragfähigkeit des Bauwerks. Für den Fall, dass Feuchtigkeit von der Unterseite eindringen könnte, ist zusätzlich eine abdichtende Grundierung zwischen Fließestrich und Untergrund einzubauen. DIN 18560-7:2004-04 „Estriche im Bauwesen – Teil 7: Hochbeanspruchbare Estriche (Industrieestriche)" enthält weitere Anforderungen für Verbundteile mit besonders hohen Beanspruchungen.

Abb. 3.17: Fließestrich auf einer Fußbodenheizung (Quelle: schulzfoto – stock.adobe.com)

Estrich auf Trennschicht nach DIN 18560-4

Hier liegt der Estrich nicht direkt auf dem Untergrund, sondern auf einer Trennschicht. Der Wärme- und der Schallschutz sind nicht gewährleistet. Die Estrichplatte liegt hier auf der Trennschicht auf und ist an den Rändern mit Randdämmstreifen zusätzlich zur Trennschicht vom Untergrund getrennt. Auch hier muss der Untergrund so vorbereitet werden, dass die Trennschicht gleichmäßig aufliegt, um die Kräfteübertragung vom Estrich auf die Trennschicht und dann auf den Untergrund zu gewährleisten. Eine Abdichtung muss bei gegebener Bodenfeuchtigkeit verwendet werden. DIN 18560-4:2012-06 „Estriche im Bauwesen – Teil 4: Estriche auf Trennschicht" gibt an, welche Estrichnenndicken je nach Estrichart und geforderter Biegefestigkeitsklasse nötig sind.

Estrich auf Dämmschicht nach DIN 18560-2

Dieser Estrich soll die Anforderungen an den Wärme- und den Schallschutz erfüllen. Die Estriche werden daher meist in Fußbodenkonstruktionen verwendet. Dabei ist die Trennschicht für den Trittschallschutz zu beachten. Liegen Versorgungsleitungen auf der Rohdecke, sind diese mit einer geeigneten Schicht auszugleichen. Eine Abdeckung der Dämmschicht verhindert, dass Estrich diese unterlaufen kann. Auch diese Abdeckung darf keine Risse enthalten, muss wasserabweisend und faltenfrei sein. Randdämmstreifen sind an aufsteigenden Bauteilen wie Heizungskonsolen anzubringen. Diese reichen vom Untergrund bis zur Oberfläche des Belags. DIN 18560-2:2022-08 „Estriche im Bauwesen – Teil 2: Estriche und Heizestriche auf Dämmschichten (schwimmende Estriche)" regelt darüber hinaus die Anforderungen an Heizestrich, bei dem der Estrich auf der Dämmschicht liegt und durch die Heizelemente erwärmt wird.

Tabelle 3.3: Nenndicken und Biegezugfestigkeit unbeheizter Estriche auf Dämmschichten für verschiedene lotrechte Nutzlasten nach DIN 18560-2, Abschnitt 4.2.1.1, Tabelle 1

Estrichart	Biegezug-festigkeits-klasse nach DIN EN 13813	Estrichnenndicken[1)] in mm EL = Einzellasten[4)] FL = Flächenlasten bei einer Zusammendrückbarkeit der Dämmschicht C				Bestätigungsprüfung Biegezugfestigkeit σ_{BZ} N/mm²	
		≤ 5 mm[3)]		≤ 3 mm			
		EL ≤ 1 kN FL ≤ 2 kN/m²	EL ≤ 2 kN FL ≤ 3 kN/m²	EL ≤ 3 kN FL ≤ 4 kN/m²	EL ≤ 4 kN FL ≤ 5 kN/m²	kleinster Einzelwert	Mittelwert
Calciumsulfat-Fließestrich CAF	F4	≥ 35	≥ 50	≥ 60	≥ 65	≥ 3,5	≥ 4,0
	F5	≥ 35	≥ 45	≥ 50	≥ 55	≥ 4,5	≥ 5,0
	F7	≥ 35	≥ 40	≥ 45	≥ 50	≥ 6,5	≥ 7,0
Calciumsulfatestrich CA	F4	≥ 45	≥ 65	≥ 70	≥ 75	≥ 2,0	≥ 2,5
	F5	≥ 40	≥ 55	≥ 60	≥ 65	≥ 2,5	≥ 3,5
	F7	≥ 35	≥ 50	≥ 55	≥ 60	≥ 3,5	≥ 4,5
Kunstharzestrich SR	F7	≥ 35	≥ 50	≥ 55	≥ 60	≥ 4,5	≥ 5,5
	F10	≥ 30	≥ 40	≥ 45	≥ 50	≥ 6,5	≥ 7
Magnesiaestrich[2)] MA	F4	≥ 45	≥ 65	≥ 70	≥ 75	≥ 2,0	≥ 2,5
	FS	≥ 40	≥ 55	≥ 60	≥ 65	≥ 2,5	≥ 3,5
	F7	≥ 35	≥ 50	≥ 55	≥ 60	≥ 3,5	≥ 4,5
Zementestrich CT	F4	≥ 45	≥ 65	≥ 70	≥ 75	≥ 2,0	≥ 2,5
	F5	≥ 40	≥ 55	≥ 60	≥ 65	≥ 2,5	≥ 3,5

1) Bei Dämmschichten ≤ 40 mm kann die Estrichdicke um 5 mm reduziert werden, die Mindestnenndicke von 35 mm darf nicht unterschritten werden.
2) Die Oberflächenhärte bei Steinholzestrichen muss mindestens SH30 nach DIN EN 13813 betragen.
3) Bei lotrechten Nutzlasten bis 2,0 kN/m² sind im Ausnahmefall höhere Zusammendrückbarkeiten bis 10 mm zulässig. In diesem Fall muss die Estrichnenndicke um 5 mm erhöht werden.
4) Bei Einzellasten sind für deren Aufstandsflächen Im Allgemeinen zusätzliche planerische Überlegungen erforderlich. Das Gleiche gilt für Fahrbeanspruchung.

3.5.3.2 Anforderungen

Mechanische Kennwerte

DIN 13813 gibt die verschiedenen mechanischen Klassen zu Estrichmörtel an. In der Regel genügen Calciumsulfat-, Zement-, Magnesia- und Kunstharzestriche den Beanspruchungen, wenn sie den Druck- und Biegezugfestigkeitsklassen entsprechen. DIN 18560-7 enthält weitere Anforderungen für Estriche mit besonders hoher Beanspruchung.

Estrichnenndicken

Die Estrichnenndicke gibt die mittlere Estrichdicke an. DIN 18560-1:2021-02 „Estriche im Bauwesen – Teil 1: Allgemeine Anforderungen, Prüfung und Ausführung“ fordert, dass die Estrichnenndicke maximal um 5 bis 10 mm unterschritten werden darf. Grundsätzlich sind Estriche in gleichmäßiger Dicke zu verlegen, um eine gleichmäßige Verteilung der Traglast vom Bauwerk an den Untergrund zu gewährleisten. Weitere Schichten, wie die bereits erwähnten Trenn- und Dämmschichten, führen zu Biegezugspannungen, die zusätzlich vom Estrich aufgenommen werden müssen. Je nach Einsatzbereich des Estrichs müssen Lastbereiche über Punkt- und Flächenlasten als Planungsgrundlage übernommen werden.

Verbundestrich

Die Anforderungen an Verbundestrich nach DIN 18560-3 geben an, dass hier die Dicke des Estrichs das Dreifache des Größtkorns nicht überschreiten sollte.

Estrich auf Trennschicht

Hier muss die Estrichdicke mindestens 30 mm betragen. Welche Dicke zum Tragen kommt, hängt von der jeweiligen Nutzlast und der lotrechten Einzellast ab.

Estrich auf Dämmschicht

Hier bestimmt die Estrichnenndicke die Estrichfestigkeit und die Steifigkeit der Dämmschicht die Tragfähigkeit des Estrichs. Die Estrichnenndicken in Abhängigkeit von der Zusammendrückbarkeit der Dämmschicht und der Nutzlast sind Tabelle 3.3 zu entnehmen.

3.5.4 Normen und Literatur

Normen

DIN 4108-7:2011-01 Wärmeschutz und Energie-Einsparung in Gebäuden – Teil 7: Luftdichtheit von Gebäuden – Anforderungen, Planungs- und Ausführungsempfehlungen sowie -beispiele

DIN 18533-1 Abdichtung von erdberührten Bauteilen – Teil 1: Anforderungen, Planungs- und Ausführungsgrundsätze

DIN 18534-1:2017-07 Abdichtung von Innenräumen – Teil 1: Anforderungen, Planungs- und Ausführungsgrundsätze

DIN 18550-1 :2018-01 Planung, Zubereitung und Ausführung von Außen- und Innenputzen – Teil 1: Ergänzende Festlegungen zu DIN EN 13914-1:2016-09 für Außenputze

DIN 18550-2:2018-01 Planung, Zubereitung und Ausführung von Außen- und Innenputzen – Teil 2: Ergänzende Festlegungen zu DIN EN 13914-2:2016-09 für Innenputze

DIN 18560-1:2021-02 Estriche im Bauwesen – Teil 1: Allgemeine Anforderungen, Prüfung und Ausführung

DIN 18560-2:2022-08 Estriche im Bauwesen – Teil 2: Estriche und Heizestriche auf Dämmschichten (schwimmende Estriche)

DIN 18560-3:2006-03 Estriche im Bauwesen – Teil 3: Verbundestriche

DIN 18560-4:2012-06 Estriche im Bauwesen – Teil 4: Estriche auf Trennschicht

DIN 18560-7:2004-04 Estriche im Bauwesen – Teil 7: Hochbeanspruchbare Estriche (Industrieestriche)

DIN 18580:2019-06 Baustellenmauermörtel

DIN 18947:2018-12 Lehmputzmörtel – Anforderungen, Prüfung und Kennzeichnung

DIN 20000-412:2019-06 Anwendung von Bauprodukten in Bauwerken – Teil 412: Regeln für die Verwendung von Mauermörtel nach DIN EN 998-2:2017-02

DIN EN 998-1:2017-02 Festlegungen für Mörtel im Mauerwerksbau – Teil 1: Putzmörtel

DIN EN 998-2:2017-02 Festlegungen für Mörtel im Mauerwerksbau – Teil 2: Mauermörtel

DIN EN 13279-1:2008-11 Gipsbinder und Gips-Trockenmörtel – Teil 1: Begriffe und Anforderungen

DIN EN 13813:2003-01 Estrichmörtel, Estrichmassen und Estriche – Estrichmörtel und Estrichmassen – Eigenschaften und Anforderungen

DIN EN 13914-2:2016-09 Planung, Zubereitung und Ausführung von Innen- und Außenputzen – Teil 2: Innenputze

DIN EN 15824:2017-09 Festlegungen für Außen- und Innenputze mit organischen Bindemitteln

DIN EN ISO 15148:2018-12 Wärme- und feuchtetechnisches Verhalten von Baustoffen und Bauprodukten – Bestimmung des Wasseraufnahmekoeffizienten bei teilweisem Eintauchen (ISO 15148:2002 + Amd 1:2016)

VOB C/ATV DIN 18350:2019-09 VOB Vergabe- und Vertragsordnung für Bauleistungen – Teil C: Allgemeine Technische Vertragsbedingungen für Bauleistungen (ATV) – Putz- und Stuckarbeiten

Literatur

Leichtmauermörtel [online]. Berlin: Verband für Dämmsysteme, Putz und Mörtel e. V. (VDPM), o. J.

Leitlinien für das Verputzen von Mauerwerk und Beton. Grundlagen für die Planung, Gestaltung und Ausführung. Stand: November 2022. Berlin: Verband für Dämmsysteme, Putz und Mörtel e. V. (VDPM), 2022

Merkblatt Calciumsulfat-Fließestriche. Hinweise für die Planung. Stand: Oktober 2022. Berlin: Verband für Dämmsysteme, Putz und Mörtel e. V. (VDPM), 2022

Merkblatt Verblendmauerwerk mit Werkmörtel. Hinweise für die Planung und Ausführung. Stand: Februar 2014. Duisburg: Industrieverband WerkMörtel e. V., 2014

Merkblatt Zementfließestrich. Hinweise für die Planung und Ausführung. Stand: August 2021. Berlin: Verband für Dämmsysteme, Putz und Mörtel e. V. (VDPM), 2021

Mörtel für Verblendmauerwerk [online]. Berlin: Verband für Dämmsysteme, Putz und Mörtel e. V. (VDPM), o. J.

Normalmauermörtel [online]. Berlin: Verband für Dämmsysteme, Putz und Mörtel e. V. (VDPM), o. J.

Umwelt-Produktdeklaration nach ISO 14025 und EN 15804. Mineralische Werkmörtel: Mauermörtel – Normalmauermörtel. Stand: November 2019. Berlin: Verband für Dämmsysteme, Putz und Mörtel e. V. (VDPM), 2019

WTA Merkblatt 2-9-20/D Sanierputzsysteme. Ausgabe 2-9-20/D. Stand: März 2020. Stuttgart: Fraunhofer IRB Verlag, 2020

3.6 Beton

Beton besteht aus Zement, Gesteinskörnungen, Wasser und ggf. Betonzusätzen. Das Gemisch aus Zement und Wasser wird im frischen Zustand als Zementleim bezeichnet. Der Zementleim umhüllt alle Gesteinskörner. Im erhärteten Zustand wird aus dem Zementleim der Zementstein, der dem Korngemisch aus Sand und Kies die notwendige Festigkeit gibt.

Beton ist ein vielfältig zusammensetzbarer, beliebig formbarer, druckfester, dauerhafter und wirtschaftlicher Baustoff. Diese Voraussetzungen und Eigenschaften ermöglichen die Herstellung verschiedenster Betonarten und Produkte; sie erschließen ihm eine Vielzahl von Anwendungsgebieten. Dazu gehören Bauteile und Bauwerke des Hoch- und Tiefbaus z. B. für Wohnen, Mobilität, Kommunikation, Freizeit und Umweltschutz. Fast kein Bauwerk kommt heute ohne Bauteile aus Beton aus. Für seine Herstellung und Anwendung gibt es spezielle Bauvorschriften und technische Regelwerke.

3.6.1 Bestandteile des Betons

Die Bestandteile bzw. Ausgangstoffe von Beton sind Zement, Gesteinskörnung, Wasser und ggf. Betonzusätze. Zement ist ein hydraulisches Bindemittel. Mit Wasser vermischt bildet er Zementleim, der durch Hydratation (Wasserbindung) sowohl an der Luft als auch unter Wasser erhärtet und auch unter Wasser dauerhaft seine Festigkeit behält. Eine wesentliche Eigenschaft ist seine Druckfestigkeit. Zement gibt es in verschiedenen Zement-Festigkeitsklassen, mit unterschiedlicher Anfangsfestigkeit, Festigkeitsentwicklung und Endfestigkeit. Darüber hinaus gibt es Zemente mit besonderen Eigenschaften für spezielle Anwendungsgebiete, wie z. B. Zemente mit niedriger Wärmeentwicklung (LH-Zemente, engl. Low Heat) für die Herstellung massiger Betonbauteile oder solche mit hohem chemischem Widerstand gegen Sulfatangriff (SR-Zemente). Die maßgebende Zementnorm ist die europäische DIN EN 197-1:2011-11 „Zement – Teil 1: Zusammensetzung, Anforderungen und Konformitätskriterien von Normalzement".

Gesteinskörnung für Beton ist in der Regel ein Gemisch aus natürlich gewonnenen ungebrochenen oder gebrochenen Gesteinen. Unterschieden wird zwischen normaler, leichter und rezyklierter Gesteinskörnung. Sie können ein dichtes oder poriges Gefüge aufweisen. Kies, der z. B. aus Flüssen gewonnen wird, weist in der Regel eine naturrunde Kornform auf. Aus Steinbrüchen gewonnenes und gebrochenes Material (Splitt) hat dagegen eine kantige Form. Durch ein abgestimmtes Zusammenfügen verschiedener Korngrößen nach Volumen- oder Gewichtsteilen entsteht ein dichtes Gesteinsgefüge, das mit Zementleim verklebt wird. Diese korngrößenabhängige Abstufung eines Korngerüstes wird als Sieblinie bezeichnet. Das **Größtkorn** beträgt bei Beton meistens 8, 16, 22 oder 32 mm. Die maßgebende Norm für Gesteinskörnungen ist die DIN EN 12620:2008-07 „Gesteinskörnungen für Beton".

Als Wasser wird bei der Betonherstellung in der Regel Trinkwasser verwendet. Auch in der Natur vorkommende Wässer sind meistens geeignet. Die Zugabe von Restwasser aus dem Frischbetonrecycling ist in nahezu allen Transportbetonwerken Stand der Technik.

Betonzusätze werden dem Beton zugegeben, um bestimmte Frisch- und/oder Festbetoneigenschaften, wie z. B. die Verarbeitungseigenschaften und die Dauerhaftigkeit, gezielt zu verbessern. Zahlreiche Betoneigenschaften sind nur durch Verwendung von Betonzusätzen möglich. Es wird unterschieden zwischen Betonzusatzmitteln und Betonzusatzstoffen. Ein Großteil aller werksmäßig hergestellten Betone werden in Deutschland unter Verwendung von Betonzusatzmitteln verarbeitet. Sie wirken chemisch und/oder physikalisch und werden in sehr geringen Mengen meist flüssig zugegeben. Die Rohstoffe sind toxikologisch unbedenklich. Betonzusatzstoffe wie z. B. Gesteinsmehle, Farbpigmente oder Flugasche werden in größeren Mengen zugegeben.

3.6.2 Betonarten

Tabelle 3.4 gibt eine Übersicht über verschiedene Betonarten.

Tabelle 3.4: Verschiedene Betonarten und ihre Erläuterungen

Betonart	Erläuterungen
Frischbeton	fertig gemischter Beton, der sich noch in verarbeitbarem Zustand befindet und durch das gewählte Verfahren verdichtet wird
Normalbeton	Wird umgangssprachlich kurz als Beton bezeichnet und in der Regel unter Verwendung von in der Natur vorkommenden Gesteinskörnungen hergestellt. Er ist universell im Wasser-, Verkehrs-, Brücken-, Wohnungs- sowie Industrie- und Gewerbebau einsetzbar. Normalbeton ist die am häufigsten verwendete Betonart.
Festbeton	Beton, der sich in festem Zustand befindet und eine gewisse Festigkeit entwickelt hat
haufwerksporiger Leichtbeton	Bei diesem Leichtbeton wird die Gesteinskörnung so ausgewählt, dass möglichst viel Hohlraum zwischen den Körnern entsteht. Die Zementleimmenge ist so zu dosieren, dass die Zuschläge nur umhüllt und punktweise verkittet werden. Es entsteht ein Beton mit Haufwerksporigkeit, auch Einkornbeton genannt.
hochfester Beton	Beton der Festigkeitsklassen C55/67 bis C 100/115 mit hoher Tragfähigkeit
Hochleistungsbeton	ein hochfester Beton mit besonders hoher Dauerhaftigkeit. Anwendungen sind Bauteile mit besonders hohen Sicherheitsanforderungen, z. B. für Brückenträger, Offshorebauwerke, Auffangwannen, Chemikalienlager
Leichtbeton	Wird für wärmedämmende Bauteile im Wohnungsbau verwendet sowie dort, wo für Transport, Montage oder Gebrauch ein leichter Beton benötigt wird. Konstruktiver Leichtbeton hat immer ein geschlossenes, dichtes Gefüge.
Ortbeton	Beton, der an dem Ort erhärtet, an dem er verbaut wird. Ortbeton wird als Transportbeton mit Fahrmischern auf die Baustelle gebracht oder an Ort und Stelle als Baustellenbeton gemischt.
Schwerbeton	Wird zumeist als Strahlenschutzbeton zur Abschirmung von z. B. Röntgenstrahlung im medizinischen Bereich verwendet. Weitere Anwendungen sind Ballastgewichte in Schiffen oder Kontergewichte bei Kränen und Brückenwiderlagern.
Sichtbeton	Die vielfältige Beschaffenheit der Ansichtsflächen von Sichtbeton wird durch eine Schalungshaut erreicht. Die Flächengestaltung kann mit verschiedenen Techniken wie u. a. Brettschalung, glatter Schalung oder Matrizenschalung erfolgen.
Spannbeton	Bewehrter Beton, der sich vom Stahlbeton dadurch unterscheidet, dass eingebaute Spannglieder mit einer Zugkraft vorgespannt werden. Dadurch kann der Spannbeton eine größere Last aufnehmen.
Spritzbeton	Beton mit einem Trocken- oder Nassgemisch, der in geschlossenen Rohr- oder Schlauchleitungen bis zur Einbaustelle transportiert, dort auf die vorgesehenen Stellen gespritzt und dabei gleichzeitig verdichtet wird
Stahlbeton	Verbundbaustoff aus Beton und Stahl. Dabei übernimmt der Stahl überwiegend die Zugkräfte und der Beton überwiegend die Druckkräfte.
Transportbeton	Im Transportbetonwerk gemischter Beton, der im frischen Zustand mit Fahrmischern auf die Baustelle geliefert wird. Dort wird der noch verarbeitbare Beton in die Schalung eingebracht und verdichtet.

Abb. 3.18: Diese filigrane Straßenbrücke zählt zu den Ingenieurbauten aus Beton (Quelle: InformationsZentrum Beton GmbH, Düsseldorf).

Abb. 3.19: Verarbeitung von Transportbeton auf einer Baustelle (Quelle: InformationsZentrum Beton GmbH, Düsseldorf)

Normen

DIN 1045-2:2008-08 Tragwerke aus Beton, Stahlbeton und Spannbeton – Teil 2: Beton – Festlegungen, Eigenschaften, Herstellung und Konformität – Anwendungsregeln zu DIN EN 206-1

DIN 1045-3:2012-03 Tragwerke aus Beton, Stahlbeton und Spannbeton – Teil 3: Bauausführung – Anwendungsregeln zu DIN EN 13670

DIN EN 206:2017-01 Beton – Festlegung, Eigenschaften, Herstellung und Konformität

DIN EN 13670:2011-03 – Ausführung von Tragwerken aus Beton

DIN-Fachbericht 100:2010-03 Beton – Zusammenstellung von DIN EN 206-1 Beton – Teil 1: Festlegung, Eigenschaften, Herstellung und Konformität und DIN 1045-2 Tragwerke aus Beton, Stahlbeton und Spannbeton – Teil 2: Beton; Festlegung, Eigenschaften, Herstellung und Konformität; Anwendungsregeln zu DIN EN 206-1

3.6.2.1 Vom Frisch- zum Festbeton

Der Zementleim ermöglicht eine beliebige Verarbeitbarkeit und Formbarkeit des Frischbetons. Die maßgebenden Anforderungen für den Frischbeton ergeben sich aus dem vorgesehenen Ablauf für das Herstellen, Transportieren und Verarbeiten des Betons. Durch chemisch-mineralogische Reaktionen des Zements mit Wasser wird aus dem Zementleim durch eine Kristallbildung Zementstein, der die einzelnen Kies- und Sandkörner umhüllt und damit das Betongefüge fest verbindet. Das Massenverhältnis von Wassergehalt (w) zu Zementgehalt (z) wird als Wasserzementwert (w/z-Wert) bezeichnet. Er ist von ausschlaggebender Bedeutung für die Druckfestigkeit des Betons, aber auch für die Dichtigkeit (Porosität) des Zementsteins und damit für viele Festbetoneigenschaften und die Dauerhaftigkeit von Betonbauteilen.

3.6.2.2 Transportbeton – Festlegung, Bestellung, Lieferung, Abnahme

Transportbeton (siehe Abb. 3.19) wird unterschieden in Beton nach Eigenschaften, Beton nach Zusammensetzung und Standardbeton, wobei Beton nach Eigenschaften der am häufigsten in Deutschland hergestellte Beton ist. Dies sind ca. 95 % aller Betone, weshalb im Folgenden nur auf Beton nach Eigenschaften Bezug genommen wird.

Sowohl der Frisch- als auch der Festbeton muss die an ihn gestellten Anforderungen, die erwarteten Eigenschaften und die gewünschte Leistungsfähigkeit erfüllen. Die hierfür notwendigen Festlegungen müssen vor der Bestellung des Transportbetons getroffen werden und in die Bestellung einfließen.

Grundlegende Anforderungen für Beton nach Eigenschaften:

- Übereinstimmung mit DIN EN 206-1/DIN 1045-2
- Druckfestigkeitsklasse (ggf. von 28 Tagen abweichender Zeitpunkt der Bestimmung der Druckfestigkeit)
- Expositionsklassen und Feuchtigkeitsklasse
- Nennwert des Größtkorns der Gesteinskörnung
- Art der Verwendung des Betons (unbewehrter Beton, Stahlbeton, Spannbeton) oder Klasse des Chloridgehalts
- Konsistenzklasse oder, in besonderen Fällen, Zielwert der Konsistenz

Für Leichtbeton ist zusätzlich die Rohdichteklasse oder der Zielwert der Rohdichte, für Schwerbeton zusätzlich der Zielwert der Rohdichte festzulegen.

Zusätzliche Anforderungen für Beton nach Eigenschaften:

- besondere Arten oder Klassen von Zement (z. B. Zement mit niedriger Hydratationswärme)
- besondere Arten oder Klassen von Gesteinskörnungen
- erforderliche Eigenschaften für den Widerstand gegen Frosteinwirkung (z. B. Luftgehalt)
- Anforderungen an die Frischbetontemperatur
- Festigkeitsentwicklung
- Wärmeentwicklung während der Hydratation
- verzögertes Ansteifen
- Wassereindringwiderstand
- Abriebwiderstand
- Spaltzugfestigkeit
- andere technische Anforderungen (z. B. besondere Oberflächenbeschaffenheit oder besonderes Einbringverfahren)

3.6.3 Expositionsklassen

Neben der Bemessung für äußere Lasten (Tragfähigkeit) ist zusätzlich die Dauerhaftigkeit von Betonbauwerken bzw. Betonbauteilen sicherzustellen.

Hierzu müssen geeignete Annahmen für die zu erwartenden Umwelteinwirkungen getroffen werden. In den aktuellen Normen sind die Anforderungen an den Beton in Abhängigkeit von den Umgebungsbedingungen durch die Expositionsklassen festgelegt. Expositionsklassen beschreiben die Einwirkungen der Umgebung auf den Beton. Für die Festlegungen der Dauerhaftigkeit stehen insgesamt 7 Expositionsklassen zur Verfügung, die jeweils in bis zu 4 Stufen untergliedert sind. Unterschieden werden Einwirkungen auf die Bewehrung im Beton (Bewehrungskorrosion, z. B. Karbonatisierung, Chlorideinwirkung) sowie auf den Beton selbst (Betonangriff, z. B. Frost, chemischer Angriff, Verschleiß). Der Betonbau ist eine weitestgehend geregelte Bauweise. Die maßgebenden Normen für den Betonbau sind DIN EN 1992 „Eurocode 2: Bemessung und Konstruktion von Stahlbeton- und Spannbetontragwerken“ (Bemessung) und DIN EN 206 in Verbindung mit DIN 1045-2 (Baustoff Beton). Darüber hinaus gelten für die vielfältige Anwendung von Beton, Betonfertigteilen, Betonwaren und zementgebundenen Produkten spezielle technische Regelwerke.

Die Dauerhaftigkeit von Betonbauwerken hat in Deutschland über das Bauproduktengesetz und die Landesbauordnungen den Rang einer gesetzlichen Anforderung. Das bedeutet, dass Standsicherheit, Gebrauchstauglichkeit und Dauerhaftigkeit gleichrangige Kriterien sind. Nach DIN EN 1992-1-1/NA:2013-04 „Nationaler Anhang – National festgelegte Parameter – Eurocode 2: Bemessung und Konstruktion von Stahlbeton- und Spannbetontragwerken – Teil 1-1: Allgemeine Bemessungsregeln und Regeln für den Hochbau“ gelten Bauwerke als dauerhaft, wenn sie während der vorgesehenen Nutzungsdauer ihre Funktion hinsichtlich Tragfähigkeit und Gebrauchstauglichkeit ohne wesentlichen Verlust der Nutzungseigenschaften bei einem angemessenen Instandhaltungsaufwand erfüllen. Unter Einhaltung nationaler Erfahrungen entspricht die Anforderungsklasse S3 einer Nutzungsdauer von 50 Jahren. Dabei wird vorausgesetzt, dass eine den Anwendungsregeln entsprechende Zusammensetzung des Betons nach DIN EN 206 und 1045-2 sowie eine Nachbehandlung nach DIN EN 13670 und DIN 1045-3, Anhang NA, erfolgen.

3.6.4 Betondruckfestigkeitsklassen

Eine der wichtigsten Eigenschaften des Betons ist seine Festigkeit, vor allem seine Druckfestigkeit. Sie ist die wichtigste Bemessungsgröße des Tragwerkplaners für tragende Bauteile. Nach der Druckfestigkeit wird der Werkstoff verschiedenen Betonfestigkeitsklassen zugeordnet. Nach aktueller Norm ist die Bezeichnung für die Druckfestigkeit z. B. C 25/30, wobei C für concrete (engl. Beton) und die Zahlen für die Druckfestigkeit in N/mm^2, gemessen an unterschiedlichen Probekörpern, steht.

Die Festigkeitsklassen nach DIN EN 1992-1-1 beziehen sich auf die charakteristischen Zylinderdruckfestigkeiten f_{ck}, die an gesondert hergestellten Betonprüfkörpern nach definierter Lagerung im Alter von 28 Tagen ermittelt werden. Diese Vorgehensweise ist auf Betone bis zu einem Maximalwert C_{max} begrenzt. In DIN EN 1992-1-1 ist dieser empfohlene Wert C_{max} mit C90/105 angegeben. Darüber hinaus gibt es einen Hinweis auf landesspezifische Festlegungen, die dem Nationalen Anhang entnommen werden können. Der in Deutschland darin festgesetzte obere Wert beträgt C100/115 (vgl. Tabelle 3.5). Durch die vom Planer festzulegenden Expositionsklassen wird die Zusammensetzung des benötigten Betons in wesentlichen Zügen festgelegt. Neben der Festlegung eines maximalen w/z-Werts und eines Mindestzementgehalts werden bei Normal- und Schwerbetonen durch die Angabe der Expositionsklassen auch Forderungen an eine Mindestbetondruckfestigkeitsklasse gestellt. Man hat festgestellt, dass ein Zusammenhang zwischen dem w/z-Wert und der Druckfestigkeit besteht. Da der w/z-Wert ein Maß für die Qualität und die Dauerhaftigkeit eines Betons ist und sich dieser am Festbeton nur mit hohem Aufwand nachweisen lässt, behilft man sich mit der Betondruckfestigkeit. Daher lässt sich die Dauerhaftigkeit bei

Tabelle 3.5: Druckfestigkeitsklassen für Normal- und Schwerbeton nach Zement-Merkblatt Betontechnik B9 „Expositionsklassen für Betonbauteile im Geltungsbereich des EC2“ (InformationsZentrum Beton GmbH, Juli 2021), Tafel 1

Druckfestigkeitsklasse	$f_{ck,cyl}$ [1) in MPa	$f_{ck,cube}$ [2) in MPa
C8/10	8	10
C12/15	12	15
C16/20	16	20
C20/25	20	25
C25/30	25	30
C30/37	30	37
C35/45	35	45
C40/50	40	50
C45/55	45	55
C50/60	50	60
C55/67	55	67
C60/75	60	75
C70/85	70	85
C80/95	80	98
C90/105 [3)	90	105
C100/115 [3)	100	115

1) $f_{ck,cyl}$ = charakteristische Mindestdruckfestigkeit von Zylindern (Durchmesser 150 mm, Länge 300 mm, Alter 28 Tage, Wasserlagerung)
2) $f_{ck,cube}$ = charakteristische Mindestdruckfestigkeit von Würfeln (Kantenlänge 150 mm, Alter 28 Tage, Wasserlagerung)
3) Druckfestigkeitsklassen C90/105 und C100/115: allgemeine bauaufsichtliche Zulassung oder Zustimmung im Einzelfall erforderlich

Tabelle 3.6: Überwachungsklassen für Beton nach Zement-Merkblatt Betontechnik B9 „Expositionsklassen für Betonbauteile im Geltungsbereich des EC2" (InformationsZentrum Beton GmbH, Juli 2021), Tafel 6

	Überwachungsklasse		
	1	2[1)]	3[1)]
Festigkeitsklasse für Normal- und Schwerbeton	≤ C25/30[2)]	≥ C30/37 und ≤ C50/60	≥ C55/67
Festigkeitsklasse für Leichtbeton der Rohdichteklassen			
D1,0–D1,4	nicht anwendbar	≤ LC25/28	≥ LC30/33
D1,6–D2,0	≤ LC25/28	LC30/33 und LC35/38	≥ LC40/44
Expositionsklasse	X0, XC, XF1	XS, XD, XA, XM[3)], ≥ XF2	–
besondere Betoneigenschaften[4)]	–	Beton für wasserundurchlässige Baukörper (z. B. Weiße Wannen)[5)], Unterwasserbeton, Beton für hohe Gebrauchstemperaturen ≤ 250 °C, Strahlenschutzbeton (ausgenommen KKW)	–

1) Das Bauunternehmen muss über eine ständige Betonprüfstelle verfügen. Eigenüberwachung sowie Fremdüberwachung durch anerkannte Überwachungsstelle erforderlich.
2) Spannbeton C25/30 ist stets in Überwachungsklasse 2 einzuordnen.
3) gilt nicht für übliche Industrieböden
4) Für besondere Anwendungsfälle (z. B. verzögerter Beton, FD/FDE-Beton) sind die Richtlinien des DAfStb zu beachten.
5) Beton mit hohem Wassereindringwiderstand darf in die Überwachungsklasse 1 eingeordnet werden, wenn der Baukörper maximal Bodenfeuchtigkeit und an der Wand ablaufendem Wasser ausgesetzt ist (Beanspruchungsklasse 2).

Normal- und Schwerbeton über die Betondruckfestigkeit abschätzen. Zur Bestimmung und Klassifizierung werden die charakteristischen Festigkeiten an Zylindern mit einem Durchmesser von 150 mm und einer Länge von 300 mm ($f_{ck, cyl}$) oder an Würfeln mit 150 mm Kantenlänge ($f_{ck, cube}$) im Prüfalter von 28 Tagen bestimmt. Anders als beim Normal- und Schwerbeton kann beim Leichtbeton kein direkter Zusammenhang zwischen Druckfestigkeit und Dauerhaftigkeit abgeleitet werden. Die Festigkeit des gefügedichten Leichtbetons wird neben der Festigkeit des Zementsteins bzw. dessen Dichtigkeit im Wesentlichen durch die Festigkeit der leichten Gesteinskörnung bestimmt. Deshalb können bei der Einstufung von Bauteilen aus Leichtbeton in die jeweiligen Expositionsklassen keine Mindestdruckfestigkeitsklassen abgeleitet bzw. Anforderungen daraus gestellt werden. Als Kriterium zur Sicherstellung der Dauerhaftigkeit gelten jedoch wie bei Normal- und Schwerbeton z. B. der Mindestzementgehalt und der Wasserzementwert. Die Zuordnung in Bezug auf die Einstufung in die jeweilige Überwachungsklasse erfolgt gemäß der vom Tragwerkplaner festgelegten Festigkeits- und Rohdichteklassen (vgl. Tabelle 3.6).

3.6.5 Systematik der Expositionsklassen und der Feuchtigkeitsklassen

Bei der Planung von Bauteilen bzw. Bauwerken sind sowohl die lastunabhängigen als auch die lastabhängigen Einwirkungen zur Sicherstellung der Dauerhaftigkeit zu berücksichtigen. Hierzu müssen geeignete Annahmen für die zu erwartenden Umwelteinwirkungen getroffen werden. In DIN EN 1992-1-1 und in DIN 1045-2 sind die Anforderungen an den Beton in Abhängigkeit von den möglichen korrosiven Einwirkungen durch Expositionsklassen festgelegt. Betonzusammensetzung, Mindestdruckfestigkeitsklassen, Rechenwerte der Rissbreite, Mindestbetondeckung der Bewehrung und Nachbehandlungsdauer werden den Expositionsklassen zugeordnet.

Für die Festlegung der Dauerhaftigkeit stehen insgesamt 7 Expositionsklassen zur Verfügung, die jeweils in bis zu 4 weitere Unterklassen bzw. Angriffsstufen gegliedert sind. Im Weiteren müssen zusätzlich dazu auch die Feuchtigkeitsklassen festgelegt werden. Die dort getroffenen Anforderungen sollen eine eventuelle schädigende Alkali-Kieselsäure-Reaktion verhindern. Unterschieden werden Einwirkungen auf die Bewehrung und metallische Einbauteile im Beton (Bewehrungskorrosion) sowie auf den Beton selbst (Betonangriff). Darüber hinaus ist in jedem Fall auch eine Einstufung in eine Feuchtigkeitsklasse (WO, WF, WA) vorzunehmen. Hierbei ist zu beachten, dass die Feuchtigkeitsklasse WS im Hochbau keine Anwendung findet. Im Hinblick auf die Ausschreibung ist darauf zu achten, dass die richtige Einschätzung der am Gebäude vorliegenden Expositionen nicht grundsätzlich dadurch verbessert wird, dass die zutreffende Expositions- oder Feuchtigkeitsklasse um eine oder mehrere Stufen erhöht wird. Dies kann dazu führen, dass unter Umständen ein nachteiliger Effekt entsteht, die Baukosten signifikant steigen oder gar eine fachgerechte Ausführung nicht möglich ist. Besonders häufig trifft dies auf die Expositionsklasse XA zu. Bauteile, die aufgrund ihrer Beanspruchung in XA2 eingestuft werden müssten, aber dann in XA3 geplant werden, müssen folglich eine Auskleidung oder Beschichtung erhalten oder ggf. durch betontechnologische Maßnahmen konditioniert und durch einen Gutachter bewertet werden (vgl. Tabelle 3.7).

Tabelle 3.7: Expositionsklassen (infolge von Umwelteinwirkungen) bezogen auf Bewehrungskorrosion nach Zement-Merkblatt Betontechnik B9 „Expositionsklassen für Betonbauteile im Geltungsbereich des EC2" (InformationsZentrum Beton GmbH, Juli 2021), Tafel 3

Klassen-bezeich-nung	Beschreibung der Umgebung	Beispiele für die Zuordnung von Expositionsklassen (informativ)	Mindestdruck-festigkeitsklasse in min f_{ck}
kein Korrosions- oder Angriffsrisiko Bauteile ohne Bewehrung oder eingebettetes Metall in nicht Beton angreifender Umgebung			
X0	ohne Bewehrung und alle Umgebungsbedingungen, außer XF, XA, XM	Füllbeton, Sauberkeitsschichten und dergleichen	C8/10
		Fundamente ohne Bewehrung ohne Frost	C12/15[1)]
		Innenbauteile ohne Bewehrung	
Bewehrungskorrosion durch Karbonatisierung Beton, der Bewehrung oder anderes eingebettetes Metall enthält und Luft sowie Feuchtigkeit ausgesetzt ist			
XC1	trocken oder ständig nass	Bauteile in Innenräumen mit üblicher Luftfeuchte (einschließlich Küche, Bad und Waschküche in Wohngebäuden)	C16/20[2)]
		Beton, der ständig unter Wasser ist	
XC2	nass, selten trocken	Teile von Wasserbehältern	C16/20[2)]
		Gründungsbauteile	
XC3	mäßige Feuchte	Bauteile, zu denen die Außenluft häufig oder ständig Zugang hat, z. B. offene Hallen, Innenräume mit hoher Luftfeuchtigkeit, z. B. in gewerblichen Küchen, Bädern, Wäschereien, in Feuchträumen von Hallenbädern und in Viehställen	C20/25
		Dachflächen mit flächiger Abdichtung	
		Verkehrsflächen mit flächiger unterlaufsicherer Abdichtung[6)]	
XC4	wechselnd nass und trocken	Außenbauteile mit direkter Beregnung	C25/30
Bewehrungskorrosion durch Chloride, ausgenommen Meerwasser Beton, der Bewehrung oder anderes eingebettetes Metall enthält und chloridhaltigem Wasser, einschließlich Taumitteln, ausgenommen Meerwasser, ausgesetzt ist			
XD1	mäßige Feuchte	Bauteile im Sprühnebelbereich von Verkehrsflächen	C30/37[3)]
		Einzelgaragen	
		befahrene Verkehrsflächen mit vollflächigem Oberflächenschutz[6)]	
XD2	nass, selten trocken	Solebäder	C35/45[3), 4), 5)]
		Bauteile, die chloridhaltigen Industrieabwässern ausgesetzt sind	
XD3	wechselnd nass und trocken	Teile von Brücken mit häufiger Spritzwasserbeanspruchung	C35/45[3), 5)]
		Fahrbahndecken	
		befahrene Verkehrsflächen mit rissvermeidenden Bauweisen ohne Oberflächenschutz oder ohne Abdichtung[6)]	
		befahrene Verkehrsflächen mit dauerhaftem lokalen Schutz vor Rissen[6), 7)]	
Bewehrungskorrosion durch Chloride aus Meerwasser Beton, der Bewehrung oder anderes eingebettetes Metall enthält und Chloriden aus Meerwasser oder salzhaltiger Seeluft ausgesetzt ist			
XS1	salzhaltige Luft, aber kein unmittelbarer Kontakt mit Meerwasser	Außenbauteile in Küstennähe	C30/37[3)]
XS2	unter Wasser	ständig unter Wasser liegende Bauteile in Hafenanlagen	C35/45[3), 4), 5)]
XS3	Tidebereiche, Spritzwasser- und Sprühnebelbereiche	Kaimauern in Hafenanlagen	C35/45[3), 5)]

1) Bei Beton für tragende Bauteile nach DIN EN 1992-1-1, DIN EN 1992-1-1/NA.
2) Für Stahlfaserbetone nach DAfStb-Richtlinie Stahlfaserbeton [7] gilt für die Expositionsklassen XC1 und XC2 die Mindestdruckfestigkeitsklasse C20/25.
3) Bei Verwendung von Luftporenbeton, z. B. aufgrund gleichzeitiger Anforderungen aus der Expositionsklasse XF, eine Festigkeitsklasse niedriger. Diese Mindestdruckfestigkeitsklassen gelten für Luftporenbetone mit Mindestanforderungen an den mittleren Luftgehalt im Frischbeton nach DIN 1045-2 [2] unmittelbar vor dem Einbau. Eine weitere Abminderung der Mindestdruckfestigkeit beim Einsatz langsam oder sehr langsam erhärtender Betone ($r \leq 0{,}30$) ist nicht zulässig.
4) Bei langsam und sehr langsam erhärtenden Betonen ($r \leq 0{,}30$) eine Festigkeitsklasse niedriger. Die Druckfestigkeit zur Einteilung in die geforderte Betondruckfestigkeitsklasse ist an Probekörpern im Alter von 28 Tagen zu bestimmen. Eine weitere Abminderung der Mindestdruckfestigkeit beim Einsatz von Luftporenbeton ist nicht zulässig.
5) bei massigen Bauteilen eine Festigkeitsklasse niedriger [2]
6) Instandhaltungsplan im Sinne von [33] erforderlich
7) Für die Planung und Ausführung des dauerhaften lokalen Schutzes von Rissen gilt „DAfStb-Richtlinie „Schutz und Instandsetzung von Betonbauteilen (Instandsetzungs-Richtlinie)" (DAfStb, Oktober 2001).

Tabelle 3.8: Expositionsklassen (infolge von Umwelteinwirkungen) bezogen auf Betonangriff nach Zement-Merkblatt Betontechnik B9 „Expositionsklassen für Betonbauteile im Geltungsbereich des EC2" (InformationsZentrum Beton GmbH, Juli 2021), Tafel 4

Klassenbezeichnung	Beschreibung der Umgebung	Beispiele für die Zuordnung von Expositionsklassen (informativ)	Mindestdruckfestigkeitsklasse (min f_{ck})
Betonangriff durch Frost mit und ohne Taumittel durchfeuchteter Beton, der einem erheblichen Angriff durch Frost-Tau-Wechsel ausgesetzt ist			
XF1	mäßige Wassersättigung, ohne Taumittel	Außenbauteile[1]	C25/30
XF2	mäßige Wassersättigung, mit Taumitteln	Bauteile im Sprühnebel- oder Spritzwasserbereich von taumittelbehandelten Verkehrsflächen, soweit nicht XF4	C35/45[2), 3)]
		Betonbauteile im Sprühnebelbereich von Meerwasser	C25/30 (LP)
XF3	hohe Wassersättigung, ohne Taumittel	offene Wasserbehälter	C35/45[2), 3)]
		Bauteile in der Wasserwechselzone von Süßwasser	C25/30 (LP)
XF4	hohe Wassersättigung, mit Taumitteln	mit Taumitteln behandelte Verkehrsflächen; überwiegend horizontale Bauteile im Spritzwasserbereich von taumittelbehandelten Verkehrsflächen; Betonschutzwände; Räumerlaufbahnen von Kläranlagen[5)]; Meerwasserbauteile in der Wasserwechselzone	C30/37 (LP)[4)]
Betonangriff durch aggressive chemische Umgebung Beton, der chemischen Angriffen durch natürliche Böden oder Grundwasser oder Meerwasser oder Abwasser ausgesetzt ist			
XA1	chemisch schwach angreifende Umgebung	Behälter von Kläranlagen; Güllebehälter	C25/30
XA2	chemisch mäßig angreifende Umgebung und Meeresbauwerke	Betonbauteile, die mit Meerwasser in Berührung kommen; Bauteile in Beton angreifenden Böden	C35/45 [2), 3), 6)]
XA3	chemisch stark angreifende Umgebung	Industrieabwasseranlagen mit chemisch angreifenden Abwässern; Futtertische der Landwirtschaft; Kühltürme mit Rauchgasableitung	C35/45[6), 7)]
Betonangriff durch Verschleißbeanspruchung Beton, der einer erheblichen mechanischen Beanspruchung ausgesetzt ist			
XM1	mäßige Verschleißbeanspruchung	tragende oder aussteifende Industrieböden mit Beanspruchung durch luftbereifte Fahrzeuge	C30/37[6)]
XM2	starke Verschleißbeanspruchung	tragende oder aussteifende Industrieböden mit Beanspruchung durch luft- oder vollgummibereifte Gabelstapler	C35/45[6), 8)]
XM3	sehr starke Verschleißbeanspruchung	tragende oder aussteifende Industrieböden mit Beanspruchung durch elastomer- oder stahlrollenbereifte Gabelstapler, mit Kettenfahrzeugen häufig befahrene Oberflächen, Wasserbauwerke in geschiebebelasteten Gewässern, z. B. Tosbecken	C35/45[6), 9)]

1) Bei möglicher hoher Durchfeuchtung bei Frost ist die Einstufung in die Expositionsklasse XF3 zu prüfen.
2) Bei langsam und sehr langsam erhärtenden Betonen ($r \leq 0{,}30$) eine Festigkeitsklasse niedriger. Die Druckfestigkeit zur Einteilung in die geforderte Betondruckfestigkeitsklasse ist an Probekörpern im Alter von 28 Tagen zu bestimmen. Eine weitere Abminderung der Mindestdruckfestigkeit beim Einsatz von Luftporenbeton ist nicht zulässig.
3) bei massigen Bauteilen eine Festigkeitsklasse niedriger
4) erdfeuchter Beton mit $w/z \leq 0{,}4$ auch ohne Luftporen
5) weitere Besonderheiten für Räumerlaufbahnen und erdfeuchte Betone siehe DAfStb Heft 600 „Erläuterungen zu DIN EN 1992-1-1 und DIN EN 1992-1-1/NA" (DAfStb, Januar 2020)
6) Bei Verwendung von Luftporenbeton, z. B. aufgrund gleichzeitiger Anforderungen aus der Expositionsklasse XF, eine Festigkeitsklasse niedriger. Diese Mindestdruckfestigkeitsklassen gelten für Luftporenbetone mit Mindestanforderungen an den mittleren Luftgehalt im Frischbeton nach DIN 1045-2 unmittelbar vor dem Einbau. Eine weitere Abminderung der Mindestdruckfestigkeit beim Einsatz langsam oder sehr langsam erhärtender Betone ($r \leq 0{,}30$) ist nicht zulässig.
7) Schutz des Betons erforderlich, ggf. Gutachter für Sonderlösung oder Ausnahmen aus abweichenden Normen
8) ohne Oberflächenbehandlung C35/45, mit Oberflächenbehandlung C30/37 (z. B. Vakuumieren mit nachfolgendem Flügelglätten)
9) zusätzliche Oberflächenvergütung, z. B. durch Hartstoffe nach DIN 1100, erforderlich

Die Expositionsklasse X0 (kein Angriffsrisiko) gilt nur für Betone ohne Bewehrung, Stahlfasern oder eingebettetes Metall und nur in Innenräumen oder im Boden, wenn kein Korrosions- oder Angriffsrisiko vorliegt. Diese Expositionsklasse kann nur allein gelten und z. B. auf unbewehrte Fundamente zutreffen. Mögliche lastunabhängige Einwirkungen auf die Bewehrung im Beton werden durch folgende Expositionsklassen erfasst:

- Expositionsklasse XC (Carbonation) – Beanspruchung durch Karbonatisierung,
- Expositionsklasse XD (Deicing) – Beanspruchung durch Chlorideinwirkung aus Taumittel,
- Expositionsklasse XS (Seawater) – Beanspruchung durch Chlorideinwirkung aus Meerwasser bzw. salzhaltiger Seeluft.

Tabelle 3.8 gibt eine Übersicht über die Expositionsklassen bezogen auf Betonangriff.

Tabelle 3.9: Konsistenz des Frischbetons (Klassen F und C) nach Zement-Merkblatt Betontechnik B4 „Frischbeton – Eigenschaften und Prüfungen" (InformationsZentrum Beton GmbH, März 2013), Tafel 3

Konsistenzklasse	C0	F1 C1	F2 C2	F3 C3	F4	F5	F6
Ausbreitmaß in mm	–	≤ 340	350 … 410	420 … 480	490 … 550	560 … 620	≥ 630
Verdichtungsmaß c [–]	≥ 1,46	1,45 … 1,26	1,25 … 1,11	1,10 … 1,04	–	–	–
Konsistenzbeschreibung	sehr steif	steif	plastisch	weich	sehr weich	fließfähig	sehr fließfähig
Eigenschaften des Feinmörtels	erdfeucht	erdfeucht und etwas nasser	weich	flüssig	sehr flüssig		
Eigenschaften des Frischbetons beim Schütten	lose	lose/schollig	schollig bis zusammenhängend	schwach fließend	fließend		
Verdichtungsart	kräftig wirkende Rüttler und/oder kräftiges Stampfen bei dünner Schüttlage		Rütteln	Rütteln	„Entlüften" durch Stochern oder leichtes Rütteln		

3.6.6 Konsistenz

Eine wesentliche Frischbetoneigenschaft ist die Konsistenz. Die Konsistenz beschreibt in der Betontechnologie übergeordnet die Verarbeitbarkeit, die Verdichtbarkeit, die Förderbarkeit und die Einbaubarkeit des Betons. Der Frischbeton kann mit verschiedenen Prüfverfahren Konsistenzklassen zugeordnet werden. In Deutschland sind vorzugsweise das Ausbreitmaß und für steifere Konsistenzen das Verdichtungsmaß zu verwenden (vgl. Tabelle 3.9). Betone der Konsistenzklassen ≥ F4 sind mit Fließmitteln herzustellen. Betone der Konsistenzklassen F5 und F6 werden als „leichtverarbeitbare Betone" bezeichnet.

Abb. 3.20 zeigt die Konsistenzprüfung von sehr fließfähigem Beton.

3.6.7 Umweltverträglichkeit und Nachhaltigkeit

Bauliche Maßnahmen sind unerlässlich, um die Bedürfnisse einer modernen Gesellschaft zufriedenzustellen. Der Schutz der Umwelt bei baulichen Anlagen gehört zu den wesentlichen Anforderungen sowohl des europäischen Rechts als auch der nationalen Bauordnungen. Neben der Betrachtung der unmittelbaren Umgebung eines Bauwerks rücken die Auswirkungen des Bauens auf die regionale sowie die globale Umwelt und damit auf die natürlichen Lebensgrundlagen immer stärker in das öffentliche Bewusstsein. Dabei sind sowohl die Umweltbelastungen als auch die Umweltentlastungen, die mit der Herstellung und Nutzung von Baustoffen bzw. Bauwerken verbunden sind, zu berücksichtigen. Umweltentlastungen entstehen z. B. durch den Einsatz geeigneter sekundärer Roh- und Brennstoffe bei der Zementherstellung sowie durch die Verwertung industrieller Nebenprodukte und Recyclingmaterialien bei der Zement- und Betonproduktion. Wesentliche Voraussetzung für den Einsatz dieser Stoffe ist, dass sie weder zu einer Umweltbelastung bei der Zementherstellung noch zu einer Beeinträchtigung der bautechnischen und umweltrelevanten Eigenschaften des Zements bzw. des Betons führen.

Abb. 3.20: Ermittlung des Außenbreitmaßes bei der Konsistenzprüfung von Beton (Quelle: InformationsZentrum Beton GmbH, Düsseldorf)

3.6.8 Normen und Literatur

Normen

DIN EN 197-1:2011-11 Zement – Teil 1: Zusammensetzung, Anforderungen und Konformitätskriterien von Normalzement

DIN EN 1992 Eurocode 2: Bemessung und Konstruktion von Stahlbeton- und Spannbetontragwerken

DIN EN 1992-1-1/NA:2013-04 Nationaler Anhang – National festgelegte Parameter – Eurocode 2: Bemessung und Konstruktion von Stahlbeton- und Spannbetontragwerken – Teil 1-1: Allgemeine Bemessungsregeln und Regeln für den Hochbau

DIN EN 12620:2008-07 Gesteinskörnungen für Beton

Literatur

Informationsblatt „Was ist Beton?". September 2016. Düsseldorf: InformationsZentrum Beton GmbH, 2016

Zement-Merkblatt Betontechnik B9 „Expositionsklassen für Betonbauteile im Geltungsbereich des EC2". Juli 2021. Düsseldorf: InformationsZentrum Beton GmbH, 2021

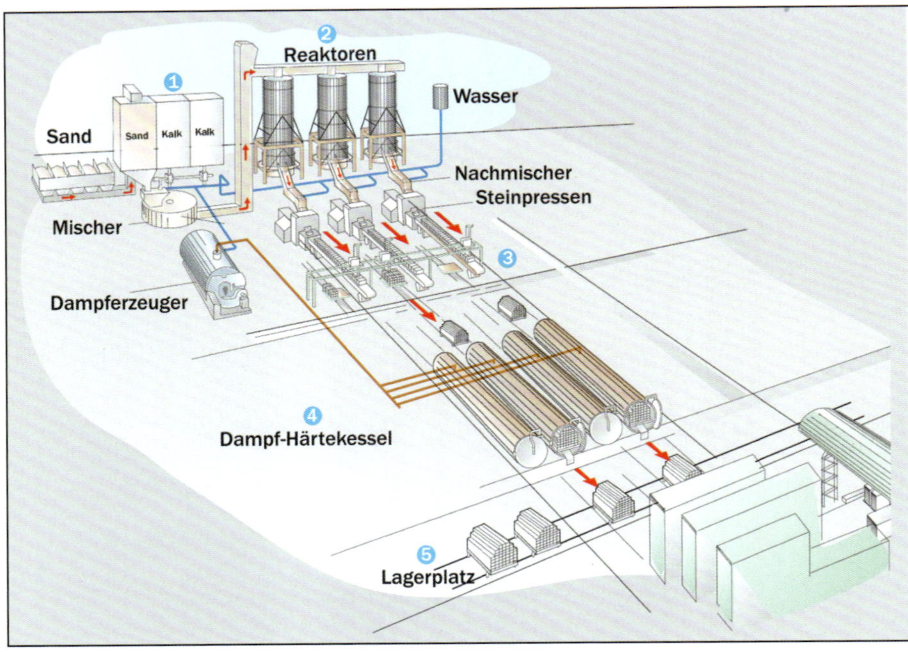

1 Kalk und Sand werden in Silos gelagert und im Mischer im Verhältnis 1:12 (Kalk:Sand) intensiv miteinander gemischt. Eine Förderanlage leitet die Mischung in den Reaktionsbehälter.
2 Im Reaktionsbehälter löscht der Brandkalk zu Kalkhydrat ab. Das Mischgut wird dann im Nachmischer auf Pressfeuchte gebracht.
3 Vollautomatische Pressen formen die Steinrohlinge.
4 Es folgt das Härten der Rohlinge bei Temperaturen von ca. 200 °C unter Wasserdampfdruck (ca. vier bis acht Stunden).
5 Nach dem Härten und Abkühlen sind die KS-Steine gebrauchsfertig und werden auf einem Lagerplatz zwischengelagert.

Abb. 3.21: Die wesentlichen Stationen der KS-Produktion (Quelle: Bundesverband Kalksandsteinindustrie e. V., Hannover)

Zement-Merkblatt Betontechnik B13 „Leichtbeton“. Juni 2020. Düsseldorf: InformationsZentrum Beton GmbH, 2020

Zement-Merkblatt Betontechnik B4 „Frischbeton – Eigenschaften und Prüfungen“. März 2013. Düsseldorf: InformationsZentrum Beton GmbH, 2013

Zement-Merkblatt Betontechnik B6 „Transportbeton – Festlegung, Bestellung, Lieferung, Abnahme“. Juni 2021. Düsseldorf: InformationsZentrum Beton GmbH, 2021

3.7 Kalksandsteine

Der Baustoff Kalksandstein entstand am Ende des 19. Jahrhunderts; W. Michaelis meldete am 5. Oktober 1880 ein Patent an für sein „Verfahren, aus Kalk, Sand und Wasser hergestellte Formkörper unter Einwirkung von Wasserdampf zu verfestigen“. Kaum 100 Jahre später war der weiße Stein einer der meistverwendeten Bausteine überhaupt. Heute ist etwa jeder dritte am aufgehenden Mauerwerk benötigte Baustein ein Kalksandstein. Kalksandsteinprodukte werden gegenwärtig in 78 Werken überall in der Bundesrepublik hergestellt.

Grundstoffe sind Kalk – gemahlener Branntkalk, der im Produktionsablauf mit Wasser gelöscht wird – und kieselsäurehaltige Zuschläge (Sand). Nach „innigem Mischen“ der Zutaten formen Spezialpressen die sog. Rohlinge der verlangten Steinart (Voll-, Loch-, Block- und Hohlblocksteine) und Abmessung (DF bis 20 DF und größer). Heute werden XL-Formate mit einer Länge von bis zu 1 m produziert. Diese werden in Steinhärtekesseln (Autoklaven genannt) unter Wasserdampfdruck bei relativ niedrigen Temperaturen um 200 °C für einen Zeitraum von etwa 4 bis 8 Stunden gehärtet.

Dabei bilden sich dauerhafte feste Verbindungen, die dem Stein seine besonderen Eigenschaften wie seine weiße Farbe und die hohe Druckfestigkeit geben. Der Fachausdruck für diesen Prozess ist „Hydrothermalsynthese“. Nach dem Härten und Abkühlen können die Steine verladen, abtransportiert und verarbeitet werden. Abb. 3.21 zeigt den Prozess der Kalksandsteinproduktion.

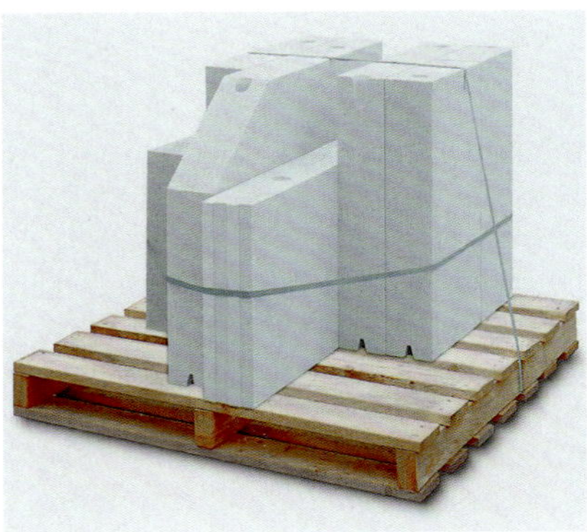

Abb. 3.22: Objektspezifisch vorgefertigte KS-Wandbausätze (Quelle: Xella Deutschland GmbH, Duisburg)

DIN EN 771-2:2015-11 „Festlegungen für Mauersteine – Teil 2: Kalksandsteine“ unterscheidet Voll-, Loch-, Block-, Plan- und Fasensteine, Planelemente und Rasterelemente sowie Vormauersteine und Verblender. Damit wird – im Vergleich zur alten DIN 106 – der Entwicklung neuer Steinformate im Bereich der Hintermauerung/Mauerwerksbau Rechnung getragen.

3.7.1 KS-Mauersteine

Die KS-Palette reicht von traditionellen, kleinformatigen Kalksandsteinen (KS) zur Handvermauerung (KS-Vollsteine und KS-Lochsteine) bis zu Steinen mit Nut-Feder-System (KS-R-Steine) zur Herstellung von tragenden und nicht tragenden Wänden (siehe Abb. 3.22). Mit KS-Bauplatten werden schlanke nicht tragende Wände hergestellt. Besonders wirtschaftlich sind KS-Plansteine und großformatige KS XL, die mit Dünnbettmörtel verarbeitet werden. KS-E-Steine ermöglichen – auch nachträglich – die Verlegung von Elektroinstallation ohne Schlitzen und Fräsen.

3.7.2 Vormauersteine und Verblender

Diese Steine, die insbesondere für witterungsbeanspruchtes Sichtmauerwerk (siehe Abb. 3.23) verwendet werden, müssen die weitergehenden Anforderungen an den Frostwiderstand erfüllen. KS-Vormauersteine (KS Vm/KS Vm L) sind frostwiderstandsfähige Kalksandsteine (25-facher Frost-Tau-Wechsel) mindestens der Festigkeitsklasse 10.

KS-Verblender (KS Vb/KS VbL) sind frostwiderstandsfähige Kalksandsteine mindestens der Festigkeitsklasse 16. Bei der Prüfung werden die Steine 50 Frost-Tau-Wechseln ausgesetzt. Die Temperatur wechselt im Verlauf der Prüfung, die mit einer optischen Beurteilung abschließt, zwischen −15 °C und +20 °C. Für die Herstellung der KS-Verblender werden besonders ausgewählte Rohstoffe verwendet. Tabelle 3.10 gibt eine Übersicht über verschiedene KS-Steine.

Abb. 3.23: KS-Sichtmauerwerk (Quelle: Oliver Schuh, KS-Original GmbH, Hannover)

Tabelle 3.10: Verschiedene Arten von KS-Steinen

Zeile	Bezeichnung	Kurzzeichen	Schichthöhe in cm	Eigenschaften und Anwendungsbereiche
Vollsteine (Lochanteil ≤ 15 % der Lagerfläche)				
1	KS-Vollsteine	KS	≤ 12,5	für tragendes und nicht tragendes Mauerwerk in Normalmörtel versetzt
2	KS-R-Blocksteine	KS -R	> 12,5 ≤ 25	wie Zeile 1, zusätzlich mit Nut-Feder-System an den Stirnseiten, Stoßfugenvermörtelung kann daher im Regelfall entfallen
3	KS-Plansteine/ KS-R-Plansteine	KS P KS -R P	≤ 25	wie Zeile 2, aufgrund Einhaltung geringerer Grenzabmaße der Höhe1) ($\Delta h = \pm$ 1,0 mm) zum Versetzen in Dünnbettmörtel
4	KS-Fasensteine	KS F	≤ 25	wie Zeile 3, jedoch mit beidseitig umlaufender Fase an der Sichtseite von ca. 4 bis 7 mm
5	KS XL-Rasterelemente2)	KS XL-RE	≥ 50 ≤ 62,5	wie Zeile 3, Lieferung von Regelelementen der Länge 498 mm sowie Ergänzungselementen der Längen 373 mm und 248 mm
6	KS XL-Planelemente	KS XL-PE	≥ 50 ≤ 65	wie Zeile 3, Lieferung von werkseitig vorkonfektionierten Wandbausätzen mit Regelelementen der Länge 998 mm
7	KS-E-Steine	KS XL-E	= 50	wie Zeile 3 und 5, jedoch mit durchgehenden Installationskanälen
Lochsteine (Lochanteil > 15 % der Lagerfläche)				
8	KS-Lochsteine	KS L	≤ 12,5	für tragendes und nicht tragendes Mauerwerk in Normalmörtel versetzt
9	KS -R-Hohlblocksteine	KS L-R	> 12,5 ≤ 25	wie Zeile 8, zusätzlich mit Nut-Feder-System an den Stirnseiten, Stoßfugenvermörtelung kann daher im Regelfall entfallen
10	KS-Plansteine/ KS-R-Plansteine	KS L P KS L-R P	≤ 25	Wie Zeile 9, aufgrund Einhaltung geringerer Grenzabmaße der Höhe1) ($\Delta h = \pm$ 1,0 mm) zum Versetzen in Dünnbettmörtel
frostwiderstandsfähige Steine (KS-Verblender)3), 4)				
11	KS-Vormauersteine	KS Vm oder KS Vm L	≤ 25	KS-Vormauersteine sind Mauersteine mindestens der Druckfestigkeitsklasse 10, die frostwiderstandsfähig sind (≥ oder mindestens 25-facher Frost-Tau-Wechsel)
12	KS-Verblender4)	KS Vb oder KS Vb L	≤ 25	KS-Vormauersteine sind Mauersteine mindestens der Druckfestigkeitsklasse 16 mit geringeren Grenzabmaßen der Höhe1) als Zeile 11 und erhöhter Frostwiderstandsfähigkeit (≥ oder mindestens 50-facher Frost-Tau-Wechsel), die mit ausgewählten Rohstoffen hergestellt werden

1) Maßtoleranzen
2) Im Markt sind unterschiedliche Marken bekannt.
3) Als Oberbegriff für frostwiderstandsfähige Steine wird im Allgemeinen nur die Bezeichnung KS-Verblender verwendet.
4) KS-Verblender werden regional auch als bossierte Steine oder mit bruchrauer Oberfläche angeboten.
Die regionalen Lieferprogramme sind zu beachten.

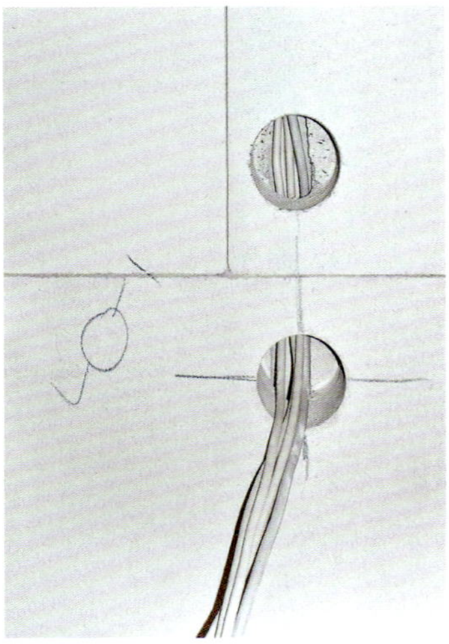

Abb. 3.24: Wand mit KS-E-Steinen (Quelle: KS-Original GmbH, Hannover)

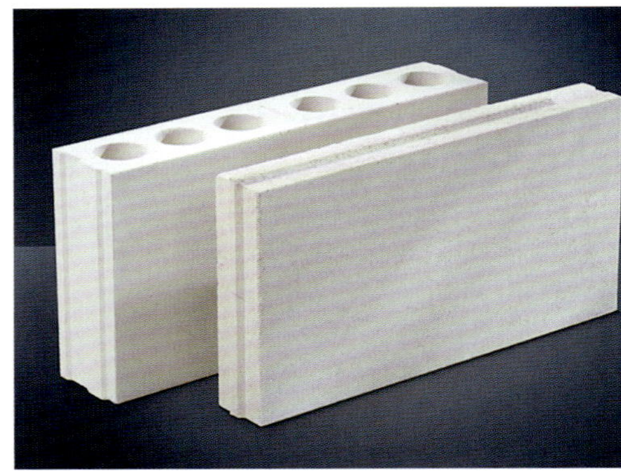

Abb. 3.25: KS-Bauplatten für nicht tragende Innenwände (Quelle: Xella Deutschland GmbH, Duisburg)

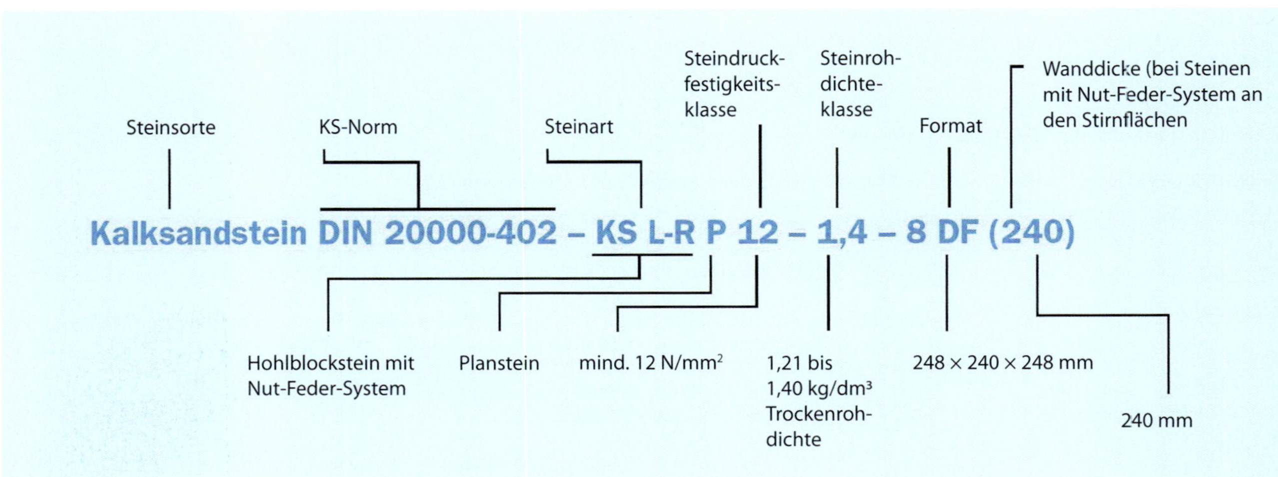

Abb. 3.26: Bedeutung der Kurzzeichen (Beispiel) (Quelle: Bundesverband Kalksandsteinindustrie e. V., Hannover)

3.7.3 KS-Bauteile zur Systemergänzung

Bauteile zur Systemergänzung (siehe Abb. 3.24) tragen wesentlich zur Rationalisierung auf der Baustelle bei. KS-Flachstürze und KS-Fertigteilstürze werden zur Überdeckung von Öffnungen eingesetzt. KS-U-Schalen lassen sich zur Erstellung von Ringankern/-balken oder für gemauerte Leitungsschlitze verwenden. Kimmsteine werden zur Erzielung eines planebenen Niveaus und zum Höhenausgleich eingesetzt. Wärmebrückeneffekte lassen sich mit dem KS-Wärmedämmstein deutlich reduzieren. Im Gegensatz zu speziellen Dämmelementen ergeben sich hinsichtlich Statik, Schall- und Brandschutz keine Einschränkungen, da es sich um Kalksandstein nach DIN EN 771-2 bzw. DIN 20000-402:2017-01 „Anwendung von Bauprodukten in Bauwerken – Teil 402: Regeln für die Verwendung von Kalksandsteinen nach DIN EN 771-2:2015-11“ handelt.

Für nicht tragende Innenwände nach DIN 4103-1:2015-06 „Nichttragende innere Trennwände – Teil 1: Anforderungen und Nachweise“ können KS-Bauplatten (KS-BP) eingesetzt werden (siehe Abb. 3.25). KS-E-Steine besitzen durchgehende vertikale Installationskanäle mit 60 mm Durchmesser im Abstand 125 mm bzw. 250 mm. Sie sind so im Verband zu mauern, dass über die gesamte Wandhöhe eines Geschosses durchgehende Kanäle entstehen. Nach der Fertigstellung der Wand können Leerrohre eingezogen werden.

3.7.4 Bezeichnung und Lieferung

Kalksandsteine werden gekennzeichnet. Die Kennzeichnung erfolgt auf einem außen liegenden Stein eines Paketes, auf der Verpackung, einem zwischen die Steine eingeklemmten Begleitzettel oder auf den Begleitpapieren nach dem in Abb. 3.26 dargestellten Schema (Kennzeichnung in blauer Farbe).

3.7.5 KS-Funktionswand

Als zukunftssichere Wandkonstruktion für den Passivhausbau wurde die KS-Funktionswand entwickelt, die herausragende Eigenschaften verschiedener Baustoffe in einer Wandkonstruktion verbindet und das gesamte Spektrum bauphysikalischer, konstruktiver sowie architektonischer Gestaltung einer zukunftssicheren Außenwand abdeckt.

Besondere Merkmale sind:

- hohe statische Belastbarkeit und somit Wohnflächengewinn,
- hohe Wärmespeicherfähigkeit für einen sommerlichen wie auch winterlichen Wärmeschutz,
- flexible Dämmschicht für praktisch jeden erforderlichen Wärmeschutz, sogar U-Werte unter 0,15 W/(m² · K) werden erreicht,
- Reduzierung von Wärmebrücken und Begrenzung der Wärmeverluste auf ein Minimum,
- dauerhafte, sichere Wind- und Luftdichtheit (in der Regel durch den Innenputz gewährleistet (Ausnahme Fasensteine) und nicht durch das Mauerwerk),
- hoher Schallschutz durch die hohe Rohdichte der Kalksandsteine.

Die Fassade kann als KS-Sichtmauerwerk klassisch repräsentativ verblendet oder als Putzfassade individuell farbig gestaltet werden.

3.7.6 Verwendung und ökologische Aspekte

Kalksandsteine entsprechen grundsätzlich der harmonisierten europäischen Produktnorm DIN EN 771-2. Die wesentlichen Merkmale werden daher gemäß Bauproduktenverordnung in der Leistungserklärung deklariert, sodass die Steine mit der CE-Kennzeichnung in Verkehr gebracht werden dürfen.

Für die Verwendung in Deutschland müssen entsprechend den Anforderungen des Eurocode 6 die deklarierten Leistungen mit der deutschen Anwendungsnorm DIN 20000-402 überprüft und eingestuft werden. Diese Einstufung wird in der Regel bereits vom Hersteller vorgenommen und in den Lieferunterlagen bestätigt, sodass keine weitere Prüfung durch den Verwender erforderlich ist.

Da Kalksandsteine aus den natürlichen Rohstoffen Kalk, Sand und Wasser hergestellt werden, ist für ihre Produktion ein geringer Primärenergiebedarf notwendig. Aufgrund der dezentralen Herstellung ist Kalksandstein ein Produkt der kurzen Wege. Kalksandstein aus dem Rückbau von Gebäuden (mit anhaftenden Mörtelresten) oder Produktionsabfälle können erneut in den Produktionsprozess eingebracht werden.

3.7.7 Relevante Normen

DIN 4103-1:2015-06 Nichttragende innere Trennwände – Teil 1: Anforderungen und Nachweise

DIN 20000-402:2017-01 Anwendung von Bauprodukten in Bauwerken – Teil 402: Regeln für die Verwendung von Kalksandsteinen nach DIN EN 771-2:2015-11

DIN EN 771-2:2015-11 Festlegungen für Mauersteine – Teil 2: Kalksandsteine

3.8 Porenbeton

3.8.1 Baustoff Porenbeton

Porenbeton ist ein dampfgehärteter, mineralischer und massiver Baustoff mit den anwendungsüblichen Rohdichten von 300 bis 800 kg/m³. Rohstoffe für die Porenbetonproduktion sind fein gemahlener, quarzhaltiger Sand, Kalk, Zement, Anhydrit und Wasser sowie Porenbildner. Der Quarzsand dient als Zuschlagstoff und der Kalk oder Zement unter Zugabe von Wasser als Bindemittel. Die Rohstoffe werden dosiert, im Mischer zu einer wässrigen Suspension vermengt und zu ca. ⅓ in Formen gefüllt. Für biegebeanspruchte Produkte bzw. Bauteile wird zusätzlich eine Bewehrung eingesetzt. Das Wasser löscht unter Wärmeentwicklung den Kalk und die Porenbildung setzt ein. Die Rohstoffmischung treibt mit kleinen Bläschen auf, bis diese die Gießform ausfüllt. Bei diesem Vorgang entstehen unzählige kleine Luftporen, die für die außerordentlich guten Wärmedämmeigenschaften des Porenbetons verantwortlich sind. Nach dem Abbinden werden die standfesten Rohblöcke exakt in verschiedene Formate geschnitten und die Profilierungen erstellt. Das Härten der standfesten Rohblöcke erfolgt im Autoklav unter geringem Energieaufwand bei Temperaturen von 170 bis 200 °C, einem Dampfdruck von ca. 12 bar bei einer Dauer von ca. 6 bis 12 Stunden. Der ressourcenschonende Herstellungsprozess von Porenbeton ermöglicht es, aus 1 m³ Rohstoff bis zu 5 m³ Porenbetonsteine herzustellen.

3.8.2 Wandbauprodukte aus Porenbeton für den Mauerwerksbau

Wandbauprodukte aus Porenbetonsteinen sind nahezu alle in der europäisch harmonisierten Baustoffnorm DIN EN 771-4:2015-11 „Festlegungen für Mauersteine – Teil 4: Porenbetonsteine“ in Verbindung mit der nationalen Anwendungsnorm DIN 20000-404:2018-04 „Anwendung von Bauprodukten in Bauwerken – Teil 404: Regeln für die Verwendung von Porenbetonsteinen nach DIN EN 771-4:2015-11“ (für Plansteine und Planelemente) geregelt. Für ein Produkt existiert noch eine allgemeine bauaufsichtliche Zulassung (Porenbeton-Flachstürze). Für die Anwendung von Planbauplatten im nicht tragenden Wandbereich ist noch die deutsche Norm DIN 4166:1997-10 „Porenbeton-Bauplatten und Porenbeton-Planbauplatten“ zu beachten. Für den Bau von Einfamilienhäusern, Mehrfamilienhäusern sowie Gewerbe- und Bürobauten aus monolithischem Mauerwerk sind mineralische Vollsteine aus Porenbeton bestens geeignet.

Mit ihren bauphysikalischen Eigenschaften erfüllen sie alle Anforderungen an die Tragfähigkeit, den Wärmeschutz, den Feuchteschutz, den Brandschutz und den Schallschutz moderner Massivbauwerke im Wohn- und Wirtschaftsbau. Moderne Porenbetonsteine besitzen sehr gute Wärmedämmeigenschaften und erreichen anwendungsübliche Wärmeleitfähigkeitswerte von $\lambda \geq 0{,}08$ W/(m · K). Monolithische Porenbeton-Außenwände können ohne zusätzliche Dämmmaßnahmen die Anforderungen des Gebäudeenergiegesetzes (GEG) erfüllen und leisten damit durch einen geringeren Energieverbrauch in der Nutzungsphase eines Gebäudes einen Beitrag zum Umwelt- und Klimaschutz. Darüber hinaus können nahezu wärmebrückenfreie, homogene Konstruktionen bzw. Gebäude erstellt werden

Die hohe Maßhaltigkeit der Porenbetonsteine in Verbindung mit Nut-Feder-Profilierung und Griffhilfen ermög-

Ausführung: glatt oder mit Nut-Feder-System und Griffhilfe, Großformate mit Montagelöchern und/oder seitlichen Greifnuten, mit verschiedenen Kombinationsmöglichkeiten von Festigkeitsklassen, Rohdichteklassen und Wärmeleitfähigkeiten)			
	Planstein (PP)	**Planelement (PPE)**	**Planbauplatte (PPpl)**
	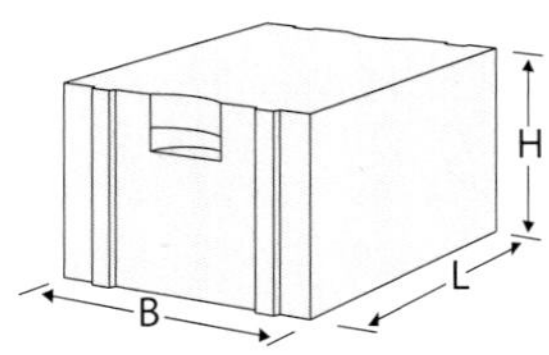	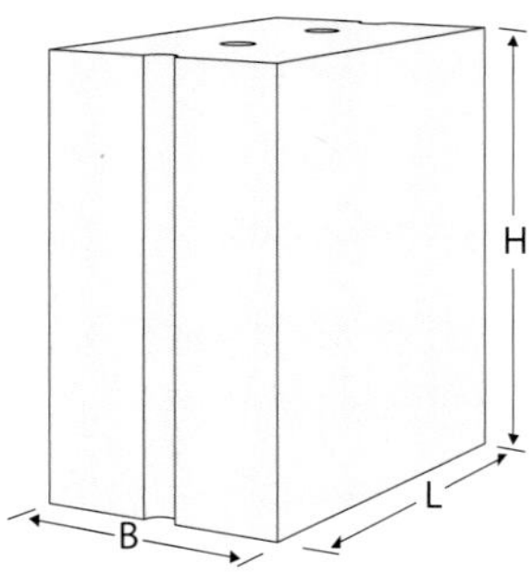	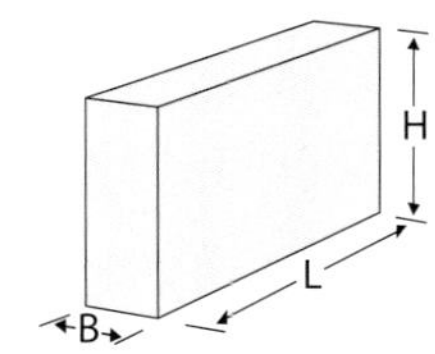
Länge L in mm	304/499/599/624	499/599/624/999	499/599/624
Breite B in mm	115/150/175/200/240/300/ 365/400/425/480/500	115/150/175/200/240/300/ 365/400/425/480/500	50/75/100
Höhe H in mm	124/199/249	374/499/624	199/249/399/499

Abb. 3.27: Anwendungsübliche Porenbetonsteinformate (Quelle: Bundesverband Porenbetonindustrie e. V., Berlin)

	Höhenausgleichsstein	**Eckstein**	**Deckenrandstein**	
	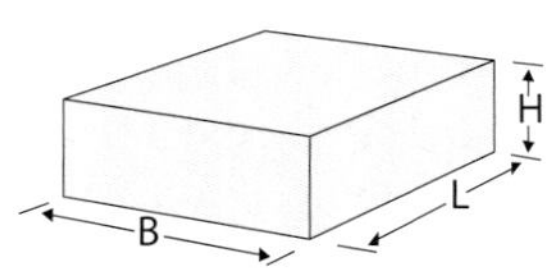	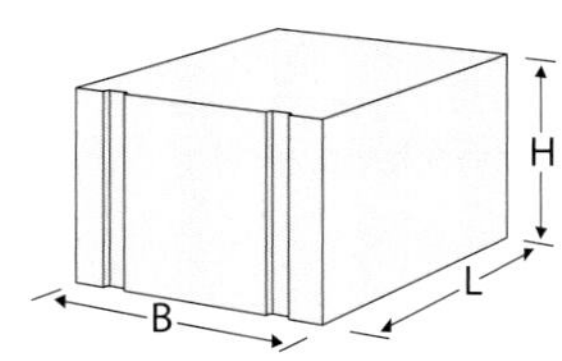	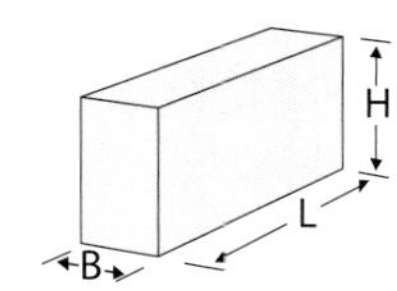	
Länge L in mm	499/599/624	304/499/599/624	499/599/624	
Breite B in mm	115/150/175/200/240/300/ 365/400/425/480/500	115/150/175/200/240/300/ 365/400/425/480/500	50/75/100/115	
Höhe H in mm	100/120/124/199	249	160/180/200/220/240/250	
	U-Stein/U-Schale (unbewehrt/bewehrt)	**Flachsturz** (bewehrt [Zuggurt])	**Sturz** (bewehrt)	
	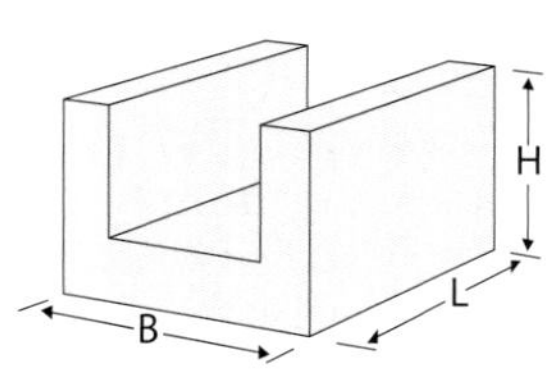	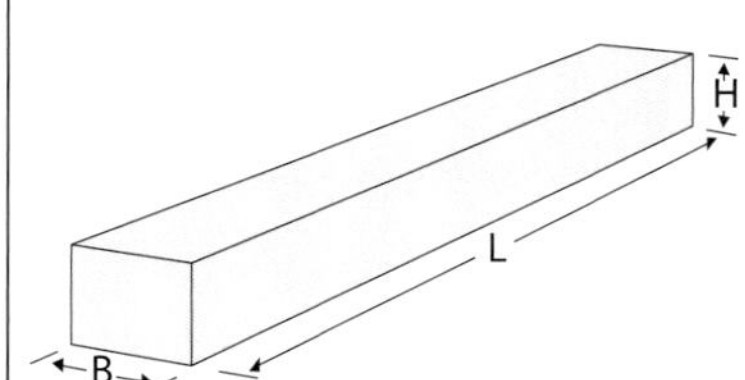	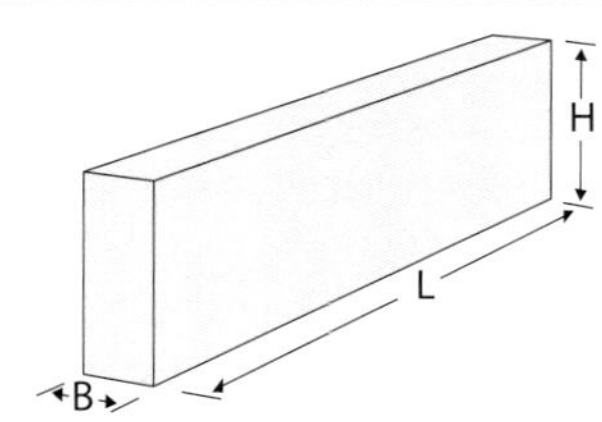	
			tragend	nicht tragend
Länge L in mm	499/599/624	1.250 bis 3.000	1.250 bis 2.250	1.250
Breite B in mm	150/175/200/240/300/365/ 400/425/480/500	100/115/150/175 (Auflagertiefe ≥ 115 mm)	175/200/240/ 300/365	75/100/150
Höhe H in mm	249	124 (plus Übermauerung)	249	249

Abb. 3.28: Anwendungsübliche Abmessungen von Porenbeton-Ergänzungsprodukten (Quelle: Bundesverband Porenbetonindustrie e. V., Berlin)

licht eine rationelle, nahezu fugenlose Verlegung im Dünnbettmörtelverfahren (Lagerfuge) und im Ergebnis planebene Wandoberflächen (siehe Abb. 3.27). An Gebäudeaußenecken und bei der Flachsturz-Übermauerung ist ein 2-mm-Mörtelauftrag in der Stoßfuge vorzusehen. Für Detailausbildungen stehen Höhenausgleichsteine, Ecksteine, Deckenrandsteine, Flachstürze, Stürze und U-Schalen/U-Steine zur Verfügung (siehe Abb. 3.28). Die aufeinander abgestimmten Mauerwerksprodukte aus Porenbeton sind in allen anwendungsüblichen Steinformaten mit verschiedenen Kombinationsmöglichkeiten von Festigkeitsklassen, Rohdichteklassen und Wärmeleitfähigkeiten verfügbar. Wandkonstruktionen aus Porenbetonmauerwerk sind die monolithische (einschalige) Außenwand, die zweischalige Außenwand mit Wärmedämmung und Vormauerschale, die Kelleraußenwand mit Abdichtung, die zweischalige Haustrennwand sowie Innenwände.

3.8.3 Vorgefertigte Wand-, Dach- und Deckenplatten aus bewehrtem Porenbeton

Bauteile aus Porenbeton können mit einer Bewehrung versehen werden, die Zugkräfte aufnehmen kann. Angeboten werden vorgefertigte Bauteile als Wand-, Decken- und Dachplatten nach DIN EN 12602:2016-12 „Vorgefertigte bewehrte Bauteile aus dampfgehärtetem Porenbeton" in Verbindung mit den deutschen Anwendungsnormen DIN 4223-101 bis -103 „Anwendung von vorgefertigten bewehrten Bauteilen aus dampfgehärtetem Porenbeton" für den Industrie-, Wohnungs- und Kommunalbau.

Bewehrte Porenbetonplatten ergeben in ihrer Kombination ein komplettes und daher effizientes einschaliges Montagesystem. Bewehrte Dachplatten aus Porenbeton sind für flache und geneigte Dächer einsetzbar und werden auf die bereits erstellten Wände aufgelegt. Bei entsprechender Verbindung bzw. Verankerung können die Elemente auch für die Aussteifung des Gebäudes als eine Dachscheibe berücksichtigt werden.

3.8.4 Nachhaltigkeit von Porenbetonprodukten

Die Herstellung von Porenbeton beinhaltet per se einen Stoffkreislauf, bei dem während des gesamten Produktionsprozesses kein Abfall entsteht. Nicht gehärtete Porenbetonschnittreste werden in Wasser suspendiert und gehen als sog. Rückschlamm direkt in die Produktion zurück. Werksinterner Porenbetonbruch wird in gemahlener Form (Porenbetonmehl) der laufenden Produktion zurückgeführt. Sortenreine Porenbetonreste von Neubauvorhaben können zum Porenbetonwerk zurückgeführt und ebenfalls der Produktion wieder zugeführt werden.

Der Abbau mineralischer Rohstoffe (z. B. Sande, Kalkstein) sowie die Herstellung und Verarbeitung von Mauersteinen erfolgen in der Region – somit fallen durch kürzere Transportwege weniger CO_2-Emissionen gegenüber anderen Baustoffen an. Abbaugebiete von Sand und Kies werden nach ihrer Nutzung rekultiviert.

Porenbeton nimmt während der Produktlebensdauer durch den Prozess der sog. Rekarbonatisierung CO_2 auf und bindet es dauerhaft.

3.8.5 CE-Kennzeichnung und Leistungserklärung

Porenbetonprodukte werden auf Grundlage europäischer Verordnungen und Normen zur Gewährleistung eines hohen Qualitätsstandards in werkseigenen Labors im Zuge der Eigenüberwachung regelmäßig überprüft. Porenbetonsteine nach DIN EN 771-4 und bewehrte Porenbetonbauteile nach DIN EN 12602 werden CE-gekennzeichnet und bedürfen einer Leistungserklärung (DOP).

3.8.6 Normen und Literatur

Normen

DIN 4166:1997-10 Porenbeton-Bauplatten und Porenbeton-Planbauplatten

DIN 4223-101:2014-12 Anwendung von vorgefertigten bewehrten Bauteilen aus dampfgehärtetem Porenbeton – Teil 101: Entwurf und Bemessung

DIN 4223-102:2014-12 Anwendung von vorgefertigten bewehrten Bauteilen aus dampfgehärtetem Porenbeton – Teil 102: Anwendung in Bauwerken

DIN 4223-103:2014-12 Anwendung von vorgefertigten bewehrten Bauteilen aus dampfgehärtetem Porenbeton – Teil 103: Sicherheitskonzept

DIN 20000-404:2018-04 Anwendung von Bauprodukten in Bauwerken – Teil 404: Regeln für die Verwendung von Porenbetonsteinen nach DIN EN 771-4: 2015-11

DIN EN 771-4:2015-11 Festlegungen für Mauersteine – Teil 4: Porenbetonsteine

DIN EN 1996-1-1:2013-02 Eurocode 6: Bemessung und Konstruktion von Mauerwerksbauten – Teil 1-1: Allgemeine Regeln für bewehrtes und unbewehrtes Mauerwerk

DIN EN 1996-2:2010-12 Eurocode 6: Bemessung und Konstruktion von Mauerwerksbauten – Teil 2: Planung, Auswahl der Baustoffe und Ausführung von Mauerwerk

DIN EN 1996-3:2010-12 Eurocode 6: Bemessung und Konstruktion von Mauerwerksbauten – Teil 3: Vereinfachte Berechnungsmethoden für unbewehrte Mauerwerksbauten

DIN EN 12602:2016-12 Vorgefertigte bewehrte Bauteile aus dampfgehärtetem Porenbeton

Literatur

Allgemein bauaufsichtliche Zulassung Z-17.1-634: Porenbeton-

Flachstürze. Berlin: Deutsches Institut für Bautechnik (DIBt), 2018

Bekleidungen auf Porenbetonmauerwerk – Porenbeton Bericht 28. Ausgabe 2021. Berlin: Bundesverband Porenbetonindustrie e. V., 2021

Brandschutz mit Porenbeton – Porenbeton Bericht 25. Ausgabe 2020. Berlin: Bundesverband Porenbetonindustrie e. V., 2020

Porenbeton-Handbuch. 7. Aufl. Berlin: Bundesverband Porenbetonindustrie e. V., 2018

Putze und Beschichtungen auf Porenbetonmauerwerk – Porenbeton Bericht 26. Ausgabe 2020. Berlin: Bundesverband Porenbetonindustrie e. V.

Schallschutz mit Porenbeton – Porenbeton Bericht 27. Ausgabe 2021. Berlin: Bundesverband Porenbetonindustrie e. V., 2021

3.9 Mauerwerk und Bauteile aus Leichtbeton

3.9.1 Baustoff Leichtbeton

Leichtbeton wird aus Zement, Wasser und leichten Gesteinskörnungen mit hoher Porosität nach DIN EN 13055: 2016-11 „Leichte Gesteinskörnungen" hergestellt.

Von Leichtbeton spricht man bei Betonen mit einer Trockenrohdichte zwischen 400 und 2.000 kg/m³ (definiert in DIN EN 1520:2011-06 „Vorgefertigte Bauteile aus haufwerksporigem Leichtbeton und mit statisch anrechenbarer oder nicht anrechenbarer Bewehrung"). Zum Vergleich:

„Normaler" Beton hat eine Trockenrohdichte von 2.000 bis 2.600 kg/m³. Technisch liegt die untere Grenze für Leichtbetone derzeit bei etwa 350 kg/m³.

Erreicht werden solche Werte durch die Beimischung von Gesteinskörnungen mit hoher Porosität, d. h., die verwendeten Zuschläge weisen in jedem Korn einen hohen Anteil feinster Luftporen auf (bis zu 85 Vol.-%).

Die Festigkeitsklassen von haufwerksporigem Leichtbeton (LAC: Lightweight Aggregate Concrete) liegen im Bereich von 2 bis 25 nach DIN EN 1520. Damit erfüllt er Anforderungen auch für in den Geschossbau bei gleichzeitig guter Wärmedämmung.

Die am häufigsten verwendeten leichten Gesteinskörnungen sind Bims und Blähton. Blähglas, Blähschiefer, Perlite und Schaumglas kommen ebenfalls zum Einsatz.

Je nach Art des Gefüges unterscheidet man gefügedichten und haufwerksporigen Leichtbeton:

- Im **gefügedichten Leichtbeton** sind die Hohlräume zwischen den Zuschlagskörnern mit Zementleim gefüllt, je nach Zuschlag wird eine Trockenrohdichte zwischen 600 und 2.000 kg/m³ erreicht. Auch die Festigkeit kann je nach Zuschlagauswahl und Zementleim- bzw. Zementsteinqualität die von normalem Beton nach DIN EN 1992-1-1:2011-01 „Eurocode 2: Bemessung und Konstruktion von Stahlbeton- und Spannbetontragwerken – Teil 1-1: Allgemeine Bemessungsregeln und Regeln für den Hochbau" erreichen. Deshalb kann gefügedichter Leichtbeton sogar bei Brücken und Offshorebauwerken Anwendung finden.
- Beim **haufwerksporigen Leichtbeton** wird die Körnung des Zuschlags so ausgewählt, dass möglichst viel Hohlraum zwischen den Körnern entsteht. Die Zuschlagskörner mit ihren feinen Luftporen werden nur umhüllt und stellenweise verkittet, das Ergebnis nennt man „Beton mit Haufwerksporosität".

Der haufwerksporige Leichtbeton erreicht dadurch z. B. bei Mauerwerkssteinen eine Steinrohdichte von ≤ 400 kg/m³. Zusammen mit neu entwickelten Leichtmörteln und optimierter Kammer- bzw. Schlitzanordnung wird bei bestimmten Produkten eine Wärmeleitfähigkeit von 0,09 W/(m · K) erreicht. Bei Füllung der Kammern mit Dämmstoff sind Werte der Wärmeleitfähigkeit bis 0,065 W/(m · K) möglich.

Die Eigenschaften von Leichtbeton-Bauteilen lassen sich durch die Gesteinskörnungen mit hoher Porosität beeinflussen. Die am häufigsten verwendeten Zuschlagstoffe sind Bims und Blähton. Hingewiesen sei an dieser Stelle auf weitere vulkanische Rohstoffe, die im Neuwieder Becken gewonnen werden, wie Schaumlava und Blähschiefer. Diese Leichtzuschläge eignen sich für Baustoffe und Bauteile mit höheren Festigkeitsanforderungen und stellen eine Ergänzung dar. Außerdem kommen auch Perlite, Blähglas und Schaumglas als leichte Zuschläge zum Einsatz.

3.9.2 Rohstoff Bims und seine Verarbeitung

Bims ist wohl der bekannteste natürlich porige Leichtzuschlag und entstand durch einen Vulkanausbruch vor ca. 12.900 Jahren. Die Naturbimsvorkommen im Neuwieder Becken sind die einzigen abbauwürdigen auf dem europäischen Festland und bedingen die Konzentration der Herstellung von Baumaterialien aus Bims in dieser Region. Man spricht von der Rheinischen Bimsindustrie, deren Anfänge aus der Mitte des 19. Jahrhunderts datieren und die heute aus im Bundesverband Leichtbeton organisierten Herstellerfirmen besteht.

Abb. 3.29: Bims in verschiedenen Körnungen (Quelle: Rotec GmbH & Co. KG, Mülheim-Kärlich)

Naturbims besitzt eine körnige, unregelmäßige Struktur, wobei jedes einzelne Naturbimskorn aus bis zu 85 % aus Luft in Form feiner und feinster Poren besteht (siehe Abb. 3.29).

Der Naturbims wird im Tagebau abgebaut. Zunächst wird der Mutterboden abgetragen und in der Nähe gelagert, da dieser im Anschluss des Abbauprozesses wieder zur Renaturierung oder Rekultivierung eingesetzt wird. Der mit Schaufelbaggern abgebaute Bims wird mit Lkws zur nahegelegenen Bimswäsche gefahren und dort je nach Gesteinsgröße mit verschiedenen Methoden gewaschen und so von schwereren und Fremdstoffen wie Splitt und Sand befreit. Manche Bimskörner sind so groß, dass sie vorher zerkleinert, d. h. gebrochen werden müssen. Die Gesteinskörnungen von 0 bis 16 mm werden für die Leichtbetonproduktion eingesetzt. Körnungen von 0 bis 32 mm werden für Substrate genutzt, kleinere Körnungen – auch in µ-Abmessungen – kommen als Zuschläge für Putze, Fliesenkleber im Baugewerbe bis hin zu Kosmetikprodukten zum Einsatz.

Unter Zugabe von Wasser und Zement als Bindemittel entsteht Leichtbeton mit dem Zuschlagstoff Bims. Die poröse Struktur und die Haufwerksporigkeit dieses Leichtbetons erzielen das geringe Gewicht, d. h. die geringe Rohdichte. Leichtbeton mit dem Zuschlagstoff Bims besitzt dadurch sehr gute Wärmedämmeigenschaften und zählt zu den besonders wirtschaftlichen und energieeffizienten Baustoffen.

Im Jahr 2014 wurde in Kaltenengers das Deutsche Bimsmuseum eröffnet. Dort wird sehr anschaulich die Geschichte der Bimsindustrie in der Region dargestellt (www.bimsmuseum.de).

3.9.3 Grundstoff Blähton und seine Verarbeitung

Ähnlich wie bei der Tongewinnung für die Herstellung von Ziegeln wird der Ton im Tagebau abgebaut. Bei der Herstellung von Blähton werden 2 Verfahren angewandt.

Liapor-Herstellungsverfahren

Rohstoff für dieses Verfahren ist Lias-Ton (Ton aus den Sedimenten der Jura-Meere). Der Ton wird grob gebrochen, homogenisiert und danach fein gemahlen. So entsteht Tonmehl, das auf Granuliertellern unter Eindüsung von Wasser gezielt zu unterschiedlich großen Tonperlen geformt wird, um dann im Drehrohrofen bei einer Temperatur von ca.1.200 °C gebrannt zu werden. Dabei verbrennen die im Ton eingeschlossenen organischen Stoffe, die Tonkügelchen blähen sich auf. Gleichzeitig schmilzt die Oberfläche etwas auf und bildet eine gesinterte Außenhaut. So entstehen feinporige und leichte Tonperlen mit luftdurchsetztem Kern bei gleichzeitig hoher Druckfestigkeit. Auf diese Weise lässt sich Liapor-Blähton in verschiedenen Schüttdichteklassen und Korngruppen von Liapor 3 (0,325 kg/m^3) bis Liapor 9 (0,950 kg/m^3) für vielfältige Anwendungen herstellen.

Fibo-Herstellungsverfahren

Bei diesem Verfahren erfolgt eine plastische Aufbereitung (siehe Abb. 3.30), und der Ton wird teils stückig, teils über Strangpressen in spezielle rotierende Brennöfen gegeben. Auch hier schmilzt durch den Brand die Oberfläche der Kügelchen etwas auf (Sinterung). Beim Erkalten bildet sich eine feste, dichte Haut, sodass die poröse Blähtonkugel nicht mehr kapillar ist, d. h., sie nimmt so gut wie kein Wasser mehr auf. Daher trocknet eine nasse Blähtonkugel wieder durch einfache Verdunstung. Blähtonkugeln sind leicht und druckfest sowie gut wärmedämmend, mechanisch und chemisch widerstandsfähig, außerdem frostbeständig, frei von Schadstoffen und voll recycelfähig.

3.9.4 Eigenschaften und Anwendung von Leichtbetonprodukten

Mauersteine und Bauteile aus haufwerksporigem Leichtbeton besitzen exzellente Wärmedämmeigenschaften. Zusammen mit modernen Leichtmörteln bzw. Dünnbettmörteln und optimierten Kammer- bzw. Schlitzanordnungen der Steine wird bei bestimmten Produkten ohne zusätzliche Dämmstoffe Wärmeleitfähigkeit von 0,09 W/(m · K) erreicht.

Leichtbetonmauerwerk aus Bims ist im Bereich Wärmedämmung immer weiterentwickelt worden. So gibt es seit einigen Jahren auch Mauersteine mit integrierter Dämmung, die Wärmeleitfähigkeiten von bis zu 0,65 W/(m · K) erreichen. Die monolithische, diffusionsoffene Wand stellt somit eine wirtschaftliche Alternative zur Außendämmung dar. Die Kammern sind über die gesamte Höhe der Steine mit Dämmstoff-Stecklingen ausgefüllt. Im Bereich der Nut und Feder haben verschiedene Hersteller unterschiedliche Lösungen gefunden, um den Wärmestrom an den Stoßstellen zu minimieren und die Wärmedämmung nochmals zu verbessern.

Massive Außen- und Innenstege aus sorgfältig aufbereitetem Waschbims sorgen für geringe Rohdichteklassen, von 0,35 bis 0,70 kg/dm^3 bei gleichzeitig optimierter Druckfestigkeit (f_k-Wert nach Eurocode 6). Solche Plansteine mit integrierter Dämmung aus mineralischen oder organischen Dämmstoffen weisen einen Bemessungswert der Wärmeleitfähigkeit von derzeit $\lambda_B \geq 0{,}06$ W/(m · K) auf.

Abb. 3.30: Plastisch aufbereiteter Blähton (Quelle: Fibo ExClay Deutschland GmbH, Lamstedt)

Die hohen Anforderungen des Gebäudeenergiegesetzes (GEG) werden durch Leichtbetonsteine aus Bims auf einfache und wirtschaftliche Weise erfüllt. Mit Leichtbetonsteinen lassen sich *U*-Werte im Bereich von 0,28 bis 0,12 W/(m^2 · K) sicher realisieren. Das heißt, Bauherren können von den Fördermitteln der KfW profitieren und bis hin zum Passivhaus ihr Bauvorhaben monolithisch realisieren.

Leichtbeton ist nicht brennbar (A1 nach DIN 4102-1:1998-05 „Brandverhalten von Baustoffen und Bauteilen – Teil 1: Baustoffe; Begriffe, Anforderungen und Prüfungen"/DIN EN 13501 „Klassifizierung von Bauprodukten und Bauarten zu ihrem Brandverhalten") und besitzt aufgrund seiner porigen Struktur ebenfalls sehr gute Schalldämmeigenschaften, die z. B. im Mauerwerk mit einem Bonus (+ 2 dB) bei der Bemessung nach DIN 4109-1:2018-01 „Schallschutz im Hochbau – Teil 1: Mindestanforderungen" berücksichtigt werden.

Anwendung findet haufwerksporiger Leichtbeton in Form von Fertigteilen, Mauersteinen, Wandplatten für leichte Trennwände oder Stahlbetondielen für Dach- und Deckenplatten. Viele Elemente können in fast beliebigen Maßen und Formen hergestellt werden.

Leichtbeton ist geeignet für Bauteile vom Keller bis zum Dach, für Wohngebäude und ebenso für landwirtschaftliche, öffentliche oder Industriegebäude.

Das geringe Gewicht des Baustoffs vereinfacht den Transport zur und auf der Baustelle und ermöglicht schnelles und präzises Arbeiten. Besonders mit Fertigelementen aus Leichtbeton lassen sich kurze Bauzeiten erreichen.

Aufgrund ihrer regionalen Bedeutung werden die Bimsbeton- und Blähtonbeton-Sortimente gesondert dargestellt.

Blähtonbeton wird auch als gefügedichter Leichtbeton zur Herstellung von massiven Bauteilen für Decke und Dach verwendet.

3.9.5 Mauersteine aus Leichtbeton (Bimsbeton)

Im Folgenden werden die wichtigsten Sortimente der Steine und Bauteile aus Leichtbeton vorgestellt. Grundsätzlich gilt: Mauersteine aus Leichtbeton werden nach DIN 20000-403:2019-11 „Anwendung von Bauprodukten in Bauwerken – Teil 403: Regeln für die Verwendung von Mauersteinen aus Beton (mit dichten und porigen Zuschlägen) nach DIN EN 771-3:2015-11" und nach DIN EN 771-3:2015-11 „Festlegungen für Mauersteine – Teil 3: Mauersteine aus Beton (mit dichten und porigen Zuschlägen" hergestellt.

Die Kurzbezeichnungen lauten für Hohlblock = Hbl, Vollblock = Vbl und Vollstein = V.

Darüber hinaus gibt es Plansteine, großformatige Planelemente und Bauelemente, die gesonderte allgemein bauaufsichtliche Zulassungen (abZ) bzw. allgemeine Bauartgenehmigungen (abG) besitzen.

Hohlblöcke aus Leichtbeton nach DIN 20000-403 (früher DIN V 18151-100)

Ein Hohlblock (Hbl) ist ein fünfseitig geschlossener Mauerstein aus Leichtbeton mit Kammern senkrecht zur Lagerfläche mit einer Sollhöhe ≤ 238 mm bei Mauerwerk mit Dickbettfuge (Normalmörtel oder LM 21) bzw. einer Sollhöhe ≤ 249 mm bei Planstein-Mauerwerk mit Dünnbettmörtel und einem Deckel (oberhalb der Kammern) mit einer Dicke von ≥ 10 mm (siehe Abb. 3.31 und 3.32). Die Hohlblöcke verfügen in der Stoßfuge über ein Nut- und Federsystem, das beim Vermauern knirsch gestoßen wird. Hohlblöcke (und Vollblöcke), die über Stirnseitentaschen zur Vermörtelung verfügen, sind mittlerweile sehr selten.

Die genormten Rohdichteklassen liegen zwischen 0,45 und 1,6 kg/dm³. Geringere Rohdichten bis 0,35 kg/dm³ werden (auch bei Vollblöcken) über Zulassungen abgebildet. Die Blöcke mit geringer Rohdichte besitzen günstigere Wärmedämmwerte und eignen sich besonders für einschalige Außenwände. Hohlblöcke höherer Rohdichte werden für Innenwände und mehrschalige Außenwände verwendet.

Tabelle 3.11 zeigt beispielhafte Formate von Hohlblöcken.

Tabelle 3.11: Beispiele für Formate von Hohlblöcken aus Leichtbeton (Hbl)

Format	Hbl			Planstein
	Länge in mm	Breite in mm	Höhe in mm	Höhe in mm
10 DF	497	150		249
12 DF	497	175	238	249
14 DF	497	200		249
08 DF	247	240	238	249
16 DF	497	240	238	249
10 DF	277	300	238	249
20 DF	497	300	238	249
12 DF	247	365	238	249
14 DF	247	425	238	249
16 DF	247	490	238	249
Toleranz	+3/–5	+3/–5	+3/–5	
+/– Plansteine	+1/–3	+1/–3		+1/–1

Abb. 3.31: Planblock mit integrierter Dämmung in 36,5 cm (Quelle: Bisotherm GmbH, Mülheim-Kärlich)

Abb. 3.32: Planblock mit integrierter Dämmung aus Steinwolle (Quelle: KLB Klimaleichtblock GmbH, Andernach)

Abb. 3.33: Innenwand aus 11,5-cm-Vollblöcken (Vbl) (Quelle: Bisotherm GmbH, Mülheim-Kärlich)

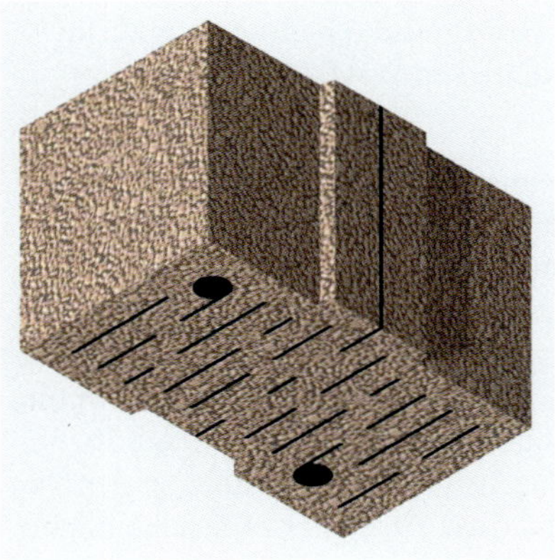

Abb. 3.34: Planstein-Vollblock (Quelle: Bisotherm GmbH, Mülheim-Kärlich)

Vollblöcke aus Leichtbeton nach DIN 20000-403 (früher DIN V 18152-100)

Ein Vollblock (Vbl, Vbl-S, Vbl S-W) ist ein vier- oder fünfseitig geschlossener Mauerstein aus Leichtbeton mit Schlitzen senkrecht zur Lagerfläche und/oder Griff- bzw. Versetzhilfen in der Sollhöhe ≤ 238 mm bei Mauerwerk mit Dickbettfuge bzw. mit Sollhöhe ≤ 249 mm bei Planstein-Mauerwerk (siehe Abb. 3.33 und 3.34). Die Steine haben teilweise einen Deckel (oberhalb der Schlitze) mit einer Dicke von mindestens 10 mm. Auch Vollblöcke verfügen in der Regel über ein Nut- und Federsystem, das beim Vermauern knirsch gestoßen wird.

Vollblöcke nach Norm besitzen Rohdichten von 0,45 bis 2,20 kg/dm^3, dabei erzielen niedrige Rohdichten von 0,45 bis 0,80 kg/dm^3 einen erhöhten Wärmeschutz. Besondere Vollblöcke mit einer nochmals verbesserten Wärmedämmung sind in Zulassungen verschiedener Hersteller geregelt.

Tabelle 3.12 enthält Beispiele für Formate von Vollblöcken aus Leichtbeton.

Tabelle 3.12: Formate Vollblöcke aus Leichtbeton (Vbl)

Format	Beispiele für Formate von Vollblöcken Vbl			als Planstein
	Länge in mm	Breite in mm	Höhe in mm	Höhe in mm
5 DF	247	150		249
6 DF	247	175	238	249
12 DF	497	175	238	249
7 DF	247	200		249
8 DF	247	240	238	249
16 DF	497	240	238	249
10 DF	277	300	238	249
20 DF	497	300	238	249
12 DF	247	365	238	249
14 DF	247	425		249
16 DF	247	490		249
Toleranz	+3/–5	+3/–5	+3/–5	
+/– Plansteine	+1/–3	+1/–3		+1/–1

Vollsteine aus Leichtbeton

Ein Vollstein (V) ist ein Mauerstein aus Leichtbeton ohne Kammern und Schlitze und ohne Griff- oder Versetzhilfe mit Abmessungen von 52 bis 490 mm mit einer Sollhöhe ≤ 238 mm bei Mauerwerk mit Dickbettfuge bzw. einer Sollhöhe ≤ 248 mm bei Planstein-Mauerwerk. Vollsteinseiten sind, von Ausnahmen abgesehen, glatt und können so in unterschiedlicher Richtung verarbeitet werden. An den Stoßstellen werden sie meist vermörtelt.

Vollsteine dienen als Ergänzungssteine für Hohlblock- und Vollblockmauerwerk, für tragendes oder für nicht tragendes Mauerwerk. Sie können z. B. im Laibungsbereich der Fenster als Höhen- und Längenausgleich eingesetzt werden. Ihre Rohdichte beträgt zwischen 0,50 und 2,20 kg/dm^3, sodass sich Vollsteine für wärmedämmendes und schalldämmendes Mauerwerk einsetzen lassen.

Hergestellt werden Vollsteine in den Festigkeitsklassen V 2 bis V 20 und in den unterschiedlichsten Formaten. Tabelle 3.13 zeigt exemplarische Formate von Vollsteinen.

Tabelle 3.13: Formate Vollsteine (V)

Format	Beispiele für Formate von Vollsteinen (V)			als Planstein
	Länge in mm	Breite in mm	Höhe in mm	Höhe in mm
DF	52	115	240	–
NF	71	115	240	–
2 DF	115	115	240	–
2 NF	140	115	240	–
2,5 DF	115	150	–	248
3 DF	115	175	240	–
3,5 DF	115	200	–	248
5 DF	115	300	240	248
6 DF	115	365	240	248
7 DF	95	490	240	–
8 DF	115	490	240	248
Toleranz	+3/–5	+3/–5	+3/–5	–
+/– Plansteine	+1/–3	+1–3		+1/–1

Plansteine

Plansteine erlauben eine Rationalisierung des Mauerwerkbaus. Aufgrund der erhöhten Maßgenauigkeit (Planebenheit und Planparallelität) der Plansteine (± 1 mm) lässt sich das Mauerwerk in der Lagerfuge mit Dünnbettmörtel (Fugendicke ca. 1 bis 3 mm) vermauern.

Darüber hinaus wirkt sich die Minimierung der Fugendicke positiv auf die Wärmedämmung aus.

Die Stoßfuge an den Stirnseiten der Steine bleibt in der Regel unvermörtelt und wird knirsch ausgeführt. Das Plansteinmauerwerk besitzt auch verbesserte statische Eigenschaften.

Großformatige Elemente

Planelemente sind Großblöcke, die derzeit noch nicht in DIN-Normen geregelt sind. Geliefert werden separat Normalelemente (mit beidseitiger Stoßfugenverzahnung) in den Dicken 11,5, 15,0, 17,5 und 24,0 cm und gemischte Paletten mit Ergänzungsformaten der Länge 373 und 247 mm als Steine mit beidseitiger Verzahnung bzw. als Endsteine mit einseitig glatter Stoßfläche sowie Steine der Länge 497 mm als Endsteine.

Die Elemente werden mit einem Minikran bewegt, der 2 Blöcke auf einmal versetzen kann (siehe Abb. 3.35). Dank handhabbarer Größe und Gewicht kann ein Element von 2 Maurern in Ausnahmen auch mit der Hand versetzt werden.

Abb. 3.35: Versetzen von Planelementen mit dem Minikran (Quelle: KLB Klimaleichtblock GmbH, Andernach)

Wandbauplatten

Wandbauplatten (Wpl), auch Bimsdielen genannt, sind in der DIN 18162:2000-10 „Wandbauplatten aus Leichtbeton, unbewehrt" genormt und werden grundsätzlich für nicht tragende, leichte Trennwände (nach DIN 4103 „Nichttragende innere Trennwände") eingesetzt. Es werden keine Anforderungen an die zulässige Druckspannung bzw. die Druckfestigkeit (f_k-Wert) gestellt, da die genannten Wände nicht vertikal belastet werden. Zur Sicherstellung der Eigenfestigkeit müssen Wandbauplatten jedoch eine ausreichende Biegezugfestigkeit besitzen. Wandbauplatten sind z. B. in der gängigen Abmessung 99 cm × 6 × cm 32 cm erhältlich.

Abb. 3.36: Vollsteine und Dämmelemente mit Putzträger aus Bims als Systemergänzung (Quelle: Bisotherm GmbH, Mülheim-Kärlich)

Systemergänzungen

Als Systemergänzungen (siehe Abb. 3.36) dienen für alle Wandarten die vorhandenen Ergänzungssteine, wie z. B. Erker-, Anschlag- und U-Steine. Weitere Ergänzungsprodukte sind z. B. Deckenrandelemente, Dämmelemente, Flachstürze und Stürze, Schornsteine.

Werktrockenmörtel LM 21 für wärmedämmendes Mauerwerk, Normalmörtel sowie wärmedämmender und nicht wärmedämmender Dünnbettmörtel aus dem gleichen natürlichen Rohstoff komplettieren die guten Eigenschaften des Mauerwerks.

Schalungssteine

Schalungssteine sind in unterschiedlichen Systemen auf dem Markt und werden nach DIN EN 15435:2008-10 „Betonfertigteile – Schalungssteine aus Normal- und Leichtbeton – Produkteigenschaften und Leistungsmerkmale" hergestellt oder besitzen eine Zulassung. Die üblichen Längen betragen 50 und auch 100 cm.

Die Breiten bzw. Wanddicken bewegen sich zwischen 17,5 und 36,5 cm bei einer einheitlichen Schichthöhe von 25 cm. Schalungssteine werden trocken aufeinandergesetzt und meistens geschosshoch mit Beton verfüllt. Sie werden ggf. auch bewehrt. Aufgrund ihres hohen Gewichts besitzen Schalungsstein-Wände einen besonders günstigen Schallschutz und finden Verwendung bei Wohnungs- und Gebäudetrennwänden.

3.9.6 Mauersteine aus Leichtbeton (Blähtonbeton)

Auch Blähtonbeton-Mauersteine (siehe Abb. 3.37) besitzen sehr gute Wärmedämmwerte und hervorragende Schalldämmwerte bei geringen Rohdichten.

In Verbindung mit Leichtmauermörtel und Wärmedämmputzen sowie unter Einsatz von Leichtbeton-Bauelementen lässt sich ein homogener Rohbau mit nur einem einzigen Baustoff realisieren.

Abb. 3.37: Sortiment Leichtbetonsteine (Blähton) (Quelle: Liapor GmbH & Co. KG, Hallerndorf-Pautzfeld)

Hergestellt werden Vollsteine (V) und Vollblöcke (Vbl) nach DIN 20000-403 und DIN EN 771-3. Als Plansteine und -blöcke ausgeführt werden die Steine im Dünnbettverfahren mit 1 mm Lagerfuge verarbeitet.

Vollblöcke werden auch mit Nut und Feder gefertigt, sodass auf Stoßvermörtelung verzichtet werden kann (außer wenn das Mauerwerk als Brandwand genutzt werden soll).

Abb. 3.38: Mit mineralischem Dämmstoff gefüllter Mauerstein und Planstein Liapor SL (Quelle: Liapor GmbH & Co. KG, Hallerndorf-Pautzfeld)

Abb. 3.39: Liapor SL-Plus mit werkseitig eingeschäumter poriger Füllung (Quelle: Liapor GmbH & Co. KG, Hallerndorf-Pautzfeld)

Abb. 3.40: U-Steine (Quelle: Liapor GmbH & Co. KG, Hallerndorf-Pautzfeld)

Plansteine

Mit plangeschliffenen Mauersteinen wird ein noch homogeneres Mauerwerk mit verbesserten Wärmedämm- und Schallschutzwerten erzielt. Zusätzlich werden Steine mit Kammern angeboten, die mit einem mineralischen Dämmstoff gefüllt sind (siehe Abb. 3.38), sodass extrem niedrige Werte für die Wärmeleitfähigkeit von bis zu 0,11 W/(m · K) erreicht werden können.

Plan-Vollblöcke (siehe Abb. 3.39) sind für den Energiestandard KfW-Effizienzhaus 55 (= KfW 40) und den Bau von Passivhäusern geeignet.

Systemergänzungen

Um ein möglichst homogenes Mauerwerk zu erzielen, werden entsprechende Ergänzungssteine und Sonderbauteile angeboten. Zu nennen sind U-Steine (siehe Abb. 3.40) und Stürze, Rollladenkästen, Rundbögen, Kellerfensterrahmen, L-Steine für verschiedene Deckendicken, Kaminmantelsteine sowie Erkersteine.

Großformatige Elemente/Fertigteile

Massivwände

Die Fertigung von Massivwänden (siehe Abb. 3.41) erfolgt frei von jeglichem Rastermaß nach den Vorgaben des Architekten. Lediglich die Gesamtlänge ist auf 7 m begrenzt. Selbst Rundungen, Bögen und Sonderabmessungen stellen kein Hindernis dar. Bei der Fertigung im Betonwerk können Fenster und Türen bereits in die Wand eingebaut werden. Auch Leerrohre für Elektroleitungen oder Aussparungen für Sanitärinstallationen lassen sich so schon bei der Wandherstellung vorsehen.

Gefertigt werden Massivwände aus:

- haufwerksporigem Leichtbeton,
- haufwerksporigem, bewehrtem Leichtbeton LAC2/LAC4 nach DIN 4213:2015-10 „Anwendung von vorgefertigten Bauteilen aus haufwerksporigem Leichtbeton mit statisch anrechenbarer oder nicht anrechenbarer Bewehrung in Bauwerken",
- gefügedichtem Leichtbeton LC16/18 .

Abb. 3.41: Massiv-Wandbauelemente (Quelle: Liapor GmbH & Co. KG, Hallerndorf-Pautzfeld)

Abb. 3.42: Verbund-wand-Element (links Liaver-Schicht, rechts Liapor-Schicht) (Quelle: Liapor GmbH & Co. KG, Hallerndorf-Pautzfeld)

Die Wände sind nach DIN EN 1520 als tragende Wand einsetzbar. Je nach Ausführung betragen die Wanddicken 24, 30 und 36,5 cm.

Verbundwand

Eine neuere Entwicklung ist die Liapor-Verbundwand (siehe Abb. 3.42). Diese besteht aus einer Massivwand, die durch eine zementgebundene, im Betonwerk nass in nass aufgetragene Dämmschicht aus dem Blähglas Liaver opti-

Abb. 3.43: Montage einer Vollmassivdecke (Quelle: Liapor GmbH & Co. KG, Hallerndorf-Pautzfeld)

Abb. 3.44: Bimsgranulat (Quelle: Bisotherm GmbH, Mülheim-Kärlich)

miert wird. Die Wand wirkt hochwärmedämmend und gleichzeitig wärmespeichernd und gleicht damit Temperaturschwankungen leicht aus. Zusammen mit ihrem niedrigen Dampfdiffusionswiderstand sorgt sie für ein ganzjährig angenehmes Raumklima. Hinzu kommen ein effizienter Schallschutz und Sicherheit beim Brandschutz mit der höchstmöglichen Klasse A1. Mit der Verbundwand können Gebäude mit bis zu 4 Geschossen realisiert werden.

Der *U*-Wert kann individuell eingestellt werden, indem sich die Dicke der Liapor- und Liaver-Schicht variieren lässt. Letztlich kann so ein Spitzenwert von unter 0,30 W/(m^2 · K) möglich werden.

Vollmassivdecke

Die Liapor-Vollmassivdecke besteht aus gefügedichtem Liapor-Leichtbeton der Festigkeitsklasse LC 16/18 bis LC 50/55 (siehe Abb. 3.43).

Die Deckendicken lassen sich an die statischen Erfordernisse eines jeden Objekts anpassen. Zusatzbewehrungen, deckengleiche Unterzüge und andere Maßnahmen, die der Statik dienen, sind durch den massiven, vollen Querschnitt an jeder beliebigen Position des Deckenelements möglich. Die geprüfte Typenstatik stellt sicher, dass die kostenintensive Bewehrung optimal ausgenutzt wird. Auch Deckenaussparungen und Öffnungen können statisch solide bemessen und gelöst werden.

Das sofortige Verspannen der Deckenelemente untereinander macht den Montagefortschritt sicherer und verringert die Unfallgefahr. Die Decke ist sofort begehbar. Nach Verspannen, Vergießen und Erhärten der Fuge wird die volle statische Belastbarkeit erreicht.

3.9.7 Umweltverträglichkeit

Leichtbeton ist ökologisch und nachhaltig. Aus einer geringen Menge Zement wird mit Wasser und anteilmäßig viel Zuschlägen – entweder natürlichen Stoffen wie Bims oder Blähton oder gesundheitlich unbedenklichen Recyclingstoffen – der Leichtbeton in der unmittelbaren Nähe der Rohstoffvorkommen hergestellt. Während der Nutzungsphase hilft er aufgrund seiner guten Wärmedämmung, Heizenergie zu sparen und Umweltbelastungen zu verringern. Der Baustoff ist problemlos recycelbar. Ausführliche Informationen zur Umweltverträglichkeit findet man in den verschiedenen Umweltproduktdeklarationen nach ISO 14025:2006-07 „Umweltkennzeichnungen und -deklarationen – Typ III Umweltdeklarationen – Grundsätze und Verfahren“ und in den EPDs vom Institut Bauen und Umwelt (http://bau-umwelt.de).

3.9.8 Zertifizierung und Überwachung

Leichtzuschläge und die Herstellung von Leichtbeton-Bauteilen werden vom Güteschutz und Landesverband Beton- und Bimsindustrie Rheinland-Pfalz e. V. regelmäßig überwacht. Er prüft die Übereinstimmung der zugesagten Eigenschaften mit den Anforderungen aus Normen und/oder bauaufsichtlichen Zulassungen. Geprüfte Produkte erhalten ein Zertifikat.

3.9.9 Funktionsgranulate aus Bimsstein

Aus Gesteinen vulkanischen Ursprungs wie z. B. Bims oder Lava lassen sich natürliche Granulate gewinnen, die in sehr vielen unterschiedlichen Bereichen zum Einsatz kommen (siehe Abb. 3.44). Die Granulate werden als rein mineralisches, sortenreines Granulat für z. B. Trockenschüttungen, Winterstreu oder Ölbindemittel angewendet sowie auch als Bestandteil von Substratmischungen für Dachbegrünungen sowie im Garten- und Landschaftsbau oder als Zuschlagstoff für Leichtbetone, Putze und Mörtel. Auch in der Filtration von Trinkwasser kommen Bimsgranulate zur Anwendung.

Landschaftsgranulat

Die letzten aktiven Vulkane in Deutschland sind vor 11.000 bis 12.500 Jahren im Gebiet der Eifel erloschen. Direkt unter der Erdoberfläche finden sich rund um die ehemaligen Vulkane luftporenreiche, kiesförmige Gesteine. Nach dem Abbau und der Veredelung werden diese ökologisch ausgezeichneten Rohstoffe zu einem innovativen Leichtzuschlag und einem ökologisch wertvollen Substrat.

Mit diesem natürlichen Material lässt sich aufgrund seiner Dränagewirkung auf einfache Weise eine langfristige Bodenverbesserung erzielen. Das Granulat dient dabei als Wasser- und Nährstoffspeicher, verbessert die Bodenbelüftung und hat positiven Einfluss auf die gesamte Bodenphysik.

Dachbegrünungs- sowie Garten- und Landschaftsbausubstrate

Als Vegetationsgrundlage, Pflanzsubstrate oder Dränschichten liefern Landschafts- und Gründachsubstrate seit vielen Jahrzehnten ökologisch ausgezeichnete Ergebnisse. Pflanz- und Dachbegrünungssubstrate sind abgestimmte mineralische/organische Mischungen mit hohem Anteil an Gesteinsgranulaten. Dank ihrer offenporigen Struktur, ihrer hohen Tritt- und Lagerungsstabilität, der hohen Frostbeständigkeit und des ausgewogenen Verhältnisses zwischen Wasserdurchlässigkeit und Wasserspeicherfähigkeit werden individuelle Substratanforderungen zuverlässig erfüllt. Oftmals können von den Herstellern auch individuelle Kundenanforderungen berücksichtigt werden, für z. B. Rasen- oder Baumsubstrate.

Dachbegrünungssubstrate sind für die typischen Anwendungsbereiche in verschiedenen Mischungen verfügbar, z. B. als Mineralsubstrate für extensive Dachbegrünung in einschichtiger Bauweise oder als Kultursubstrate für extensive und intensive Dachbegrünung in mehrschichtiger Bauweise.

Winterstreu

Aus diesen Granulaten werden umweltfreundliche Naturstreumittel ohne Salz hergestellt, die hervorragende Produkteigenschaften mit wirtschaftlichen Aspekten vereinen. Die Winterstreu eignet sich sowohl für den kommunalen Großeinsatz als auch zum Abstreuen privater Wege und Einfahrten. Die Anwendungsbereiche sind vielfältig. Dazu zählen Fahrbahnen, Rad- und Gehwege, Parkplätze und vieles mehr. Die Verteilung kann maschinell oder händisch erfolgen. Anders als Salze unterliegt Winterstreu beim Einsatz keinen Temperaturbeschränkungen, da es temperaturunabhängig wirkt.

Öl- und Chemikalienbindemittel

Bei Verschmutzungen oder Unfällen mit Mineralölprodukten oder Chemikalien stellt der Einsatz von Bindemitteln ein schnelles, sicheres und zuverlässiges Mittel zur Schadensbeseitigung dar. Der Schutz von Menschen und der Umwelt steht hierbei im Mittelpunkt. Die Anforderungen an Bindemittel sind daher sehr hoch und werden von Experten des Umweltbundesamtes festgelegt. Das natürlich expandierte Granulat benötigt nur mäßig Energie zur Produktaufbereitung und überzeugt durch eine hervorragende Ökobilanz. Daraus resultieren ein optimales Schüttgewicht (ca. 350 g/l), eine starke Absorptionskraft und eine hohe Haltefähigkeit bei nahezu allen Flüssigkeiten. Chemisch neutral und ungiftig, bietet das Bindemittel eine hohe Standsicherheit und ist selbst ölgesättigt rutschsicher.

Wasserfiltration

Sauberes Trinkwasser ist eine der wichtigsten Ressourcen für den Menschen, ohne Wasser können Lebewesen nicht existieren. Natürliche, rein mineralische Granulate sorgen dafür, dass dieser wertvolle Rohstoff rein und gesund bleibt. Die Granulate unterstützen, optimieren und sichern die Wasserreinigungsprozesse für hygienisch einwandfreies, sauberes und frisches Trinkwasser (nach Trinkwasserverordnung [TrinkwV]), für die Korrektur der Wasserhärte und des pH-Wertes sowie für die Filterung von Ausflockungen, Schweb- und Trübstoffen.

Zuschlagstoffe/Baustoffe

Leichtzuschläge aus Naturbims optimieren in unzähligen Produkten im Bereich moderner Baustoffe wie z. B. hochwärmedämmendem Leichtbetonmauerwerk, Mörteln und Putzen sowie bauchemischen Produkten die Energieeffizienz, das Gewicht, die Verarbeitungseigenschaften, die Wohngesundheit und die Produktqualität.

Auch in zahlreichen weiteren Industrieanwendungen kommen die zum Teil äußerst fein gemahlenen Zuschläge zum Einsatz. Typische Anwendungen finden sich in der Schweißtechnik, als Schleifmittel, als Trägerstoff und als natürlicher Ersatz für Mikroplastik in der Kosmetikherstellung.

3.9.10 Relevante Normen

DIN 4102-1:1998-05 Brandverhalten von Baustoffen und Bauteilen – Teil 1: Baustoffe; Begriffe, Anforderungen und Prüfungen

DIN 4109-1:2018-01 Schallschutz im Hochbau – Teil 1: Mindestanforderungen

DIN 4213:2015-10 Anwendung von vorgefertigten Bauteilen aus haufwerksporigem Leichtbeton mit statisch anrechenbarer oder nicht anrechenbarer Bewehrung in Bauwerken

DIN 18162:2000-10 Wandbauplatten aus Leichtbeton, unbewehrt

DIN 20000-403:2019-11 Anwendung von Bauprodukten in Bauwerken – Teil 403: Regeln für die Verwendung von Mauersteinen aus Beton (mit dichten und porigen Zuschlägen) nach DIN EN 771-3:2015-11

DIN EN 771-1:2015-11 Festlegungen für Mauersteine – Teil 1: Mauerziegel

DIN EN 771-3:2015-11 Festlegungen für Mauersteine – Teil 3: Mauersteine aus Beton (mit dichten und porigen Zuschlägen)

DIN EN 1520:2011-06 Vorgefertigte Bauteile aus haufwerksporigem Leichtbeton und mit statisch anrechenbarer oder nicht anrechenbarer Bewehrung

DIN EN 1992-1-1:2011-01 Eurocode 2: Bemessung und Konstruktion von Stahlbeton- und Spannbetontragwerken – Teil 1-1: Allgemeine Bemessungsregeln und Regeln für den Hochbau

DIN EN 15435:2008-10 Betonfertigteile – Schalungssteine aus Normal- und Leichtbeton – Produkteigenschaften und Leistungsmerkmale

DIN EN 13055:2016-11 Leichte Gesteinskörnungen

DIN EN 13501 Klassifizierung von Bauprodukten und Bauarten zu ihrem Brandverhalten (gesamte Normenreihe)

3.10 Mauerziegel, Ziegelbauteile und -elemente

3.10.1 Eigenschaften, Rohstoffe und Herstellung

Mauerziegel sind ein grobkeramisches Produkt. Sie kommen bereits seit mehreren Tausend Jahren zum Einsatz. Als Baustoff zeichnen sich Mauerziegel durch hohe Festigkeiten auch bei niedrigen Rohdichten aus und bieten, in Abhängigkeit von der jeweiligen Rohdichte, eine gute bis sehr gute Wärmedämmung. Aufgrund ihres kapillaren Gefüges sind sie in der Lage, Raumluftfeuchte aufzunehmen, zu speichern und bei entsprechenden raumklimatischen Bedingungen wieder abzugeben. Ziegel erfüllen als nichtbrennbarer Wandbaustoff der Klasse A1 die Anforderungen des Brandschutzes, sind formstabil, schadstofffrei und recyclingfähig.

Hergestellt werden Ziegel aus den natürlich vorkommenden Rohstoffen Ton, Sand und Wasser. Zumeist erfolgt die Rohstoffgewinnung in werksnahen Tongruben im Tagebau. Zur weiteren Verarbeitung müssen die Rohtone aufbereitet werden. Aus großformatigen Dosierboxen, den Kastenbeschickern, gelangen die Rohtone in vorgegebener Mischung in die Aufbereitungsanlage.

Hier entfernt man unerwünschte Bestandteile. Im Kollergang, einem großen Mahlwerk, werden gröbere Gesteinsbrocken zerkleinert und die Rohtonmasse weiter gemischt. Anschließend geht es durch das Grob- und das Feinwalzwerk. Am Ende dieses Prozesses verfügt der Rohstoff über eine Korngröße von circa 1,0 bis 1,5 mm. Über Förderbänder gelangt die Masse dann in den Maukturm bzw. das Sumpfhaus. Aufgrund des komplexen Füllmechanismus lässt sich hier eine hohe Vermischung des Tons erzielen. Neben der Durchmischung erfolgt im Maukturm auch eine gleichmäßige Durchfeuchtung. Diese Prozessstufe wird Homogenisierung genannt. Im Herstellungsprozess dient der Maukturm zudem als Zwischenlager bzw. Produktionspuffer.

Der Tonmasse zugeführte Zuschlagstoffe wie Sägemehl, Papierfangstoffe oder Polystyrolkugeln verringern einerseits die Rohdichte und sorgen andererseits für eine definierte Porenbildung, da sie während des Brennprozesses ausbrennen. Unter Zugabe von Wasserdampf erreicht die Tonmasse die gewünschte Plastizität. Im Zuge der Formgebung gelangt die plastische Tonmasse in eine Extruderpresse. Hier wird der Lehm unter hohem Druck und mit Unterdruck stark verdichtet und über Schneckenwellen durch ein Mundstück gepresst. Da dies in einem durchgehend Strang erfolgt, spricht man von einer Strangpresse. Das eingesetzte Mundstück gibt die spätere Form des Ziegels vor. Außerdem bestimmt das Mundstück, ob der Ziegel ungelocht oder mit einer bestimmten Lochung versehen wird. Das vorgesehene Lochbild entsteht durch Freihalten von Hohlräumen. Über die Zusammensetzung des Lehms sowie die Struktur des Lochbildes können Eigenschaften wie Druckfestigkeit sowie Wärme- und Schallschutz des gebrannten Ziegels vorbestimmt werden.

Abb. 3.45: Blick in einen unbestückten Tunnelofen (Quelle: Leipfinger-Bader GmbH, Vatersdorf)

Der Endlosstrang durchläuft anschließend eine Schneideanlage mit Einzel- bzw. Harfenabschneidern. Dabei trennen dünne Drähte den Strang in definierte Abschnitte. Voll automatisiert greifen Produktionsroboter die noch plastischen Formlinge vom Transportband und stapeln sie auf Trocknerwagen. Diese fahren in Kammern, die mit der heißen Abluft des Tunnelofens beheizt werden, und trocknen über 1 bis 3 Tage bei Temperaturen von 50 bis 100° C. Das entzieht den Formlingen Wasser bis zu einem Restfeuchtegehalt von circa 2,0 Masse-%. Auch die Entladung der Trocknerwagen erfolgt maschinell. Die nun trockenen Roh- oder Grünlinge werden anschließend so auf dem Ofenwagen positioniert, dass sie im Tunnelofen (siehe Abb. 3.45) möglichst gleichmäßig über mehrere Temperaturzonen hinweg gebrannt werden. Der Brand von Hochlochziegeln erfolgt bei Temperaturen von etwa 950 bis 1.050 °C. Ab Temperaturen von circa 1.100 °C spricht man vom Sintern bzw. Schmelzsintern. Hier beginnt die Oberfläche zu schmelzen und verleiht dem dadurch entstandenen Klinker besondere Eigenschaften wie hohe Druckfestigkeit, geringe Wasseraufnahmefähigkeit, Frostwiderstand usw. Am Ende des Brennvorgangs beträgt die Restfeuchte der Ziegel nur noch weniger als 0,5 Masse-%.

Farbe und Oberflächenbeschaffenheit von Ziegeln werden ebenfalls im Herstellungsprozess definiert. Relevanz haben die beiden Produktmerkmale vor allem bei Vormauerziegeln und Klinkern. Denn diese werden in der Regel als Sichtmauerwerk oder Fassadenverblendung eingesetzt (siehe Abb. 3.47). Zwingend vorgegebene Produkteigenschaft bei diesen Anwendungen ist eine nachgewiesene Frostwiderstandfähigkeit. Die Farbgebung der Ziegel erfolgt zum einen durch die Auswahl und Zusammensetzung der natürlichen Rohstoffvorkommen, zum anderen durch das jeweils genutzte Brennverfahren. Hingegen wird die Oberflächenbeschaffenheit im Herstellungsprozess in entsprechenden Verfahrensschritten erzielt. Je nach Bedarf sind die Oberflächen der Vormauerziegel glatt, genarbt, besandet oder aufgeraut.

Abb. 3.46: Aus dem Ofen entnommener glühender Klinker (Quelle: Sven-Erik Tornow; Hagemeister GmbH & Co. KG, Nottuln)

Abb. 3.47: Architektonische Gestaltung mit Klinker (Quelle: Andreas Secci; Hagemeister GmbH & Co. KG, Nottuln)

3.10.2 Produkt- und Anwendungsnormen, Begriffe und Bezeichnungen

Europäische Normung

Mauersteine für die Errichtung von Mauerwerk sind europaweit in den meisten Fällen durch die harmonisierte Normenreihe EN 771 „Festlegungen für Mauersteine“ (2015) geregelt. Davon ausgenommen sind z. B. dämmstoffgefüllte Steine. Für Mauerziegel gilt die europäisch harmonisierte Produktnorm DIN EN 771-1:2015-11 „Festlegungen für Mauersteine – Teil 1: Mauerziegel“. Die Normenreihe DIN EN 772 „Prüfverfahren für Mauersteine“ regelt die einzelnen Prüfverfahren für Mauersteine.

Konformitätszeichen CE

Mit der CE-Kennzeichnung bestätigt jeder Hersteller, dass seine in Verkehr gebrachten Bauprodukte im Sinne des Bauproduktengesetzes brauchbar sind und mit den Eigenschaften der europäischen Mauersteinnormen übereinstimmen.

Nationale Anwendungsnorm

Um die europäische Produktnorm durch individuelle Standards in den jeweiligen Staaten zu ergänzen oder zu umfassende europäische Regelungen zu begrenzen, sind nationale Anpassungen notwendig. Als nationale Anwendungsnorm stellt die DIN 20000-401:2017-01 „Anwendung von Bauprodukten in Bauwerken – Teil 401: Regeln für die Verwendung von Mauerziegeln nach DIN EN 771-1:2015-11“ die Regeln für die Verwendung von Mauerziegeln nach DIN EN 771-1 in Deutschland dar.

Außerdem hat die deutsche Bauaufsicht gemeinsam mit der Mauerwerksindustrie sog. „Restnormen“ für Mauersteine mit besonderen Eigenschaften bereitgestellt, um in Deutschland bewährte Mauerwerksprodukte wie gewohnt verwenden und vermarkten zu können. Mittlerweile wurden diese zum größten Teil in die Anwendungsnorm DIN 20000-401 überführt. An manchen Stellen wird aber weiterhin auf die alten Restnormen verwiesen. Mit den Restnormen ist eine Beschreibung der Produkteigenschaften, Merkmale und Differenzierungen – abgestimmt auf die in Deutschland gültigen Bemessungs- und Anwendungsnormen – möglich.

Zudem werden in DIN 105-4:2019-01 „Mauerziegel – Teil 4: Keramikklinker“ europäisch nicht genormte Produktqualitäten, wie sie Keramikklinker bieten, geregelt. Dazu zählen z. B. Eigenschaften wie eine besondere Widerstandsfähigkeit gegenüber aggressiven Stoffen und mechanischen Oberflächenbeanspruchungen.

Allgemeine bauaufsichtliche Zulassungen

Gerade im Bereich der Hintermauerziegel werden Produktinnovationen in immer kürzeren Zyklen präsentiert – insbesondere bei hochwärmedämmenden Planhochlochziegeln für den Außenwandbereich. Hierbei handelt es sich um Produkte, die über die Normvorgaben hinausgehen. Um zügig eine Verwendbarkeit solcher Produkte zu erreichen, bedient man sich der allgemeinen bauaufsichtlichen Zulassungen. Eine vom Deutschen Institut für Bautechnik (DIBt), Berlin, erteilte allgemeine bauaufsichtliche Zulassung (abZ) gilt als offizieller Nachweis der Verwendbarkeit bzw. Anwendbarkeit des Zulassungsgegenstandes im Sinne der Landesbauordnung. Die bei den Herstellern anzufordernden Zulassungen sind bis zu 5 Jahre gültig.

Sie enthalten Angaben zu Verwendungsbereich, bautechnischen Anforderungen an das Produkt wie Maße, Form usw., Prüfverfahren, Planung, Bemessung und Konstruktion, Kontrolle von Herstellung, Kennzeichnung und Lieferung sowie Bestimmungen zu Transport, Lagerung und Montage.

Bezeichnungen und Definitionen

Einen Überblick über die gängigsten Mauerziegel, ihre genaue Bezeichnung sowie eine Kurzbeschreibung ermöglicht Tabelle 3.14.

Tabelle 3.14: Gängige Mauerziegel

Bezeichnung	Kurzbeschreibung
Mauerziegel	Mauerstein, der aus Ton oder anderen tonhaltigen Stoffen mit oder ohne Sand oder andere Zusätze bei einer ausreichend hohen Temperatur gebrannt wird, um einen keramischen Verbund zu erzielen
geschütztes Mauerwerk	Tragendes oder nicht tragendes Mauerwerk, das gegen eindringendes Wasser geschützt ist. Es hat keinen Kontakt zum Boden oder Grundwasser. Dabei handelt es sich entweder um Mauerwerk in Außenwänden, um die innere Wandschale einer zweischaligen Wand oder um eine Innenwand.
ungeschütztes Mauerwerk	Tragendes oder nicht tragendes Mauerwerk, das Regen, Frost oder Tau ausgesetzt sein kann. Zudem kann es sich ohne einen geeigneten Schutz in Kontakt mit Boden oder Grundwasser befinden. Dabei kann es sich um völlig ungeschütztes oder nur begrenzt geschütztes Mauerwerk in Außenwänden handeln.
P-Ziegel (P = protected = geschützt)	Mauerziegel für geschütztes Mauerwerk
U-Ziegel (U = unprotected = ungeschützt)	Mauerziegel für ungeschütztes Mauerwerk
Vollziegel (Vz)	Mauerziegel, dessen Querschnitt durch Lochung senkrecht zur Lagerfläche bis zu 15 % gemindert sein darf oder Mulden aufweist, deren Anteil höchstens 20 % bezogen auf das Volumen der Ziegel betragen darf
Hochlochziegel (HLz)	Mauerziegel mit einem oder mehreren geformten Löchern, die den Mauerstein rechtwinklig zur Lagerfläche ganz durchdringen
Blockziegel	Mauerziegel mit einer Steinhöhe > 123 mm, dessen Querschnitt durch Lochung senkrecht zur Lagerfuge bis zu 15 % der Lagerfläche gemindert sein darf
Planziegel (P)	Mauerziegel mit besonderer Maßhaltigkeit hinsichtlich der Ziegelhöhe, der in der Regel nach Zulassung geregelt ist. Die Abkürzung P für Planziegel wird nie allein stehend, sondern stets in Verbindung mit dem Kurzzeichen Lochungsart dargestellt, z. B. PHLzB.
Füllziegel	Mauerziegel mit besonderer Lochung, die zur Verfüllung mit Beton oder Mörtel geeignet sind
Schalungsziegel	Nicht tragende Mauerziegel mit besonderer Lochung, die zur Verfüllung mit Normal-/Leichtbeton geeignet sind. Der Beton bildet die tragende Wand. Aussparungen an den Querstegen der Schalungsziegel ermöglichen es, dass sich der Beton beim Verfüllen auch horizontal verteilt und dass bei Bedarf auch in waagerechter Richtung Bewehrungsstäbe eingelegt werden können.
Ergänzungsziegel	Mauerziegel in einer für einen bestimmten Zweck gestalteten Form, z. B., um die Form des Mauerwerks zu vervollständigen
Langlochziegel (Lz)	Mauerziegel mit Löchern, die den Mauerstein parallel zur Lagerfläche ganz durchdringen
Hintermauerziegel	P-Ziegel zur Verwendung in geschütztem Mauerwerk
Vormauerziegel (Vz)	U-Ziegel (auch mit strukturierter Oberfläche) zur Verwendung in ungeschütztem Mauerwerk. Der Frostwiderstand wird durch Prüfung nachgewiesen.
Klinker (K)	oberflächig gesinterter U-Ziegel (Oberfläche ggf. strukturiert) mit Anforderungen an die Wasseraufnahme, die Druckfestigkeitsklasse und die mittlere Nettotrockenrohdichte (Scherbenrohdichte)
hochfester Ziegel	Ziegel mindestens der Druckfestigkeitsklasse 36
Keramikklinker	Mauerstein, der aus Ton oder anderen tonhaltigen Stoffen mit oder ohne Sand, Brennstoffen oder anderen Zusätzen hergestellt ist und bei ausreichend hoher Temperatur gebrannt wird, um einen keramischen Verbund zu erzielen, sowie mit einer Wasseraufnahme bis 6 % (Massenanteil), mindestens der Druckfestigkeitsklasse 60, einer Rohdichteklasse ≥ 1,4 und mit Anforderungen an Ritzhärte, Farb- und Lichtbeständigkeit, Säure- und Laugenbeständigkeit, an das Aussehen der Ansichtsfläche und den Frostwiderstand
Keramikvollklinker (KK)	Keramikklinker, dessen Querschnitt durch Lochung senkrecht zur Lagerfläche bis zu 15 % gemindert sein darf
Keramikhochlochklinker (KHK)	Keramikklinker mit senkrecht zur Lagerfläche verlaufender Lochungsart A oder B.
Mauertafelziegel	Mauerziegel HLzA, HLzB, HLzE oder HLzW, der zur Herstellung von bewehrtem Mauerwerk oder geschosshohen Tafeln aus Mauerwerk mit senkrechten Kanälen zur Verfüllung mit Mörtel oder Beton geeignet ist
Handformziegel	Vollziegel mit unregelmäßiger Oberfläche, dessen Gestalt von der prismatischen Form geringfügig abweichen darf
Sperrschicht-Ziegel	Mauerziegel, der, im Verband in 2 Schichten mit wasserabweisendem Mörtel vermauert, aufsteigender Feuchte im Mauerwerk widersteht
Wärmedämmziegel	Mauerziegel PHLzW, alternativ zusätzlich mit Dämmstoff verfüllt. Hochwärmedämmende Planhochlochziegel sind in der Regel in den allgemeinen bauaufsichtlichen Zulassungen geregelt.

Tabelle 3.15 enthält die gängigsten Abkürzungen für Ziegel bzw. Lochungsarten.

Tabelle 3.15: Gängigste Abkürzungen für Ziegel bzw. Lochungsarten:

HLz	Hochlochziegel
Lz	Langlochziegel
Mz	Vollziegel
VMz	Vormauer-Vollziegel
VHLz	Vormauer-Hochlochziegel
KMz	Vollklinker
KHLz	Hochlochklinker
KK	Keramikvollklinker
KHK	Keramikhochlochklinker

Ziegel werden in folgender Reihenfolge bezeichnet (siehe Abb. 3.48): Ziegelart, Druckfestigkeit, Ziegelrohdichte, Abmessungen in mm oder Format-Kurzzeichen. Bei großformatigen P-Ziegeln ist bei der Angabe des Ziegelformates in DF die Nennung der Wärmestromrichtung durch Angabe der vorgesehenen Wanddicke notwendig.

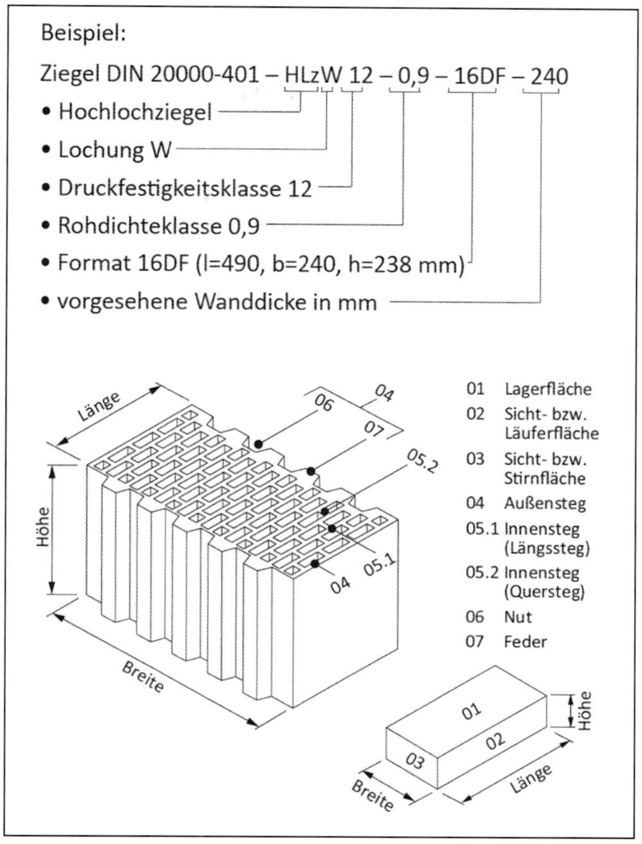

Abb. 3.48: Reihenfolge der Bezeichnung von Ziegeln (Quelle: Bundesverband der Deutschen Ziegelindustrie e.V., Berlin)

Formate

Die verschiedenen Größen der Ziegel sind von einem Grundmodul, dem Dünnformat (DF), abgeleitet. Nur das Normalformat (NF) bildet hier eine Ausnahme. Aus dem Grundmodul DF werden alle weiteren größeren Formate „zusammengesetzt". Deren Abmessungen lassen sich durch das Aneinanderfügen von Ziegeln im Format DF ermitteln, wobei dazwischenliegende Fugen hier berücksichtigt werden. Ziegel mit einer Höhe von bis zu 113 mm bezeichnet man als kleinformatige Steine. Als großformatige Steine gelten solche mit einer Höhe von ≥ 238 mm. Die im Dünnbettverfahren zu verarbeitenden Planziegel weisen eine Höhe von 249 mm auf. Zur genaueren Unterscheidung von Hochlochziegeln wird bei deren Bezeichnung die Mauerdicke angegeben. Tabelle 3.16 enthält eine Übersicht über die Format-Kurzzeichen nach DIN 105-100:2012-01 „Mauerziegel – Teil 100: Mauerziegel mit besonderen Eigenschaften", Tabelle A.12. Tabelle 3.17 enthält die Bezeichnungen weiterer Ziegelformate.

Tabelle 3.16: Format-Kurzzeichen NF (Normalformat) und DF (Dünnformat) nach DIN 105-100, Tabelle A.12

Format-Kurzzeichen		**1 DF**	**NF**	**2 DF**	**3 DF**	**4 DF**	**5 DF**	**6 DF**	**8 DF**	**10 DF**	**12 DF**	**14 DF**	**15 DF**	**18 DF**	**16 DF**	**20 DF**	**21 DF**
Maße in mm	l[1)]	240	240	240	240	240	240	240	240	240	240	425	365	365	490	490	425
	b	115	115	115	175	240	300	365	240	300	365	240	300	365	250	300	365
	h	52	71	113	113	113	113	113	238	238	238	238	238	238	238	238	238

1) Bei Stoßfugenausführungen mit Mörteltaschen erhöht sich die Länge des Ziegels um, 5 mm, bei Ausführung mit Nut und Feder um 7 mm.

Tabelle 3.17: Weitere Ziegelformate

Bezeichnung		**Hamburger HF**	**Oldenburger OF**	**Waalformat WF**	**Reichsformat RF alte (neu)**	**Klosterformat KF**	**Deutsch 8 Zoll**	**Deutsch Römer**
Maße in mm	l	220	220	210	250 (240)	280	195	240
	b	105	105	100	120 (115)	135	92	115
	h	65	52	50	65 (65)	80	50	40

3.10.3 Einsatzbereiche für Mauerziegel

Ziegel für monolithische Außenwände

Im Rahmen der Energiewende wurde die Wärmedämmung moderner Mauerziegel immer weiter vorangetrieben. Derzeit lassen sich mit Wärmedämmziegeln alle aktuellen Energiestandards bis hin zu energieautarken Gebäuden in monolithischer Bauweise ohne zusätzliche Außendämmung ausführen. Zugleich wurden auch die Schalldämmung und die Tragfähigkeit von Wärmedämmziegeln deutlich optimiert.

Gekennzeichnet sind diese Produkte durch eine mörtelfreie Stoßfugenverzahnung (Nut-und-Feder-System), optimierte Lochanordnungen und erhöhte Lochreihenzahlen in Wärmestromrichtung.

Verzahnungen, Lochgeometrie und Wärmeleitfähigkeiten sind normativ oder in den abZ geregelt und dokumentiert.

Die Regelwanddicken von monolithischen Außenwänden ohne zusätzliche Wärmedämmung mit Mauerziegeln betragen 30,0, 36,5, 42,5 und 49,0 cm.

Wärmedämmziegel (siehe Abb. 3.49 und 3.50) stehen als **Plan- oder Blockziegel** in den Rohdichteklassen 0,50 bis 0,90 zur Verfügung. Dank der rationellen und mörtelfreien Stoßfugenverzahnung wird bei beiden Produkten die Stoßfuge ohne Mörtel knirsch gestoßen ausgeführt. Neben der wesentlichen Verbesserung des Wärmeschutzes durch die unvermörtelte Stoßfuge reduzieren sich zudem Mörtelbedarf und Arbeitszeit.

Verarbeitet werden wärmedämmende **Blockziegel**, deren Nennmaß der Ziegelhöhe 230 mm beträgt, mit Leichtmörtel (LM) (siehe Abb. 3.51). Dabei sollte die Lagerfugendicke bei circa 12 mm liegen.

Planziegel zeichnen sich neben den geforderten Wärmedämmeigenschaften durch optimierte statische Werte und rationelle Verarbeitung im Dünnbettmörtelverfahren aus. Sie werden nach dem Brand auf ein Höhenmaß von 249 mm geschliffen. Dadurch können sie mit Dünnbettmörtel verarbeitet werden. Die knapp 1 mm dünne Mörtelschicht spart bis zu 90 % Mörtel gegenüber traditioneller Verarbeitung. Im sog. Deckelmörtelverfahren wird der Dünnbettmörtel vollflächig aufgetragen. Dabei kommt in der Regel eine Mörtelrolle oder -walze zum Einsatz, die einen kontrollierten Auftrag ermöglicht, bei dem die Ziegellochung jeder Mauerwerksschicht sicher geschlossen wird.

Alternativ dazu hat sich in den letzten Jahren die Verarbeitung mit Mörtelpads etabliert (siehe Abb. 3.52). Dabei handelt es sich um industriell vorgefertigte Platten aus Trockenmörtel, einem wasserlöslichen Schmelzkleber und einem Glasfasergewebe, das der Trockenmörtelplatte zusätzlich Stabilität verleiht. Zur Verarbeitung werden die Mörtelpads auf die zuvor befeuchtete Ziegelreihe gelegt. Für Aussparungen usw. lassen sie sich passend zuschneiden. Anschließend werden sie bewässert, die nachfolgende Ziegelreihe aufgelegt und wie gewohnt festgeklopft. Die Trockenmörtelplatten sorgen für weniger Staubemissionen und ermöglichen einen deutlich rationelleren Arbeitsablauf.

Abb. 3.49: Wärmedämmziegel (Quelle: Unipor-Ziegel, München)

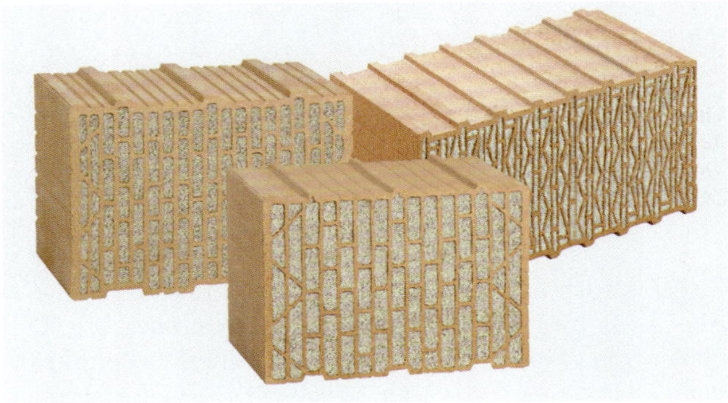

Abb. 3.50: Hintermauerziegel mit Dämmstofffüllung (Quelle: Leipfinger-Bader GmbH, Vatersdorf)

Abb. 3.51: Mörtelauftrag mit Mörtelrolle (Quelle: Leipfinger-Bader GmbH, Vatersdorf)

Abb. 3.52: Aufgelegtes Mörtelpad (Quelle: Franken Maxit Mauermörtel GmbH & Co., Kasendorf)

Eine zweite Alternative, bei der statt Dünnbettmörtel PU-Kleber zum Einsatz kommt, wird sporadisch genutzt, konnte sich aber nicht durchsetzen.

Ziegel für Fassaden und zweischalige Außenwände

Vormauerziegel und **Klinker** (siehe Abb. 3.53 und 3.54) kommen als Außenschale zweischaliger Außenwände zum Einsatz. Die auch als **Verblender** bezeichneten Ziegel weisen besondere Materialeigenschaften auf und werden aufgrund ihrer vielfältigen Oberflächenstrukturen und Farben

Abb. 3.53: Variable Formgestaltung mit Vormauerziegel (Quelle: Florian Selig; Hagemeister GmbH & Co. KG, Nottuln)

Abb. 3.54: Strukturierte Oberfläche (Quelle: Philipp Kistner; Hagemeister GmbH & Co. KG, Nottuln)

als Gestaltungsmittel genutzt. Zu ihren besonderen Eigenschaften zählen Frostbeständigkeit, Witterungsstabilität, dauerhafte Farbechtheit und Diffusionsfähigkeit. Als unverputzte Sichtschale schützen die Verblender insbesondere die tragende Hintermauerung und damit das Bauwerk vor Witterungseinflüssen und Frost.

Eine Reihe verschiedener, je nach Einsatzzweck angepasster Formziegel (siehe Abb. 3.55) ergänzen üblicherweise das Verblendersortiment. Vormauerziegel und Klinker sollten mit auf die Wasseraufnahme der Ziegel abgestimmten Vormauermörteln (Werktrockenmörtel) verarbeitet werden. Vormauerschale und Tragschale der Außenwand lassen sich mit den jeweils passenden Mauerziegeln kombiniert ausführen. Je nach Anforderung kann zwischen den beiden Wandschalen eine Zusatzwärmedämmung angeordnet werden.

Ziegel für Innenwände

In der Regel kommen für Innenwände Plan- oder Blockziegel als Hochlochziegel ohne Anforderungen an den Wärmeschutz zum Einsatz. Zur Verbesserung des hier notwendigen Schallschutzes und für eine höhere Tragfähigkeit werden die Ziegel für Innenwände häufig mit höherer Rohdichte produziert, was sich zugleich auf die dadurch ebenfalls höhere Festigkeitsklasse auswirkt. Damit lassen sich schlankere Konstruktionen mit Regelwanddicken von 11,5, 17,5 oder 24,0 cm umsetzen.

Für die rationelle Erstellung schwerer Wände als schalldämmendes Mauerwerk werden **Planfüllziegel** mit anschließender Betonverfüllung genutzt. Sie dienen z. B. der Erstellung von Reihenhaus- oder Wohnungstrennwänden. Erst nach dem geschosshohen Errichten einer Wand aus Planfüllziegeln werden diese mit fließfähigem Beton C16/20 ausgegossen. Je nach Ziegelart liegen die bewerteten Schalldämm-Maße $R'_{w,R}$ bei circa 52 dB (Wanddicke 17,5 cm), 55 dB (Wanddicke 24,0 cm) und 58 dB (Wanddicke 30,0 cm).

Spezielle **Schallschutzziegel** mit hohen Rohdichteklassen von 1,8 bis 2,4 kg/dm^3 kommen ebenfalls für Wände mit besonderen Anforderungen an den Schallschutz zum Einsatz. In der Regel werden sie in kleinen Formaten als Vollziegel bis 6 DF und häufig ohne Stoßfugenverzahnung

Abb. 3.55: Unterschiedliche Formklinker (Quelle: Hagemeister GmbH & Co. KG, Nottuln)

Abb. 3.56: Ringankerschalung mit Dämmung (Quelle: Unipor-Ziegel, München)

Abb. 3.57: Deckenrandschalung (Quelle: Unipor-Ziegel, München)

hergestellt. In diesem Fall sind die Stoßfugen zu vermörteln.

Ergänzungsziegel

Um Anschlussdetails fachtechnisch einwandfrei auszuführen, werden eine ganze Reihe von entsprechenden Ergänzungsziegeln angeboten.

Zur Erstellung eines Ringankers ersparen **Ziegel-U-Schalen** das Einschalen (siehe Abb. 3.56). Gleichzeitig ergeben sie einen einheitlichen Putzgrund. Bevor mit dem Betonieren begonnen wird, ist die Wärmedämmung bauseits auf der außen liegenden Seite der U-Schale vertikal einzustellen. Mittlerweile gibt es U-Schalen mit integrierter Wärmedämmung, sog. WU-Schalen.

Als Randschalung der Geschossdecken (siehe Abb. 3.57) dienen **Deckenabmauerungsziegel** oder **Deckenrandschalen.** Sie werden für unterschiedliche Deckendicken angeboten. Deckenrandschalen verfügen werkseitig bereits über eine Wärmedämmung. Bei den Abmauerungsziegeln ist sie bauseits zu ergänzen. Auch diese Produkte sorgen neben einer wärmebrückenfreien Detailausbildung für einen einheitlichen und risssicheren Ziegel-Putzgrund.

Ziegel-Rollladen- oder Raffstorekästen (siehe Abb. 3.58 und 3.59) bieten als wärmetechnisch optimierte und selbsttragende Bauteile ebenfalls einen einheitlichen Putzgrund. Die raumseitig geschlossenen Kästen werden passend für die jeweilige Wanddicke angeboten. Mittlerweile sind Ausführungen erhältlich, die Beschattung und dezentrale Lüftung miteinander kombinieren. Diese Ziegelkästen verfügen über ein integriertes Lüftungssystem, mit dem die Vorschriften der Lüftungsnorm DIN 1946-6:2019-12 „Raumlufttechnik – Teil 6: Lüftung von Wohnungen – Allgemeine Anforderungen, Anforderungen an die Auslegung, Ausführung, Inbetriebnahme und Übergabe sowie Instandhaltung“ im Rahmen der Kastenmontage erfüllt werden. Integrierte Wärmespeicher gewinnen zudem Raumwärme zurück und reduzieren dadurch zusätzlich Wärmeverluste.

In Kombination mit **Laibungsziegeln** ermöglichen **Ziegel-Anschlagschalen** einen wärmetechnisch optimalen und sicheren Einbau der Fenster im Ziegelmauerwerk. Einerseits wird die Trennfuge an der Anschlussstelle Wand/Fenster vor Wind und Wetter geschützt, andererseits ist die Fugendichtung wesentlich leichter und langlebiger auszuführen. Die Anschlagschalen werden zur Verarbeitung auf der wärmegedämmten Seite mit Dünnbettmörtel benetzt und an das lotrechte Laibungsmauerwerk bzw. im Sturzbereich nachträglich angemörtelt.

In Laibungs- und Eckbereichen bzw. bei stumpfen Wandabschlüssen kommen **Laibungs-/Anfangs- und Eckziegel** zum Einsatz. Sie vermeiden Schneidarbeiten und sorgen in Kombination mit den Standardformaten für die Einhaltung der normkonformen Überbindemaße im Mauerwerksverband.

Ziegel für besondere Einsatzbereiche

Kellerziegel werden als Plan- oder Blockziegel ohne die typischen Putzrillen, aber mit Stoßfugenverzahnung produziert. Sie bieten damit einen optimalen Untergrund für den Auftrag der notwendigen Vertikalabdichtung bei erdberührten Außenwänden. In den Innenräumen kann die Hintermaueroptik bei Bedarf z. B. durch eine mineralische Feinschlämme aufgewertet werden. Neben ihrer Wirtschaftlichkeit zeichnen sich Kellerziegel durch gute Wärmedämmung und hohes Diffusionsvermögen aus.

Eine Weiterentwicklung der Kellerziegel sind **Agrarziegel**, die ebenfalls für Mauerwerk geeignet sind, das auf der Innenseite nicht verputzt werden muss. Als Hochlochziegel mit glatter Oberflächenstruktur weisen sie an der Stoßfugenverzahnung eine ca. 10 mm tiefe Fase auf, die mit Vormauermörtel verstrichen werden kann. In Kombination mit den vermörtelten Lagerfugen vermittelt die Ausbildung sichtbarer Vertikalfugen ein einheitliches Fugenbild.

Als Vormauerhochlochziegel verfügen **Gewerbeziegel** über ausreichenden Frostwiderstand und sind somit für Mauerwerk im Außen- und Innenwandbereich bei Gewerbe- und Landwirtschaftsbauten geeignet. Sie weisen eine glatte Oberflächenstruktur auf und die Ausbildung der verzahnten Stoßfugen erfolgt analog zum Agrarziegel.

Zur rationellen Erstellung von Mauerwerk in Gewerbe- und Wohnungsbauten wurden **Ziegel-Planelemente** entwickelt. Die großformatigen Elemente mit einer Höhe von

Abb. 3.58: Ziegelrollladenkasten (Quelle: Beck+Heun GmbH, Mengerskirchen)

Abb. 3.59: Kasten mit kombinierter Beschattung und dezentraler Lüftung (Quelle: Beck+Heun GmbH, Mengerskirchen)

49,9 cm und Wanddicken von 15,0, 17,5, 20,0 und 24,0 cm werden mit Dünnbettmörtel verarbeitet. Abgestimmt auf das bewährte Oktameter-Maß (12,5-cm-Raster) werden die Ziegel-Planelemente mit objektbezogenen Versetzplänen geliefert und sorgen für Ausführungssicherheit und kürzere Bauzeiten.

Ziegel-Fertigstürze bestehen aus einem vorgefertigten, bewehrten Zuggurt. Erst in Kombination mit darüberliegenden Schichten aus Mauerwerk und/oder Beton ergeben die Flachstürze eine tragfähige Konstruktion. Dabei muss die Auflagertiefe mindestens 115 mm betragen. Der Einsatz der in den Regelbreiten 11,5 und 17,5 cm sowie in den Regelhöhen 7,1 und 11,3 cm gefertigten Flachstürze ist auf vorwiegend ruhende Lasten beschränkt. Einzellasten dürfen die Zuggurte nicht direkt belasten.

In den Bemessungstabellen der Hersteller sind die zulässigen Belastungen der Ziegelstürze gemäß deren abZ zu entnehmen. Aus energetischen Gründen empfehlen sich für monolithische Außenwände Wärmedämmstürze in den Wanddicken 30,0 und 36,5 cm sowie 11,3 cm Höhe. In Kombination mit Ziegelstürzen und einer zusätzlichen Wärmedämmung sind auch Wanddicken von 42,5 und 49,0 cm realisierbar.

In Verbindung mit Ziegelmauerwerk bieten **Ziegelmantelsteine** für Schornsteine eine homogene Putzoberfläche. Zudem erfüllen sie die Anforderungen an den Feuerwiderstand, zeichnen sich durch geringe Wärmeleitfähigkeiten aus und können auch als Lüftungs- oder Montageschächte genutzt werden.

3.10.4 Ziegel-Bauelemente

Ziegel-Einhängedecken setzen sich aus vorgefertigten bewehrten Ziegel-Gitterträgern, passenden Einhängeziegeln nach DIN 4160:2000-04 „Ziegel für Decken, statisch nicht mitwirkend“ und einer auf der Baustelle erfolgten Aufbetonage zusammen. Sie sind flexibel einsetzbar und an alle Grundrisse anzupassen. Das geringe Gewicht der Einzel-

Abb. 3.60: Objektbezogen gefertigtes Ziegel-Wandelement (Quelle: Leipfinger-Bader GmbH, Vatersdorf)

Abb. 3.61: Rationellste Form des Mauerwerkbaus mit Ziegel-Wandelementen (Quelle: Leipfinger-Bader GmbH, Vatersdorf)

bauteile sowie die einfache Verarbeitung machen sie zu einem idealen Baustoff für die Altbausanierung. Die Hersteller halten entsprechende Tragfähigkeitstafeln für die Bemessung bereit.

Ziegel-Elementdecken sind im Werk hergestellte Fertigteildecken, die in der Regel raumüberspannend in Breiten bis ca. 2,5 m auf die Baustelle geliefert werden. Die einzelnen Elemente bestehen aus Betonbalken mit eingebauter Stabstahlbewehrung und dazwischenliegenden Reihen aus Deckenziegeln nach DIN 4159:2014-05 „Ziegel für Ziegeldecken und Vergusstafeln, statisch mitwirkend". Innerhalb eines Elements sind Ziegel und Balken fest miteinander vergossen. Eine Montageunterstützung ist im Normalfall nicht notwendig. Im Anschluss werden die Einzelelemente untereinander und in der Regel auch mit umlaufenden Ringankern oder Unterzügen vergossen. Der Verbund mit Ringanker und Unterzügen findet über den aus den Trägerenden ragenden Bewehrungsstahl statt. Die Decke ist sofort belastbar. Durch die besondere Formgebung der Deckenziegel wird eine einheitliche Deckenuntersicht aus Ziegel erreicht.

Ziegel-Wandelemente (siehe Abb. 3.60) sind werkseitig vorgefertigte Ziegel-Mauertafeln aus Mauerziegeln.

Ihre Abmessungen richten sich nach Geschosshöhe, Stützenabstand, Fensterteilungen oder anderen durch den Planer vorgegebenen Größen. Die Ziegel-Wandelemente werden auf Wunsch mit integrierten Rollladenkästen und Installationsvorbereitungen gefertigt. Nach Trocknung im Werk werden die Elemente entsprechend den Montageplänen und den festgelegten Abläufen auf der Baustelle zusammengestellt und in speziellen Containern verladen. In Abstimmung werden die angelieferten Ziegel-Wandtafeln entweder direkt mittels Baukran versetzt oder verbleiben im Anlieferungscontainer bis zu deren endgültigem Einbau. Durch die hohe Vorfertigungstiefe (siehe Abb. 3.61) reduziert sich die Bauzeit. Auch fällt aufgrund der hohen Montagegenauigkeit kein Verschnitt an. Ziegel-Wandelemente sind damit eine der rationellsten Formen des Mauerwerkbaus.

3.10.5 Relevante Normen

DIN EN 771-1:2015-11 Festlegungen für Mauersteine – Teil 1: Mauerziegel

Abb. 3.62 und 3.63: Glassteine als Wandelemente im Außenbereich (Abb. 3.62) und im Innenbereich (Abb. 3.63) (Quelle: Fuchs Design GmbH, Kerken)

DIN EN 772-1:2016-05 Prüfverfahren für Mauersteine – Teil 1: Bestimmung der Druckfestigkeit

DIN EN 20000-401:2017-01 Anwendung von Bauprodukten in Bauwerken – Teil 401: Regeln für die Verwendung von Mauerziegeln nach DIN EN 771-1:2015-11

3.11 Glassteine

Glasbausteine, auch bekannt als Glassteine, dienen als designstarke und funktionale, wenn auch nicht tragende, Wand- und Bodenelemente im Innen- und Außenbereich (siehe Abb. 3.62 und 3.63). Neben einem großen Spektrum an optischen Varianten und Installationsmöglichkeiten von transparenten Glassteinen über satinierte und farbige

Designvarianten bis hin zu beleuchteten Glaselementen sind es vor allem die technischen Eigenschaften, die mehr und mehr an Bedeutung gewinnen. Spezielle Glassteine für Brandschutzanwendungen, Schallschutzwände, begeh- oder befahrbare Anwendungen, wärmedämmende Fassaden sowie oben genannte Lichtinstallationen decken unterschiedliche technische Einsatzgebiete ab.

Ebenso vielfältig wie die Produktpalette sind auch die Einsatzbereiche der modernen Glassteine: Architektonisch anspruchsvolle Lösungen finden sich u. a. im Fassadenbau, in der Innenarchitektur in Form von Trennwänden oder als Designelement in Küche und Bad. Besonders ästhetisch ist immer wieder das Zusammenspiel von Glas mit anderen Materialien, wie beispielsweise mit Holz.

Abb. 3.64: Farbig beleuchtete Glassteinwände in einem Waschraum (Quelle: Fuchs Design GmbH, Kerken)

3.11.1 Produktion und technische Eigenschaften

Produktion

Produziert werden die Glassteine in Glashütten nach den Anforderungen der DIN EN 1051-1:2003-04 „Glas im Bauwesen – Glassteine und Betongläser – Teil 1: Begriffe und Beschreibungen". Glassteine sind Hohlglaskörper, die durch die Verschmelzung zweier halbschaliger Einzelteile entstehen. Sie unterscheiden sich damit wesentlich von (Voll-) Glasziegeln.

Eine definierte flüssige Glasmenge wird in eine Form gegeben und unter hohem Druck zu dem gewünschten Format und Design gepresst. 2 dieser entstehenden Glashälften werden dann zusammengefügt. Da das Glas noch so heiß ist, dass es miteinander verschmilzt, entsteht der besagte Glashohlkörper – der Glasbaustein. Durch den Abkühlungsprozess, der unter Temperaturzuführung in einem speziellen Kühlofen vorgenommen wird, entsteht im Inneren des Glassteins ein Vakuum.

Abb. 3.65: Beleuchtete Glassteine als Gestaltungselement an einer Sitzgelegenheit (Quelle: Fuchs Design GmbH, Kerken)

Formen und Farben

Glassteine zeichnen sich durch eine große Form- und Farbvielfalt aus, wodurch ihr Anwendungskontext ebenso vielfältig ist.

Das gängigste Format ist zwar seit Jahrzehnten 19 cm × 19 cm × 8 cm, aber auch Steine in 19 cm × 9 cm × 8 cm, 24 cm × 24 cm × 8 cm, 30 cm × 30 cm × 10 cm, 19 cm × 19 cm × 10 cm, 14,5 cm × 14,5 cm oder 11,5 cm × 11,5 cm erfreuen sich großer Beliebtheit. Die Produktpalette umfasst ein breites Spektrum an Glaselementen: farbig, transparent, beleuchtet oder satiniert. Ein besonderes Farbspiel entsteht vor allem auch dann, wenn ganze Glassteinwände beleuchtet werden, wie beispielsweise bei der LIGHT MY WALL (siehe Abb. 3.64 bis 3.66).

Abb. 3.66: Beleuchtete Glassteinwand einer Einfahrt (Quelle: Fuchs Design GmbH, Kerken)

Brandschutz

Der Glasstein per se bietet einen guten Flammschutz, früher G60. Um besonderen Brandschutzanforderungen gerecht zu werden, gibt es Brandschutzsteine für Glassteinwände der verschiedenen Anforderungsklassen F30, F60, F90 und sogar F120. Letztere zeichnet sich durch ein eingebautes Brandschutzinlay aus.

Schallschutz

Der Schallschutzwert kann mithilfe des bewerten Schalldämm-Maßes R_w in dB gemessen werden. Je höher dieser Wert ist, umso besser. Spezielle Schallschutzsteine erzielen dabei einen Wert von bis zu 45dB bei einschaligem Mauerwerk.

Massive Vollglasziegel

Seit einiger Zeit gibt es auch massive Vollglasziegel auf dem Markt, die noch einmal ganz anders als die luftgefüllten Varianten mit den Reflexionen von Licht und Farbe spielen und so insbesondere im hochwertigen Architekturbereich für großartige Gestaltungsakzente sorgen (siehe Abb. 3.67 und 3.68). Durch die besondere Produktionstechnik lassen sich hiervon kleine Mengen in Sonderformaten herstellen. So kann der Planer seine konkreten Vorstellungen projektbezogen realisieren.

Wärmedämmung/Energiedurchlasswert

Der Grad der Wärmedämmung wird durch den Wärmedurchgangskoeffizienten gemessen. Dieser wird ausgewiesen als *U*-Wert für Glas (U_g) in W/(m² · K). Je niedriger dieser Wert ist, umso besser. Klassische Glasbausteine erzielen Wärmedurchgangskoeffizienten von 2,8 bis 3,5 W/(m² · K). Eigens zur Wärmedämmung entwickelte Glasbausteine wie z. B. der THERMO BLOCK erreichen Werte von bis zu 0,5 W/(m² · K) bei einem Gesamtenergiedurchlassgrad von 0,38. Mit einem solchen Stein lassen sich als Mörtel-Gesamtkonstruktion, je nach Detailausführung, Werte von etwa 0,9 bis 1,1 W/(m² · K) erzielen. In den aktuellen Zeitgeist passt auch hervorragend der für den Heimanwender konzipierte Thermo Block Slim Line in 19 cm × 19 cm × 8 cm und mit einem U_g-Wert von 1,0 W/(m² · K), der als geklebte Konstruktion mit dem speziellen Thermo-Block-Quick-Fix-Verlegesystem (siehe Kapitel 3.11.2) einen Gesamtkonstruktionswert von 1,45 W/(m² · K) erreichen kann.

Lichtdurchlässigkeit

Ein besonderes Merkmal der Glassteine ist ihre Lichtdurchlässigkeit. Diese variiert in Abhängigkeit von der Beschaffenheit des jeweiligen Glasbausteins, kann aber einen Wert von bis zu 90 % erreichen.

3.11.2 Aufbau

Glassteinwände als statisch nicht tragende Konstruktionen werden mit bewehrten oder unbewehrten Mörtelfugen errichtet. Die Mörtelverlegung erfolgt auch heute noch nach der mittlerweile zurückgezogenen DIN 4242:1979-01 „Glasbaustein-Wände; Ausführung und Bemessung". In den letzten Jahren haben sich aber auch Klebeverlegesysteme wie z. B. Quick-Fix etabliert, die vor allem für kleinere Anwendungen eine schnelle und preisgünstige Alternative, insbesondere für den Heimanwender, darstellen. Dieses System gibt es sowohl für Innen- als auch für Außenanwendungen und im Standard sind zusammenhängende Einzelflächen bis zu 4 m² möglich, der Hersteller Fuchs Design aus Kerken hat aber auch schon Anwendungen bis zu über 25 m² realisiert.

3.11.3 Relevante Normen

DIN EN 1051-1:2003-04 Glas im Bauwesen – Glassteine und Betongläser – Teil 1: Begriffe und Beschreibungen

DIN 4242:1979-01 Glasbaustein-Wände; Ausführung und Bemessung (zurückgezogen)

Abb. 3.67: Wand aus massiven Vollglasziegeln im Außenbereich (Quelle: Fuchs Design GmbH, Kerken)

Abb. 3.68: Vollglasziegel als Raumteiler (Quelle: Fuchs Design GmbH, Kerken)

3.12 Abgasanlagen

Wie die Technik und die Anforderungen so haben sich auch die Begriffe rund um den Schornstein gewandelt. Spricht die Fachwelt von Abgasanlagen so steht der Begriff für alle Arten der Abgasführung.

Lösungen aus Kunststoff, Keramik und Edelstahl werden in der Regel als Abgasleitungen bezeichnet und sind vorwiegend für niedrige Abgastemperaturen (zwischen < 80 °C und 200 °C) konstruiert und somit vor allem auf den Betrieb mit Öl- oder Gasfeuerstätten spezialisiert.

Schornstein dürfen sich nur Produkte nennen, die rußbrandbeständig (> 1.000 °C) sind. In der Regel können alle Brennstoffe eingesetzt werden. Innerhalb von Gebäuden müssen Schornsteine darüber hinaus eine Feuerwiderstandsdauer von 90 Minuten aufweisen.

3.12.1 Entwicklung von Schornsteinen

Der Mauerwerksschornstein war lange Jahre der Standard im Schornsteinbau. In den 1950er- und 1960er-Jahren wurde dieser durch den einschaligen Schornstein aus vorgefertigten Betonformstücken abgelöst. Basierend auf dem Fortschritt der damaligen Heiztechnik mit verbesserten Wirkungsgraden entstand das zweischalige Schornsteinsystem: Schamotte-Innenrohr mit Mauerwerksaußenmantel.

Öl war der Brennstoff in den Jahren des Wiederaufbaus, weg von Koks, Kohle und Holz, hin zu mehr Komfort mit Öl-Zimmeröfen. Für den Schornstein bedeutete das, neben Brand- und Standsicherheit auch Säurebeständigkeit zu besitzen.

Abb. 3.69: Systemaufbau dreischaliger Schornstein (Quelle: Schiedel GmbH & Co. KG, München – www.schiedel.de)

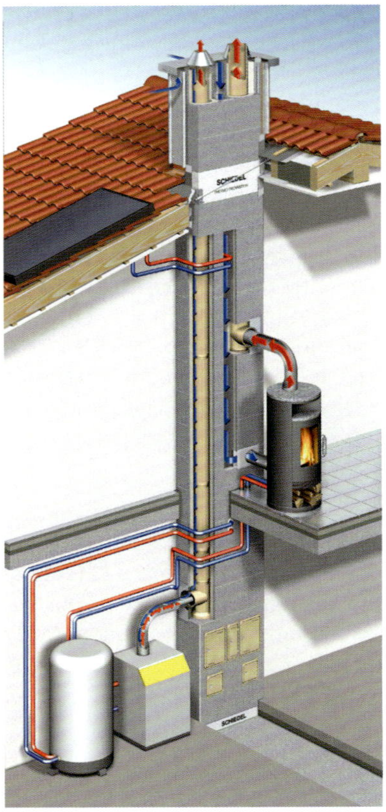

Abb. 3.70: Modernes Schornsteinsystem mit angeschlossener Zentralheizung und Festbrennstoff-Ofen (Quelle: Schiedel GmbH & Co. KG, München – www.schiedel.de)

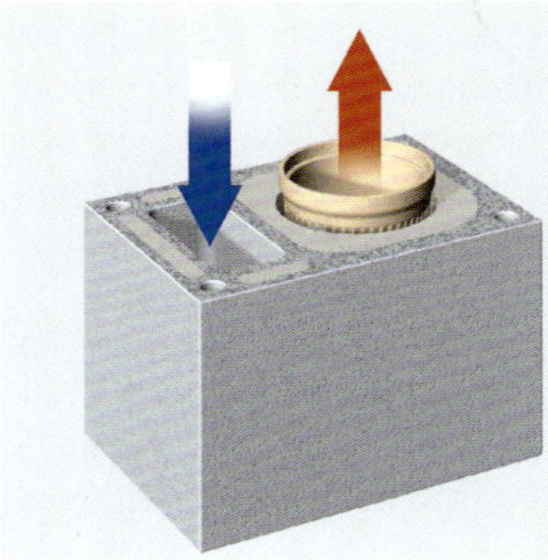

Abb. 3.71: LAS-System-Schornstein mit angeformtem Zuluft-Schacht (Quelle: Schiedel GmbH & Co. KG, München – www.schiedel.de)

Hinweis

Die Säurebeständigkeit ist relevant bei der Verbrennung von schwefelhaltigen Brennstoffen wie Heizöl und Kohle. Hierbei entsteht u. a. Schwefeldioxid, das mit dem Wasserdampf im Abgas zu schwefliger Säure und Schwefelsäure weiterreagiert, welche sonst die Abgasführung zerstören können. Bewährt hat sich hier die Verwendung von Schamotte-Keramikrohren.

Um mit der Heiztechnologie Schritt zu halten, kam der Wandel vom zweischaligen zum dreischaligen Schornsteinsystem mit Isolierung (siehe Abb. 3.69). Die Konstruktion entwickelte sich anfänglich von Dämmschüttung zwischen Innenrohr und Schacht zu der Ausführung Schamotterohre mit angeformten Mineralwollplatten und Leichtbeton- bzw. Ziegelmantelstein.

Dieser Systemaufbau stellte in der Variante mit Hinterlüftung zur Erreichung einer ausreichenden Feuchteunempfindlichkeit für Jahrzehnte das Richtmaß dar.

Praxistipp

Ein feuchteunempfindlicher Schornstein besitzt am Fuß stets einen Kondensatablauf und leitet dort das in seinem Inneren anfallende Kondensat ebenso wie durch die Mündung einfallenden Niederschlag sicher ab, von wo es je nach Erfordernis auch über einen Neutralisationsbehälter in das Abwasser geleitet werden kann. Es sollte daher in jedem Fall bereits in der Planungsphase an eine entsprechende Anschlussmöglichkeit an die häusliche Entwässerung im Aufstellraum des Schornsteins gedacht werden.

Mit der Energie-Einsparverordnung (EnEV) und der Forderung nach steigender Energieeffizienz wandelten sich die Anforderungen an die Abgasführung. Aufgrund der damit verbundenen Luftdichtheit der Gebäudehülle mussten Zwangsöffnungen wie eine Hinterlüftung eliminiert werden, ohne dass die Funktion des Schornsteins beeinträchtigt wurde. Eine Folge davon ist die Entwicklung der heute aktuellen, modernen Keramik-Schornsteinsysteme.

3.12.2 Aktuelle Schornsteintechnik

Moderne Schornsteinsystemen (siehe Abb. 3.70) sind in der Regel zwei- oder dreischalig aufgebaut. Bewährt haben sich die Konstruktionen von Leichtbeton-/Ziegelmantelstein mit gedämmtem Keramikrohr oder die Variante mit bereits werkseitig gedämmtem Leichtbetonmantelstein mit Schaumbeton und Keramik-Innenrohr (siehe Abb. 3.71).

Der Kern ist immer ein hochtemperaturbeständiges, dichtgepresstes (isostatisches) Keramik-Innenrohr, in der Regel mit einer Muffenausbildung als Verbindungselement. Rußbrandbeständig (> 1.000°C), dabei rissfrei und kondensatdicht, sind die relevanten Eigenschaften, die die Hersteller über eine W3G-Prüfung bescheinigen. Durch die fast hundertprozentige Dichtheit der Keramikrohre kann auf eine Hinterlüftung verzichtet werden.

Moderne Schornsteine mit ihren fast unbeschränkten Einsatzmöglichkeiten bieten ein breites Einsatzspektrum und decken alle Anforderungen der aktuellen und zu erwartenden Heiztechnik sowie den Einsatz aller üblichen Brennstoffe wie Gas und Öl, aber auch der nachwachsenden Biomassen, wie Pellets oder Hackschnitzel, als Heizmaterial ab.

Angeboten werden die Systeme in ein- oder mehrzügigen Kombinationen und unterschiedlichen Rohrdurchmessern. Kleinere Durchmesser, wie 12 oder 14 cm, dienen eher dem Anschluss einer Zentralheizung mit Gas-/Ölbrennwerttechnik bzw. eines Pelletheizsystems. An Durchmesser von einer lichten Weite von 16 bis 20 cm (oder größer) werden Kamin- oder Kachelöfen bzw. größere Feuerstätten angeschlossen.

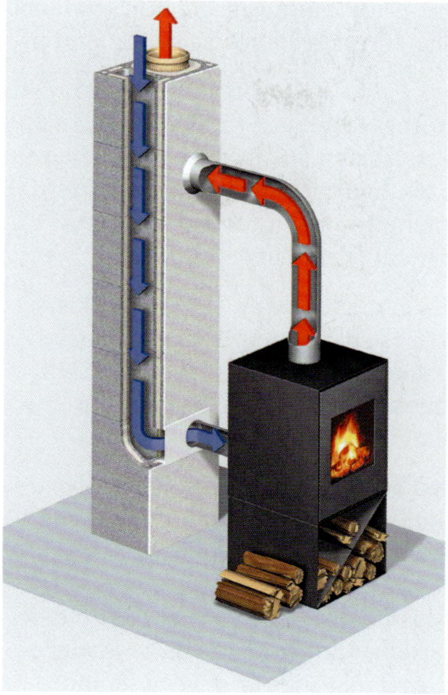

Abb. 3.72: Funktion eines LAS-Schornstein mit angeformtem Luftzug (Quelle: Schiedel GmbH & Co. KG, München – www.schiedel.de)

3.12.3 Luft-Abgas-Schornsteinsystem (LAS)

Hinweis

Aufgrund des Gebäudeenergiegesetzes (GEG) werden Gebäudehüllen zunehmend dichter ausgeführt. Durch die dichtere Bauweise können raumluftabhängige Feuerstätten (Feuerstätten, die ihre notwendige Verbrennungsluft aus dem Aufstellraum ziehen) jedoch nicht mehr störungsfrei betrieben werden, da Verbrennungsluft über Undichtigkeiten der Gebäudehülle nicht mehr ausreichend nachströmen kann. Den Effekt verstärkt der zusätzliche Einbau einer mechanischen Lüftungsanlage. Daher muss bei gleichzeitigem Betrieb von raumluftabhängigen Feuerstätten und Lüftungsanlagen durch die Bemessung und Konstruktion der Lüftungsanlage sichergestellt sein, dass im Aufstellraum der Feuerstätte kein unzulässig hoher Unterdruck (≥ 8 Pa) entsteht. Dies gilt auch für den Betrieb von Dunstabzugshauben, die Küchenluft direkt ins Freie leiten (Ablufthauben).

Durch den Einbau von raumluftunabhängigen Feuerstätten kann dem vorgebeugt werden. Diese Feuerstätten beziehen ihre notwendige Verbrennungsluft über eine separate Verbrennungsluftzufuhr von außen und entnehmen keinen Sauerstoff aus dem Aufstellraum.

Moderne Schornsteinsysteme sind multifunktional und dienen nicht nur der sicheren Abgasabführung ins Freie, sondern auch der zuverlässigen Verbrennungsluftversorgung der angeschlossenen Feuerstätte von außen.

Hier haben sich 2 Bauarten durchgesetzt. Ein konzentrisches LAS-System besteht aus einem Leichtbeton-/Ziegel-Mantelstein mit einem gedämmten keramischen Innenrohr. Der zwischen Innenseite Mantelstein und gedämmtem Keramikrohr bestehende Luft-Ringspalt dient zur Führung der Verbrennungsluft durch das Gebäude bis zur Aufstellfläche der anzuschließenden Feuerstätte. Der umlaufende Ringspalt bietet hierbei den Vorteil der allseitigen Anschlussmöglichkeit.

Eine weitere bewährte LAS-Konstruktion arbeitet mit einem nebenliegenden Luftzug. Hier ist dem gedämmten Leichtbeton-Mantelstein mit Keramik-Innenrohr ein ebenfalls gedämmter separater Luftschacht angeformt (siehe Abb. 3.72). Auch dieser übernimmt die sichere Luftzufuhr von der Schornsteinmündung bis zur Feuerstätte. Die Feuerstättenanschlussmöglichkeiten werden durch Verwendung von Umlenkbauteilen gelöst, die ausreichende Anschlusslösungen von 3 Seiten ermöglichen. Der Vorteil bei der gedämmten nebenliegenden Luftführung ist, dass eine Kaltader im Gebäude und deren Folgen effektiv verhindert werden.

3.12.4 Abgasleitung

Im Vergleich zu Schornsteinen müssen Abgasleitungen nicht rußbrandbeständig sein. Sie sind vielmehr thermisch auf einen gewissen Anwendungsbereich begrenzt und werden daher üblicherweise für niedrige Abgastemperaturen, oftmals < 40 °C, eingesetzt. Den häufigsten Anwendungsbereich für solche Abgasleitungen stellen Gas- und Öl-Brennwertgeräte dar. Je nach erforderlichem Brandschutz wird eine Abgasleitung in einem hierfür geeigneten Schacht mit der entsprechenden Feuerwiderstandklasse angeordnet.

Eine Abgasleitung kann wie ein Schornstein ebenfalls im Unterdruck (Abführung der Abgase durch thermischen Auftrieb) betrieben werden. Häufig sind Abgasleitungen aber auch für den Überdruckbetrieb zugelassen. In diesem Fall werden, wie es bei der Brennwerttechnik Standard ist, die Abgase mithilfe eines in der Feuerstätte eingebauten Abgasventilators durch die Abgasleitung ins Freie „geblasen".

Der Überdruckbetrieb bietet den Vorteil, mit kleineren Rohrdurchmessern (beim Einfamilienhaus sind meist 12 cm Durchmesser oder kleiner ausreichend) arbeiten zu können.

Gängige Materialien für Abgasleitungen sind Edelstahl und Kunststoff, aber auch hochwertige keramische Muffenrohre und eher selten Glas.

Üblicherweise werden Abgasleitungen für den Überdruckbetrieb mit trocken versetzbaren Dichtungen versehen oder mit Säurekitt versetzt. Bei Inbetriebnahme der Feuerungsanlage wird die Abgasleitung vom zuständigen Bezirksschornsteinfegermeister auf Dichtheit geprüft.

Beim Einsatz der Abgasleitung ist deren Temperaturklasse, d. h. die maximale Betriebstemperatur, für die sie zugelassen ist, unbedingt einzuhalten. Entsprechende Feuerstätten benötigen daher eine meist bereits in das Gerät integrierte Temperaturüberwachung.

Es gibt 2 Betriebsweisen bei Abgasleitungen. Beim Gleichstrombetrieb strömt ähnlich wie beim hinterlüfteten Schornstein stetig Luft vom Aufstellraum durch den Schacht zur Austrittsöffnung auf dem Dach. Häufiger und energetisch interessanter ist der Gegenstrombetrieb: Hierbei wird die benötigte Verbrennungsluft, ähnlich wie beim beschriebenen LAS-Schornstein, an der Mündung angesaugt und konzentrisch an der Abgasleitung im Inneren des Schachtes vorbeigeleitet.

3.12.5 Höhen über Dach

Zum 1.1.2022 traten die Änderungen der Ableitbedingungen der 1. Bundesimmissionsschutzverordnung (1. BImSchV) in Kraft. Die Verordnung gilt für neu zu errichtende kleine und mittlere Festbrennstoff-Feuerungsanlagen seit diesem Zeitpunkt. Die genaue Position des Schornsteins und die sich daraus ergebende Höhe über Dach sind in jedem Fall mit dem zuständigen Bezirksschornsteinfeger abzustimmen.

Pauschal kann gesagt werden, dass die Position optimal gewählt ist, wenn die Schornsteinplatzierung am First (maximal 40 cm Achsabstand) erfolgt, und es gilt die unveränderte Regel: Schornsteinmündung = 40 cm über First (siehe Abb. 3.73).

Weitere Standortwünsche sind abhängig von Art, Positionswunsch, Feuerstätte, Gebäude-/Dacharchitektur, Geländeumgebung usw. und daher im Vorfeld unbedingt abzustimmen.

3.12.6 Neutralisation von Kondensatflüssigkeit

Der hohe Wasserdampfgehalt der Abgase in Verbindung mit der Absenkung der Abgastemperaturen führt in der Abgasanlage zur Kondensatbildung, die an der glatten Innenseite der Innenrohre zum Schornsteinfuß abläuft. Aggressives Kondensat kann unverbrannte Kohlenwasserstoffe, Schwebstoffe (z. B. Ruß) und Säuren enthalten. Anfallendes Kondensat kann in speziellen Behältern, die unter Verwendung eines Schlauches mit dem Innenrohr verbunden sind, aufgefangen und ggf. neutralisiert werden, bevor sie in das Abwassersystem eingeleitet werden dürfen (Arbeitsblatt DWA-A 251 „Kondensate aus Brennwertkesseln“ [DWA, 2011] beachten).

3.12.7 Normen, Rechtsvorschriften und Literatur

DIN 18160-1:2023-02 Abgasanlagen – Teil 1: Planung und Ausführung

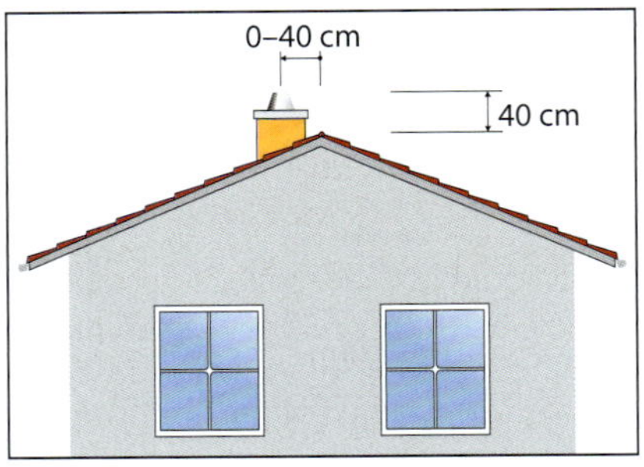

Abb. 3.73: Darstellung der optimalen Positionierung des Schornsteins (Quelle: Schiedel GmbH & Co. KG, München – www.schiedel.de)

DIN 18160-5:2016-04 Abgasanlagen – Teil 5: Einrichtungen für Schornsteinfegerarbeiten – Anforderungen, Planung und Ausführung

DIN EN 13384-1:2019-09 Abgasanlagen – Wärme- und strömungstechnische Berechnungsverfahren – Teil 1: Abgasanlagen mit einer Verbrennungseinrichtung

DIN EN 13384-2:2019-09 Abgasanlagen – Wärme- und strömungstechnische Berechnungsverfahren – Teil 2: Abgasanlagen mit mehreren Verbrennungseinrichtungen

Feuerungsverordnungen der Bundesländer

Verordnung über kleinere und mittlere Feuerungsanlagen – 1. BlmSchV: Verordnung über kleine und mittlere Feuerungsanlagen vom 26. Januar 2010 (BGBl. I S. 38), die zuletzt durch Artikel 1 der Verordnung vom 13. Oktober 2021 (BGBl. I S. 4676) geändert worden ist

Muster-Verwaltungsvorschrift Technische Baubestimmungen (MVV TB). Ausgabe 2021/1. Berlin: Deutsches Institut für Bautechnik (DIBt), 2021

3.13 Dämmstoffe

Vor allem im Bereich Wärmedämmung kommt es zu immer mehr Innovationen und Verbesserungen. Das geht nicht zuletzt auf die immer strenger werdenden Gesetze zum Energiesparen zurück. Bauherren mit Bauantrag ab 01.11.2020 müssen sich nach dem Gebäudeenergiegesetz (GEG) richten. Für Anträge vor diesem Zeitpunkt gilt noch die Energieeinsparverordnung EnEV 2016. Die geforderten *U*-Werte (Wärmedurchgangskoeffizient) sind für Bauteile und Dämmstoffe im Gesetz nachzulesen. Für den Bauherrn ist es wichtig, Dämmstoffe zu verwenden, die bereits bei einer möglichst geringen Dicke die geforderte Wärmedämmung ermöglichen. Die Auswahlmöglichkeiten sind groß und reichen von Schüttungen über geschäumte oder Faserdämmstoffe bis hin zu ökologischen Dämmstoffen wie Wolle oder Hanf. Die folgenden Kapitel behandeln die wichtigsten Dämmstoffe im Detail. Für den Bauherrn ist es sinnvoll, die Dämmstoffe in Gruppen hinsichtlich ihres Verwendungszweckes einzuteilen. Diesbezüglich besonders hervorzuhebende Eigenschaften wie z. B. Druckbelastbarkeit, Wasseraufnahme, Zugfestigkeit, Schallschutz und Verformbarkeit vereinfachen eine Einteilung der Dämmstoffe für mögliche Einsatzgebiete.

Grundsätzlich sind die einzelnen Dämmstoffe europäisch genormt. Das CE-Zeichen bestätigt, dass der Dämmstoff diesen Normen entspricht und dass eine dementsprechende Überprüfung unabhängig vom Hersteller stattgefunden hat.

Die DIN 4108-4:2020-11 „Wärmeschutz und Energie-Einsparung in Gebäuden – Teil 4: Wärme- und feuchteschutztechnische Bemessungswerte“ beinhaltet übersichtlich die Kurzzeichen für die Anwendungsgebiete von Wärmedämmungen sowie zu den oben genannten wichtigen Produkteigenschaften (siehe Tabelle 3.18).

Tabelle 3.18: Anwendungsgebiete von Wärmedämmungen nach DIN 4108-10

Kürzel	Beschreibung
Decke, Dach	
DAD	Außendämmung von Dach oder Decke, vor Bewitterung geschützt, Dämmung unter Deckung
DAA	Außendämmung von Dach oder Decke, vor Bewitterung geschützt, Dämmung unter Abdichtung
DUK	Außendämmung des Daches, der Verwitterung ausgesetzt, Umkehrdach
DZ	Zwischensparrendämmung, zweischaliges Dach, nicht begehbare, aber oberste zugängliche Geschossdecken
DI	Innendämmung der Decke (unterseitig) oder des Daches, Dämmung unter den Sparren/Tragkonstruktion, abgehängte Decke usw.
DEO	Innendämmung der Decke oder Bodenplatte (oberseitig) unter Estrich ohne Schallschutzanforderung
DES	Innendämmung der Decke oder Bodenplatte (oberseitig) unter Estrich mit Schallschutzanforderung
Wand	
WAB	Außendämmung der Wand hinter Bekleidung
WAA	Außendämmung der Wand hinter Abdichtung
WAP	Außendämmung der Wand unter Putz
WAS	Außendämmung der Wand im Spritzwasserbereich, auch mit teilweiser Einbindung ins Erdreich
WZ	Dämmung von zweischaligen Wänden, Kerndämmung
WH	Dämmung von Holzrahmen- und Holztafelbauweise und vergleichbaren Gefachen
WI	Innendämmung der Wand
WTH	Dämmung zwischen Haustrennwänden mit Schallschutzanforderungen
WTR	Dämmung von Raumtrennwänden
Perimeter	
PW	außen liegende Wärmedämmung von Wänden gegen Erdreich (außerhalb der Abdichtung)
PB	außen liegende Wärmedämmung unter der Bodenplatte gegen Erdreich (außerhalb der Abdichtung)

Weitere ergänzende Kurzzeichen (zweiteilige Kleinbuchstabengruppen) bezeichnen wesentliche Produkteigenschaften wie Druckbelastbarkeit oder Schalldämmeigenschaften (siehe Tabelle 3.19).

Tabelle 3.19: Differenzierungen von bestimmten Produkteigenschaften nach DIN 4108-10

Kürzel	Beschreibung	Anwendungsbereich
Druckbelastbarkeit		
dk	keine Druckbelastung	Hohlraumdämmung, Zwischensparrendämmung
dg	geringe Druckbelastung	Wohn- und Bürobereich unter Estrich (außer Gussasphaltestrich)
dm	mittlere Druckbelastung	nicht genutztes Dach mit Abdichtung
dh	hohe Druckbelastung	genutzte Dachflächen, Terrassen, Flachdächer mit Solaranlagen
ds	sehr hohe Druckbelastung	Industrieböden, Parkdecks
dx	extrem hohe Druckbelastung	hoch belastete Industrieböden, Parkdecks
Wasseraufnahme		
wk	keine Anforderung an Wasseraufnahme	Innendämmung im Wohn- und Bürobereich
wf	Wasseraufnahme durch Wasser in flüssiger Form	Außendämmung von Außenwänden und Dächern
wd	Wasseraufnahme durch Wasser und/oder Diffusion	Perimeterdämmung, Umkehrdach
Zugfestigkeit		
zk	keine Anforderung an Zugfestigkeit	Zwischensparren-, Hohlraumdämmung
zg	geringe Zugfestigkeit	Außendämmung der Wand hinter Bekleidung
zh	hohe Zugfestigkeit	Außendämmung der Wand unter Putz, Dach mit verklebter Abdichtung
schalltechnische Eigenschaften		
sk	keine Anforderungen an schalltechnische Eigenschaften	alle Anwendungen ohne schalltechnische Anforderungen
sh	Trittschalldämmung erhöhte Zusammendrückbarkeit	schwimmender Estrich, Haustrennwände
sm	Trittschalldämmung mittlere Zusammendrückbarkeit	
sg	Trittschalldämmung geringe Zusammendrückbarkeit	
Verformung		
tk	keine Anforderungen an Verformbarkeit	Innendämmung
tf	Dimensionsstabilität unter Feuchte und Temperatur	Außendämmung der Wand unter Putz, Dach mit Abdichtung
tl	Verformung unter Last und Temperatur	Dach mit Abdichtung

Relevante Normen

DIN 4108-4:2020-11 Wärmeschutz und Energie-Einsparung in Gebäuden – Teil 4: Wärme- und feuchteschutztechnische Bemessungswerte

DIN 4108-10:2021-11 Wärmeschutz und Energie-Einsparung in Gebäuden – Teil 10: Anwendungsbezogene Anforderungen an Wärmedämmstoffe

DIN EN 13162:2015-04 Wärmedämmstoffe für Gebäude – Werkmäßig hergestellte Produkte aus Mineralwolle (MW) – Spezifikation

DIN EN 13163:2017-02 Wärmedämmstoffe für Gebäude – Werkmäßig hergestellte Produkte aus expandiertem Polystyrol (EPS) – Spezifikation

DIN EN 13164:2015-04 Wärmedämmstoffe für Gebäude – Werkmäßig hergestellte Produkte aus extrudiertem Polystyrolschaum (XPS) – Spezifikation

DIN EN 13165:2016-09 Wärmedämmstoffe für Gebäude – Werkmäßig hergestellte Produkte aus Polyurethan-Hartschaum (PU) – Spezifikation

DIN EN 13166:2016-09 Wärmedämmstoffe für Gebäude – Werkmäßig hergestellte Produkte aus Phenolharzschaum (PF) – Spezifikation

DIN EN 13167:2015-04 Wärmedämmstoffe für Gebäude – Werkmäßig hergestellte Produkte aus Schaumglas (CG) – Spezifikation

DIN EN 13168:2015-04 Wärmedämmstoffe für Gebäude – Werkmäßig hergestellte Produkte aus Holzwolle (WW) – Spezifikation

DIN EN 13169:2015-04 Wärmedämmstoffe für Gebäude – Werkmäßig hergestellte Produkte aus Blähperlit (EPB) – Spezifikation

DIN EN 13170:2015-04 Wärmedämmstoffe für Gebäude – Werkmäßig hergestellte Produkte aus expandiertem Kork (ICB) – Spezifikation

DIN EN 13171:2015-04 Wärmedämmstoffe für Gebäude – Werkmäßig hergestellte Produkte aus Holzfasern (WF) – Spezifikation

DIN EN 13172:2012-04 Wärmedämmstoffe – Konformitätsbewertung

DIN EN 14064-1:2019-04 Wärmedämmstoffe für Gebäude – An der Verwendungsstelle hergestellte Wärmedämmung aus Mineralwolle (MW) – Teil 1: Spezifikation für Schüttdämmstoffe vor dem Einbau

DIN EN 14303:2016-08 Wärmedämmstoffe für die technische Gebäudeausrüstung und für betriebstechnische Anlagen in der Industrie – Werkmäßig hergestellte Produkte aus Mineralwolle (MW) – Spezifikation

3.14 Mineralwolledämmstoffe

Dämmstoffe aus Mineralwolle werden seit über 70 Jahren für verschiedene Anwendungen am Bau eingesetzt. Mineralwolle-Dämmstoffe bestehen hauptsächlich aus mineralischen und recycelten Rohstoffen. Aufgrund unterschiedlicher Herstellungsverfahren, Eigenschaften und chemischer Zusammensetzung unterscheidet man zwischen Glaswolle und Steinwolle (siehe Abb. 3.74). Diese Produkte haben sich dank ihrer einzigartigen Eigenschaftenkombination und durch ständige Innovationen als Dämmstoffe für Wärme-, Schall- und Brandschutz mit ca. 50 % Marktanteil etabliert. Herstellungsverfahren und Zusammensetzung werden dabei stets weiterentwickelt. So wurden die Wärmeleitfähigkeit und Rohdichten weiter verbessert und Bindemittel auf Basis nachwachsender Rohstoffe entwickelt. Auf Effizienz und Nachhaltigkeit der Produkte wird besonderes Augenmerk gelegt, um insbesondere den Energieeinsatz und das Recycling zu optimieren.

Abb. 3.74: Dämmstoffe aus Glaswolle und Steinwolle (kurz: Mineralwolle) kombinieren Wärmeschutz, Schall- und Brandschutz (Quelle: FMI Fachverband Mineralwolleindustrie e.V., Berlin).

Abb. 3.75: RAL-Gütezeichen (Quelle: CGM Gütegemeinschaft Mineralwolle e.V., Roßdorf bei Darmstadt)

Biolöslichkeit

Der früher diskutierte Verdacht einer möglichen Gesundheitsgefährdung durch Glaswolle- bzw. Steinwollefasern ist für die heute auf dem Markt angebotenen Produkte ausgeräumt. Mineralwolleprodukte dürfen in Deutschland nur in Verkehr gebracht und verarbeitet werden, wenn sie neben den europäischen Anforderungen zusätzlich die noch strengeren deutschen Bestimmungen nach Chemikalienverbots- und Gefahrstoffverordnung einhalten. Verbraucher können die Einhaltung dieser Vorgaben am RAL-Gütezeichen „Erzeugnisse aus Mineralwolle" auf den Produkten erkennen (siehe Abb. 3.75).

Kapitel 3.14.2 bis 3.14.5 sollen einen Gesamtüberblick über Mineralwolle ermöglichen.

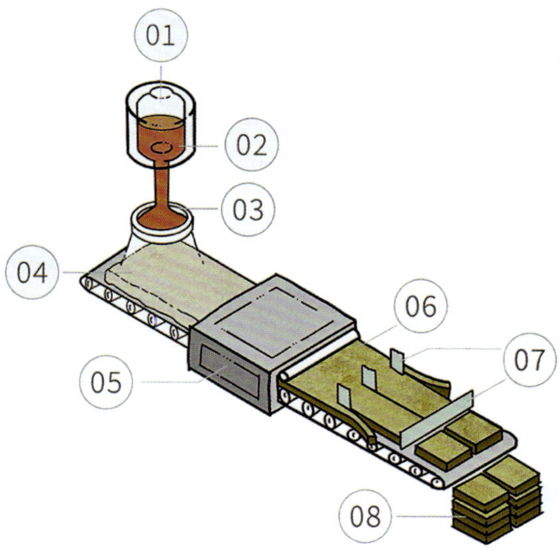

1 Zugabe Gemisch der Rohstoffe (z. B. Altglas, Quarzsand, Kalkstein, Sodaasche) und Produktionsreste aus Glaswolle
2 Einschmelzen in Glasschmelzwanne
3 Zerfaserung und Aufsprühen des Bindemittels
4 Sammeln und Ablage der Glaswollmatte auf Förderband
5 Verdichten und Aushärten im Härteofen
6 Nach dem Aushärten des Bindemittels erhält die Glaswolle ihre typische Farbe.
7 Die Glaswolle wird je nach Anwendungsbereich konfektioniert.
8 Verpackung des zugeschnittenen Dämmprodukts für den Transport

Abb. 3.76: Herstellung von Glaswolle im Detail (Quelle: FMI Fachverband Mineralwolleindustrie e.V., Berlin)

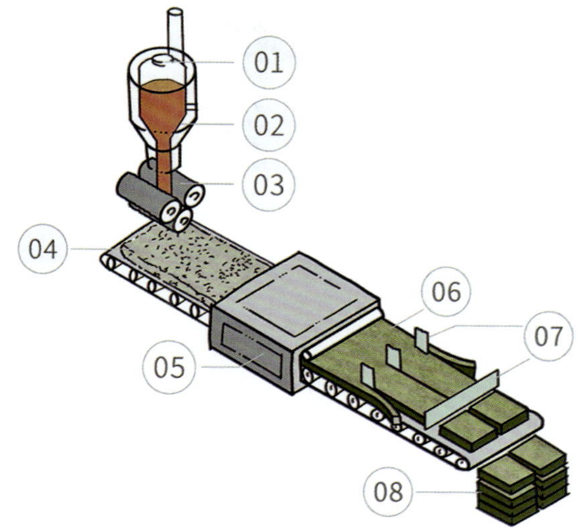

1 Zugabe Gemisch der Rohstoffe (z. B. Diabas, Basalt, Kalkstein) und Produktionsreste aus Steinwolle
2 Einschmelzen im Kupolofen
3 Zerfaserung und Aufsprühen des Bindemittels
4 Sammeln und Ablegen der Steinwollmatte auf Tranportband
5 Verdichten und Aushärten im Härteofen
6 Nach dem Aushärten des Bindemittels erhält die Steinwolle ihre typische Farbe.
7 Die Steinwolle wird je nach Anwendungsbereich konfektioniert.
8 Verpackung des zugeschnittenen Dämmprodukts für den Transport

Abb. 3.77: Herstellung von Steinwolle im Detail (Quelle: FMI Fachverband Mineralwolleindustrie e.V., Berlin)

3.14.1 Rohstoffe und Herstellungsverfahren

Mineralwolle wird vor allem aus Recyclingmaterial sowie aus nahezu unbegrenzt verfügbaren mineralischen (z. B. Sand, Basalt, Kalkstein, Dolomit, Feldspat) und teilweise auch technischen Rohstoffen (z. B. Soda) erschmolzen. Bei der Herstellung von Mineralwolle können bis zu 80 % Recyclingglas, etwa aus alten Fenstern oder Autos, sowie sortenreine Mineralwolleabfälle eingesetzt werden.

Die stoffliche Zusammensetzung der Mineralwolle beeinflusst viele ihrer chemischen und physikalischen Eigenschaften wie auch die Biolöslichkeit oder die Beständigkeit bei höheren Temperaturen (Brandschutz). Im Unterschied dazu wird das Wärmedämmverhalten des Produktes hauptsächlich von Anzahl, Größe und Verteilung der eingeschlossenen Lufträume bestimmt, was wiederum abhängig von der Rohdichte des Produktes, aber auch vom durchschnittlichen Faserdurchmesser ist.

Herstellung

Bei der Glaswolle-Herstellung (siehe Abb. 3.76) werden die körnigen Rohstoffe nach deren Mischung bei einer Temperatur von ca. 1.400 °C geschmolzen. Nach dem Durchlaufen des Schmelzofens wird die glasartige Schmelze zerfasert, indem ein dünner Glasstrahl in einen sich schnell drehenden Metallkorb fließt und dort durch Tausende kleine Löcher herausgeschleudert wird, die sich in der Außenwand des Korbes befinden. Die dabei entstehenden Fäden werden mittels Gasbrenner und Druckluft zu Fasern ausgezogen.

Bei Steinwolle werden die stückigen Rohstoffe, inkl. zementgebundener Recyclingsteine, bei bis zu 1.500 °C in Kupolöfen (ähnlich Hochöfen in der Roheisenherstellung) geschmolzen (siehe Abb. 3.77). Die Fasern werden im sog. Schleuderverfahren hergestellt: Der Strahl der flüssigen Schmelze trifft auf sich schnell drehende Metallwalzen und wird durch die Drehbewegung zu Fasern geschleudert.

Beim alternativ genutzten Düsenblasverfahren fließt die Glasschmelze durch eine Vielzahl von Düsen. Die dabei entstehenden Fäden werden durch Druckluft oder Dampf zu Fasern ausgezogen.

Zur Gewährleistung der Formstabilität sowie zur Staubminderung und Hydrophobierung werden die Fasern mit einer wässrigen Lösung aus Bindemittel, Staubbindeöl, Haftvermittler und – produktabhängig – Silikonen besprüht. Ursprünglich wurden als Bindemittel vorwiegend modifizierte Bakelit-Kunstharze eingesetzt. In den letzten Jahren wurden diese Harze zu besonders emissionsarmen Bindemitteln sowie durch den Einsatz von z. B. Stärke und Zuckerderivaten zu Bindemitteln aus nachwachsenden Rohstoffen weiterentwickelt.

Die mit Bindemittel besprühten Fasern werden anschließend mittels Unterdruck auf ein Transportband abgelegt und darauf als Vlies gesammelt. Optional können anschließend Glasvlieskaschierungen aufgebracht werden. In einem kontinuierlich laufenden Härteofen erfolgt das Aushärten des Bindemittels bei oberhalb 200 °C.

Struktur und Dichte des Produkts können hierbei an die genauen Einsatzanforderungen angepasst werden. Die Mineralwolle wird anschließend in die gewünschte Größe zurechtgeschnitten bzw. abgelängt, in Form von Rollen, Matten oder Platten verpackt und für den Versand vorbereitet.

3.14.2 Eigenschaften

Die einzigartige Kombination aus guter Wärmedämmfähigkeit, hohem Schall- und hervorragendem Brandschutz sind jene Eigenschaften, die den Mineralwolledämmstoffen seit vielen Jahrzehnten einen so hohen Stellenwert im Bauwesen verschaffen. Dabei ist Mineralwolle äußerst langlebig: Fachgerecht eingebaut hält diese ein Bauteilleben lang und damit problemlos 50 Jahre und länger.

Rohdichte

Im Gegensatz zu den meisten anderen Baustoffen kann man bei Mineralwolle von der Rohdichte nicht ohne Weiteres auf deren bauphysikalisches Verhalten schließen: Während die Dichte der Fasern selbst etwa der Dichte des Glases bzw. der mineralischen Schmelze entspricht, aus der die Fasern erzeugt wurden (ca. 2.200 bis 2.500 kg/m^3), liegen die Rohdichten der marktüblichen Mineralwolleprodukte zwischen 12 und 160 kg/m^3. Das bedeutet, dass der Volumenanteil der Fasern am Dämmstoff nur wenige Prozent beträgt. Die restlichen über 95 % des Volumens werden durch die in den Zwischenräumen der Fasern eingeschlossene Luft eingenommen. Diese ruhende Luft ist hauptsächlich für die wärme- und schalldämmenden Eigenschaften der Mineralwolle verantwortlich.

Wärmeleitfähigkeit

Mineralwolledämmstoffe zählen zu den Baustoffen mit geringer Wärmeleitfähigkeit (λ = 0,030 bis 0,042 W/[m · K]). Die Wärmeleitfähigkeit wird überwiegend von der Wärmeleitung der in den Räumen zwischen den Fasern ruhenden Luft und weiterhin durch die Wärmeleitung durch die Fasern, die Luftströmung innerhalb des Materials und die Wärmestrahlung bestimmt. Daraus resultieren die vielen Vorteile der Mineralwolledämmung, wie z. B. der Schutz vor winterlicher Kälte und sommerlicher Hitze, die Energie- und Heizkosteneinsparung und die Verbesserung der Behaglichkeit dank gleichbleibender Raumtemperaturen.

Für die Bemessung von Dämmstoffen für die technische Isolierung, die bei hohen Temperaturen eingesetzt werden, ist zu beachten, dass die Wärmeleitfähigkeit mit steigender Temperatur zunimmt.

Schalldämmung und Raumakustik

Beim Einsatz von Mineralwolle zur Wärmedämmung ist der inbegriffene Schallschutz ein weiterer Vorteil. Dämmstoffe aus Glaswolle und Steinwolle eignen sich hervorragend für alle Bereiche des Schallschutzes, da sie aufgrund ihrer offenporigen Struktur luftschallreduzierend und -absorbierend wirken. Darüber hinaus sind sie durch ihr Federungsvermögen in der Lage, Körperschall (z. B. Trittschall) deutlich zu reduzieren.

Für Anwendungen zum Luftschallschutz werden Platten, Matten und Filze aus Mineralwolle für die unterschiedlichen Anwendungsgebiete in den Bereichen Decke, Dach und Wand eingesetzt. Rohrleitungen werden mit Mineralwollerohrschalen gedämmt.

Speziell für den Trittschallschutz ausgewiesen sind die Trittschalldämmplatten. Um die Weiterleitung von Körperschall aus einem Bauteil in das angrenzende Bauteil zu unterbinden, trennt man sie mittels Mineralwolleplatten. Diese Vorgehensweise wird z. B. bei Haustrennwänden und schwimmendem Estrich genutzt.

Brandverhalten

Wegen ihrer besonderen Zusammensetzung aus hauptsächlich nichtbrennbaren Rohstoffen sind Dämmstoffe aus Mineralwolle nichtbrennbar und glimmen nicht. Glaswolle und Steinwolle tragen deshalb maßgeblich zum baulichen passiven Brandschutz bei. Die meisten in Deutschland handelsüblichen Mineralwolleprodukte sind in die Euroklasse A1 (nichtbrennbar) nach DIN EN 13501-1:2019-05 „Klassifizierung von Bauprodukten und Bauarten zu ihrem Brandverhalten – Teil 1: Klassifizierung mit den Ergebnissen aus den Prüfungen zum Brandverhalten von Bauprodukten" eingestuft. Diese höchste Baustoffklasse A1 bedeutet, dass das Produkt nichtbrennbar ist, im Brandfall keinen Rauch erzeugt und dass davon keine brennenden Teile abfallen oder abtropfen können.

Die zweithöchste Klasse A2-s1, d0 umfasst ebenfalls nichtbrennbare Baustoffe. Das können etwa Verbundwerkstoffe sein, bei denen eine Beschichtung auf eine nichtbrennbare Mineralwolle aufkaschiert ist. Doch auch hier darf es keine oder kaum Rauchentwicklung geben, brennende Teile dürfen ebenfalls nicht abtropfen oder abfallen. Beispiele dafür sind aluminiumkaschierte Mineralwollerohrschalen.

3.14.3 Produkte und Einsatzbereiche

Mineralwolledämmstoffe können sowohl im Neubau als auch bei der Altbausanierung eingesetzt werden. Dabei sind sie über Jahrzehnte hinweg alterungsbeständig sowie resistent gegen Fäulnis, Schimmel und Schädlinge. Besonders häufig werden Mineralwolledämmstoffe verwendet für Schrägdächer, Flachdächer, Außenwände, Decken, Raumtrennwände, Fußböden und technische Isolierungen.

Je nach Anwendung sind Baustoffe aus Glas- und Steinwolle in Form von Filzen, Matten, Rohrschalen oder Dämmplatten, aber auch lose und als Flocken erhältlich.

Filze

Mineralwollefilze eignen sich beispielsweise für die Dämmung zwischen Sparren- und Balkenlagen sowie als Auflage auf Betondecken oder in zweischaligen Blechdächern. Zwischen Sparren und Balken können sie ohne zusätzliche Befestigung während der Montage durch ihre Klemmwirkung fixiert werden. Um Feuchteschäden zu vermeiden, ist

Abb. 3.78: Verschnittfreie Dämmung im Steildach: Zwischensparrendämmung mit Mineralwolle-Klemmfilzen (Quelle: FMI Fachverband Mineralwolleindustrie e. V., Berlin)

Abb. 3.79: Kombination aus Auf-, Zwischen- und Untersparrendämmung (Quelle: FMI Fachverband Mineralwolleindustrie e. V., Berlin)

Abb. 3.80: Begehbare oberste Geschossdecke: Verlegung von druckfesten Dämmplatten (Quelle: FMI Fachverband Mineralwolleindustrie e. V., Berlin)

darauf zu achten, dass die Konstruktion auf der Innenseite (warme Seite) luftdicht sein muss. Dafür wird eine Vielzahl von Luftdichtsystemen in Ergänzung zum Dämmstoff angeboten. Filze werden in der Regel bei der Produktion stark komprimiert und können damit platzsparend transportiert und gelagert werden.

Mineralwolleplatten

Sie finden ihre Anwendung in den verschiedensten Bereichen: als druckbelastbare Platten im Flachdach und Wärmedämm-Verbundsystem (WDVS), als Kerndämmplatten im zweischaligen Mauerwerk, als Fassadendämmplatten für vorgehängte hinterlüftete Fassaden, als elastische, weich federnde Dämmung für leichte Trennwände bis hin zu Estrichdämmplatten für schwimmende Estriche. Für verschiedene Anwendungen können Mineralwolleplatten u. a. mit hellem oder schwarzem Glasvlies kaschiert oder auch mit Haftgrund für WDVS beschichtet werden.

Einblaswolle

Diese nach einem besonderen Verfahren hergestellten Glas- oder Steinwolleflocken werden maschinell als mineralische Wärmedämmung in vorhandene Baukonstruktionen eingeblasen. Das Material aus Mineralwolle ist nichtbrennbar und eignet sich beispielsweise für oberste Geschossdecken, als Dämmung in Gefachen von Holzrahmenkonstruktionen oder bei der nachträglichen energetischen Modernisierung von zweischaligem Mauerwerk oder Haustrennwänden.

Lose Mineralwolle

Lose Mineralwolle wird für Stopfisolierungen von großen oder schwer zugänglichen Hohlräumen sowie komplizierten Oberflächen verwendet, wenn die räumlichen Gegebenheiten den Einsatz von vorgefertigten Dämmmaterialien nicht zulassen. Lieferform: lose in Säcken.

Anwendungsbereiche

Dachdämmung

Im Neubau wie auch bei Bestandsbauten gibt es verschiedene Möglichkeiten, die Dachdämmung einzubringen. Welche *U*-Werte die jeweilige Dämmung mindestens erreichen muss, ist u. a. im Gebäudeenergiegesetz (GEG) geregelt.

Geneigtes Dach (Schrägdach)

Muss die Dacheindeckung ohnehin erneuert werden bzw. ist das Dachgeschoss bewohnt, eignet sich die Dämmung des Daches mit Mineralwolle von außen. Bei der sog. Aufsparrendämmung werden die Dämmplatten von außen auf die Sparren aufgebracht. Kombiniert werden kann diese mit einer Zwischensparrendämmung, die ebenfalls von außen zwischen die Sparren eingebracht wird. Eine Dampfsperre auf der Unterseite der Dämmung verhindert dabei das Eindringen von warmer, feuchter Innenraumluft in die Dämmung. Eine Unterdachfolie schützt die Dämmschicht von oben und macht sie winddicht.

Kann die Dacheindeckung erhalten bleiben, wird die Dachdämmung von innen zwischen die Sparren geklemmt (siehe Abb. 3.78). Diese Zwischensparrendämmung kann zusätzlich mit einer Untersparrendämmung kombiniert werden, um einen noch besseren Wärmeschutz zu erzielen. Damit es bei diesen beiden Dämmverfahren nicht zu einer Tauwasserbildung kommt, wird raumseitig eine Dampfbremse angebracht.

Des Weiteren ist eine Kombination aus allen 3 Dämmmethoden möglich (siehe Abb. 3.79).

Flachdach

Flachdächer werden üblicherweise einschalig als Warmdach konstruiert. Der typische Aufbau eines Flachdaches setzt sich wie folgt zusammen: Tragschale aus Beton, Holzschalung oder Stahltrapezprofilen – Dampfsperre – Dämmung aus Mineralwolle – Dachabdichtung aus Bitumen- oder Kunststoffbahnen.

Besonders bei leichten Dachkonstruktionen, wie Tragschalen aus Holzschalung oder Stahltrapezprofilen, verbessern druckbelastbare Dämmplatten aus Mineralwolle maßgeblich den Brand- und Schallschutz (siehe Abb. 3.80).

Fassadendämmung

Für die Dämmung von Außenwänden werden überwiegend Mineralwolledämmplatten verwendet, die wasserabweisend ausgerüstet sind.

Bei der Dämmung im zweischaligen Mauerwerk werden glasvlieskaschierte Kerndämmplatten eingesetzt. Für die nachträgliche Dämmung von zweischaligem Mauerwerk eignen sich Einblasdämmstoffe aus Glas- oder Steinwolle, die durch kleine gebohrte Öffnungen in den bestehenden Luftspalt eingeblasen werden.

Bei vorgehängten hinterlüfteten Fassaden darf aus Brandschutzgründen überwiegend nur Mineralwolle eingesetzt werden (siehe Abb. 3.81). Neben dem Wärmeschutz verbessert sie bei Fassaden den Schallschutz.

Ein WDVS ist eines der am häufigsten angewandten Dämmverfahren für die Außenwanddämmung (siehe Abb. 3.82). Dafür werden Steinwolle-WDVS-Platten eingesetzt, die oft bereits werksseitig mit Haftgrund beschichtet sind. Zur Verbesserung des Brandschutzes von WDVS aus brennbaren Dämmstoffen werden nichtbrennbare Steinwolle-Brandriegel eingesetzt.

Innenausbau

Aufgrund der Eigenschaften von Mineralwolle ist ihre Anwendung im Innenausbau vielseitig. Dazu gehören die Schalldämmung in Raumtrennwänden und abgehängten Decken sowie die Innendämmung der Außenwand, etwa wenn eine Wärmedämmung der Wand von außen nicht möglich ist. Dabei kommen Platten oder Filze aus Mineralwolle zum Einsatz (siehe Abb. 3.83).

Trittschalldämmung

Die weich federnde Eigenschaft der Mineralwolleplatten, ausgedrückt durch die dynamische Steifigkeit *s'*, führt zu einer hohen Verbesserung des Trittschallschutzes von Decken durch schwimmend verlegte Estriche (siehe Abb. 3.84).

Die Dicke der Mineralwolle-Platten wird wie folgt angegeben:

- dL entspricht der Dicke im Anlieferungszustand, sie ist die Nenndicke.
- dB ist die in der Produktprüfung ermittelte Dicke unter einer Belastung.

Die Dicke im Einbauzustand unter Estrich- und Verkehrslast (ca. 2 bis 2,5 kN/m^2) liegt zwischen dL und dB.

Für schwimmende Fertigteilestriche, z. B. unter 22-mm-Holzspanplatten, bieten die Hersteller Trittschalldämmplatten an, die eine geringere Zusammendrückbarkeit aufweisen. Zu beachten ist, dass sich bei mehrlagiger Verlegung die Zusammendrückbarkeiten aufaddieren.

Haustrennwand

Um aneinandergereihte Gebäude (Doppel- oder Reihenhäuser) vor dem Durchgang der Geräusche aus dem Nachbarhaus zu schützen, werden zwischen die Haustrennwände Trennfugenplatten eingebaut. Hier kommt es weniger auf die Wärmedämmung an als auf die korrekte schallschutztechnische Entkopplung (Trennung).

Technische Isolierung

Mineralwolle sorgt in der Haustechnik wie in Industrieanlagen für den Wärme-, Schall- und Brandschutz bei Heizanlagen, Warmwasserleitungen und Klimakanälen (siehe Kapitel 3.19). Die Isolierungen werden mithilfe von Rohrschalen, Drahtnetz- oder Lamellenmatten ausgeführt. Im GEG wird für die Haustechnik die Wärmeleitgruppe 035 zwingend gefordert.

Abb. 3.81: Hinterlüftete Fassade: Dämmung mit glasvlieskaschierten Dämmplatten aus Mineralwolle (Quelle: FMI Fachverband Mineralwolleindustrie e.V., Berlin)

Abb. 3.82: WDVS: Dämmplatten aus Mineralwolle ermöglichen eine hervorragende Putzhaftung und einfachere Verdübelung (Quelle: FMI Fachverband Mineralwolleindustrie e.V., Berlin).

Abb. 3.83: Trennwand: Nach dem fugenfreien Einbringen der Dämmplatten aus Mineralwolle werden die Ständerwände mit Gipsfaser- oder Holzspanplatten beplankt (Quelle: FMI Fachverband Mineralwolleindustrie e.V., Berlin).

Abb. 3.84: Fußbodendämmung: Der Estrich wird in der Regel schwimmend auf die hochverdichteten Trittschalldämmplatten aus Mineralwolle verlegt (Quelle: FMI Fachverband Mineralwolleindustrie e.V., Berlin).

3.14.4 Ökologische Aspekte

Zur Herstellung von Mineralwolle kommen, neben der Zugabe von bis zu 80 % Recyclingmaterialien wie z. B. Altglas, überwiegend regional ausreichend verfügbare natürliche Rohstoffe wie Basalt, Diabas, Sand oder Dolomit zum Einsatz, die durch das direkte stoffliche Recycling sortenreiner Mineralwolleabfälle ergänzt werden können.

Während ihrer gesamten Nutzungsdauer sparen Dämmstoffe aus Mineralwolle ein Vielfaches der zur Herstellung genutzten Energie ein. Bereits nach einer Heizperiode wird der Primärenergieeinsatz wieder eingespart, sodass von diesem Zeitpunkt an die Dämmung zu einer erheblichen Senkung des Heizenergieverbrauchs führt und damit weniger CO_2 ausgestoßen wird.

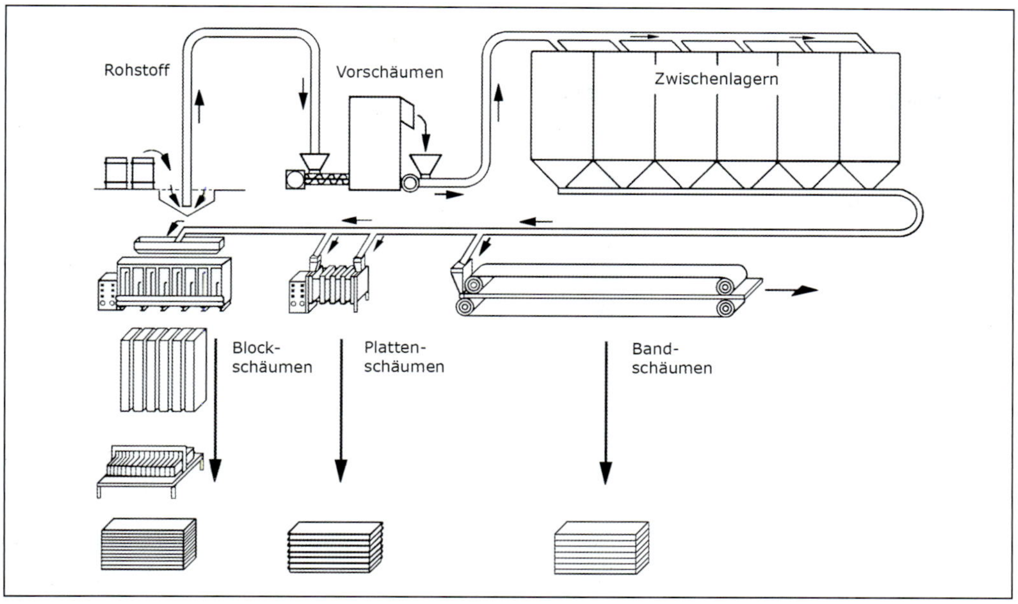

Abb. 3.85: Herstellungsverfahren von expandiertem Polystyrol-Hartschaum

Recycling

Bei den meisten Anwendungen entstehen beim Einbau von Mineralwolle äußerst geringe Mengen an Baustellenabschnitten, da diese in der Regel mitverarbeitet werden können. Fällt ein größerer Anteil an, bieten die Hersteller die Möglichkeit, diese Baustellenabschnitte zum direkten stofflichen Recycling in der Mineralwolleproduktion zurückzunehmen. Hierbei werden die sortenreinen und sauberen, d. h. von Fremdstoffen (z. B. Schmutz, Putz oder Mörtel) befreiten Mineralwolleabfälle zerkleinert, aufgeschmolzen und zu neuer Mineralwolle verarbeitet.

Sortenreine und saubere Abfälle aus Rückbau lassen sich ebenfalls recyceln und wieder zu neuer Mineralwolle verarbeiten. Dafür haben Mineralwollehersteller technische Lösungen entwickelt und bieten diese zum Teil bereits an. So lassen sich heute pro Jahr mehrere Tausend Tonnen Mineralwolle aus Rückbau und Baustellenabschnitten zu neuer Mineralwolle recyceln, Tendenz steigend.

3.14.5 Qualitätskontrolle und Gütesicherung

Um die Nachhaltigkeit und gesundheitliche Unbedenklichkeit der Mineralwolledämmstoffe sicherzustellen, unterlaufen diese regelmäßig strenge unabhängige wie auch interne Qualitätskontrollen.

Verschiedene Gütezeichen und Zertifizierungen bestätigen die Unbedenklichkeit von Mineralwolle für Mensch und Umwelt. Hierzu gehört die KEYMARK, ein freiwilliges, in der gesamten Europäischen Union gültiges Qualitätszeichen. Die KEYMARK wird vergeben von DIN CERTCO, das ein gemeinsames Unternehmen des TÜV Rheinland und des DIN Deutsches Institut für Normung ist.

Daneben gibt es das RAL-Gütezeichen „Erzeugnisse aus Mineralwolle". An diesem ist direkt am Produktetikett erkennbar, dass Mineralwolle sowohl bei der Verarbeitung als auch im eingebauten Zustand gesundheitlich unbedenklich ist. Vergeben wird das RAL-Gütezeichen von der Gütegemeinschaft Mineralwolle e. V. (GGM).

Die meisten Mineralwolleprodukte sind darüber hinaus ausgezeichnet mit dem Umweltzeichen „Blauer Engel", vergeben vom Bundesumweltministerium, und tragen das Zertifikat „Eurofins Indoor Air Comfort Gold", das Mineralwolleprodukte als besonders emissionsarm in Innenräumen einstuft.

3.15 Geschäumte Dämmstoffe

3.15.1 Dämmstoffe aus expandiertem Polystyrol (EPS)

Dämmstoffe aus expandiertem Polystyrol werden nach der europäischen Produktnorm DIN EN 13163:2017-02 „Wärmedämmstoffe für Gebäude – Werkmäßig hergestellte Produkte aus expandiertem Polystyrol (EPS) – Spezifikation" gefertigt. Die Übereinstimmung wird mit dem CE-Zeichen zum Ausdruck gebracht. Die einzuhaltenden Mindestanforderungen für die verschiedenen Anwendungsgebiete sind in DIN 4108-10:2021-11 „Wärmeschutz und Energie-Einsparung in Gebäuden – Teil 10: Anwendungsbezogene Anforderungen an Wärmedämmstoffe" geregelt.

3.15.1.1 Rohstoffe und Herstellungsverfahren

Expandierter Polystyrol-Hartschaum (EPS, oft als „Styropor" bezeichnet) entsteht aus dem Rohstoff Styrol, einem ungesättigten Kohlenwasserstoff. Die farblose, wasserunlösliche Flüssigkeit polymerisiert leicht. Durch die Polymerisation entsteht das Polystyrol. Es kommt in Form von rundlichen, glasigen Perlen von 0,3 bis 2,8 mm Durchmesser auf den Markt. Diesen ist ein Treibmittel zugegeben worden. Die Schüttdichte liegt bei 650 kg/m^3. Ihre Verarbeitung zu EPS erfolgt in 3 Stufen (siehe Abb. 3.85):

- **Stufe 1 – Vorschäumen:** Der Rohstoff für EPS wird mithilfe von Wasserdampf in sog. Vorschäumern bei Temperaturen oberhalb 90 °C vorgeschäumt. Dabei blähen sich die Perlen infolge des verdampfenden Treibmittels und auch infolge des eingedrungenen Wasserdampfes um etwa das 20- bis 50Fache ihres ursprünglichen Volumens auf, wobei sich im Perleninnern eine geschlossenzellige Struktur ausbildet.
  Durch den Aufschäumgrad, der hauptsächlich von der Zeitdauer der Wärmeeinwirkung abhängt, wird die Rohdichte (kg/m^3) der EPS-Platten bestimmt.

- **Stufe 2 – Zwischenlagerung:** Die vorgeschäumten Perlen müssen einige Zeit in belüfteten Silos zwischengelagert werden. Beim Abkühlen der Partikel kondensieren in den einzelnen Zellen noch vorhandenes Treibmittel und Wasserdampf. Der hierbei entstehende Unterdruck wird durch eindiffundierende Luft ausgeglichen. Erst dadurch erhalten die vorgeschäumten Perlen die zur Weiterverarbeitung erforderliche Stabilität.
- **Stufe 3 – Ausschäumen:** Die vorgeschäumten und zwischengelagerten Schaumstoffperlen können nun auf verschiedene Arten zu EPS-Platten fertigverarbeitet werden: Schäumen von Blöcken und Schneiden zu Platten, Einzelplattenherstellung auf Formteilautomaten, Endlosherstellung auf Bandanlagen, Trittschalldämmplatten durch Elastifizierung, Dränplatten.

Schäumen von Blöcken und Schneiden zu Platten

Dies ist das am häufigsten angewandte Verfahren. Die vorgeschäumten Perlen werden in Blockformen (quaderförmige Metallformen, allseitig mit Dampfdüsen ausgestattet) eingefüllt und erneut gesättigtem Wasserdampf ausgesetzt. Dabei entstehen Temperaturen zwischen 110 und 120 °C. Die Perlen schäumen weiter auf, werden plastisch und leicht klebrig und verbinden sich („verschweißen") durch den von ihnen selbst ausgehenden Druck zu einem homogenen Schaumstoffblock. Nach einer relativ kurzen Abkühlzeit werden die Blöcke entformt und vor der Weiterverarbeitung abgelagert. Sie werden dann auf mechanischen oder thermischen Schneideanlagen zu Platten geschnitten, Rand- und Oberflächenprofilierungen sind mit Spezialwerkzeugen möglich.

Automatenplatten

Diese werden in Werkzeugen für Platten als Formteile auf vollautomatischen Maschinen, entsprechend dem Blockschäumen, einzeln geschäumt. Die Platten liegen in der Endform vor, z. B. Nut und Feder oder Strukturierungen der Plattenoberflächen für Dekorplatten.

Platten von der Bandanlage

Diese werden auf einer Doppelbandanlage zwischen umlaufenden endlosen Stahlbändern in der gewünschten Plattendicke geschäumt. Von diesem Band werden die Platten in der gewünschten Länge abgetrennt. Sie können, falls erforderlich, auch gleich automatisch weiterbearbeitet werden.

Trittschalldämmplatten

Schaumstoffblöcke und/oder Platten von der Bandanlage werden in mechanischen Pressen auf etwa ein Drittel ihrer Ausgangsdicke zusammengedrückt und dadurch elastifiziert. Die so bearbeiteten Blöcke und Platten stellen sich weitgehend auf ihre Ausgangsdicke zurück. Die Blöcke werden dann noch zu Platten aufgeschnitten. Diese Trittschalldämmplatten niedriger dynamischer Steifigkeit werden hauptsächlich zur Verminderung des Trittschalls (Körperschall) unter schwimmenden Estrichen eingesetzt.

Dränplatten

Die Platten bestehen aus 7 bis 10 mm großen vorgeschäumten Schaumstoffperlen, die nur an ihren Berührungspunkten verbunden sind. Dies kann durch eine leichte „Verschweißung" in der Blockform oder durch ein spezielles Bindemittel geschehen. In den relativ festen Platten entsteht ein großes zusammenhängendes Porenvolumen, das eine gute Wasserdurchlässigkeit gewährleistet.

Abb. 3.86: Fassadendämmung mit grauem EPS (Quelle: IVH – Industrieverband Hartschaum e. V., Berlin)

3.15.1.2 Anwendungsbereiche

Dämmstoffe aus expandiertem Polystyrol (EPS) werden sehr vielfältig am Bau verwendet. Dabei werden die Mindestanforderungen an den Dämmstoff für die jeweiligen Anwendungsgebiete in der DIN 4108-10 definiert.

Dämmung im Dach- und Fassadenbereich

Beim Flachdach als nicht durchlüftetem Dach (unbelüftetes Dach) kommen EPS-Dämmstoffe als Rollbahn-Dachelemente, also auf Pappe in Streifen aufkaschiert und damit abrollbar, aber auch als Automatenplatten mit Stufenfalz wie auch als „normale" Platte mit glattem Rand und im Standardmaß 50 cm × 100 cm zur Anwendung, wahlweise auch auf Bitumenpappe kaschiert. Beim geneigten Dach finden zur Dämmung unter den Sparren (innen) mit Bauplatten kaschierte Hartschaumplatten im Format der Bauplatten Anwendung. Zur Dämmung zwischen den Sparren werden flexible Platten, zur Dämmung auf den Sparren (außen) und am Hallendach werden meist große Formate mit oder ohne Stufenfalz verwendet. Für die Dämmung der Außenwände kommen EPS-Dämmplatten für hinterlüftete Fassaden oder im Regelfall in Wärmedämm-Verbundsystemen (WDVS) zur Anwendung (siehe Abb. 3.86). Die Befestigung der Platten erfolgt mittels Klebung, Klebung und Dübelung oder über ein Schienensystem. Für die Schienenbefestigung haben die Platten eine umlaufende Nut. Die Plattenformate betragen im Allgemeinen 100 cm × 50 cm und – nur für die Schienenbefestigung – 50 cm × 50 cm.

Polystyrol-Hartschaum für die Trittschalldämmung

Für diese Anwendung ist es erforderlich, dass die Platten eine geringe dynamische Steifigkeit aufweisen (siehe Kapitel 3.15.1.1). Für die wesentlichen Anwendungen der Trittschalldämmplatten wurde das EPS-Trittschallschutz-System entwickelt.

Perimeterdämmung

Ebenfalls zulassungsbedürftig, wie WDVS, ist die Verwendung als Perimeterdämmung (Außendämmung der Kellerbauteile gegen Erdreich) (siehe Abb. 3.87). Die EPS-Platten werden im erdberührten Bereich außerhalb der Bauwerksabdichtung angebracht. Dies hat den Vorteil, dass Wärmebrücken weitgehend vermieden werden können und auch die Abdichtung geschützt wird. Die EPS-Perimeterdämmplatten sind auf der Vorderseite mit einem 50-mm-Raster versehen. Dies dient als Verlege- und Schnitthilfe.

3.15.1.3 Nachhaltigkeit und Ökobilanz

EPS-Hartschaum ist nachweislich ein sehr nachhaltiger Wärmedämmstoff. EPS bietet über seine Verwendungsdauer in allen Anwendungsgebieten eine unverändert gute Wärmedämmleistung. Für das Bewertungssystem Nachhaltiges Bauen (BNB) bedeutet das eine dauerhafte Produktqualität von mindestens 50 Jahren. EPS erfüllt zusätzlich alle Anforderungen an Dämmstoffe zur Verwendung in Innenräumen und ist damit auch für die Innendämmung gemäß dem AgBB-Schema (AgBB = Ausschuss zur gesundheitlichen Bewertung von Bauprodukten) sehr gut verwendbar.

Die zur Herstellung benötigte sog. Graue Energie amortisiert sich schon innerhalb weniger Monate. Darüber hinaus ist EPS-Hartschaum vollständig recycelbar. Das heißt, dass sowohl seit Jahren verbautes als heute und auch zukünftig verbautes EPS aus dem Rückbau und auch von Baustellenverschnitten vollständig recycelt werden kann. Alle wichtigen Umweltaspekte sind in der positiven Ökobilanz von EPS-Hartschaum berücksichtigt und sind in den Umwelt-Produktdeklarationen (EPD) aus 2022 für EPS-Hartschaum beschrieben.

Der Industrieverband Hartschaum bietet im Internet auf www.ivh.de verschiedene weiterführende Informationen wie die Umwelt-Produktdeklarationen und Qualitätsrichtlinien für EPS in WDVS zum Download an. Weiter sind dort zusätzliche technische Informationen zur Trittschalldämmung, zur EPS-Handhabung auf Baustellen und zum Recycling von EPS veröffentlicht.

3.15.2 Dämmstoffe aus Polystyrol-Extruderschaum oder extrudiertem Polystyrol-Hartschaumstoff (XPS)

Polystyrol-Extruderschaum oder extrudierter Polystyrol-Hartschaumstoff – kurz XPS – ist ein Dämmstoff mit breitem Anwendungsspektrum. Er ist hoch druckfest und dabei elastisch, wasserabweisend, unverrottbar, gut wärmedämmend und schwerentflammbar. Polystyrol-Extruderschaumstoff wird in einem kontinuierlichen Extrusionsprozess hergestellt: Treibmittelfreies Polystyrol-Granulat wird in einem Extruder aufgeschmolzen und unter Zugabe von Treibmittel über eine Breitschlitzdüse kontinuierlich ausgetragen. Der entstehende Schaumstoff ist homogen und geschlossenzellig und wird in Form von Platten angeboten.

Durch verschiedene Herstellverfahren entstehen 2 unterschiedliche Polystyrol-Hartschaumstoffe: extrudierter Polystyrol-Hartschaumstoff (XPS) und expandierter Polystyrol-Hartschaumstoff (EPS). Wesentlicher Unterschied in den

Abb. 3.87: Perimeterdämmung mit grauem EPS (Quelle: IVH – Industrieverband Hartschaum e.V., Berlin)

Abb. 3.88: XPS-Dämmplatten werden auf einem Flachdach verlegt (Quelle: Niquirk – stock.adobe.com)

technischen Eigenschaften beider Hartschäume ist die höhere Druckfestigkeit von XPS.

3.15.2.1 Anwendungsbereiche

Als Bauanwendungen werden die Produkte in den folgenden Anwendungsbereichen eingesetzt.

Perimeterdämmung

XPS-Dämmstoffe werden zur außenseitigen Wärmedämmung von Kelleraußenwänden und Kellerfußböden sowie generell von Böden auf Erdreich angewendet. Viele XPS-Dämmplatten können sogar im Grundwasser und unter Gründungsplatten von Gebäuden (bauaufsichtliche Zulassungen beachten) eingesetzt werden. Die Perimeterdämmung mit XPS stellt gleichzeitig den Schutz der Bauwerksabdichtung nach DIN 18195:2017-07 „Abdichtung von Bauwerken – Begriffe“ dar. Andere Spezialprodukte ermöglichen die Kombination der Funktionen von Dränung, Schutz und Wärmedämmung.

Wärmedämmung von Flachdächern

XPS wird vorwiegend für die Wärmedämmung von Flachdächern nach dem Umkehrdachprinzip eingesetzt (siehe Abb. 3.88). Nach diesem Konstruktionsprinzip liegt die Wärmedämmschicht oberhalb der Dachabdichtung. Das bietet hinsichtlich der Langlebigkeit der Dachabdichtung und der gesamten Dachkonstruktion Vorteile. Die Dachabdichtung wird gegen thermische und mechanische Einwirkungen während der Bau- und der Nutzungsphase wirksam geschützt. Besonders wichtig ist diese Schutzfunktion für genutzte Dächer. XPS-Produkte können auch in extensiv und intensiv begrünten Dächern sowie in Parkdächern (bauaufsichtliche Zulassungen beachten) eingesetzt werden. Es stehen auch Spezialprodukte mit einseitiger mineralischer Beschichtung für die nachträgliche wärmeschutztechnische Sanierung von Flachdächern zur Verfügung.

Bodendämmung

XPS eignet sich als Wärmedämmstoff für eine breite Palette von Fußbodenkonstruktionen. Es werden Produkte mit differenzierter Druckfestigkeit angeboten. Damit können sowohl Fußböden in Büros, Werkstätten und Verkaufsräumen als auch Fußböden von Industriehallen, Lagern und Kühlhäusern wärmegedämmt werden. Neben der hohen Druckfestigkeit und den dauernd aufnehmbaren hohen Spannungen ist das charakteristische zähelastische Verhalten von XPS von entscheidendem Vorteil für diese Anwendungen. Für Spezialprodukte können von den Herstellern Ergebnisse aus Langzeitdruckversuchen nach DIN EN 1606:2013-05 „Wärmedämmstoffe für das Bauwesen – Bestimmung des Langzeit-Kriechverhaltens bei Druckbeanspruchung“ nachgewiesen werden.

Steildachdämmung

Die zunehmenden Anforderungen an den Wärmeschutz von Gebäuden führen zu großen Dämmstoffdicken im Steildach. Sowohl der Raum zwischen den Sparren als auch unterhalb der Sparren ist für zusätzliche Dämmstoffdicken begrenzt. Hier bietet sich eine zusätzliche Wärmedämmung auf den Sparren an. Der große Vorteil dieser Konstruktion ist die geschlossene, wärmebrückenfreie äußere Wärmedämmschicht. Aufgrund ihrer hohen Biegefestigkeit, Feuchtigkeitsunempfindlichkeit und leichten Handhabbarkeit eignen sich besonders XPS-Dämmstoffe für diese Anwendung.

Sandwichplatten

Zu den Anwendungen dieser Platten zählen neben Bauanwendungen, wie Fassadenpaneelen, auch Sandwichelemente für den Fahrzeugbau und die Kühlindustrie. Als Deckschichten kommen verschiedene Metalle, Holz und Kunststoffe zum Einsatz. XPS-Kernschichten weisen eine gute Scherfestigkeit und hohe Zugfestigkeit bei gleichzeitiger Beständigkeit gegen Feuchtebeanspruchung auf.

Frostschutzschichten für Gebäude und Verkehrswege

Eine der klassischen Anwendungen von XPS ist der Frostschutz. Verkehrswege, wie Straßen und Eisenbahnlinien, werden mit XPS-Spezialprodukten gegen Frosthebungen geschützt. Gleiches kann auch bei Bauwerken erreicht werden. Jahrzehntelange Erfahrungen in diesen Anwendungen belegen die Widerstandsfähigkeit und Dauerhaftigkeit von XPS auch unter extremen Belastungsbedingungen wie der gleichzeitigen Wirkung von Feuchtigkeit und dynamisch wechselnden hohen mechanischen Lasten.

3.15.2.2 Güteüberwachung und Produktkennzeichnung

Polystyrol-Extruderschaumstoffe sind durch DIN EN 13164:2015-04 „Wärmedämmstoffe für Gebäude – Werkmäßig hergestellte Produkte aus extrudiertem Polystyrolschaum (XPS) – Spezifikation“, durch DIN 4108-10 oder durch bauaufsichtliche Zulassungen des DIBt bauaufsichtlich/baurechtlich eingeführt. Sie unterliegen der Güteüberwachungspflicht durch unabhängige, staatlich anerkannte Prüfinstitute, wie z. B. das Forschungsinstitut für Wärmeschutz (FIW), München, die Forschungs- und Materialprüfanstalt (FMPA), Baden-Württemberg, und die Materialprüfungsanstalt (MPA NRW).

Abb. 3.89: Polyurethan-Hartschaum-Dämmplatte (Quelle: IVPU – Industrieverband Polyurethan-Hartschaum e. V., Stuttgart)

3.15.2.3 XPS-Produktkennzeichnung

Die Kennzeichnung sowie die Angaben über die wichtigsten Materialkenndaten sind entweder auf den einzelnen XPS-Dämmplatten aufgedruckt oder auf einem Etikett an der Verpackung. Je nach XPS-Hersteller gibt es unterschiedliche Typenbezeichnungen. Die Angaben beziehen sich beispielsweise auf die Klassifizierung der Druckfestigkeit, die Wärmeleitfähigkeitsgruppe des Materials, die Kantenausbildung der XPS-Dämmplatten usw.

3.15.2.4 Interne Qualitätskontrolle

Die XPS-Hersteller führen eine interne Produktionsüberwachung, auch Qualitätskontrolle und Qualitätssicherung genannt, durch. Daneben unterliegt der Produktionsprozess externen Kontrollen. Dies gewährleistet – im Rahmen der gesetzlichen Bestimmungen und Auflagen – eine permanente Verbesserung des Produktionsprozesses.

3.15.3 Dämmstoffe aus Polyurethan-Hartschaum (PU)

Polyurethan-Hartschaum (PU) ist die Bezeichnung für eine Dämmstoff-Familie, die neben PUR- auch PIR-Hartschaum mit einschließt. PU-Dämmstoffe sind geschlossenzellige, duroplastische Kunststoffschäume, die aufgrund ihrer stark vernetzten Molekülstruktur bei Temperatureinwirkung nicht schmelzen und gegen die meisten im Bauwesen vorkommenden Chemikalien beständig sind. Sie besitzen eine niedrige Wärmeleitfähigkeit und damit eine hohe Dämmleistung. Gute mechanische Eigenschaften und hervorragende Verbundwirkung mit anderen Werkstoffen ermöglichen ein breites Anwendungsfeld. Ihre Rohdichte liegt je nach Anwendungsbereich zwischen 30 und 100 kg/m^3.

Dämmstoffe aus Polyurethan-Hartschaum sind nach DIN EN 13165:2016-09 „Wärmedämmstoffe für Gebäude – Werkmäßig hergestellte Produkte aus Polyurethan-Hartschaum (PU) – Spezifikation“ genormt.

3.15.3.1 Rohstoffe und industrielle Herstellungsverfahren

Polyurethan-Hartschaum-Dämmstoffe entstehen durch chemische Reaktion flüssiger Grundstoffe unter Zusatz von Treibmitteln. Als Ausgangsstoffe können neben Erdöl auch nachwachsende Rohstoffe eingesetzt werden. Industriell werden Platten (siehe Abb. 3.89) nach dem Doppelband-Verfahren oder Blöcke nach dem Blockschaum-Verfahren hergestellt. Tabelle 3.20 gibt eine Übersicht über Anwendungen und Herstellungsmöglichkeiten von Pulyurethan-Hartschäumen.

Tabelle 3.20: Anwendungen und Herstellungsmöglichkeiten von Polyurethan-Hartschäumen

Anwendungen	Dämmplatten werkmäßig hergestellt		Blockschaum werkmäßig hergestellt	an Verwendungsstelle hergestellter Ortschaum (in situ): Spritzen/Gießen
	Dämmplatten mit flexiblen Dämmschichten	Dämmplatten mit starren Deckschichten/Stahlsandwichelemente	Dämmplatten, Formteile, Verbundelemente	Ortschaum
Gebäudehülle	DIN EN 13165	DIN EN 14509	DIN EN 13165	DIN EN 14315-1 DIN EN 14318-1
technische Dämmung	DIN EN 14308		DIN EN 14308	DIN EN 14319-1 DIN EN 14320-1

Doppelband-Verfahren

Beim Doppelband-Verfahren (siehe Abb. 3.90) werden Dämmplatten kontinuierlich hergestellt und anschließend auf die gewünschten Längen geschnitten. Dabei wird das aus dem Mischkopf ausströmende Reaktionsgemisch auf die untere Deckschicht der Doppelbandanlage verteilt. Das aufschäumende Gemisch verklebt mit der unteren und der oberen Deckschicht. Als Deckschichten werden Mineralvlies, Glasvlies, Aluminium- oder Verbundfolien eingesetzt. Zusätzlich können Dach- und Abdichtungsbahnen aufkaschiert werden. Nach dem Doppelband-Verfahren werden auch PU-Sandwichelemente mit starren Deckschichten gefertigt. Integralschaumteile (z. B. Dachabläufe) werden in speziellen Formen hergestellt.

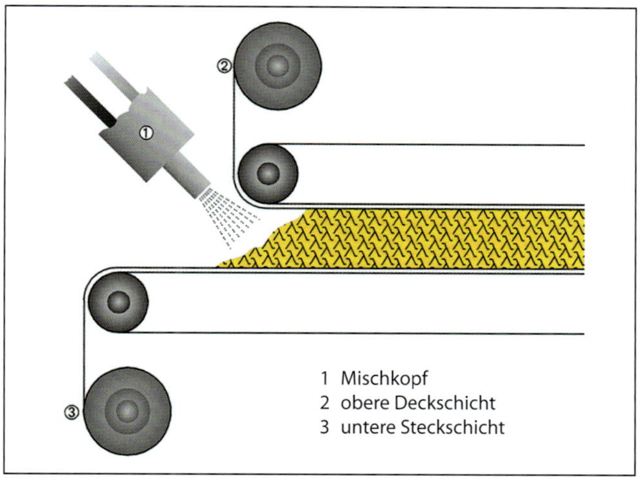

Abb. 3.90: Doppelband-Verfahren (Quelle: IVPU – Industrieverband Polyurethan-Hartschaum e. V., Stuttgart)

Blockschaum-Verfahren

Bei diesem Verfahren strömt das Reaktionsgemisch aus einem Mischkopf in eine Blockform oder auf ein kontinuierliches Blockband (siehe Abb. 3.91). Nach dem Aufschäumen und Ablagern werden die Blöcke in Platten geschnitten oder zu Formteilen (z. B. Keile, Rohrschalen) verarbeitet.

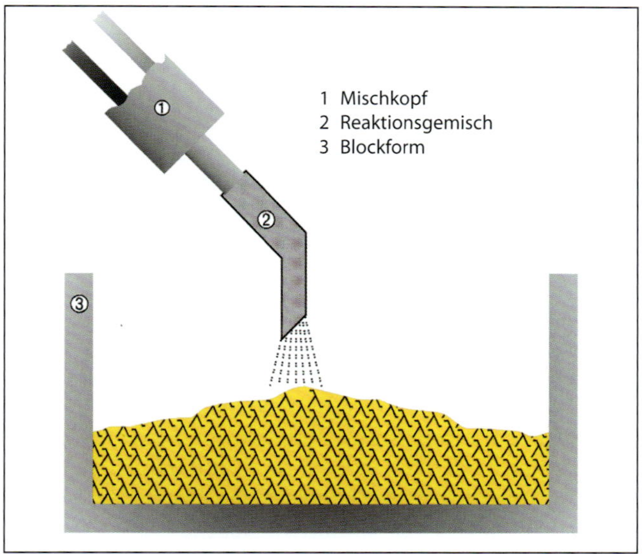

Abb. 3.91: Blockschaum-Verfahren (Quelle: IVPU – Industrieverband Polyurethan-Hartschaum e. V., Stuttgart)

3.15.3.2 Eigenschaften

Wärmeleitfähigkeit

Das gute Dämmvermögen von Polyurethan-Hartschaum wird durch den Einsatz von Treibmitteln erreicht, deren Wärmeleitfähigkeit erheblich niedriger ist als die der Luft. Als Treibmittel wird heute hauptsächlich Pentan eingesetzt. Das Treibmittel verbleibt infolge der Geschlossenzelligkeit von Polyurethan-Hartschaum (siehe Abb. 3.92) langzeitig im Dämmstoff. Durch Einsatz von diffusionsdichten Deckschichten (Bandschaum) kann der Zellgasaustausch mit Luft reduziert werden. Polyurethan-Hartschaum-Dämmstoffplatten sind in den Wärmeleitfähigkeitsstufen (WLS) 023 bis 029 (entspricht dem Bemessungswert der Wärmeleitfähigkeit 0,023 W[m · K] bis 0,029 W[m ·K]) lieferbar.

Abb. 3.92: Zellstruktur von Polyurethan-Hartschaum (Quelle: IVPU – Industrieverband Polyurethan-Hartschaum e. V., Stuttgart)

Wasserdampfdurchlässigkeit

Die Wasserdampfdurchlässigkeit ist abhängig von der Rohdichte, dem Herstellungsverfahren und etwaigen Beschichtungen (Kaschierungen). Die Wasserdampfdiffusionswiderstandszahl μ von Polyurethan-Hartschaum-Dämmplatten liegt nach DIN 4108-4:2020-11 „Wärmeschutz und Energie-Einsparung in Gebäuden – Teil 4: Wärme- und feuchteschutztechnische Bemessungswerte“ zwischen 40 und 200. Dämmelemente mit Alu-Deckschichten sind dampfdiffusionsdicht.

Druckfestigkeit

Die Nenndruckspannung oder Nenndruckfestigkeit von Polyurethan-Hartschaum bei 10 % Stauchung beträgt 100 kPa oder 150 kPa nach DIN EN 826:2013-05 „Wärmedämmstoffe für das Bauwesen – Bestimmung des Verhaltens bei Druckbeanspruchung“. Höhere Druckfestigkeiten sind möglich. Die Nennzugfestigkeit nach DIN EN 1607:2013-05 „Wärmedämmstoffe für das Bauwesen – Bestimmung der Zugfestigkeit senkrecht zur Plattenebene“ beträgt 40 kPa. Höhere Zugfestigkeiten sind ebenfalls möglich. Gerade bei Dächern mit zusätzlicher Belastung (z. B. Flachdächer mit installierten Solarkollektoren oder Gründächer) sollten hochdruckbelastbare Dämmstoffe eingesetzt werden. PU-Dämmstoffe, die den Anwendungstyp DAA dh und DAA ds nach DIN 4108-10 entsprechen, sind für genutzte Flachdächer bestens geeignet.

Beständigkeit

Der Dämmstoff Polyurethan-Hartschaum ist gegen die am Bau üblicherweise vorkommenden Stoffe resistent. Er ist alterungsbeständig, verrottet nicht und wird durch Pilze nicht zerstört. Die Platten unterstützen keine Schimmelbildung. Polyurethan-Hartschaum wird von Weichmachern nicht angegriffen oder zerstört.

Temperaturbeständigkeit

Polyurethan-Hartschaum zeichnet sich durch hohe thermische Beständigkeit und gute Dimensionsstabilität aus. Die Produkte können in Abhängigkeit von Rohdichte und Deckschicht dauerhaft in Temperaturbereichen von –30 bis + 90 °C verwendet werden. Darüber hinaus gibt es für Sonderanwendungen Spezialprodukte für Temperaturen im Kältebereich bis –180 °C bzw. für hohe Temperaturen (z. B. Gussasphaltestrich) bis +200 °C. Eine Kurzzeitbelastung bis + 250 °C ist möglich.

Brandverhalten

PU-Dämmstoffe werden nach DIN EN 13501-1:2019-05 „Klassifizierung von Bauprodukten und Bauarten zu ihrem Brandverhalten – Teil 1: Klassifizierung mit den Ergebnissen aus den Prüfungen zum Brandverhalten von Bauprodukten“ in die europäischen Brandklassen B und C (schwer entflammbar) oder D und E (normal entflammbar) eingestuft. Im Brandfall „tropft“ Polyurethan-Hartschaum weder „brennend“ noch „nicht brennend“ ab. Die Gefahr von Glimmbränden besteht nicht. Im Verbund mit Dachabdichtungsmaterialien nach DIN 4102-4:2016-05 „Brandverhalten von Baustoffen und Bauteilen – Teil 4: Zusammenstellung und Anwendung klassifizierter Baustoffe, Bauteile und Sonderbauteile“ sind Polyurethan-Hartschaumplatten außerdem beständig gegen Flugfeuer und strahlende Wärme (klassifizierte Aufbauten in DIN 4102-7:2018-11 „Brandverhalten von Baustoffen und Bauteilen – Teil 7: Bedachungen – Anforderungen und Prüfungen“). Für Bedachungen, die von der DIN 4102-4 abweichen, kann die Eignung über ein bauaufsichtliches Prüfzeugnis nachgewiesen werden.

Abb. 3.93: Aufsparrendämmung mit Polyurethan-Hartschaumplatten (Quelle: IVPU – Industrieverband Polyurethan-Hartschaum e. V., Stuttgart)

3.15.3.3 Einsatzgebiete

Dämmung des geneigten Dachs

Beim geneigten Dach (Steildach) empfiehlt sich als effektivste Wärmeschutzmaßnahme für Neu- und Altbauten die Dämmung auf den Sparren. Mit einer PU-Aufsparrendämmung (siehe Abb. 3.93) kann man bei bestehenden Gebäuden Effizienzhaus- oder Passivhausniveau erreichen.

PU-Aufsparrendämmelemente können auch mit einer Zwischensparrendämmung kombiniert werden. Die Luftdichtheitsschicht wird flächig über die Sparren (d. h. oberhalb der Zwischensparrendämmung) verlegt. Auch hier ist die Holzkonstruktion im warmen Bereich und es bildet sich kein Tauwasser.

Wenn eine Steildachdämmung auf den Sparren nicht möglich ist, kann unter den Sparren gedämmt werden. Voraussetzung für dieses Dämmsystem ist in jedem Fall eine intakte Dacheindeckung.

Steildachkonstruktionen mit PU-Dämmung sind im allgemeinen bauaufsichtlichen Prüfzeugnis P-MPA-E-04-025 als REI 30 (feuerhemmend) klassifiziert.

Dämmung der obersten Geschossdecke

Auch die nachträgliche Dämmung oberster Geschossdecken kann einfach und kostengünstig mit 8 cm dicken Polyurethan-Hartschaum-Dämmplatten der WLS 023 erfüllt werden. Bei einem nicht begehbaren Dachboden können die PU-Dämmplatten direkt auf die Balkenlage des Dachbodens – d. h. ohne Unterkonstruktion – oder auf alte Dielen verlegt werden. Der Untergrund muss allerdings trocken und pilzfrei sein. Für begehbare Dachböden gibt es Polyurethan-Verbundelemente mit oberseitiger Trittschicht. Die geringe Aufbauhöhe sorgt auch im Bereich des Dachbodens dafür, dass möglichst viel der ursprünglichen Raumhöhe erhalten bleibt.

Flachdachdämmung

PU-Hartschaum-Dämmplatten erfüllen bereits mit geringen Dämmstoffdicken die Anforderungen des GEG für das Bauteil Flachdach bei Sanierung eines Bestandsgebäudes. Der nach GEG in diesem Fall geforderte U-Wert ≤ 0,20 W/(m^2 · K) wird bei Verwendung von 12 cm dicken PU-Hartschaumplatten der WLS 023 erfüllt.

Die äußerst druckfesten PU-Platten können unter einer Kiesauflast, unter vollflächig aufliegenden Terrassenbelägen und unter Gründächern eingesetzt werden. Die Platten sind einfach zuzuschneiden und können mechanisch befestigt oder verklebt werden. Mit PU-Gefälle-Dämmplatten kann eine gezielte Dachentwässerung hergestellt werden. Dachneigung und Gefälleverlauf werden objektbezogen geplant und individuell gefertigt. Der mittlere *U*-Wert von Gefälledämmungen ist nach DIN EN ISO 6946:2018-03 „Bauteile – Wärmedurchlasswiderstand und Wärmedurchgangskoeffizient – Berechnungsverfahren (ISO 6946:2017" zu berechnen.

Dächer in Stahlleichtbauweise mit oberseitiger Dämmung aus PU-Hartschaum gemäß DIN 18234-2:2018-05 „Baulicher Brandschutz großflächiger Dächer – Brandbeanspruchung von unten – Teil 2: Verzeichnis von Dächern, welche ohne weiteren Nachweis die Anforderungen nach DIN 18234-1 erfüllen – Dachflächen" erfüllen die Brandschutzanforderungen der Industriebaurichtlinie auch bei Brandabschnitten oder Brandbekämpfungsabschnitten mit einer Dachfläche von mehr als 2.500 m^2.

Dämmung von Fußboden und Kellerdecke

Dämmplatten aus PU-Hartschaum können für alle im Fußbodenbereich vorkommenden Wärmedämmaufgaben eingesetzt werden (siehe Abb. 3.94) – so z. B. auch für die Dämmung von Kellerdecken. Bei unbeheizten Kellerräumen werden PU-Dämmplatten vorzugsweise auf der Unterseite der Decke angebracht (siehe Abb. 3.95). Damit liegt die gesamte Decke, d. h. auch der Fußboden des darüberliegenden Raumes, im warmen Bereich. Die Dämmplatten werden hierzu einfach mechanisch mit Dübeln und Schrauben befestigt oder aufgeklebt.

3.15.3.4 Ökobilanz und Lebenszyklus

Für PU-Dämmstoffe gibt es Umweltproduktdeklarationen nach ISO 14025:2006-07 „Umweltkennzeichnungen und -deklarationen – Typ III Umweltdeklarationen – Grundsätze und Verfahren" und DIN EN 15804:2022-03 „Nachhaltigkeit von Bauwerken – Umweltproduktdeklarationen – Grundregeln für die Produktkategorie Bauprodukte", die für Dämmprodukte der Mitglieder des IVPU gültig sind.

PU-Dämmstoffe können

- durch werkstoffliche Verwertung von sortenreinen Produktionsabfällen und
- rohstofflich (Glykolyse) von sauberen und sortenreinen Abfällen mit bekannter Rezeptur sowie
- energetisch durch Verbrennung zusammen mit Haushaltsabfällen in Müllheizkraftwerken verwertet werden.

Polyurethan-Hartschaum weist eine positive Ökobilanz auf. PU-Dämmlösungen für die Gebäudehülle bieten nach dem Bewertungssystem Nachhaltiges Bauen (BNB) z. B. für geneigte Dächer oder Solardächer eine dauerhafte Produktqualität über einen Zeitraum von mindestens 50 Jahren. Der Verbraucher reduziert über Jahrzehnte Heizenergie und damit CO_2-Emissionen und spart – im Vergleich zu Heizungssystemen – wiederkehrende Wartungskosten.

Abb. 3.94: PU-Dämmung des Fußbodens (Quelle: IVPU – Industrieverband Polyurethan-Hartschaum e. V., Stuttgart)

Abb. 3.95: PU-Dämmung der Kellerdecke (Quelle: IVPU – Industrieverband Polyurethan-Hartschaum e. V., Stuttgart)

Abb. 3.96: ÜGPU-Qualitätszeichen Q (Quelle: ÜGPU-Qualitätsgemeinschaft Polyurethan-Hartschaum e. V., Stuttgart)

3.15.3.5 Qualitätskontrolle und Zertifizierung

Qualitätsanforderungen werden durch technische Normen, gesetzliche Vorschriften oder Richtlinien und Kundenerwartungen bestimmt. Auf die Funktionalität und Gesundheitsverträglichkeit der Dämmung müssen sich Planer, Architekten und Fachhandwerker verlassen können. Dazu gehören der Nachweis von gesicherten technischen Dämmstoffeigenschaften und die Sicherheit, dass keine gesundheitsschädlichen Stoffe an Innenräume abgegeben werden.

Die ÜGPU (Qualitätsgemeinschaft Polyurethan-Hartschaum e. V.) setzt sich für eine hochwertige Qualitätssicherung von Wärmedämmstoffen aus Polyurethan-Hartschaum (PU) ein. Das freiwillige Zertifizierungsprogramm für PU-Dämmstoffe stellt sicher, dass die hohe Qualität der Dämmprodukte durch die werkseigene Produktionskontrolle in Verbindung mit jährlichen Produktprüfungen und -zertifizierungen durch unabhängige Institute überwacht wird.

Qualitätszeichen für PU-Dämmstoffe

ÜGPU-Qualitätszeichen (Q-Zeichen)

Das Q-Zeichen der ÜGPU (siehe Abb. 3.96) signalisiert, dass PU-Dämmprodukte nicht nur die technischen und gesetzlichen Mindestanforderungen erfüllen. Die werkseigene

Produktionskontrolle und die regelmäßige Prüfung und Zertifizierung der Dämmstoffeigenschaften werden auf freiwilliger Basis durch unabhängige Stellen qualitätsüberwacht.

ÜGPU-Umweltqualitätszeichen „pure life"

Zertifizierte Dämmstoffe aus PU-Hartschaum, die das Umweltqualitätszeichen „pure life" (siehe Abb. 3.97) tragen, erfüllen die strengen Anforderungen des Prüfstandards WKI-PS-EPUD-001 vom Fraunhofer Wilhelm-Klauditz-Instituts (WKI) in Bezug auf ihre Inhaltsstoffe und die Freisetzung flüchtiger Stoffe.

3.15.4 Relevante Normen

DIN 4108-10:2021-11 Wärmeschutz und Energie-Einsparung in Gebäuden – Teil 10: Anwendungsbezogene Anforderungen an Wärmedämmstoffe

DIN EN 13163:2017-02 Wärmedämmstoffe für Gebäude – Werkmäßig hergestellte Produkte aus expandiertem Polystyrol (EPS) – Spezifikation

DIN EN 13164:2015-04 Wärmedämmstoffe für Gebäude – Werkmäßig hergestellte Produkte aus extrudiertem Polystyrolschaum (XPS) – Spezifikation

DIN EN 13165:2016-09 Wärmedämmstoffe für Gebäude – Werkmäßig hergestellte Produkte aus Polyurethan-Hartschaum (PU) – Spezifikation

DIN EN 13166:2016-09 Wärmedämmstoffe für Gebäude – Werkmäßig hergestellte Produkte aus Phenolharzschaum (PF) – Spezifikation

DIN EN 14315-1:2013-04 Wärmedämmstoffe für das Bauwesen – An der Verwendungsstelle hergestellter Wärmedämmstoff aus Polyurethan (PUR)- und Polyisocyanurat (PIR)-Spritzschaum – Teil 1: Spezifikation für das Schaumsystem vor dem Einbau

3.16 Dämmstoffkörnungen

3.16.1 Blähperlit

Ausgangsmaterial für die zahlreichen Produkte aus Blähperlit bzw. expandiertem Perlit ist ein vulkanisches Gestein mit der mineralogischen Bezeichnung Perlit (siehe Abb. 3.98). Schon im 18. Jahrhundert ist es von deutschen Wissenschaftlern als „Perlstein" beschrieben worden. Perlit kann seiner Entstehung und Zusammensetzung nach als Naturglas bezeichnet werden. Das besondere Kennzeichen ist ein bestimmter Gehalt an Wasser, das in der erstarrten Lavamasse in feinstverteilter Form fest eingeschlossen ist.

Wird zerkleinertes Perlit-Gestein kurzfristig Temperaturen von mehr als 1.000 °C ausgesetzt und damit zum Schmelzen gebracht, so verwandelt sich das eingeschlossene Wasser in Dampf und bläht (expandiert) die Glasschmelze auf ein Vielfaches ihres ursprünglichen Volumens auf. Das geblähte Perlit-Gestein wird in Anlehnung an die englische Schreibweise oft „Perlite" genannt. Blähperlit wird seit 1946 in den USA hergestellt. In Deutschland wurde 1956 mit der Fabrikation begonnen.

Abb. 3.97: ÜGPU-Umweltzeichen „pure life" (Quelle: ÜGPU-Qualitätsgemeinschaft Polyurethan-Hartschaum e.V., Stuttgart)

Abb. 3.98: Perlit-Ausgleichsschüttung (Quelle: Knauf Performance Materials)

Aufgrund seiner mineralischen Herkunft ist Blähperlit nicht brennbar (A1 nach DIN 4102-1:1998-05 „Brandverhalten von Baustoffen und Bauteilen – Teil 1: Baustoffe; Begriffe, Anforderungen und Prüfungen"/DIN EN 13501-1:2019-05 „Klassifizierung von Bauprodukten und Bauarten zu ihrem Brandverhalten – Teil 1: Klassifizierung mit den Ergebnissen aus den Prüfungen zum Brandverhalten von Bauprodukten"), ist nicht verrottbar, altert und schrumpft nicht. Seine Schüttdichten liegen zwischen 30 und 120 kg/m³. Die Bemessungswerte der Wärmeleitfähigkeit zwischen 0,040 bis 0,060 W/(m · K). Geliefert werden die Trockenschüttungen in Säcken oder, bei hohen Bedarfsmengen, als Baustellenanlieferung in Silofahrzeugen mit Druckluftfördereinrichtung.

Anwendungsformen

Blähperlit-Körnungen werden am Bau hauptsächlich als wärmeisolierende und ausgleichende Schüttungen unter Fertigteil-, Nass- oder Gussasphaltestrich, als Hohlraumdämmung oder als Leichtzuschlag für Putze oder Mörtel eingesetzt.

Ummanteltes Perlit

Die Ummantelung besteht überwiegend aus Spezialbitumen oder Paraffinharz. Unter leichtem Flächendruck verbinden sich die ummantelten Perlit-Schüttungen zu einer homogenen Schicht. Diese Art von Perlit findet ihren Haupteinsatz unter Fertigteil-Estrichelementen (z. B. monolithischen Gipsfaser-Elementen, Gipsfaserplatten, Holzspanplatten, OSB-Platten o. Ä.), als Höhenausgleich und wärmeisolierende Schicht. Ummanteltes Perlit gehört der Baustoffklasse B 2 (normalentflammbar) an, ist vom Brandverhalten E nach DIN EN 13501-1 (normalentflammbar) eingestuft, güteüberwacht und hat eine Europäische Technische Bewertung.

Bitumenummanteltes Perlit

Dieses wird im Flachdachbereich als gefällegebende, egalisierende und wärmeisolierende Schicht unter der wasserführenden Abdichtung eingesetzt.

Staubgebundene Perlit-Schüttung

Wird unter Nass- oder Guss-Asphaltestrich verwendet und ist auch als nicht wassersaugend (hydrophobiert) lieferbar. Die Schüttung ist vom Brandverhalten Baustoffklasse A 1 (nichtbrennbar) und kann zur Dämmung von Geschoss- und Holzbalkendecken, zur Vollsparrendämmung und zur Dämmung in der Wand beim Holzrahmenbau, auch als zusätzliche Wärmedämmung, verwendet werden.

Abb. 3.99 und 3.100 zeigen typische Ausführungsbeispiele.

Gemischte Gesteinskörungen

Es handelt sich um Mischungen aus Blähperlit mit anderen Gesteinskörnungen (Blähton, Schlacke, Bims) als Kombination aus Wärmeisolierung und Schallschutz.

Kerndämmung von zweischaligem Mauerwerk

Das leichte Perlit-Material wird volumenbeständig eingeblasen und erhöht die Wärmedämmung der Konstruktion, indem aus der Belüftungsschicht eine Dämmschicht wird, die infolge sehr guter Wasserdampfdiffusionsdurchlässigkeit den Abzug eingedrungener Feuchtigkeit nicht behindert. Hier ist zu beachten, dass die für die Kerndämmung zweischaligen Mauerwerks verwendeten Baustoffe eine allgemeine bauaufsichtliche Zulassung benötigen.

Weitere Anwendungsformen

Perlit-Dämmmörtel

Werk-Trockenmörtel mit Leichtzuschlag und hydraulischem Bindemittel (Zement, Kalk), der vor allem als Leichtmauermörtel (LM21), Leichtputzmörtel, Wärmedämmputzmörtel und Brandschutzmörtel Anwendung findet.

Dachbegrünungen

Sowohl extensiv als Dünnschicht mit kleinen Pflanzen oder intensiv für Terrassen mit größerem Bewuchs haben sich die Dämmstoffkörnungen (neben Perlit auch Blähton) gut bewährt. Dasselbe gilt auch für den Bereich der Hydrokultur.

Platten zur Innendämmung

Die faserfreien, kapillaraktiven und diffusionsoffenen Dämmplatten, hergestellt aus vulkanischem und veredeltem Perlit, werden bei der energetischen Sanierung von Gebäuden sowie zur Schimmelpilz-Prävention eingesetzt.

3.16.2 Blähton für Schüttungen

Neben den zahlreichen Anwendungsmöglichkeiten innerhalb des Mörtels kann Blähton nicht zuletzt aufgrund seiner sehr guten Druckfestigkeit auch für Trockenschüttungen verwendet werden (siehe Abb. 3.101). Die Druckfestigkeit kann mithilfe hydraulischer Bindemittel noch zusätzlich verstärkt werden. Darüber hinaus ist der Baustoff witterungsfest und unempfindlich für Ungeziefer oder Pilzbefall.

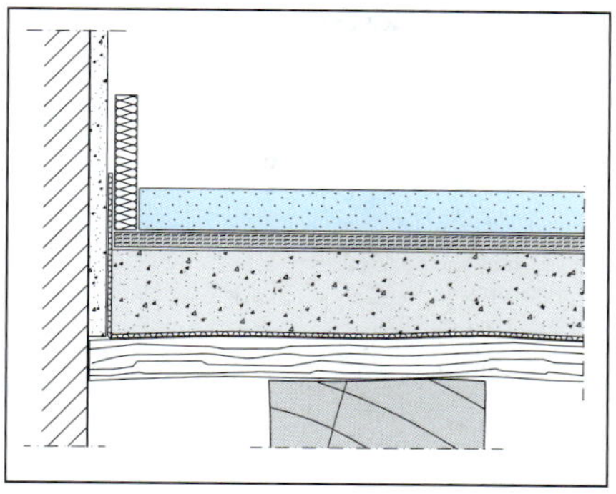

Abb. 3.99: Ummantelte Schüttung mit Abdeckplatte und Fertigteilestrich (Quelle: Knauf Gips KG, Iphoven)

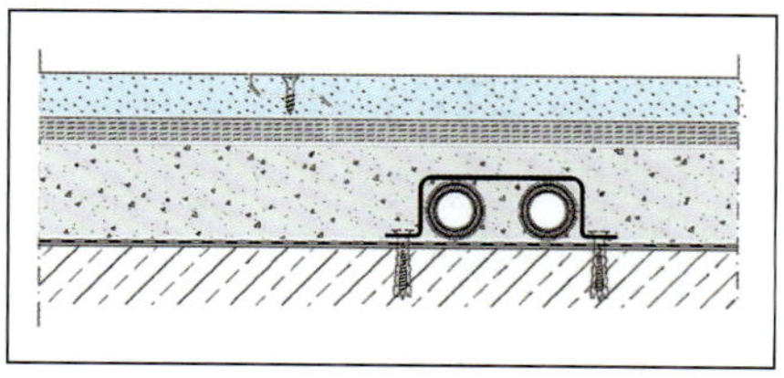

Abb. 3.100: Ummantelte Schüttung mit Trittschalldämmplatte und Fertigteilestrich (Quelle: Knauf Gips KG, Iphoven)

Abb. 3.101: Zwischendecken aus 2 zementgebundenen Liapor-Schüttungen (Quelle: Liapor GmbH & Co. KG, Hallerndorf-Pautzfeld)

Abb. 3.102: Bimsgranulat (Quelle: Bisotherm GmbH, Mülheim-Kärlich)

Der nicht brennbare anorganische Dämmstoff (Brandklasse A1) hat eine Wärmeleitfähigkeit von 0,10 bis 0,18 W/(m · k). Der Wert hängt von der gewählten Kornrohdichte und Schüttdichte ab. Die im Vergleich zu anderen Dämmstoffen nicht allzu gute Wärmedämmfähigkeit lässt sich durch eine Kombination von Blähton mit anderen Dämmstoffen reduzieren. Beim Schallschutz, der aufgrund der variablen Roh- und Schüttdichte von Blähton noch verbessert werden kann, schneidet Blähton wesentlich besser ab und wird gerne als Schüttdämmung zum Ausfüllen von Hohlräumen verwendet. Er kann aber auch als zum Leichtbeton beigefügte Gesteinskörnung dienen. Generell bietet Blähton viele Kombinationsmöglichkeiten wie z. B. mit Schaumglas oder Estrichmörteln.

3.16.3 Trockenschüttungen aus Bimsstein

Trockenschüttungen aus Bimsgranulat (siehe Abb. 3.102) haben sich seit vielen Jahren sowohl im Neubaubereich als auch in der Sanierung und Renovierung von alten Fußböden bestens bewährt. Bestandteil der Trockenschüttung ist einzig eine leichte mineralische Körnung aus Bimsstein,

Abb. 3.103 und 3.104: Ausbringen einer Bims-Schüttung (Quelle: Bisotherm GmbH, Mülheim-Kärlich)

1 Fußbodenbelag
2 Zementestrich mit Estrichmatten
3 Estrichpapier und evtl. Holzfaserplatte oder Rippenpappe
4 BISOTHERM® Bio Trockenschüttung
5 Stahlbetondecke

Abb. 3.105: Beispiel für einen Bodenaufbau mit Bims-Schüttung (Quelle: Bisotherm GmbH, Mülheim-Kärlich)

einem natürlich expandierten Silikatgestein, das hohen statischen Belastungen standhält und zugleich thermische Ansprüche erfüllt. Der Zusatz eines Bindemittels wie z. B. Zement oder Bitumen ist hier nicht erforderlich. Die Bims-Trockenschüttung ist als baubiologisch unbedenklich eingestuft.

Bodenaufbau

Die Trockenschüttung kann im Bodenaufbau unabhängig vom System eingesetzt werden (siehe Abb. 3.103 und 3.104). Geschüttet ergibt sich eine fugenlose Dämmschicht, bei der die Installationsleitungen innerhalb der Dämmschicht verbleiben. Unebenheiten des Bodens oder der Decke können einfach ausgeglichen werden, da die Schüttung in beliebigen Schichtdicken eingebaut werden kann. Die Mindestdicke ist abhängig von den Korngrößen der Schüttung und beginnt bei ca. 12 mm, nach oben gibt es keine Grenzen. Nach jeweils ca. 10 cm Schichtdicke sollte eine Verdichtung erfolgen, ebenso nach dem ebenen Abziehen der Oberfläche der Schüttung. Vor Einbau des Estrichs ist dann ein Begehen der Trockenschüttung möglich. Die Hersteller der Trockenschüttungen bieten jeweils spezifische Informationen und Broschüren mit Anwendungs- und Verarbeitungshinweisen an.

Typische Eigenschaften

Zu den typischen Eigenschaften von mineralischen Trockenschüttungen zählen die folgenden Punkte:

- nichtbrennbar (A1 nach DIN 4102),
- unbegrenzte Lebensdauer,
- druckbelastbar,
- temperaturunempfindlich,
- keine Bindemittel notwendig,
- keine Beschränkung der Maximalhöhe,
- chemisch neutral,
- säuren- und laugenbeständig,
- staubarm, leichter Einbau.

Anwendungsgebiete

Aufgrund der Eigenschaften von Bims ist das primäre Anwendungsgebiet der Einsatz als Ausgleichschüttung in Verbindung mit Wärme- und/oder Schalldämmung bei Neubau, Renovierung und Sanierung von Fußböden. Die Schüttung kann dabei unter allen gängigen Nass- und Trockenestrichen, wie z. B. Zementestrich, Fließestrichen, Gussasphalt, Gipsfaser-Estrichelementen und Zementestrich-Trockenelementen, verwendet werden. Ebenso ist auch der Einbau unter OSB- oder Holzfaserplatten möglich. Abb. 3.105 zeigt das Beispiel eines Bodenaufbaus.

Tabelle 3.21 gibt eine Übersicht über die technischen Daten von Bims-Trockenschüttung.

Tabelle 3.21: Technische Daten einer Bims-Trockenschüttung

Körnung	ca. 0,3 bis 4,0 mm
Baustoffklasse	A1 – nicht brennbar
Wärmeleitfähigkeit	$\lambda_B \approx 0{,}09$ W/(m · K)
Schüttdichte	ca. 350 kg/m³
μ-Wert	4
Verbrauch	ca. 11 l pro/m² je 1 cm Einbauhöhe

Lieferform

Die Trockenschüttung ist als Sackware auf Paletten lieferbar. Die Sackgröße ist dabei auf optimales Handling auch in engen Zugängen oder Einbausituationen ausgelegt. Bei größeren Bedarfsmengen ist auch die Anlieferung in Big-Bags möglich.

3.16.4 Relevante Normen

DIN 4102-1:1998-05 Brandverhalten von Baustoffen und Bauteilen – Teil 1: Baustoffe; Begriffe, Anforderungen und Prüfungen

DIN EN 13501-1:2019-05 Klassifizierung von Bauprodukten und Bauarten zu ihrem Brandverhalten – Teil 1: Klassifizierung mit den Ergebnissen aus den Prüfungen zum Brandverhalten von Bauprodukten

3.17 Schaumglas

Schaumglas ist ein hochwertiger Wärmedämmstoff für den Hochbau und für betriebstechnische Anlagen. Der Sicherheitsdämmstoff beinhaltet einen Recyclinganteil von ungefähr 60 % und natürliche Rohstoffe, die in der Natur nahezu unbegrenzt vorkommen. Das Material ist zudem frei von umweltschädigenden Flammschutzmitteln, Treibgasen und Fasern. In einem Schmelzprozess wird aus Recyclingglas, Sand, Dolomit, Kalk usw. ein Glas mit genau definierten Eigenschaften gewonnen. Anschließend wird das Glas gemahlen, mit einer geringen Menge Kohlenstoff versetzt und in Edelstahlformen gegeben. Diese Formen durchlaufen dann einen Ofen, in dem das geschmolzene Glas aufschäumt. Dabei entsteht eine hermetisch abgeschlossene Materialstruktur mit dünnen Zellglaswänden, die bei einem kontrollierten Abkühlungsprozess erhalten bleibt.

Rohstoff und Herstellungsprozess bestimmen diese einzigartige Kombination der Eigenschaften von Schaumglas. Schaumglas-Dämmstoffe tragen häufig die Markenbezeichnung FOAMGLAS®.

Bei der Produktion von Schaumglas werden keine Treibgase verwendet, die die Ozonschicht schädigen oder abbauen. In der Umweltdeklaration des Instituts für Bauen und Umwelt e. V. (IBU) werden für FOAMGLAS® positive umweltverträgliche Eigenschaften dokumentiert. Die Verarbeitung von Schaumglas erfordert keine Schutzmaßnahmen, die über die übliche Arbeitshygiene hinausgehen. Schaumglas fasert nicht und ist wohnhygienisch einwandfrei. Von umweltbewussten Planern und Bauherren wird FOAMGLAS® deshalb heute bevorzugt. Die Verwendung von FOAMGLAS® als Dämmstoff erzielt über die Lebensdauer des Bauwerks ein sehr günstiges Kosten-Nutzen-Verhältnis.

3.17.1 Anwendungsgebiete

Hochbau

Flachdächer, Steildächer, begrünte Dächer, Parkdecks, Terrassen, Erdreichaußenwand/Boden, lastabtragende Gründungsplatten, Wände/Fassaden, Schwimmhallen und -becken, Innendämmungen. Abb. 3.106 zeigt ein Verlegebeispiel.

Technische Isolierung und betriebstechnische Anlagen

Rohrleitungen, Kälteisolierung, Tanks und Behälter aus Stahl, Behälter aus Beton, Frischluft-Ansaugschächte, Luftansaugschächte aus Beton/Stahl, Industrieschornsteine, Kühlhäuser

3.17.2 Lieferformen

Schaumglas gelangt als Plattenware, als Boards oder als Rohrschalen zum Einsatz (siehe Abb. 3.107). Boards sind werkseitig hergestellte, großformatige Schaumglasdämmstoffe, die beidseitig eine Spezialbeschichtung besitzen.

Abb. 3.106: Schaumglasplatten in Heißbitumen auf Beton und Stahltrapezblechen (Quelle: FOAMGLAS®)

Abb. 3.107: BOARDs, Platten und Gefälledachplatten (Quelle: FOAMGLAS®)

Verschiedene Lieferformen stehen zur Verfügung. Die Schaumglas-Platten werden in Standard-Lieferdicken bis 200 mm und als Gefälle-Dämmplatten mit verschiedenen Standard-Neigungen hergestellt.

3.17.3 Technische Merkmale

Schaumglas wird nach der Stoffnorm DIN EN 13167:2015-04 „Wärmedämmstoffe für Gebäude – Werkmäßig hergestellte Produkte aus Schaumglas (CG) – Spezifikation" als Dämmstoff für das Bauwesen hergestellt und gütegesichert. In der Fremdgüteüberwachung werden im Wesentlichen die Wärmeleitfähigkeit, die Druckfestigkeit und die absolute Geschlossenzelligkeit des nichtbrennbaren Dämmstoffs Schaumglas kontrolliert. Schaumglas (unkaschierte Ware) gehört nach DIN 4102-1:1998-05 „Brandverhalten von Baustoffen und Bauteilen – Teil 1: Baustoffe; Begriffe, Anforderungen und Prüfungen" zur Baustoffklasse A1 bzw. Euroklasse A1 nach DIN EN 13501-1:2019-05 „Klassifizierung von Bauprodukten und Bauarten zu ihrem Brandverhalten – Teil 1: Klassifizierung mit den Ergebnissen aus den Prüfungen zum Brandverhalten von Bauprodukten". Die Wärmeleitfähigkeit λ_D liegt zwischen 0,036 W/(m · K) und 0,050 W/(m · K). Die Druckfestigkeit für die Anwendungstypen PW/PB-ds, -dx bzw. -dh liegt bei 600 bis 1.600 kPa. Über den Anwendungstyp hinaus werden Druckfestigkeiten nach Werkstandard bis zu 1,7 N/mm^2 hergestellt. Diese Werte werden ohne Stauchung erreicht. Für FOAMGLAS®

stehen allgemeine bauaufsichtliche Zulassungen bereit, die die Anwendungen als lastabtragende Wärmedämmung unter Gründungsplatten sowie als Perimeterdämmung auch bei drückendem Wasser regeln.

3.17.4 Relevante Normen

DIN 4102-1:1998-05 Brandverhalten von Baustoffen und Bauteilen – Teil 1: Baustoffe; Begriffe, Anforderungen und Prüfungen

DIN EN 13167:2015-04 Wärmedämmstoffe für Gebäude – Werkmäßig hergestellte Produkte aus Schaumglas (CG) – Spezifikation

DIN EN 13501-1:2019-05 Klassifizierung von Bauprodukten und Bauarten zu ihrem Brandverhalten – Teil 1: Klassifizierung mit den Ergebnissen aus den Prüfungen zum Brandverhalten von Bauprodukten

3.18 Dämmstoffe aus nachwachsenden Rohstoffen

Dämmstoffe, die aus nachwachsenden Rohstoffen wie Holz, Hanf oder Schafwolle hergestellt werden, hatten gemäß Umfrage der Fachagentur (FNR) für nachwachsende Rohstoffe gut 9 Prozent Marktanteil im Jahr 2019 (FNR, 2020). Das ist im Vergleich zu Dämmstoffen auf mineralischer (43 %) und fossiler Basis (48 %) ein eher kleiner Anteil, aber dieser steigt und Hersteller sowie Händler erwarten weiter wachsende Marktanteile.

Dämmstoffe aus nachwachsenden Rohstoffen bieten gegenüber konventionellen Dämmstoffen durchaus Vorteile. Da sie aus nachwachsenden oder recycelten Rohstoffen bestehen, schont ihre Verwendung Ressourcen. Ihr An- und Abbau sowie ihre Entsorgung sind deutlich umweltschonender und der Energiebedarf bei der Herstellung geringer.

Sie bieten im Allgemeinen eine gute bis sehr gute Dämmleistung, einen überdurchschnittlichen sommerlichen Hitzeschutz und eine gute Feuchtigkeitsregulierung. Bei richtigem Einbau und Kenntnis der Materialeigenschaften stehen sie auch in puncto Langlebigkeit und Dauerhaftigkeit konventionellen Dämmstoffen nicht nach.

Dämmstoffe aus nachwachsenden Rohstoffen gehören zu den „gesunden" Baustoffen, d. h., sie sind in der Regel frei von Schadstoffen. Störende oder schädliche Emissionen sind nicht zu erwarten. Viele ökologische Dämmstoffe bewirken aufgrund ihrer bauphysikalischen Eigenschaften ein angenehmes Raumklima. Einige Dämmstoffe wie Schafwolle können sogar Schadstoffe aus der Raumluft aufnehmen und binden. Darüber hinaus lassen sie sich gesundheitsverträglicher verarbeiten, weil dabei keine gesundheitsschädlichen oder hautreizenden Stäube entstehen. Zu beachten ist aber, dass Dämmstoffe aus nachwachsenden Rohstoffen chemische Zusätze enthalten können, um das Material z. B. schädlingsresistent zu machen oder Brandschutzvorschriften zu erfüllen. Dies ist bei der Verarbeitung und auch der Entsorgung zu beachten.

Ein – oft ausschlaggebender – Nachteil von Dämmstoffen aus nachwachsenden Rohstoffen ist der Preis, denn sie sind meist deutlich teurer als klassische Dämmstoffe wie Polystyrol und Mineralwolle. Ein Grund dafür ist darin zu vermuten, dass ihre Anwendung noch nicht weitverbreitet ist und die Materialien in entsprechend kleinen Mengen hergestellt werden.

Abb. 3.108: Holzfaserdämmung (Quelle: FNR/W.Freese, CC BY 3.0)

Je nach Anwendungsfall kann ein weiterer Nachteil von Dämmstoffen aus nachwachsenden Rohstoffen ein nicht ausreichender Brandschutz sein. Für Einfamilienhäuser und kleine Mehrfamilienhäuser sind diese Dämmstoffe mit Blick auf den Brandschutz meistens problemlos einsetzbar. Bei erhöhten Brandschutzanforderungen, wie sie häufig für größere Gebäude vorgeschrieben sind, können viele Dämmstoffe aus nachwachsenden Rohstoffen allerdings noch nicht zum Einsatz kommen.

Unter den natürlichen Dämmstoffen sind Holzfaserdämmstoffe mit Abstand am beliebtesten (geschätzter Marktanteil 58 %), gefolgt von Zellulose (32 %) und weiteren ökologischen Dämmstoffen wie Hanf, Flachs und Schafwolle (10 %). Eingesetzt werden diese meist als Platten-, Einblas- und Mattendämmung.

3.18.1 Holzfasern

Die Produktpalette ist umfangreich – Holzfaserdämmung (siehe Abb. 3.108) gibt es in Form von Platten, Matten und Einblasdämmung. Abgesehen von einer Perimeterdämmung können Holzfasern für nahezu alle Dämmaufgaben eingesetzt werden: in Form von flexiblen Matten oder als Einblasdämmung zur Dach- und Wanddämmung, als feste Platten u. a. zum Dämmabschluss, als Unterdach, Trittschalldämmung, abgehängte Decke, Putzträger, profilierte Akustikdecke oder in Wärmedämm-Verbundsystemen. Zur Flachdachdämmung sind sie nur bedingt geeignet. Holzfaserdämmungen können wiederverwendet, recycelt, unter Umständen kompostiert oder thermisch verwertet werden. Dämmstoffe aus Holzfasern erreichen außerordentlich gute Werte beim sommerlichen Wärmeschutz, sie sind schimmel- und schädlingsresistent und zeigen eine hohe Feuchteresistenz bei gleichbleibender Dämmwirkung. Sie ermöglichen außerdem einen guten Schallschutz, bieten allerdings auch Nagetieren einen Nistplatz. Dagegen können Mäusegitter helfen.

3.18.2 Zellulose

Zellulosedämmstoffe werden aus Altpapier hergestellt. Aus diesem Grund ist der Energiebedarf bei der Herstellung gering und der Preis im Vergleich zu anderen ökologischen Dämmstoffen normalerweise günstig. Um den geforderten Brandschutz zu erreichen, werden dem zerfaserten Altpapier noch Zusatzstoffe hinzugefügt, die nicht biologisch abbaubar sind. Zellulosedämmstoffe sind daher nicht kompostierbar, aber wiederverwertbar und deponierfähig.

Abb. 3.109: Zellulose-Einblasdämmung (Quelle: FNR/W.Freese, CC BY 3.0)

Abb. 3.110: Hanfdämmung (Quelle: FNR/W.Freese, CC BY 3.0)

Abb. 3.111: Dämmmatte aus Flachs (Quelle: FNR/W.Freese, CC BY 3.0)

Zellulose wird als Einblasdämmung (siehe Abb. 3.109), Dämmschüttung und in Form von Dämmplatten verwendet und kann dementsprechend für viele Anwendungsfälle eingesetzt werden. Sie ist aber ebenso wenig wie Holzfaserdämmstoffe als Perimeterdämmstoff geeignet. Die schimmel- und schädlingsresistente Zellulose hat gute Wärmedämm- und Wärmespeicherfähigkeiten. Zellulosedämmungen erreichen einen hohen sommerlichen Hitzeschutz und könne außerdem Feuchte sehr gut regulieren, sind aber anfällig für Fäule.

3.18.3 Hanf

Die seit Jahrtausenden angebaute Nutzpflanze liefert den Rohstoff für Dämmvliese, -matten und -platten sowie für Stopfdämmungen und Schüttdämmstoffe (siehe Abb. 3.110). Dafür werden entweder Hanffasern oder die verholzten Schäben der Pflanze verwendet. Als Brandschutzmittel dient – herstellerabhängig – Soda oder Ammoniumphosphat. Hanf wächst schnell, ist anspruchslos und unkompliziert im Anbau, der auch in Deutschland stattfindet. Das wirkt sich positiv auf die Ökobilanz von Hanfdämmungen aus. Ein Recycling ist problemlos möglich. Ohne Zusatzstoffe sind Hanfdämmungen sogar kompostierbar. Je nach Art der Hanfdämmung kann das Material z. B. als Zwischensparren- und Untersparrendämmung, als Dämmung zwischen konstruktiven Hölzern, für Hohlräume, Fußboden, Decke und als Trittschalldämmung zum Einsatz kommen. Hanf enthält kein Eiweiß und ist daher von Natur aus unattraktiv für Insekten. Das schimmel- und schädlingsresistente Material hat eine gute Wärmedämmung, bietet einen sehr guten sommerlichen Wärmeschutz sowie einen hohen Schallschutz und sorgt durch seine sehr gute Feuchteregulierungsfähigkeit für ein angenehmes Raumklima.

3.18.4 Flachs

Flachs ist vielen eher als Lieferant für Leinenstoffe, Leinsamen und Leinöl bekannt. Die ausgesprochen hohe Widerstandfähigkeit macht den Rohstoff aber auch für den Einsatz als nachhaltigen und ökologischen Dämmstoff interessant. Aus dem Material werden Dämmstoffmatten, -platten, Vliese, Schüttgut, Einblasdämmungen und Stopfwolle für die Wärme- und Schalldämmung hergestellt (siehe Abb. 3.111). Genutzt werden dafür die Kurzfasern der Pflanze, die für die Textilherstellung uninteressant sind. Als Zusatzstoffe können Stützfasern aus PE oder Pflanzenstärke (z. B. Kartoffelstärke) und Brandschutzmittel verwendet werden. Es gibt aber auch Dämmstoffe aus Flachs ohne Zusatzstoffe. Diese sind dann kompostierbar oder

Abb. 3.112: Auch Schafwolle kommt als ökologischer Dämmstoff zum Einsatz (Quelle: Hansjörg Schulthess/pixelio.de)

weiterverwendbar, z. B. als Mulchmaterial. Für die Ökobilanz des Materials vorteilhaft sind die kurzen Transportwege, da es hauptsächlich aus Frankreich und Belgien kommt. Die Pflanze ist außerdem relativ resistent gegen Schädlinge und eignet sich daher gut für den ökologischen Anbau. Dämmstoffe aus Flachs werden u. a. eingesetzt als Zwischensparren- und Untersparrendämmung, zur Innendämmung von Wänden, zur Fenster- und Türenabdichtung sowie zur Trittschalldämmung. Nicht geeignet ist das Material als Perimeterdämmung und zur Außendämmung von Fassade und Dach. Flachs ist schimmel- und schädlingsresistent, widerstandsfähig gegen Fäulnis und hat eine sehr gute Feuchteregulierungsfähigkeit. Dämmstoffe aus Flachs sind leicht zu verarbeiten und sehr formbeständig. Sowohl die Wärme- als auch die Schalldämmung ist gut, nur beim sommerlichen Hitzeschutz erreicht Flachs weniger gute Werte.

3.18.5 Schafwolle

Wolle als Rohstoff für Dämmstoffe stammt in der Regel aus Deutschland und ist ein Nebenprodukt der Tierhaltung (siehe Abb. 3.112). Die Schurwolle muss aufwendig aufbereitet und verarbeitet werden, bevor sie als ökologischer Dämmstoff zur Anwendung kommen kann. Im Zuge dessen muss die Wolle auch gegen Mottenbefall geschützt werden. Das wird je nach Hersteller mit unterschiedlichen Stoffen (Biozide, Natriumborate u. a.) erreicht. Schafwolle ist für die Dämmung von Dach, Wand, Decke und Außenfassade geeignet. Sie hat sich aber auch als Trittschalldämmung, zur Schalldämmung von Klima- und Lüftungsanlagen, im Bereich der gedämmten Installationsebene sowie als Stopfwolle für Fugen und Hohlräume bewährt. Als Perimeterdämmung ist sie ungeeignet. Eine Schafwolldämmung erreicht eine sehr gute Wärmedämmung, bei ausreichender Dichte auch einen guten sommerlichen Wärmeschutz. Sie ist von Natur aus schimmelresistent und hat eine sehr gute Feuchteregulierungsfähigkeit. Darüber hinaus kann Schafwolle Schadstoffe (z. B. Formaldehyd) aus der Raumluft aufnehmen und binden. Sie ist sehr elastisch, was dem Dämmstoff Langlebigkeit und Formstabilität verleiht. Auch durch Feuchtigkeitsaufnahme wird diese Formstabilität ebenso wenig wie die Dämmeigenschaft beeinträchtigt.

Die Liste an ökologischen Dämmstoffen ist noch viel länger. Neben den oben genannten werden auch Holzspäne und Holzwolle, Blähton, Jute, Kork, Schilfrohr, Seegras, Stroh und Wiesengras als Dämmstoff eingesetzt. Jedes dieser Materialien bringt seine eigenen Vor- und Nachteile mit im Hinblick auf Wärmedämmung, Schalldämmung, Brandschutz, Feuchteverhalten, sommerlichen Hitzeschutz, Diffusionsoffenheit, Kompostierbarkeit, Schädlingsresistenz, Energiebedarf bei der Herstellung usw.

3.19 Technische Isolierungen

3.19.1 Dämmung von Heizungs- und Warmwasserrohrleitungen

Das Gebäudeenergiegesetz (GEG) sieht vor, dass sowohl alle Wärmeverteilungs- als auch alle Warmwasserleitungen ausreichend gedämmt sind. In Anlage 8 des GEG sind die Mindestdicken der Dämmschicht je nach Innendurchmesser von Rohrleitungen und Armaturen festgelegt (vgl. Tabelle 3.22). Für die Dämmung der Leitungen gibt es verschiedene geeignete Dämmstoffe wie Steinwolle oder Polyethylen.

Tabelle 3.22: Mindestdicken von Dammschichten

Zeile	Art der Leitungen/Armaturen	Mindestdicke der Dämmschicht, bezogen auf eine Wärmeleitfähigkeit von 0,035 W/(m · K)
1	Innendurchmesser bis 22 mm	20 mm
2	Innendurchmesser über 22 bis 35 mm	30 mm
3	Innendurchmesser über 35 bis 100 mm	gleich Innendurchmesser
4	Innendurchmesser über 100 mm	100 mm
5	Leitungen und Armaturen nach den Zeilen 1 bis 4 in Wand- und Deckendurchbrüchen, im Kreuzungsbereich von Leitungen, an Leitungsverbindungsstellen, bei zentralen Leitungsnetzverteilern	½ der Anforderungen der Zeilen 1 bis 4
6	Leitungen von Zentralheizungen nach den Zeilen 1 bis 4, die nach dem 31. Januar 2002 in Bauteilen zwischen beheizten Räumen verschiedener Nutzer verlegt werden	½ der Anforderungen der Zeilen 1 bis 4
7	Leitungen nach Zeile 6 im Fußbodenaufbau	6 mm
8	Kälteverteilungs- und Kaltwasserleitungen sowie Armaturen von Raumlufttechnik und Klimakältesystemen	6 mm

Abb. 3.113: Isolierung von Heizungs- und Sanitärleitungen mit Rohrschalen aus Steinwolle (Quelle: DEUTSCHE ROCKWOOL GmbH & Co. KG, Gladbeck)

3.19.2 Dämmung von Kühl- und Kaltwasserleitungen

Bei Kaltwasserleitungen ist eine Dämmung anzubringen, wenn eine Beeinträchtigung durch Tauwasserbildung oder eine zu hohe Erwärmung der Leitungen bei einer höheren Umgebungstemperatur zu erwarten ist. Zum Schutz vor zu erwartender Tauwasserbildung müssen diffusionsdichte Isolierungen angebracht werden. DIN 1988-200:2012-05 „Technische Regeln für Trinkwasser-Installationen – Teil 200: Installation Typ A (geschlossenes System) – Planung, Bauteile, Apparate, Werkstoffe; Technische Regel des DVGW“ regelt die Mindestdicken der Dämmschicht in Abhängigkeit von der Einbausituation; z. B. beträgt bei frei verlegten Rohrleitungen in nicht beheizten Räumen bei einer Umgebungstemperatur von ≤ 20 °C die Dämmschichtdicke 9 mm.

3.19.3 Sortiment

Der Bemessungswert für Dämmstoffe liegt gemäß GEG in den meisten Fällen bei 0,035 W/(m · k). Die Dämmstoffe, die zur Verwendung kommen, sollten bei 40 °C Mitteltemperatur eine Wärmeleitfähigkeit von 0,035 W/(m · k) aufweisen. Bei Dämmstoffen mit einer schlechteren Wärmeleitfähigkeit müssen ihre Dicken entsprechend angepasst werden.

Eine Mineralwolledämmung eignet sich gut für sichtbare Rohrleitungen. Die Dämmung muss eine diffusionsdichte Außenhaut besitzen und sollte mit einer handlichen Anbringungs- und Verschlussmöglichkeit umhüllt sein. Ein beliebtes Beispiel sind Steinwoll-Rohrschalen, die für alle gängigen Rohrdurchmesser nutzbar sind (siehe Abb. 3.113). Der Dämmstoff ist nicht brennbar und bietet einen guten Schallschutz. Übliche Dämmdicken betragen zwischen 20 und 100 mm. Bei Leitungen durch raumabschließende Bauteile sind die Anforderungen an den Brandschutz zu beachten. Die „Richtlinie über brandschutztechnische Anforderungen an Leitungsanlagen“ (LAR) (2020-01) besagt, dass Rohrleitungen durch Wände und Decken die gleiche Feuerwiderstandsfähigkeit aufweisen müssen wie die Bauteile, durch die sie verlaufen. Um das zu gewährleisten, werden die Leitungen durch entsprechende Rohrabschottungen mit äquivalenter Feuerwiderstandsfähigkeit geführt.

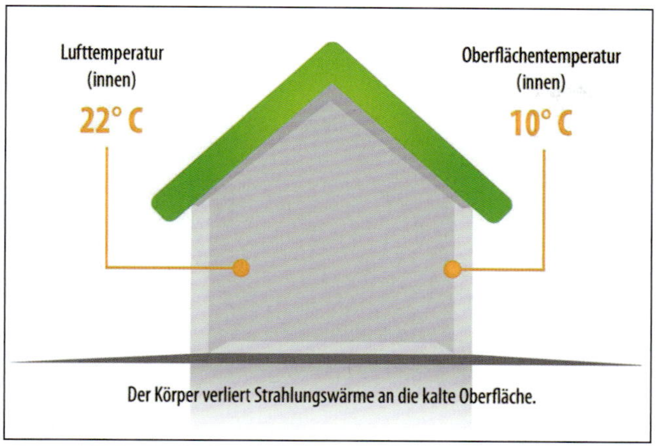

Abb. 3.114: Standard „Unbehaglich" – Zugerscheinung (Quelle: Verband für Dämmsysteme, Putz und Mörtel e. V., Berlin)

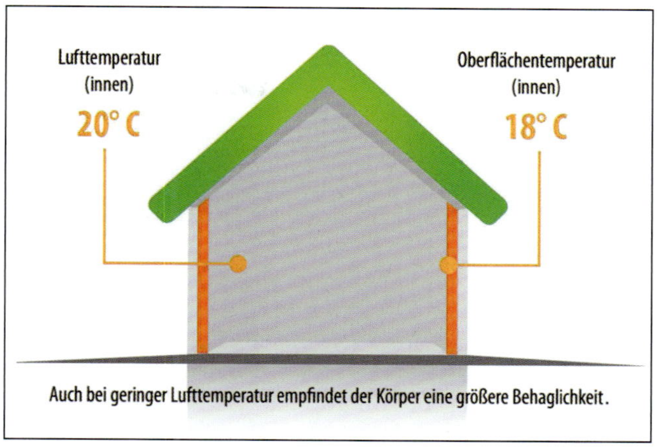

Abb. 3.115: Standard „Behaglich" – kleine Zugerscheinung (Quelle: Verband für Dämmsysteme, Putz und Mörtel e. V., Berlin)

3.20 Innendämmsysteme (IDS)

Innendämmsysteme (IDS) werden auf der Innenseite von Außenwänden eines Gebäudes aufgebracht; sie bestehen aus mehreren Systemkomponenten und können – je nach Hersteller und Anwendungsbereich – unterschiedlich aufgebaut sein.

IDS bieten überzeugende Lösungen für eine Vielzahl von Anwendungsbereichen, insbesondere

- für die energetische Sanierung denkmalgeschützter oder erhaltenswerter Fassaden wie Fachwerk, Sichtmauerwerk und Stuckfassaden,
- wenn durch Grenzbebauung oder die geforderte Einhaltung von Gebäudefluchten keine ausreichende Dämmstoffdicke auf der Fassade angebracht werden kann,
- wenn für eine Außendämmung kein ausreichender Dachüberstand vorhanden und herstellbar ist.

3.20.1 Funktionsweise

Die verschiedenen IDS unterscheiden sich vor allem in ihrer Art und Weise, mit dem Diffusionsstrom umzugehen (siehe Abb. 3.114 und 3.115).

Das Grundprinzip **diffusionsdichter** Systeme besteht darin, ein Eindringen von Feuchtigkeit von der Raumseite in den Dämmstoff grundsätzlich mithilfe geeigneter Materialien und Konstruktionen zu verhindern (siehe Abb. 3.116). Hierzu wird raumseitig zur Dämmebene eine Schicht mit hohem Diffusionswiderstand aufgebracht. Diese Schicht kann aus dem Dämmstoff selbst, aus einer Dampfbremsfolie oder aus Beschichtungsstoffen mit vergleichbarer Wirkung bestehen. Diffusionsgebremste Systeme weisen einen ähnlichen Aufbau auf. Der Diffusionswiderstand ist im Vergleich geringer und lässt einen Ausgleich zwischen unkritischen Feuchteeinträgen bei kühlen Außentemperaturen und Verdunstungen bei höheren Außentemperaturen zu.

Kapillaraktive, **diffusionsoffene** Systeme erlauben im Winter einen Dampfdiffusionsstrom in die Wand hinein, nehmen die anfallende Feuchte auf und transportieren sie kapillar an die rauminnere Oberfläche der Außenwand zurück (siehe Abb. 3.117). Dadurch wird das Feuchteniveau in der Wand dauerhaft auf ein unkritisches Maß reduziert.

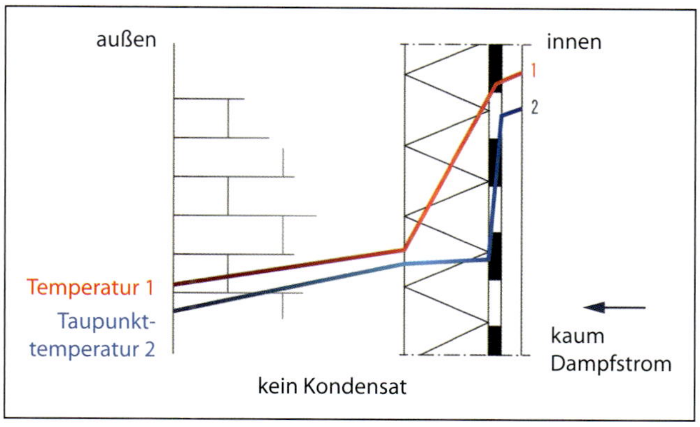

Abb. 3.116: Prinzipskizze zur Funktionsweise eines diffusionshemmenden IDS: Der Dampfdiffusionsstrom in die Konstruktion hinein wird durch eine Dampfbremsfolie reduziert (Quelle: Verband für Dämmsysteme, Putz und Mörtel e. V., Berlin).

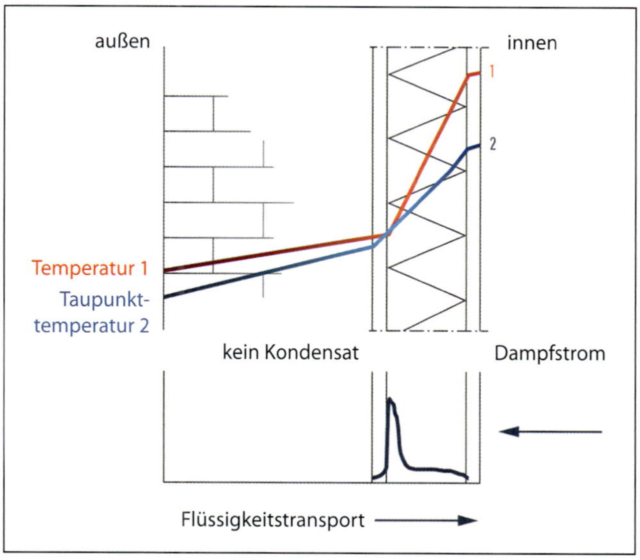

Abb. 3.117: Prinzipskizze eines diffusionsoffenen, kapillaraktiven IDS: Der Dampfdiffusionsstrom in die Konstruktion hinein wird explizit erlaubt (Quelle: Verband für Dämmsysteme, Putz und Mörtel e. V., Berlin).

Die Wand bleibt diffusionsoffen und kann Feuchtespitzen aus der Raumluft puffern. So wird die relative Luftfeuchtigkeit im Innenraum reguliert.

Die Funktion und die Eigenschaften eines IDS werden ganz wesentlich vom verwendeten **Dämmstoff** bestimmt. Dessen Auswahl muss stets unter Berücksichtigung der objektspezifischen Anforderungen und der Systemwahl erfolgen. Verwendet werden dürfen sowohl geregelte (genormte) als auch nicht geregelte Dämmstoffe. Die Anwendung genormter Dämmstoffe zum Wärmeschutz und zur Energieeinsparung in Gebäuden regelt DIN 4108-10:2021-11 „Wärmeschutz und Energie-Einsparung in Gebäuden – Teil 10: Anwendungsbezogene Anforderungen an Wärmedämmstoffe". Nicht geregelte Dämmstoffe und konstruktive Baustoffe mit dämmenden Eigenschaften werden gemäß ihrer allgemeinen bauaufsichtlichen Zulassung (abZ) bzw. ihrer europäischen Zulassung (ETA) verwendet.

Abhängig vom Systemaufbau, den Dämmstoffeigenschaften und dem Zustand der Wandoberfläche werden IDS auf verschiedene Weise innenseitig an der Außenwand befestigt.

3.20.2 Befestigungsarten

Verklebung

Ist der vorhandene Wandaufbau tragfähig für eine Verklebung, werden die Dämmplatten mit systemspezifischen Klebern oder Klebemörteln am Untergrund befestigt (siehe Abb. 3.118). Eine Feuchteanreicherung durch Konvektion feuchtwarmer Raumluft durch das IDS ist zu vermeiden, deshalb wird meist vollflächig verklebt.

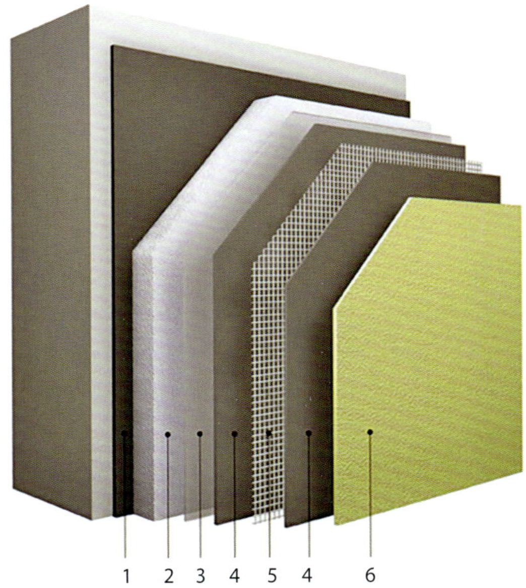

1 Klebe- und Funktionsschicht
2 Dämmung
3 Grundierung
4 Unterputz
5 Armierungsgewebe
6 innenraumseitige Endbeschichtung

Abb. 3.118: Aufbau eines IDS mit Verklebung (Quelle: Verband für Dämmsysteme, Putz und Mörtel e. V., Berlin)

Mechanisch befestigte Systeme

Bei mechanisch befestigten Systemen erfolgt der Lastabtrag in die Außenwand über Dübel oder Befestigungsschienen. Mithilfe von senkrecht an der Wand montierten Befestigungsschienen können größere Unebenheiten der Innenwände ausgeglichen werden (siehe Abb. 3.119).

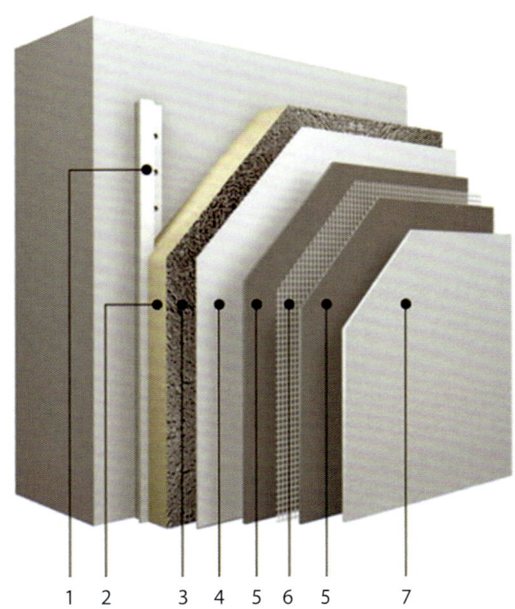

1 Befestigungsleiste, mit Schrauben oder Dübeln an bestehender Wandkonstruktion befestigt
2 Dämmung
3 Diffusionsdichte oder diffusionshemmende Schicht
4 Grundierung
5 Unterputz
6 Armierungsgewebe
7 innenraumseitige Endbeschichtung

Abb. 3.119: Aufbau eines mechanisch befestigten IDS (Quelle: Verband für Dämmsysteme, Putz und Mörtel e. V., Berlin)

Gespritzte Systeme

Bei gespritzten Systemen wird eine wärmedämmende Schicht – die z. B. aus einem Gemisch aus Putzmörtel und einem Dämmmaterial besteht – direkt auf den Wandaufbau gespritzt. Eine zusätzliche mechanische Befestigung ist nicht erforderlich. Anschließend wird ein systemspezifischer Oberputz aufgetragen. Eine fachgerechte Planung beginnt bereits mit der systematischen Bestandsaufnahme am jeweiligen Objekt. Die Bauzustandsanalyse-Checkliste erleichtert dabei die methodische Erfassung und beinhaltet alle wesentlichen Punkte, die für eine objektbezogene Konzeption des IDS notwendig sind.

3.20.3 Schlussbeschichtungen

Zur individuellen Gestaltung des Innenraums steht eine Vielzahl unterschiedlicher Schlussbeschichtungen zur Verfügung. Die innerhalb eines IDS notwendigen Anforderungen an die Beschichtungsmaterialien oder Wandbekleidungen wie z. B. Tapeten werden vom jeweiligen Systemlieferanten vorgegeben. Putz- und Spachtelmassen mit unterschiedlichen Farben und Strukturen stellen entweder selbst die Schlussbeschichtung dar oder bilden die Grundlage für Anstriche, die das Wohlfühlklima innen gedämmter Räume unterstreichen.

3.20.4 Norm und Literatur

DIN 4108-10:2021-11 Wärmeschutz und Energie-Einsparung in Gebäuden – Teil 10: Anwendungsbezogene Anforderungen an Wärmedämmstoffe

Innendämmsysteme [online]. Berlin: Verband für Dämmsysteme, Putz und Mörtel e. V., 2022

3.21 Akustikdecken

3.21.1 Raumakustik

Im Ausbau werden 2 Varianten der Akustik unterschieden:

- Bauakustik,
- Raumakustik.

Bauakustik

Die Bauakustik beschäftigt sich mit dem akustischen Verhalten einzelner Bauprodukte, Komponenten (z. B. Türen und Zargen) oder Konstruktionen (z. B. Trockenbauwänden). In Schallprüfständen wird dabei der Schallpegel ermittelt, der bei standardisierter Geräuschentwicklung auf der „anderen Seite" des Prüfstandes noch gemessen werden kann. Angaben zu einzelnen Produkten bzw. Konstruktionen werden in den Produktunterlagen der Hersteller veröffentlicht.

Raumakustik

Die Raumakustik wiederum beschäftigt sich mit allen Faktoren, die die akustischen Eigenschaften eines gesamten Raumes beeinflussen. Dabei muss jeder einzelne Raum individuell auf seine akustischen Eigenschaften geprüft, d. h. gemessen werden. 2 wichtige Prüfgrößen sind die Nachhallzeit und die Schallabsorption.

Nachhallzeit

Die Nachhallzeit ist die älteste und bekannteste Beurteilungsgröße in der Raumakustik, die auch durch Messgeräte wahrgenommen werden kann. Kirchenschiffe haben eine sehr große Nachhallzeit, Büroräume eine geringe. Extreme Beispiele sind akustische Prüfräume, bei denen der Nachhall völlig ausgeschaltet ist. Die Nachhallzeit wird in Sekunden angegeben und ist definiert als die Zeitspanne, in der ein Schalldruck im Raum nach Abschalten der Schallquelle um 60 dB abnimmt.

Schallabsorption

Die Schallabsorption beschreibt die Reduzierung der Schallenergie im Raum. Diese Reduzierung geschieht durch spezielle Akustikmaterialien (z. B. Mineraldämmstoffe, PU-Schäume). Ihnen allen ist ihre Porosität gemeinsam. Ihre Wirkungsweise basiert darauf, dass Schallwellen in die Poren des Materials eindringen und sich an den immer enger zulaufenden Kanälen abreiben. Physikalisch gesehen wird dabei Schallenergie in Wärmeenergie umgewandelt.

Schallabsorptionsgrad

Der Schallabsorptionsgrad definiert das Verhältnis von reflektierter zu absorbierter Schallenergie. Dabei entspricht ein Wert von 0 einer totalen Reflexion, ein Wert von 1 dagegen einer vollständigen Absorption. Multipliziert man den Schallabsorptionsgrad mit 100, so erhält man die Schallabsorption in Prozent. $\alpha = 75$ bedeutet 75 % Schallabsorption, entsprechend verbleiben 25% Schallreflexion.

Bewerteter Schallabsorptionsgrad

Um diesen recht theoretischen Ansatz für die Praktiker besser handhabbar zu machen hat die DIN EN ISO 11654:1997-07 „Akustik – Schallabsorber für die Anwendung in Gebäuden – Bewertung der Schallabsorption (ISO 11654:1997)" die einzeln zu ermittelnden Werte in unterschiedliche Absorptionsklassen eingeteilt (vgl. Tabelle 3.23).

Tabelle 3.23: Absorptionsklassen

Absorptionsklasse	α_w-Wert [-]
A	0,90; 0,95; 1,00
B	0,80; 0,85
C	0,60; 0,65; 0,70; 0,75
D	0,30; 0,35; 0,45; 0,50; 0,55
E	0,15; 0,20; 0,25
nicht klassifiziert	0,00; 0,05; 0,10

Es ist nicht sinnvoll, gebaute Räume nachträglich auf ihre akustische Funktionsfähigkeit zu prüfen. Richtiger ist es, Räume je nach Einsatz im Vorfeld auf eine bestimme Akustik hin zu planen.

Zur raumaktischen Planung von Räumen kann DIN 18041:2016-03 „Hörsamkeit in Räumen – Anforderungen, Empfehlungen und Hinweise für die Planung" herangezogen werden. Diese Norm gibt Soll-Nachhallzeiten T_{soll} für bestimmte Raumarten wie Sport- und Schwimmhallen vor. Grundsätzlich unterscheidet die Norm 2 Nutzungsgruppen (vgl. Tabelle 3.24).

Tabelle 3.24: Beispiele für Räume der Nutzungsgruppen A und B

Räume der Gruppe A „Hörsamkeit über mittlere und größere Entfernungen"	Räume der Gruppe B „Hörsamkeit über geringe Entfernungen"
Beispiele: • Räume, in denen Musik unterrichtet oder dargeboten wird • Räume, in denen gesprochen wird z. B. Gerichts-, Rats-, Versammlungsräume • Räume, die dem Unterricht dienen z. B. Seminarräume, Tagungs- und Konferenzräume u. a.	Beispiele: • Einzel-, Mehrpersonen- und Großraumbüros • Call-Center, Verkaufsräume, Gaststätten • Sprechzimmer in Anwaltskanzleien und Arztpraxen • Operationssäle, Behandlungs- und Reharäume • Lesesäle und Leihstellen in Bibliotheken • Werkräume (z. B. Lehrwerkstatt) • Speisegaststätten, Kantinen u. a.

Während für die Räume der Nutzungsgruppe A konkrete Anforderungen an die Soll-Nachhallzeit vorgeschrieben sind, bestehen für die Räume der Nutzungsgruppe B lediglich Empfehlungen.

3.21.2 Arten von Akustikdecken

Wo im Ausbau abgehängte Decken auch als Akustikdecken eingesetzt werden, gelten für sie die gleichen physikalischen Gesetze (Umwandlung von Schallenergie in Wärmenergie) wie für andere Schallabsorber. Das heißt, entweder das Deckenpaneel selbst hat absorbierende Eigenschaften (z. B. Mineralfaserplatte) oder aber das Deckenelement muss zusätzlich mit einem absorbierenden Material ausgerüstet werden. Letzteres geschieht, indem auf ein gelochtes Plattenelement aus Gipsplatten oder Holzpaneelen rückseitig ein Akustikabsorber aus Mineralwolle oder Akustikschaum aufgelegt wird.

Über die Lochgröße und die Anzahl der Löcher (offener Querschnitt) kann sowohl der Absorptionsgrad der Decke als auch die Frequenz der Schallabsorption beeinflusst werden.

Akustikdecken sind in vielen Varianten im Markt verfügbar. Dabei kommen die bereits erwähnten 2 Typen zum Einsatz. Bei

- Mineralfaser- ,
- magnesitgebundenen Holzwolleplatten und
- blähglasgranulierten Decken

sind die Deckenelemente selbst aufgrund ihrer Porosität schallabsorbierend.

Bei dem anderen Typ entsteht ein Sandwichelement aus einem nicht absorbierenden und einem absorbierenden Element. Sichtbar sind die (perforierten) unteren Elemente; die eigentlichen Schallabsorber werden im Deckenhohlraum auf diese Elemente aufgelegt. Als Deckenelemente für solche Akustikdecken kommen infrage:

- Holzpaneele,
- Gipsplatten,
- Metallpaneele.

Um die Schallübertragung von einem Raum in den angrenzenden über den Deckenhohlraum zu unterbinden, werden sog. Deckenschotts eingesetzt. Sie bestehen aus hochverdichteten Minerfaserdämmstoffen und werden entweder senkrecht in den Deckenhohlraum eingeklemmt oder müssen bei großem Deckenhohlraum eigens befestigt werden.

Da abgehängte Decken im modernen Ausbau Mehrfachfunktionen (Akustik, Brandschutz, Beleuchtung Kühlung, Design und Feuchteschutz) erfüllen müssen, hängt die planerische Entscheidung für ein bestimmtes Deckensystem vom jeweiligen Anforderungsprofil ab.

So werden in Feuchträumen (Schwimmbädern, Spas usw.) Akustikabsorber auf Schaumstoffbasis eingesetzt, während in Büroräumen die Mineralfaserabsorber das wirtschaftlichere Material sind.

Stehen neben technischen Funktionen auch Designfunktionen auf der Agenda der Auftraggeber, sind im sichtbaren Bereich gelochte Gipsplattendecken aufgrund der universellen Biegbarkeit des Materials vielfach die gegebene Wahl (siehe Abb. 3.120 und 3.121).

Abb. 3.120: Akustikdecke mit gelochten Gipsplatten-Elementen (Quelle: Knauf Insulation GmbH, Simbach am Inn)

Abb. 3.121: Akustik-Deckenplatte mit attraktiver Sechseck-lochung (Quelle: Saint-Gobain Rigips GmbH, Düsseldorf)

Deren Plattendicke variiert je nach Material zwischen 10 und 50 mm. Das Gewicht pro m^2 liegt zwischen 6 und 19,5 kg.

3.21.3 Relevante Normen

DIN 18041:2016-03 Hörsamkeit in Räumen – Anforderungen, Empfehlungen und Hinweise für die Planung

DIN EN ISO 11654:1997-07 Akustik – Schallabsorber für die Anwendung in Gebäuden – Bewertung der Schallabsorption (ISO 11654:1997)

3.22 Holzwolleplatten (WW-Platten) und Holzwolle-Mehrschichtplatten (WW-C-Platten)

Holzwolleplatten können als Dämmstoff sowohl im Außen- als auch im Innenbereich eingesetzt werden (siehe Abb. 3.122 und 3.123).

Die Holzwolleschicht wird aus langen Holzfasern zusammen mit Zement oder Magnesit als Bindemittel hergestellt. Da Styropor-Dämmstoffe aufgrund ihrer besseren Wärmedämmung immer häufiger gewählt werden, finden einfache WW-Platten heutzutage verstärkt im Innenbereich Anwendung, wenn höhere Anforderungen an den Schallschutz bestehen. Die offenporige Schicht bzw. Schichten sorgen für eine hervorragende Schallabsorption. Verglichen mit den WW-Platten haben Holzwolle-Mehrschichtplatten (WW-C-Platten) eine wesentlich bessere (niedrigere) Wärmeleitfähigkeit und bieten daher meist die bessere Alternative zur WW-Platte (siehe Abb. 3.124).

Abb. 3.122: Holzwolle-Dämmplatte aus PEFC-zertifiziertem Holz (Quelle: Knauf Insulation GmbH, Simbach am Inn)

Abb. 3.123: Holzwolle-Platten-Sortiment (Quelle: Knauf Insulation GmbH, Simbach am Inn)

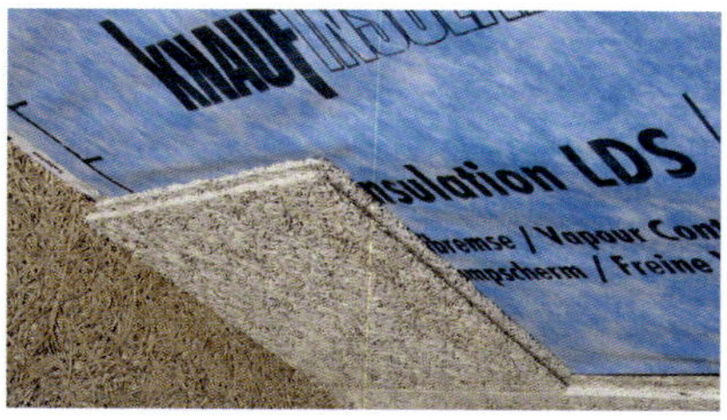

Abb. 3.124: Holzwolle-Mehrschichtplatten im Dachgeschoss (Quelle: Knauf Insulation GmbH, Simbach am Inn)

Abb. 3.125: Holzwolle-Mehrschichtplatten im Innenausbau (Quelle: Knauf Insulation GmbH, Simbach am Inn)

Hier besitzen die Holzwolleschichten eine Mindestdicke von 5 mm. Dreischichtige WW-C-Platten haben eine Kernschicht aus EPS-Hartschaum oder Mineralwolle, die zwischen 2 Deckschichten aus mineralisch gebundener Holzwolle liegt. Die zweischichtigen WW-C-Platten haben nur eine Holzwolleschicht und eine EPS- oder Mineralwolleschicht.

Auch für Holzwolle gibt es das CE-Kennzeichen, das in diesem Fall die Übereinstimmung des hergestellten Dämmstoffs mit den Anforderungen an Holzwolle nach DIN EN 13168:2015-04 „Wärmedämmstoffe für Gebäude – Werkmäßig hergestellte Produkte aus Holzwolle (WW) – Spezifikation" bestätigt. Die wichtigsten Eigenschaften sind dabei die Druckfestigkeit und die Maßhaltigkeit. Zusätzlich gilt in Deutschland die DIN 4108-10:2021-11 „Wärmeschutz und Energie-Einsparung in Gebäuden – Teil 10: Anwendungsbezogene Anforderungen an Wärmedämmstoffe", die weitere Anforderungen an den Wärmeschutz und Vorgaben zur Energieeinsparung in Gebäuden an Wärmedämmstoffe vorschreibt. Nur wenn diese ebenfalls erfüllt sind, dürfen die verschiedenen Arten von Holzwolleplatten in Deutschland eingebaut werden.

3.22.1 Eigenschaften

Eine der wichtigsten zu berücksichtigenden Eigenschaften von Holzwolleplatten ist die bereits erwähnte schlechtere Wärmeleitfähigkeit, weshalb der Dämmstoff oft mit anderen kombiniert wird. Der besser dämmende EPS-Kern bei WW-C-Platten kann eine insgesamt bessere Wärmeleitfähigkeit von ca. 0,032 W/(m · K) erreichen. Verglichen mit dem Standardwert von ca. 0,09 W/(m · K) der WW-Platten wird durch die zusätzliche(n) Schicht(en) der Mehrschichtplatten mehr als doppelt so gut gedämmt.

Gute Eigenschaften haben Holzwolleplatten hinsichtlich des Brandschutzes. WW-Platten und WW-C-Platten mit Steinwollekern sind als schwerentflammbare und als nichtbrennbare Dämmplatten erhältlich. Als Dämmstoff bergen WW-Platten und WW-C-Platten mit EPS- oder Mineralwollekern außerdem keine gesundheitlichen Risiken und gelten als weitgehend resistent gegen Schädlinge und Verwitterung. Bei der Verwendung in Innenräumen sind sie darüber hinaus als emissionsarmer Dämmstoff mit dem Blauen Engel ausgezeichnet.

3.22.2 Anwendungsmöglichkeiten

WW-Platten werden in Garagen, im Dach und im Trockenbau verwendet. Zur Wärmedämmung der Außenwände werden die Platten mineralisch verputzt, nachdem sie entweder außen- oder innenseitig angedübelt wurden. Sie dienen außerdem als Putzträgerplatte im Holzrahmenbau. Besonders geeignet ist die Anwendung mit Lehmputzen. Die gute Schallabsorption ermöglicht darüber hinaus die Verwendung von WW-Platten als Akustikplatten.

WW-C-Platten mit EPS-Kernschicht können zur Wärmedämmung innen (siehe Abb. 3.125) und außen verwendet werden.

Bei einer Betonierung mit verlorener Schalung werden sie an den Kellerdecken aus Beton unterseitig und unverputzt betoniert, an Kelleraußenwänden innenseitig und an Stützen und Fensterstürzen jeweils aus Beton beidseitig betoniert und mineralisch verputzt.

Abb. 3.126: Trockenbau mit Gipsplatten (Quelle: Danogips GmbH & Co. KG, Neuss)

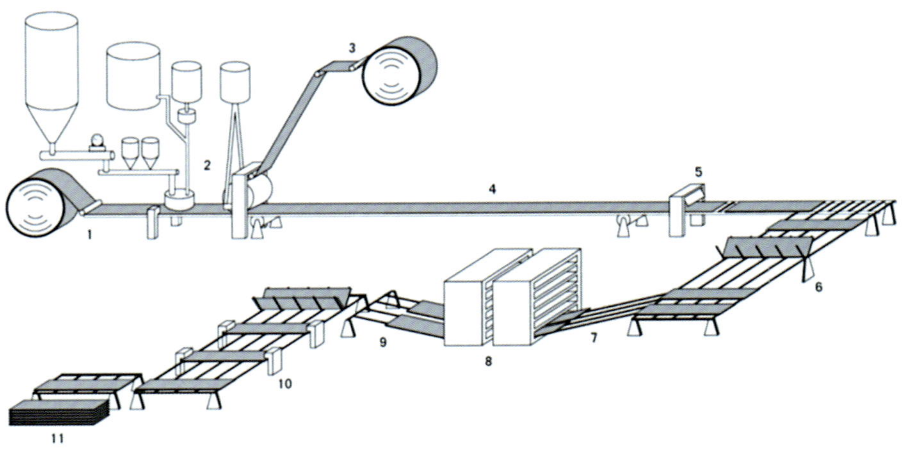

1 Zulauf des Kartons unten (spätere Sichtseite der Platte)
2 bis 3 Zulauf von Gipsbrei und Verteilung durch Formstation mit gleichzeitigem Kartonzulauf von oben
4 bis 5 Abbindestrecke mit Schere als Schneidevorrichtung
6 bis 8 Wendetisch mit Eintrag in einem Mehretagentrockner
9 bis 11 Plattenaustrag mit Besäumung der Querkante und Plattenbündelung

Abb. 3.127: Die wichtigsten Stationen des Herstellungsprozesses von Gipsplatten (Quelle: Bundesverband der Gipsindustrie e.V., Berlin)

Werden die Platten angedübelt, werden sie an Kellerdecken ebenfalls unterseitig gedübelt ohne Putz. An Außenwänden aus Mauerwerk oder Beton werden die Platten innen oder außenseitig gedübelt und mineralisch verputzt.

WW-C-Platten mit Mineralwollekern werden häufig in Tiefgaragen verwendet, um die Bildung von Wärmebrücken zu vermeiden. Auch hier können sie entweder mit einer verlorenen Schalung anbetoniert oder mit Spezialbefestigungsdübeln angebracht werden. Darüber hinaus kann man sie als abgehängte Decken verwenden, nicht zuletzt, um die Raumakustik zu verbessern.

3.22.3 Relevante Normen

DIN 4108-10:2021-11 Wärmeschutz und Energie-Einsparung in Gebäuden – Teil 10: Anwendungsbezogene Anforderungen an Wärmedämmstoffe

DIN EN 13168:2015-04 Wärmedämmstoffe für Gebäude – Werkmäßig hergestellte Produkte aus Holzwolle (WW) – Spezifikation

3.23 Gipsplatten

Der Trockenbau mit Gipsplatten (siehe Abb. 3.126) spielt im Innenausbau eine bedeutende Rolle. Aufgrund der guten bauphysikalischen und gestalterischen Eigenschaften kommt heute kaum ein Bauwerk ohne Systeme des Trockenbaus aus. Als Beplankung werden im Trockenbau meist Gipsplatten eingesetzt. Sie wurden früher als Gipskartonplatten bezeichnet.

Die Gipsplatte wurde 1894 von Augustine Sackett in den USA zum Patent angemeldet. Aber erst 1910 begann die industrielle Fertigung in den USA. In Europa entstand 1928 die erste industrielle Großanlage für die Produktion von Gipsplatten in Großbritannien. Auf dem europäischen Festland wurden Gipsplatten ab 1938 in Riga hergestellt. Daraus ist der Produkt- und Herstellername „Rigips" („Riga Gips") abgeleitet, der zum generalisierten Markennamen wurde und oft als Synonym für Gipsplatten verschiedener Hersteller im deutschsprachigen Raum verwendet wird.

Für den deutschen Markt war die Gipsplatte 1949 ein völlig neues Erzeugnis für den Innenausbau.

Seitdem hat sich die Bauweise etabliert und es stehen zahlreiche genormte und nachgewiesene Konstruktionen für nahezu alle Bauteile zur Verfügung.

3.23.1 Rohstoffe und Herstellung

Gipsplatten werden industriell gefertigt. Sie bestehen aus einem Gipskern, der mit einem fest haftenden Karton ummantelt ist. Die wesentlichen Eigenschaften erhalten die Platten aus der Verbundwirkung von Gipskern und Kartonummantelung. Der Karton wirkt als Armierung der Zugzone und verleiht den Gipsplatten in Verbindung mit dem Gipskern die erforderliche Festigkeit und Biegesteifigkeit. Der Gipskern kann zur Erzielung bestimmter Eigenschaften durch Zusatzstoffe angepasst werden.

Die Platten werden auf großen Bandanlagen hergestellt. Die Rohstoffe sind Stuckgips und Zusatzstoffe für den Gipskern sowie hochwertiger Karton.

Gipsplatten sind eben, rechteckig und in der Regel großflächig (Regelbreite 1.250 mm, Länge ca. 2.000 bis 4.500 mm, Dicke 9,5 bis 25 mm).

Für den Baumarktbereich und die Renovierung wurde die Bandfertigung um kleinformatige Platten erweitert (600 bis 1.000 mm Breite und Längen ab ca. 1.200 mm, Dicken ab 9,5 mm).

Abb. 3.127 zeigt den Herstellprozess von Gipsplatten.

3.23.2 Bandgefertigte Gipsplatten

Die Gipsplatten werden nach verschiedenen Normen geregelt bzw. auch gefertigt.

In DIN 18180:2014-09 „Gipsplatten – Arten und Anforderungen“ sind die Eigenschaften der unterschiedlichen Plattenarten geregelt. DIN EN 520:2009-12 „Gipsplatten – Begriffe, Anforderungen und Prüfverfahren“ unterscheidet zusätzlich noch weitere Plattentypen mit bestimmten Leistungsmerkmalen nach Typ A, H, E, F, P, D, R und I. Gipsplatten können mehrere dieser Leistungsmerkmale aufweisen, was durch Kombinationen der Buchstaben in der Kurzbezeichnung ersichtlich wird:

- A = Bauplattenqualität,
- H = Gipsplatte mit reduzierter Wasseraufnahmefähigkeit,
- E = Gipsplatte für Beplankungen,
- F = Gipsplatte mit verbessertem Gefügezusammenhalt des Kerns bei hohen Temperaturen,
- P = Putzträgerplatte,
- D = Gipsplatte mit definierter Dichte,
- R = Gipsplatte mit erhöhter Festigkeit,
- I = Gipsplatte mit erhöhter Oberflächenhärte.

Tabelle 3.25 zeigt in der Gegenüberstellung die gebräuchlichen Plattenbezeichnungen mit den jeweiligen Merkmalen.

Tabelle 3.25: Gebräuchliche Plattenbezeichnungen nach DIN 18180 und DIN EN 520 (Quelle: Bundesverband der Gipsindustrie e. V.)

	Kurzbezeichnung für Gipsplatten nach		Kartonfarbe	Aufdruckfarbe der Kennzeichnung
	DIN 18180	DIN EN 520		
Bauplatten	GKB	Typ A	weiß bis gelblich	blau
Feuerschutzplatten	GKF	Typ DF	Rückseite: grau	rot
Bauplatten (imprägniert)	GKBI	Typ H2	grünlich	blau
Feuerschutzplatten (imprägniert)	GKFI	Typ DFH2	grünlich	rot
Putzträgerplatten	GKP	Typ P	grau	blau, rot

Bauplatten (Kurzbezeichnung GKB)

Bauplatten kommen in vielen Konstruktionen zum Einsatz.

Bauplatten ab 9,5 mm Dicke werden häufig zum Ansetzen als Wandtrockenputz nach DIN 18181 und zur Herstellung von Gips-Verbundplatten nach DIN 18184:2008-10 „Gipsplatten-Verbundelemente mit Polystyrol- oder Polyurethan-Hartschaum als Dämmstoff“ verwendet.

Bauplatten ab 12,5 mm Dicke werden meist verwendet als Wand- und Deckenbekleidungen auf Unterkonstruktionen nach DIN 18181, als Decklagen an Unterdecken und Deckenbekleidungen nach DIN 18168 „Gipsplatten-Deckenbekleidungen und Unterdecken“, als Beplankung von Trennwänden und Vorsatzschalen nach DIN 18183 „Trennwände und Vorsatzschalen aus Gipsplatten mit Metallunterkonstruktionen“ und als Beplankung von nicht tragenden inneren Trennwänden nach DIN 4103 „Nichttragende innere Trennwände“.

Abb. 3.128: Beispiel einer Wandkonstruktion mit Brandschutzanforderungen (Quelle: Knauf Gips KG, Iphofen)

Abb. 3.129: Beispielhafter Einsatz von imprägnierten Platten in häuslichen Bädern (Quelle: Danogips GmbH & Co. KG, Neuss)

Feuerschutzplatten (Kurzbezeichnung GKF)

Die Anwendungsbereiche entsprechen denen der Bauplatten, ergänzt durch die Bereiche, in denen Anforderungen an die Feuerwiderstandsdauer der Bauteile erfüllt werden müssen (Anwendung nach DIN 4102-4:2016-05 Brandverhalten von Baustoffen und Bauteilen – Teil 4: Zusammenstellung und Anwendung klassifizierter Baustoffe, Bauteile und Sonderbauteile oder entsprechend einem Verwendungsnachweis einer dafür bauaufsichtlich anerkannten Prüfstelle) (siehe Abb. 3.128). Die Platten enthalten Zusätze, z. B. mineralische Kurzfasern zur Kernarmierung, die den Gefügezusammenhalt des Gipskerns im Brandfall verbessern. Bei großer Hitzeeinwirkung hat Gips die Eigenschaft, Kristallwasser abzugeben, zu kühlen und brandverzögernd zu wirken.

Bauplatten imprägniert (GKBI) und Feuerschutzplatten imprägniert (GKFI)

Durch Zusätze im Kern und/oder im Karton wird bei diesen Platten die Wasseraufnahme verzögert. Sie besitzen daher einen gewissen Widerstand gegenüber Feuchtigkeitseinwirkung (siehe Abb. 3.129). Ihr Anwendungsbereich entspricht dem der GK-Bauplatten (GKB) mit Dicken ≥ 12,5 mm.

Putzträgerplatten (GKP)

Sie werden vorwiegend als Putzträger auf Unterkonstruktionen verwendet.

Abmessungen und Gewicht

In der Bandfertigung sind viele Variationen der Abmessungen in Länge und Breite möglich. Im Interesse der Standardisierung und Vereinfachung werden sie in DIN 18180 auf Regelmaße reduziert.

Das Fertigungsband begrenzt die maximale Breite der Platten. Im deutschsprachigen Bereich beträgt die Regelbreite gewöhnlich 1.250 mm, doch können die Platten auch im Dezimetersystem in der Breite von 1.200 mm hergestellt werden. Platten mit 20 und 25 mm Dicke haben aus ergonomischen Gründen in der Regel eine Breite von 600 bzw. 625 mm. Die Länge der Platten ist im Allgemeinen begrenzt durch die Transportfähigkeit. Die Plattengewichte – richtig bezeichnet als „flächenbezogene Masse“ – sind dem internationalen Stand angepasst. Unterschiede in den Plattengewichten sind insbesondere von der Zusammensetzung des Gipskerns abhängig.

Kantenformen

Bedingt durch die Produktion sind die Längskanten mit Karton ummantelt, die Querkanten weisen Schnittflächen auf. Je nach Verwendungszweck und Verbindungstechnik können die Platten mit besonderen Kantenformen versehen werden. Für geschlossene fugenlose Flächen werden die Platten mit abgeflachten Längskanten zur Armierung und Verspachtelung versehen. Mittlerweile gibt es auch Platten, die an den Stirnseiten abgeflachte Kanten haben, um das plane Verspachteln der Fläche zu erleichtern. Für sichtbare Fugen aus dekorativen Gründen ergeben sich sowohl bei kartonummantelten als auch geschnittenen Plattenkanten vielfältige Möglichkeiten.

Kleinformatige Gipsplatten für den Do-it-yourself-Innenausbau bzw. die Renovierung sind oft mit der Halbrundkante versehen. Hinzu kommen firmenspezifische Kantenformen, die sowohl mit oder ohne Bewehrungsstreifen verspachtelt werden können.

Kantenformen und ihre Bezeichnungen

Abb. 3.130 gibt eine Übersicht über die verschiedenen Kantenformen und die entsprechenden Bezeichnungen.

3.23.3 Kennzeichnung

Gipsplatten wurden bisher nach DIN 18180 als Gipskartonplatten bezeichnet. Seit 2005 gilt auch die europäische Produktnorm DIN EN 520. Mit dieser harmonisierten Produktnorm für Gipsplatten wurden zusätzlich europäische Bezeichnungen und Kennzeichnungen eingeführt. Gelochte Gipsplatten und Zuschnittplatten nach DIN 18180 hingegen werden europäisch nicht in DIN EN 520 Gipsplatten, sondern in DIN EN 14190:2014-09 „Gipsplatten-Produkte aus der Weiterverarbeitung – Begriffe, Anforderungen und Prüfverfahren“ geregelt.

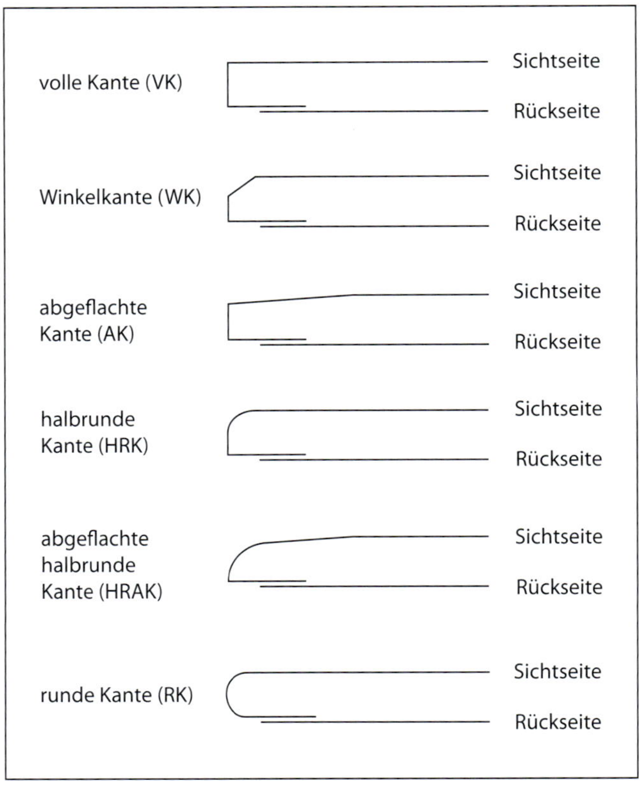

Abb. 3.130: Kantenformen und ihre Bezeichnungen (Quelle: Bundesverband der Gipsindustrie e. V., Berlin)

Mit Einführung der DIN EN 520 wird das Brandverhalten von Gipsplatten nach DIN EN 13501-1:2019-05 „Klassifizierung von Bauprodukten und Bauarten zu ihrem Brandverhalten – Teil 1: Klassifizierung mit den Ergebnissen aus den Prüfungen zum Brandverhalten von Bauprodukten“ geprüft und klassifiziert. In der Regel sind Gipsplatten nach DIN EN 520 nichtbrennbar.

Die Klassifizierung nach DIN EN 13501-1 lautet A2-s1, d0:

- A2 = nicht brennbar,
- s1 = kein Rauch,
- d0 = kein brennendes Abfallen/Abtropfen.

Tabelle 3.26 enthält exemplarische CE-Plattenbeschriftungen.

Tabelle 3.26: Beispiele für CE-Plattenbeschriftung

Gipsplatte	Plattenbeschriftung
Bauplatte (GFB 12,5 mm)	Hersteller – A – DIN EN 520 – A2 – s1, d0 (B)
Feuerschutzplatte (GKF 12,5 mm)	Hersteller – DF – DIN EN 520 – A2 – s1, d0 (B)

3.23.4 Anwendungsgebiete

Gipsplatten bzw. Gipsplattensysteme werden heute vielfach eingesetzt, z. B. als:

- Montagewände und Vorsatzschalen mit Unterkonstruktion aus Holz oder Metallprofilen,

- Montagedecken (Unterdecken, Deckenbekleidungen) auf Lattenrost oder Metallkonstruktion direkt an der Decke befestigt oder abgehängt oder als Bekleidung im Dachgeschoss,
- Brandschutzummantelung von tragenden Bauteilen (Stützen, Träger, Unterzüge),
- Trocken-Unterboden-Elemente (Trockenestrich) mit oder ohne Dämmschicht,
- Trockenputz, mit Gipsbatzen aufgeklebt oder auf Profilen montiert.

Je nach Bedarf und Ausrüstung können mit Gipsplatten auch spezielle Anforderungen an den Brandschutz, Schallschutz, Wärmeschutz, Einbruchschutz, Strahlenschutz (hochfrequente, niederfrequente sowie Röntgenstrahlung) sowie Anforderungen an die Raumluftqualität, Oberflächenbeschaffenheit und beim Einsatz in Feuchträumen erfüllt werden (siehe Abb. 3.131). Ein guter Einbruchschutz kann z. B. durch den zusätzlichen Einbau von Stahlblechtafeln oder bei Verwendung von besonders robusten Platten erzielt werden. Schutz vor hochfrequenter oder niederfrequenter Strahlung wird beispielsweise durch Gipsplatten mit Grafitanteil im Gipskern erreicht.

3.23.5 Werkmäßig bearbeitete Gipsplatten

Bandgefertigte Gipsplatten werden für bestimmte Anwendungsfälle werkmäßig weiterverarbeitet.

Zuschnittplatten

Sie werden längsseitig oder allseitig werkmäßig beschnitten. Die Kanten können scharfkantig oder gefast sein. Die Platten sind in der Regel rechteckig; mit quadratischem Zuschnitt werden sie als Gipsplattenkassetten bezeichnet.

Gelochte Gipsplatten

Sie sind mit durchgehenden Öffnungen verschiedener Form (z. B. Rundlöcher, Schlitze) versehen, wobei die Öffnungen in Feldern und Mustern angeordnet sein können, z. B. über die gesamte Plattenfläche oder auch in Streifenfeld- oder Schachbrettanordnung. Bei Löchern gibt es Bezeichnungen für den Lochdurchmesser und den Lochachsabstand. So bedeutet z. B. bei

- regelmäßiger Lochung die Bezeichnung 8/18: Lochdurchmesser 8 mm; Lochachsabstand 18 mm,
- regelmäßiger, versetzter Lochung die Bezeichnung 8-12/50: Lochdurchmesser 8 und 12 mm; Lochachsabstand 50 mm.

Quadratische Platten bezeichnet man auch als Gips-Lochkassetten oder Gips-Schlitzkassetten. Mit einem Faservlies oder einer Dämmstoffauflage versehen werden sie im Bereich der Raumakustik vorrangig zur Anpassung des Nachhalls eingesetzt. Sie werden oft als Schallschluckplatten bezeichnet.

Beschichtete/kaschierte Gipsplatten

Diese Platten werden je nach Verwendungszweck in einem zusätzlichen Arbeitsgang mit verschiedenen Materialien beschichtet wie etwa:

Abb. 3.131: Es stehen zahlreiche gipsbasierte Spezialplatten für verschiedene Einsatzgebiete nach Herstellerinformation zur Verfügung (Quelle: Etex Building Performance).

- Folien aus Kunststoff oder Aluminium als Dampfsperre,
- Folien aus Kunststoff für dekorative Zwecke,
- Folien aus Walzblei zum Strahlenschutz z. B. gegen Röntgenstrahlen,
- Blechen aus Kupfer für Dekorzwecke,
- plastischen Massen mit oder ohne Einlage von Gewebe zur Verbesserung der Oberflächenhärte oder für dekorative Oberflächenstrukturen.

Gipsplatten-Verbundelemente nach DIN EN 13950

Gipsplatten-Verbundelemente (auch: Gips-Verbundplatten) sind in DIN 18184/DIN EN 13950:2014-09 „Gips-Verbundplatten zur Wärme- und Schalldämmung – Begriffe, Anforderungen und Prüfverfahren“ genormt und bestehen aus 9,5 bzw. 12,5 mm dicken Gipsplatten und damit werksmäßig verbundenen Dämmstoffplatten aus Schaumkunststoffen oder Mineralwolle. Schaumkunststoffplatten (Polystyrol-Hartschaum oder Polyurethan-Hartschaum) müssen mindestens der Baustoffklasse B 2 nach DIN 4102-1:1998-05 „Brandverhalten von Baustoffen und Bauteilen – Teil 1: Baustoffe; Begriffe, Anforderungen und Prüfungen“ bzw. DIN EN 13501-1, Klasse E entsprechen. Als Regelmaße gelten 625 bzw. 1.250 mm Breite und 2.500 mm Länge. Verbundelemente mit Mineralwolledämmstoff sind ausschließlich in DIN EN 13950 beschrieben.

Gips-Verbundplatten werden vorwiegend als Wandbekleidung zur Wärmedämmung verwendet. Die Befestigung erfolgt auf einer Unterkonstruktion mit mechanischen Befestigungsmitteln; an senkrechten Bauteilen können die Platten auch ohne Unterkonstruktion mittels Kleber (Ansetzgips) befestigt werden.

Gips-Verbundplatten mit Mineralwolledämmstoff werden sowohl für Schallschutz- als auch für Wärmedämmzwecke eingesetzt.

3.23.6 Montagewände, Montagedecken und Dachgeschossausbau

Nicht tragende innere Trennwände (Montagewände)

Nicht tragende Trennwände bzw. Montagewände mit Gipsplatten spielen eine wichtige Rolle im Ausbau und in der Innenraumgestaltung. Sie sind leicht und lassen eine sehr flexible Raumaufteilung zu. Spätere Veränderungen sind kein Problem. Zudem können sie einen hohen Brandschutz und gute Schallschutzwerte erbringen. Ausgeführt werden die Wände in Ständerbauweise überwiegend mit

Metall- (siehe Abb. 3.132), aber auch mit Holzunterkonstruktion.

Die umlaufend befestigten Randprofile nehmen die senkrechten Ständer auf, an denen die Gipsplatten mit speziellen Schrauben oder bei Holzprofilen auch mit Nägeln oder pneumatisch eingetriebenen Klammern befestigt werden. Das Tragwerk kann aus handelsüblichen, verzinkten Stahlblechprofilen (UW- und CW-Profile) oder aus Kanthölzern erstellt werden.

Trotz der sehr geringen Gewichte können mit Montagewänden beachtliche Schalldämmwerte erzielt werden. So erreicht eine Montagewand bei einer Wanddicke von 75 mm und einem Wandgewicht von ca. 25 kg/m^2 den gleichen Schalldämmwert wie eine 11,5 mm dicke Massivwand mit einem Flächengewicht von rund 140 kg/m^2.

Für den Bereich Montagewände – und für die nachfolgend beschriebenen Montagedecken – hält die Industrie ein breites Programm mit entsprechend geprüften Konstruktionen bereit.

Sind die Wände nur von der Raumseite beplankt, spricht man von Vorsatzschalen. Diese kommen z. B. in Bädern oder als Abtrennung vor Versorgungsschächten zum Einsatz.

Abb. 3.132: Aufbau einer Montagewand mit Metallunterkonstruktion (Quelle: Saint Gobain Rigips GmbH, Düsseldorf)

Abb. 3.133: Montage einer abgehängten Decke (Quelle: Saint Gobain Rigips GmbH, Düsseldorf)

Abb. 3.134: Dachgeschossausbau mit Gipsplatten (Quelle: Knauf Gips KG, Iphofen)

Montagedecken

Montagedecken werden unterhalb der Rohdecke abgehängt oder direkt an ihr befestigt. Dazu wird eine Tragkonstruktion aus Metall- oder Holzprofilen unter der Rohdecke befestigt oder von dieser abgehängt. Anschließend wird sie von unten mit Gipsplatten bekleidet. Die häufigste Konstruktion ist die abgehängte Unterdecke (siehe Abb. 3.133). Diese wird z. B. angewandt, um Installationen aller Art im Deckenhohlraum unterzubringen, um den Schall- oder Brandschutz der Rohdecke zu verbessern, oder z. B. im Altbau die Raumhöhe zu vermindern. In Arbeitsräumen, Büros, Sitzungs- oder Konzertsälen geht es oft um die Regelung des Nachhalls, also die Verbesserung der Raumakustik. Auch die architektonische Gestaltung kann ein Grund sein, doch meist in Verbindung mit den vorgenannten Gründen.

Wie für Montagewände gibt es auch für Montagedecken sowohl Metallprofil- als auch Holzunterkonstruktionen. Für Montagedecken werden fast alle Formen von Gipsplatten verwendet, am häufigsten in der Dicke 12,5 mm, als Bauplatten und als Feuerschutzplatten. Für eine geschlossene Oberfläche werden die Fugen verspachtelt. Loch- oder Schlitzplatten werden eingesetzt, wenn die Raumakustik beeinflusst werden soll. Dabei werden sie mit Glasvlies und/oder Mineralwolle hinterlegt. Sie werden mit verspachtelten Fugen, also vollflächig, oder als Kassettenplatten mit offenen Fugen (Kantenausbildung bei Bestellung beachten) eingebaut.

Dachgeschossausbau

Auch beim Dachgeschossausbau spielen Gipsplatten eine wichtige Rolle (siehe Abb. 3.134). Hierzu gehören verschiedenen Bauteile wie Holzbalkendecken, Dachschrägen, Drempel, Stützen und Träger, die bekleidet werden sollen.

Oft wird die Bekleidung auf einer direkt befestigten Unterkonstruktion z. B. aus Holzlatten oder Metallprofilen befestigt. Beim Aufbau der Konstruktion in der Dachschräge sind viele bauphysikalische Anforderungen zu beachten, wie z. B. die Luftdichtheit, die Wärmedämmung und oft auch ein geforderter Schall- oder Brandschutz.

3.23.7 Trockenputz und Trockenestrich

Trockenputz

Beim Trockenputz werden Gipsplatten mit einzelnen, regelmäßig auf den Platten verteilten Gipsbatzen oder Gipsstreifen an die vorhandene Wand angesetzt; dies ersetzt den Nassputz.

Dies geschieht häufig im Altbau, um die Optik oder den Wärmeschutz einer bestehenden Wand zu verbessern, ohne zusätzlich Feuchtigkeit in den Bau einzutragen. Geringe Trockenzeiten, sehr schneller Baufortschritt, geringer Staub- und Schuttanfall sowie glatte Oberflächen sind zusätzliche Vorteile des Trockenputzes. Beim Einsatz an Außenwänden müssen die Belange des Wärme- und Feuchteschutzes berücksichtigt werden. Eventuell ist die Verwendung von Mineralwolle- oder polystyrolkaschierten Gips-Verbundplatten vorteilhaft.

Trockenestrich

Auch für Verbundplatten für den Fußbodenaufbau wird die Gipsplatte eingesetzt. Als Trocken-Unterbodenelement mit unterschiedlichem Aufbau ist sie für verschiedene Aufgabenstellungen in kompletten Systemen lieferbar. Es gibt verschiedene Arten von Unterbodenelementen, die entweder nur aus Gipsplatten bestehen oder zusätzlich mit Dämmstoffen aus Polystyrol, Mineralwolle oder Holzfaser kaschiert sein können.

Das Unterbodenelement ist sowohl für den Handwerker wie für den Selbermacher aufgrund seiner guten Verarbeitbarkeit und schnellen Nutzbarkeit interessant.

Befestigungsmittel für Konsollasten an Trennwänden/ Montagewänden

Leichte Konsollasten können mit geeigneten Halterungen und Befestigungsmitteln direkt in Montagewände eingeleitet werden. Abhängig von der Beplankungsart – ein- oder zweilagig – werden erhebliche Kräfte aufgenommen; nach DIN 18183 können mit einer einfachen Beplankung Lasten von bis zu 400 N/m eingeleitet werden.

Bei mittelschweren und schweren Konsollasten werden bei Montagewänden Querriegel und/oder besondere Tragständer im Inneren der Wand erforderlich. Die Lasten werden damit auf die benachbarten Ständer bzw. direkt auf den Fußboden abgeleitet. Für Waschbecken, WC-Becken sowie andere sanitäre Objekte werden von den Herstellern spezielle korrosionsgeschützte Tragständer angeboten.

Besondere Anwendungsbereiche (Beispiel: Montage von Schultafeln) erfordern geschosshohe Tragständer, deren Tragfähigkeit, je nach Erfordernis, statisch nachzuweisen ist.

3.23.8 Relevante Normen

DIN 4103-1:2015-06 Nichttragende innere Trennwände – Teil 1: Anforderungen und Nachweise

DIN 4103-4:1998-11 Nichttragende innere Trennwände; Unterkonstruktion in Holzbauart

DIN 18180:2014-09 Gipsplatten; Arten, Anforderungen

DIN 18181:2019-04 Gipsplatten im Hochbau – Verarbeitung

DIN 18183-1:2018-05 Trennwände und Vorsatzschalen aus Gipsplatten mit Metallunterkonstruktionen – Teil 1: Beplankung mit Gipsplatten

DIN 18168-1:2007-04 Gipsplatten-Deckenbekleidungen und Unterdecken – Teil 1: Anforderungen an die Ausführung

DIN 18168-2:2008-05 Gipsplatten-Deckenbekleidungen und Unterdecken – Teil 2: Nachweis der Tragfähigkeit von Unterkonstruktionen und Abhängern aus Metall

DIN EN 520:2009-12 Gipsplatten – Begriffe, Anforderungen und Prüfverfahren

DIN EN 14190:2014-09 Gipsplatten-Produkte aus der Weiterverarbeitung – Begriffe, Anforderungen und Prüfverfahren

3.24 Vliesarmierte Gipsplatten

3.24.1 Beschreibung

Bei vliesarmierten Gipsplatten wird statt der sonst üblichen Kartonummantelung eine Vliesarmierung mit Matten aus gewebten oder vliesförmig angeordneten anorganischen und/oder organischen Fasern verwendet. Bei diesen ebenen, rechteckigen Platten dürfen auch Zusatzmittel, Füllstoffe und im Kern verteilte Fasern vorhanden sein. Die Platten werden nach DIN EN 15283-1:2009-12 Faserverstärkte Gipsplatten – Begriffe, Anforderungen und Prüfverfahren – Teil 1: Gipsplatten mit Vliesarmierung in der Regel im kontinuierlichen Betrieb im Industriemaßstab hergestellt.

Plattentypen

Bezeichnung vliesarmierte Gipsplatte: GM

zusätzliche Eigenschaften:

- mit verringerter Wasseraufnahmefähigkeit: GM-H1 bzw. GM-H2
- mit erhöhter Oberflächenhärte: GM-I
- mit erhöhter Festigkeit: GM-R
- mit verbessertem Gefügezusammenhalt bei hohen Temperaturen: GM-F

Vliesarmierte Gipsplatten können mehrere dieser Leistungsmerkmale aufweisen; diese werden wird durch Buchstabenkombinationen in der Kurzbezeichnung kenntlich gemacht.

3.24.2 Anwendungsbereiche

Gipsplatten mit Vliesarmierung werden vorrangig in Bereichen eingesetzt, in denen nach DIN EN 15283-1 Anforderungen an Brandschutz, Schallschutz, Wärmeschutz oder

Streckfestigkeit bestehen. Je nach Ausstattung des Produkts, z. B. mit einer besonders geringen Wasseraufnahme Typ GM-FH1, ermöglichen sie aber auch die wirtschaftliche und sichere Herstellung von langlebigen Wand- und Deckenkonstruktionen in mäßig bis hoch beanspruchten Feucht- und Nassräumen.

In den Bereichen des Brandschutzes werden vliesarmierte Gipsplatten z. B. vom Typ GM-FH2 aufgrund ihrer Baustoffklasse A1, nichtbrennbar nach DIN EN 13501-1, vor allem bei hoch beanspruchten brandschutztechnischen Ertüchtigungen, Schachtwänden, Brandwänden, selbstständigen Brandschutzdecken, Stützen und Trägerbekleidungen oder Kabel- und Installationskanälen, eingesetzt.

3.24.3 Verarbeitung

Die Verarbeitung von Gipsplatten mit Vliesarmierung entspricht der von üblichen Gipsplatten. So können sie z. B. durch Nageln, Schrauben, Klammern oder Kleben befestigt werden (siehe Abb. 3.135). Sie sind auch geeignet, in abgehängte Deckensysteme eingelegt und bei Fußbodenaufbauten verwendet zu werden.

Abb. 3.135: Verarbeitung von Gipsplatten mit Vliesarmierung (Quelle: Saint Gobain Rigips GmbH, Düsseldorf)

Sie können nach DIN EN 15283-1 zu einer Reihe anderer Produkte weiterverarbeitet werden.

Bei Plattendicken von z. B. 6 mm lassen sich vliesarmierte Gipsplatten leicht trocken biegen (abhängig vom Fabrikat: z. B. Mindestradius konvex 1.000 mm, Mindestradius konkav 6.00 mm). Auch bei geschwungenen Bauteilen lassen sich auf diese Weise hohe Brandschutzanforderungen erfüllen.

Je nach Plattentyp und Verwendungszweck sind die Platten werkseitig mit vierseitig scharfkantigen Kanten, abgeflachten Kanten oder gefasten Kanten erhältlich.

Zur Verarbeitung von vliesarmierten Gipsplatten sind keine Spezialwerkzeuge notwendig. Für eine exakte Formatierung ist jedoch die Verwendung von Handkreis- bzw. vorzugsweise Tauchsägen mit entsprechender Absaugung empfehlenswert.

3.24.4 Relevante Norm

DIN EN 15283-1:2009-12 Faserverstärkte Gipsplatten – Begriffe, Anforderungen und Prüfverfahren – Teil 1: Gipsplatten mit Vliesarmierung

3.25 Gipsfaserplatten

Diese von den Gipsplatten abweichende Art Bauplatten wurde Ende der 1960er-Jahre entwickelt. Die industrielle Fertigung begann 1971. Die Gipsfaserplatten fanden unter dem Markennamen Fermacell rasch große Verbreitung und erschlossen nicht nur dem Trockenbau zahlreiche neue Anwendungsformen.

Im Unterschied zu Gipsplatten erhält die Gipsfaserplatte ihre wesentlichen Eigenschaften durch die im Gips eingebetteten Papierfasern, die, ähnlich wie bei Faserzement, eine Armierung bilden und die mechanischen Eigenschaften (z. B. Biege-, Druck- und Zugfestigkeit) der Platte verbessern.

Gipsfaserplatten sind nach DIN EN 15283-2:2009-12 „Faserverstärkte Gipsplatten – Begriffe, Anforderungen und Prüfverfahren – Teil 2: Gipsfaserplatten" genormt und unterliegen der Eigenüberwachung durch den Hersteller. Besondere Eigenschaften werden durch Prüfbescheide bzw. Prüfzeugnisse (z. B. für das Brandverhalten) oder Europäische Technische Bewertungen bzw. allgemeine Bauartgenehmigungen (z. B. Verwendung im Außenbereich, Übernahme statischer Aufgaben) nachgewiesen. Hierbei unterliegt die Produktion einer Fremdüberwachung durch amtlich anerkannte Materialprüfanstalten.

Gipsfaserplatten sind ein vielseitig verwendbarer Baustoff, der im gesamten Einsatzbereich der Bauplatten eingesetzt wird. Sie gehören nach DIN EN 13501-1:2019-05 „Klassifizierung von Bauprodukten und Bauarten zu ihrem Brandverhalten – Teil 1: Klassifizierung mit den Ergebnissen aus den Prüfungen zum Brandverhalten von Bauprodukten" der Baustoffklasse A2-s1d0 oder A1-s1 d0 (nichtbrennbar) an. Gipsfaserplatten sind schadstoffarm, die Herstellung erfolgt auf ökologisch unbedenkliche Weise. Weiterhin sind besonders ausgerüstete Gipsfaserplatten in der Lage, dauerhaft Schadstoffe aus der Raumluft aufzunehmen und umzuwandeln.

Neben den üblichen Einsatzbereichen für Gipsplatten werden Gipsfaserplatten aufgrund ihrer homogenen faserverstärkten Struktur von verschiedenen Herstellern auch für spezielle Fräsungen genutzt, die den Einsatz z. B. für Fußbodenheizungssysteme schon in sehr geringen Dicken möglich machen.

3.25.1 Herstellverfahren

Als Rohstoff findet je nach Hersteller neben Natur- und REA-Gips auch Recyclinggips Verwendung. Der Gips wird mit aus dem Recyclingmaterial Papier gewonnenen Fasern innig gemischt. Nach Wasserzugabe entsteht ein homogenes Gemisch, das – ohne weitere Bindemittel – unter hohem Druck zu stabilen und geruchsneutralen Bauplatten gepresst wird. Nach dem Trocknen werden die Platten auf

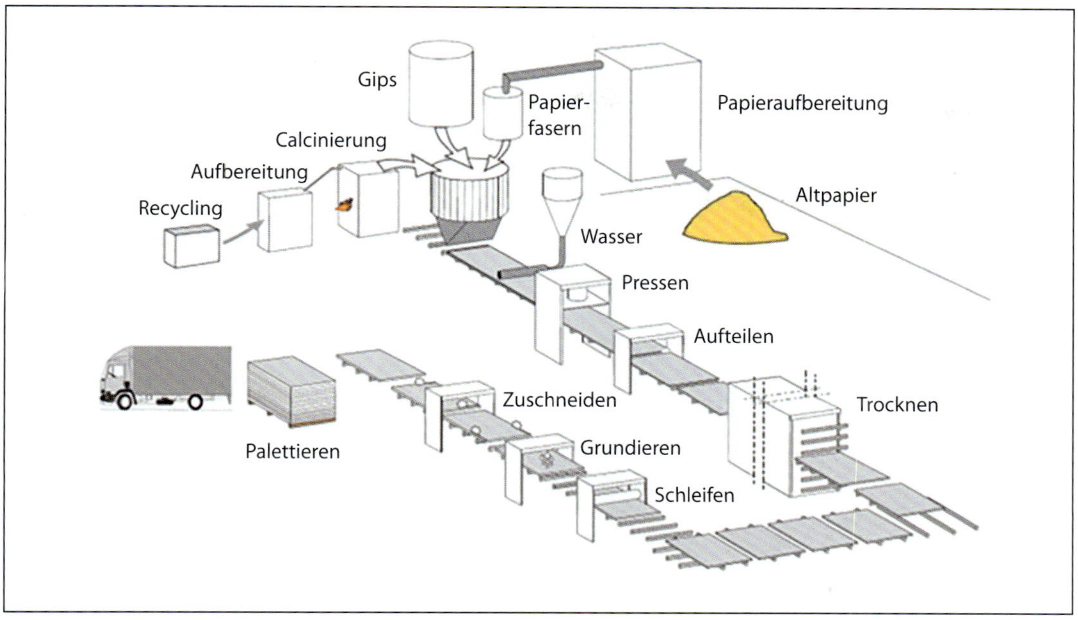

Abb. 3.136: Die wichtigsten Stationen des Herstellungsprozesses von Gipsfaserplatten (Quelle: James Hardie Europe, Düsseldorf)

die jeweiligen Formate zugeschnitten. Abb. 3.136 veranschaulicht den Herstellungsprozess von Gipsfaserplatten.

Gipsfaserplatten erhalten bereits in der Standardausführung eine werkseitige Hydrophobierung. Die Platten können durch diese feuchtigkeitsabweisende Eigenschaft auch in häuslichen Feuchträumen eingesetzt werden. Die hohe Dichte der Platten ist von besonderer Bedeutung für den Schallschutz, die homogene Verteilung der Papierfasern über den gesamten Querschnitt hat große Vorteile für die statischen Eigenschaften und den Brandschutz.

3.25.2 Plattenformate

Gängige Plattenformate von Gipsfaserplatten liegen zwischen kleinformatigen Platten von 1.000 mm × 1.500 mm z. B. für die Modernisierung und 1.250 mm × 2.500 mm für großflächige Anwendungen.

Aufgrund der möglichen großformatigen Fertigung der Rohplatten sind Sonderformate z. B. als individuelle raumhohe Platten für Montagewände in bauüblichen Breiten und Dicken lieferbar. Für den industriellen Einsatz z. B. im Fertighausbau werden Platten im Format bis 2.540 mm × 6.000 mm angeboten. Neben den Standardplatten werden spezielle Estrichelemente gefertigt.

3.25.3 Anwendungsbereiche

Gipsfaserplatten besitzen ein breites Anwendungsspektrum im Holz- und Trockenbau.

Estrichelemente und Trockenunterböden

Als Trockenunterboden-Element werden Gipsfaserplatten in diversen Abmessungen, z. B. 500 mm × 1.500 mm oder 600 mm × 1.200 mm, geliefert (siehe Abb. 3.137). Die Elemente bestehen entweder aus 2 versetzt verklebten Gipsfaserplatten (Dicke je 10 oder 12,5 mm) oder aus entsprechend dicken homogenen Platten (Dicke 18 bis 25 mm) mit angefrästem Stufenfalz für die Verbindung der Elemente. Für die verschiedenen Einsatzbereiche und Anforderungen sind Elemente mit Schaumstoffkaschierung (Wärmedämmung) oder Holzfaser- bzw. Mineralwollkaschierung (Trittschallschutz) lieferbar.

Abb. 3.137: Verlegung eines Trockenunterbodens (Quelle: Knauf Gips KG, Iphofen)

Der Untergrund für die Verlegung (Massivdecke, Holzbalkendecke usw.) muss tragfähig und eben sein. Zum Ausgleich von Unebenheiten werden zum jeweiligen System passende Ausgleichsschüttungen angeboten. Bei der schwimmenden Verlegung der Elemente werden sie untereinander mit Estrichkleber verklebt und verschraubt oder verklammert. Auch die schwimmende Verlegung auf einer Dämmstoffschicht ist möglich. Die Estrichelemente sind nach dem Verlegen sofort begehbar und können nach Austrocknung des Klebers direkt belegt werden (Keramik, Naturstein, PVC, Parkett usw.).

Montagewände/Trennwände

Gipsfaserplatten werden häufig als Beplankung bei der Herstellung von sog. Montagewänden eingesetzt (siehe Kapitel 3.23.6). Die Platten besitzen sehr gute Trägereigenschaften für Bekleidungen und Beschichtungen unterschiedlicher Art sowie gute Belastungswerte für wandhängende Einzellasten und Konsollasten (siehe Kapitel 3.25.4).

Da Trennwände aufgrund der bauphysikalischen Anforderungen, die an sie gestellt werden, zumeist Prüfzeugnisse oder Gutachten besitzen, werden sie als geprüfte Systeme angeboten.

Holzbau/Statik

Gipsfaserplatten haben mittlerweile einen festen Platz im Holztafelbau und Holzrahmenbau (siehe Abb. 3.138 und 3.139). Zum Einsatz gelangen in der Regel 12,5 und 15 mm dicke Platten zur ein- oder beidseitigen Beplankung von Innen- und Außenwänden. Zur Verfügung stehen unterschiedliche amtlich geprüfte Wandkonstruktionen, die die Anforderungen hinsichtlich Brand-, Schall-, Wärme- und Feuchteschutz erfüllen. Darüber hinaus sind Gipsfaserplatten auch statisch zugelassen und nehmen nicht nur Windkräfte auf (Windaussteifung von Gebäuden), sondern leiten auch Vertikalkräfte in die Schwellhölzer der Wandkonstruktionen ab. Darüber hinaus ist auch die Eignung für Holzbauten in Erdbebengebieten nachgewiesen. Dabei kann je nach Plattendicke der Achsabstand der Holzständer von 600 bis 900 mm variiert werden (größtmögliche Gestaltungsfreiheit bei der Planung). Weiterhin gibt es Gipsfaserplatten mit einem definierten und geprüften s_d-Wert, somit kann der zusätzliche Einbau einer Dampfsperre vermieden werden.

Fassaden-/Wetterschutz

Gipsfaserplatten im Außenwandbereich erlauben unterschiedliche Fassadenbekleidungen und -stile.

Typische Außenwandabschlüsse in Verbindung mit Gipsfaserplatten-Beplankungen sind:

- Außenwand mit Bretterschalung auf Traglattung,
- hinterlüftete Fassadensysteme,
- Fassaden mit Wärmedämm-Verbundsystem (direkt auf die Gipsfaserplatten aufgebracht),
- Außenwand mit Mauerwerk-Vorsatzschale mit Hinterlüftung.

Trockenputz

Auf staubfreiem, tragfähigem Untergrund werden Gipsfaserplatten mit einem Spezialgips (Ansetzbinder) ohne zusätzliche mechanische Befestigung angebracht. Diese Verlegetechnik wurde bei den Gipsplatten beschrieben (siehe Kapitel 3.23.7).

3.25.4 Wandhängende Einzellasten/Konsollasten

Gipsfaserplatten erreichen auch ohne zusätzliche Unterkonstruktionen gute Belastungswerte. Wandhängende Einzellasten, wie z. B. Bilder, Dekorationen und andere ruhende Lasten, werden direkt mit den üblichen Befestigungsmitteln (Nägel, Bilderhaken, Schrauben und Dübel) angebracht. Konsollasten werden mit speziellen Hohlwanddübeln und Schrauben befestigt.

Bei mittelschweren und schweren Konsollasten werden bei Montagewänden Querriegel und/oder besondere Tragständer im Inneren der Wand erforderlich. Für Waschbecken, WC-Becken sowie andere sanitäre Objekte werden von den Herstellern spezielle korrosionsgeschützte Tragständer angeboten.

3.25.5 Verarbeitung

Gipsfaserplatten lassen sich aufgrund ihrer homogenen faserverstärkten Struktur mit den üblichen Werkzeugen für Trockenbauarbeiten be- und verarbeiten. Spezialwerkzeuge

Abb. 3.138 und 3.139: Gipsfaserplatten werden häufig im Holzbau und in der Vorfertigung von Bauteilen eingesetzt (Quelle James Hardie Europe, Düsseldorf).

sind nicht erforderlich, üblicherweise werden jedoch für den Zuschnitt der Platten Handkreis- bzw. vorzugsweise Tauchsägen mit entsprechender Absaugung verwendet. Werkseitig sind Gipsfaserplatten mit einfachen eckigen Schnittkanten versehen. Die Platten werden im Stoßbereich entweder verspachtelt oder verklebt. Im Trockenbau wird außerdem oftmals die Trockenbaukante eingesetzt. Diese abgeflachte Kantenform ermöglicht ein schnelles und für den Trockenbau typisches Verspachteln der Plattenfugen. Fugenkleber und/oder Fugenspachtel gehören zum System und werden vom Hersteller geliefert.

Während bei der Spachtelfuge eine Fugenbreite von ca. 5 bis 7 mm – bei dickeren Platten ½ · Dicke – gefordert ist, beträgt die Klebefuge maximal 1 mm. Die Trockenbaukante wird stumpf gestoßen und dann verspachtelt. Als Befestigungsmittel für die Befestigung der Gipsfaserplatten auf Holzunterkonstruktionen werden Schrauben, Nägel oder Klammern, auf Metallunterkonstruktionen Schnellbauschrauben verwendet. Die Anbringung der Platten muss spannungsfrei erfolgen.

3.25.6 Oberflächen

Gipsfaserplatten können mit unterschiedlichen Oberflächen versehen werden. Für Anstrichoberflächen lassen sich alle handelsüblichen Farben, wie z. B. Latex-, Dispersions- oder Lackfarben, verwenden. Mineralische Anstriche (z. B. Kalkfarben) und Silikatfarben müssen jedoch vom jeweiligen Hersteller für Gipsbauplatten freigegeben sein. Tapeten (mit Ausnahme von Vinyl) können ohne vorherige Grundierung mit handelsüblichem Kleister aufgebracht werden. Strukturputze (Strukturdünnputz von 1 bis maximal 4 mm) erfordern eine zusätzliche Armierung der Spachtelfuge mit einem Glasvliesstreifen, der mit Weißleim (PVAC-Leim) aufgeklebt wird. Auch Wandplatten und Fliesen sowie Platten aus Kunststoff können problemlos im Dünnbettverfahren verlegt werden (Dünnbettkleber).

3.25.7 Relevante Normen

DIN EN 13501-1:2019-05 Klassifizierung von Bauprodukten und Bauarten zu ihrem Brandverhalten – Teil 1: Klassifizierung mit den Ergebnissen aus den Prüfungen zum Brandverhalten von Bauprodukten

DIN EN 15283-2:2009-12 Faserverstärkte Gipsplatten – Begriffe, Anforderungen und Prüfverfahren – Teil 2: Gipsfaserplatten

3.26 Zementgebundene Leichtbeton-Bauplatten

Zementgebundene Leichtbeton-Bauplatten (siehe Abb. 3.140) eröffnen dem Trockenbau neue Perspektiven, die weit über die klassischen Einsatzbereiche der Trockenbauweise hinausgehen. Sie bieten vor allem bei hoch feuchtebeanspruchten Wand- und Deckenkonstruktionen viele Vorteile und können bei Innenanwendungen für Wand und Decke bis zur Wassereinwirkungsklasse W3-I nach DIN 18534-1:2017-07 „Abdichtung von Innenräumen – Teil 1: Anforderungen, Planungs- und Ausführungsgrundsätze“ eingesetzt werden. Dank der mineralischen Inhaltsstoffe und der damit verbundenen hohen Alkalität gewährleistet die Nassraumplatte außerdem eine hohe Schimmelresistenz. Hinzu kommen gute Schalldämmwerte. Die Platten sind zudem nicht brennbar und entsprechen der Baustoffklasse A1. In zweilagiger Verarbeitung wird die Feuerwiderstandsklasse bis F 120 erreicht.

Einsatzbereiche

Zementgebundene Leichtbeton-Bauplatten werden angeboten für Wände und Decken sowie für den Boden als Trockenestrich (siehe Abb. 3.141) und können eingesetzt werden:

- in Innenbereichen für
  - häusliche Feuchträumen (Bäder, Duschen, Waschküchen),
  - öffentliche Bereiche (Schwimmbäder, Sanitärräume, Wellnessbereiche),
  - gewerblichen Bereiche (Molkereien, Brauereien, Großküchen),
  - Räume mit erhöhter Hygieneanforderung (Labore, OPs),
- in Außenbereichen für
  - Unterdecken,
  - vorgehängte hinterlüftete Fassaden,
  - als Direktbeplankung für den statischen Einsatz von tragenden/aussteifenden Holzständerwänden für die Außenwandbeplankung.

Verarbeitung Wand- und Deckenbereich

Der schnelle und einfache Aufbau ist einer der wesentlichen Vorzüge der zementgebundenen Leichtbetonplatten. Raumhohe Plattenformate für den Wandbereich sparen Querfugen ein und beschleunigen ebenso wie das relativ geringe Gewicht den Arbeitsablauf zusätzlich. Je nach

Abb. 3.140: Ansicht einer zementgebundenen Leichtbetonplatte (Quelle: James Hardie Europe GmbH, Düsseldorf)

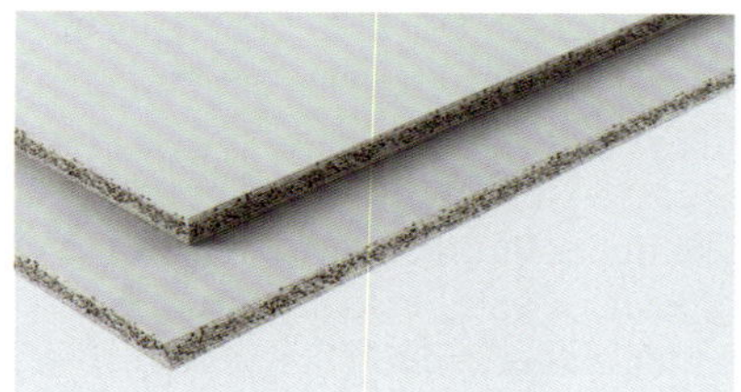

Abb. 3.141: Zementgebundene Leichtbetonplatte als Trockenestrich-Element mit umlaufendem Stufenfalz (Quelle: James Hardie Europe GmbH, Düsseldorf)

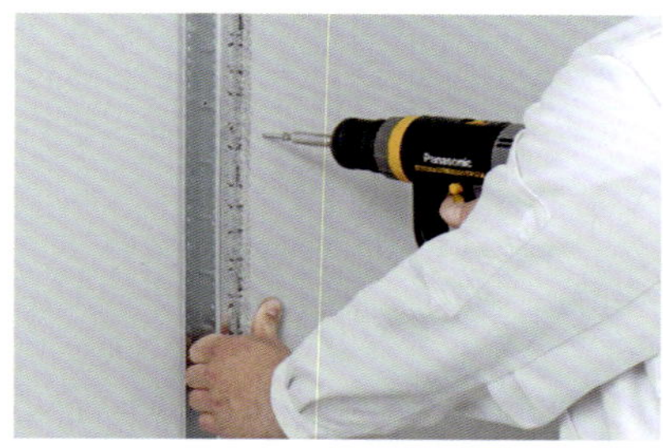

Abb. 3.142: Befestigung von zementgebundenen Leichtbetonplatten auf der Unterkonstruktion im Wandbereich (Quelle: James Hardie Europe GmbH, Düsseldorf)

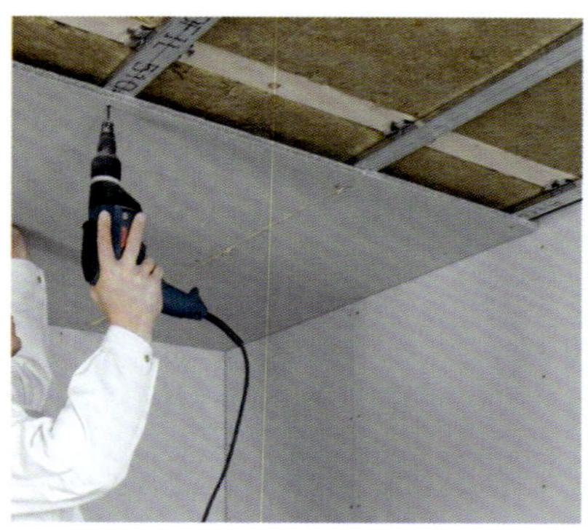

Abb. 3.143: Befestigung von zementgebundenen Leichtbetonplatten auf der Unterkonstruktion im Deckenbereich (Quelle: James Hardie Europe GmbH, Düsseldorf)

Hersteller stehen neben kleinformatigen Elementen von 1.000 mm × 1.250 mm für den Wandbereich Abmessungen von 2.600 mm × 1.250 mm und 3.000 mm × 1.250 mm zur Verfügung. Speziell für den Deckenbereich wird ein 2.000 mm × 1.250 mm großes Format angeboten. Die Plattendicke aller Größen beträgt 12,5 mm.

Die Verarbeitung erfolgt wie bei herkömmlichen Gipsplatten. Zuschnitte lassen sich schnell und einfach mit einer Handkreissäge herstellen. Rundungen und Anpassungen können mit einer Stichsäge oder mit einem Hohlraumdosenbohrer hergestellt werden. Grundsätzlich können sie sowohl auf Holz- wie auch auf einer Metallunterkonstruktion montiert werden.

Im Wandbereich werden die Elemente mit Schrauben ohne Vorbohren auf einer Unterkonstruktion aus CW-Ständerprofilen und UW-Anschlussprofilen oder mit Klammern auf einer Unterkonstruktion aus Holz montiert (siehe Abb. 3.142). Im Deckenbereich erfolgt die Montage auf einer Unterkonstruktion aus CD-Grund- und CD-Tragprofilen bzw. einer Grund- und Traglattung aus Holz (siehe Abb. 3.143). Die Befestigung wird mit zugelassenen Schrauben oder Klammern ausgeführt. Für erhöhte Anforderungen an den Korrosionsschutz stehen korrosionsbeständige Verbindungsmittel auf feuchtraumgeeigneten Profilen gemäß DIN EN 13964:2014-08 „Unterdecken – Anforderungen und Prüfverfahren" zur Verfügung. Bei mehrlagigen Wand- oder Deckenkonstruktionen werden grundsätzlich alle Plattenlagen in der Unterkonstruktion befestigt.

Fugentechnik

Die Verbindung der Platten untereinander erfolgt mit der **Klebefugentechnik**. Dabei wird ein Fugenkleber in flacher Wulstform per Kartusche auf die staubfreien Plattenkanten aufgetragen und anschließend die Kante der nächsten Platte mit Druck dagegengepresst. Nach dem Aushärten des Fugenklebers (je nach Hersteller und Raumtemperatur etwa 12 bis 36 Stunden später) wird überschüssiges Material mit einem Spachtel oder einem breiten Stecheisen abgestoßen und der Fugenbereich nachgespachtelt. Einige Hersteller bieten zusätzlich die **Spachtelfugentechnik** an. Dabei wird der Fugenbereich mit zum System gehörenden Spachtelmaterial und Armierungsbändern ausgespachtelt.

Gebogene Wände

Auch auf Design muss mit zementgebundenen Leichtbeton-Bauplatten nicht verzichtet werden: So sind gebogene Wandkonstruktionen in Krümmungsradien ab 250 mm möglich (siehe Abb. 3.144) Je nach Radius werden die Platten dabei entweder über eine Form vorgekrümmt oder bei geringen Biegeradien einseitig eingeschnitten und auf der Unterkonstruktion befestigt.

Oberflächen

Die Oberflächen der zementgebundenen Leichtbetonplatten sind je nach Produkt verschieden ausgebildet. Entsprechend sind für die finale Oberflächengestaltung unterschiedliche Arbeitsschritte notwendig. Details dazu finden sich in den Verarbeitungsrichtlinien der Hersteller. Grundsätzlich jedoch bilden zementgebundene Leichtbetonplatten den perfekten Untergrund für Flächenspachtelungen, Farbbeschichtungen sowie Fliesen oder Putze und weisen gute Belastungswerte für wandhängende Einzellasten und Konsollasten auf (siehe Abb. 3.145 und 3.146).

Verarbeitung Bodenelemente

Ähnlich einfach wie die Wandbauplatten ist auch die Verarbeitung der zementgebundenen Platten im Bodenbereich. Sie sind als Trockenestrich (bis Anwendungsbereich 3) bei der Renovierung oder Modernisierung im Altbau wie auch im Neubau in Bädern und Feuchträumen mit hohen Belastungen durch Feuchtigkeit und Wasser (bis Wassereinwirkungsklasse W3-I nach DIN 18534-1) einsetzbar. Auch die hohen Schallschutzanforderungen an Wohnungstrenndecken werden damit erfüllt. Allgemein durchgesetzt haben sich Trockenestrichelemente mit umlaufendem Stufenfalz, der eine schnelle und einfache Verarbeitung gewährleistet. Eine niedrige Aufbauhöhe kostet keine zusätzliche Raumhöhe. Das relativ geringe Gewicht verhindert statische Probleme. Die Elemente sind geeignet für Warmwasser- sowie Elektrofußbodenheizungen, jedoch müssen die Fußbodenheizungen vom Hersteller für die Kombination mit den entsprechenden Systemen freigegeben sein.

Abb. 3.144: Gebogene Wandkonstruktionen (Quelle: James Hardie Europe GmbH, Düsseldorf)

Abb. 3.145: Design im Deckenbereich (Quelle: James Hardie Europe GmbH, Düsseldorf)

Abb. 3.146: Zementgebundene Leichtbetonplatten sind der perfekten Untergrund für Flächenspachtelungen, Farbbeschichtungen sowie Fliesen oder Putze (Quelle: James Hardie Europe GmbH, Düsseldorf).

Für die Verlegung sind eine vollflächige Auflage und ein tragfähiger, trockener, ebener Untergrund erforderlich. Gegebenenfalls müssen Unebenheiten im Untergrund vor der Verlegung ausgeglichen werden. Die Verarbeitung erfolgt im schleppenden Verband. Dabei werden die Bodenelemente im Bereich des Stufenfalzes zunächst verklebt und anschließend wie gewohnt durch geeignete Schrauben oder

Spreizklammern miteinander verschraubt oder verklammert.

Eine vollständige Belastung sowie das Aufbringen der endgültigen Oberbeläge sind nach Abbinden des Klebers möglich. Anschließend können alle geeigneten Bodenbeläge wie PVC, Linoleum und Fliesen oder Feinsteinzeugfliesen > 9 mm verlegt werden.

Außenbereich

Mit der entsprechenden allgemeinen bauaufsichtlichen Zulassung für Außenanwendungen können zementgebundene Leichtbeton-Bauplatten auch als Putzträgerplatten an vorgehängten hinterlüfteten Fassaden und abgehängten Deckenkonstruktionen im Außenbereich eingesetzt werden. An der Fassade kann eine Unterkonstruktion aus Holz oder Aluminium und an abgehängten Unterdecken kann zusätzlich eine Stahlunterkonstruktion mit notwendigem Korrosionsschutz verwendet werden. Für das Oberflächenfinish stehen abgestimmte Systemkomponenten zur Verfügung.

Eine Besonderheit sind zementgebundene Leichtbetonplatten, die im Holztafelbau als Direktbeplankung für den statischen Einsatz von tragenden/aussteifenden Holzständerwänden vor allem als Außenwandbeplankung Anwendung finden. Mit systemkompatibler Fugentechnik bieten sie unverputzt einen temporären Wetterschutz für 6 Monate, mit final aufgebrachtem Putzsystem einen dauerhaft wirksamen Wetterschutz.

Relevante Normen

DIN 18534-1:2017-07 Abdichtung von Innenräumen – Teil 1: Anforderungen, Planungs- und Ausführungsgrundsätze

DIN EN 13964:2014-08 Unterdecken – Anforderungen und Prüfverfahren

3.27 Massive Gips-Wandbauplatten

3.27.1 Bauweise und Baustoffe

Massive Gips-Wandbauplatten nach DIN EN 12859:2011-05 „Gips-Wandbauplatten – Begriffe, Anforderungen und Prüfverfahren" dienen der Herstellung von nichttragenden inneren Trennwänden. Neben ein- und zweischaligen Trennwänden werden Gips-Wandbauplatten auch für Schachtwände und Vorsatzschalen eingesetzt. Sie werden mit Gipskleber in Stoß- und Lagerfugen zu hohlraumfreien Wänden ohne Unterkonstruktion zusammengesetzt. Die Raumtrennung mit Gips-Wandbauplatten stellt eine eigenständige, in DIN 4103-2:2017-09 „Nichttragende innere Trennwände – Teil 2: Trennwände aus Gips-Wandbauplatten" geregelte Bauweise dar, die die Vorteile des Trockenbaus mit denen des Mauerwerksbaus verbindet und darum als massiver Trockenbau bezeichnet wird. Ähnlich wie im Mauerwerksbau entstehen homogene Massivwände, jedoch mit vergleichsweise geringen flächenbezogenen Massen. Die Wände werden ähnlich wie im Trockenbau jedoch nahezu trocken errichtet und in der Regel nur im Fugenbereich verspachtelt. Nach dem Wandaufbau gelten Trennwände aus Gips-Wandbauplatten prinzipiell als oberflächenfertig. Weitere bauliche Maßnahmen, etwa Verputz,

Abb. 3.147: Massive Gips-Wandbauplatten in 80, 100 und 60 mm Dicke (v. l.) mit Nut und Feder für schnellen formschlüssigen Wandaufbau (Quelle: VG-Orth GmbH & Co. KG, Stadtoldendorf)

sind nicht erforderlich, was gewerkerelevante Zeit- und Kostenvorteile bei Material und Organisation zur Folge hat. Eine Besonderheit von Trennwänden aus Gips-Wandbauplatten ist ihr elastischer Anschluss an angrenzende Bauteile. Die Wände werden durch eine optimierte Randlagerung durch den Einsatz von Randanschlussstreifen schalltechnisch vom Tragwerk entkoppelt.

Gips-Wandbauplatten sind werksmäßig aus Gips und Wasser hergestellte Bauprodukte nach DIN EN 12859. Die Platten sind umlaufend mit Nut und Feder ausgebildet. Ihre Ansichtsflächen sind werkseitig beidseitig bereits hochglatt. Das Vorzugsplattenmaß beträgt für die Länge 666 mm und für die Höhe 500 mm. Es werden vorzugsweise 80 und 100 mm dicke Platten verwendet (siehe Abb. 3.147). Zur Erfüllung spezieller Aufgaben in der Ertüchtigung, z. B. freistehende Vorsatzschalen, werden auch Platten mit 60 mm Dicke eingesetzt (vgl. Tabelle 3.27).

Tabelle 3.27: Maße nach DIN EN 12859 (bevorzugt in Deutschland)

Rohdichteklasse	Dicke in mm	Format in mm
mittlere Rohdichte mittlere Rohdichte, hydrophobiert	60, 80, 100	666 × 500
hohe Rohdichte hohe Rohdichte, hydrophobiert	60, 80, 100	666 × 500 500 × 500 400 × 500

Gips-Wandbauplatten werden in den Rohdichteklassen M (medium/mittel) und D (dense/hoch) sowie in den Wasseraufnahmeklassen H2 (Wasseraufnahme ≤ 5 % bei zweistündiger vollständiger Wasserlagerung) und H3 (keine Anforderung an die Wasseraufnahme) angeboten. Zur besseren Unterscheidung werden die verschiedenen Plattenarten durch Einfärbung gekennzeichnet (vgl. Tabelle 3.28).

Gipskleber für die Verarbeitung von Gips-Wandbauplatten muss DIN EN 12860:2002-07 „Gipskleber für Gips-Wandbauplatten – Begriffe, Anforderungen, Prüfverfahren" entsprechen. Gips-Wandbauplatten und Gipskleber mit weniger als 1 % Masse- oder Volumenanteil an organischen Stoffen werden bezüglich ihres Brandverhaltens ohne Prüfung in die Euroklasse A1 nach DIN EN 13501-1:2019-05 „Klassifizierung von Bauprodukten und Bauarten zu ihrem Brandverhalten – Teil 1: Klassifizierung mit den Ergebnissen aus den Prüfungen zum Brandverhalten von Bauprodukten“ bzw. die Baustoffklasse A1 nach DIN 4102-1:1998-05 „Brandverhalten von Baustoffen und Bauteilen – Teil 1: Baustoffe; Begriffe, Anforderungen und Prüfungen“ (nichtbrennbar) eingestuft.

Tabelle 3.28: Rohdichteklassen nach DIN EN 12859 (bevorzugt in Deutschland)

Rohdichteklasse	Kurzzeichen	Rohdichte in kg/m³	Einfärbung
mittlere Rohdichte	M (medium)	800 ≤ ρ < 1.100	Natur
mittlere Rohdichte, hydrophobiert			bläulich
hohe Rohdichte	D (dense)	1.100 ≤ ρ ≤ 1.500	rötlich
hohe Rohdichte, hydrophobiert			bläulich

3.27.2 Brandschutz

Trennwände aus Gips-Wandbauplatten, aber auch Schachtwände, Vorsatzschalen oder Stützenbekleidungen zeichnen sich durch ihren massiven, homogenen Aufbau aus dem Brandschutzbaustoff Gips aus. Gipskleber, Füllgips und Gips-Flächenspachtel gehören wie die Platten selbst zur Baustoffklasse A1 (nichtbrennbar) nach DIN 4102-1. Einschalige Wände erreichen bei einer Dicke von 60 mm den Feuerwiderstand F 30, bei 80 mm F 120 und bei 100 mm Dicke F 180. Zweischalige Wände werden wie 2 einzelne einschalige Wände betrachtet, sodass die Einzelschale mit der größeren Dicke den Feuerwiderstand bestimmt. Wegen des homogenen Aufbaus der Wände gilt der Feuerwiderstand für einen Brandangriff von beiden Seiten, was besonders für Schachtwände interessant ist, die damit ohne zusätzliche Arbeiten an den schwer zugänglichen Schachtinnenseiten errichtet werden können. Wird der Feuerwiderstand nach DIN 4102-4 geplant und nachgewiesen, ist im Allgemeinen die Verwendung von Randanschlussstreifen aus Mineralwolle-Dämmstoff nach DIN EN 13162: 2015-04 „Wärmedämmstoffe für Gebäude – Werkmäßig hergestellte Produkte aus Mineralwolle (MW) – Spezifikation“ erforderlich; auch die Verwendung von Randanschlussstreifen aus PE-Schwerschaum (siehe Abb. 3.148) und Bitumenfilz ist möglich. Die Benennung ändert sich dann von F 30-A, F 60-A, F 90-A, F 120-A bzw. F 180-A zu F 30-AB, F 60-AB, F90-AB, F 120-AB bzw. F 180-AB.

3.27.3 Schallschutz

Die Charakteristik der Raumtrennung mit Bauteilen aus Gips-Wandbauplatten resultiert sowohl aus den Wänden selbst als auch – und das in besonderem Maße – durch die Art und die Ausbildung ihrer Anschlüsse an den Baukörper. In der Regel erfolgt der Anschluss elastisch, bei größeren zu erwartenden Verformungen der angrenzenden Bauteile auch gleitend. Nur bei vernachlässigbaren Zwängungskräften und wenn keine Anforderungen an den Schallschutz – insbesondere die Schalllängsleitung – bestehen, darf der Anschluss starr ausgebildet werden.

Abb. 3.148: Massive Gips-Wandbauplatte mit Randanschlussstreifen aus PE-Schwerschaum als bauliche Einheit (Quelle: VG-Orth GmbH & Co. KG, Stadtoldendorf)

Zur Herstellung elastischer Anschlüsse werden Randanschlussstreifen zwischen Wand und angrenzenden Bauteilen dichtgestoßen und hohlraumfrei eingebaut. Dabei ist zu beachten, dass ausschließlich normenkonforme Randanschlussstreifen – in der Regel aus PE-Schwerschaum sowie aus Bitumenfilz – verwendet werden dürfen. Der fachgerecht ausgeführte elastische Anschluss sorgt für eine bauakustische Entkopplung der Trennwand aus Gips-Wandbauplatten von der Baukonstruktion bzw. den angrenzenden Bauteilen und trägt wesentlich zu den Schallschutzleistungen der Wände bei. Insbesondere vermindert er die Schalllängsleitung und damit die akustische Anregung über die leichten Trennwände auf die trennenden Bauteile wie z. B. Wohnungstrennwände und -decken.

3.27.4 Raumplanung

Die günstigste Lösung im Sinne des Schallschutzes zwischen benachbarten Räumen einer Etage ist die Errichtung der Trennwände auf der Rohdecke in Verbindung mit dem raumweisen Einbau des Estrichs. Diese Lösung verhindert die waagerechte Schallweiterleitung innerhalb des Estrichs als flankierendes Bauteil. Die Trennwände spannen dann von Rohdecke zu Rohdecke und werden hier, wie auch an den seitlich angrenzenden Bauteilen, in der Regel elastisch angeschlossen. Zement- oder Anhydritestrich, jeweils auch als Fließestrich, können ohne Einschränkungen nachträglich eingebaut werden, sofern die Abdeckung (Schrenzlage) fachgerecht an den Wänden hochgeführt und der Überstand nach dem Abbinden abgeschnitten wird. Beim Einbau von Gussasphaltestrich muss eine ausreichende Querbelüftung gewährleistet sein, damit die frei werdende Wärme schnell entweichen kann. In innen liegenden Räumen ohne ausreichende Belüftung sollte auf Gussasphalt daher verzichtet werden.

Gemäß DIN 4103-2 können Trennwände aus Gips-Wandbauplatten, abhängig von der Fußbodenkonstruktion, bei üblichen Raumhöhen und unter Berücksichtigung der schalltechnischen Anforderungen auch auf einen geeigneten Estrich auf Dämmschicht gestellt werden. Der Grundriss und damit die genauen Positionen der Trennwände brauchen dann erst später im Bauablauf festgelegt zu werden, z. B. unter Berücksichtigung von Käufer- oder Mieterinteressen. Ebenso lassen sich im Rahmen einer Modernisierung oder Umnutzung neue Grundrisse mit Gips-Massivwänden auf Estrich unkompliziert realisieren.

Für Decken, auf denen Trennwände aus Gips-Wandbauplatten errichtet werden, darf ein vereinfachter statischer Nachweis geführt werden, bei dem die Trennwände nicht als einzelne Linienlasten, sondern mit einem gleichmäßig verteilten Zuschlag zur Nutzlast der Decke berücksichtigt werden. Unter Berücksichtigung dieses Trennwandzuschlags können Gips-Massivwände flexibel und frei auf den Geschossdecken angeordnet werden – zusätzliche Wandträger, Unterzüge oder sonstige Verstärkungen sind nicht erforderlich.

Aus Gips-Wandbauplatten werden homogene Massivwände errichtet, die in der gesamten Fläche und im gesamten Querschnitt die gleichen soliden Eigenschaften aufweisen (siehe Abb. 3.149 und 3.150). Lasten wie Oberschränke oder TV-Geräte können an ihnen mit handelsüblichen Dübeln an beliebiger Stelle sicher befestigt werden. Weder müssen zuvor Haltepositionen exakt festgelegt noch zusätzliche Verstärkungen oder Tragständer für den Lastabtrag geplant werden. Ihre homogene Struktur spricht nicht nur für das komfortable Anbringen von Bildern und Schildern, Garderoben und Spiegeln, Regalen und Boards und Weiterem mehr, sondern auch – speziell aus Sicht professioneller Anwender – für eine flexible und konstruktiv kompatible Umgebung im barrierefreien Bauen, insbesondere für die Vorbereitung nachträglich auszubauender Mehrgenerationenbäder. Die Tragfähigkeit der Wände ist bereits bei 80 mm Dicke so groß, dass gemäß DIN 4103-2 auch schwere Konsollasten ohne weiteren Nachweis befestigt werden dürfen.

3.27.5 Ausführung

Der Aufbau der Wände erfolgt in der Weise, dass Gips-Wandbauplatten mit durchlaufenden waagerechten Fugen im Verband zusammengefügt und dabei mit Gipskleber für Gips-Wandbauplatten verbunden werden. Ihre Standsicherheit erhalten die Wände durch den Plattenverbund und den Anschluss an die angrenzenden Bauteile. Errichtete Bauteile werden im Fugenbereich oder ganzflächig verspachtelt. Wandflächen, auf denen keramische Fliesen angesetzt werden, dürfen nicht verspachtelt werden. Große Tür- bzw. Wandöffnungen werden beim Aufbau der Wände angelegt oder später ausgesägt. Über diesen Öffnungen können je nach deren Größe und Lage zusätzliche konstruktive Maßnahmen erforderlich sein (z. B. Einlegen von Schlitzbandstahl, T-Profilen). Schlitze für die Leitungsverlegung sind in die Wände einzufräsen; sie dürfen grundsätzlich nicht gestemmt werden. Sie sind mit Füllgips so zu schließen, dass eine ausreichende Überdeckung von Einbauteilen gegeben ist (mindestens 1 cm). Schlitze dürfen die Wand in ihrer Standsicherheit nicht beeinträchtigen. Waagerechte Schlitze dürfen deshalb nicht länger als etwa 1 m sein, wenn ihre Tiefe die halbe Wanddicke erreicht. Längere waagerechte Schlitze dürfen in der Tiefe höchstens ⅓ der Wanddicke erreichen. Parallel verlaufende waagerechte Schlitze im Abstand von weniger als 50 cm sind zu vermeiden. Bauteile aus Gips-Wandbauplatten können im Grundsatz von jedem qualifizierten Bauunternehmen errichtet werden. Empfohlen wird die Ausführung durch Fachunternehmen der Gewerke Stuck und/oder Trockenbau. Planern und Bauherren wird bevorzugt die Ausführungskompetenz von spezialisierten Fachunternehmen empfohlen.

3.27.6 Relevante Normen

DIN 4103-2:2017-09 Nichttragende innere Trennwände – Teil 2: Trennwände aus Gips-Wandbauplatten

Abb. 3.149: Oberflächenfertige, hochglatte Trennwände aus massiven Gips-Wandbauplatten für schnelle Raumbildung und aufgeräumte Baustellen (Quelle: VG-Orth GmbH & Co. KG, Stadtoldendorf)

Abb. 3.150: Aufbau einer nichttragenden inneren Trennwand aus massiven Gips-Wandbauplatten mit wasserabweisenden Platten im Wandfuß und elastischem Anschluss aus PE-Schwerschaum (Quelle: VG-Orth GmbH & Co. KG, Stadtoldendorf)

Abb. 3.151: Einbau eines Dachausstiegsfensters (Quelle: Klöber GmbH, Ennepetal)

DIN EN 12859:2011-05 Gips-Wandbauplatten – Begriffe, Anforderungen und Prüfverfahren

DIN EN 12860:2002-07 Gipskleber für Gips-Wandbauplatten – Begriffe, Anforderungen, Prüfverfahren

3.28 Nicht-Wohnraumfenster

3.28.1 Dachfenster/Ausstiegsfenster

Diese Fenster sind dann sinnvoll, wenn der Dachboden nicht als Wohnraum genutzt wird (siehe Abb. 3.151). Aus ästhetischen Gründen wird der Fensterrahmen farblich an das Material, das zur Dachdeckung genutzt wird, angepasst.

Eine Dämmung bietet sich an, wenn der Dachboden regelmäßig genutzt wird. Ansonsten dient das Fenster zur Belichtung, Belüftung und dem Ausstieg auf die Dachfläche.

3.28.2 Mehrzweckfenster, Kellerfenster

Bei der Wahl der Kellerfenster sollte man frühzeitig entscheiden, wie die Kellerräume genutzt werden sollen. Werden die Räume zum Wohnen oder über mehrere Stunden am Tag genutzt, handelt es sich normalerweise um beheizte Räume. In diesem Fall schreibt der Gesetzgeber eine Wärmedämmung vor, die auch die Kellerfenster betrifft (siehe Abb. 3.152). Eine gute Wärmedämmung ist in der Regel bereits bei zweifacher Verglasung erreicht, in den letzten Jahre wird jedoch im Hinblick auf steigende Energiekosten immer öfter auf eine Dreifachverglasung gesetzt (siehe Abb. 3.153). Welches Fenster eingebaut werden sollte, hängt von der individuellen Präferenz und dem Budget ab. Ein Stahlfenster ist meistens am günstigsten, aber auch sehr durchlässig für Schall und Wärme, weshalb es sich nicht für Wohn- oder Hobbyräume anbietet. Kunststofffenster bieten dazu eine bessere und immer noch preiswerte Alternative.

Die Ausführung der Fenster hängt ebenfalls von der geplanten Nutzung der Räume ab. Kunststoff-Dreh-Kipp-Fenster haben eine bessere Beschlagtechnik gegenüber den simpleren Kunststoff-Kipp-Fenstern und sind normalerweise wärmedichter. Entscheidet man sich für ein Zargenfenstersystem, ist der nachträgliche Austausch der Fenster schnell ausgeführt und man spart sich die zusätzliche Abdichtung der Fenster, da der Einbau direkt an die Laibung erfolgt. Ist man sich unsicher, wie man die Räume in der Zukunft nutzen will, kann man einen flexiblen Wechsel der Fensterarten gewähren, indem man Wechselzargen einbaut, mit denen sich verschiedene Fenstereinsätze schnell und problemlos aus- und wieder einsetzen lassen (siehe Abb. 3.154).

So wie die Wärmedämmung eine immer größere Rolle im Bauwesen spielt, setzt man auch beim Thema Wasserschutz vermehrt auf höhere Sicherheitsstandards. Wasserdichte Kellerfenster müssen bestimmten Wasserpegeln standhalten, sodass nach 24 Stunden Belastung durch diese Pegel kein Wasser an der Innenseite des Fensters feststellbar ist. Das lässt sich in der Regel über eine Verglasung mit Verbundsicherheitsglas (VSG) erreichen. Verstärkt man die Fensterflügel mit Stahl, halten sie einem erhöhten Wasserdruck noch besser stand.

3.28.3 Stallfenster

Auch Stallfenster erhalten nach und nach bessere Standards zur Wärmedämmung. Wenngleich die Schließvorrichtungen meist einfacher als bei Wohnraumfenstern sind, setzt man anstelle von Metall auch hier immer mehr auf Kunststoff (siehe Abb. 3.155). Auch eine Verbund- anstelle der Einfachverglasung der Fensterflügel sorgt für eine bessere Wärmehaltung im Stall, ebenso wie die immer öfter verwendeten Zargenfenster. Wer bei dem Material aufgrund der Optik Holzfenster bevorzugt, kann sich zwar einer guten Wärmedichtung sicher sein, muss aber im Vergleich zu Kunststofffenstern höhere Kosten akzeptieren.

Abb. 3.152: Keller-Fitnessraum mit wärmegedämmtem Kellerwohnraumfenster (Quelle: ACO Passavant GmbH, Dermbach)

Abb. 3.153: Dreifach verglastes Zargenfenster (Quelle: ACO Passavant GmbH, Dermbach)

Abb. 3.154: Ein Wechselflügel wird in die Zarge eingesetzt (Quelle: ACO Passavant GmbH, Dermbach).

Abb. 3.155: Einbau von Stallfenstern (Quelle: ACO Passavant GmbH, Dermbach)

3.29 Lichtschächte und Gitterroste

3.29.1 Lichtschächte

Um Lichteinfall und ausreichende Belüftung bei Kellerfenstern sicherzustellen, wird häufig ein Lichtschacht eingebaut. Damit können Kellerbereiche auch dann belichtet werden, wenn die Grundstücksverhältnisse vor Ort keine ausladenden Böschungsbefestigungen erlauben. Darüber hinaus dient der Lichtschacht als Zwischenkörper, der das Fenster vom Erdreich trennt, sodass die Fenster nicht von Feuchtigkeit und dem damit verbundenen Wasserdruck geschädigt werden und vor lästigen Pflanzen und Wurzeln geschützt sind. Dementsprechend muss der Lichtschacht so beschaffen sein, dass er selbst diesen Faktoren sowie der Einwirkung von Kleintieren, Salzen, Säuren, Laugen und Steinen standhalten kann. Auch potenziell auf dem Lichtschacht abgestellte Fahrzeuge oder andere schwere Objekte müssen getragen werden können. Das gilt zwar besonders für Lichtschächte neben der Garage und der Einfahrt, sollte aber in Anbetracht möglicher Umbauten am Haus im besten Falle für alle Lichtschächte gelten. Bei Einfahrten, die typischerweise aus Pflastersteinen bestehen, können die Lichtschächte mit Edelstahlzargen an die Steine angeschlossen werden, sodass keine Kunststoffkante mehr sichtbar ist (siehe Abb. 3.156). Ein bewährtes Material für die Schächte stellt das glasfaserverstärkte Polypropylen (PP-GF) dar.

Die flexibelste Lösung ist ein Komplettsystem, bei dem die in Kapitel 3.28 beschriebenen Zargenfenster sowie die Montagedämmplatte direkt an den Lichtschacht angepasst werden. Eine nachträgliche Erhöhung der Schächte ist normalerweise unproblematisch, da man je nach Lichtschachttyp mehrere Aufsätze übereinandersetzen kann. Bei einer ungleichmäßigen Fassade lassen sich diese Aufsätze an der Wandseite entsprechend zuschneiden. Lichtschächte verfügen unten über einen Entwässerungsanschluss an die Kanalisation – ohne den würden sie auch bei schwächeren Regenfällen schnell volllaufen. Wenn allerdings die Aufnahmekapazität überschritten ist, droht auch im Lichtschacht ein Rückstau. Anschlüsse, die mit einer Rückstaueinheit ausgestattet sind, verhindern, dass Abwasser aus der Kanalisation in den Lichtschacht gerät (siehe Abb. 3.157). Zusätzlich gibt es die Möglichkeit eines Geruchsverschlusses. Will man den Lichtschacht komplett abdecken, kann man dafür eine wasserdichte Glasplatte verwenden, die den potenziellen Belastungen standhält. Weniger teure Möglichkeiten, die gegen anderweitige Verschmutzung wie Dreck, Kleintiere und Blätter helfen, sind beispielsweise Insektenschutzgitter. Besonders große Lichtschächte dienen neben dem möglichen Fluchtweg nach draußen zum Ablassen und Heben von Objekten in die und aus den sonst schwerer zugänglichen Kellerräumen.

3.29.2 Gitterroste

Über dem Lichtschacht befindet sich in den meisten Fällen ein Gitterrost, der den Lichtschacht schützt. An der Oberfläche sollte er zu allen Seiten nahtlos sein, um keine Stolpergefahr darzustellen. Die gängigsten Modelle sind Streckmetall und Maschengitterroste. Bei einer Maschenweite von 30 mm × 30 mm wird der Lichteinfall weniger stark behindert als bei 30 mm × 10 mm, allerdings schützt nur Letztere effizient vor dem Hängenbleiben mit Gehstöcken, Absätzen oder Blindenstöcken. Als oberste Fläche des Lichtschachtes schützt man den Gitterrost zusätzlich gegen Einwirkungen von außen, wie z. B. Verrutschen und Vandalismus. Dazu gibt es Sicherungsstifte und Rostabhebesicherungen (siehe Abb. 3.158). Bei Kunststofflichtschächten gibt es meist die Möglichkeit, den Gitterrost ohne weitere Sicherungsstifte in seine Auflage einzurasten, damit er gegen Verrutschen besser gesichert ist. Im Bauwesen existieren weitere vielseitige Anwendungen für Gitterroste, wie z. B. Rinnenroste, Fußabstreifroste und Treppenstufenroste. Die Tragfähigkeit spielt bei diesen je nach Bauvorhaben und Nutzung eine besondere Rolle, um Verschiebungen oder Schäden der Roste zu verhindern.

Abb. 3.156: Eingebauter Lichtschacht mit umlaufender Zarge über einem Kellerwohnraum (Quelle: ACO Passavant GmbH, Dermbach)

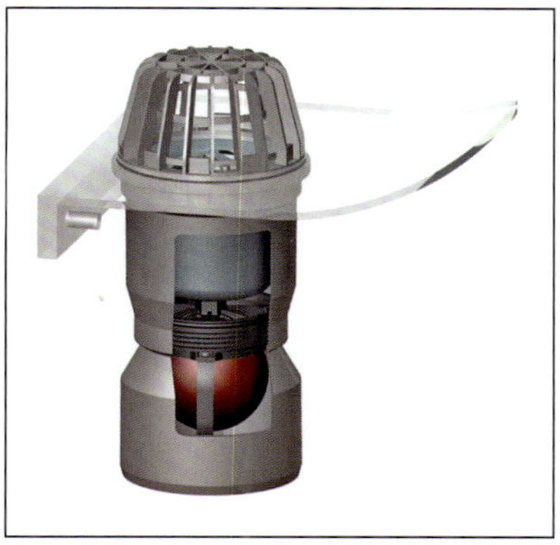

Abb. 3.157: Lichtschacht-Rückstausicherung (Quelle: ACO Passavant GmbH, Dermbach)

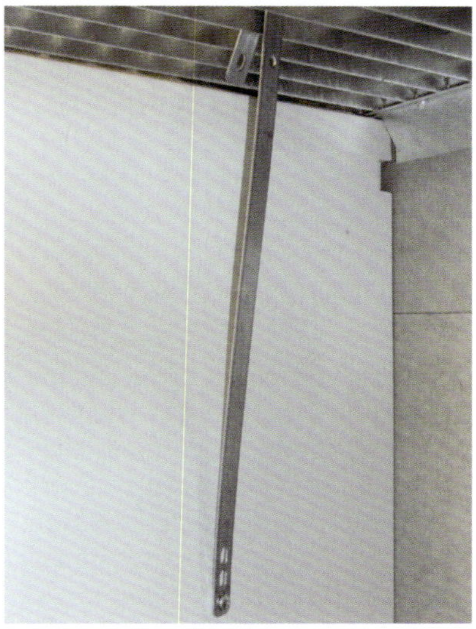

Abb. 3.158: Gitterrostsicherung (Quelle: MEA Bautechnik GmbH, Aichach)

3.30 Bauchemie

Die Werkstoffe, die man als chemische Baustoffe bezeichnen kann, besitzen ein ungemein vielfältiges Anwendungsspektrum und werden im Rahmen dieser Baustoffkunde in einem praxisbezogenen Abriss vorgestellt. Die Gebiete Holz- und Brandschutzmittel werden in den Kapiteln 1.7 und 5.7 besprochen.

Der Begriff Bauchemie wird oft synonym für die Produktpalette der Hersteller verwendet, die unter dem Dachverband „Deutsche Bauchemie“ als Mitglieder geführt werden. Die Unterscheidung zwischen bauchemischen Produkten und (Werk-)Trockenmörteln ist nicht klar abgrenzbar. Preisgünstige Massenprodukte werden meist als Trockenmörtel bezeichnet, hoch vergütete Produkte mit speziellen Anwendungsfeldern als bauchemische Produkte.

3.30.1 Bauchemie für Beton, Zementestriche und Putz

3.30.1.1 Betonzusatzmittel

Betonzusatzmittel sind flüssige oder pulverförmige Stoffe, die durch chemische und/oder physikalische Wirkung die Frisch- und/oder die Festbetoneigenschaften positiv verändern. Als typische Eigenschaften sind die Optimierung der Verarbeitbarkeit, der Festigkeit und der Dauerhaftigkeit zu nennen. Betonzusatzmittel für unbewehrten Beton, Stahl- und Spannbeton, für Ort- und Transportbeton sowie für Beton für Fertigteile sind in DIN EN 934-2:2012-08 „Zusatzmittel für Beton, Mörtel und Einpressmörtel – Teil 2: Betonzusatzmittel – Definitionen, Anforderungen, Konformität, Kennzeichnung und Beschriftung“ geregelt. Eine CE-Kennzeichnung nach dieser Norm erlaubt den Einsatz für Beton nach DIN EN 206:2021-06 „Beton – Festlegung, Eigenschaften, Herstellung und Konformität“ /DIN 1045-2: 2008-08 „Tragwerke aus Beton, Stahlbeton und Spannbeton – Teil 2: Beton – Festlegung, Eigenschaften, Herstellung und Konformität – Anwendungsregeln zu DIN EN 206-1“. Darüber hinaus sind Zusatzmittel mit einer Europäischen Technischen Zulassung (ETA) oder mit einer allgemeinen bauaufsichtlichen Zulassung des DIBt geeignet.

Bei einer Verwendung von Zusatzmitteln in Beton ist eine Dosierung während des Hauptmischgangs im Herstellwerk vorgeschrieben. Eine spätere Dosierung auf der Baustelle in den Fahrmischer ist ausgeschlossen, mit Ausnahme der Produktgruppe „Fließmittel“. Diese dürfen unter bestimmten Voraussetzungen auch nach dem Hauptmischgang zugegeben werden. Die maximale Dosierung von Betonzusatzmitteln ist nach DIN EN 934-2 auf 5 % des im Beton enthaltenen Zementgewichts oder die vom Zusatzmittelhersteller festgelegte maximale Zugabemenge des empfohlenen Dosierbereichs begrenzt.

Im Folgenden werden die wichtigsten Betonzusatzmittel vorgestellt.

Betonverflüssiger

Ein Betonverflüssiger ist ein *„Zusatzmittel, das eine Verminderung des Wassergehalts einer gegebenen Betonmischung ermöglicht, ohne die Konsistenz zu beeinträchtigen, oder ohne Veränderung des Wassergehalts das Setzmaß/Ausbreitmaß erhöht, oder das gleichzeitig beide Wirkungen hervorruft“* (DIN EN 934-2, Abschnitt 3.2.2). Eingesetzt werden sie dementsprechend zur Erhöhung der Betonkonsistenz und der damit verbundenen besseren Verarbeitbarkeit und/oder zur Reduzierung des Wassergehaltes zur Verbesserung der Festigkeit und Dauerhaftigkeit. Als Wirkstoffe werden häufig eingesetzt: Ligninsulfonate, Naphthalinsulfonate, Melaminsulfonate und Polycarboxylatether (PCE) sowie Abmischungen verträglicher Wirkstoffkombinationen.

Fließmittel

Bei einem Fließmittel handelt es sich um ein *„Zusatzmittel, das eine* ***erhebliche*** *Verminderung des Wassergehalts einer gegebenen Betonmischung ermöglicht, ohne die Konsistenz zu beeinträchtigen, oder ohne Veränderung des Wassergehalts das Setzmaß/Ausbreitmaß* ***erheblich*** *erhöht, oder das gleichzeitig beide Wirkungen hervorruft“* (DIN EN 934-2, Abschnitt 3.2.3). Wie Betonverflüssiger ermöglichen auch Fließmittel eine Erhöhung der Betonkonsistenz und/oder eine Reduzierung des Wassergehaltes. Sie sind in ihrer Wirksamkeit allerdings stärker. Als Wirkstoffe kommen prinzipiell dieselben wie bei den Betonverflüssigern zum Einsatz, es werden jedoch bei mehr als 85 % der Fließmittel die leistungsstärkeren PCE verwendet. Diese erlauben es durch ihren flexiblen Molekülaufbau, an spezielle betontechnologische Gegebenheiten angepasst zu werden. So werden beispielsweise in der Transportbetonindustrie häufig PCE mit konsistenzhaltenden Eigenschaften eingesetzt, wohingegen in der Fertigteilindustrie PCE mit eher geringerer Konsistenzhaltung und hoher Frühfestigkeitsentwicklung des Betons genutzt werden. Fließmittel sind die einzige Produktgruppe, die auf der Baustelle in dem Fahrmischer nachdosiert werden dürfen. Dabei ist eine ausreichend lange Nachmischzeit (mindestens 1 min/m^3, jedoch mindestens 5 Minuten) einzuhalten. Betone mit einer Konsistenzklasse ≥ F4 müssen zwingend mit einem Fließmittel hergestellt werden.

Luftporenbildner

Ein Luftporenbildner ist ein *„Zusatzmittel, das eine bestimmte Menge von kleinen, gleichmäßig verteilten Luftporen während des Mischvorgangs einführt, die nach dem Erhärten im Beton verbleiben“* (DIN EN 934-2, Abschnitt 3.2.5). Luftporen werden gezielt in Beton eingebracht, um die Frost- bzw. Frost-Tausalz-Widerstandsfähigkeit zu erhöhen. Im erhärteten Beton bewirken Luftporen eine Unterbrechung des Kapillarporensystems und somit eine Reduzierung der Wasseraufnahme. Beim Gefrieren des Wassers bieten die Luftporen darüber hinaus einen Expansionsraum bei der Eisbildung. Im Frischbeton bewirken sie eine Verbesserung der Verarbeitbarkeit. Es muss allerdings beachtet werden, dass die Festigkeit des Betons durch die Luftporen reduziert wird. Als Rohstoffe für Luftporenbildner werden grenzflächenaktive Substanzen auf Basis von natürlichen Wurzelharzen oder synthetischen Tensiden verwendet. Diese bewirken eine Reduzierung der Oberflächenspannung und ermöglichen es, dass beim Mischen des Betons Luft eingetragen wird, die in Form von kugeligen Poren im Beton enthalten bleibt. Besonders wirksam für die Frost- bzw. Frost-Tausalz-Widerstandsfähigkeit sind Luftporen mit einem Durchmesser ≤ 300 µm. Durch möglichst viele kleine Poren wird sichergestellt, dass eine ausreichende Anzahl an

Poren im Beton enthalten ist und diese einen geringen Abstand untereinander haben (< 0,20 mm).

Verzögerer

Ein Verzögerer bewirkt, dass *„die Zeit bis zum Beginn des Übergangs der Mischung vom plastischen in den festen Zustand verlängert"* (DIN EN 934-2, Abschnitt 3.2.8) wird. Durch die Verwendung eines Verzögerers ist es somit möglich, die Verarbeitungszeit von Betonen und Mörteln zu verlängern und den Erstarrungsbeginn hin zu einem späteren Zeitpunkt zu verschieben. Dies kann erforderlich sein, wenn z. B. große Bauteile ohne Arbeitsfugen betoniert werden müssen, bei langen Fahrzeiten im Fahrmischer oder möglichen Arbeitsunterbrechungen. Als Wirkstoffe für Verzögerer sind im Wesentlichen anorganische Phosphate zu nennen. Auch organische Verzögererrohstoffe wie Zucker, Saccharose, Gluconat, Zitronensäure usw. werden verwendet. Aufgrund des Ausschlusses innerhalb der Zusätzlichen Technischen Vertragsbedingungen und Richtlinien für Ingenieurbauten (ZTV-Ing) und der Zusätzliche Technische Vertragsbedingungen – Wasserbau (ZTV-W) spielen diese Rohstoffe in Deutschland eher untergeordnete Rolle.

Beschleuniger

Beschleuniger werden abhängig von ihrer Wirkungsweise in Erhärtungsbeschleuniger und Erstarrungsbeschleuniger unterschieden.

Erhärtungsbeschleuniger

Bei Erhärtungsbeschleunigern handelt es sich um Zusatzmittel, die *„die Anfangsfestigkeit beschleunig[en], mit oder ohne Einfluss auf die Erstarrungszeit"* (DIN EN 934-2, Abschnitt 3.2.7). Diese Zusatzmittel werden eingesetzt, wenn bei einer normalen Verarbeitungszeit höhere Festigkeiten im frühen Betonalter benötigt werden. Auf diesem Wege lassen sich beispielsweise kurze Ausschalzeiten auf Baustellen oder in Fertigteilwerken realisieren. Weiterhin kann bei Betonagen bei niedrigen Temperaturen der dadurch verzögerten Festigkeitsentwicklung entgegengewirkt werden. Als Rohstoffe kommen Formiate und nanoskalige Calcium-Silikat-Hydrat-Impfkristalle zum Einsatz, wobei Formiate die Endfestigkeit des Betons um bis zu 10 % reduzieren können. Als weitere effektive Erhärtungsbeschleuniger sind Rhodanide, Chloride, Nitrate und Nitrite zu nennen. Diese sind in Deutschland für die Herstellung von Stahl- und Spannbetonteilen allerdings nicht oder nur begrenzt zulässig, da sie zu Korrosionsschäden des Bewehrungsstahles führen können. Für Beschleunigervarianten auf Basis der Rohstoffe Rhodanide und Nitrat liegen einzelne Zulassungen des Deutschen Instituts für Bautechnik (DIBt) vor.

Erstarrungsbeschleuniger

Erstarrungsbeschleuniger werden eingesetzt, um *„die Zeit bis zum Beginn des Übergangs der Mischung vom plastischen in den festen Zustand"* (DIN EN 934-2, Abschnitt 3.2.6) zu verringern. Der Einsatz von Erstarrungsbeschleunigern beruht auf einer sehr schnellen Bildung von Calciumsilikat- bzw. Calciumaluminathydratkristallen, die ein direktes Ansteifen bzw. Erstarren des Zementleimes bewirken. Als Rohstoffe für Erstarrungsbeschleuniger werden Aluminate, Silikate oder Aluminiumhydroxidsulfate verwendet. Zum Einsatz kommen derartige Zusatzmittel in Konstruktionsbetonen äußerst selten. Die Anwendung erfolgt nahezu ausschließlich als Spritzbetonbeschleuniger im Trocken- und Nassspritzverfahren.

Stabilisierer/Viskositätsmodifizierer

Stabilisierer und Viskositätsmodifizierer sind sich in ihrer Wirkungsweise und in den verwendeten Rohstoffen sehr ähnlich. Beide Zusatzmittelarten werden teilweise für die gleichen Anwendungsfälle eingesetzt. Während Stabilisierer nach DIN 934-2 das Ziel haben, *„das Absondern von Zugabewasser durch vermindertes Bluten"* (Abschnitt 3.2.4) zu verringern, sollen Viskositätsmodifizierer eine *„Begrenzung der Entmischung durch Verbesserung der Kohäsion"* (Abschnitt 3.2.13) bewirken. In beiden Fällen wird dies durch eine starke Wasserbindung der eingesetzten Produkte erreicht (Veränderung der Viskosität des Betons). Eingesetzt werden hierfür z. B. die verschiedensten Zellulosederivate, Biopolymere und wasserlöslichen Kunststoffe (Polyethylenoxide). Diese Produkte verbessern durch ein erhöhtes Wasserrückhaltevermögen und/oder eine Erhöhung der Viskosität des Betons z. B. die Pumpfähigkeit von Beton und verhindern das Aufschwimmen von Leichtzuschlägen bzw. das Absetzen von Schwerzuschlägen. Die Haupteinsatzgebiete von Stabilisierern und Viskositätsmodifizierern sind leicht verdichtbare und selbstverdichtende Betone, Leichtbetone, Unterwasserbetone und Bohrpfahlbetone.

Dichtungsmittel

Dichtungsmittel werden eingesetzt mit dem Ziel, *„die kapillare Wasseraufnahme von Festbeton zu verringern"* (DIN EN 934-2, Abschnitt 3.2.9) und die Dichtigkeit des Betons zu erhöhen. Verwendet werden hierfür verschiedene hydrophobierende (wasserabweisende) Rohstoffe, wie Stearate, Fettsäuren o. Ä. Der Einsatz dieser Produkte kann zu einer Verminderung der Festigkeiten führen. Im Bereich der konstruktiven Betone spielen Dichtungsmittel eine untergeordnete Rolle. In Deutschland wird die Dichtigkeit des Betons in der Regel über betontechnologische Lösungen verbessert (Absenkung des w/z-Werts).

3.30.1.2 Hilfsstoffe im Betonbau

Trennmittel

Trennmittel werden ausschließlich im Betonbau und bei der Herstellung von Betonfertigteilen eingesetzt. Sie bewirken, dass sich die Schalungen und Formen nach dem Erhärten des Frischbetons einwandfrei vom Beton lösen lassen. Das adhäsive Anbinden des nass eingebrachten Betons an den Schalungsoberflächen wird durch den Einsatz von Trennmitteln verhindert. Trennmittel bewirken eine saubere Sichtbetonoberfläche, sie schützen die teuren Betonschalungen und konservieren sie. Man unterscheidet zwischen physikalisch und chemisch wirkenden Trennmitteln. Die physikalisch wirkenden Trennmittel verhindern durch den Aufbau eines dünnen Films die unmittelbare Verbindung zwischen Beton und Schalung. Dies können Wachse, Wachsemulsionen, Emulsionen oder Öle sein. Rückstände von Trennmitteln müssen von den Betonoberflächen entfernt werden, wenn diese als Verlegeflächen für Anstrichsysteme, Beschichtungen, Abdichtungen oder Plattenbeläge verwendet werden.

Die chemisch wirkenden Trennmittel beeinflussen die Betonerhärtung unmittelbar an der Betonoberfläche im Bereich von weniger als 100 µm (0,1 mm). Sie bewirken eine abstaubende Schicht, die vor dem Aufbringen von nachfolgenden Anstrichen, Abdichtungssystemen oder Plattenbelägen am besten durch ein Nassreinigungsverfahren entfernt werden muss.

Aufraumittel (für Waschbeton)

Eine besondere Art von Trennmitteln wirkt als Abbindeverzögerer an der Betonoberfläche. Die sog. Aufraumittel verhindern oder verzögern die Hydratisierung des Zements an der Außenschicht von Betonteilen über mehrere Tage bis zu einer Tiefe von mehreren Millimetern. Die Verzögerungstiefe ist durch die Konzentration steuerbar. Aufraumittel sind als streichfähige, wässrige Lösungen, als Pasten oder fertig aufgetragen auf Papierbahnen im Handel. Die Materialbasis der Mittel ist jeweils ein Rezepturgeheimnis der Hersteller. Anwender sollten daher den Beratungsservice der Lieferanten in Anspruch nehmen.

Nachbehandlungsmittel

Der Zement ist der festigkeitsbildende Bestandteil im Beton, in Zementestrichen und Zementputzsystemen. Er benötigt für die gesamte Abbindezeit Feuchtigkeit in Form von flüssigem Wasser, um zu erhärten. Die Abbindezeit bis zum Erreichen der Normfestigkeit wird allgemein mit 28 Tagen bei etwa 20 °C angenommen. Die Erhärtung erfolgt durch Bildung des Zementsteins und wird auch Hydratation genannt. Nur durch einen gleichmäßigen Feuchtegehalt kann der Zement die von ihm erwartete Endfestigkeit erreichen. Wind oder Sonneneinstrahlung kann jungen, zementgebundenen Oberflächen das Wasser durch Verdunstung zu früh entziehen. Ein so „verdursteter" Beton oder Zementestrich erreicht dann seine genormte Endfestigkeit nicht. Die Nachbehandlung kann durch Besprühen mit Wasser erfolgen. Vielfach werden auch Folien oder feuchte Jutebahnen aufgelegt, die den Beton vor Austrocknung schützen können.

Das Feuchthalten junger Betonflächen erfordert Personal und ist deshalb oft nicht durchführbar. Das Abdecken mit Folien ist witterungsabhängig und kann bei starkem Wind zu Schwierigkeiten führen.

Technisch sicherer ist daher die Methode der Betonnachbehandlung mit dafür entwickelten Nachbehandlungsmitteln, auch unter der Bezeichnung Curing-Mittel bekannt. Dabei handelt es sich um Flüssigkeiten, die nach Angaben der Hersteller in der Regel mit Wasser verdünnt und wie die Trennmittel gespritzt werden können. Als Sprühgeräte haben sich Obstbaumspritzen in der Betontechnik durchgesetzt. Curing-Mittel kann man aber auch im Flutverfahren aufbringen, indem man die verarbeitungsfertig angemischte Lösung auf die jungen Betonflächen ausgießt und mit Straßenbesen gleichmäßig verteilt.

Paraffin-Curing-Mittel bestehen aus Paraffin- oder Kunstharzlösungen oder -emulsionen.

Abb. 3.159: Erste kommerzielle polymerbasierte Mörtelvergütung (Quelle: PCI Augsburg GmbH, Augsburg)

3.30.2 Mörtel- und Putzzusatzmittel

Zum Verbessern der Frisch- und Festmörteleigenschaften von in erster Linie Reparatur-, Putz- und Estrichmörteln wurden seit den 1950er-Jahren polymerbasierte wässrige Emulsionen angeboten (siehe Abb. 3.159).

In der Geschichte des Bauens wurden seit jeher diverse Flüssigkeiten als Mörtelzusatzmittel ausprobiert, u. a. Öle oder Tierblut.

Heutzutage sind bauchemische Produkte bereits derart vergütet, dass die Anwendung von Zusatzmitteln auf der Baustelle hauptsächlich bei spezifischen Anforderungen erfolgt, bei denen die im Folgenden beschriebenen Eigenschaften verbessert werden sollen.

Kunststoffvergütete Mörtel erreichen bessere Abriebwerte und dadurch eine verlängerte Lebensdauer. Die Widerstandsfähigkeit gegen Wasserbelastung, Öl, Salzlösungen und andere chemisch-physikalische Einflüsse wird verbessert. Durch den Kunststoffzusatz erhöht sich die Biegezugfestigkeit der Mörtelsysteme erheblich. Sie erreichen durch die Verringerung des E-Moduls eine enorme Zähigkeit und damit einen spannungsfreien Abbindeverlauf sowie eine rissfreie Aushärtung, und sie können Spannungen durch Temperatureinflüsse sicher in die tragende Konstruktion ableiten, ohne sich durch Scherspannung vom Untergrund zu lösen. Nicht zuletzt können Zusatzmittel auch die Verarbeitungseigenschaften günstig beeinflussen.

Modifizierte Kunstharzdispersionen als Zusatzmittel sind in der Regel selbst keine verwendungsfertigen Produkte. Ihre Funktion erreichen sie erst durch die Abmischung mit Zement und Sand bzw. den zu verbessernden Fertigprodukten.

Mit den Begriffen „Emulsion", „Dispersion" bzw. „Kunststoff, Kunstharz- oder Polymerdispersion" ist meistens eine wässrige oder viskose Masse gemeint, die kleine Polymerpartikel enthält. Diese sind in der Flüssigkeit mit Hilfsstoffen derart stabilisiert, dass sie nicht verkleben können. Erst wenn das Wasser austrocknet oder anderweitig gebunden wird, kommen sich die Partikel so nahe, dass sie beginnen, zu verfilmen.

Weitere Zusatzmittel sind besonders bei der Herstellung von Estrichen beliebt. Hier ist der Zweck zumeist die schnellere Erreichung der Belegreife. Oft handelt es sich um oberflächenaktive Substanzen, die eine Verringerung der Wasserzugabe ermöglichen, ohne die Verarbeitbarkeit zu verschlechtern. Des Weiteren werden Dichtungs- und Frostschutzmittel als Zusätze verwendet. Dichtungsmittel bewirken ein dichteres Gefüge und damit eine verringerte Wasseraufnahme. Frostschutzmittel haben eine beschleunigende Wirkung und sorgen dadurch auch bei tiefen Temperaturen für einen Festigkeitsaufbau. Außerdem senken sie den Gefrierpunkt des Wassers in der Porenlösung des Frischmörtels bzw. -betons.

3.30.3 Reinigungs- und Pflegemittel für Fliesen, Ziegelfliesen und Naturwerksteine

Verschleißfeste Bodenflächen aus Steinzeug- oder Feinsteinzeugfliesen aus Glas- oder Porzellanmosaik benötigen keine besonderen Pflegemittel. Lediglich bei frisch verlegten keramischen Belägen kann mit sauren Reinigern der Restschleier des Verfugungsmörtels entfernt werden. Dies gilt auch für glasierte Steingutfliesen oder Mosaikbeläge an Wänden. Die Erstreinigung nach der Verlegung kann hier sogar mit handelsüblichen Glasreinigern erfolgen. Ziegelfliesen erfordern eine besondere Vorbehandlung. Die Oberfläche der kapillarporenreichen Ziegelfliese kann durch den Verlege- oder Verfugungsmörtel verschmutzt werden. Deshalb werden Ziegelfliesen vor der Verfugung mit haftungsfeindlichen Imprägnierungen behandelt, nach der Verfugung mit sauren Reinigern vom Zementschleier befreit und anschließend mit pigmentierten Wachslösungen schmutzabweisend imprägniert.

Naturwerksteine aus harten, schleif- und polierfähigen Gesteinssorten wie Graniten, Gneisen, Marmor, Juramarmor und viele andere werden werksseitig poliert und mit schützenden Lacksystemen ausgeliefert. Die Oberflächen bedürfen aber einer laufenden Pflege mit Spezialwachsemulsionen und Reinigungsmitteln, die geeignet sind, Öl- und Fettverschmutzungen sowie andere Verschmutzungen organischer Art, z. B. Rotwein-, Kaffee- oder Obstsaftflecken, zu entfernen. Auch nutzungsbedingte geringfügige Kratzer, z. B. durch Sandkörner, können durch Polituren beseitigt werden.

Bei der regelmäßigen Reinigung während der Nutzung von Fliesenbelägen können sich zementäre Fugen infolge der wiederholten Einwirkung saurer Reiniger nach und nach auflösen. Bei der Planung der einzusetzenden Baumaterialien sollte bereits Rücksicht auf die spätere Nutzung genommen werden. Es gibt sowohl zementbasierte als auch epoxidharzbasierte Fugenmörtel mit hoher Widerstandsfähigkeit gegen korrosive Angriffe.

3.30.4 Betonschäden

Der Verbundbaustoff Stahlbeton ermöglicht dem Architekten unbegrenzte Möglichkeiten der Gestaltung von Bauwerken. Auch wenn bei der Planung und Herstellung von Betonkonstruktionen, wie Brücken, Parkhäusern, Hoch- oder Ingenieurbauten, keine Fehler gemacht werden, können jedoch im Laufe von Jahrzehnten Wartungs- und Reparaturarbeiten notwendig werden.

Die wesentlichen Ursachen für Schäden an handwerklich und ingenieurmäßig richtig ausgeführten Betonbauten sind natürlichen Ursprungs oder sie sind nutzungsbedingt. Die wichtigsten Betonschäden, u. a. Alkali-Kieselsäure-Re-

Abb. 3.160: Carbonatisierungsschäden an einem Stahlbetonträger mit geringer Betonüberdeckung (Quelle: PCI Augsburg GmbH, Augsburg)

aktion (AKR, engl. Alkali-Aggregate Reaction [AAR]) und Sulfattreiben, werden nachfolgend beschrieben.

Carbonatisierung

Merkmal der Carbonatisierungsschäden (siehe Abb. 3.160) ist, dass sie nur an Stahlbetonteilen auftreten können. Nicht armierte Betonkonstruktionen wie große Rundbogen, massige Stützmauern oder kompakte Bodenplatten carbonatisieren auch, erleiden dadurch aber keinen Qualitätsverlust.

Die Carbonatisierung ist eine chemische Reaktion zwischen dem Kohlendioxid (CO_2) in der Luft und dem Calciumhydroxid ($Ca(OH)_2$) im Zementstein. Die Reaktion zwischen Calciumhydroxid und Kohlendioxid führt zur Bildung von Calciumcarbonat ($CaCO_3$). Die Bildung von Calciumcarbonat festigt einerseits das Gefüge, vermindert aber andererseits den Rostschutz. Fachgerecht hergestellter Stahlbeton umschließt die eingebauten Baustähle annähernd hohlraumfrei und hat ein dichtes Gefüge. Die Alkalität des Betons mit einem pH-Wert von 12,5 schützt den eingebauten Baustahl vor der natürlichen Korrosion. Durch die Carbonatisierung wird der pH-Wert des Betons auf < 9 abgesenkt. Das CO_2 reagiert hierbei als (Kohlen-)Säure. Dadurch wird die schützende Oxidschicht, die den Baustahl im Beton umgibt, aufgelöst (Depassivierung) und der Stahl beginnt, zu korrodieren. Die Folge ist eine Volumenzunahme bis zum dreifachen Umfang des ursprünglichen Baustahls. Der überdeckende Beton wird vom entstehenden Rost zerstört und platzt ab. Durch diesen Vorgang können Stahlbetonkonstruktionen auch in ihrer Standfestigkeit gefährdet werden. Es werden deshalb regelmäßig Bewertungen des Istzustandes und Instandsetzungsarbeiten notwendig. Der Vorgang der Carbonatisierung erfolgt langsam und von der Oberfläche des Bauteils nach innen hin zum Baustahl. Der Carbonatisierungsfortschritt wird durch wechselnde Feucht- und Trockenperioden begünstigt. Im trockenen Zustand ist die Diffusion des CO_2 ins Porengefüge des Betons begünstigt. Feuchtigkeit dient hingegen als Reaktionsmedium.

Durch die Carbonatisierung wird im Laufe der Zeit ein beachtlicher Anteil des bei der Herstellung des Zements frei werdenden CO_2 wieder aufgenommen.

Schutz des Stahlbetons gegen Carbonatisierung

Der Beginn des Rostens der Bewehrung wird im frühen Stadium nur durch kleine braune Flecken auf der Betonoberfläche erkennbar. Der Beginn der Schadensentwicklung wird oft übersehen. Die besondere Gefahr liegt darin, dass zu diesem Zeitpunkt die ersten Anzeichen der Zerstörung, wie Rostfahnen, Calciumausblühungen, Rissbildungen und kleinere Abplatzungen, nicht ernst genug genommen werden. Wenn großflächige Absprengungen auftreten, sind zum Teil aufwendige Reparaturen notwendig. Dafür müssen nach den Anforderungen der Regelwerke geprüfte und speziell für diesen Zweck entwickelte Betoninstandsetzungssysteme (Systemprodukte) eingesetzt werden.

Aufgrund des hohen Schadenspotenzials wird für die Regelung des Stahlbetonbaus viel Aufwand betrieben und es existieren umfangreiche Regelwerke. Harmonisierte europäische Normen sind in Kapitel 3.30.20 aufgeführt.

Bei ungeschütztem Beton schreitet die Carbonatisierung mit der Zeit immer weiter voran. Zur Bewertung des momentanen Zustandes ist die regelmäßige Bestimmung der Carbonatisierungstiefe aufschlussreich. Durch einen Indikator wie Phenolphtalein lässt sich nasschemisch am Bohrkern oder -loch feststellen, wie tief die Carbonatisierungsfront in den Beton eingedrungen ist und wann damit zu rechnen ist, dass der Stahl von ihr erreicht wird. Alle Arbeiten im Umfeld der Instandhaltung von Betonbauten werden durch sog. Sachkundige Planer (SKP) begleitet.

Der immer noch weitverbreitete Glaube, dass Sichtbeton ungeschützt der Witterung ausgesetzt werden kann, führt auch bei fachgerecht hergestellten Stahlbetonbauteilen in einem absehbaren Zeitraum zu weiteren Betonschäden. Neue Betonbauten könnten durch Anstrichsysteme, die nachfolgend als Oberflächenschutzsysteme beschrieben werden, vor der Carbonatisierung geschützt werden. Oberflächenschutzsysteme werden oft nur im Rahmen von Betoninstandsetzungsarbeiten eingesetzt (siehe Abb. 3.161), aus Kostengründen aber selten bei Neubauten.

Erfolgt die Ausführung fehlerhaft, kann die Lage der Bewehrungsstähle nachträglich nicht verändert werden. In diesem Fall bleibt bei mangelnder Überdeckung nur ein funktionsfähiger Oberflächenschutz zur Vermeidung der Carbonatisierung übrig. Speziell zum Schutz von Betonoberflächen entwickelte Anstrichsysteme verhindern das Eindringen von Feuchtigkeit in das Kapillargefüge des Betons. Sie verhindern auch das Eindringen von CO_2 und SO_2. Die Anstriche sind dampfdiffusionsoffen und bewirken, dass der Beton austrocknen kann. Nach Aufbringen des Oberflächenschutzsystems liegt der Baustahl in trockener Umgebung und kann somit nicht mehr rosten.

Die Entstehung der Carbonatisierungsschäden wird durch folgende Faktoren zusätzlich beeinflusst:

- Güteklasse, Wasser-Zement-Wert und Verdichtung des Betons,
- direkten Zusammenhang mit Kapillarporengefüge, das die Durchlässigkeit gegenüber sauren Gasen wie CO_2 und auch SO_2 beeinflusst,
- Feuchtigkeitsbelastung des Baukörpers,
- Standort des Objekts,
- regionale Witterungsbedingungen,
- pH-Wert der Niederschläge (saurer Regen).

Neben der Betongüte ist auch die Betonüberdeckung des Stahls wesentlich für die Dauer bis zum Beginn der Bewehrungskorrosion. Je dicker die Betonschicht, desto länger der Prozess des Voranschreitens der Carbonatisierungsfront.

Abb. 3.161: Oberflächenschutz einer instand gesetzten Betonkonstruktion (Quelle: PCI Augsburg GmbH, Augsburg)

Die Mindestüberdeckung, die ein Bauteil einhalten muss, kann mithilfe von DIN EN 1992-1-1:2011-01 „Eurocode 2: Bemessung und Konstruktion von Stahlbeton- und Spannbetontragwerken – Teil 1-1: Allgemeine Bemessungsregeln und Regeln für den Hochbau“ ermittelt werden und orientiert sich an den Expositionsklassen, die dem Bauteil zugeordnet werden. Die Mindestüberdeckung für Außenbauteile ohne spezielle Bedingungen beträgt 2,5 cm. Praktisch umgesetzt werden die Überdeckungen mit Abstandshaltern, die zwischen Schalung und Bewehrungsstahl angebracht werden.

Alkali-Kieselsäure-Reaktion

Nordöstlich einer gedachten Verbindungslinie zwischen Emden und Zwickau ist besondere Vorsicht bei der Wahl der Gesteinskörnung geboten. In den Zuschlagstoffen einiger, auch deutscher, Sand und Kieslagerstätten können betonschädliche Kieselsäureverbindungen enthalten sein. In Wechselwirkung mit dem alkalischen Zement und in Feuchtbereichen führen diese Inhaltsstoffe zur Volumenvergrößerung und damit zur Auflockerung im Betongefüge. Die Folge sind Aussinterungen und Abplatzungen an den Oberflächen und innerhalb des Betonbauteils. Der Deutsche Ausschuss für Stahlbeton (DAfStb) hat die Schadensentwicklung in seiner Alkali-Richtlinie „Vorbeugende Maßnahmen gegen schädigende Alkalireaktion im Beton“ (DAfStb, 2013) detailliert beschrieben. Die Richtlinie gilt für Beton nach DIN 1045-2 und ist in den beschriebenen Gewinnungsgebieten der Zuschlagsstoffe stets anzuwenden. Eine vorbeugende Maßnahme kann die Verwendung von alkaliarmen Zementen sein, sog. NA-Zementen.

Sulfattreiben oder Sulfatisierung von Beton oder Zementmörtel

Neben den bereits erwähnten treibenden Korrosionsreaktionen wird auch durch Sulfatbelastung in nicht sulfatbeständigen Mörteln oder Betonen eine treibende Schadreaktion hervorgerufen. In nicht beständigen Bauprodukten führt die Einlagerung von Proben in Sulfatlösung zu einer Expansion, die ein vorgegebenes maximales Maß übertrifft. Sulfatbeständige Produkte enthalten möglichst wenig Reaktionspartner, mit denen eindringendes Sulfat reagieren könnte. Sulfatresistente Zemente werden mit „SR" gekennzeichnet. Geprüft wird der Sulfatwiderstand z. B. nach DIN 19573: 2016-03 „Mörtel für Neubau und Sanierung von Entwässerungssystemen außerhalb von Gebäuden", Anhang C.

Lösende Betonkorrosion

Ein lösender Angriff auf Beton sorgt für einen Abtrag des Materials und wird fast immer durch Säuren verursacht. Neben saurem Regen ist die biogene Schwefelsäurekorrosion ein typisches Beispiel für diese Art des Angriffs auf Beton. Dadurch verursachte Betonschäden kommen z. B. in Abwasserbauwerken vor. Dies können betonierte Kanalisationsleitungen sein, Rohre aus Beton oder gemauerte Kanäle, die mit Zementputz oder -fugen versehen sind. Häusliche Abwässer gelangen mit einer durchschnittlichen Temperatur von ca. 20 °C in die Abwasserleitungen. Die erdberührten Rohrleitungssysteme haben in einer Erdtiefe von 2,5 bis 3 m eine Umgebungstemperatur von +10 °C. Die hundertprozentige relative Luftfeuchtigkeit führt bereits zu einer lösenden Kondenswasserbildung an den zementgebundenen Oberflächen. Die lösende Beanspruchung durch das destillierte Wasser ist nur der Anfang der beginnenden Betonzersetzung. In häuslichen Abwässern befinden sich immer Eiweißbestandteile, die sich durch biologische Vorgänge zersetzen. Bei der Umwandlung von Eiweiß entsteht Schwefelwasserstoff-Gas, das sich mit dem Kondenswasser zur schwefligen Säure verbindet. Das Einwirken schwefliger Säure auf den Zementstein verändert das Zementsteingefüge von Calciumcarbonat in Calciumsulfat. Calciumsulfat ist eine Gipsverbindung, die nicht wasserfest ist. Querschnittsminderungen im Beton sind die Folge. Die Anforderungen an Mörtel für Abwasseranwendungen mit möglicher Sulfat- und Säureeinwirkung werden gemäß DIN 19573 geprüft. Als Ergebnis kann die Eignung für die Expositionsklassen XWW1 bis XWW4 erreicht werden. „WW" steht dabei für „waste water", also Abwasser.

Chloridschäden

Schäden durch Chloridkorrosion an der Baustahlbewehrung können sehr gefährlich sein, weil sie die Standfestigkeit von Bauwerken bedrohen. Das Eindringen von Tausalzlösungen wie Natriumchlorid führt an der Bewehrung zur Lochfraßkorrosion (siehe Abb. 3.162). Der Schadensverlauf kann am Beispiel eines Brückenbauwerkes beschrieben werden. Eine betonierte Straßenbrücke ist im Bereich der Fahrbahn abgedichtet und mit Asphalt belegt. Die Gehwegkappe besteht oft aus Beton ohne Oberflächenschutz, oder das aufgebrachte Beschichtungssystem ist durch mechanische oder thermische Einwirkung beschädigt. Die beschriebene Konstruktion ist sinngemäß übertragbar auf Parkhäuser, Tiefgaragen, Tiefgarageneinfahrten, bewehrte Stützmauern usw. Zu beachten ist der bauliche Zustand, der aus einem chloridbelasteten, feuchten Bereich und einem weniger belasteten, trockenen Bereich besteht. Der feuchtebelastete Teil des Bauwerks nimmt im Laufe der Jahre Tausalzlösungen in wässriger Form kapillaraktiv auf. Die trockenen Bereiche bleiben zunächst unbelastet. Bautechnisch gesehen ist nun ein elektrochemisches Element entstanden, in dem Ströme vom feuchten in den trockenen Bereich fließen. Die Chloridlösungen haben das natürliche

Abb. 3.162: Chloridschäden an einem Verkehrsbauwerk (Quelle: PCI Augsburg GmbH, Augsburg)

Bestreben, sich im Betonkörper gleichmäßig zu verteilen. Die fließenden Ströme vom feuchten in den trockenen Bereich verlagern Eisenionen und führen so zur Lochfraßkorrosion.

Die Folge ist, dass bei längerer Belastung über Jahre die Baustähle so abgetragen werden, dass die Standfestigkeit des Bauwerks infrage gestellt ist. Die große Gefahr bei dieser Art von Betonschäden ist die Tatsache, dass der Vorgang von außen nicht zu erkennen ist, weil in diesem Fall keine Volumenzunahme des Baustahls, sondern eine Volumenabnahme erfolgt.

Schäden durch die Nutzung befahrener Flächen

Befahrene Betonflächen werden hoch beansprucht. Industriefußböden, Verladerampen und auch Hofflächen in gewerblichen Bereichen, um nur die wichtigsten zu nennen, werden durch Gabelstaplerverkehr, durch Schleifen, durch Absetzen und Kollern schwerer Güter und auch durch Taumittelbeanspruchung so stark genutzt, dass sie einem Verschleiß unterliegen und je nach Nutzungsdauer durch mineralische Verbundestriche oder Reaktionsharzmörtel instand gesetzt werden müssen. Die Instandsetzungsmöglichkeiten für befahrene Flächen sind vielfältig. Sie werden nachfolgend in Kapitel 3.30.5 beschrieben.

3.30.5 Betoninstandsetzung

Produkte für die Betoninstandsetzung sind in Europa durch die europäisch harmonisierte Normenreihe DIN EN 1504-1 bis -10 „Produkte und Systeme für den Schutz und die Instandsetzung von Betontragwerken – Definitionen, Anforderungen, Güteüberwachung und Beurteilung der Konformität" geregelt. Jeder Produktgruppe wird dabei ein Normenabschnitt zugeordnet. So werden die Anforderungen an die Oberflächenschutzsysteme in DIN EN 1504-2:2005-01 „Produkte und Systeme für den Schutz und die Instandsetzung von Betontragwerken – Definitionen, Anforderungen, Qualitätsüberwachung und Beurteilung der Konformität – Teil 2: Oberflächenschutzsysteme für Beton", die der Betonersatzsysteme in DIN EN 1504-3:2006-03 „Produkte und Systeme für den Schutz und die Instandsetzung von Betontragwerken – Definitionen, Anforderungen, Qualitätsüberwachung und Beurteilung der Konformität – Teil 3: Statisch und nicht statisch relevante Instandsetzung" beschrieben. Zusätzlich gelten in einigen europäischen Ländern, u. a. auch in Deutschland, weitere nationale Regelungen, die zu beachten sind.

Oberflächenschutzsysteme

Oberflächenschutzsysteme dienen der Verbesserung der Dauerhaftigkeit. Sie sollen das Eindringen schadhafter Stoffe in flüssiger oder gasförmiger Form in den Beton verhindern. Man unterscheidet dabei in:

- **hydrophobierende Imprägnierungen:** Diese haben die Aufgabe, durch Aufbringen einer Schicht eine wasserabweisende Oberfläche herzustellen. Poren und Kapillare des Betons werden hierbei nicht komplett gefüllt und es entsteht kein zusammenhängender Film.
- **Imprägnierungen:** Die Poren und Kapillaren werden fast vollständig gefüllt, dadurch erfolgen eine Verfestigung der Oberfläche und eine Reduzierung der Porosität.
- **Beschichtungen:** Diese Materialien sind kompakter, bilden eine geschlossene Schutzschicht und werden meist in dickeren Schichten aufgetragen. Durch die Wahl des verwendeten Polymers werden Eigenschaften wie CO_2-Durchlässigkeit, Wasserdampfdurchlässigkeit, Chemikalienbeständigkeit und Rissbeständigkeit den Anforderungen angepasst.

Die Materialien werden aufgespritzt, gepinselt oder mit einer Rolle auf die Oberfläche aufgetragen. Sie verfolgen nach DIN EN 1504-2 nach dem Trocknen unterschiedliche Schutzprinzipien. Diese werden unterteilt in

- Schutz vor dem Eindringen von flüssigen oder gasförmigen Stoffen,
- Regulierung des Feuchtehaushalts,
- Verbesserung der physikalischen und/oder chemischen Widerstandsfähigkeit,
- Erhöhung des elektrischen Widerstands.

In Abhängigkeit von den Schutzprinzipien werden die unterschiedlichsten Anforderungen an die Produkte gestellt. Diese sind von den Herstellern nachzuweisen und in einer Leistungserklärung zu deklarieren.

Je nach Anforderungen an die Dichtheit und an den zu erwartenden Angriff auf die Oberfläche sind die Materialien dünnflüssig oder eher kompakt, ein-, zwei- oder manchmal auch dreikomponentig mit unterschiedlicher Viskosität. Dabei kommen Silane, Reaktionsharze oder auch Polyurethane zum Einsatz.

Betonersatzprodukte (Reparaturmörtel)

Diese Produkte werden eingesetzt, wenn die Oberfläche des Betonuntergrunds bereits durch Umwelteinflüsse zerstört ist, z. B. durch Frost, Frost in Kombination mit Tausalz, durch Chemikalien oder mechanischen Angriff. Die Verwendung der Betonersatzprodukte soll die Nutzungsdauer des Gebäudes oder des Bauteils verlängern, indem der Zustand wieder so weit hergestellt wird, dass das Bauteil erneut seiner ursprünglichen Beschaffenheit entspricht.

Ähnlich wie für die Oberflächenschutzsysteme existieren für die Betonersatzprodukte nach DIN EN 1504-3 unterschiedliche Instandsetzungsprinzipien, die wiederum in Instandsetzungsverfahren unterteilt sind. Diese werden in der DIN EN 1504-9:2008-11 „Produkte und Systeme für den Schutz und die Instandsetzung von Betontragwerken – Definitionen, Anforderungen, Qualitätsüberwachung und Beurteilung der Konformität – Teil 9: Allgemeine Grundsätze für die Anwendung von Produkten und Systemen“ näher beschrieben.

Abb. 3.163: Betonersatz (PCC-Mörtel) auf Haftbrücke (Quelle: PCI Augsburg GmbH, Augsburg)

Folgende Instandsetzungsverfahren sind genannt:

- Betonersatz durch Mörtelauftrag von Hand,
- Betonersatz mittels Querschnittergänzung durch Betonieren,
- Betonersatz mittels Beton- oder Mörtelauftrag durch Spritzverarbeitung,
- Verstärkung,
- Erhöhung der Bewehrungsüberdeckung,
- Ersatz von schadstoffhaltigem oder carbonatisiertem Beton.

Je nach Einsatzzweck müssen die Produkte unterschiedliche Eigenschaften besitzen bzw. Anforderungen erfüllen. Dabei unterscheidet man in Gebrauchstauglichkeitsmerkmale für alle Produkte und in die für bestimmte Verwendungszwecke.

Ein weiteres Unterscheidungsmerkmal ist die Unterteilung in Produkte für nicht statisch relevante und statisch relevante Bauteile. Es ist naheliegend, dass für die Sanierung eines Brückenpfeilers andere Anforderungen gelten als für die Wiederherstellung der Gebrauchstauglichkeit einer Gartenmauer. Entsprechend sind die Instandsetzungsprodukte in Klassen unterteilt. Für nicht statisch relevante Bauteile sind die Reparaturmörtel der Klasse R1 und R2 vorgesehen, für statische relevante Bauteile die Klassen R3 und R4.

Zementäre Mörtel

Den größten Anteil im Bereich Betonersatzprodukte haben die Mörtel auf zementärer Basis. Fein abgestimmte Formulierungen, bestehend aus Sand, Zement und Zusatzstoffen, sowie eine enge Kontrolle der Produktion garantieren die Gebrauchstauglichkeit der Instandsetzungsprodukte. In Abhängigkeit von der Größe der zu sanierenden Fläche sind Produkte auf dem Markt, die von Hand aufgetragen werden, und solche, die im Spritzverfahren angewendet werden. Die Definition der Normenreihe DIN EN 1504 unterscheidet die Mörtel in hydraulisch gebundene Mörtel (CC) und polymermodifizierte zementhaltige Mörtel (PCC) (siehe Abb. 3.163). Sind die Mörtel spritzfähig, bezeichnet man diese als spritzbare, polymermodifizierte zementhaltige Mörtel (SPCC).

Spritzfähige Mörtel werden im Nassspritzverfahren im Dichtstrom oder im Trockenspritzverfahren im Dünnstrom mit Gerätetypen nach Angaben der Hersteller eingebaut. Die Maschinen sind auf die jeweiligen Mörtelsysteme abgestimmt und geprüft. Spritzfähige Mörtel benötigen keine Haftbrücken, denn diese stellen sich durch den Rückprall der Grobzuschläge automatisch ein.

Reaktionsharzmörtel

Bei der Reparatur von Betonteilen kommen oft Reaktionsharzmörtel aufgrund der schnellen Festigkeitsentwicklung und der hohen Endfestigkeit zum Einsatz. Reaktionsharzmörtel werden meist als Fertigmörtel auf Epoxidharzbasis (EP) angeboten und zum Ausbessern von Kanten und Füllen von Löchern verwendet. Je nach Einsatzbedingungen kann der Verarbeiter aber auch andere Harzsysteme verwenden. Diese werden nach DIN EN 1504 als reaktive Polymerbindemittel (P) bezeichnet.

Injektionsprodukte

Betonbauteile können durch Setzungen, Temperaturspannungen, Belastungen oder infolge mangelnder Bewegungsfugen reißen. Fein verteilte Risse bis zu einer Breite von 0,2 mm an der Bauteiloberfläche stören den Baufachmann meistens nicht. Rissbreiten, die über das zulässige Maß der Betonnormen hinausgehen, sind Störungen im Betongefüge, gefährden die Baustahlarmierung und müssen über den gesamten Rissverlauf gefüllt werden.

Die Anforderungen an Rissinjektionssysteme sind hoch und unterscheiden sich, wie bei allen Produkten der Betoninstandsetzung, nach dem Einsatzzweck. Nach DIN EN 1504-5:2013-06 „Produkte und Systeme für den Schutz und die Instandsetzung von Betontragwerken – Definitionen, Anforderungen, Qualitätsüberwachung und Beurteilung der Konformität – Teil 5: Injektion von Betonbauteilen“ dienen Injektionsmaterialien dem Schutz gegen das Eindringen von Stoffen durch das Füllen von Rissen oder der Verstärkung des Tragwerks durch Injizieren in Risse, Hohlräume oder Fehlstellen. Damit soll die Dichtheit, insbesondere die Wasserdichtheit, hergestellt werden, sodass keine Stoffe eindringen können, die eine Korrosion der Stahlbewehrung auslösen. Gleichzeitig erhöht man die Tragfähigkeit des Betons bzw. stellt sie wieder her. Je nach vorliegendem Schaden bzw. Umgebungsbedingungen am Bauwerk können Produkte zum

- kraftschlüssigen (Kategorie F),
- dehnbaren (Kategorie D),
- quellfähigen (Kategorie S)

Füllen von Rissen, Hohlräumen und Fehlstellen zum Einsatz kommen und in trockene, feuchte, nasse oder wasserführende Risse injiziert werden. Extreme Umweltbedingungen wie z. B. der Einsatz bei tiefen Temperaturen werden nach DIN EN 1504-5 ausgenommen.

Die Eigenschaften der Harze sind den Injektionszielen angepasst, die für die Planung und Ausführung von Injektionsarbeiten individuell für jedes Bauwerk festgelegt werden. Man unterscheidet:

Abb. 3.164: Wasserstopp mit Polyurethanharz-Injektion (Quelle: PCI Augsburg GmbH, Augsburg)

- dünnflüssige Harze auf Epoxidharzbasis für die Tränkung von oberflächennahen Rissen,
- Epoxidharze zum kraftschlüssigen Füllen und Verpressen von Rissen im Beton und in Spannbetonkonstruktionen an den Spanngliedkoppelstellen,
- Injektionsharze auf Polyurethanbasis zum begrenzt dehnfähigen Füllen von Rissen und zur Herstellung von begrenzt dehnfähigen Verbindungen,
- Injektionsharze auf Polyurethanbasis (siehe Abb. 3.164) zum Abdichten wasserführender Risse (die Polyurethansysteme reagieren innerhalb weniger Sekunden mit Wasser zu einem aufquellenden Schaum, der eindringendes Druckwasser stoppt).
- Sondertypen auf Acrylatbasis zum Vergießen und/oder Verpressen von Rissen bei niedrigen Temperaturen und unter Zeitbedrängnis.

Anforderung an den Ausführenden

Die Instandsetzung und -haltung von Betonbauwerken setzen einen hohen Sachverstand, Erfahrung und Können voraus. Um diese Qualifikation zu erhalten, werden in Deutschland Kurse angeboten. Mit dem Erwerb des Befähigungsnachweises zum Schützen, Instandsetzen, Verbinden und Verstärken von Betonbauteilen (SIVV-Schein) kann die Fachfrau/der Fachmann die Eignung belegen.

3.30.6 Mörtelsysteme für Abwasserbauwerke

Für die Ausstattung und die Reparatur von Abwasserbauwerken werden Mörtel mit erhöhtem Sulfatwiderstand gegen treibende Angriffe im Abwasserbereich eingesetzt. Bei Neubauten können das sulfatbeständige Spezialdichtschlämmen sein oder Verlegemörtel für Steinzeugplatten und Steinzeughalbschalen oder Sohlschalen als Fließrinnen. Es handelt sich um Stoffe für keramische Bekleidungen im Dünnbettverfahren oder Mittelbettverfahren für Kleberbettdicken von 5 bis 15 mm mit hohen Haftzugfestigkeiten. Für die Verfugung keramischer Fließrinnen werden Spezialfugenmörtel eingesetzt, die einen hohen Widerstand gegen Sulfate und andere Schadstoffe haben, welche zu einem treibenden Angriff führen können. Bei der Reparatur von Abwasserbauwerken gilt im Wesentlichen das, was für Verkehrsbauwerke und für Hochbauten bereits beschrieben wurde.

3.30.7 Abdichten mit kunststoffmodifizierten Bitumendickbeschichtungen (KMB [PMBC])

Das Abdichten von Bauwerken mit KMB (siehe Abb. 3.165) wird durch die DIN 18533 „Abdichtung von erdberührten Bauteilen" geregelt und mit der DIN EN 15814:2015-03 „Kunststoffmodifizierte Bitumendickbeschichtungen zur Bauwerksabdichtung – Begriffe und Anforderungen" europäisch harmonisiert.

Begrifflich wird aus der KMB die PMBC (Polymer modified bitumen thick coating). Die PMBC müssen die Anforderungen der DIN EN 15814 erfüllen, und ihre Einsatzmöglichkeiten werden in Form von Leistungserklärungen erfasst (engl. Declaration of Performance [DOP]). Die Wahl der Abdichtungsbauart ist von folgenden Kriterien grundsätzlich abhängig:

- der Wassereinwirkungsklasse (Wx-E),
- der Rissklasse (Rx-E),
- der Raumnutzungsklasse (RNx-E).

Inhaltlich werden die Wassereinwirkungsklassen in W1 bis W4 unterteilt. Darin finden sich die wichtigen Lastfälle für das Abdichten von Bauwerken mit PMBC (W1-E „Bodenfeuchte und nicht drückendes Wasser" und W2-E „von außen drückendes Wasser") der DIN EN 15814 wieder. Die Wassereinwirkungsklasse W1-E ist gegeben, wenn sandiger oder kiesiger Baugrund vorliegt und der Grundwasserspiegel immer unter der Fundamentunterkante liegt. Bei bindigen Böden kann dieser Lastfall durch eine Dränungsanlage geschaffen werden, wenn die Möglichkeit zum Ableiten des Sickerwassers vorhanden ist und hierfür eine Genehmigung erteilt wird. Für Sickerwasser, das durch sandige Böden oder über senkrechte und waagerechte Dränungssysteme ohne den Aufbau von hydrostatischem Druck von den Kellerwänden abgeleitet wird, sind kunststoffmodifizierte Bitumendickbeschichtungen in einer Trockenfilmdicke von mindestens 3 mm zugelassen. Für die Wassereinwirkungsklasse „Von außen drückendes Wasser nach W2-E" ist ein 4 mm dicker Trockenfilm mit einer integrierten unverrottbaren Gewebeeinlage erforderlich. Für drückendes Wasser und wechselnden Grundwasserspiegel sind Werkstoffe wie z. B. Bahnenabdichtungen erforderlich. Kunststoffmodifizierte Bitumendickbeschichtungen sind Abdichtungsstoffe, die als spritzfähige oder spachtelfähige Massen angeboten werden. Die kunststoffvergüteten Bitumenemulsionen werden einkomponentig oder zweikomponentig geliefert. Die einkomponentigen verfilmen nach Auftrag auf die Bauteiloberfläche durch Trocknungsvorgänge. Die zweikomponentigen werden mit zementhaltigen Füllstoffen gemischt, die die fertigungsbedingte geringe Wassermenge zum größten Teil durch Hydratation verbrauchen können. Beide Typen dürfen bei niedrigen Temperaturen und bei der Gefahr von Frost nicht verarbeitet werden. Schutzschichten wie außen liegende Wärmedämmsysteme (Perimeterdämmungen) oder senkrechte Dränungssysteme wie vorgemauerte Sickersteine schützen die Abdichtung gegen mechanische Beanspruchung. Spezielle Noppenbahnen werden auf Gleitfolien verlegt, damit die Abdichtungsschichten nicht durch Erddruck und Setzungen beschädigt werden können. Hoch beanspruchte, waagerechte Flächen wie z. B. erdüberschüttete, begrünte Flächen über Tiefgaragen und Hofkellerdecken werden nach DIN 18533-2 mit Bahnenabdichtungen geschützt.

Abb. 3.165: Bitumendickbeschichtung (KMB) nach DIN EN 15814 (Quelle: PCI Augsburg GmbH, Augsburg)

Abb. 3.166: Reaktionsharzabdichtung (Quelle: PCI Augsburg GmbH, Augsburg)

Abdichten mit Bitumenkaltselbstklebebahn (KSK)

Die DIN 18533 enthält auch die KSK. Die Kaltselbstklebebahnen sind keine Bahnenabdichtungen im klassischen Sinne, sondern sie sind der Ersatz für kunststoffmodifizierte Bitumendickbeschichtungen bei kühlen Temperaturen für die Wassereinwirkungsklasse W1-E nach Bodenfeuchte und nicht drückendes Wasser. Kaltselbstklebebahnen werden auf sorgfältig vorbereitete Flächen in Verbindung mit lösemittelfreien oder lösemittelhaltigen Grundierungen verarbeitet. Mit Bitumenkaltselbstklebebahnen können Abdichtungen bei Temperaturen bis zu –5 °C ausgeführt werden.

3.30.8 Abdichtungen im Verbund mit Keramik

Abdichtungen im Verbund mit Fliesen und Platten (AIV) haben sich seit vielen Jahrzehnten in der Praxis bewährt (siehe Abb. 3.166). Informationen für die Ausführungen von AIV sind dem Merkblatt „Hinweise für die Ausführung von Abdichtungen im Verbund mit Bekleidung und Belägen aus Fliesen und Platten für den Innenbereich" (Zentralverband Deutsches Baugewerbe [ZDB], 2022) zu entnehmen.

Bauaufsichtlich geregelt sind AIV in Teil C der MVV TB mit Hinweis auf die Prüfgrundsätze für Abdichtungen. Anforderungen an Abdichtungen sind in den Prüfgrundsätzen zur Erteilung von allgemein bauaufsichtlichen Prüfzeugnissen für AIV (PG AiV) geregelt:

- Teil 1: Flüssig zu verarbeitende Abdichtungsstoffe (PG-AIV-F)
- Teil 2: Bahnenförmige Abdichtungsstoffe (PG-AIV-B)
- Teil 3: Plattenförmige Abdichtungsstoffe (PG-AIV-P)

In den Prüfgrundsätzen werden folgende Anwendungsbereiche bzw. Beanspruchungsklassen genannt:

- Beanspruchungsklasse A: entspricht Wassereinwirkungsklasse W2-I und W3-I der DIN 18534-1
- Beanspruchungsklasse B: entspricht Wassereinwirkungsklasse W1-B und W2-B der DIN 18535-1
- Beanspruchungsklasse C: entspricht Wassereinwirkungsklasse W3-I der DIN 18534-1

Normative Regelungen

Um eine fachgerechte Planung und Ausführung von AIV zu gewährleisten, wurde ein vielteiliges Normenwerk erarbeitet. AIV sind dabei in zwei Normenreihen beschrieben: DIN 18534 „Abdichtung von Innenräumen“ und DIN 18535 „Abdichtung von Behältern und Becken“.

Teil 1 der DIN 18534 beschreibt die Anforderungen, Planungs- und Ausführungsgrundsätze. Wichtig darin ist die Einführung der Wassereinwirkungsklassen (siehe Tabelle 3.29). Diese definieren die Verwendung der einzelnen AIV, die in den Prüfgrundsätzen geregelt sind. Teil 3 (AIV-F), Teil 5 (AIV-B) und Teil 6 (AIV-P) der DIN 18534 enthalten Hinweise zur Planung, Ausführung und Instandhaltung von AIV für Innenräume.

Tabelle 3.29: Wassereinwirkungsklassen nach DIN 18534-1

Wassereinwirkungsklasse	Wassereinwirkung	Beispiele
W0-I	gering: Flächen mit nicht häufiger Einwirkung von Spritzwasser	Wandflächen in Bädern außerhalb von Duschbereichen, Bodenflächen im häuslichen Bereich ohne Ablauf
W1-I	mäßig: Flächen mit häufiger Einwirkung aus Spritzwasser oder nicht häufiger Einwirkung aus Brauchwasser, ohne Intensivierung durch anstauendes Wasser	Wandflächen über Badewannen und in Duschen in Bädern, Bodenflächen in Bädern ohne/mit Ablauf ohne hohe Wassereinwirkung aus dem Duschbereich
W2-I	hoch: Flächen mit häufiger Einwirkung aus Spritzwasser und/oder Brauchwasser, vor allem auf dem Boden zeitweise durch anstauendes Wasser intensiviert	Wandflächen von Duschen in Sportstätten/Gewerbestätten, Bodenflächen mit Abläufen und/oder Rinnen
W3-I	sehr hoch: Flächen mit sehr häufiger oder langanhaltender Einwirkung aus Spritz- und/oder Brauchwasser und/oder Wasser aus intensiven Reinigungsverfahren, durch anstauendes Wasser intensiviert	Flächen im Bereich von Umgängen von Schwimmbecken, Flächen in Gewerbestätten (gewerbliche Küchen, Wäschereien, Brauereien)

Planungs- und Ausführungshinweise von AIV für die Anwendung bei Behältern und Becken, wie z.B. Swimmingpools, sind in DIN 18535, Teil 1–3, enthalten. In DIN 18535-1, Tabelle 4, sind die Abdichtungsbauarten den Wassereinwirkungsklassen zugeordnet. Als Abdichtungssystem für Behälter mit einem allgemein bauaufsichtlichen Prüfzeugnis sind AIV (PG-AiV-F) einzig für die Wassereinwirkungsklasse W1-B (Füllhöhe ≤5 m) und W2-B (Füllhöhe ≤10 m) genannt.

Auch die DIN EN 14891:2017-05 „Flüssig zu verarbeitende wasserundurchlässige Produkte im Verbund mit keramischen Fliesen und Plattenbelägen – Anforderungen, Prüfverfahren, Bewertung und Überprüfung der Leistungsbeständigkeit, Klassifizierung und Kennzeichnung“ als europäisch harmonisierte Norm ist Bestandteil der DIN 18535. Sie beschreibt die Anforderungen, Prüfverfahren und Klassifizierung von AIV für Wand und Boden im Außenbereich und in Schwimmbecken. Nach DIN 18535-1 sind diese Abdichtungen aber auf die Wassereinwirkungsklasse W1-B beschränkt. Nach der MVV TB gibt es noch eine weitere Einschränkung: Die Produkte dürfen zur Abdichtung von Wand- und Bodenflächen und Schwimmbecken verwendet werden, sofern diese im Außenbereich liegen und nicht mit Gebäuden verbunden sind.

Abb. 3.167: Um für die Abdichtungsschichten eine bessere Haftung zu erzielen, wird der erste Anstrich nach dem Auftrag mit Quarzsand abgestreut (Quelle: Vieaga; PCI Augsburg GmbH, Augsburg).

Die Bindemittel für AIV können Polymerdispersionen, Kunststoff-Zement-Mörtelkombinationen sowie Reaktionsharze sein.

3.30.9 Abdichten von Heizölkellern

Heizölfeste Kelleranstriche dichten Auffangwannen und Räume dauerhaft gegen auslaufendes Heizöl extraleicht (EL), Dieselkraftstoff und Trafoöle ab. Es handelt sich um amtlich geprüfte und nach den „Bau- und Prüfgrundsätzen für Gewässerschutzbeschichtungen“ des DIBt zugelassene Beschichtungsstoffe. Für eine öldichte Beschichtung sind mindestens 1 Grundierung und 2 verschiedenfarbige Deckanstriche erforderlich. Jede Lage der Schutzbeschichtung muss als geschlossener Film auf einen porenfreien Untergrund dicht aufgetragen werden und für sich trocknen. Die Schutzanstriche werden zur besseren Kontrollierbarkeit in der Farbfolge grau – rot – grau aufgebracht. Senkrechte und waagerechte Ecken müssen vorab mit Hohlkehlen abgerundet werden.

3.30.10 Fliesenkleber und Naturwerkstein-Verlegemörtel

Die Vielzahl der Verlegeuntergründe für keramische Fliesen, wie unterschiedliche Putzarten, unterschiedliche Estricharten und Leichtbauwandkonstruktionen, verlangt für die Vielzahl von Fliesenarten, wie Steingut und Ziegelfliesen, Steinzeug- und Feinsteinzeugkeramik sowie Glas- und Porzellanmosaik, unterschiedliche Klebertypen. Die Dünnbettmörtel müssen nach der Euronorm DIN EN 12004 geprüft, klassifiziert und mit einem CE-Zeichen gekennzeichnet sein. Die Mörtel oder Klebstoffe werden hierbei sowohl nach dem Bindemittel

- zementhaltige Mörtel (Typ C),
- Dispersionsklebstoff (Typ D),
- Reaktionsharzklebstoff (Typ R)

als auch nach dem Leistungsspektrum eingeteilt:

- Klasse 1 für normale Anforderungen,
- Klasse 2 für zusätzlich erhöhte Anforderungen.

Abb. 3.168: Leichte und standfeste Fließbettmörtel werden zum Verlegen großformatiger Keramik eingesetzt (Quelle: PCI Augsburg GmbH, Augsburg).

Abb. 3.169: Hochflexibler Dispersionsfliesenkleber für großformatige Wandfliesen (Quelle: PCI Augsburg GmbH, Augsburg)

Weitere Eigenschaften sind wie folgt gekennzeichnet:

- schnell abbindender Kleber (F),
- standfester Kleber (T),
- verbesserte offene Zeit (E).

Die Flexibilität zementärer Kleber wird zusätzlich mit S1 oder S2 gekennzeichnet. Kleber, die solche Eigenschaften besitzen, werden auch „Flexkleber" genannt.

Kunststoffmodifizierte, zementgebundene Fliesenkleber

Die Weiterentwicklung von Mörteladditiven ermöglicht erst den Einsatz von Dünnbettmörteln. Durch den Zusatz von sog. Redispersionspulvern und Celluloseethern erhält man sehr haftungsstarke und flexible Kleber.

Fliesenverlegewerkstoffe für das Dünnbettverfahren werden hauptsächlich auf Balkonen und Terrassen, an Fassaden, in privaten Badezimmern und auch in Schwimmbädern, Gemeinschaftsduschen sowie auf Fußbodenheizungen eingesetzt. Die flexibilisierenden Kunststoffe sind entweder in Pulverform bereits in den Mörteln enthalten oder sie können in flüssiger Form auf der Baustelle zugegeben werden. Klebemörtel für das Dünnbettverfahren erhärten spannungsarm.

Für die schnelle Nutzung mit Platten verlegter Böden oder beim Einsatz von großformatigen Platten (meist Feinsteinzeug) können auch schnell erhärtende Dünnbettkleber eingesetzt werden.

Für transparente Mosaike und durchscheinende Naturwerksteinplatten werden helle bis weiße Spezialkleber eingesetzt.

Dünnbettmörtel bis 5 mm Gesamtschichtdicke können in Verbindung mit Abdichtungen auch zur wasserdichten Fliesenverlegung in Nassbereichen von Gebäuden eingesetzt werden.

Die Maßtoleranzen großformatiger keramischer Fliesen sowie Naturwerksteinplatten und auch die Strukturierung unterschiedlicher Ziegelfliesen machten die Entwicklung von Mittelbettmörteln nötig. Heute sind eine Reihe von Mittelbettklebern zur Verlegung von Naturwerkstein und Klinkerplatten sogar für den Abwasserbereich auf dem Markt erhältlich.

Sie sind ebenfalls für Fußbodenheizungen und auch für Plattenbeläge außerhalb von Gebäuden geeignet. Eine Weiterentwicklung der Mittelbettmörtel sind die sog. Fließbettmörtel, die zur toleranzausgleichenden Plattenverlegung an Böden entwickelt worden sind, um ohne Anwendung des kombinierten Verfahrens (Aufziehen des Mörtels auf den Untergrund und auf die Rückseite der Keramik) eine weitgehend hohlraumfreie Bettung der Fliesen zu ermöglichen (siehe Abb. 3.168). Auch die Fließbettmörtel sind schnell erhärtend und/oder in heller Einfärbung für Naturwerkstein im Handel.

Auf Terrassen und Balkonen sind die Anforderungen an den Fliesenkleber besonders hoch. Hier sollte man den Empfehlungen der Hersteller folgen und idealerweise einen schnell abbindenden Flexkleber einsetzen. Die Umwelteinwirkungen im Außenbereich sorgen im Zusammenspiel mit großformatigen Fliesen für große Spannungen, die von flexiblen Klebern abgebaut werden können. Auch die Wasserdichtigkeit kunststoffmodifizierter Fliesenkleber ist höher als die herkömmlicher Kleber. Eine lange Korrigierzeit sorgt für zusätzliche Sicherheit beim Verlegevorgang.

Für Trinkwasserbehälter werden Dünnbettmörtel nach lebensmittelrechtlichen Prüfkriterien untersucht und zugelassen.

Dispersionsfliesenkleber

Dispersionen sind in Wasser gelöste Kunststoffe mit hoher Klebewirkung und großer Flexibilität, die nicht durch Zementbindung, sondern durch Trocknung erhärten. Sie sind gebrauchsfertig und können ohne Mischvorgang aus dem Liefergebinde heraus verarbeitet werden. Ihr Einsatz erfolgt vor allem auf glatten Untergründen, wie Gipskarton und Hartschaumplatten, auf glattem Putz und mit entsprechenden Grundierungen auch auf alten Wandfliesen (siehe Abb. 3.169).

Aufgrund der hohen Flexibilität ist der Einsatz besonders bei Modulbauteilen, die nach Fertigstellung zur Baustelle transportiert werden müssen, ideal. Auch größere Schwundvorgänge in frischen Betonuntergründen können durch die hohe Flexibilität abgefangen werden.

Für einen Einsatz im Bodenbereich müssen die Herstellerangaben berücksichtigt werden. In der Regel wird der Einsatz aufgrund der langen Trocknungszeiten nicht empfohlen.

Reaktionsharzfliesenkleber

Reaktionsharzkleber sind Spezialfliesenkleber für den besonderen Einsatz auf schwierigen Untergründen wie Stahl und Polyester, aber auch auf Holz und Holzspanplatten.

Die Harze können auf Polyurethan- oder auch auf Epoxidharzbasis formuliert sein. Besondere Eigenschaften der Kunststoffkleber auf Polyurethanharzbasis sind ihre hohe Flexibilität und ihre Chemikalienbeständigkeit (Polyurethane und Epoxidharze). Sie werden deshalb auch im gewerblichen Bereich wie Großküchen, in Laborräumen, in der Lebensmittel- und Fruchtsaftindustrie zur chemikalienbeständigen Verlegung und Verfugung von säurefesten und rutschfesten Fliesen eingesetzt. Zur Verlegung sind besondere Verarbeitungstechniken notwendig. Die Lieferanten geben hierzu detaillierte Auskünfte.

Fugenmörtel

Den Abschluss eines Fliesen- oder Natursteinbelags bildet die Fuge. Für private Badezimmer werden farbige zementäre Design-Fugenmörtel angeboten, die ein sehr gutes Haftspektrum aufweisen und wasserabweisend sind. Besonders wasserabweisend eingestellte Fugenmörtel, die auch begrenzt chemikalienbeständig sein können, werden auf Balkonen, Terrassen und in öffentlichen Bädern eingesetzt. Naturwerksteinplatten erfordern meistens sehr feine Fugenmörtel, die keine schleifenden Bestandteile enthalten dürfen, damit die manchmal empfindliche Oberfläche der Naturwerksteinplatten beim Verfugen nicht zerkratzt wird. Spezielle Fugenmörtel auf mineralischer Basis gibt es für den Trinkwasserbereich, für den Abwasserbereich, für Schwimm- und Therapiebecken und für die unterschiedlichsten Anforderungen im gewerblichen Bereich für Wand- und Bodenbeläge. Diese speziellen Anforderungen erfüllen auch besondere Reaktionsharz-Fugenmörtel.

Pflasterfugenmörtel

Pflasterfugenmörtel sind verschleißfest, rissfrei aushärtend, aber trotzdem wasserdurchlässig und zusätzlich frost- und witterungsbeständig. Neben zementären Produkten sind gebrauchsfertige Sandmischungen mit Polybutadien als Bindemittel im Handel erhältlich. Die Mörtel werden in Vakuumverpackungen einkomponentig geliefert und können ohne Mischvorgang direkt aus dem Gebinde mit geringem Verdichtungsaufwand in die Natursteinfugen eingebracht werden (siehe Abb. 3.170). In der durchgehärteten Mörtelmatrix sind die Sandkörner fest eingebunden, sodass sich beispielsweise keine scharfen Körner an Schuhsohlen und auch an Reifenprofilen verkrallen können, in Gebäude eingeschleppt werden und empfindliche Beläge beschädigen.

Für die Belastung mit schweren Straßenkehrmaschinen, mit rotierenden Bürsten und Hochdruckwasserstrahlreinigungsgeräten, wie sie auf Marktplätzen eingesetzt werden, sollten diese Fugenmörtel nicht eingesetzt werden. Derart hoher mechanischer Belastung halten sie nicht stand. Hier werden, wenn notwendig, dichtere Mörtel auf zweikomponentiger Reaktionsharzbasis oder Mörtel mit Zement als Bindemittel eingesetzt.

Zusatzprodukte

Die moderne Mikroelektronik, auch die Lagerung brennbarer Stoffe oder Bereiche, in denen mit modernen Messgeräten oder Computern umgegangen wird, machen oft elektrisch leitfähige Fliesenbeläge notwendig. Reaktionsharzkleber und modifizierte, zementgebundene Fliesenverlegewerkstoffe können deshalb mit elektrisch leitfähigen

Abb. 3.170: Pflasterfugenmörtel auf Reaktionsharzbasis im Bereich eines begangenen Granitpflasters (Quelle: PCI Augsburg GmbH, Augsburg)

Zusätzen ausgestattet werden, damit die technischen Anforderungen der elektrisch leitfähigen Böden erreicht werden. Leitfähige Zusätze gibt es auch für Fugenmörtel.

3.30.11 Grundierungen und Haftbrücken

Das Dünnbettverfahren erfordert planebene Untergründe mit guter Oberflächenfestigkeit. Deshalb grundiert man Verlegeflächen entweder mit lösemittelfreien Acrylatdispersionen oder mit niedrigviskosen, zweikomponentigen Reaktionsharzen, die je nach Verwendungszweck abgesandet werden müssen. Lösemittelhaltige Produkte werden kaum noch verwendet. Für kraftschlüssige Verbindungen zwischen Betonuntergründen und Verbundestrich oder glatten Belägen, wie Fliesen und Putz- oder Estrichmörtel, werden Haftbrücken verwendet. Unter der Bezeichnung Haftbrücken versteht man kunststoffvergütete Zementschlämmen, die auf vorbereitete feste Flächen aufgebracht werden können, damit sie einen nachfolgend eingebauten Zementestrich oder Putz fest mit dem Untergrund verbinden. Es gibt Mörtelhaftbrücken für den Bereich der Betoninstandsetzungssysteme, Haftbrücken für Verbundestriche und Haftbrücken für nicht saugfähige Untergründe. Die Verarbeitungsvorschriften der Lieferanten sind unbedingt zu beachten, denn es gibt kunststoffvergütete Zementschlämmen, die frisch in frisch mit dem nachfolgenden Mörtel bedeckt werden müssen, und solche, die zuerst auf dem Verlegeuntergrund erhärten müssen. Für Spritzmörtel- und Spritzbetonaufträge sind meist keine eigenen Haftbrücken erforderlich (siehe Kapitel 3.30.5). Haftbrücken sind durch die verwendeten Zementsorten und durch die Kunststoffzusätze – aber auch zum Zwecke der Kontrollierbarkeit – meist dunkel eingefärbt. Eine Besonderheit sind deshalb Haftbrücken, die zwischen Bodenbelägen aus Naturwerkstein und Verlegemörtel aus Trasszement eingesetzt werden. Solche Haftbrücken sind zur Vermeidung von optischen Veränderungen an der Naturwerksteinoberfläche weiß eingestellt.

3.30.12 Elastische Fuge

Starre Bodenbeläge wie Fliesen und Naturwerksteinplatten dürfen keine direkte Berührung zu Wänden und Stützen haben. Auftretende Spannungen infolge Schwinden/Quellen könnten zu Rissen und zur Ablösung der Plattenbeläge führen. Deshalb sind die Anschlüsse zu aufgehenden Bauteilen elastisch auszuführen. Dies geschieht mit ein- oder zweikomponentigen Fugendichtstoffen, die elastisch und mehr oder weniger chemikalienbeständig sind.

Abb. 3.171: Senkrechte Verfugung eines elastischen, acetatvernetzenden Sanitärsilikons (Quelle: PCI Augsburg GmbH, Augsburg)

Abb. 3.172: Natursteinverfugung in Wellnessbereichen (Quelle: PCI Augsburg GmbH, Augsburg)

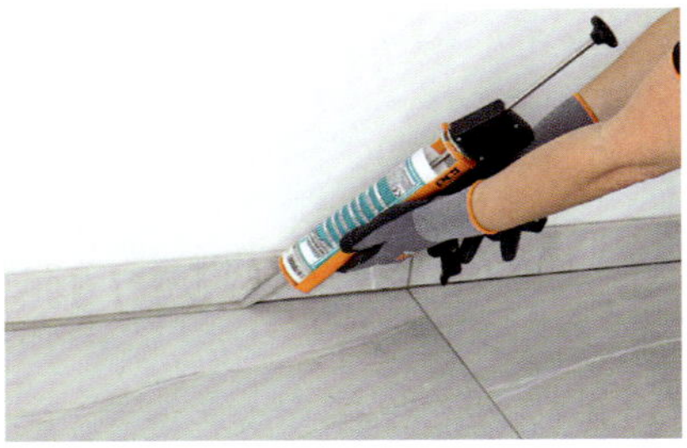

Abb. 3.173: Elastische Alkoxysilikonfuge (Quelle: PCI Augsburg GmbH, Augsburg)

Elastische Fugendichtstoffe

Gebäude sind zwar im Ganzen unbeweglich, sind jedoch in sich selbst aus unterschiedlichen Gründen sehr wohl Bewegungen ausgesetzt. So bewegen sich eine Flachdachkonstruktion oder ein Balkon und auch Fassadenplatten durch temperaturbedingte Längenänderungen. Im Wohnbereich sind Bewegungsmöglichkeiten vor allem bei beheizten Fußbodenkonstruktionen von besonderer Wichtigkeit. Industriefußböden können sich durch Belastung und Bodensetzungen bewegen. Parkhäuser und Brücken bewegen sich durch Belastungen und Temperatureinflüsse. Schwimmbäder, Trinkwasserbehälter, Kläranlagen und andere Ingenieurbauwerke können durch Schwind- und Quellvorgänge und ebenfalls durch Temperaturunterschiede und/oder Änderungen im Wasserhaushalt Längenänderungen erfahren. Die im Bauwerk jahreszeitlichen und nutzungsbedingten Bewegungen werden durch Fugen abgebaut. Fugen sind Unterbrechungen der Baukonstruktion. Es handelt sich, vereinfacht ausgedrückt, um Hohlräume.

Die Anordnung der Bewegungsfugen innerhalb eines Bauwerks ist eine Planungsaufgabe für den Architekten, Bauingenieur und Statiker. Die Bewegungsfugen im Belag oder die Anschlussfugen werden nach dem heutigen Stand der Technik an der Oberfläche abgedichtet. Bei befahrenen Fugen geschieht dies vernünftigerweise mit Fugenprofilen, bei Anschlussfugen an Säulen und Wänden und in Fugen von Fassadenflächen werden elastische Fugendichtstoffe eingesetzt (siehe Abb. 3.171). Alle Informationen dazu sowie die Leistungserklärung sind in der Normenreihe DIN EN 1565-1 bis -5 „Fugendichtstoffe für nicht tragende Anwendungen in Gebäuden und Fußgängerwegen" aufgeführt. Zusätzliche nationale Regelungen sind zu beachten. Beispielsweise gilt allein für Hochbaufugen die Fugennorm DIN 18540:2014-09 „Abdichten von Außenwandfugen im Hochbau mit Fugendichtstoffen". Die einfachsten Fugendichtstoffe sind plastische Acryldispersionen, mit denen Anschlüsse von Holzfensterrahmen oder Türzargen zum Putz oder Mauerwerk gefüllt werden. Acrylatdichtstoffe übertragen keine großen Bewegungen, können aber im Anschlussbereich zum Putz mit Fassadenfarbe überstrichen werden. Die gesamte Dichtstoffoberfläche sollte jedoch nicht überstrichen werden, da ansonsten – aufgrund der Bewegungen – Risse auftreten können. Die Dichtmassen für Anschlussfugen sind auch zum Füllen von Putzrissen geeignet. Sie werden deshalb auch in vielen Farben angeboten, damit sich ein Überstreichen der Fugen und verfüllten Risse erübrigt. Für den Sanitärbereich in Wohnhäusern und Hotels werden einkomponentige Silikondichtstoffe angeboten. Silikon gibt es in allen Sanitärfarben, kann aber trotzdem durch die Erhärtungsmechanismen sehr unterschiedlich sein. Am bekanntesten sind die essigsäurevernetzenden Silikontypen, die bei der Verarbeitung deutlich durch den typischen Geruch erkennbar sind. Alkoholvernetzende oder andere neutral vernetzende Silikontypen (z. B. Oximsystme, die im Verdacht stehen, krebserregend zu sein) werden von den Herstellern meistens für Balkone und Terrassen und auch für Anschlussfugen in Bad, Küche und WC empfohlen.

Naturwerksteinbeläge (siehe Abb. 3.172) erfordern besonders hochwertig formulierte Silikonarten, weil durch einige Silikonbestandteile Verfärbungen in Naturwerksteinen auftreten können. So greift z. B. Essigsäure Marmor, Kalkstein, Jura-Marmor und Solnhofer Platten ätzend an. Silikone für Naturwerksteinplatten müssen deshalb alkoholvernetzend oder neutral vernetzend und frei von Weichmachern sein, die in den Naturwerkstein einwandern könnten.

Zum Abdichten von Anschlussfugen, z. B. an Fernstern und Türen innen und außen, an Wand und Boden sowie an Fassaden, werden u. a. auch Hybriddichtstoffe eingesetzt (siehe Abb. 3.173). Sie sind überstreichbar und silikonfrei. Beim Aushärtevorgang entsteht Alkohol. Teilweise kann die Leistungserklärung zusätzlich zur Norm für Fassaden auch die DIN EN 15651-3:2017-07 „Fugendichtstoffe für nicht tragende Anwendungen in Gebäuden und Fußgängerwegen – Teil 3: Dichtstoffe für Fugen im Sanitärbereich" für Fugen im Sanitärbereich beinhalten.

Im Ingenieurbau, z. B. in Kläranlagen und Abwasserleitungen, werden häufig zweikomponentige Polyurethanfugendichtstoffe mit chemikalienbeständigen Eigenschaften eingesetzt. Chemikalienbeständige und dekontaminierbare Eigenschaften sowie hohe Verschleißfestigkeit werden auch im gewerblichen Bereich gefordert. Hier kommen deshalb nur ein- oder zweikomponentige Polysulfid- oder Polyurethanfugendichtstoffe mit relativ hoher Härte und glatter Oberfläche infrage. Es verbleiben die Fugen an senkrechten Flächen, die keiner besonderen mechanischen Belastung ausgesetzt sind.

Die Fugendichtstoffe für den außen liegenden Wandbereich für Balkonbrüstungen, umlaufende Attikaplatten, Fassadenplatten und dergleichen müssen besonders weich und elastisch sein. Meist werden hier einkomponentige Polyurethandichtstoffe eingesetzt, die im Randbereich der Fuge auch überstreichbar sind. Alle Fugendichtstoffe erfordern feste, saubere und trockene Fugenflanken, damit sie die Zugkräfte bei der Verkürzung der Bauteile, z. B. durch Temperaturabfall, durch ihre Elastizität aufnehmen und kompensieren können. Um die Haftung der elastischen Werkstoffe sicher zu gewährleisten, werden von den Herstellern Voranstriche angeboten. Die Voranstriche werden von Fachleuten Primer oder Elastoprimer genannt. Für jeden Fugendichtstoff und für die unterschiedlichen Fugenflanken vom Naturstein über Beton bis zu Keramik und Putz werden von den Herstellern unterschiedliche Primer ein- oder zweikomponentig empfohlen. Diese Vorgaben sind zwingend einzuhalten. Die chemische Basis der Haftgrundierung variiert je nach Anwendung. Dabei unterscheidet man zwischen Epoxy-, Polyurethan- oder Silan-Elastoprimern. Die Konstruktion und die Ausführung von elastischen Fugen im Hochbau sind in DIN 18540 detailliert beschrieben (siehe Abb. 3.174). Obwohl die Fugenkammern durch die elastischen Fugenmassen z. B. gegen Regen und Spritzwasser geschlossen werden, stellen fachgerecht ausgeführte Bewegungsfugen allein niemals eine Abdichtung im Sinne der Bautechnik dar. Bauwerksabdichtungen können nur nach DIN EN 15814 mit Bahnen oder Bitumendickbeschichtungen ausgeführt werden.

Für Abdichtungen im Verbund mit Fliesen und Platten verwendet man sog. Flüssigfolien (siehe Abb. 3.175), die aus Polymerdispersionen, Kunststoff-Zementmörtelkombinationen oder Reaktionsharzen bestehen und die entsprechend den zu berücksichtigenden Regelwerken geprüft sein müssen. Die Bewegungsfuge ist auf den ersten Blick ein relativ einfaches Detail eines Bauwerks, aber die Auswahl falscher Werkstoffe und mangelhafte handwerkliche Verarbeitung können verheerende Wirkung haben. Zum Beispiel kann durch mangelnde Fugenausbildung der gesamte Wärmeschutz einer Fassade verloren gehen. Es ist deshalb bei der Planung oder beim Verkauf von Fugendichtstoffen stets auf die Herstellerempfehlungen zu achten.

3.30.13 Verlegewerkstoffe und Klebstoffe für Bodenbeläge

Bodenbeläge aus Kunststoffen (z. B. PVC, Polyolefine), Kautschuk, Kork sowie Linoleum und Textilbodenbeläge kommen auf allen Arten von Estrichen und auch auf Holzuntergründen zum Einsatz. Die Ausführung der Arbeiten ist in VOB/C ATV DIN 18365:2019-09 „VOB Vergabe- und Vertragsordnung für Bauleistungen – Teil C: Allgemeine Technische Vertragsbedingungen für Bauleistungen (ATV) – Bodenbelagarbeiten“ geregelt.

Die wichtigsten Produkte zur Verlegung von Bodenbelägen sind:

- Grundierungen,
- Ausgleichmassen,
- Bodenbelagsklebstoffe.

Vor der Verlegung bereitet der Anwender den Untergrund in der Regel durch Vorstreichen mit einer Dispersionsgrundierung und Spachteln mit einer Ausgleichsmasse vor. Zur Klebung der Bodenbeläge wird der Klebstoff anschließend

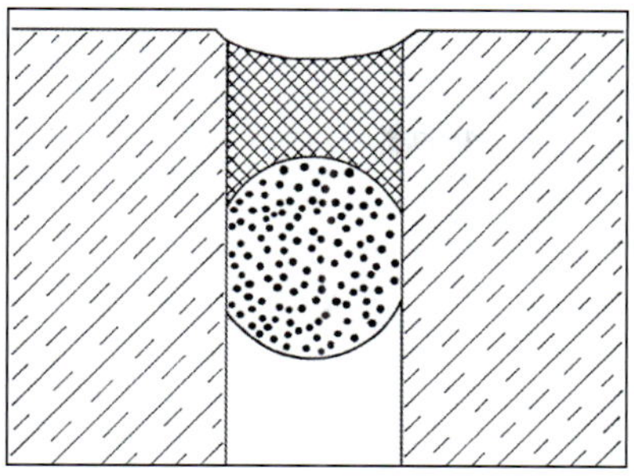

Abb. 3.174: Schematische Darstellung einer Fugenabdichtung mit Hinterfüllung (geschlossenzellige PE-Rundschnur) und Fugendichtstoff nach DIN 18540

Abb. 3.175: Abdichtung eines Nassraums mit Flüssigfolie (Quelle: PCI Augsburg GmbH, Augsburg)

auf die geschliffene Verlegefläche mit einer geeigneten Zahnleiste aufgezogen. Nach einer Ablüftezeit von meist 0 bis 20 Minuten (abhängig von Klebstofftyp und Hersteller) werden die Beläge in das nasse Klebstoffbett eingelegt und angewalzt. Auch auf dichten, nicht saugfähigen Untergründen sind Belagsklebungen mit Einschränkungen möglich, doch die Ablüftezeiten sind dann entsprechend länger und der Klebstoff muss für diese Anwendung freigegeben sein.

Eine weitere Option sind die sog. Kontaktklebstoffe, die man mit geeigneten Zahnleisten oder Auftragsrollen sowohl auf den vorbereiteten Verlegeuntergrund als auch auf die Belagrückseite aufbringt. Die weitere Verarbeitung ist nach Trocknung der Klebstoffschichten wie zuvor beschrieben: Einlegen des Belags und Anwalzen. Kontaktklebstoffe werden vor allem auf formgebenden Untergründen wie z. B. Treppen oder Sockelleisten eingesetzt.

In der Regel kommen bei der Verlegung von Bodenbelägen wasserbasierte Dispersionsklebstoffe zum Einsatz.

Sie sind geeignet für die Belastung mit Stuhlrollen gemäß DIN EN 12529:1999-05 „Räder und Rollen – Möbelrollen – Rollen für Drehstühle – Anforderungen“ und auf beheizten Fußbodenkonstruktionen.

Für erhöhte Anforderungen hinsichtlich der mechanischen Belastbarkeit oder beispielsweise der Wasserfestigkeit gibt es Spezialklebstoffe auf Basis von Reaktionsharzen, z. B. Polyurethan, oder silanterminierte Polymeren (SMP). Diese sind entweder zweikomponentig (Harz und Härter) oder härten durch Luftfeuchtigkeit aus.

Die Verlegung von leitfähigen Bodenbelägen erfolgt mit entsprechend leitfähig eingestellten Klebstoffen, die meist Kohlenstoff-Fasern enthalten und mit Spezialzahnleisten aufgetragen werden.

Eine weitere Kategorie bilden die sog. Fixierungen. Zu dieser Kategorie gehören Klebstoffe mit reduzierter Festigkeit, die die Wiederaufnahme des Bodenbelages erleichtern sollen und mit Wasser entfernbar sind, sowie sog. Rutschbrem-

Abb. 3.176: Funktionsprinzip des Stahlkugelstrahlverfahrens (Quelle: PCI Augsburg GmbH, Augsburg)

Abb. 3.177: Auch die Randstreifen müssen fachgerecht eingebaut werden (Quelle: PCI Augsburg GmbH, Augsburg).

Abb. 3.178: Entlüften eines Fließspachtelmörtels mit der Stachelwalze

sen. Diese werden mit der Rolle aufgetragen und bilden nach Durchtrocknung einen dauerhaft klebenden Polymerfilm, der z. B. Teppichfliesen am Verrutschen hindert.

Moderne Verlegewerkstoffe wie Bodengrundierungen, Ausgleichmassen und Bodenbelagsklebstoffe sind sowohl lösemittelfrei als auch sehr emissionsarm und erfüllen damit höchste Anforderungen für mehr Wohngesundheit und weniger Raumluftbelastung.

3.30.14 Fließestriche, Bodenspachtel- und Bodenausgleichsmassen

Die meisten Böden in bewohnten Häusern und im gewerblichen Bereich werden mit Oberbelägen ausgestattet. Dies können z. B. textile Beläge, Gummibeläge, PVC-Beläge, Holzparkett, keramische Fliesen oder Naturwerksteinplatten sein. Mit hohem maschinellem Aufwand ist das Baugewerbe heute in der Lage, flächenfertige Böden zur Aufnahme dieser Bodenbeläge herzustellen.

Die Ebenflächigkeit wird in DIN 18202:2019-07 „Toleranzen im Hochbau – Bauwerke", Tabelle 3, festgelegt. Die Ebenflächigkeit von 4 mm bei 1 m Messpunktabstand wird bei der Herstellung von Betonflächen und auch beim Einbau von Estrichen nicht immer erreicht. Der Ausgleich dieser Toleranz erfolgt dann mit Bodenausgleichsmassen oder Bodenspachtelmassen auf der Basis von Calciumsulfat, Portlandzement, Aluminatzement, Calciumsulfoaluminatzement usw. oder Abmischungen dieser mineralischen Bindemittel.

Bevor derartige fließfähige Mörtel eingebaut werden, muss der Verarbeiter die Untergrundflächen gründlich reinigen und grundieren. Die Reinigung kann bei Estrichen durch Abschleifen und Staubsaugen geschehen, bei Betonböden meist im Stahlkugelstrahlverfahren (siehe Abb. 3.176).

Wenn die Verlegeuntergründe mineralisch rein sind, folgt bei allen marktüblichen Bodenausgleichsmassen eine Grundierung. Als Grundierung werden meist wässrige Acrylatldispersionen verwendet, für besondere Anwendungen kommen Reaktionsharze zum Einsatz.

Mit Bodenspachtelmassen erreicht man den Ausgleich geringfügiger Unebenheiten und eine planebene Verlegefläche für Oberbeläge. Es können auch zu geringe Bauhöhen nachträglich aufgespachtelt werden. Ein wichtiger Einsatzbereich ist das Ausgleichen von Höhenunterschieden zum Herstellen ebener Flächen unter Dämmungen, z. B. Trittschall- und Wärmedämmplatten. Dämmplatten dürfen sich aus technischen Gründen nicht durchbiegen und müssen deshalb vollflächig aufliegen.

Die Fließ- und Bodenspachtelmassen haben sich in den letzten Jahren bei der Altbausanierung z. B. zur Einbettung von Elektrofußbodenheizungssystemen besonders bewährt. Eine direkte Nutzung durch Begehen und Befahren ist bei Verwendung hierfür geeigneter Bodenspachtelmassen möglich.

Die Bodenspachtel- oder Ausgleichsmassen zeichnen sich durch sehr gutes Fließverhalten und gute Selbstglättung aus. Sie sind meist nach etwa 2 bis 3 Stunden begehbar und bei einer maximalen Schichtdicke bis ca. 10 mm am Folgetag belegreif.

Bei normalen Temperaturen im Gebäudeinneren von etwa +20 °C reicht eine Verarbeitungszeit von ca. 30 Minuten aus, um die angerührte Mischung gleichmäßig mit einer Glättkelle oder einem Rakel auf dem Boden zu verteilen und mit einer Stachelwalze zu entlüften (siehe Abb. 3.178). Spachtelungen sollten nach Möglichkeit in einem Arbeitsgang in der gewünschten Schichtdicke und nicht mehrlagig ausgeführt werden. Dabei sollte man die Verarbeitung bei Boden- bzw. Lufttemperaturen unterhalb von +5 °C vermeiden.

Die Menge des Anmachwassers ist nach den Angaben der Hersteller genau zu dosieren. Eine Wasserüberdosierung führt zum Ausschwemmen der Feinteile und bewirkt eine geringere Festigkeit, abmehlende Oberflächen, eine Erhöhung des Risikos einer Rissbildung und eine schlechtere Haftung zum Untergrund. Mischungen, die bereits ansteifen, dürfen niemals mit Wasser neu aufgerührt und verarbeitet werden.

Unterschiedliche Materialtypen werden für Schichtdicken von 1 bis 15 mm, von 3 bis 15 mm, von 5 bis 20 mm und von 20 bis 70 mm angeboten. Die maximal mögliche Dicke des Bodenausgleichs richtet sich jeweils nach Art des Kornaufbaus (Sieblinie) und des Bindemittels.

Speziell für Holzdielenböden werden faserarmierte Spachtelmassen angeboten. Die Auswahl der Spachtelmasse ist auch abhängig vom vorliegenden Verlegeuntergrund. So werden Produkte zum Ausgleich von Calciumsulfat- und Magnesiaestrichen, zum Ausgleich von Gussasphaltestrichen und speziell zum Ausgleich von Holzdielenböden und Holzspanplatten angeboten.

Für zeitkritische Baustellen bieten die Hersteller spezielle Schnellspachtelmassen an, die den zügigeren Einbau von Bodenbelägen ermöglichen. Bei Flächen ab ca. 500 m^2 lohnt sich ein Maschineneinsatz. Erfolgreich bewährt haben sich in den letzten Jahren Schneckenpumpen. Bei 5 mm durchschnittlichem Bodenausgleich erreicht ein

Fünf-Personenteam mit einer leistungsfähigen Schneckenpumpe einen Bodenausgleich von annähernd 300 m^2/h bei einem Materialeinsatz von ca. 9 bis 10 kg/m^2.

Zum Ausgleich von Vertiefungen, Löchern und Bodenunebenheiten sowie zum Ausbilden von Keilen auf Holzdielenböden, Holzspanplatten, Trockenestrichelementen und allen anderen Arten von genormten Estrichen werden standfeste Spachtelmassen angeboten.

3.30.15 Ausgleichsspachtel für Wände und Decken

Spachtelmassen für senkrechte Flächen und Überkopfanwendungen zeichnen sich durch eine hohe Standfestigkeit und Anhaftung zum Untergrund aus. Für eine sichere Applikation und eine schnelle Widerstandsfähigkeit gegenüber äußeren Einflüssen sind sie zudem meist schnell erhärtend. Die mögliche Schichtdicke, die in einem Arbeitsgang aufgetragen werden kann, reicht von 1 bis zu 100 mm.

Diese Mörtel entsprechen normalerweise DIN EN 998 „Festlegungen für Mörtel im Mauerwerksbau" oder DIN EN 1504 und eignen sich zum Ausbessern von Kiesnestern im Beton, zum Reparieren von Ausbrüchen, zum Angarnieren abgebrochener Ecken und Kanten und als schnell erhärtender Zementputz auf Beton- und Porenbetonflächen. Sie werden auch zum Ausgleich unebener Wandflächen vor dem Verlegen von Fliesen eingesetzt.

Mörtel auf zementärer Basis sind aufgrund ihrer Wasserfestigkeit und Witterungs- sowie Frostbeständigkeit sowohl für den Innen- als auch den Außenbereich geeignet.

Für Arbeiten im Innenraum ohne große mechanische Belastung, wie z. B. beim Verfüllen von Fugen von Gipskartonplatten oder Herstellen ebener Flächen für Maler- und Tapezierarbeiten, werden auch Gipsspachtelmassen verwendet. Sie bilden für solche Anwendungszwecke eine kostengünstige Alternative zu zementären Produkten, haben aber den Nachteil, dass sie nicht wasserfest sind und bei der Erhärtung deutlich niedrigere Festigkeiten ausbilden.

Für besonders hoch beanspruchte Ausgleichsschichten stehen auf dem Markt Reaktionsharzsysteme auf Methacrylatbasis und Epoxidharzbasis zur Verfügung. Ausgleichsmassen für befahrene, hoch beanspruchte Industriefußböden müssen je nach konkretem Anwendungsfall zusätzlich auch chemikalienbeständig sein.

3.30.16 Schnellmontagemörtel

Schnellmontagemörtel werden immer dann eingesetzt, wenn eine schnelle Erhärtung wichtig ist.

Ihre Erhärtungszeit reicht von einigen Sekunden, z. B. für das Verschließen von Wassereinbrüchen, bis hin zu 20 Minuten für komplexere Aufgaben, wie z. B. das Verankern von Bolzen und Pfosten oder das Setzen von Tür- und Fensterzargen. Auch für Arbeiten, bei denen ein schneller Baufortschritt wichtig ist, werden diese Mörtel eingesetzt. Ein Beispiel ist die Ausbildung von Hohlkehlen mit anschließender Abdichtung des Bauteils. Schnellmontagemörtel sind in der Regel wasserfest und witterungs- sowie frostbeständig und eignen sich daher für die Anwendung im Innen- und Außenbereich. Die Mörtel entsprechen üblicherweise den Normen EN 998 oder EN 1504.

3.30.17 Vergussmörtel (Quellmörtel)

Vergussmörtel werden verwendet, um größere Aussparungen aufzufüllen und einen kraftschlüssigen Verbund zwischen 2 Bauteilen herzustellen. Eine typische Anwendung ist das Untergießen von Maschinen- oder Fertigbauteilen, um eine endgültige Fixierung des Bauteils zu erreichen. Vergussmörtel entsprechen der DAfStb-Richtlinie „Herstellung und Verwendung von zementgebundenem Vergussbeton und Vergussmörtel" (DAfStb, 2019) und haben als gemeinsame Merkmale eine fließfähige Konsistenz, eine hohe Druckfestigkeit und eine Volumenzunahme des Mörtels, sodass durch das Anpressen des Mörtels an die Bauteile ein kraftschlüssiger Verbund gewährleistet ist.

Die verschiedenen Vergussmörtel unterscheiden sich in der Erhärtungsgeschwindigkeit (einige Minuten bis mehrere Stunden) und in der zulässigen Schichtdicke (ca. 10 bis 300 mm), wobei diese sehr oft durch das Abmischen mit gröberem Zuschlag gesteigert werden kann. Die Mörtel sind wasserfest sowie witterungs- und frostbeständig, weshalb sie sowohl für die Anwendung im Innen- als auch Außenbereich geeignet sind.

3.30.18 Kunstharzestriche und Schnellzementestriche

In DIN 18560 „Estriche im Bauwesen" werden auch die Kunstharzestriche erwähnt. Reaktionsharzestrich verlegt man vorwiegend in feuchtigkeitsbeanspruchten Bereichen, z. B. in der Lebensmittelindustrie, weil er zusätzlich hoch chemikalienbeständig ist. Reaktionsharzestriche bestehen aus Epoxidharz (EP) oder Acrylat (AY) als Bindemittel und einer feuergetrockneten Quarzsandmischung mit abgestuftem Kornanteil. Die Quarzsande können auch farbig sein. Gelegentlich kommen auch mineralische Schlacken und Gemische aus Naturstein und Schlacke in günstiger Kornzusammensetzung zum Einsatz. Die Zusammensetzung der Sandmischungen ähnelt der Sieblinie 0 bis 4 oder 0 bis 8 nach DIN 1045, wie sie für Zementestriche üblich ist. Reaktionsharzestriche sind wie Schnellzementestriche sehr früh belegreif, werden meist aber mit einer Kopfversiegelung ohne Oberbodenbelag direkt genutzt. Mit Reaktionsharz gebundene Estriche unterscheiden sich von Zement- oder Calciumsulfatestrichen dadurch, dass sie nur auf absolut trockenen Untergründen und nur mit absolut trockenen Zuschlagstoffen hergestellt werden können.

3.30.19 Flachdachreparatur mit Spachtelmassen

Zum Schützen und Abdichten von Bauteilen werden lösemittelhaltige Bitumenmassen verwendet. Lösemittelhaltige bituminöse Voranstriche werden auf mineralischen Untergründen und auf versprödeten Bitumendachbahnen zur Haftungsverbesserung für Bitumendachbahnen und für bituminöse Reparaturspachtel eingesetzt. Mit Bitumenspachtelmassen können Undichtigkeiten auf Bitumen- und Blechdächern ausgebessert werden.

Bitumenkaltklebemassen eignen sich zum Verkleben von Dachbahnen und Dichtungsbahnen auf Beton, Mauerwerk und Holz.

Mit sog. Dachanstrichen können alte Bitumendachbahnen gepflegt und geschützt werden. Außerdem werden lösemittelhaltige Bitumenanstriche gern als Schutzanstrich für befahrbare landwirtschaftliche Silos und zum Schutz von Beton und Zementputz an der Außenseite von Kellerwänden eingesetzt. Alle lösemittelhaltigen Bitumenprodukte können kunststoffvergütet sein. Als Kunststoffvergütung verwendet die Baustoffindustrie Epoxidharze und Polyurethane.

3.30.20 Bauchemieprodukte und zugehörige DIN-EN-Normen

Harmonisierte EN-Normen (hEN): Grundlage für CE-Kennzeichnung und Leistungserklärung.

Betonzusatzmittel

DIN EN 934-1:2008-04 Zusatzmittel für Beton, Mörtel und Einpressmörtel – Teil 1: Gemeinsame Anforderungen

DIN EN 934-2:2012-08 Zusatzmittel für Beton, Mörtel und Einpressmörtel – Teil 2: Betonzusatzmittel – Definitionen, Anforderungen, Konformität, Kennzeichnung und Beschriftung (hEN)

Mörtelzusatzmittel

DIN EN 934-3:2012-09 Zusatzmittel für Beton, Mörtel und Einpressmörtel – Teil 3: Zusatzmittel für Mauermörtel – Definitionen, Anforderungen, Konformität, Kennzeichnung und Beschriftung (hEN)

Betoninstandsetzung

DIN EN 1504-1:2005-10 Produkte und Systeme für den Schutz und die Instandsetzung von Betontragwerken – Definitionen, Anforderungen, Güteüberwachung und Beurteilung der Konformität – Teil 1: Definitionen

DIN EN 1504-2:2005-01 Produkte und Systeme für den Schutz und die Instandsetzung von Betontragwerken – Definitionen, Anforderungen, Qualitätsüberwachung und Beurteilung der Konformität – Teil 2: Oberflächenschutzsysteme für Beton (hEN)

DIN EN 1504-3:2006-03 Produkte und Systeme für den Schutz und die Instandsetzung von Betontragwerken – Definitionen, Anforderungen, Qualitätsüberwachung und Beurteilung der Konformität – Teil 3: Statisch und nicht statisch relevante Instandsetzung (hEN)

DIN EN 1504-4:2005-02 Produkte und Systeme für den Schutz und die Instandsetzung von Betontragwerken – Definitionen, Anforderungen, Qualitätsüberwachung und Beurteilung der Konformität – Teil 4: Kleber für Bauzwecke (hEN)

DIN EN 1504-5:2013-06 Produkte und Systeme für den Schutz und die Instandsetzung von Betontragwerken – Definitionen, Anforderungen, Qualitätsüberwachung und Beurteilung der Konformität – Teil 5: Injektion von Betonbauteilen (hEN)

DIN EN 1504-6:2006-11 Produkte und Systeme für den Schutz und die Instandsetzung von Betontragwerken – Definitionen, Anforderungen, Qualitätsüberwachung und Beurteilung der Konformität – Teil 6: Verankerung von Bewehrungsstäben (hEN)

DIN EN 1504-7:2006-11 Produkte und Systeme für den Schutz und die Instandsetzung von Betontragwerken – Definitionen, Anforderungen, Qualitätsüberwachung und Beurteilung der Konformität – Teil 7: Korrosionsschutz der Bewehrung (hEN)

DIN EN 1504-8:2016-08 Produkte und Systeme für den Schutz und die Instandsetzung von Betontragwerken – Definitionen, Anforderungen, Qualitätskontrolle und AVCP – Teil 8: Qualitätskontrolle und Bewertung und Überprüfung der Leistungsbeständigkeit (AVCP) (hEN)

DIN EN 1504-9:2008-11 Produkte und Systeme für den Schutz und die Instandsetzung von Betontragwerken – Definitionen, Anforderungen, Qualitätsüberwachung und Beurteilung der Konformität – Teil 9: Allgemeine Grundsätze für die Anwendung von Produkten und Systemen

DIN EN 1504-10:2017-12 Produkte und Systeme für den Schutz und die Instandsetzung von Betonbauteilen – Definitionen, Anforderungen, Qualitätsüberwachung und Beurteilung der Konformität – Teil 10: Anwendung von Produkten und Systemen auf der Baustelle und Qualitätsüberwachung der Ausführung

Abdichten

KMB

DIN EN 15814:2015-03 Kunststoffmodifizierte Bitumendickbeschichtungen zur Bauwerksabdichtung –Begriffe und Anforderungen (hEN)

KSK

DIN EN 13969:2007-03 Abdichtungsbahnen – Bitumenbahnen für die Bauwerksabdichtung gegen Bodenfeuchte und Wasser – Definitionen und Eigenschaften (hEN)

DIN EN 14967:2006-08 Abdichtungsbahnen – Bitumen-Mauersperrbahnen – Definitionen und Eigenschaften (hEN)

Im Verbund

DIN EN 14891:2017-05 Flüssig zu verarbeitende wasserundurchlässige Produkte im Verbund mit keramischen Fliesen und Plattenbelägen – Anforderungen, Prüfverfahren, Bewertung und Überprüfung der Leistungsbeständigkeit, Klassifizierung und Kennzeichnung (hEN)

Fliesenkleber

DIN EN 12004-1:2017-05 Mörtel und Klebstoffe für keramische Fliesen und Platten – Teil 1: Anforderungen, Bewertung und Überprüfung der Leistungsbeständigkeit, Einstufung und Kennzeichnung (hEN)

Fugenmörtel

DIN EN 13888-1:2022-11 Fugenmörtel für keramische Fliesen und Platten – Teil 1: Anforderungen, Klassifizierung, Bezeichnung und Kennzeichnung

DIN EN 13888-2:2022-11 Fugenmörtel für keramische Fliesen und Platten – Teil 2: Prüfverfahren

Fugendichtstoff

DIN EN 15651-1:2017-07 Fugendichtstoffe für nicht tragende Anwendungen in Gebäuden und Fußgängerwegen – Teil 1: Fugendichtstoffe für Fassadenelemente (hEN)

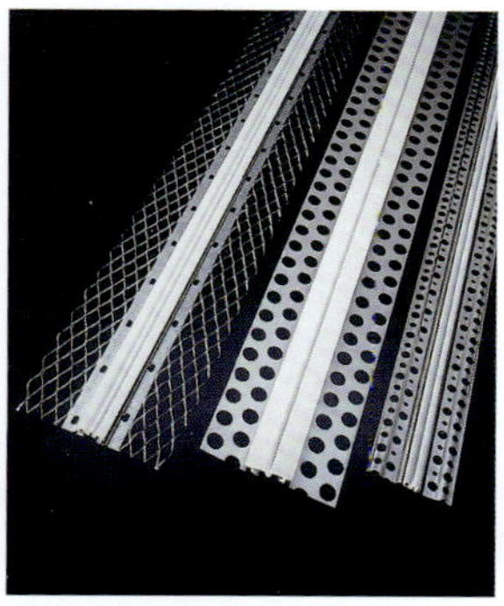

Abb. 3.179: Dehnungs- und Bewegungsprofile (Quelle: Protektorwerk Florenz Maisch GmbH & Co. KG, Gaggenau)

Abb. 3.180: Innenputzprofile im Fenster- und Sockelbereich (Quelle: Protektorwerk Florenz Maisch GmbH & Co. KG, Gaggenau)

Abb. 3.181: Sockelprofil für Wärmedämm-Verbundsysteme (Quelle: Protektorwerk Florenz Maisch GmbH & Co. KG, Gaggenau)

DIN EN 15651-2:2017-07 Fugendichtstoffe für nicht tragende Anwendungen in Gebäuden und Fußgängerwegen – Teil 2: Fugendichtstoffe für Verglasungen (hEN)

DIN EN 15651-3:2017-07 Fugendichtstoffe für nicht tragende Anwendungen in Gebäuden und Fußgängerwegen – Teil 3: Dichtstoffe für Fugen im Sanitärbereich (hEN)

DIN EN 15651-4:2017-11 Fugendichtstoffe für nicht tragende Anwendungen in Gebäuden und Fußgängerwegen – Teil 4: Fugendichtstoffe für Fußgängerwege (hEN)

DIN EN 15651-5:2017-07 Fugendichtstoffe für nicht tragende Anwendungen in Gebäuden und Fußgängerwegen – Teil 5: Bewertung und Überprüfung der Leistungsbeständigkeit, Kennzeichnung und Etikettierung

Verlegewerkstoffe/Klebstoffe

DIN EN 204:2016-11 Klassifizierung von thermoplastischen Holzklebstoffen für nichttragende Anwendungen

DIN EN 15274:2015-06 Klebstoffe für allgemeine Anwendungen in strukturellen Klebverbunden – Anforderungen und Prüfverfahren

DIN EN ISO 17178:2020-06 Klebstoffe – Klebstoffe für das Kleben von Parkett auf einen Untergrund – Prüfverfahren und Mindestanforderungen (ISO 17178:2013)

Estriche

DIN EN 13813:2003-01 Estrichmörtel, Estrichmassen und Estriche – Estrichmörtel und Estrichmassen - Eigenschaften und Anforderungen (hEN)

Mauer-/Putzmörtel

DIN EN 998-1:2017-02 Festlegungen für Mörtel im Mauerwerksbau – Teil 1: Putzmörtel (hEN)

DIN EN 998-2:2017-02 Festlegungen für Mörtel im Mauerwerksbau – Teil 2: Mauermörtel (hEN)

3.31 Bauprofile

3.31.1 Putzprofile

Putzprofile besitzen ein breites Einsatzspektrum: bei Innen-, Außen- und Wärmedämmputzen, für Wärmedämm-Verbundsysteme und zur Lösung von Sonderfällen (z. B. Bewegungs- und Dehnfugen sowie für Laibungen).

Der Trockenbau bedient sich besonderer Profile für nicht tragende Trennwände, abgehängte Decken bis hin zum Aufbau ganzer Häuser im statischen Trockenkonstruktionsschema. Für den Verputz und den Profileinsatz wird nach „außen“ und „innen“ für die Anwendung unterschieden. Die Profile müssen die auftretenden Klimabelastungen im System Putz + Profile mit den verschiedensten Mörtelqualitäten, die der Markt anbietet, beherrschen, und das im perfekten, rationellen Einsatz schnellen und sicheren Mörtelauftrags.

Sie dienen als Putzlehre beim Abziehen, um die definierten Dicken, wie vom Auftraggeber verlangt, zu erreichen. Die Befestigung erfolgt innen wie außen mit Ansetzmörteln (nicht nageln, schrauben, dübeln), wobei die von der Industrie bereitgestellten Sorten verwendet werden. Außen dürfen keine gipshaltigen Ansetzmörtel verwendet werden. Mit dem Abschnüren zur Einfluchtung (waagerecht) und mit der Wasserwaage (senkrecht) erfolgt die maßgerechte Justierung. Anschließend wird der Putzmörtel ebenflächig aufgetragen und über die Profile abgezogen. Die gewünschte ebene Fläche entsteht und kann anschließend (wenn erforderlich) strukturiert werden.

Die Verträglichkeit zwischen Putzmörtel und Profilwerkstoff muss geprüft werden. Profile aus verzinktem Stahlblech eignen sich für Putze auf der Basis Kalk, Kalkzement, PM-Binder, Zement oder Gips, Leichtmetallprofile für Gips, Kunstharzputze oder -spachtelungen. Verlässliche Informationen erteilt der Fachverband Europrofiles.

Putzprofile für innen

Diese Profile für Putzdicken von 3 bis 20 mm dienen zur Kantenausbildung, als Putzlehren, Bilderleisten, Putzab- und -anschlussprofile sowie für Dehnungs- und Bewegungsfugen (siehe Abb. 3.179 und 3.180). Hergestellt werden sie aus verzinktem Spaltband, Aluminiumbändern und -blechen in Speziallegierungen, zum Teil auch mit Acryl- bzw. Polyesterbeschichtungen, Spaltband aus Edelstahl, Hart-PVC schlagzäh, Weich-PVC in geeigneten Shore-Härten und Sonderqualitäten, ferner in Synthese-Kautschuk-Mischungen (witterungs- und alterungsbeständig).

Putzprofile für außen und Wärmedämmputz-Profile

Sie gleichen in Material und Form den Innenteilen (siehe Abb. 3.181). Besondere Profilkonstruktionen werden zur Sicherung von Dehnungsfugen, Gleitlagern und Dachabschlüssen (mit Belüftungsgittern) bereitgestellt.

3.31.2 Dehnungs- und Gleitlagerprofile

Diese Profile sind am Bauwerk überall da erforderlich, wo die Wahrscheinlichkeit besteht, dass der Baukörper reißt (siehe Abb. 3.182).

Bewegungen einzelner Bauteile gegeneinander und dadurch hervorgerufene Rissgefahr entstehen durch ungleichmäßiges Setzen des Grundes bei gegliederten Bauten (Winkelbungalow, Eckanbau, angebaute Garage), bei langen Baukörpern (z. B. Reihenhäuser), aber auch durch unterschiedliches Schwinden miteinander verbauter Werkstoffe mit unterschiedlichem Schwindverhalten (Baufehler) und letztlich durch thermisch bedingte Längenveränderung bei großen Gebäuden, in Fassaden und in Bodenbelägen.

Unabhängig davon, ob der Architekt den Baukörper trennt oder nur schwache Stellen, sog. Sollbruchstellen, vorschreibt, müssen diese Positionen nach außen abgedeckt und vor dem Eindringen von Feuchtigkeit geschützt werden. Im Innenausbau ist die Ausbildung beweglicher Stöße überall da erforderlich, wo Wände vom umgebenden Baukörper schalltechnisch getrennt werden sollen oder wo Decken auf Gleitlagern eingerichtet sind. Hier darf keine starre Putzverbindung entstehen.

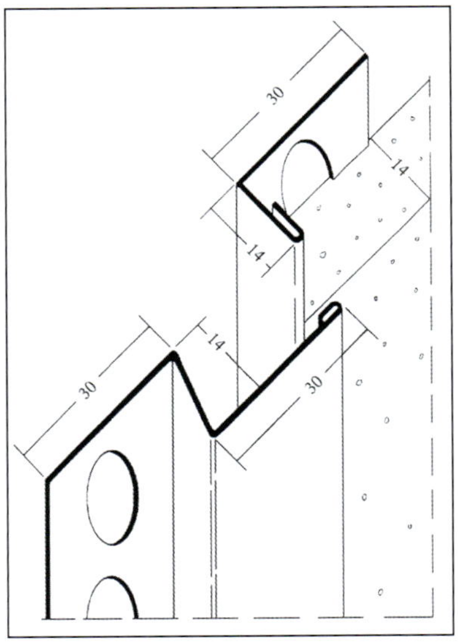

Abb. 3.182: Dehnungsfugenprofile (Bewegungsspielraum ± 10 mm)

Abb. 3.183: Lüftungsprofil aus Aluminium (Quelle: Protektorwerk Florenz Maisch GmbH & Co. KG, Gaggenau)

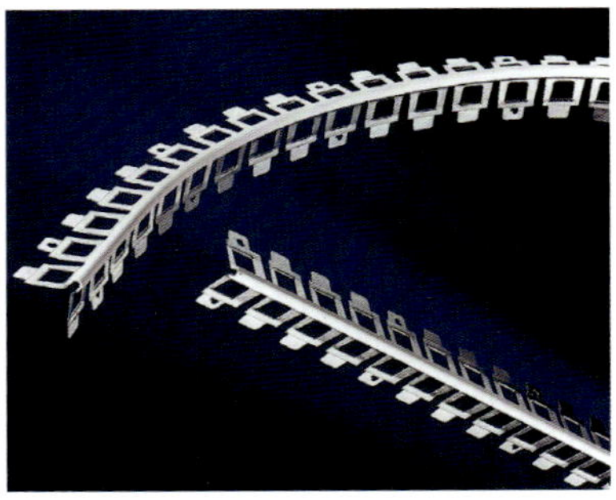

Abb. 3.184: Flexibles Kantenprofil für Innen- und Außenputz (Quelle: Protektorwerk Florenz Maisch GmbH & Co. KG, Gaggenau)

3.31.3 Bauprofile für spezielle Problemlösungen

Zu dieser Gruppe neu entwickelter Profile zählen Lüftungsprofile für Fassadenabschlüsse und Dachbelüftung in vielfachen Ausführungen (siehe Abb. 3.183). Um der Rissbildung in Oberflächen bewehrter Betonplatten vorzubeugen, gibt es ein Betonfugenprofil. Angeboten werden ebenfalls Dämmfugen- und Schwundfugenprofile sowie solche für Verkleidungen und Sichtbetonkanten.

3.31.4 Profile für Wärmedämm-Verbundsysteme

Diese Profile dienen der fluchtgerechten Stapelung der Dämmstoffe und zur Fixierung des Sockels. Dabei sorgen besondere Vorkehrungen für winkelgenaue Montage und die Ausführung von Konvexbiegungen. Die Dämmdicken nehmen wegen der Wärmeschutzmaßnahmen laufend zu. Die Profile namhafter Hersteller bieten für alle Anwendungen bis hin zum Passivhaus technisch perfekte Lösungen, um selbst extreme Dämmdicken zu beherrschen.

3.31.5 Mauerkanten- und Treppenprofile

Diese Profile sind in verschiedenen Formen erhältlich und werden aufgeschraubt, aufgeklebt oder mit Ankern befestigt. Sie betreffen sowohl den Außen- als auch den Innenbereich.

Die Mehrzahl der Profile besteht aus Edelstahl. Einige Profile sind aus Aluminiumlegierungen oder verzinktem Stahl gefertigt, die Kunststoffprofile bestehen aus PVC.

3.31.6 Profile für den Trockenbau

Diese Profile haben im Wandbereich beim Trockenputz nahezu dieselben Aufgaben wie beim Nassputz. Der Schutz der Außenkante ist noch um mehrere Varianten reicher geworden (siehe Abb. 3.184). Es gibt für den Abschluss und den Schutz der Kanten der Gipskartonplatten Kantenprofile mit Streckmetall und gelochten Schenkeln und Profile aus verzinktem Stahlblech oder PVC mit unterschiedlichen Schenkelbreiten und für verschiedene Plattendicken.

Viele leichte Trennwände erhalten heute eine Unterkonstruktion aus Metallprofilen. Es sind im Wesentlichen die U-Profile und C-Profile, die ihrerseits die wandbildenden Bauplatten aufnehmen. Dieses Profilsystem gibt es für verschiedene Wanddicken. Dazu werden selbstklebende Dämmstoffstreifen eingesetzt, die eine Übertragung des Körperschalls in die umfassenden Bauteile vermindern. Diese Profile wie auch solche für abgehängte Decken werden hier nur der Vollständigkeit halber erwähnt. Sie gehören zum Sortiment „Bauplatten und Montagedecken".

3.31.7 Estrichfugenprofile

Beim Estrich trifft man, ähnlich wie im Beton-/Stahlbetonbau, auf Bewegungs- (Dehnungs-), Arbeits- und Scheinfugen (die Begriffe werden Kapitel 3.32 erläutert). Bei Fließestrichen jedoch sind Scheinfugen aufgrund des nahezu raumstabilen Verhaltens während der Abbinde- und Trocknungsphase nicht erforderlich.

Funktional betrachtet zählt die bei Estrichen wichtige sog. Randfuge zu den Bewegungsfugen. Sie entsteht zwischen Estrich und Wand sowie zwischen Estrich und aufgehenden Bau- bzw. Einbauteilen. In der Regel wird diese Fuge durch den Einbau eines Randdämmstreifens ausgebildet. Zum Einsatz gelangen auch Randabschlussprofile.

Die Bewegungsfugen hingegen untergliedern Estrichteilflächen nach dem Schema der sog. Raumgeometrie, ermöglichen die freie Beweglichkeit dieser Flächen gegeneinander und verhindern die Übertragung von Schall und Schwingungen. Auch an Türdurchgängen oder vorspringenden Ecken kann der Einbau einer Bewegungsfuge von Vorteil sein.

Einen Sonderfall stellen beheizte Estrichflächen dar. Entstehen beheizte und nicht beheizte Teilflächen, so müssen diese grundsätzlich unabhängig von der Raumgeometrie durch eine Fuge voneinander getrennt werden.

Hinweis

Bewegungsfugen im Estrich müssen im Belag übernommen werden. Da sie dadurch einen großen Einfluss auf die Gestaltung des Fußbodens haben, empfiehlt es sich, die Lage dieser Fugen in Absprache mit dem Planer festzulegen. Die Hersteller bieten ein breites Sortiment an Fugenprofilen an. Die Profile sind zumeist aus Hart-PVC und besitzen zusätzlich einen Schaumstoffstreifen (PE-Schaum), der entsprechend der Estrichhöhe geschnitten werden kann (siehe Abb. 3.185 und Abb. 3.186).

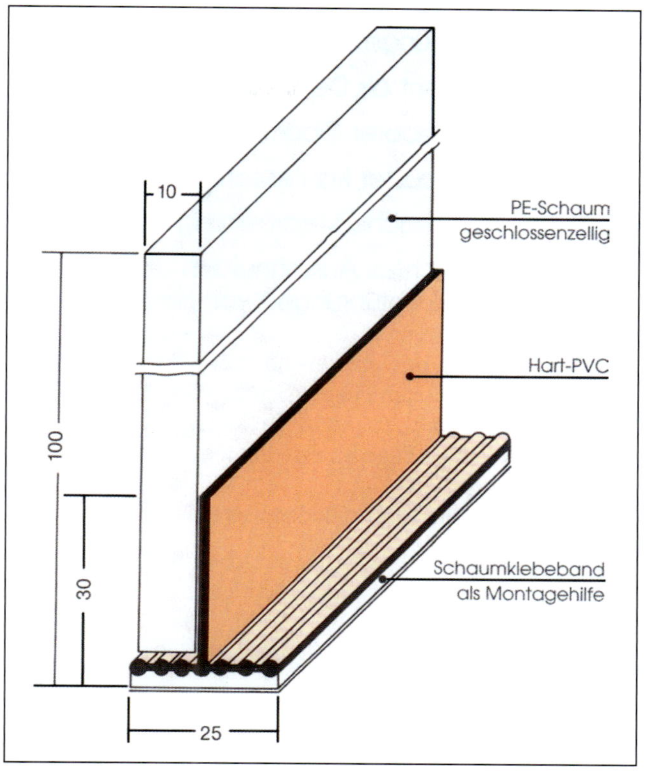

Abb. 3.185: Aufbau eines Bewegungsfugenprofils für Fließestrich (Quelle: Protektorwerk Florenz Maisch GmbH & Co. KG, Gaggenau)

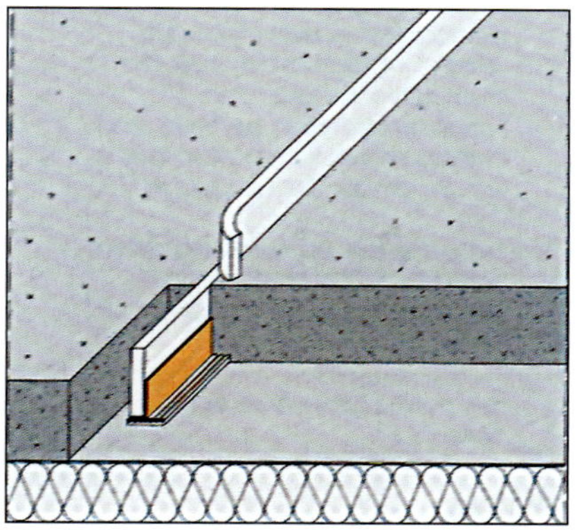

Abb. 3.186: Eingebautes Bewegungsfugenprofil, bündiges Abschneiden des Schaumstoffstreifens (Quelle: Protektorwerk Florenz Maisch GmbH & Co. KG, Gaggenau)

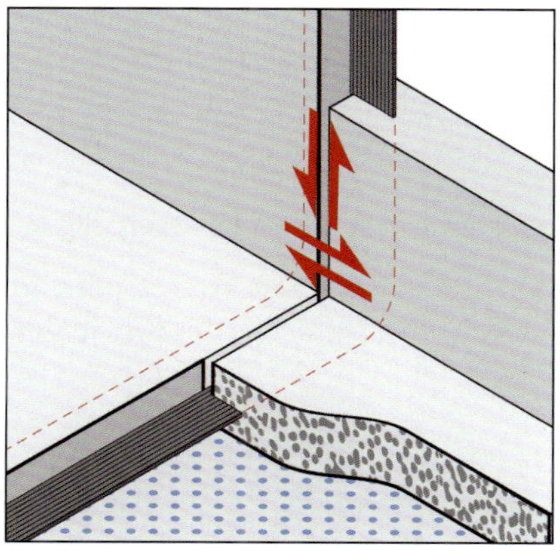

Abb. 3.187: Abdichtung von Dehnfugen (Quelle: Max Frank GmbH & Co. KG, Leiblfing)

3.32 Fugenbleche und -bänder im Beton-/Stahlbetonbau

Im Betonbau unterscheidet man 3 verschiedene Arten von Fugen.

Dehnfugen (Bewegungsfugen)

Sie erlauben unterschiedliche Bewegungen von Baukörpern, z. B. aufgrund von thermischen Ausdehnungen oder Bauwerkssetzungen. Die Abdichtung muss mit einem elastischen Fugenband erfolgen.

Sollrissfugen

Sollrissfugen vermeiden unkontrollierte Rissbildungen aufgrund von Schwindverformungen während des Abbindevorganges des Betons.

Arbeitsfugen

Arbeitsfugen unterteilen 2 Betonierabschnitte, die sich aus dem Arbeitsablauf oder den Tagesabschnitten ergeben.

Alle Ausführungsvarianten von wasserundurchlässigen Bauwerken aus Beton erfordern eine entsprechende Fugenabdichtung.

Abdichtung von Dehnfugen

Dehnfugen werden angeordnet, wenn bei großen Bauwerken durch thermische Einflüsse oder durch andere zu erwartende Bewegungen Schäden an den Bauteilen auftreten würden. Sie können ein- oder zweidimensional sein. Die Abdichtung solcher Fugen erfolgt durch Fugenbänder (siehe Abb. 3.187). Diese können aus PVC-P oder Kautschuk sein. Die Dehnfugenbänder haben in der Regel einen Mittelschlauch, der die auftretenden Verformungen aufnehmen kann. Es gibt die Fugenbänder als innen liegende oder außen liegende Varianten. Der Anschluss zwischen Dehnfugenbändern und beschichteten Fugenblechen kann durch vorgefertigte Elemente einfach hergestellt werden.

Abdichtung von Sollrissfugen

In großflächigen Betonbauteilen werden Sollrissfugen angeordnet, um eine unkontrollierte und damit nicht abgedichtete Rissbildung zu vermeiden. Solche Risse entstehen durch die inneren Zwangsspannungen in den Bauteilen. Sollrissquerschnitte werden durch ein risserzeugendes Element, das den Beton um mindestens ein Drittel des Querschnittes schwächt, und ein Dichtelement, das in der Regel aus einem beschichteten Fugenblech besteht, gebildet. Damit werden die Zwangsspannungen kontrolliert abgebaut und die entstehende Fuge ist abgedichtet.

Abdichtung von Arbeitsfugen Bodenplatte/Wand

Die Abdichtung der Arbeitsfuge zwischen Bodenplatte und Wand kann auf 3 verschiedene Weisen erfolgen (siehe Abb. 3.188 und 3.189):

- Bei Verwendung eines PVC- oder Elastomer-Fugenbandes wird in der Regel eine Aufkantung benötigt, um die erforderliche Einbindetiefe (Hälfte der Fugenbandbreite) in die Bodenplatte zu gewährleisten. Stöße der Fugenbänder müssen verschweißt bzw. vulkanisiert werden. Durch die Elastizität des Fugenbandmaterials ist vor der Betonage eine Fixierung mit Klammern oder Bügeln notwendig. Trotzdem kann es hier aufgrund von Verschiebungen leicht zu Fehlstellen in der Abdichtungsebene kommen.
- Bei Verwendung eines unbeschichteten Fugenbleches ist in der Regel ebenfalls eine Aufkantung erforderlich, da auch hier die Hälfte des Fugenbleches mit einer Mindestbreite von 250 bzw. 300 mm in die Bodenplatte eingebunden sein muss. Die Verwendung von unbeschichteten Fugenblechen ist nur in sog. überdrückten Fugen, also meist Bodenplatte/Wandfugen, ratsam, da hier kaum Bewegungen in der Fuge zu erwarten sind. Diese Bleche sind an den Stößen zu aufwendig abzudichten.
- Bei Verwendung eines beschichteten Fugenbleches zur Abdichtung in der Arbeitsfuge Bodenplatte/Wand kann auf eine Aufkantung verzichtet werden. Beschichtete Fugenbleche benötigen eine Einbindetiefe von nur 30 mm in die Bodenplatte.

Funktionsweise der Fugenbleche in Sollriss- und Arbeitsfugen

Fugenbleche (siehe Abb. 3.190) bilden eine Wassersperre in einer Fuge. Bei Sollrissfugen wird zusätzlich der Riss in der Fuge induziert.

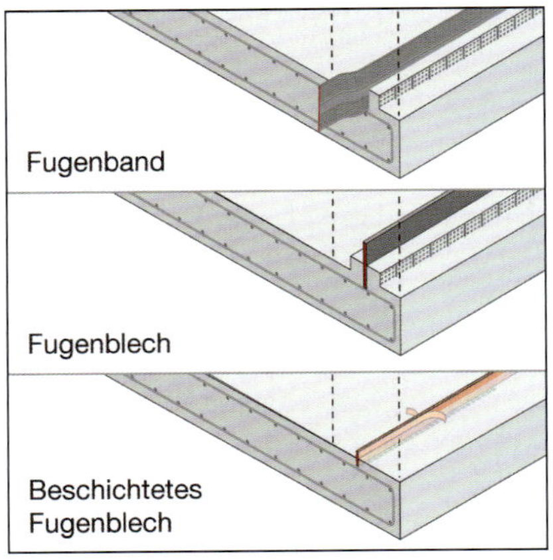

Abb. 3.188: Abdichtungsvarianten Arbeitsfuge zwischen Bodenplatte und Wand (Quelle: Max Frank GmbH & Co. KG, Leiblfing)

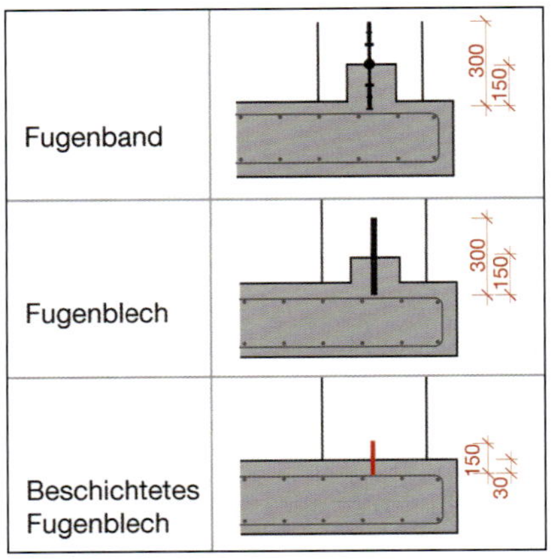

Abb. 3.189: Mindestbreite und Einbindetiefe bei der Abdichtung einer Arbeitsfuge zwischen Bodenplatte und Wand (Quelle: Max Frank GmbH & Co. KG, Leiblfing)

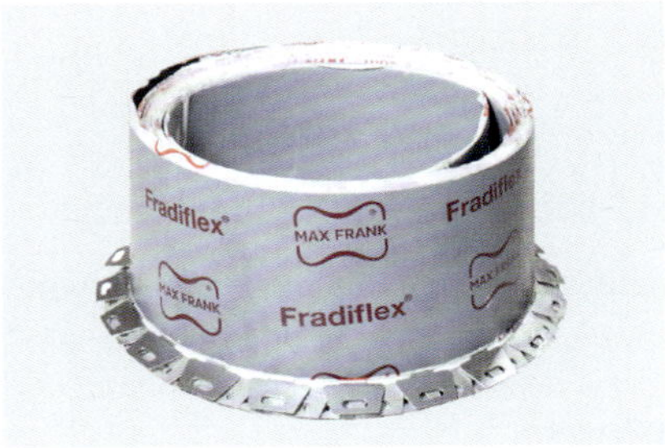

Abb. 3.190: Fugenblech von der Rolle mit Befestigungswinkel (Quelle: Max Frank GmbH & Co. KG, Leiblfing)

Fugenbleche bilden im Fugen-/Rissbereich eine Umlaufverlängerung (Labyrinthprinzip). Hierdurch wird ein Durchtritt des Wassers verhindert. Unbeschichtet beträgt die Blechbreite im Regelfall 250 bzw. 300 mm, die Dicke 1,5 mm und die Stöße müssen verschweißt werden. Die Einbindetiefe beträgt die halbe Blechbreite.

Fugenbleche mit einer elastischen Beschichtung verbinden den Beton mit dem Fugenblech. Durch die Haftverbindung wird eine Umläufigkeit verhindert. Durch die Beschichtung ist die Fuge auch bei kleinen Bewegungen bis zu 1 mm noch dicht und die Blechbreite kann auf 150 mm reduziert werden. Stöße können durch die Beschichtung einfach verklebt werden. Die Einbindetiefe beträgt 30 mm.

4 Bedachung – Fassade

4.1 Dachziegel

Dachziegel sind grobkeramische Bauelemente aus Ton zur Dachdeckung und Fassadenverkleidung. Grobkeramik steht im Gegensatz zu Feinkeramik. Die Unterscheidung zwischen „fein" und „grob" ergibt sich aus der Größe der Masseteilchen (z. B. Körner) und der Gleichmäßigkeit der Endproduktoberfläche. Sie sind resistent gegen Witterungseinflüsse, UV-Strahlung, Frost-, Säure- und Farbbelastung. Dachziegel geben keine schädlichen Stoffe ab und sind diffusionsoffen, d. h., Wasserdampf kann von innen nach außen gelangen.

Den verschiedenen Herstellungsverfahren ist gemeinsam, dass Ton unterschiedlicher Qualitäten als Ausgangsmaterial verwendet wird. Tone und Lehme sind in der Erde das Ergebnis von Verwitterungvorgängen der Gesteine und enthalten im Wesentlichen Tonmineralien, Quarze sowie Eisenmineralien und Feldspate. In den verschiedenen Herstellungsverfahren werden sie

- zunächst mit Sand, Erden und Wasser gemischt,
- bei der Formung der Rohmasse zum späteren Dachziegel in Form gebracht,
- zu Strängen ausgeformt,
- zu Rohlingen geschnitten
- und in Pressen zur individuellen Dachziegelform gebracht.

Noch ungebrannte Tonziegelrohlinge bestehen zu etwa 60 % aus Tonen und Lehmen und zu etwa 40 % aus Wasser, das vor dem Brand langsam ausgetrocknet wird. Ein Rohling schrumpft bei der Trocknung also um ca. 30 %. Dies wird bei der Größe der Pressformen berücksichtigt, denn sie müssen entsprechend auch ca. 30 % größer als der später trockene Rohling sein.

In der Revolverpresse werden die Tonbatzenrohlinge durch Unter- und Oberformen aus Gips zu Dachziegelrohlingen ausgepresst.

4.1.1 Formen von Tondachziegeln

Ziegeldächer werden mit den unterschiedlichsten Ziegelformen eingedeckt. Je nach Architekturform und Verwendungszweck, z. B. Wohnhaus, Nutzgebäude, historische Gebäude oder landwirtschaftliche bzw. industrielle Hallen, auch je nach landschaftlich vorherrschenden Traditionen werden unterschiedliche Ziegelformen verwendet: unverfalzte Hohlziegel, Mönch und Nonne, Biberschwanz, Falzziegel, Doppelmuldenfalzziegel, Reform-, Rheinland- oder Flachziegel.

Abb. 4.1: Grüner Biberschwanz-Ziegel auf dem Dach einer Burg in Portugal (Quelle: Pusteblume55, Wikimedia Commons)

Abb. 4.2: Biberschwanz – einer der ältesten Dachziegel (Quelle: Dachziegelwerke Nelskamp GmbH, Schermbeck)

Biberschwanz

Malen Kinder einen Dachziegel, so wählen sie in der Regel die Form des Biberschwanzziegels mit seiner prägnanten Rundung am Ende. Dieser Ziegel zählt zu den ältesten und bekanntesten Modellen (siehe Abb. 4.1 und 4.2). Entsprechend wird er vor allem in der Sanierung und im Denkmalschutz eingesetzt, steht aber auch für Exklusivität auf Dächern von Neubauten. Biberschwanzziegel werden in Kronen- oder Doppeldeckung verlegt. Sie gehören zu den Strangdachziegeln, sind eben und haben keine Falzausbildung. Die halbrunde Ausformung an der unteren Seite des Ziegels ähnelt dem Schwanz eines Bibers.

Biber-Doppeldeckung

Die Ziegel werden so verlegt, dass jede Lage an einer eigenen Dachlatte angebracht ist. Außerdem werden sie seitlich jeweils um einen halben Ziegel versetzt. Die untere Reihe

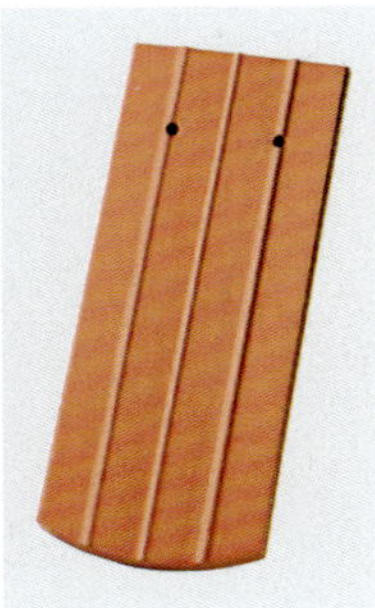

Abb. 4.3: Ziegel für die Biber-Doppeldeckung (Quelle: Dachziegelwerke Nelskamp GmbH, Schermbeck)

Abb. 4.6: Hohlziegel eignen sich gut für alte und denkmalgeschützte Gebäude (Quelle: Dachziegelwerke Nelskamp GmbH, Schermbeck)

wird von den darüber verlegten Ziegeln halb überlappt (siehe Abb. 4.3).

Biber-Kronendeckung

Die Biberschwanzziegel werden so verlegt, dass auf jeder Traglatte 2 Biberreihen liegen. Außerdem werden sie seitlich jeweils um einen halben Ziegel versetzt. Die untere Reihe der verlegten Ziegel wird von den darübergelegten Ziegeln fast vollkommen überlappt.

Hohlziegel

Hohlziegel haben im Querschnitt die Form eines S (siehe Abb. 4.4 und 4.5). Sie werden in Langschnitt- oder Kurzschnittpfannen unterteilt. Sie gehören zu den Strangdachziegeln und haben eine charakteristische S-Wölbung. Hohlpfannen haben keine Verfalzung. Merkmale sind außerdem eine breite Mulde als Wasserablauf und eine Krempe zur Überdeckung. Durch seine charakteristische Form unterstützt der Hohlziegel die Origi nalität alter und vor allem denkmalgeschützter Gebäude. Ungewöhnliche Dachflächen mit aufwendigen Details werden deshalb gerne mit Hohlziegeln gedeckt (siehe Abb. 4.6). Aber auch bei Neubauten stellt sich der Hohlziegel schwierigsten Verlegeaufgaben, z. B. bei Fledermausgauben. Durch ihren schmalen Schnitt ohne Kopf- und Seitenverfalzung sind Hohlziegel flexibel zu verlegen.

Doppelmuldenfalzziegel

Einstmals der gängige Ziegel auf landwirtschaftlichen Gebäuden, hat sich der Doppelmuldenfalz-Ziegel D 15 Ü auch in der authentischen Althaussanierung etabliert (siehe Abb. 4.7 und 4.8). Individuelle Baukonzepte finden mit dem D 15 Ü eine optimale Ergänzung in Einfach- oder Verbanddeckung. Doppelmuldenfalzziegel gehören zu den

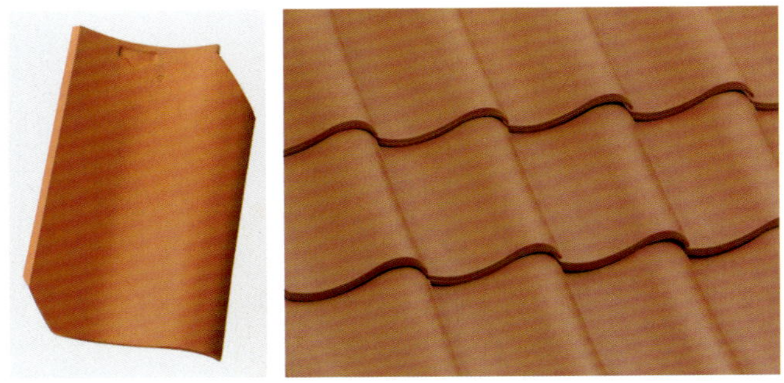

Abb. 4.4 und 4.5: Hohlziegel: schmaler Schnitt und ohne Falzung (Quelle: Dachziegelwerke Nelskamp GmbH, Schermbeck)

Abb. 4.7 und 4.8: Doppelmuldenfalzziegel werden in der Landwirtschaft oder zur Altbausanierung eingesetzt (Quelle: Dachziegelwerke Nelskamp GmbH, Schermbeck).

Abb. 4.9 bis 4.11: Dreimuldenfalzziegel – ein Verschiebeziegel mit viel Toleranz (Quelle: Dachziegelwerke Nelskamp GmbH, Schermbeck)

Pressfalzziegeln. Der wasserführende Kopf-/Seitenfalz ist unterbrochen und besteht aus 1 oder 2 Falzen. Dieser Ton-Dachziegel wird mit einer Mittelwulst hergestellt und kann im Verband gedeckt werden. Regenwasser wird von Falz zur wasserleitenden Ebene oder von Falz zu Falz abgeleitet.

Dreimuldenfalzziegel

Mit 3 Mulden setzen Großflächenziegel die Tradition der Doppelmuldenfalz-Ziegel fort und passen als Großflächenziegel genauso in die Modernisierung alter Gebäude und Hallen wie in Neubaupläne mit charakteristischer Dachgestaltung (siehe Abb. 4.9 bis 4.11).

Abb. 4.12 und 4.13: Großflächenziegel sorgen für ruhige Dächer (Quelle: Dachziegelwerke Nelskamp GmbH, Schermbeck).

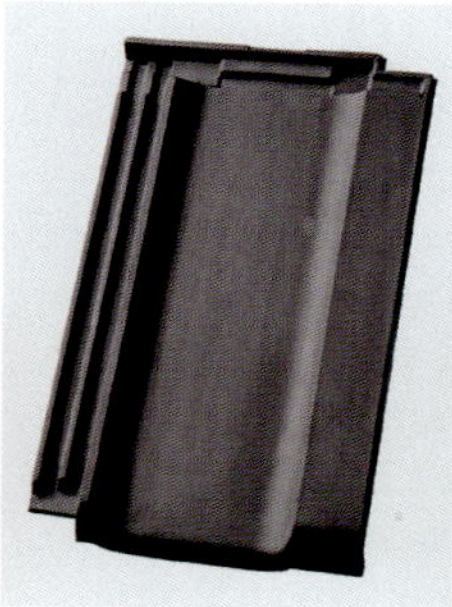

Abb. 4.14 bis 4.15: Reformziegel vermitteln den Eindruck klarer Dächer (Quelle: Dachziegelwerke Nelskamp GmbH, Schermbeck).

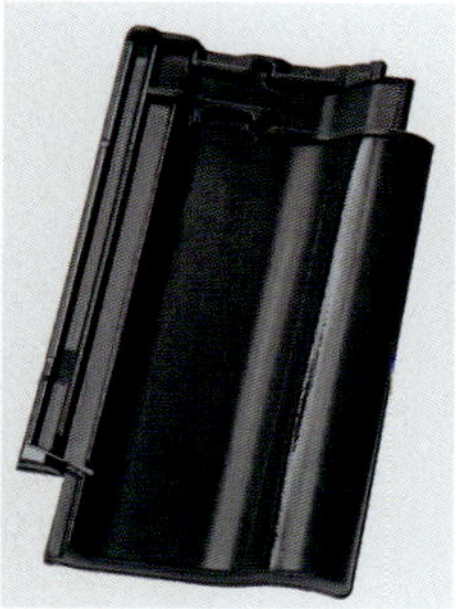

Abb. 4.16 und 4.17: Flachdachziegel F12 Ü Süd in keramischer Nibra-Qualität (Quelle: Dachziegelwerke Nelskamp GmbH, Schermbeck)

Abb. 4.18: Flachdachziegel auf einem Dach mit geringer Neigung (Quelle: Dachziegelwerke Nelskamp GmbH, Schermbeck)

Abb. 4.19: Mönch und Nonne finden sich vor allem an alten Gebäuden, besonders an Kirchen und Klöstern (Quelle: Anton~commonswiki, Wikimedia Commons, lizensiert unter Creative-Commons-Lizenz BY-SA 2.5, https://creativecommons.org/licenses/by-sa/2.5/deed.de)

Großflächenziegel

Großflächenziegel sind so groß, dass pro m² Dachfläche nur 6 bis 8 Stück benötigt werden statt der üblichen 10 bis 15. Sie ermöglichen durch die geringere Ziegel- und Traglattenanzahl eine wirtschaftliche Dacheindeckung. Ein zusätzlicher Vorteil ist die die erhöhte Regensicherheit. Durch das große Format verringert sich der Anteil an Seiten- und Höhenüberdeckung in der Dachfläche. Großflächenziegel sorgen zudem für eine ruhige Dachoptik (siehe Abb. 4.12 und 4.13). Großformatige Ziegel der Größe DS 5 (Verschiebeziegel) gehen neue Wege in der Dachgestaltung und wirtschaftlichen Verlegung. So übernimmt der DS 5 eine führende Rolle. Mit nur ca. 6,1 kg Gewicht verlangt er keine besonderen Anstrengungen in Verlegung und Statik.

Reformziegel

Seit mehr als 100 Jahren prägt die flache Wölbung des Rheinlandziegels ruhige Dachlandschaften in Deutschland. Er wird besonders auf geradlinigen und flächigen Dachkonstruktionen eingesetzt. Der Reformziegel ist die größere Variante des Rheinland-Ziegels und sorgt für ebenso ruhig wirkende Dachflächen, z. B. Kombiziegel der Größe R 10 (Verschiebeziegel) (siehe Abb. 4.14 bis 4.15). Die Grundform dieser Ziegel geht zurück auf das 19. Jahrhundert und greift die klassische Form des Rheinland-Ziegels auf. Durch seine Weiterentwicklung kann er variabel an Lattweiten von 30 bis 42 Zentimeter angepasst werden. Mit der Verlegung entsteht eine ruhige Dachfläche, die sich an unterschiedlichste Baustile anpasst. Reformziegel, auch Verschiebe- oder Juraziegel genannt, gehören zu den Pressdachziegeln. Sie werden ohne Mittelwulst hergestellt.

Flachdachziegel

Zu dieser Ziegelsorte gehört z. B. der NIBRA-Flachdachziegel aus Westerwälder Ton in der bekannten keramischen Qualität (siehe Abb. 4.16 und 4.17). Er besitzt einen variablen Verschiebebereich in der Höhenüberdeckung bis zu ca. 4 cm und ein geringeres Gewicht. Daher ist er ideal für die Dachsanierung. Mit seiner leicht geschwungenen Form eignet sich z. B. der F 8 ½ (Achteinhalber) besonders für gegliederte Dachflächen. Für die Neueindeckung und Sanierung ist er gleichermaßen gut geeignet. Flachdachziegel gehören zu den Pressfalzziegeln mit mehrfacher Ringverfalzung (mindestens 2 Falze). Sie werden auf Dächern mit geringer Dachneigung eingesetzt (siehe Abb. 4.18). Niederschlag wird über Falz und Mulde abgeleitet.

Mönch und Nonne

Mönch und Nonne sind Pressdachziegel ohne Verfalzung, die die Form einer der Länge nach halbierten Röhre haben. Die Nonnenziegel liegen mit der Wölbung in U-Form unten, die Mönchziegel werden andersherum über die Fugen zwischen den Nonnenziegeln gestülpt (siehe Abb. 4.19). Niederschlag wird vom Mönchziegel auf den Nonnenziegel und von dort in die Dachrinne geleitet.

4.1.2 Farben und Oberflächen von Dachziegeln

Dachziegel werden in den verschiedensten Farben und Oberflächen hergestellt. Unterschiedliche Herstellungs- und Brennverfahren beeinflussen die Farbe der Dachziegel. Sie können leichte Farbabweichungen bewirken oder ganz gezielt Farben erzeugen. Die endgültige Farbe des fertigen Ziegels hängt einerseits vom verwendeten Rohmaterial und von in ihm natürlicherweise enthaltenen Eisenoxiden, andererseits von einigen Zusatzstoffen, wie z. B. Mineralien und Salzen, ab. Auch wird die spätere Farbe vom Brennverfahren (z. B. unter Sauerstoffreduktion) ganz erheblich mitbestimmt.

Farblich unterscheidet man:

- naturrote,
- gedämpfte,
- engobierte (frz.: Überzug) und
- glasierte Dachziegel.

Naturrot

Naturrote Dachziegel (siehe Abb. 4.20 und 4.21) werden nicht zusätzlich bearbeitet und werden ohne eine Engobe oder Edelengobe gebrannt. Die Farbgebung entsteht durch einen rotbrennenden Ton. Naturrote Dachziegel erhalten ihre Farbe durch das im Ton enthaltene Eisenoxid. Naturrot ist keine Beschichtung. Deshalb ist der Dachziegel durch und durch naturrot. Natürlich rot heißt changierend.

Gedämpfte Dachziegel

Gedämpfte Dachziegel (siehe Abb. 4.22) entstehen durch eine spezielle Brenntechnik, das sog. Schwarz-, Silber-, oder Blaudämpfen. Die Ziegel werden sauerstoffreduziert „in ihrem eigenen Dampf" gebrannt, sodass dem Eisenoxid Sauerstoffanteile entzogen werden. Das Eisenoxid wird zu Eisenoxidul. Es entsteht eine schwarz-graue, lebendige Färbung. Gedämpfte Dachziegel sind in der oberflächennahen Schicht oder – ebenso wie naturrote Dachziegel – komplett durchgefärbt. Durch Sauerstoffentzug beim zweiten Brandvorgang wird die Bildung von Eisenoxid unterdrückt; der Ziegel bleibt dem abgebauten Rohstoff farblich ähnlich. Durch Zugabe bestimmter Dämpfmittel sind auch bläuliche, silbrige oder anthrazitfarbene Grautöne möglich, häufig auch changierend.

Engoben

Engoben sind dünnflüssige Tonschlicker, die zur farbigen Beschichtung von Dachziegeln und weiteren keramischen Produkten eingesetzt werden. Durch die Engobe entsteht eine seidenmatte Oberfläche (siehe Abb. 4.23 und 4.24). Engobierte Dachziegel gibt es im erdfarbenen Bereich. Üblich sind rote, braune, umbrafarbene (altfarbene), graue und schwarze Oberflächen. Engoben sind Tonschlämme, die durch mineralische Zusätze, z. B. Eisenoxid oder Mangan, farbig ausbrennen. Anders als beim Farbauftrag, z. B. bei Faserzementplatten oder Betonsteinen, wird die Engobe vor dem Brand auf die Sichtfläche des Rohlings aufgetragen und eingebrannt. Durch diese Technik entsteht ein inniger Kapillarverbund. Engoben sind UV-beständig und absolut dauerhaft.

Abb. 4.20 und 4.21: Naturrot (Quelle: Dachziegelwerke Nelskamp GmbH, Schermbeck)

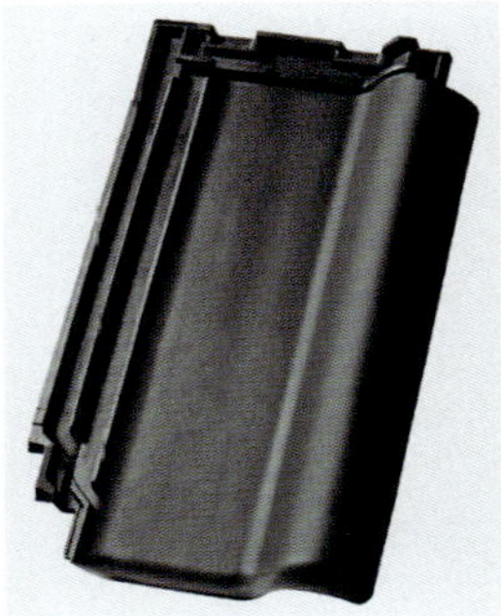

Abb. 4.22: Gedämpft durch Sauerstoffentzug beim Brennen (Quelle: Dachziegelwerke Nelskamp GmbH, Schermbeck)

Abb. 4.23 und 4.24: Rotengobiert (Quelle: Dachziegelwerke Nelskamp GmbH, Schermbeck)

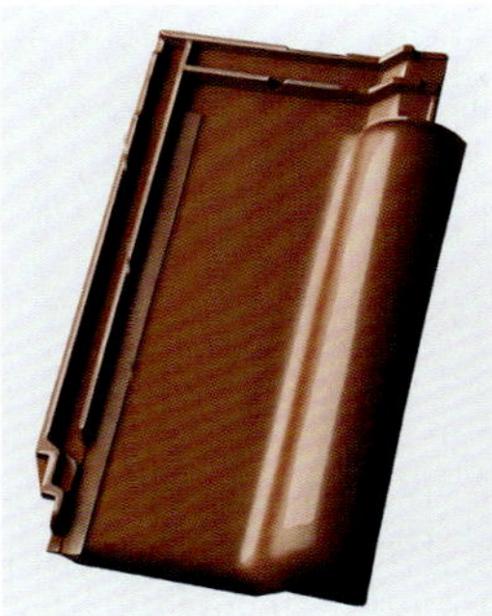

Abb. 4.25 und 4.26: Mandelbraun edelengobiert (glasiert) (Quelle: Dachziegelwerke Nelskamp GmbH, Schermbeck)

Edelengoben

Die Kombination aus Engobe und Glasur stellt die Edelengobe dar. Gibt man der Engobe Glaskörper hinzu, entsteht eine sog. Edelengobe (siehe Abb. 4.25 und 4.26). Die Oberfläche ist dann härter und verbindet die bauphysikalischen Merkmale der diffusionsfähigen und krakeleefreien Engobe meist mit dem Glanzgrad einer Glasur. Aber auch hier zeigt sich der Trend zu den matten Edelengoben. Edelengoben sind dünnflüssige Tonschlicker, denen im Produktionsprozess Glasuranteile beigefügt werden. Sie werden zur Beschichtung von Dachziegeln und keramischen Produkten eingesetzt. Durch eine Edelengobe entsteht eine glänzende Oberfläche, die einer Glasur ähnlich sieht.

Glasur

Glasuren dienen der Färbung von Dachziegeln und enthalten hauptsächlich geschmolzene Glasurschlicker, keramische Farbkörper und Ton. Die Ziegel werden gemeinsam mit der Glasur gebrannt und es entsteht eine farbige, glänzende Beschichtung. Glasierte Dachziegel erhalten einen transparenten oder farbigen Überzug aus geschmolzenem Glas. Die Oberfläche ist glashart, glatt und in der Regel glänzend. Sie neigt dazu, weniger schnell zu verschmutzen. Eine selbstreinigende Aktivität wird durch verglaste Oberflächen jedoch nicht erreicht. Fast alle Farben sind denkbar. Es gibt transparente, schwarze, rote, grüne, blaue, braune, selbst gelbe und lila Glasuren. Auch Glasuren sind UV-beständig, dauerhaft und weitestgehend unempfindlich gegen mechanische Einflüsse. Krakeleen (Rissnetze der Oberfläche) sind aufgrund der unterschiedlichen Materialien unvermeidbar. Glasierte Dachziegel haben eine lange Tradition. Ein neuer Trend ist die Herstellung solcher glasierter Dachziegel ohne Glanz und Reflexion. Solche Oberflächen werden als satiniert bezeichnet.

Integration von Fotovoltaik in Tondachziegel-Dächer

Dort wirken sie ästhetisch und effizient – ein Häuserleben lang – und erzeugen Strom aus Tageslicht. Denn Ästhetik und Effizienz schließen sich nicht länger aus: Tondachziegel der Größe G10 sind heute als G10-S-PV-Elemente unauffällig, also nicht aufgeständert, sondern zwischen den Ziegeln, direkt auf die Dachlattung aufgelegt, integrierbar. Sie sorgen für dauerhafte Stromversorgung von Eigenheimen oder Großobjekten, bei harmonisch-unauffälliger Ästhetik. Die Fotovoltaikmodule bilden mit den Glatt-Ziegeln G 10 eine Einheit, liegen direkt auf der Lattung und bieten so ein einheitliches und ebenes Deckbild.

4.2 Dachsteine

Betondachsteine gehören zur Gruppe der Baustoffe und dienen primär der Herstellung geneigter Dächer. Dachsteine werden aus Beton im Strangverfahren geformt, geschnitten und härten aus. Mit dem Bauboom nach dem Zweiten Weltkrieg wurden Betondachsteine in großen Stückzahlen hergestellt, um die hohe Nachfrage zu befriedigen. Die ersten Dachsteine waren die Frankfurter sowie die Finkenberger Pfanne (siehe Abb. 4.27), die seit den frühen Fünfzigerjahren produziert werden und bis heute am Markt sind.

Im Unterschied zu Ziegeln werden Dachsteine nicht gebrannt, sondern abgebunden. Der sonst übliche Energieaufwand zum Brennen eines Tondachziegels entfällt. Dachsteine werden mit einer Art Strangpresse hergestellt. Ein Endlosstrang wird in festen Abständen von 1 oder 2 Messern getrennt. Dadurch haben Dachsteine immer eine feste Breite und eine konstante Länge. Sie besitzen keine Querverfalzung.

Betondachsteine können mit den unterschiedlichsten Betonrezepturen hergestellt und mit verschiedenen Oberflä-

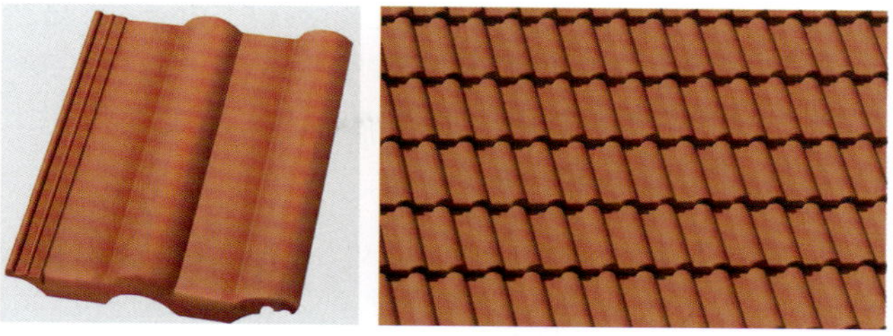

Abb. 4.27: Finkenberger Pfanne mit ClimaLife-Oberfläche, die Schadstoffe aus Heizung, Verkehr und Industrie neutrailsieren kann (Quelle: Dachziegelwerke Nelskamp GmbH, Schermbeck).

Abb. 4.28: Der Planum ist ein planebener Architektendachstein mit der Beschichtung LongLife (Quelle: Dachziegelwerke Nelskamp GmbH, Schermbeck).

chenbeschichtungen veredelt werden. Zum Beispiel können dadurch auch besonders leichte Dachsteine produziert werden. Grund für das geringere Gewicht der EasyLife-Dachsteine, einer Sigma-Pfanne (S-förmige Pfanne), ist ein spezieller Leichtzuschlag. Die weiteren technischen Eigenschaften des Dachsteins bleiben dabei erhalten. Damit eignet er sich gut in der Sanierung, da er aufgrund seiner Leichtigkeit die Statik des alten Daches kaum belastet und ein Dachstuhl in der Regel nicht verändert werden muss. Für den Verarbeiter bedeutet die Gewichtsreduzierung zudem komfortableres und vor allem weniger ermüdendes Arbeiten. Die technischen Eigenschaften wie Bruchfestigkeit und Frostbeständigkeit entsprechen weitgehend der klassischen Sigma-Pfanne.

Durchgefärbt sind sie in allen möglichen Farben erhältlich, populär sind die klassischen Farben Granit, Ziegelrot und Schwarz.

Planebene Betondachsteine, wegen ihrer klaren Anmutung auch Architektendachsteine genannt, erzeugen glatte Dächer mit glatten Konturen (siehe Abb. 4.28). Sie sind somit interessant für Bauherren, die eine ästhetische Formensprache bevorzugen. Außerdem sind solche Dachsteine auch besonders geeignet, Fotovoltaikmodule zu integrieren. Für alle Bauherren, die ihren Strom vom Dach mit S-Pfannen beziehen wollen, gibt es auch die entsprechende PV-Variante, das S-Pfanne-PV-Modul für schwunghafte Dächer. Das S-Pfanne-PV-Modul entspricht bei Leistung, Abmessungen und Befestigung dem Planum-PV-Modul und wird über eine Aufdoppelung der Dachlatte um 18 mm im Bereich des Modulfeldes auf die hoch liegende Seitenfalz der umliegenden S-Pfanne angehoben.

Longlife-Dachsteine mit hoher Farbechtheit und Selbstreinigungseffekt gibt es in matt oder glänzend. Sie bleiben lange sauber und wirken stets wie frisch gedeckt. Verschmutzungen, Algen und Moose finden kaum Halt und der Regen wird zu einer Dusche für das Dach, die die Schmutzpartikel wegspült.

Schließlich gibt es ClimaLife-Dachsteine mit Titandioxid in der Oberfläche. Sie neutralisieren Schadstoffe aus Heizung, Verkehr und Industrie. Im Zusammenwirken mit Tageslicht werden bis zu 90 % der gesundheitsschädlichen Substanzen umgewandelt.

Für die Herstellung der Betondachsteine werden die Rohstoffe Sand, Zement, Durchfärbung, Beschichtungsfarbe und Wasser benötigt. Der feuchte Sand wird per Lkw aus einem nahegelegenden Kieswerk geholt und in einen Aufgabetrichter geschüttet und gelangt über abgedeckte Transportbänder in die Vorratssilos. Der Zement wird in Silofahrzeugen angeliefert und wird in Zementsilos mit Feinstaubabsaugung eingeblasen. Die Farben werden per Tankzug oder im Container angeliefert. Die Tankzugware wird in Silotanks gelagert. Die Farben werden mithilfe von Pumpen dem Produktionsprozess über Rohrleitungen zugeführt. Das Brunnenwasser wird über Pumpen der Flüssigkeitswaage zugeführt. Sand, Zement, Durchfärbung und Wasser werden einer vollautomatischen Verwiegeanlage zugeführt.

Diese Stoffe werden nach einer genau einzuhaltenden Rezeptur verwogen und dann nacheinander dem Intensivmischer zugegeben. Mittels Abzugbändern gelangt der Frischbeton zur Dachsteinbox (Formgebungsmaschine).

Die Formgebungsmaschine arbeitet nach dem Strangpressverfahren mit einer Produktionsgeschwindigkeit von etwa 150 Dachsteinen pro Minute. Über Transporteinrichtungen (Förderbänder, Ketten, Riemenförderer) werden die Aluminiumpaletten der Formgebungsmaschine zugeführt. Sie werden über ein Walzensystem mit Öl benetzt, durchlaufen die Dachsteinbox und werden von oben mit Frischbeton belegt. In der Box wird mithilfe von Stachelwelle, Walze und Formgebungsmundstück die Oberkontur des Dachsteins unter starkem Druck geformt. Der profilierte Frischbeton verlässt die Formgebungsmaschine als Endlosstrang und wird mit einem druckluftgesteuerten Messer auf Dachsteinlänge geschnitten.

Zur Oberflächenveredlung wird der feuchte Dachstein der Farbkabine zugeführt und mit einer Kunststoffdispersion auf Wasserbasis beschichtet. Nach dieser Beschichtung gelangen die Dachsteine über mehrere automatisch arbeitende Transport- und Sammelbänder in den Elevator. Dort werden die Dachsteine mit einer automatischen Bühne in die Abbindekammer transportiert. Bei einer Temperatur von bis zu 65 °C und einer Luftfeuchte von ca. 95 % werden die Dachsteine abgebunden und erreichen nach ca. 8 Stunden ihre Festigkeiten für die weitere Verarbeitung.

Die Dachsteine werden automatisch aus den Kammern in einen Niederlass eingestapelt und gelangen dann über Transportstrecken wieder in den Produktionsprozess. Die abgebundenen Dachsteine mit den Aluminiumpaletten werden in einer Entschalungsanlage getrennt. Die Aluminiumpaletten werden wieder der Fertigungsmaschine zugeführt, während der Dachstein durch eine weitere Farbkabine die endgültige Beschichtung (Kunststoffdispersion auf Wasserbasis) erhält. Um die Beschichtung vor der Verpackung zu trocknen, wird neben der Eigentemperatur des Dachsteins ein Tunneltrockner zwecks zusätzlicher Trocknungsbeschleunigung durchlaufen.

Die Endkontrollstation befindet sich unmittelbar hinter der Oberflächentrocknung und das kontrollierte, fertige Produkt wird der automatischen Verpackungsanlage zugeführt. Die Dachsteine werden zu 34 Stück als Reihe gestapelt und dann mit einer Flachfolie eingeschrumpft. Die fertigen Versandeinheiten können durch eine automatische Palettieranlage auf Europaletten zu jeweils 6 Paketen zusammengefasst und mit Kunststoffband umreift werden oder die Versandeinheit wird mittels Transportwagen und Krananlage direkt auf dem Lagerplatz abgesetzt.

4.3 Faserzementprodukte für Dach und Wand

Die Entwicklung von Faserzement begann im Jahr 1900 mit der Anmeldung des Patentes über ein „Verfahren zur Herstellung von Kunststeinplatten mit hydraulischen Bindemitteln unter Anwendung von Faserstoffen" durch den Erfinder Ludwig Hatschek. Innerhalb von 10 Jahren gab es Produktionsstätten in ganz Europa. Im Jahr 1976 begann die Entwicklung von asbestfreiem Faserzement. Diese Umstellung wurde 1990 abgeschlossen. Seit 1991 werden im Einklang mit den gesetzlichen Bestimmungen für Dach und Wand in Deutschland ausschließlich asbestfreie Faserzementprodukte hergestellt.

4.3.1 Ausgangsstoffe und Herstellung

Die Herstellung von Dach- und Fassadenplatten aus Faserzement erfolgt nach einem weitgehend automatisierten Wickelverfahren (Hatschek-Verfahren): Die Rohstoffe werden mit Wasser zu einem homogenen Gemisch aufbereitet. In diesen Faserzementbrei tauchen rotierende Siebzylinder, die nach innen entwässern. Die Sieboberfläche belegt sich dabei mit einem dünnen Faserzementfilz, der auf ein endlos umlaufendes Transportband übertragen wird. Von dort gelangt er auf eine Formatwalze, die sich nach und nach mit einer dicker werdenden Schicht aus Faserzement belegt.

Ist die gewünschte Materialdicke erreicht, wird die noch feuchte und formbare Faserzementschicht (Faserzementvlies) aufgetrennt und von der Formatwalze abgenommen. Das Faserzementvlies wird zugeschnitten, anfallende Reste werden in den Produktionsprozess zurückgeführt, sodass kein Abfall entsteht. Bei der Fertigung von Dach- und Fassadenplatten bzw. Schindeln erfolgt die Verdichtung nicht einzeln, sondern im Stapel, wobei die Schindeln unter hohem Druck verdichtet werden. Zwischen den Faserzementlagen im Pressstapel befinden sich glatte oder strukturierte Bleche. Je nach Oberfläche der Bleche sind die Sichtseiten der Dach- und Fassadenplatten glatt oder weisen eine Schieferstruktur auf.

Anschließend werden die Platten zum Abbinden abgelegt, später auf Paletten gestapelt und zur weiteren Erhärtung in einem Reifelager zwischengelagert.

Die Abbindezeit beträgt ca. 4 Wochen. Danach werden die verschiedenen Dachplattenformate aus den Halbfabrikaten gestanzt. Nach der Formatstanze werden die Oberflächen veredelt. Die Sichtseiten der Platten erhalten eine Beschichtung, für die hochwertige Reinacrylatfarben im Walz-/Gießverfahren zweifach aufgetragen und heiß verfilmt werden. Zusätzlich werden auch die Rückseiten und Kanten der Dach- und Fassadenplatten beschichtet.

Abb. 4.29: Dachplatten aus Faserzement (Quelle: Etex Germany Exteriors GmbH, Beckum)

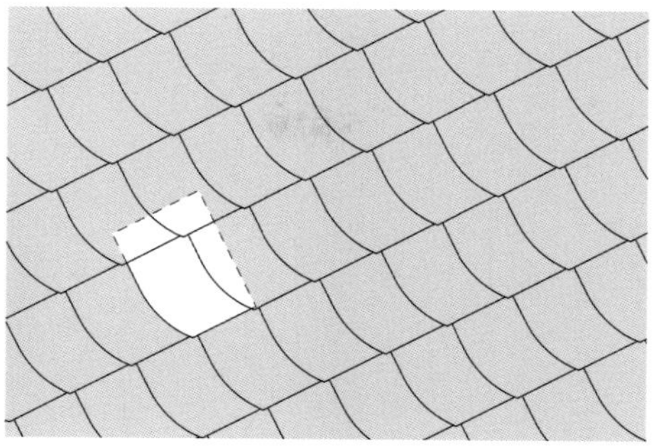

Abb. 4.30: Deutsche Deckung, 30 cm × 40 cm, mit Gebindesteigung (Quelle: Etex Germany Exteriors GmbH, Beckum)

Abb. 4.31: Doppeldeckung, 30 cm × 60 cm (Quelle: Etex Germany Exteriors GmbH, Beckum)

Die Faserzementerzeugnisse, die heute im Hochbau zum Einsatz gelangen, können in 3 Gruppen eingeteilt werden:

- Dach- und Fassadenplatten für Dachdeckungen und Wandbekleidungen (siehe Abb. 4.29),
- ebene Tafeln,
- Well- und Kurzwellplatten.

4.3.2 Platten und Tafeln für Dach und Wand

Faserzement-Dach- und Fassadenplatten

Die kleinformatigen Platten werden aus Faserzement (Mischung von organischen textilen Fasern, Zellstoffasern, Zement und Wasser) hergestellt und besitzen im Vergleich zu den früher üblichen Platten aus Asbestzement eine deutlich höhere Schlagzähigkeit und somit Stoßfestigkeit. Die Prüfung der Platten erfolgt nach DIN EN 492:2018-07 „Faserzement-Dachplatten und dazugehörige Formteile – Produktspezifikation und Prüfverfahren".

Der Baustoff Faserzement ist witterungsbeständig, langlebig, wartungsarm und beständig gegenüber Fäulnis und Korrosion. Durch das geringe Gewicht sind die Platten gut zu verarbeiten.

Mehrschichtige Farbgebung

Zur Angleichung der Plattenkante an den Oberflächenfarbton ist bei einigen Produkten die Rohplatte eingefärbt. Daher sind auch nach der Bearbeitung der Platten die Kanten kaum wahrzunehmen. Mit der zusätzlich in die Plattenoberfläche eingewalzten Farbschicht und der farbgleichen, wasserabweisenden Reinacrylat-Endbeschichtung entsteht durch die Verwendung von anorganischen witterungs- und lichtbeständigen Pigmenten eine dauerhafte Farbgebung.

Formatvielfalt

Durch eine große Auswahl an Formaten, Formen und Verlegearten ist der individuellen Gestaltung und handwerklichen Ausführung ein weiter Spielraum gegeben.

Produkteigenschaften

Durch die spezielle Faserarmierung in Verbindung mit einer neuen Materialtechnologie sind die Dach- und Fassadenplatten besonders stoßfest und schlagzäh. Weiterhin ist der Werkstoff Faserzement nichtbrennbar, witterungs- und frostbeständig, schädlingsresistent, UV-beständig und farbstabil, besitzt ein geringes Gewicht und ist diffusionsoffen sowie feuchteregulierend.

Brandverhalten

Faserzement Dach- und Fassadenplatten sind nichtbrennbar und gehören der Baustoffklasse A2-s1, d0 nach DIN EN 13501 „Klassifizierung von Bauprodukten und Bauarten zu ihrem Brandverhalten" an. Sie sind daher ohne Einschränkungen für alle Gebäudehöhen und Anwendungsbereiche einsetzbar.

4.3.3 Deckungsarten

Bei den Deckungsarten wird grundsätzlich zwischen Deckungsarten für Dacheindeckungen und Deckungsarten für Fassadenbekleidungen unterschieden. Durch ständige Weiterentwicklungen entstehen immer neue Deckungsbilder, die für moderne oder traditionelle Gebäudegestaltungen eingesetzt werden können.

Bei der Deutschen Deckung werden Dachplatten nach den Fachregeln des Dachdeckerhandwerks auf Vollschalung und entsprechenden Vordeckbahnen verlegt. Alle anderen Deckungsarten können auch auf Lattung verlegt werden. Die jeweiligen Mindestdachneigungen können durch Ausführung von geeigneten Zusatzmaßnahmen (Unterspannungen, Unterdeckungen, Unterdächer) um bis zu 10° unterschritten werden.

Deutsche Deckung

Die Deutsche Deckung (siehe Abb. 4.30) wird mit quadratischen oder rechteckigen Dachplatten mit Bogenschnitt ausgeführt. Man unterscheidet zwischen Dachplatten mit Bogenschnitt links für die Deckung von links nach rechts (Rechtsdeckung) und Dachplatten mit Bogenschnitt rechts für die Deckung von rechts nach links (Linksdeckung). Die Regeldachneigung der Deutschen Deckung beträgt 25° bzw. für das Format 25 cm × 25 cm 30°. Je nach verwendetem Plattenformat und vorhandener Dachneigung variiert der Materialbedarf zwischen 10,5 und 41,6 Dachplatten pro m^2.

Doppeldeckung

Die Doppeldeckung (siehe Abb. 4.31) zeichnet sich vor allem durch ihre besonders klare Linienführung aus. Sie ist von der Wetterrichtung unabhängig und erfolgt im halben Verband, vorzugsweise auf Lattung. Bei der Doppeldeckung überdeckt die dritte Dachplatte die erste jeweils um das Maß der Höhenüberdeckung. Der Lattenabstand ist gleich der Gebindehöhe und ergibt sich aus Plattenhöhe h und Überdeckung ü zu (h – ü) : 2. Verwendet werden quadratische oder rechteckige Plattenformate, die vollkantig sind

Abb. 4.32: Spitzschablonendeckung, 40 cm × 40 cm (Quelle: Etex Germany Exteriors GmbH, Beckum)

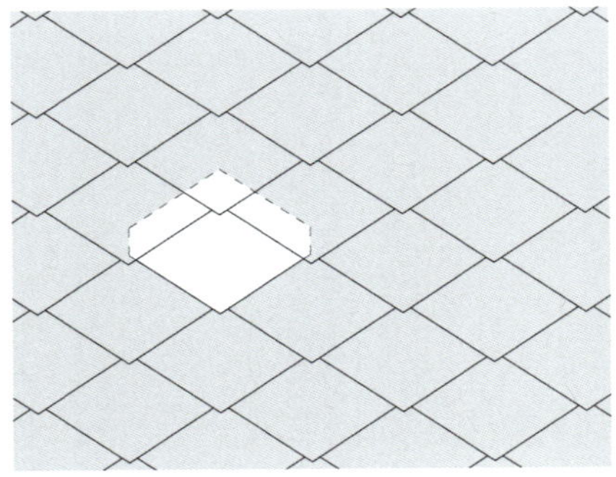

Abb. 4.33: Rhombusdeckung, 40 cm × 44 cm (Quelle: Etex Germany Exteriors GmbH, Beckum)

Abb. 4.34: Waagerechte Deckung, 60 cm × 30 cm (Quelle: Etex Germany Exteriors GmbH, Beckum)

oder gestutzte Ecken haben. Der Materialbedarf variiert zwischen 11,0 und 32,8 Dachplatten pro m^2.

Spitzschablonendeckung

Die Spitzschablonendeckung (siehe Abb. 4.32) ist die älteste Form der Deckung mit Faserzementplatten. Durch die Verwendung von quadratischen Formaten betont die Spitzschablonendeckung vor allem die diagonale Linie. Dadurch werden Anschlüsse in der Dachdeckung vereinfacht. Die Deckung ist nicht von der Richtung des Wetters abhängig. Als Unterkonstruktion wird in der Regel eine Dachlattung verwendet. Der Verbrauch liegt bei der Spitzschablonendeckung bei 11,2 bis 12,0 Dachplatten pro m^2.

Rhombusdeckung

Die Rhombusdeckung (siehe Abb. 4.33) vereinigt die technischen Besonderheiten der Spitzschablonendeckung und stellt als interessante optische Variante eine ideale Ergänzung der Deckbilder dar. Als Unterkonstruktion wird in der Regel eine Dachlattung verwendet. Die Rhombusdeckung bietet die Möglichkeit, die komplette Dacheindeckung mit nur einem Plattenformat auszuführen. So können auch Trauf- und Firstgebinde mit den Flächenplatten ausgeführt werden. Je nach Überdeckung liegt der Materialverbrauch bei 9,5 oder 10,2 Platten pro m^2.

Waagerechte Deckung

Die waagerechte Deckung (siehe Abb. 4.34) betont die horizontale Linienführung. Sie erfolgt mit Rechtecken, die in der Höhe und seitlich überdeckt werden. Symmetrisch angeordnete Nagellöcher ermöglichen bei Verwendung eines Plattenhakens die Verlegung der Dachplatten in beide Deckrichtungen.

4.3.4 Terrassendielen aus Faserzement

Faserzement hat sich nicht nur als Dacheindeckung und Fassadenbekleidung bewährt, sondern kann auch als Terrassendiele für einen robusten Bodenbelag eingesetzt werden (siehe Abb. 4.35 bis 4.37). Auch in dieser Anwendung sind die Eigenschaften wie Witterungs- und Frostbeständigkeit, Langlebigkeit und die Nichtbrennbarkeit wichtig für einen Baustoff, der nicht splittert oder reißt und rutschhemmend ist.

Die Verlegung der Dielen erfolgt auf einer Holz- oder Aluminium-Unterkonstruktion nicht sichtbar mit Montageklammern in den Fugen zwischen den Dielen oder sichtbar mit Schrauben. Die Unterkonstruktion muss auf einem tragfähigen Untergrund mit einem maximalen Achsabstand von 31,5 cm und einem Gefälle von mindestens 1 % verlegt werden (siehe Abb. 4.38). Die beidseitig genuteten

Abb. 4.35: Terrassendielen aus Faserzement stehen in verschiedenen Farbvarianten zur Verfügung (Quelle: Etex Germany Exteriors GmbH, Beckum).

Abb. 4.36 und 4.37: Moderne Terrassengestaltung mit Faserzementdielen (Quelle: Etex Germany Exteriors GmbH, Beckum)

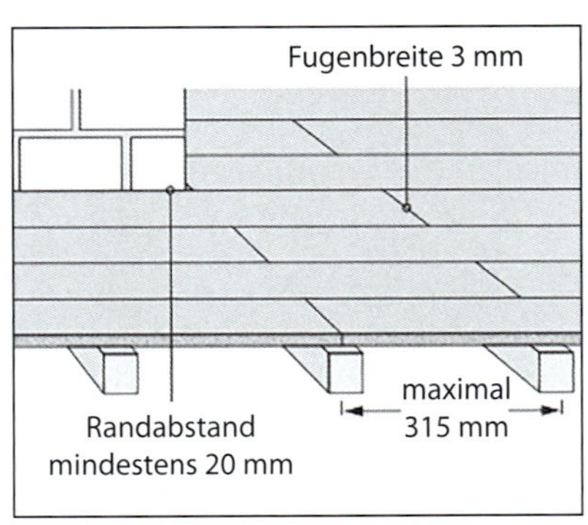

Abb. 4.38: Abstände von Faserzement-Terrassendielen (Quelle: Etex Germany Exteriors GmbH, Beckum)

Dielen werden dann mit Montageklammern in den Fugen zwischen den Dielen befestigt.

Die Dielen werden standardmäßig ebenerdig eingesetzt, können aber auch für Dachterrassen oder Balkone verwendet werden, wenn ein statischer Nachweis vorliegt. Die Dielen erfüllen keine Durchsturzsicherheit.

Die Bearbeitung der Dielen erfolgt mit Handkreissägen mit hartmetall- oder diamantbestückten Sägeblättern, Kappsägen oder Stichsägen. Der Schneid- und Bohrstaub ist sofort trocken mit einer Bürste und Mikrofasertuch zu entfernen.

Durch die regelmäßige Pflege und Reinigung z. B. mittels Hochdruckreiniger und handelsüblicher Reinigungsmittel gewährleisten die Terrassendielen viele Jahre eine einwandfreie Gebrauchstauglichkeit und Gestaltung.

4.4 Ebene Tafeln

Unter dem Begriff „ebene Tafeln" werden Plantafeln aus Faserzement in verschiedenen Standardabmessungen und unterschiedlichen Plattendicken zusammengefasst. Sie dienen vor allem als Fassadenbekleidung und können auf verschiedenen Unterkonstruktionen befestigt sowie als Bauplatten für unterschiedliche Anwendungen eingesetzt werden.

4.4.1 Technische Merkmale und Sortiment

Großformatige Tafeln werden hellgrau unbeschichtet als Bauplatten und mit einer farblich deckenden Beschichtung (siehe Abb. 4.39), Lasur (siehe Abb. 4.40) oder Hydrophobierung als Fassadentafel eingesetzt. Maße, Anforderungen und Prüfungen werden in DIN EN 12467:2018-07 „Faserzement-Tafeln – Produktspezifikation und Prüfverfahren" geregelt. Plantafeln sind wetterfest, frostbeständig und fäulnissicher. Sie sind nichtbrennbar, Baustoffklasse A2-s1, d0 nach DIN EN 13501-1:2019-05 „Klassifizierung von Bauprodukten und Bauarten zu ihrem Brandverhalten – Teil 1: Klassifizierung mit den Ergebnissen aus den Prüfungen zum Brandverhalten von Bauprodukten". Wie alle anderen Faserzementerzeugnisse bestehen die Tafeln aus einer Mischung von organischen textilen Fasern, Zellstoffasern, Zement und Wasser. Fassadentafeln aus Faserzement, die größer sind als 0,4 m^2 und mehr als 5 kg wiegen, müssen eine Allgemeine Bauartgenehmigung oder eine Europäische Technische Bewertung (ETA) haben. Sie werden in 2 Standardformaten und mehreren Dicken angeboten.

Oberflächenbeschichtungen

Für den Anwendungsbereich Fassade werden Platten mit einer hochwertigen, werkseitigen Beschichtung eingesetzt. Es handelt sich um farblich deckende Beschichtungen, transparente Lasuren, Hydrophobierungen oder UV-gehärtete Beschichtungen.

Zudem wurden in den letzten Jahren neue Oberflächenstrukturen entwickelt. So sind gebürstete, gefräste oder gestrahlte Fassadentafeln aus Faserzement erhältlich.

Transport und Lagerung

Der Transport erfolgt auf ebener und trockener Unterlage. Platten sollten stets nur unter Dach und nicht im Freien gelagert werden. Auf der Baustelle sind die Tafeln mit einer

Abb. 4.39: Hellgrau beschichtete und horizontal verlegte Fassadentafeln (Quelle: Thomas Eicken/Etex Germany Exteriors GmbH, Beckum)

Abb. 4.40: Lasierte Fassadentafeln, rubinrot durchgefärbt (Quelle: Etex Germany Exteriors GmbH, Beckum)

Folie zu bedecken und vor der Witterung zu schützen. Es dürfen nur so viele Tafeln übereinandergelegt werden, dass die Stapelhöhe 1 m nicht übersteigt. Tafeln sind immer hochkant zu tragen.

Bearbeitung

Für eine wirtschaftliche und professionelle Bearbeitung von Faserzementtafeln mit handelsüblichen Hand-, Kapp- oder Tischkreissägen sind diamantbestückte oder hartmetallbestückte Sägeblätter geeignet. Die Sägen

müssen über eine Staubabsaugung verfügen. Für Bohrungen sind Bohrer aus Vollhartmetall (VHM) zu verwenden.

4.4.2 Unterkonstruktionen für Fassadentafeln

Großformatige Faserzement-Fassadentafeln werden sowohl senkrecht als auch waagerecht auf Alu-Unterkonstruktionen oder auf Holz-Unterkonstruktionen verlegt. Für den Standsicherheitsnachweis der großformatigen Faserzement-Tafeln und ihrer Befestigungen müssen Biegemomente und die Auflagerreaktionen berechnet werden. Bei der Alu-Unterkonstruktion ist die Nachgiebigkeit der Konstruktion statisch zu berücksichtigen. Beim Lastfall „Winddruck" wird die Last im Allgemeinen linienförmig durch die Unterkonstruktion aufgenommen. Der Lastfall „Windsog" wird durch eine punktgestützte Tafel modelliert. Damit ist dieser Lastfall der im Allgemeinen ungünstigste und der für die Bemessung maßgebende. Die angegebenen Randabstände dürfen in keinem Fall unterschritten werden. Grundsätzlich gilt, dass zur Verankerung der Unterkonstruktionen im Wandbereich nur die für den jeweiligen Untergrund bauaufsichtlich zugelassenen Dübel-Schrauben-Kombinationen verwendet werden dürfen.

4.4.3 Relevante Norm

DIN EN 12467:2018-07 Faserzement-Tafeln – Produktspezifikation und Prüfverfahren

4.5 Faserzement-Wellplatten

4.5.1 Technische Angaben

Faserzement-Wellplatten werden als großformatige Dacheindeckung oder hinterlüftete Fassadenbekleidung verwendet und sind daher durch eine Allgemeine Bauartgenehmigung durch das Deutsche Institut für Bautechnik (DIBt) zugelassen. Die Produktion und Überwachung erfolgen nach DIN EN 494:2015-12 „Faserzement-Wellplatten und dazugehörige Formteile – Produktspezifikation und Prüfverfahren". Die Platten werden werkseitig mit Eckenschnitten für eine Linksdeckung der Wellplatten versehen und unabhängig von der Wetterrichtung von rechts nach links verlegt. Für Dachrandbereiche oder Rechtsdeckungen stehen vollkantige Wellplatten ohne Eckenschnitt zur Verfügung.

Faserzementwellplatten sind in den Profilen 5, 6, 6¾ (177/51) und 8 (130/30) erhältlich (siehe Abb. 4.41). Übliche Farben sind: Naturell, unbeschichtet, Hellgrau, Dunkelgrau, Dunkelbraun, Klassikrot, Rostbraun. Der Werkstoff Faserzement ist nichtbrennbar, witterungs- und frostbeständig, schädlingsresistent, UV-beständig und farbstabil, besitzt ein geringes Gewicht und ist diffusionsoffen sowie feuchteregulierend.

Die technischen Daten von Faserzement-Wellplatten sind in Tabelle 4.1 dargestellt.

Tabelle 4.1: Technische Daten von Faserzement-Wellplatten

Maße	Profil			
	Profil 5	Profil 6	Profil 6¾	Profil 8
Lieferlängen/ Plattengewichte in kg	1.250/16,0 1.600/20,5 2.000/25,5 2.500/32,0 3.100/39.8	1.250/19,2 1.600/20,5 2.000/30,7 2.500/38,3	1.250/20,3 1.600/26,0 2.000/32,5 2.500/40,6	1.250/16,3 1.600/20,9 2.000/26,1 2.500/32,6
Profilhöhe in mm	51	51	51	30
Plattenbreite in mm	920	1.097	1.152	1.000
Nutzbreite in mm	873	1.050	1.053	910
Seitenüberdeckung in mm	47	47	99	90
Längenüberdeckung in mm	200	200	200	200

Maßausgleich

Dachlänge (Giebel–Giebel): Anpassung des Dachüberstandes an das Plattenmaß oder Plattenzuschnitt in der letzten Ortgangreihe. In den Ortgangbereichen dürfen Platten nur mit absteigenden Wellen enden oder die Überdeckung ist mit Giebelformstücken auszuführen.

Dachtiefe (Traufe–First): Zuschnitt der obersten Plattenreihe oder Einteilung der Dachfläche mit Wellplatten in Standardlängen

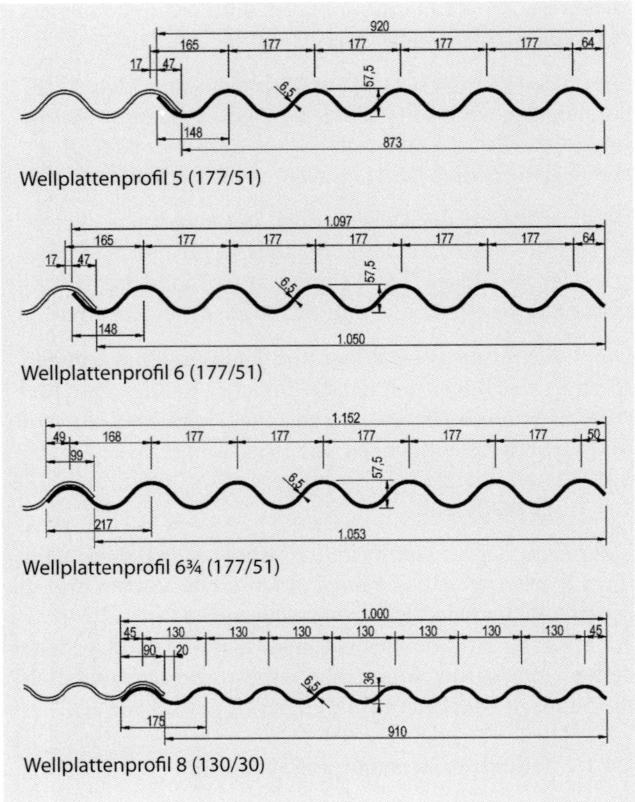

Abb. 4.41: Verschiedene Wellplattenprofile (Quelle: Etex Germany Exteriors GmbH, Beckum)

Tabelle 4.2 zeigt eine Übersicht über Regel- und Mindestdachneigungen in Abhängigkeit von der Dachtiefe.

Tabelle 4.2: Regel- und Mindestdachneigung in Abhängigkeit von der Dachtiefe

Entfernung Traufe–First in m	Regeldachneigung (ohne Dichtungsprofil) in °	Mindestdachneigung (mit Dichtungsprofil) in °
≤ 10	≥ 9	≥ 7
≤ 20	≥ 10	≥ 8
≤ 30	≥ 12	≥ 10
> 30	≥ 14	≥ 12

Material

Die Platten bestehen aus normal erhärtetem Faserzement, nichtbrennbar A2-s1, d0 nach DIN EN 13501 „Klassifizierung von Bauprodukten und Bauarten zu ihrem Brandverhalten".

Die Herstellung wird amtlich güteüberwacht durch eine hierfür zugelassene Materialprüfanstalt.

4.5.2 Befestigungsmittel

Die jeweiligen Befestigungsmittel sind in der Allgemeinen Bauartgenehmigung definiert. Für die Befestigung der Wellplatten können Bohrbefestiger, Sechskant-Holzschrau-

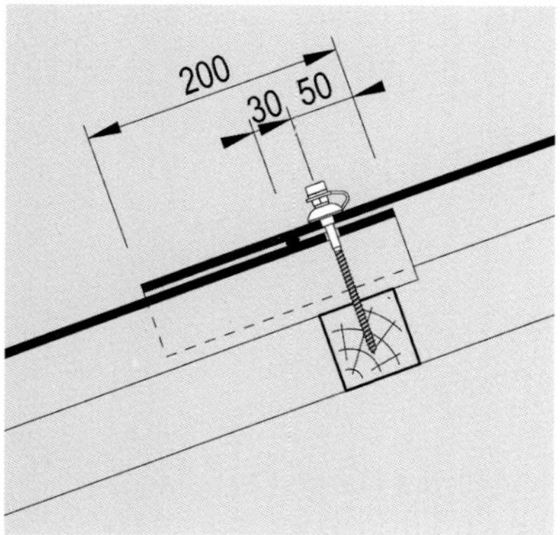

Abb. 4.42: Holzschraube in Pfettenmitte (Standardbefestigung) (Quelle: Etex Germany Exteriors GmbH, Beckum)

ben (siehe Abb. 4.42) und Einhängehaken verwendet werden. Befestigungsmittel dürfen nicht durch Wellplatten geschlagen werden. Bei Unterschreitung der Regeldachneigung sind in allen Längenüberdeckungen Dichtungsprofile gleichmäßig dick einzulegen. Hierzu benutzt man Kittschnüre, die bereits auf die entsprechende Verwendungslänge abgelängt sind (siehe Abb. 4.43).

4.5.3 Formstücke

Für Wellplatten ist eine Vielzahl von Formteilen aus Faserzement für die Ausführung von An- und Abschlüssen erhältlich. Folgende Elemente werden angeboten:

- Wellfirsthauben zweiteilig oder einteilig,
- Maueranschlussstück,
- Kaltdachfirst,
- Entlüfter-Wellfirsthaube,
- Traufenfußstück,
- Traufenzahnleiste,
- Wellpulthaube,
- Rohrstutzen und Dachentlüfter,
- Giebelwinkel,
- Wellübergangshaube,
- Firstabschluss,
- Gratkappe,
- Wellübergangsstück,
- Traufenlüftungskamm,
- Wellfenster,
- Turbolüfter.

4.5.4 Relevante Norm

DIN EN 494:2015-12 Faserzement-Wellplatten und dazugehörige Formteile – Produktspezifikation und Prüfverfahren

4.6 Kurzwellplatten für die Dachdeckung

Kurzwellplatten sind im Profil 177/51 mit 5 Wellen (920 mm breit) profiliert, erzielt wird jedoch mit 625 mm Länge ein lebhafteres Licht- und Schattenspiel auf der Dachfläche als bei der langen Wellplatte im Profil 5.

Mehrere Standardfarben sind erhältlich. Zur Verfügung steht ein Komplettprogramm für alle Dachformen. Die Befestigung erfolgt mit Glockenschrauben mit farblich passenden Dichtscheiben (siehe Abb. 4.44). Kurzwellplatten werden wie Profil 5 verlegt. Tabelle 4.3 enthält die technischen Daten von Kurzwellplatten Profil 5.

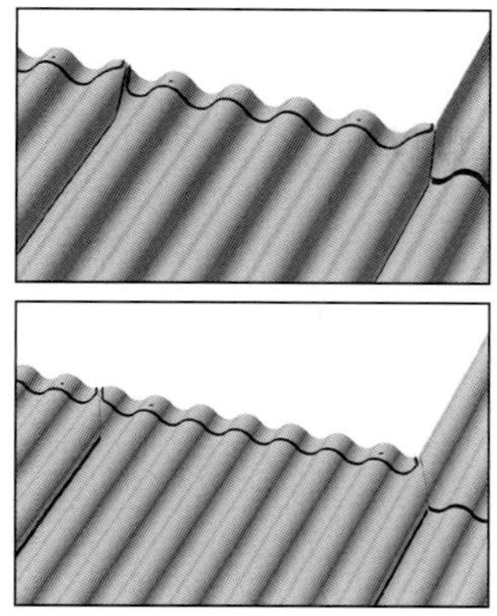

Abb. 4.43: Anordnung des Dichtungsprofils (Kittschnur) bei Profil 5 (oben) und Profil 8 (unten) (Quelle: Etex Germany Exteriors GmbH, Beckum)

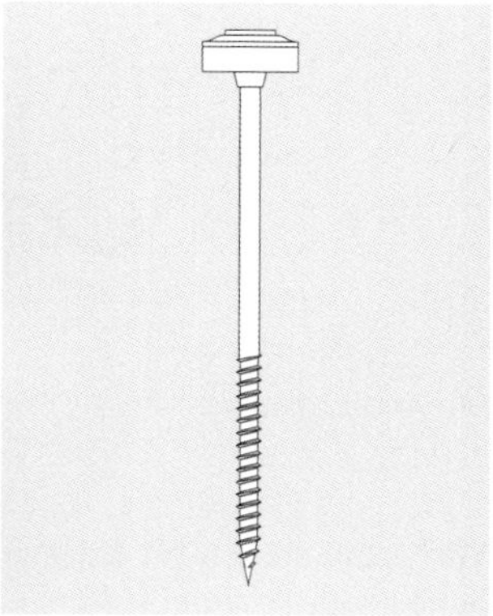

Abb. 4.44: Glockenschraube (Quelle: Etex Germany Exteriors GmbH, Beckum)

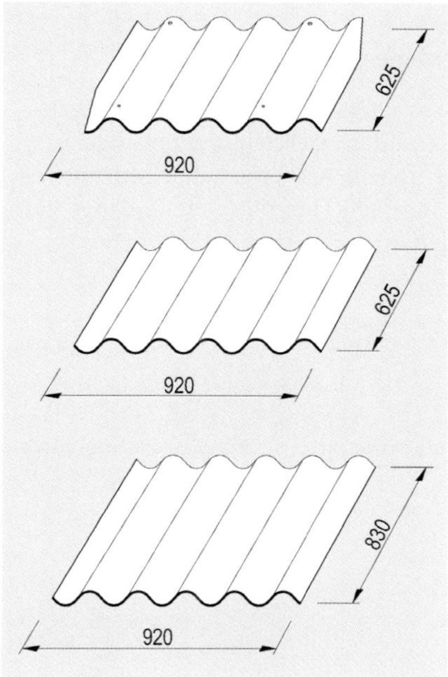

Abb. 4.45: Kurzwellplatten: mit Eckschnitt und Bohrungen für Linksdeckung (oben), ohne Eckschnitt und Bohrungen und mit normaler Länge (625 mm) (Mitte) und Ausgleichsplatte für Abstand First–Traufe (830 mm) (unten). Die Anzahl der Wellen sowie Gesamt- und Nutzbreite entsprechen Profil 5 (177/51) (Quelle: Etex Germany Exteriors GmbH, Beckum).

Tabelle 4.3: Technische Daten Kurzwellplatte Profil 5

technische Daten Kurzwellplatte Profil 5	Maße in mm
Lieferlängen/Plattengewichte (kg)	625/8,2 830/10,9
Profilhöhe	51
Plattenbreite	920
Nutzbreite	873
Seitenüberdeckung	47
Längenüberdeckung	125

Es gibt Kurzwellplatten mit werkseitig vorgebohrten Befestigungslöchern sowie Eckenschnitten, außerdem ohne Eckenschnitt und ungelocht für die Zurichtung auf der Baustelle entsprechend dem vorgesehenen Einsatz an Traufe, Ortgang oder First (siehe Abb. 4.45).

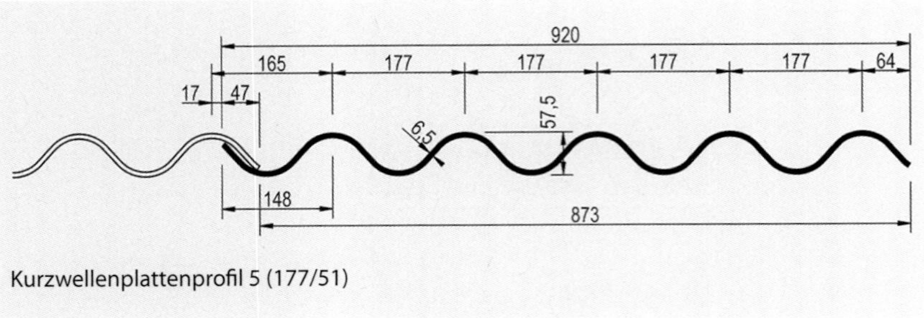

Abb. 4.46: Maße Verlegung und Befestigung

Weiterhin stehen für Kurzwellplatten aus Faserzement alle benötigten Formteile zur Verfügung, um eine optisch ansprechende und funktionelle Detailausbildung herstellen zu können. Die wichtigsten Formteile dabei sind zweiteilige Wellfirsthauben, Traufenfußstücke, Wellpulthauben, Maueranschlussstücke, Wellgiebelwinkel und First-/Gratkappen.

Längen- und Seitenüberdeckung

Bei Kurzwellplatten wird – wie bei den übrigen Wellplatten – in Abhängigkeit von der Dachneigung und Entfernung Traufe–First (vgl. Tabelle 4.4) eine Kittschnur unterhalb der Befestigung eingelegt. Durch die Plattenlänge von 625 mm und die einheitliche Längenüberdeckung von 125 mm ergibt sich ein Lattabstand von genau 500 mm.

Tabelle 4.4: Regel- und Mindestdachneigung in Abhängigkeit von der Dachtiefe

Entfernung Traufe–First in m	Regeldachneigung (ohne Dichtungsprofil) in °	Mindestdachneigung (mit Dichtungsprofil) in °
≤ 10	≥ 15	≥ 10
≤ 20	≥ 17	≥ 12
≤ 30	≥ 19	≥ 14
> 30	≥ 20	≥ 15

Abb. 4.46 zeigt die Maße bei der Verlegung und Befestigung von Kurzwellplatten.

4.7 Reinigung und Neubeschichtung von Asbestzement

Für eingebaute Asbestzementprodukte besteht kein Sanierungsgebot, da von diesen Produkten bei bestimmungsgemäßer Verwendung keine konkrete Gesundheitsgefährdung im Sinne der Landesbauordnungen ausgeht. Dies hat das Institut für Bautechnik, Berlin (heute Deutsches Institut für Bautechnik [DIBt]) in seinem Jahresbericht 1989, der unter Mitarbeit u. a. des Umweltbundesamtes entstanden ist, eindeutig klargestellt. Dies gilt auch für stark beanspruchte Oberflächen, z. B. als Folge jahrelanger Bewitterung.

Für den Umgang mit Asbest und asbesthaltigen Stoffen bei Abbruch-, Sanierungs- oder Instandhaltungsarbeiten (sog. ASI-Arbeiten) und bei der Abfallentsorgung ist die Technische Regel für Gefahrstoffe TRGS 519 (Ausgabe Januar 2014, Änderungen und Ergänzungen März 2022), maßgebend. ASI-Arbeiten dürfen nur von Personen mit Sachkundenachweis nach TRGS 519 durchgeführt werden.

Zur Reinigung und ggf. nachfolgenden Beschichtung von Dach und Fassade werden in der TRGS 519 eindeutige Aussagen gemacht. Danach dürfen Arbeitnehmer asbesthaltigen Gefahrstoffen nicht ausgesetzt sein. Das gilt nicht für ASI-Arbeiten an bestehenden Anlagen, Fahrzeugen, Gebäuden, Einrichtungen oder Geräten, die asbesthaltige Gefahrstoffe enthalten, und die Abfallentsorgung, soweit die Einhaltung dieses Gebotes nach dem Stand der Technik nicht möglich ist. Unter dieses Expositionsverbot fallen auch das mechanische Bearbeiten von Asbestzementplatten wie Schneiden, Schleifen, Bohren und das Eintreiben von Befestigungen für das An- oder Aufbringen einer zusätzlichen Dachdeckung, Abdichtung oder Bekleidung. Das Überbauen von Dächern aus Asbestzement mit Fotovoltaik- oder Solarthermieanlagen ist deshalb ebenfalls nicht erlaubt. Beschichtete Dach- und Fassadenflächen dürfen gereinigt werden, allerdings nicht mit Arbeitsgeräten, die deren Oberfläche abtragen, wie z. B. Abschleifen, Hoch- oder Niederdruckreinigen sowie Abbürsten.

Die Reinigung von Dachflächen aus unbeschichteten Asbestzementprodukten ist generell verboten. Da die erlaubte „sanfte“ Reinigung bei bewitterten Flächen keine Gewähr für die Haftung des nachfolgenden Anstrichs bietet, sollte auf solche Arbeiten verzichtet werden. Auf die Funktion von eingebauten Asbestzementdächern haben Beschichtungen irgendwelcher Art keinen Einfluss. Damit erübrigen sich für eingebaute Asbestzementprodukte auch Beschichtungen, die als Sanierung zur Asbestfaserbindung angeboten werden, weil diese allenfalls der optischen Verbesserung dienen würden. An Außenwänden dürfen beschichtete Asbestzementflächen gereinigt werden. Hierbei dürfen nur emissionsarme und zugelassene Verfahren angewendet werden. Wird manuell gereinigt, sind die Flächen abschnittsweise mit drucklosem Wasserstrahl feucht zu halten, möglichst mit entspanntem Wasser unter Verwendung weich arbeitender Geräte wie beispielsweise einem Schwamm zu reinigen und anschließend mit drucklosem Wasserstrahl abzuspülen. Das beim Reinigungsprozess anfallende Wasser ist aufzufangen und wie Abwasser zu entsorgen.

Dabei ist jedoch zu beachten, dass Asbestzement-Wellplatten-Dächer nicht begehbar sind und nach Maßgabe der Unfallverhütungsvorschrift „Bauarbeiten“ (Deutsche Gesetzliche Unfallversicherung [DGUV], 2019) nur auf lastverteilenden Unterlagen (Laufbohlen) betreten werden dürfen.

Nach heutigem Stand der Technik ist die einzig sinnvolle, unter Umständen auch wirtschaftlich interessantere Alternative zur Sanierung von Bauprodukten aus Asbestzement der fachgerechte Ausbau und Ersatz durch asbestfreie Produkte.

4.8 Vorgehängte hinterlüftete Fassaden (VHF)

4.8.1 Funktionsweise des VHF-Systems

Die Bauart der VHF besteht im Wesentlichen aus den folgenden Komponenten:

- Unterkonstruktion (z. B. stabförmig oder als flächig als Schalung),
- Wärmedämmung, mineralisch (entsprechend den energetischen Gebäudeanforderungen),
- thermischem Trennelement,
- Hinterlüftungsraum (≥ 20 mm),
- Verankerungs-, Verbindungs-, Befestigungselementen,
- Bekleidungselementen (z. B. aus Metall, Keramik oder Faserzement).

Die im Inneren des Baukörpers befindliche Feuchtigkeit wird durch die dampfdiffusionsoffene Dämmung durch den Hinterlüftungsraum nach außen abgeführt.

Den eigentlichen Witterungsschutz übernimmt die Bekleidung, die in den vielfältigen gehängten hinterlüfteten Fassadenvarianten und Werkstoffen angeboten wird.

Die Unterkonstruktion aus Holz, Metall, faserverstärkten Kunststoffen oder einer Kombination davon ist das statische Bindeglied zwischen der tragenden Außenwand und der Bekleidung.

Abb. 4.47 zeigt schematisch eine vorgehängte hinterlüftete Fassade.

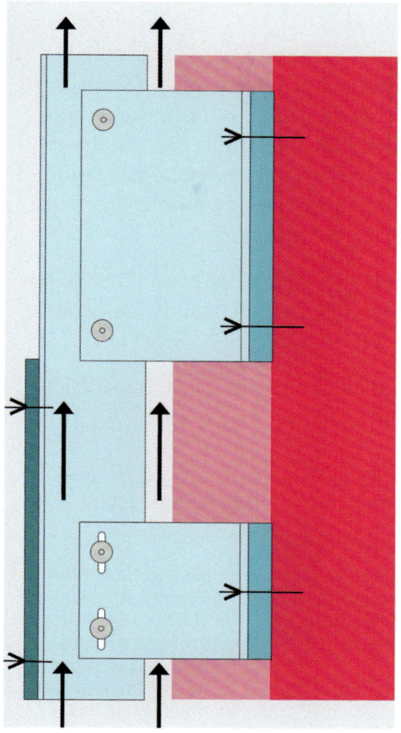

Abb. 4.47: Schematische Darstellung einer vorgehängten hinterlüfteten Fassade (Quelle: Fachverband Baustoffe und Bauteile für vorgehängte hinterlüftete Fassaden e. V., Berlin)

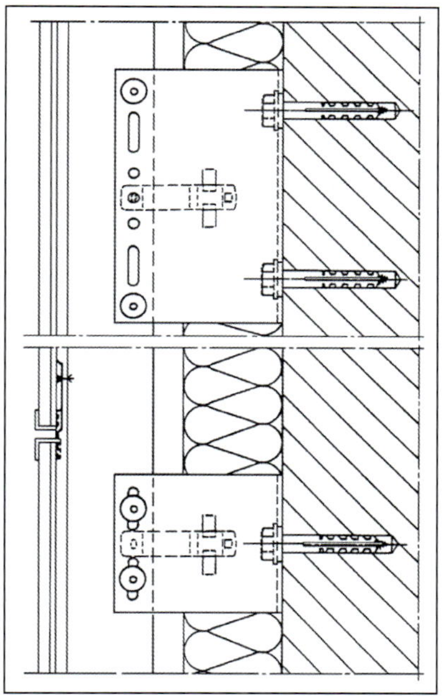

Abb. 4.48: Schematische Darstellung von Verankerungs-, Verbindungs- und Befestigungselementen im eingebauten Zustand

4.8.2 Begriffe und Regelwerke zum System der VHF

Ohne Kenntnis der wichtigsten Normen und Regelwerke kann eine VHF nicht geplant und ausgeführt werden. Grundsätzlich heranzuziehen ist die DIN 18516-1:2010-06 „Außenwandbekleidungen hinterlüftet – Teil 1: Anforderungen, Prüfgrundsätze". Sie bestimmt die Planungs-, Bemessungs- und Konstruktionsparameter". Bevor die Normen und Regelwerke im Einzelnen aufgeführt werden, sind 3 Begriffe zu erklären, die das Beziehungsgeflecht einer VHF sichern (siehe Abb. 4.48).

Verankerungselemente

Als solche bezeichnet man die üblicherweise eingesetzten Dübel-Schrauben-Kombinationen, die die Wandhalter der Unterkonstruktion im Verankerungsgrund sichern. Diese Verankerungselemente bedürfen grundsätzlich einer allgemeinen bauaufsichtlichen Zulassung (abZ) oder einer Europäischen Technischen Zulassung/Bewertung (ETA). Anzahl und Dimensionierung sind – abhängig vom Gewicht der anzubringenden Fassadenelemente und der Güte des Verankerungsgrundes – rechnerisch nachzuweisen. Am gebräuchlichsten sind Dübelhülsen aus Polyamid in Verbindung mit verzinkten Stahlschrauben und den notwendigen Korrosionsschutzmaßnahmen. Ein weiteres Merkmal ist die Durchsteckmontage.

Verbindungselemente

Das sind in der Regel Nieten oder Schrauben, die die einzelnen Bauteile einer Metallunterkonstruktion, z. B. den Wandhalter und den Profilstab, miteinander verbinden. Nietverbindungen an den Gleitpunkten werden mit einer Nietsetzlehre ausgeführt; bei Schraubverbindungen kommen Schrauben mit gewindefreiem Bereich zum Einsatz. Dadurch ist eine temperaturbedingte Ausdehnung der Profilstäbe (Grenztemperaturen –20 °C, +80 °C) möglich.

Bei Holzunterkonstruktionen werden Schraubverbindungen gewählt. Auch diese Verbindungselemente erfordern – wie die Unterkonstruktion selbst – eine statische Berechnung.

Befestigungselemente

Sie dienen der dauerhaften Fixierung der Fassadenbekleidung auf der Unterkonstruktion. Üblich sind Niete, Klammern, Schrauben oder sog. verdeckte Befestigungen mit Hinterschnittankern oder Klebesystemen. Der Nachweis ihrer Eignung (Dimensionierung, Befestigungsabstände, Werkstoffe) ist in der Regel Bestandteil der jeweiligen abZ oder ETA der Hersteller bzw. der Anbieter.

Zur Nachweisführung bei geregelten Bauprodukten gelten die werkstoffspezifischen allgemeinen bauaufsichtlichen Prüfzeugnisse.

Tabelle 4.5 listet beispielhaft Werkstoffe nach bauaufsichtlichen Anforderungen.

Abb. 4.49: Leitlinien des FVHF (Quelle: Fachverband Baustoffe und Bauteile für vorgehängte hinterlüftete Fassaden e.V., Berlin)

Tabelle 4.5: Beispiele für die Verwendung von Werkstoffen nach bauaufsichtlichen Anforderungen an Fassadenbekleidungen

Beispiele für die Verwendung als klein- bzw. brettformatige Bekleidungen nach MVV TB D 2.2.2.1	Beispiele für Verwendung auf der Grundlage einer abZ oder ETA	Beispiele für Verwendbarkeitsnachweise durch Normen, ergänzt um ggf. allgemeine bauaufsichtliche Prüfzeugnisse
• Faserzement • Schiefer • Ziegel • Metallschindeln	• AL-Verbundplatten • faserverstärkte Harzkompositplatten • Faserzement • HPL-Platten • Keramik • Trägerplattensysteme einschließlich ihrer Applikationen • Ziegel • Fotovoltaik	• Aluminium • Kupfer • Naturwerkstein • Stahl • Titanzink • Glas

Weitere ergänzende Regelwerke und Normenverweise sind in DIN 18516-1 genannt.

Praxisbezogene Ausführungshilfen bieten die Leitlinien des Fachverbands Baustoffe und Bauteile für vorgehängte hinterlüftete Fassaden e. V. (FVHF) (siehe Abb. 4.49) unter www.fhhf.de. Zu nennen sind

- Leitlinie „VHF Brandschutz, Brandschutztechnische Vorkehrungen für Vorgehängte Hinterlüftete Fassaden (VHF) nach DIN 18516-1",
- Leitlinie „VHF Planung und Ausführung, Planung und Ausführung von Vorgehängten Hinterlüfteten Fassaden (VHF)",
- Leitlinie „VHF Qualität und Beurteilung, Beurteilungsmethodik und Toleranzen von Vorgehängten Hinterlüfteten Fassaden (VHF)".

Weitere Leitlinien finden sich unter www.fvhf.de/Fassade/Broschuerencenter/.

4.8.3 Unterkonstruktionen

Die Unterkonstruktion ist konstruktives und statisches Bindeglied zwischen der tragenden Außenwand und der Bekleidung. Sie wird abgestimmt auf die Anforderungen aus dem Verankerungsgrund (z. B. Porenbeton, Mauerwerk, Beton oder Ziegel), der gewählten Bekleidung und der Dämmstoffdicke.

Die Unterkonstruktion ist standsicher und zwängungsfrei mit dem Bauwerk verbunden, nimmt alle auftretenden Belastungen aus Windsog und -druck sowie temperaturbedingte Dehnungen auf und gibt diese an den Baukörper weiter. Zugleich sichert sie eine lot- und waagerechte Anbringung der Bekleidungselemente.

Die Unterkonstruktion bemisst sich zusätzlich nach den Elementgrößen der Bekleidung und ggf. nach Zusatzlasten, z. B. Fassadenbegrünungen in Kombination mit Kletterhilfen.

Wandhalter aus Metall können punktuelle Wärmebrücken bilden, die durch den Einsatz von sog. thermischen Trennelementen auf ein Minimum reduzierbar sind. Dabei handelt es sich um ca. 6 mm dicke Kunststoffstanzteile, die zwischen dem Wandhalter und dem Verankerungsgrund eingelegt werden.

Relativ neu auf dem Markt sind sog. wärmebrückenfreie Wandhalter, die durch ihre Geometrie und Materialwahl nach der Definition des Passivhaus Institutes als wärmebrückenfrei gelten.

Werkstoffe für Metall-Unterkonstruktionen

Normativ geregelt ist die Werkstoffauswahl für Unterkonstruktionen, im Einzelnen sind dies:

- nichtrostende Stähle nach allgemeiner bauaufsichtlicher Zulassung Z 30.3 6;
- Aluminiumlegierungen nach DIN EN 1999-1-1:2014-03 „Eurocode 9: Bemessung und Konstruktion von Aluminiumtragwerken – Teil 1-1: Allgemeine Bemessungsregeln" oder DIN EN 1999-1-4:2010-05 „Eurocode 9 – Bemessung und Konstruktion von Aluminiumtragwerken – Teil 1-4: Kaltgeformte Profiltafeln"; bei Dicken unter 1,6 mm ist ein Korrosionsschutz nach DIN EN 1090-3:2019-07 „Ausführung von Stahltragwerken und Aluminiumtragwerken – Teil 3: Technische Regeln für die Ausführung von Aluminiumtragwerken" erforderlich; Aluminiumbauteile dürfen direkt auf Betonbauteilen angebracht werden, wenn sichergestellt ist, dass keine Feuchte zwischen die Bauteile gelangen kann;

- feuerverzinkter (stückverzinkter) Stahl nach DIN EN ISO 1461:2022-12 „Durch Feuerverzinken auf Stahl aufgebrachte Zinküberzüge (Stückverzinken) – Anforderungen und Prüfungen (ISO 1461:2022)" in Verbindung mit der DASt-Richtlinie 022 „Feuerverzinken von tragenden Stahlbauteilen" (Deutscher Ausschuss für Stahlbau [DASt], 2009);
- Stahlsorten nach DIN EN 10025 „Warmgewalzte Erzeugnisse aus Baustählen" in Dicken von mindestens 3 mm mit einem Korrosionsschutz nach DIN EN ISO 12944-5:2020-03 „Beschichtungsstoffe – Korrosionsschutz von Stahlbauten durch Beschichtungssysteme – Teil 5: Beschichtungssysteme (ISO 12944-5:2019)".

Abb. 4.50: Aluminium-Unterkonstruktion mit Wandwinkeln (Quelle: fischer BWM Fassadensysteme, Leinfelden Echterdingen)

Abb. 4.51: Vertikal angeordnete Aluminium-Unterkonstruktion mit horizontalen Tragprofilen (Quelle: fischer BWM Fassadensysteme, Leinfelden Echterdingen)

Unterkonstruktionen aus Holz

Holz-Unterkonstruktionen werden nach wie vor eingesetzt, wenngleich ihre Anwendung aufgrund zunehmender Dämmstoffdicken und Anforderungen an den baulichen Brandschutz begrenzt sind.

Üblich sind Ausführungen als Zwei- und Dreifachlattung.

In den Bereich der Holzunterkonstruktionen gehört auch die sog. „Mischbauweise". Dabei wird die Traglattung durch entsprechende Aluminiumwandhalter ersetzt. Diese Kombination ermöglicht das Ausgleichen von größeren Unebenheiten des Verankerungsgrundes als eine reine Holzunterkonstruktion.

Unterkonstruktionen aus Aluminium

Metallische Unterkonstruktionen vorgehängter hinterlüfteter Fassaden werden mehrheitlich aus Aluminium hergestellt (siehe Abb. 4.50 und 4.51). Diese Aluminium-Unterkonstruktionen sind für alle Dämmstoffdicken einsetzbar, korrosionssicher, und sie verfügen über die entsprechenden Festigkeitsklassen.

Um die Bildung von Wärmebrücken zu verringern, ist zwischen dem Wandwinkel der Unterkonstruktion und der zu bekleidenden Außenwand ein thermisches Trennelement vorzusehen. Rechenbeispiele dazu finden sich in der FVHF-Richtlinie „Bestimmung der wärmetechnischen Einflüsse von Wärmebrücken bei vorgehängten hinterlüfteten Fassaden" (FVHF e. V., 1998). Damit wird der Forderung, punktuelle Wärmebrücken rechnerisch nachzuweisen, Rechnung getragen.

Wärmebrückenfreie Unterkonstruktionen

Durch intensive Forschung und Entwicklung stehen heute verschiedene Systeme wärmebrückenfreier Unterkonstruktionen mit innovativen Materialien und optimierten Geometrien zur Auswahl. Zu den eingesetzten Werkstoffen zählen z. B. Edelstahl und glasfaserarmierter Kunststoff. Aus dem breiten Produktsortiment der Hersteller lassen sich grob 3 Konstruktionsprinzipien unterscheiden: Konsolen mit Wandwinkelprinzip, rechtwinkelige Wandhalter und dreidimensionale Stabsysteme.

Zur thermischen Optimierung vorgehängter hinterlüfteter Fassaden gibt es eine Reihe von Möglichkeiten: Da die Geometrie eine wichtige Einflussgröße darstellt, ist es hilfreich, die Anzahl der erforderlichen Befestigungspunkte zu reduzieren und die Querschnittsfläche der Unterkonstruktion zu verringern.

Ein weiterer Faktor ist die Materialwahl: So kann es von Vorteil sein, thermische Trennungen zwischen der Unterkonstruktion und dem Verankerungsgrund sowie innerhalb der Konstruktion einzusetzen und/oder Werkstoffe mit geringer Wärmeleitfähigkeit für die Unterkonstruktion zu wählen.

4.8.4 Mineralwolledämmstoffe

Dämmstoffe aus Mineralwolle (Glas- und Steinwolle) nach DIN EN 13162:2015-04 „Wärmedämmstoffe für Gebäude – Werkmäßig hergestellte Produkte aus Mineralwolle (MW) – Spezifikation" des Anwendungstyps WAB T3 WL(P) haben sich bei VHF bewährt. Sie sind auf Langzeitwasseraufnahme geprüft, leicht zu verarbeiten, besitzen gute Wärmedämmeigenschaften und entsprechen der Euroklasse A1 nichtbrennbar.

Damit können alle Anforderungen des aktuellen Gebäudeenergiegesetzes (GEG) und Normen erfüllt werden.

Bei der Optimierung des Energiebedarfes von Bauwerken spielt der *U*-Wert von Fassadenaufbauten eine wichtige Rolle. Für Architekten, Planer und Verarbeiter bietet der FVHF ein Onlinetool als Unterstützung bei der Vorplanung. Das kostenfreie Programm ermöglicht es, zu einem sehr frühen Zeitpunkt der Planung bauwerksbezogene Anforderungen an die Unterkonstruktion und Wärmedämmung zu formulieren.

Nach DIN 18516-1 erfolgt die Befestigung der Dämmstoffplatten mechanisch mit im Mittel 5 Dämmstoffhaltern/m^2.

An diese in der Regel aus Kunststoff gefertigten Tellerdübel werden keine bauaufsichtlichen Anforderungen gestellt, sofern sie die Baustoffklassifizierung normalentflammbar erfüllen.

Die Verlegung hat grundsätzlich im Verband zu erfolgen.

Eine vorderseitige Vlieskaschierung kann zusätzlich angebracht werden. Diese erfüllt jedoch rein optische Zwecke.

Wenn aufgrund einer besonderen Außenwandbeschaffenheit eine mechanische Befestigung nicht möglich ist, können die Dämmstoffplatten auch geklebt werden.

Für die Dämmung von VHF empfiehlt der FVHF, über die gesetzlichen Anforderungen hinaus grundsätzlich für alle Gebäudeklassen nichtbrennbare mineralische Dämmstoffe des Typs WAB T3 WL(P) zu verwenden.

Dabei müssen die Dämmstoffe eine Zugfestigkeit senkrecht zur Plattenebene von > 1,0 kPa nach DIN EN 13162 aufweisen. Die Eignung des Klebers ist mit dem Hersteller der Dämmstoffplatten abzustimmen.

4.8.5 Brandschutz bei VHF

Experten für den Brandschutz beurteilen die Konstruktionsweise der VHF als sehr sicher. Die Planung des Brandschutzes ist in Deutschland Aufgabe eines Fachplaners.

Bei der Planung, der Auswahl der Baustoffe und der Ausführung sind gesetzliche Bestimmungen des Brandschutzes zu berücksichtigen, die in der Musterbauordnung (MBO) vorgegeben und über die Landesbauordnungen (LBO) baurechtlich eingeführt werden.

Parallel dazu verweist die DIN 18516-1 seit 2010 auf die Brandschutzanforderungen der ehemaligen Muster-Liste der Technischen Baubestimmungen (MLTB), die gleichlautend in die aktuell gültige technische Regel in den Anhang 6 der Muster-Verwaltungsvorschrift Technische Baubestimmungen (MVV TB) übernommen wurde.

Für den Verwender der Bauprodukte ist letztendlich auch der Blick in die Zulassungen/ETAs der Hersteller eine unabdingbare Notwendigkeit.

4.8.6 Gebäudeschirmung und Blitzschutz

An den Gebäudeblitzschutz werden zunehmend höhere Anforderungen gestellt. Eine VHF kann, bei entsprechender Planung durch einen Fachplaner, eine sinnvolle und kostengünstige Maßnahme des Blitzschutzes darstellen. Grundsätzliches Ziel ist es, den Blitzstrom über definierte Ableitungseinrichtungen zur Erdungsanlage zu führen. Voraussetzung dafür ist eine elektrisch leitende und vertikal durchverbundene Unterkonstruktion.

Ist die Unterkonstruktion zusätzlich horizontal elektrisch leitend verbunden, kann damit weiterhin ein (begrenzter) Schutz der elektronischen Einrichtung innerhalb des Gebäudes erreicht werden.

4.8.7 Bekleidungswerkstoffe

Selbstverständliche Anforderungen an die verschiedenen Bekleidungswerkstoffe sind Dauerhaftigkeit, Frostbeständigkeit, Lichtechtheit und ein angemessenes werkstofftypisches Oberflächen- und Farbangebot. Darüber hinaus müssen Bekleidungselemente bauaufsichtlichen und gegebenenfalls auch gesetzlichen Anforderungen genügen, z. B. Brauchbarkeitsnachweisen auf der Grundlage einer abZ, ETA oder Norm und der Einstufung in Baustoffklassen (Brandverhalten).

Abb. 4.52: Beispiel einer Aluminium-Einhangkassette (Quelle: fischer BWM Fassadensysteme, Leinfelden Echterdingen)

Ergänzend unterscheidet die Normung nach MVV TB B 2.2.1 und Anhang B 2.2.1/1 (Nummer 3) in sog. kleinformatige und brettformatige Bekleidungselemente:

- Kleinformat: maximal 5 kg bzw. maximal 0,4 m²/Element,
- Brettformat: maximal 0,30 m hoch mit maximalen Befestigungsabständen von 0,85 m.

Für die Erstellung von Hinterschnittbohrungen gelten besondere Anforderungen, die durch die jeweilige abZ oder ETA geregelt sind.

Technische Anforderungen an Bekleidungswerkstoffe

Bei den technischen Anforderungen an die Bekleidungswerkstoffe gilt es, architektonischen Anforderungen Rechnung zu tragen. Dazu zählen die Anmutung des Werkstoffes selbst, das gewählte Fugenbild und die zur Verfügung stehenden Befestigungselemente, die Einfluss nehmen können auf das Aussehen einer fertiggestellten Fassadenbekleidung. Von entscheidender Bedeutung ist letztlich der Architekt, der seine Vorschläge gegenüber dem Bauherrn zu vertreten hat. Einige Bekleidungswerkstoffe werden im Folgenden beschrieben.

Aluminiumbleche

Dieser in der Regel in Form von Blechen angelieferte Werkstoff ist dreidimensional verformbar. Somit können Paneele oder Kassettenelemente hergestellt werden (siehe Abb. 4.52). Normativ gelten diese Bleche als Halbzeuge und werden für den Fassadenbau in der Regel in Dicken von 2 oder 3 mm eingesetzt. Vorbehandlung und Farbauftrag erfolgen wahlweise durch Bandbeschichtung (Coil-Coating) oder Stücklackierung. Die Stücklackierung auf Pulverbasis erlaubt die Beschichtung auch kleinster Losgrößen oder einzelner Bauteile. Innerhalb eines gewissen Farbspektrums können Aluminiumbleche auch anodisiert (eloxiert) werden.

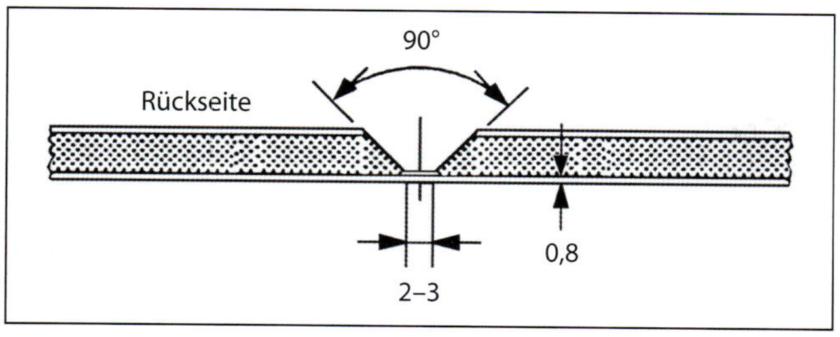

Abb. 4.53: Fräsnut zum Abkanten einer Aluminium-Verbundplatte

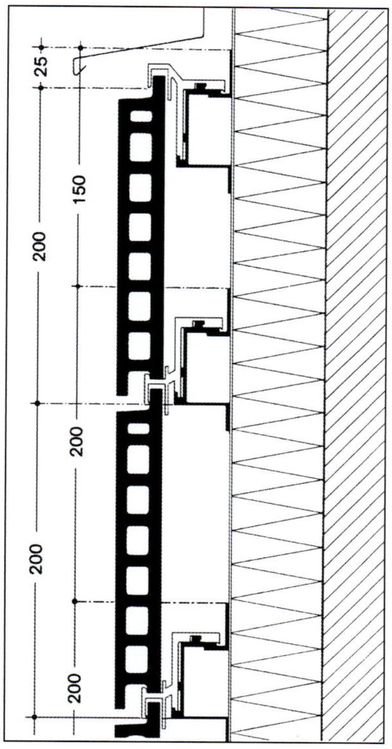

Abb. 4.54: Schnitt durch eine Ziegelplattenfassade, befestigt auf einer Aluminium-Unterkonstruktion

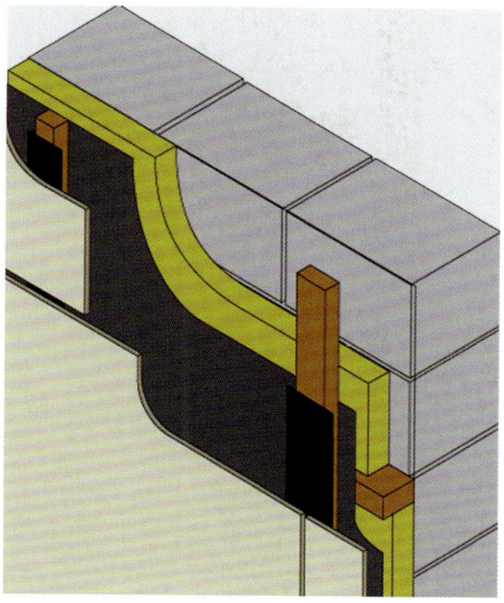

Abb. 4.55: Bekleidung aus gepresster Steinwolle auf Holz-Unterkonstruktion (Quelle: Rockwool B.V. /Rockpanel, Gladbeck)

Abb. 4.56: Fassadentafeln aus gepresster Steinwolle (Quelle: Rockwool B.V. /Rockpanel, Gladbeck)

Aluminium-Verbundplatten

Hierbei handelt es sich um 3, 4 oder 6 mm dicke Kernverbundplatten. Sie bestehen aus einer Kernschicht und beidseitig aufgebrachten Deckblechen in 0,5 mm Dicke. Die Deckbleche sind bandbeschichtet.

Aluminium-Verbundplatten können sowohl als Glattbleche als auch in Kassetten- oder Paneelform verlegt werden.

Die Abkantung erfolgt in diesem Fall durch rückseitiges Fräsen und anschließendes Kanten (siehe Abb. 4.53).

Ziegel/Keramik

Fassadenbekleidungen aus tonigen Massen zählen zu den ältesten der hier beschriebenen Werkstoffe (siehe Abb. 4.54). Die Oberfläche der klein-, brett- und großformatig oder als „Baquette“ ausgeformten Fassadenbekleidung kann neben einer Strukturierung der durchgefärbten Platten auch durch Glasieren akzentuiert werden.

Faserzement/Faserbeton

Der Werkstoff Faserzement steht in seiner heutigen Technologie seit 1991 zur Verfügung und hat die Armierungsfaser Asbest abgelöst. Die Fassadenplatten sind farbig beschichtet (dekorative Oberflächen) oder durchgefärbt (Betonung der Werkstoffcharakteristik). Faserzement kann in verschiedenen Formaten und Materialdicken als Fassadenbekleidung eingesetzt werden.

Faserverstärkte Harzkompositplatten

Hierbei handelt es sich um Platten, die auf der Basis thermohärtender Harze, verstärkt mit Holzfasern, unter hohem Druck und hoher Temperatur verpresst werden.

Als HPL-Platten (High-Pressure-Laminate) bezeichnet man dekorative Hochdruck-Schichtpressstoffplatten nach DIN EN 438-1:2016-06 „Dekorative Hochdruck-Schichtpressstoffplatten (HPL) – Platten auf Basis härtbarer Harze (Schichtpressstoffe) – Teil 1: Einleitung und allgemeine Informationen“. Zur Herstellung werden Zellulosebahnen für Kern und Dekor mit härtbaren Harzen imprägniert und unter Hochdruck laminiert.

Gepresste Steinwolle

Fassadenbekleidungen aus gepresster Steinwolle sind leicht, widerstandsfähig, witterungs- und temperaturbeständig, farbecht und langlebig (siehe Abb. 4.55). Sie eignen sich als Bekleidung für Fassaden, Traufen, Untersichten und für andere Detaillösungen rund die Gebäudehülle (siehe Abb. 4.56).

Trägerplatten-Systeme

Die Platten selbst sind Systembestandteil (abZ oder ETA). Die Befestigung erfolgt auf Unterkonstruktionen aus Holz oder Metall. Für fugenlose Erscheinungsbilder werden Putze als Oberflächenapplikation eingesetzt (siehe Abb. 4.57). Fugenbetonte Oberflächen sind mit Glas, Metall oder Naturwerkstein herstellbar.

Zink

Zink wird heute in der Gebäudehülle als Titanzink verwendet, das sich durch seine gute dreidimensionale Verformbarkeit ideal an verschiedene Gebäudeformen anpassen lässt. Geringe Bestandteile an Kupfer und Titan sorgen dabei für erhebliche Verbesserungen der Werkstoffeigenschaften. Als Fassadenbekleidung kommen entweder die traditionelle Klempnertechnik oder Systemprodukte wie Steckfalzpaneele oder Kassetten zum Einsatz (siehe Abb. 4.58). Auch Verbundplatten sind mit einer Zinkoberfläche erhältlich.

Die Materialdicken bei der traditionellen Winkelstehfalzdeckung oder Rautenbekleidungen liegen bei 0,7 oder 0,8 mm, wohingegen Systemprodukte in einer Dicke von 1,0 oder 1,5 mm Verwendung finden. Der Patinierungsprozess, der auf walzblankem Titanzink im Dachbereich nur wenige Monate benötigt, läuft im Fassadenbereich deutlich langsamer ab. Deshalb ist es hier wichtig, auf die Verwendung von vorbewittertem oder graviertem Zink zu achten.

4.8.8 Befestigungselemente

Befestigungselemente sind mehrheitlich kompatibel und können somit für verschiedene Bekleidungen eingesetzt werden (siehe Abb. 4.59). Damit steht dem Planer ein zusätzlicher Gestaltungsspielraum zur Verfügung.

Alle Befestigungselemente unterliegen hohen Anforderungen an die Korrosionsbeständigkeit. Ihre Anzahl und Beschaffenheit ergeben sich aus einem statischen Nachweis nach DIN 18516-1 bzw. nach der jeweiligen abZ oder ETA.

Fassadenplatten aus Natur- und Betonwerkstein können nach DIN 18516-3:2021-05 „Außenwandbekleidungen, hinterlüftet – Teil 3: Naturwerkstein – Anforderungen, Bemessung" und DIN 18516-5:2021-05 „Außenwandbekleidungen, hinterlüftet – Teil 5: Betonwerkstein; Anforderungen, Bemessung" sowohl mit Hinterschnittankern als auch mit Anker- bzw. Steckdornen befestigt werden.

Die richtige Wahl der Befestigungselemente hat erheblichen Einfluss auf die gestalterische Qualität der Fassadenfläche. Dies gilt insbesondere für Befestigungselemente, die zu Schmutzablagerungen und -fahnen beitragen können.

Eine weitere Methode zur verdeckten Befestigung stellt das Kleben dar. Geklebte Fassaden können bis zu 22 m Gebäudehöhe ohne zusätzliche mechanische Sicherung ausgeführt werden, sofern der Anwendungsfall in der Zulassung geregelt ist.

4.8.9 Relevante Normen und Regelwerke

DIN 18516-1:2010-06 Außenwandbekleidungen hinterlüftet – Teil 1: Anforderungen, Prüfgrundsätze

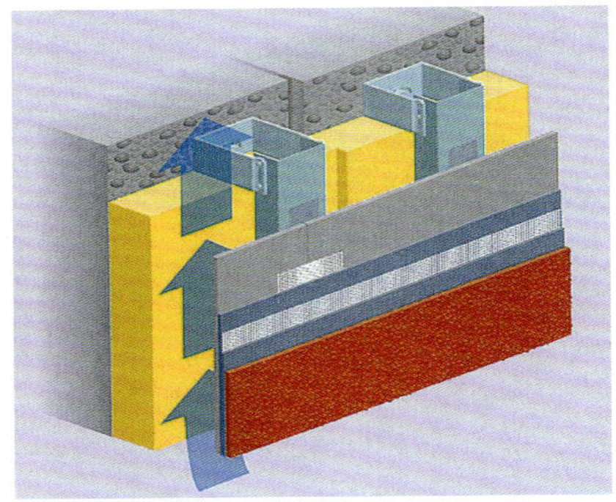

Abb. 4.57: Schematische Darstellung einer VHF mit Putzoberfläche

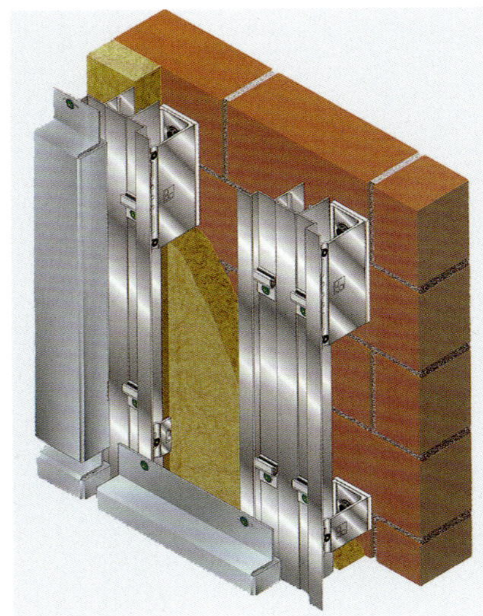

Abb. 4.58: Schematische Darstellung einer hinterlüfteten Fassade mit Kassetten aus Zink (Quelle: VMZINC, VM Building Solutions Deutschland GmbH, Essen)

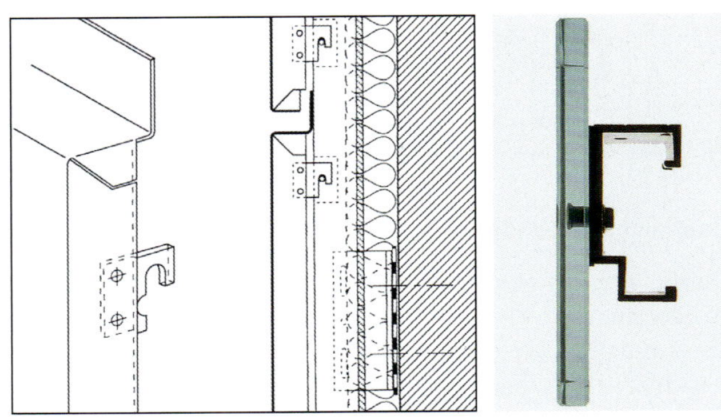

Abb. 4.59: Bolzeneinhangsystem für metallische Wandbekleidungen (links); schematische Darstellung einer Hinterschnittbefestigung (rechts)

DIN 18516-3:2021-05 Außenwandbekleidungen, hinterlüftet – Teil 3: Naturwerkstein – Anforderungen, Bemessung

DIN 18516-5:2021-05 Außenwandbekleidungen, hinterlüftet – Teil 5: Betonwerkstein; Anforderungen, Bemessung

Muster-Verwaltungsvorschrift (MVV TB), Ausgabe 2021/1 vom 17.01.2022. Berlin: Deutsches Institut für Bautechnik (DIBt), 2022

4.9 Wärmedämm-Verbundsysteme (WDVS)

WDVS leisten einen bedeutenden Beitrag zur Energieeinsparung. Ungedämmte Außenwände fühlen sich auf der Innenseite kalt an. Es entsteht ein ungemütliches Wohngefühl. An kalten Außenwänden, insbesondere im Bereich von Wärmebrücken, kann Kondensat mit der Folge einer Schimmelbildung entstehen. Fachgerecht gedämmte Außenwände sparen Heizenergie und reduzieren die CO_2-Belastung, erhöhen das Wohlfühlklima im Gebäude und schützen die Bausubstanz vor Witterungseinflüssen.

WDVS sind Bausätze, die der Wärmedämmung und Gestaltung von Außenwänden dienen. Bei WDVS handelt es sich um Systeme, deren Einzelkomponenten vom Hersteller sorgfältig aufeinander abgestimmt sind und die von einer Prüfanstalt geprüft wurden. Damit WDVS verwendet werden dürfen, benötigen sie eine allgemeine bauaufsichtliche Zulassung (abZ) mit allgemeiner Bauartgenehmigung (aBG). Bei der Verwendung CE-gekennzeichneter WDVS auf Basis einer ETA sind die geltenden Planungs-, Bemessungs- und Ausführungsregeln in der MVV TB, Anhang 11, zu beachten. Sofern Produkte nicht in den Anwendungsbereich des Anhangs 11 der MVV TB fallen, ist für die Bemessung und Ausführung ggf. eine allgemeine Bauartgenehmigung (aBG) erforderlich. Die darin beschriebenen und geprüften WDVS-Bestandteile dürfen daher nur in der festgelegten Komponentenkombination verwendet werden.

Das Nichteinhalten der Vorgaben kann die bauphysikalische Funktion, die Dauerhaftigkeit und die Standsicherheit des Systems gefährden. Aus rechtlicher Sicht ist darüber hinaus eine Gewährleistung der verschiedenen Materialhersteller im Falle eines Austausches nicht mehr gegeben.

Das Gebäudeenergiegesetz (GEG) ist am 1. November 2020 in Kraft getreten. Es gilt für alle Gebäude, die entsprechend ihrem Verwendungszweck unter Energieeinsatz beheizt oder gekühlt werden, sowie für deren Anlagen und Einrichtungen der Heizungs-, Kühl-, Raumluft- und Beleuchtungstechnik sowie der Warmwasserversorgung. Für bestehende Gebäude gilt es nur, wenn Veränderungen am Gebäude vorgenommen werden. Produktionsprozesse in Gebäuden werden vom GEG nicht berührt. Ebenso findet es bei speziellen Nichtwohngebäuden keine Anwendung. Für Neubauten gilt ein einheitliches Anforderungssystem, in dem Energieeffizienz und erneuerbare Energien integriert sind. Der bauliche Wärmeschutz orientiert sich nach wie vor bei Wohngebäuden am Höchstwert des spezifischen, auf die wärmeübertragende Umfassungsfläche bezogenen Transmissionswärmeverlusts und bei Nichtwohngebäuden am Höchstwert des mittleren Wärmedurchgangskoeffizienten der wärmeübertragenden Umfassungsfläche. Bei neu zu errichtenden Wohngebäuden kann der Nachweis alternativ über das Modellgebäudeverfahren erbracht werden.

Die Anforderungen an die Wärmedämmung für Außenwände von Bestandsgebäuden müssen umgesetzt werden, wenn große Teile des Außenputzes erneuert werden oder auf eine vorhandene Wand eine Wärmedämmung, z. B. ein WDVS, aufgebracht wird. Die Anforderungen des GEG gelten nicht bei Putzreparaturen, sondern bei Putzerneuerungen.

Putzreparaturen sind Arbeiten, bei denen der vorhandene Putz (Altputz) nicht vollständig entfernt wird. Die Überarbeitung gerissener oder beschädigter Putze mit z. B. einem Renovierungsputz gilt als Putzreparatur. Wird der vorhandene Putz jedoch über eine Fläche von mehr als 10 % der gesamten Außenwandfläche entfernt und erneuert, muss auf diese Teilfläche eine Wärmedämmung aufgebracht werden, jedoch nur dann, wenn es technisch möglich ist. Einzelne partielle Bereiche in einer zusammenhängenden Fassadenfläche zu dämmen ist technisch nicht möglich, daher gelten die Anforderungen des GEG hier nicht. Erst wenn der Putz über die gesamte zusammenhängende Wandfläche entfernt wird, wäre eine **Putzerneuerung** erforderlich. Für diese Flächen gelten die entsprechenden Anforderungen an den Wärmeschutz, in der Regel muss eine zusätzliche Wärmedämmung aufgebracht werden.

WDVS leisten einen Beitrag zum Wärmeschutz, Brandschutz und Schallschutz.

Wärmeschutz

WDVS haben die Aufgabe, den Wärmestrom von innen nach außen zu reduzieren und somit Energie einzusparen. Die Maßeinheit für den Wärmeschutz ist der U-Wert (Wärmedurchgangskoeffizient). Je kleiner der U-Wert, desto weniger Wärme geht durch die Wand verloren. Der U-Wert einer Außenwand sollte nach erfolgten Dämmmaßnahmen maximal 0,24 $W/(m^2 \cdot K)$ betragen.

Brandschutz

In Deutschland wird bei Außenwandbekleidungen zwischen nichtbrennbar, schwerentflammbar und normalentflammbar unterschieden. Die Brandschutzanforderungen sind in der Landesbauordnung der Bundesländer geregelt und in erster Linie abhängig von der Gebäudehöhe, Gebäudenutzung und Gebäudeart. Die Einhaltung der Brandschutzanforderungen ist zwingend erforderlich und umzusetzen.

Gemäß der Musterbauordnung (MBO) ist es erforderlich, bei der Dämmung von Hochhäusern die Baustoffklasse A (nichtbrennbar) einzuhalten. Ebenso sind lokale Brandschutzanforderungen, Anforderungen an Sonderbauten oder vertragsrechtliche Anforderungen des Auftraggebers entsprechend umzusetzen. Brandwände müssen mit nichtbrennbaren Dämmstoffen überbrückt werden.

Um bei WDVS mit EPS-Dämmplatten die Einstufung schwerentflammbar zu erreichen, sind brandschutztechnische Maßnahmen gegen das Szenario Brand von außen sowie ab einer Dämmstoffdicke $\geq$ 100 mm gegen das Szenario Raumbrand auszuführen. Zum Schutz gegen den Brand von außen sind bis zu einer Dämmstoffdicke von 300 mm auf Untergründen aus Beton und/oder Mauerwerk Brandriegel anzubringen. Die Anordnung der Brandriegel ist abhängig von der Gebäudegeometrie.

In der Regel wird der erste Brandriegel maximal 90 cm über Geländeanschluss, der zweite im Deckenbereich zwischen Erd- und erstem Geschoss und der dritte zwischen drittem und viertem Geschoss eingebaut.

Als Schutz gegen den Raumbrand sind in den darüberliegenden Geschossen im Sturzbereich von Gebäudeöffnungen (insbesondere Fenster, Türen) Brandbarrieren oder alternativ umlaufend Brandriegel in jedem zweiten Geschoss vorzusehen.

Unterhalb brennbarer Dächer ist zusätzlich ein Abschlussriegel vollflächig mit mineralischem Mörtel zu verkleben und ggf. zu verdübeln. Ausführliche Informationen enthält die „Technische Systeminformation-WDVS und Brandschutz Kompendium" (Verband für Dämmsysteme, Putz und Mörtel e. V. [VDPM], 2018).

Schallschutz

WDVS können sich unterschiedlich auf den Schallschutz auswirken. Es ist daher vorab auch im Hinblick auf den Schallschutz festzulegen, welches Dämmsystem (Dämmplatten inkl. Befestigung) zur Anwendung kommen sollen.

4.9.1 Bestandteile von WDVS

Wärmedämmverbundsysteme bestehen mindestens aus den folgenden 3 Systembestandteilen:

- Dämmstoffplatten in unterschiedlicher Dicke, wobei der Dämmstoff auf den Untergrund geklebt oder geklebt und gedübelt oder mechanisch befestigt wird,
- Armierungsmörtel mit Armierungsgewebe,
- Oberputz/Schlussbeschichtung zur Gestaltung der Oberfläche.

Abb. 4.60 zeigt zusammenfassend den Aufbau eines WDVS.

Wärmedämmung (Dämmstoffplatten)

Die Wärmedämmung wird häufig mit Mineralwolle-Dämmplatten (DIN EN 13162:2015-04 „Wärmedämmstoffe für Gebäude – Werkmäßig hergestellte Produkte aus Mineralwolle [MW] – Spezifikation"), Holzfaserdämmplatten (DIN EN 13171:2015-04 „Wärmedämmstoffe für Gebäude – Werkmäßig hergestellte Produkte aus Holzfasern [WF] – Spezifikation") oder Polystyrol-Hartschaum-Dämmplatten (DIN EN 13163:2017-02 „Wärmedämmstoffe für Gebäude – Werkmäßig hergestellte Produkte aus expandiertem Polystyrol (EPS) – Spezifikation"), gebildet. Die Dämmdicke variiert je nach Dämmstoff und erforderlicher/gewünschter Energieeinsparung zwischen 40 und 300 mm.

Andere Dämmstoffe wie z. B. PUR, PF kommen eher bei speziellen Anforderungen zum Einsatz.

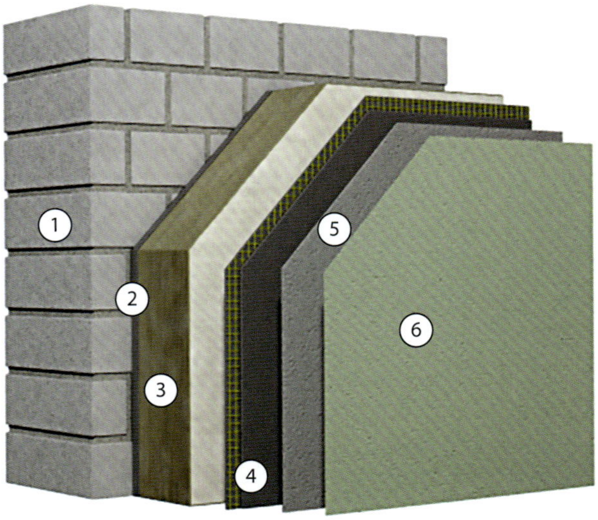

1 Mauerwerk
2 Dämmplattenkleber
3 Mineralwolle-Fassadendämmplatte
4 Klebe- und Armierungsmörtel sowie Armierungsgewebe
5 Oberputz (mineralisch oder pastös)
6 Anstrich

Abb. 4.60: Aufbau eines WDVS (Quelle: RELIUS Farbenwerke GmbH, Memmingen)

Die Auswahl der Dämmstoffe richtet sich nach den konstruktiven Anforderungen, der Einbausituation, der gewünschten bzw. erforderlichen Dämmleistung und den bauphysikalische Anforderungen. Entscheidend für die Dämmleistung ist die Wärmeleitfähigkeit des jeweiligen Dämmstoffes. Je kleiner der Wert der Wärmeleitfähigkeit, desto besser die Dämmeigenschaft und umso höher die Energieeinsparung.

Tabelle 4.6: Kombination von unterschiedlichen Dämmstoffen und Dämmstoffdicken zur Erzielung des gleichen Wärmeschutzes nach „Der Ratgeber rund um die Außenwand", 2018 (VDPM)

Wand	Dämmstoff	Wärmeleitfähigkeit λ (W/[m · K])	erforderliche Dicke in cm	
			Dämmstoff	Wand einschließlich Dämmstoff
Wand aus hochwärmedämmenden Mauersteinen (ohne zusätzliche Dämmplatten)		0,080	–	36,5
17,5 cm dicke Wand aus Kalksandsteinen mit außen liegender Zusatzdämmung	Vakuumpaneele	0,005	3	20,5
	Phenolharzhartschaumplatten	0,021	9	26,5
	Polyuretan-Dämmplatten	0,026	12	29,5
	Hochleistungsdämmputz Aerogel	0,028	12	29,5
	Polystyroldämmplatten	0,032	14	31,5
	Mineralwolleplatten	0,035	15	32,5
	Holzfaserdämmplatten	0,040	17	34,5
	Mineralschaumplatten	0,045	19	36,5
	Holzfaserdämmplatten	0,045	19	36,5
	Schilfrohrmatten	0,055	24	41,5
	Wärmedämmputz (konventionell)	0,070	30[1)]	47,5[1)]

1) Der Wert dient nur dem Vergleich; konventioneller Wärmedämmputz ist nur bis zu einer Schichtdicke von 10 cm ausführbar.

Bei der Berechnung des *U*-Werts wird der gesamte Wandaufbau (Wandbilder und WDVS) betrachtet.

Neben der Wärmeleitfähigkeit des Dämmstoffes ist die Dicke des Dämmstoffes der entscheidende Faktor, um den erforderlichen *U*-Wert zu erreichen.

Mit den in Tabelle 4.6 angegebenen unterschiedlichen Dämmstoffen und Dämmstoffdicken wird in etwa der gleiche Wärmeschutz auf dem beispielhaft angenommenen Kalksandstein erreicht.

Bereits mit einer Dämmung von ca. 10 cm Dicke lässt sich im Altbaubestand der Wärmedurchgang häufig bis zu > 80 % reduzieren.

4.9.2 Befestigung von WDVS

Die Befestigung von WDVS bzw. der Dämmplatten ist von unterschiedlichen Gegebenheiten wie z. B. dem Untergrund, der Gebäudehöhe sowie dem Dämmstoff abhängig.

Die Verklebung erfolgt gemäß der Zulassung in Abhängigkeit vom Dämmstoff mit mineralischem oder pastösem (organischem) Kleber oder auch mit Klebeschäumen auf Polyurethanbasis. Der Kleber wird in der Regel vollflächig oder als Randwulst-Punkt-Verklebung aufgebracht.

In Abhängigkeit von dem Dämmstoff, der Windlast und der Haftzugfestigkeit des Untergrundes stehen Dübel zur Auswahl, die oberflächenbündig oder im Dämmstoff versenkt angebracht werden.

Für nicht tragfähige Oberflächen oder zum Ausgleich höherer Untergrundabweichungen stehen mechanische Befestigung z. B. durch Halteschienen und Verbindungsleisten zur Verfügung.

Wände, die als Verankerungsgrund bzw. Untergrund für ein WDVS geeignet sind, bestehen gemäß der Zulassungen aus Beton oder Mauerwerk. Darüber hinaus sind auch bestimmte Holzwerkstoffe und mineralische Bauplatten (Holzständerbau) geeignet. Die Eignung für andere Untergründe, die nicht in den Zulassungen enthalten sind, muss im Einzelfall geprüft werden. Bei der Altbausanierung muss die Eignung des Untergrundes für die Anbringung eines WDVS dokumentiert werden. Bestehen Unsicherheiten um die Mindesthaftzugswerte (der Mindesthaftzugswert beträgt 0,08 N/mm^2), sind aussagekräftige Untergrundprüfungen vorzunehmen. Gegebenenfalls ist ein Fachberater des Systemherstellers oder ein Sachverständiger zur Beurteilung heranzuziehen. Der Untergrund muss tragfähig, fest, trocken und staubfrei sein. Die Standsicherheit des Untergrundes, d. h. der vorhandenen Wandkonstruktion, muss hinsichtlich der zusätzlich aufzunehmenden Lasten gegeben sein.

4.9.3 Oberflächenbehandlung von WDVS

Armierungsputz

Der Armierungsputz wird auf die Dämmplatten per Hand oder mit der Putzmaschine aufgetragen. In den Armierungsputz wird ein Armierungsgewebe (alkaliresistentes Glasfasergewebe) eingearbeitet. Der Armierungsputz hilft, Spannungen, die überwiegend durch thermische Einflüsse entstehen, abzubauen, und trägt damit zur Vermeidung von Risse im Oberputz bei. Um die thermisch bedingten Spannungen abbauen zu können, empfehlen die meisten Hersteller in der Regel, das Gewebe im oberen Drittel der Armierungsschicht einzubauen. Es ist erforderlich, die vom Hersteller vorgegebene Schichtdicke des Armierungsputzes einzuhalten. Armierungsputze werden auf mineralischer sowie auch als pastöser (organischer) Basis angeboten.

Oberputz/Schlussbeschichtung

Der Gestaltung von Oberflächen auf WDVS sind kaum Grenzen gesetzt.

In der Regel erfolgt die Oberflächenbeschichtung mit witterungsbeständigen Putzen auf mineralischer oder pastöser (organischer) Basis in unterschiedlicher Struktur und Körnung.

Mineralische Putze bestehen aus verschiedenen kalk- oder zementgebundenen Gesteinskörnungen. Diese Putze können im Farbton weiß oder hell eingefärbt geliefert werden. Mineralische Putze werden als sog. Trockenmörtel in Säcken oder Silos geliefert und werden unter der Zugabe von Wasser mit einer Putzmaschine oder von Hand verarbeitet.

Pastöse Putze basieren auf Dispersion, Silikonharz- oder Silikatbindemitteln. Sie werden verarbeitungsfertig und in einer großen Farbauswahl auf die Baustelle geliefert (Eimer, Silo). Mineralische Putze (mit der Ausnahme Edelkratzputz) müssen zum Abschluss mit einer vom Hersteller hierzu freigegebenen Beschichtung gestrichen werden.

Die Oberfläche von WDVS kann auch mit speziellen Flachverblendern oder keramischen Klinkerriemchen gestaltet werden.

Hellbezugswert/TSR-Wert

Bei der Oberflächengestaltung nur auf den Hellbezugswert zu achten, greift zu kurz. Grundsätzlich sind heute auch bei WDVS Oberflächen möglich, die einem fast schwarzen Farbton gleichkommen. Hier ist es erforderlich, den TSR-Wert (transsolare Reflexion) zu betrachten.

Während der Hellbezugswert ein Maß für die Helligkeit von Oberflächen darstellt (Vergleich von Weiß [HBW 100] mit Schwarz [HBW 0]), steht der TSR-Wert für „Total Solar Reflectance". Der TSR-Wert gibt an, wie viel Solarstrahlung reflektiert wird, und somit, wie warm eine Oberfläche bei Sonneneinstrahlung tatsächlich werden kann. Je größer der TSR-Wert einer Beschichtung, desto mehr Solarstrahlung wird reflektiert und desto weniger stark erwärmt sich die jeweilige Oberfläche. Der TSR-Wert muss beim Hersteller des Produktes erfragt werden, da der Wert stark von der Zusammensetzung des Produktes (Pigmentierung) abhängt. So kann ein und derselbe z. B. braune Farbton, der mit unterschiedlichen Pigmenten erreicht (gemischt) werden kann, sehr große Abweichungen beim TSR-Wert und somit bei der Erwärmung der Oberfläche aufweisen.

4.9.4 Planung

Grundsätzlich müssen WDVS geplant werden, um Fassadensysteme zu erhalten, die Standzeiten aufweisen wie eine normale Putzfassade.

Es ist erforderlich, dass der Planer (in der Regel der Architekt), die ausführenden Handwerksbetriebe (Stuckateur, Maler, ggf. Fensterbauer, Zimmerer, Klempner), Energieberater und ggf. ein Sachverständiger die Ausführung und die einzelnen Arbeitsschritte gemeinsam planen und aufeinander abstimmen. Dies gilt insbesondere dann, wenn größere Baumaßnahmen anstehen, die verschiedene Gewerke betreffen. Wichtig ist es, Details, z. B. die schlagregendichte Ausführung im Bereich der Fenster, Fensterbänke (zweite Dichtungsebene), Fassadendurchführungen (z. B. Lüftungsanlagen), Anordnung der Brandriegel, Umsetzbarkeit der erforderlichen Dämmdicke, Ausladung der Dachuntersicht, Attika, im Vorfeld festzulegen (siehe Abb. 4.61).

4.9.5 Relevante Normen und Literatur

Normen

DIN 4108 Wärmeschutz und Energie-Einsparung in Gebäuden

DIN 4108 Beiblatt 2:2019-06 Wärmeschutz und Energie-Einsparung in Gebäuden-Wärmebrücken-Planungs- und Ausführungsbeispiele

DIN 4109 Schallschutz im Hochbau

DIN 55699:2017-08 Anwendung und Verarbeitung von außenseitigen Wärmedämm-Verbundsystemen (WDVS) mit Dämmstoffen aus expandiertem Polystyrol-Hartschaum (EPS) oder Mineralwolle (MW)

DIN 18345:2019-09 VOB Vergabe- und Vertragsordnung für Bauleistungen – Teil C: Allgemeine Technische Vertragsbedingungen für Bauleistungen (ATV) – Wärmedämm-Verbundsysteme

DIN 18339:2019-09 VOB Vergabe- und Vertragsordnung für Bauleistungen – Teil C: Allgemeine Technische Vertragsbedingungen für Bauleistungen (ATV) – Klempnerarbeiten

DIN EN 998-1:2017-02 Festlegungen für Mörtel im Mauerwerksbau – Teil 1: Putzmörtel

DIN EN 13162:2015-04 Wärmedämmstoffe für Gebäude– Werkmäßig hergestellte Produkte aus Mineralwolle (MW) – Spezifikation

DIN EN 13163:2017-02 Wärmedämmstoffe für Gebäude – Werkmäßig hergestellte Produkte aus expandiertem Polystyrol (EPS) – Spezifikation

DIN EN 13171:2015-04 Wärmedämmstoffe für Gebäude – Werkmäßig hergestellte Produkte aus Holzfasern (WF) – Spezifikation

Literatur

VDPM-Merkblatt Ausbildung von Details mit Profilen und Fugendichtbändern bei Außenputz und WDVS. Stand: März 2021. Berlin: Verband für Dämmsysteme, Putz und Mörtel e. V., 2020

VDPM-Merkblatt Dübel in WDVS: Hinweise zur Planung und Ausführung. Stand: März 2020. Berlin: Verband für Dämmsysteme, Putz und Mörtel e. V., 2020

Abb. 4.61: Beispiel Anschluss Fenster und Fensterbank: Dämmung mit Polystyroldämmplatten (Quelle: RELIUS Farbenwerke GmbH, Memmingen)

Abb. 4.62: Bitumenbahnen (Quelle: derdichtebau.de)

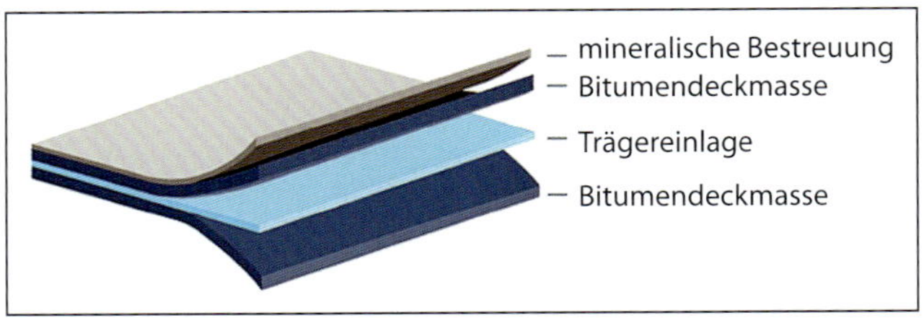

Abb. 4.63: Aufbau einer Bitumenbahn (Quelle: derdichtebau.de)

VDPM-Merkblatt Sichere Befestigung von Anbauteilen an WDVS. Stand: April 2020. Berlin: Verband für Dämmsysteme, Putz und Mörtel e. V., 2020

VDPM-Merkblatt WDV-Systeme zum Thema Schallschutz. Stand: Januar 2013. Baden-Baden: Fachverband Wärmedämm-Verbundsysteme e. V., 2013

VDPM Technische Systeminformation WDVS und Brandschutz. Stand: März 2018. Berlin: Verband für Dämmsysteme, Putz und Mörtel e. V., 2018

Der Ratgeber rund um die Außenwand. Für Modernisierer und Bauherren. Stand: November 2018 Berlin: Verband für Dämmsysteme, Putz und Mörtel e. V., 2018

4.10 Bitumenbahnen

Das aus Erdöl gewonnene Bitumen kennt man aus dem Straßenbau: Asphalt besteht aus Gesteinskörnungen, die mithilfe von Bitumen zu einem dichten, wasserundurchlässigen Material für die Fahrbahndecke verbunden werden. Auch bei der Abdichtung von Flachdächern spielt Bitumen eine große Rolle.

Die klassischen Bitumenbahnen (siehe Abb. 4.62) für die Dachabdichtung bestehen nicht ausschließlich aus Bitumen. Der bei der Erdölproduktion anfallende Stoff bildet nur die Deckschichten auf beiden Seiten der Dachbahnen. Dazwischen befindet sich eine Trägereinlage. Dabei handelt es sich in der Regel um Vliese oder Gewebe aus Polyester oder Glas oder einer Kombination von beiden (siehe Abb. 4.63).

Trägereinlage mit Deckschichten

Die Trägereinlage hat die Aufgabe, die Bitumenschichten zu armieren. Sie bestimmt das mechanische Verhalten der Bahn und das Verhalten bei der Verarbeitung in Abhängigkeit von der Verarbeitungstechnik, dem Untergrund und der Temperatur.

Die Deckschichten aus Bitumen oder Polymerbitumen bestimmen die Wasserdichtigkeit, das Witterungs- und Temperaturverhalten sowie die Alterungsbeständigkeit. Sie bestimmen weiterhin in Verbindung mit der Trägereinlage die Flexibilität, die Verarbeitbarkeit und das Langzeitverhalten der Polymerbitumen- und Bitumenbahnen.

Die obere Deckschicht von Oberlagsbahnen wird in der Regel noch mit einer mineralischen Gesteinskörnung bestreut, die man bei der Herstellung auf das heißflüssige Bitumen aufbringt, sodass sie mit der Oberfläche verklebt. Diese Materialien – z. B. Schiefersplitt oder Granulat – bilden einen UV-Schutz für die Abdichtung, dienen aber auch optischen Zwecken. Bitumenbahnen, die als Oberlage verwendet werden, sind in unterschiedlichen Farben lieferbar.

Vorteile von Bitumenbahnen

Neben Wasserundurchlässigkeit, Elastizität, Temperaturbeständigkeit und Langlebigkeit hat der Verbundstoff aus Bitumen und Trägereinlage weitere Vorteile. Bitumenbahnen sind formstabil und langlebig sowie widerstandsfähig gegen viele aggressive Substanzen – etwa gegen Säuren, Laugen und Salze. Außerdem lassen sie sich mehrlagig verlegen. Um eine sichere Abdichtung zu garantieren, werden die Bahnen meist zweilagig verlegt und vollflächig miteinander verschweißt oder verklebt (siehe Abb. 4.64). Diese Art der Verarbeitung hat zudem den Vorteil, dass auch gealterte Abdichtungen jederzeit noch so repariert werden können, dass wiederum eine homogen Abdichtungsschicht entsteht.

Einsatz von Polymerbitumen

Bitumen ist bei tiefen Temperaturen hart, bei hohen weich. Für die Verarbeitung ist dies ein Vorteil, im eingebauten Zustand kann das aber bei hohen sommerlichen Temperaturen nicht ausreichend sein. Ein Beispiel sind Asphalt-Fahrbahnen, die in heißen Sommern spürbar rutschiger werden oder sogar tatsächlich zu schmelzen beginnen. Um den Gebrauchstemperaturbereich für Bitumenbahnen zu erhöhen, wurden Bitumenbahnen entwickelt, deren Deckschichten aus Polymerbitumen bestehen, das bei niedrigen Temperaturen auch noch flexibel und bei hohen noch standfest ist.

Bei Polymerbitumen handelt es sich um Bitumen, das durch die Zugabe von Kunststoffen (Polymere) modifiziert wurde und dadurch weniger temperaturempfindlich ist. Diese Kunststoffe können entweder Elastomere (PYE) oder Plastomere (PYP) sein. Elastomerbitumenbahnen sind bei Hitze standfest und bei Kälte noch flexibel. Außerdem wird das Bitumen noch elastischer, denn Elastomere haben die Eigenschaft, sich dehnen und wieder zurückstellen zu können (siehe Abb. 4.65). Plastomerbitumenbahnen (PYP) sind bei hohen Temperaturen noch standfester, aber bei niedrigen Temperaturen nicht ganz so flexibel wie Elastomerbitumenbahnen (PYE). Plastomerbitumen ist auch verformbar, das Rückstellverhalten ist jedoch nicht ganz so hoch wie bei Elastomerbitumen. Plastomerbitumen wird daher in heißeren Ländern verwendet.

Abb. 4.64: Aufbringen einer Bitumenbahn im Gießverfahren (Quelle: derdichtebau.de)

Abb. 4.65: Aufbringen einer Elastomerbitumen-Schweißbahn (Quelle: derdichtebau.de)

Polymerbitumenbahnen sind heute bei der oberen Lage der Flachdachabdichtung Standard. Für die darunterliegenden Lagen verwendet man aber durchaus auch nach wie vor einfachere Bitumenbahnen, die nicht mit Polymeren modifiziert wurden.

4.11 Kunststoff- und Elastomerbahnen für die Dach-/Bauwerksabdichtung

Die Welt der Kunststoffe ist vielfältig, und auch Dachabdichtungen aus Kunststoffen und Elastomeren gibt es in zahlreichen Varianten. Hergestellt werden sie seit Anfang der 1950er-Jahre; die erste Generation dieser Abdichtungen wurde aus Polyvinylchlorid (PVC) gefertigt, einem Kunststoff aus der Gruppe der Thermoplaste. Dafür wurde das Material mit Weichmachern versetzt, um die für die Dachbahnen erforderliche Elastizität zu erreichen.

Entwicklung von Kunststoff-Dachbahnen

Neben den PVC-Produkten kamen in der Folge viele weitere Abdichtungsbahnen auf den Markt, die aus anderen thermoplastischen Kunststoffen hergestellt werden. Schon Mitte der 1950er-Jahre wurden Polyisobutylen(PIB)-Bahnen eingeführt, in den 1960er-Jahren folgten Abdichtungen aus Ethylen-Copolymer-Bitumen (ECB), in den 1970er-Jahren solche aus EVA (Ethylen-Vinylacetat-Copolymer). In den 1980er-Jahren wurde das Sortiment u. a. um TPE-Bahnen ergänzt (thermoplastische Elastomere), und seit den 1990er-Jahren gibt es die Produkte aus flexiblen Polyolefinen (FPO).

ECB unterscheidet sich von den anderen thermoplastischen Kunststoffen in seinen Eigenschaften deutlich. Es handelt sich um eine Mischung aus dem Thermoplast Polyethylen (PE) und aus Bitumen. Das beigemischte Bitumen übernimmt dabei die Funktion eines Weichmachers, der das Material elastischer werden lässt.

Seit den 1960er-Jahren gibt es neben den Dichtungsbahnen aus thermoplastischen Kunststoffen auch solche aus synthetischem Kautschuk, die Elastomerbahnen genannt werden. Hier haben sich Produkte aus EPDM (Ethylen-Propylen-Dien-[Monomer]-Kautschuk) durchgesetzt. Sie enthalten keine Weichmacher und sind bitumenverträglich.

Eigenschaften von Kunststoff- und Elastomerbahnen

Kunststoff- und Elastomerbahnen weisen eine hohe Zugfestigkeit bei gleichzeitiger Flexibilität und hohem Dehnvermögen auf. Sie sind UV-beständig und können widerstandsfähig gegen aggressive Medien wie Mineralöle und Fettsäuren sein. Außerdem sind sie temperaturbeständig, sowohl bei Kälte als auch bei Hitze.

Die Abdichtungsbahnen enthalten meist eine Einlage oder eine Verstärkung aus Glas oder Kunststoff. Sie können zusätzlich auch mit Vliesen kaschiert sein. Daneben gibt es auch homogene Kunststoff- und Elastomerbahnen, also ohne Einlage oder Verstärkung.

Wirtschaftliche Verarbeitung

Kunststoff- und Elastomerbahnen für die Dach- und Bauwerksabdichtung werden in der Regel einlagig verlegt. Dadurch spart man Zeit und Material und es lastet wenig Gewicht auf der Dachfläche. Sie werden als Rollenware geliefert und sind in verschiedenen Dicken erhältlich.

Die Bahnen werden meistens lose verlegt und mechanisch befestigt. Möglich ist auch eine Sicherung durch Auflast (Kies oder Begrünung). Sie können auch streifenweise oder flächig verklebt werden. Im Bereich der Nahtüberdeckungen werden die Bahnen miteinander verschweißt (siehe Abb. 4.66). In der Regel wird mit Heißluft oder mit Quellschweißmitteln gearbeitet. Dadurch sinkt das Brandrisiko durch Dacharbeiten. Die lose Verlegung hat auch Vorteile beim späteren Rückbau des Daches. Kunststoff- und Elastomerbahnen lassen sich sortenrein ausbauen und recyceln.

Es gibt auch selbstklebende Bahnen aus Kunststoff- oder Elastomeren (siehe Abb. 4.67). Diese zeichnen sich durch eine bereits werkseitig aufgebrachte Klebemasse an der Bahnunterseite aus. Beim Verlegen muss der Verarbeiter eine Schutzfolie abziehen und die Bahn auf dem Untergrund andrücken.

4.12 Folien

4.12.1 Kunststofffolien

Kunststofffolien sind für die vielfältigen Zwecke als Abdeckung, als Wetter- und Verdunstungsschutz im Rohbau und im Ausbau nicht mehr wegzudenken, ebenso wenig in der Bauerneuerung und -sanierung.

Angeboten werden Folien hauptsächlich aus Polyethylen (PE) und Polyvinylchlorid (PVC-P).

Ihr Einsatzbereich umfasst folgende Anwendungsgebiete:

- provisorischen Bauwerksschutz (Winterschutz, Abdeckung, Fenster),
- Schutz frisch betonierter Flächen vor Verdunstung und Frost,
- Abdecken der Dämmschicht unter Estrichen, auch Trockenestrich,

Abb. 4.66: Heißluftverschweißung der Nähte von Kunststoffdachbahnen (Quelle: www.alwitra.de, Alwitra GmbH, Trier)

Abb. 4.67: Selbstklebende PIB-Kunststoffdachbahn (Quelle: FDT Flachdach Technologie GmbH, Mannheim)

Abb. 4.68: Unterdeckbahn mit integriertem Selbstkleberand für vollgedämmte Steildächer (Quelle: Ewald Dörken AG, Herdecke)

- Transportschutz und Lagerschutz (Schrumpffolie, zugleich Werbeträger),
- Schutzplane bei Bau- und Malerarbeiten im bewohnten Haus,
- Unterspannbahn unter Dachziegeln und Betondachsteinen beim geneigten Dach (gewebeverstärkt/Fadengitter).

4.12.2 Unterdeckbahnen

Unterdeckbahnen – man spricht auch von Unterdeckungen – sind bei unbelüfteten D ächern heute Standard. Man verlegt sie z. B. auf den Platten einer Aufsparrendämmung. Ist das Dachtragwerk (Dachstuhl) nur mit einer Zwischensparrendämmung gedämmt, erfolgt die Verlegung direkt auf den Dachsparren. Auf der Innenraumseite des Dämmpakets ist zudem eine Dampfsperre/-bremse zu verlegen.

In jedem Fall ist es notwendig, dass Wasserdampf, der aus dem Innenraum in die Dämmstoffebene diffundiert, nach außen entweichen kann. Deshalb sind Unterdeckbahnen stets diffusionsoffen. Das ist der wesentliche Unterschied zu klassischen Unterspannbahnen (Unterspannung), die früher als Standard für ungedämmte Dächer zum Einsatz kamen.

Unterdeckbahnen (siehe Abb. 4.68) sind üblicherweise mehrschichtig und bestehen z. B. aus Polyethylen/Polypropylen. Die Bahnen unterscheiden sich z. B. in Dicke, Gewicht und der Art der verwendeten Kunststoffe. Manche Produkte sind zusätzlich beschichtet .

Mehrschichtige Bahnen

Bei den mehrschichtigen Unterdeckungen mit mittiger Funktionsmembran unterscheidet man 2 Varianten. Die Membranschicht im Kern der Bahn besteht entweder aus einem mikroporösen oder aus einem monolithischen Film. Diese Funktionsschichten der Unterdeckungen werden beidseitig durch Vliesschichten geschützt.

Ein Kern aus mikroporösem Film enthält viele kleine Poren („mikro"), durch die Wasserdampf sehr leicht per Luftaustausch hindurchdringen kann. Monolithische Filme sind dagegen ganz und gar nicht „löchrig". Im Gegenteil: Ihre innere Struktur ist besonders dicht – „aus einem Stück bestehend" (monolithisch). Es handelt sich um geschlossenzellige Membrane. Da diese über keinerlei Poren verfügen, bieten sie einen besonders hohen Feuchtigkeitsschutz. Selbst kleinste Wassertropfen, wie sie bei Schlagregen vorkommen, dringen nicht durch diese Membrane.

Trotzdem lassen auch monolithische Unterdeckbahnen Wasserdampf durch. Der Transport von Wasserdampf erfolgt aber nicht, wie bei den mikroporösen Membranen, durch Luftaustausch, sondern – ganz ohne äußere Einwirkung – durch natürliche Diffusion. Dieses physikalische Prinzip sorgt überall in der Natur für einen Ausgleich von Konzentrationsunterschieden. Es wird auch dann wirksam, wenn auf den beiden Seiten eines Bauteils – oder einer Membran – unterschiedlich hohe Wasserdampfdrücke herrschen.

Beschichtete Bahnen

Weitere Premiumprodukte verfügen über ein Polyestervlies im Kern, das beidseitig mit thermoplastischem Polyurethan (TPU) beschichtet wird. Es sind diese äußeren Beschichtungen, die bei diesen Bahnen als monolithische Funktionsschichten wirken.

4.12.3 Dampfbremse und Dampfsperren

Das Gebäudeenergiegesetz (GEG) fordert ausdrücklich, dass Neubauten eine luftdichte Gebäudehülle haben müssen. Diese Vorschrift zielt einerseits auf die Verhinderung von Wärmeverlusten durch ein unkontrolliertes Entweichen der Raumluft über Löcher und Ritzen in der Gebäudehülle. Andererseits soll aber auch verhindert werden, dass Wasserdampf durch die Baustoffschichten „wandert" und dort zu Schimmelpilzbefall führt.

Durch die Ausbildung luftdichter Schichten verhindert man sowohl den Wärmetransport als auch die Wasserdampfausbreitung über die Luft. Während Dachbaustoffe nach außen hin durch die Dacheindeckung sowie eventuelle Zusatzmaßnahmen wie Unterspannungen, Unterdeckungen oder ein Unterdach vor Feuchtigkeit geschützt sind, wird die Luftdichtheit der Gebäudehülle u. a. durch Dampfbremsen oder eben durch Dampfsperren hergestellt.

Dampfbremsen

Viele Dämmstoffe verlieren rapide an Leistungsfähigkeit, wenn sie feucht werden. Geringe Mengen an Wasserdampf stellen meist kein Problem dar, gefährlich wird es aber, wenn viel Luftfeuchtigkeit ungebremst in den Dämmstoff eindringt und dort zu flüssigem Wasser kondensiert. Das bewirkt nicht nur eine geringere Dämmfähigkeit, sondern auch eine akute Schimmelgefahr im Bauteil.

Bei der Dämmung von Steildächern versucht man, größere Feuchtebelastungen durch die Innenraumluft zu verhindern, indem der Dämmstoff raumseitig durch eine Dampfbremse/-sperre geschützt wird. Diese wird vollflächig auf Dämmung verlegt. Sie befindet sich also direkt unter der abschließenden Innenraumverkleidung.

Solche Dampfbremsfolien bestehen meist aus Kunststoffen wie Polyethylen, Polyamid oder PVC, vereinzelt auch noch aus imprägnierten Kraftpapieren oder Pappen.

Wie ihr Name impliziert, bremsen die Folienwerkstoffe die Wasserdampfdiffusion, ohne sie allerdings komplett zu stoppen. Letzteres wäre in den meisten Anwendungsfällen bauphysikalisch auch kein erstrebenswertes Ziel. Denn wenn man Baustoffe in absolut dichte Folien „einpackt", verhindert man auch eine mögliche Austrocknung der Materialien, falls diese durch irgendwelche Umstände durchfeuchtet sein sollten.

Dampfsperren

Anders als Dampfbremsen, die die natürliche Wasserdampfdiffusion nicht vollends unterbinden, sind sog. Dampfsperren tatsächlich weitgehend dicht – selbst für gasförmige Wassermoleküle. Die Folien bestehen meist aus Aluminium oder es handelt sich um mehrschichtige Werkstoffe, zu denen in der Regel auch eine Aluminiumschicht gehört. Einige Hersteller bieten auch Mineralwolle-Dämmfilze für die Zwischensparrendämmung an, die raumseitig bereits über eine dampfdichte Alukaschierung verfügen.

Nach DIN 4108-3:2018-10 „Wärmeschutz und Energie-Einsparung in Gebäuden – Teil 3: Klimabedingter Feuchteschutz – Anforderungen, Berechnungsverfahren und Hinweise für Planung und Ausführung" sind Dampfsperren Baufolien mit einem s_d-Wert von mindestens 1.500 m. Bei geringeren Werten stuft man die Folien als Dampfbremsen ein. Was theoretisch eindeutig definiert scheint, stellt sich in der Verkaufspraxis allerdings deutlich anders dar. Viele Hersteller vermarkten auch Folien als Dampfsperren, bei denen der s_d-Wert deutlich unterhalb von 1.500 m liegt. Man muss festhalten, dass die Begriffe Dampfbremse und Dampfsperre am Markt alles andere als einheitlich verwendet werden. Wer gezielt eine wirklich dampfdichte Folie sucht, sollte daher auf einen s_d-Wert $\geq$ 1.500 m achten.

In der Baupraxis hat sich mittlerweile die Erkenntnis durchgesetzt, dass absolut dichte Folien für die meisten Anwendungsfälle gar nicht notwendig und oft sogar schädlich sind und schlimmstenfalls zu schweren Schimmelschäden führen können, weil feuchte Dämmstoffe und Holzbauteile auch im Sommer nicht mehr austrocknen.

Bei Steildächern in normalen Wohnhäusern werden Dampfsperren auf der Innenraumseite allenfalls noch dann eingesetzt, wenn sichergestellt ist, dass Wasserdampf zumindest nach außen diffundieren kann. Das ist z. B. der Fall, wenn oberhalb der Dämmstoffebene – also unterhalb der Dacheindeckung – eine wasserdampfdurchlässige Unterspannbahn verlegt wurde. Im Prinzip lässt sich aber sagen, dass das Standardprodukt im Wohnungsbau heute die Dampfbremse ist. Auch die Europäische Gesellschaft für Gesundes Bauen und Innenraumhygiene (EGGBI) empfiehlt, wann immer möglich, den Einsatz von Dampfbremsen, da damit das Wohnraumklima positiv beeinflusst werde.

Dampfsperren haben sich dagegen zu einem Nischenprodukt entwickelt, das fast nur noch für Spezialanwendungen gebraucht wird. In der Regel sind das Fälle, bei denen Feuchtigkeit dauerhaft nur von einer Seite in ein Bauteil einzudringen droht – und zwar durch Wasserdampfdiffusion von einem dauerhaft warmen in einen dauerhaft kälteren Bereich. Das gilt z. B. für ein Dampfbad, bei dem die warme, feuchte Luft ins Freie drängt. Umgekehrt verhält es sich bei einem Kühlraum, in dem die Luft stets extrem kalt und trocken ist. Hier hat die Luftfeuchtigkeit von draußen die Neigung, in den Kühlraumbereich zu fließen – notfalls in Form von Wasserdampfdiffusion durch Bauteile.

In solchen Extremfällen ist die Verlegung von Dampfsperren auf der warmen Wandseite in der Regel unumgänglich. Es gilt hier, zu verhindern, dass große Mengen Wasserdampf durch die Baustoffschichten wandern und dann in den kälteren Wandbereichen als flüssiges Wasser kondensieren. In normalen Wohnbereichen sind solche extremen klimatischen Verhältnisse aber nicht üblich. Deshalb ist dort die Dampfbremse die bessere Wahl.

Abb. 4.69: Dach einer Lagerhalle mit mattschwarzen Bitumenwellplatten (Quelle: Onduline GmbH, Wiesbaden)

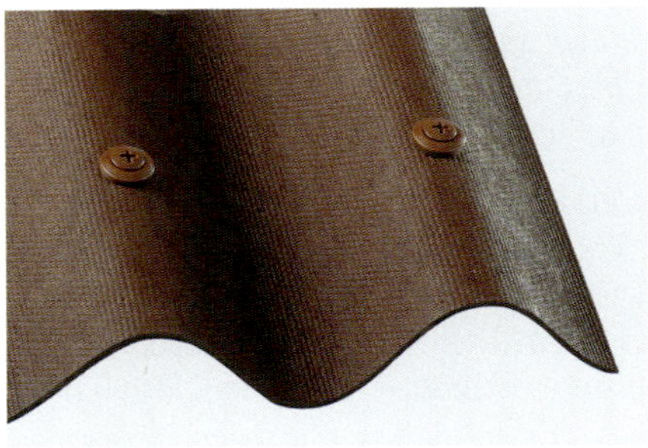

Abb. 4.70: Mit speziellen Schrauben werden Bitumenwellplatten sturmfest befestigt (Quelle: Onduline GmbH, Wiesbaden).

Abb. 4.71: Dacheindeckung mit Bitumendachschindeln (Quelle: Onduline GmbH, Wiesbaden)

4.13 Sonstige Dacheindeckungen

Unter dem Sammelbegriff „sonstige Dacheindeckungen" werden alle Dachbaustoffe außer Dachziegeln, Dachsteinen und Faserzementerzeugnissen zusammengefasst. Nach dem Grundstoff werden Bedachungen aus bituminösen Stoffen und Metall differenziert. Daneben existieren die traditionellen Dachdeckungsmaterialien wie Reet, Schiefer und Holzschindeln, die jedoch, auf ganz Deutschland bezogen, nur von untergeordneter Bedeutung sind. Landschaftsgebunden werden sie allerdings wieder häufiger verwendet. Besonders Schiefer erfreut sich steigender Nachfrage. Die Materialien finden teilweise auch als Fassadenbekleidungen Verwendung.

4.13.1 Bitumenwellplatten

Bitumenwellplatten eignen sich für eine Vielzahl von Anwendungen in der Landwirtschaft, im Sportstätten- und Lagerhallenbau (siehe Abb. 4.69) sowie im Umfeld von Haus und Garten. Sie sind flexibel, leicht und schnell zu verarbeiten. Die Geräuschemission bei Niederschlag ist gering.

Bitumen ist ein Thermoplast mit ausgezeichnetem chemischen Verhalten gegenüber Säuren, Laugen, Salzen, dem Sauerstoff der Luft, Wasser sowie vielen weiteren Witterungseinflüssen. Dies macht sie auch geeignet für anspruchsvolle Umgebungen in der Landwirtschaft oder in Salzlagern.

Bitumenwellplatten werden im vollautomatischen Endlosverfahren als einschichtige oder mehrschichtige Platten hergestellt und sind nach DIN EN 534:2010-07 „Bitumen-Wellplatten – Produktfestlegungen und Prüfverfahren" genormt. Die Platten sind flexibel und leicht – ein Vorteil bei Neubau und Sanierung. Die Regeldachneigung beträgt 10° und kann unter Beachtung von Zusatzmaßnahmen auf 7° reduziert werden. Die Eindeckung erfolgt in der Regel auf Lattung; die Lattenabstände hängen ab von Dachneigung und Anforderung (z. B. Klimazone). Für die Befestigung kommen spezielle vom Hersteller gelieferte Glocken- bzw. PVC-Kopfnägel oder Spezialschrauben zum Einsatz (siehe Abb. 4.70).

Bitumenwellplatten entsprechen in der Regel der Baustoffklasse B 2 bzw. Euroklasse E. Die Platten sind nicht begehbar und müssen für das Begehen mit vorgeschriebenen Vorrichtungen (lastverteilenden Vorrichtungen, z. B. Laufbohlen) versehen werden.

Als spezielle Ausführungen werden ebenfalls Dachplatten im Ziegeldesign angeboten.

4.13.2 Bitumendachschindeln

Eine preiswerte Möglichkeit, zu einem optisch ansprechenden Dach zu kommen, bieten die Bitumendachschindeln (siehe Abb. 4.71). Die gängigen Formen sind Rechteck-, Biber- und Dreieckschindeln.

Die entsprechenden Prüfungen vorausgesetzt, gelten Bitumenschindeln als harte Bedachung. Die Schindeln sind nach den „Regeln für Deckungen mit Polymerbitumen-Bitumendachschindeln“ (2014) der österreichischen Bundesinnung der Dachdecker, Glaser und Spengler kleinformatige Bauteile für Dachdeckungen auf Bitumenbasis mit Trägereinlagen. Die Hersteller verwenden heute durchweg Glasvlies als Trägereinlage.

Die Deckflächen bestehen aus Oxidationsbitumen oder modifiziertem Bitumen. Für eine ansprechende Optik und den UV-Schutz sorgt die farbige Bestreuung mit keramisch gebrannten Granulaten oder Schiefersplitt.

Formate

Die Fabrikate der verschiedenen Hersteller unterscheiden sich etwas in den Formen. Fast alle sind mit 2 oder 3 Schlitzen in den Drittel- oder Viertelpunkten versehen. Die Schindelblätter, die so entstehen, werden meist rechteckig belassen, können jedoch auch auf verschiedene Weise beschnitten sein, sodass beim Verlegen ein anderes als das gewöhnlich erzielte Rechteckmuster entsteht.

Gebräuchliche Formate von Bitumendachschindeln sind:

- 900 mm × 300 mm
- 907 mm × 311 mm
- 915 mm × 305 mm
- 1.000 mm × 300 mm
- 1.000 mm × 340 mm
- 1.000 mm × 333 mm

Verlegung und Befestigung

Für die Deckung benötigt man eine nagelbare, biegesteife Unterkonstruktion. Eine Holzschalung aus Brettern muss mindestens 24 mm, Schalungen aus Holzwerkstoffen mit entsprechenden Anforderungen müssen mindestens 22 mm dick sein. Die Befestigung erfolgt mit Breitkopfstiften oder zulässigen Klammern.

Bei Leichtbeton-Unterkonstruktionen muss geprüft werden, ob die Befestigung mit Nägeln möglich ist. Eine ausreichende Be- und Entlüftung der mehrschaligen Dachkonstruktion muss sichergestellt sein.

Die Deckung selbst erfolgt waagerecht als Doppeldeckung in ½- oder ⅓-Verband (siehe Abb. 4.72 und 4.73). Eine Vordeckung mit geeigneten Unterdeckbahnen ist erforderlich. Die Vordeckung erfolgt mit geeigneten Breitkopfstiften aus korrosionsgeschütztem Material.

Bitumendachschindeln sind mit Selbstklebepunkten oder -streifen ausgestattet und verkleben so durch ihr Eigengewicht bei Erwärmung. Normalerweise ist die Sonneneinstrahlung hierfür ausreichend. Bei ungünstiger Witterung kann eine Erwärmung z. B. mit Heißluftgeräten oder durch kurzes Anflämmen erforderlich sein. Ein besonderer Vorteil bei der Deckung mit Bitumendachschindeln ist, dass alle Formteile für die Dachdetails wie Traufe, Ortgang, First, Grat, Kehle sowie alle Anschlüsse aus den Schindeln zugeschnitten und verarbeitet werden können.

Tabelle 4.7 gibt eine Übersicht über die Dachneigungsgrenzen, die bei der Bedachung mit Bitumendachschindeln einzuhalten sind.

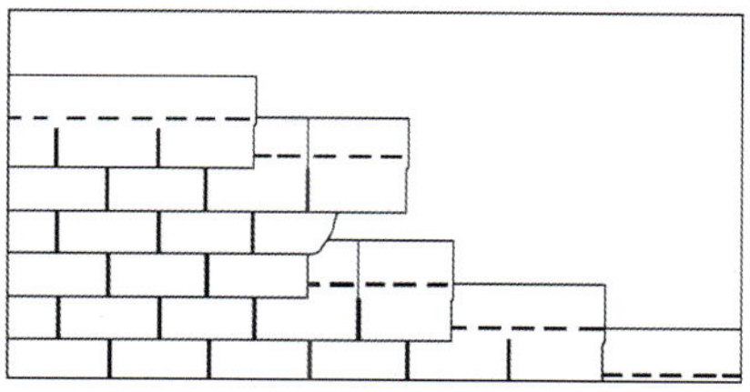

Abb. 4.72: ½-Verbandsdeckung mit abgeschnittenem Traufgebinde

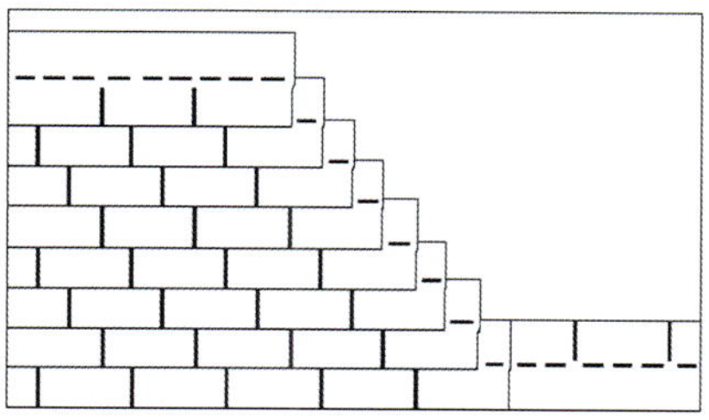

Abb. 4.73: ⅓-Verbandsdeckung mit umgekehrtem Traufgebinde

Abb. 4.74: Wandbekleidung mit Trapezprofilen (Quelle: Luxmetall Deutschland GmbH, Berlin)

Tabelle 4.7: Dachneigungsgrenzen

Sparrenlänge in m	Schindelformat	Regeldachneigung in °
≤ 10	Rechteckformat	≥ 15 (26,8 %)
> 10	Rechteckformat	≥ 20 (36,4 %)
≤ 10	Biber und Dreieckformat	≥ 20 (36,4 %)
> 10	Biber und Dreieckformat	≥ 25 (46,6 %)

4.13.3 Hartbedachung aus Metall

Zur Erstellung von Metallbedachungen werden insbesondere Trapezprofile, Stegfalzbleche und Sonderprofile verwendet. Bevorzugte Materialien sind Stahl, Zink und Aluminium.

Trapezprofile

Trapezprofile aus Stahl und Aluminium findet man vor allem im Gewerbe- und Industriebau (siehe Abb. 4.74). Großflächige Warenhäuser, Produktions- oder Lagergebäude, Fabriken, Kraftwerke und andere Großobjekte besitzen häufig weit spannende und tragende Stahltrapezprofile als Dachkonstruktion. Spannweiten zwischen den Auflagern – Bindern oder Pfetten – bis hin zu 8.000 mm bei gleichzeitiger Tragfähigkeit bis 200 kg/m² sind problemlos möglich.

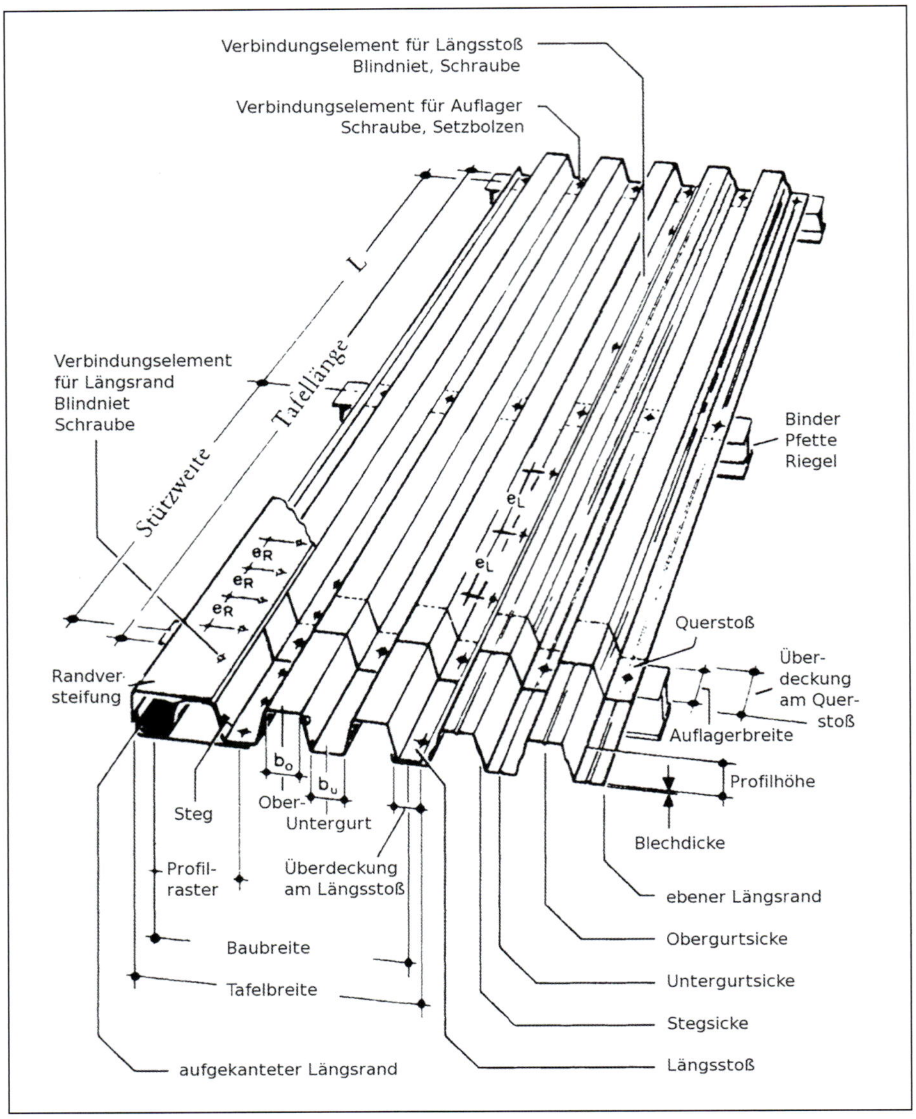

Abb. 4.75: Stahltrapezblech-Konstruktion (Bezeichnungen)

Für die Tragfähigkeit sind die Profilform, das verwendete Vormaterial und die Materialdicke wesentlich. Auch bei der Fassadengestaltung wird das Trapezprofil eingesetzt.

Zur Herstellung von Trapezprofilen werden hauptsächlich oberflächenveredelte Stahl- und Aluminiumbänder verwendet. Abb. 4.75 zeigt die Konstruktion von Stahlblech-Trapezprofilen.

Zunehmende Umweltbelastung und erhöhte Korrosionsschutzansprüche führten dazu, dass heute die Profile durchweg bandbeschichtet werden.

Vor der Bandbeschichtung werden die Stahl- und Aluminiumbänder in ähnlicher Weise vorbehandelt, d. h., die Bänder durchlaufen eine mechanische und chemische Reinigung und werden anschließend mit einem Haftvermittler versehen.

So vorbereitet läuft das Band mit einer Geschwindigkeit von ca. 50 m/Min. durch Farbwalzenstühle, wo nacheinander die Grundfarbe und die Decklackierung aufgetragen werden. Nach jedem Beschichtungsvorgang durchläuft das Band Trockenöfen.

Die Beschichtungsstoffe werden nach ihrem Bindemittel unterschieden, dem sog. Kunstharz, wie Acrylat, Polyester, Polyvinylidenfluorid (PVDF) und Polyvinylchlorid (PVC). Je nach Einsatzzweck empfehlen die Hersteller die richtige Beschichtungsart.

Die Profilierung erfolgt auf Profiliermaschinen, bei denen mehrere Rollenstühle hintereinander angeordnet sind. Das beschichtete Band wird in die Profiliermaschine eingefädelt und von der Mitte des Bandes her nach außen so verformt, bis die vorgegebene Länge erreicht ist. Mit einer „fliegenden Schere“ wird das Profil abgelängt und rollt auf den Verpackungstisch, wo es gebündelt und verpackt wird.

Einsatzgebiete

Trapezprofile werden sowohl im Dachbereich (siehe Abb. 4.76) als auch an der Wand eingesetzt. Die vielfältigen Einsatzmöglichkeiten lassen sich wie folgt unterscheiden:

- Einschalige Dach- und Wandbekleidung: ohne Isolierung für einfache Gebäude wie Schuppen und Lager. Die Unterseite des Daches sollte mit einem Kondensat-Abtropfschutz, z. B. Vlies, versehen sein, damit kein abtropfendes Kondenswasser das Lagergut beschädigt.

Abb. 4.76: Dacheindeckung mit Trapezprofilen (Quelle: Luxmetall Deutschland GmbH, Berlin)

- Vorgehängte Wandbekleidung: An einer bestehenden Wand aus Mauerwerk, Beton oder Holz wird eine Verkleidung aus Trapezprofilen befestigt. Im Zwischenraum kann eine zusätzliche Isolierung verlegt werden.
- Tragende Dachunterschale: Diese besteht meistens aus Stahltrapezprofilen, für die Aufnahme der Isolierung und Folien-Dachabdichtung.
- Doppelschalige Metalldacheindeckung: Der Dachaufbau besteht aus einem tragenden Stahltrapezprofil, einer Isolierung und einer Dampfsperre sowie einer Wetterhaut aus Aluminiumtrapezprofilen. Die Befestigung der Außenhaut kann auf Distanzpfetten, Haften oder auf Montagebändern erfolgen.
- Kassettenwände mit Trapezprofilbekleidung: Die Kassetten bilden die innere Wandkonstruktion; sie spannen von Binder zu Binder. Die Isolierung wird in die Kassetten eingelegt, und das Ganze wird von außen mit Trapezprofilen verkleidet.
- Verlorene Schalungen: Diese werden für Decken in Bürohäusern und Fabriken verwendet.

Trapezprofile werden nicht nur für Neubauten verwendet, sondern auch – und in zunehmendem Maße – bei Sanierungen. Gerade für den Ersatz alter, schadhafter Wellprofildächer eignen sich die leichten Aluminiumprofile. Aufgrund ihres geringen Gewichtes kann zusätzlich zu den Trapezprofilen meistens noch eine Isolierung auf die vorhandene Dachkonstruktion montiert werden, ohne das ursprüngliche Dachgewicht zu überschreiten.

Das Sortiment umfasst insgesamt etwa 50 Profilformen in Baubreiten von 500 bis 1.050 mm und Profilhöhen von 10 bis 165 mm. Viele Hersteller unterteilen die Profile nach deren Höhe; so bedeutet in der Profilbezeichnung die erste Zahl die Höhe des Profils in mm, die zweite den Sickenabstand und die dritte die Blechdicke. Die Baubreite oder Deckbreite ist meist nicht erwähnt, sie ergibt sich aus der Sickenbreite, multipliziert mit der jeweiligen Sickenzahl (siehe Abb. 4.77).

Metallbedachungsplatten mit Sonderprofilen

Hier sind vor allem Metalldachpfannen zu nennen, die es heute in verschiedenen Ausführungen gibt. Materialauswahl und Farbgebung entsprechen den Trapezprofilen,

Beispiel

Trapezprofil: 100/275 · 0,75 [Höhe]/[Sickenabstand] · [Dicke]

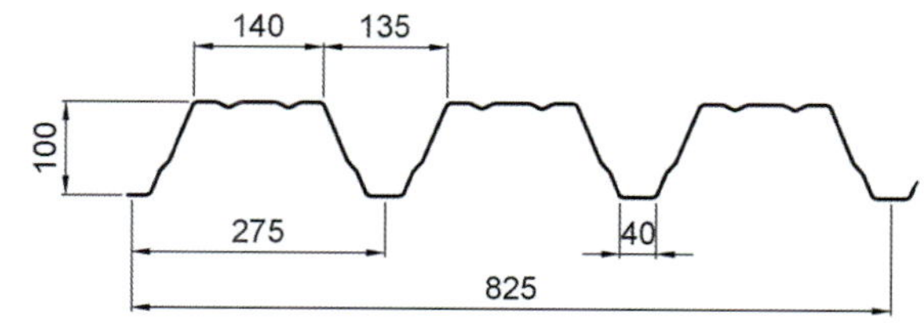

Abb. 4.77: Beispielhafte Berechnung von Bau- oder Deckenbreite

Abb. 4.78: Metallbedachungsplatten sind wegen des geringen Gewichts leicht zu verarbeiten (Quelle: Luxmetall Deutschland GmbH, Berlin).

hinsichtlich ihrer Verformung kommt zusätzlich zum Rollformvorgang ein Pressvorgang hinzu, der dem Element das dachziegelähnliche Aussehen gibt. Die maximale Länge der Elemente beträgt meist 8 m, die maximale Breite 1,08 m. Erhältlich sind auch Modulplatten mit verdeckter Befestigung.

Die Dachelemente werden mit verschiedenen Oberflächen angeboten und üblicherweise wie Dachziegel auf Latten verlegt und befestigt (siehe Abb. 4.78). Es gibt aber auch ein Dachelement, das sozusagen seine Pfette mitbringt und eine rationellere Verlegung erlaubt.

Die Metalldachpfannen eignen sich sehr gut für die Sanierung von Einfamilienhäusern, die mit Bitumen oder Wellplatten eingedeckt sind.

Aber auch sehr alte und denkmalgeschützte Gebäude, bei denen der Dachstuhl nicht mit einem vernünftigen Aufwand verstärkt werden kann, werden mit Metalldachpfannen eingedeckt. Hierfür eignet sich besonders eine Matt-Beschichtung.

Stehfalzelemente für Dach und Wand

Stehfalzdächer in handwerklicher Ausführung besitzen eine lange Tradition. Vor allem die Ausbildung vieler Details einer Stehfalzbedachung, wie z. B. die Ausführung einzelner Lichtkuppel- oder Rauchabzugsöffnungen, stellt hohe Anforderungen an das handwerkliche Können (Klempner, Spengler).

Als Bedachungselemente dienen speziell gefalzte Metallprofile, die sog. Scharen, aus Titan-Zink, Aluminium,

Kupfer, Stahl und Edelstahl. Kantung und Schließung des Profils werden handwerklich oder maschinell mithilfe von Profiliermaschinen vorgenommen. Auch Sonderformen wie konvexe und konkave Rundungen oder konische Scharen lassen sich problemlos herstellen.

Für den Handel sind industriell vorgefertigte Scharen von Bedeutung. Sie eignen sich besonders für einfache Dachgeometrien und für Dächer mit wenig Durchdringungen. Wesentliche Vorteile sind die sehr schnelle Verlegung und die sehr ansprechende Stehfalz-Optik. Diese Elemente bestehen aus Stahl mit einer hochwertigen Purlux-Beschichtung. Die Befestigung ist verdeckt, Undichtigkeiten sind somit ausgeschlossen (siehe Abb. 4.79). Die maximale Lieferlänge beträgt 8 m. Die beiden wichtigsten Falzarten sind der Doppelstehfalz und der Winkelstehfalz.

Der Doppelstehfalz ist die meistausgeführte Deckart bei Dachneigungen im Bereich ≤ 25° (die Regeldachneigung beträgt 7°, eine Unterschreitung bis 3° ist nur unter Aufwendung von Zusatzmaßnahmen möglich). Die Scharen werden auf der Schalung befestigt und durch das doppelte Verfalzen Bestandteil des Systems. Die Falzhöhe der vorprofilierten Scharen beträgt 25 mm, sodass das Leichtdach auch ohne Zusatzmaßnahmen regensicher ist. Der Doppelstehfalz besitzt ein schlankes Erscheinungsbild durch die Feinlinigkeit seiner Falze.

Der Winkelstehfalz ist eine Variante des Doppelstehfalzes, bei der der letzte Arbeitsgang - das Schließen zum Doppelstehfalz - entfällt. Der Winkelstehfalz bringt eine optisch stärkere Strukturierung und wird vor allem in der Fassadenbekleidung eingesetzt.

Abb. 4.79: Befestigung einer Schare mit Systemschraube (Quelle: Luxmetall Deutschland GmbH, Berlin)

Abb. 4.80: Farbige Schiefer (Quelle: Rathscheck Schiefer und Dach-Systeme, Mayen-Katzenberg)

Abb. 4.81: Altdeutsche Deckung (Quelle: Rathscheck Schiefer und Dach-Systeme, Mayen-Katzenberg)

4.13.4 Dachschiefer

Schiefer ist ein Naturgestein. Als hochwertigen Dach- und Fassadenschiefer nutzen ihn Dachdecker seit über 2.000 Jahren für anerkanntermaßen haltbare Dachdeckungen und Fassadenbekleidungen.

In einem hochwertigen Schiefer sind mehr als 100 Glimmerlagen pro mm, bei einer 5 mm dicken Steinplatte also rund 500 Schichten pro Stein, nachweisbar. Innerhalb dieser Schichtung ist der Stein im bergfeuchten Zustand spaltbar. Heute sind Spaltstärken von 4 bis 6 mm üblich. Die einzelnen Schichten werden von Glimmerlagen unterbrochen. Sie verleihen dem Schiefer den feinen seidigen Glanz. Durch Abwitterung gelangen immer wieder neue schimmernde Glimmerlagen an die Oberfläche. Eine Schieferplatte wird auf diese Weise nach 100 Jahren um etwa 0,3 mm dünner. Der geringfügige Materialverlust hat für die Haltbarkeit eines Daches oder einer Fassade deshalb keine Bedeutung, erklärt aber, warum eine solche Schieferfläche auch noch nach Jahrzehnten elegant schimmert.

Je nach mineralischer Zusammensetzung kristallisieren sich aus den Sedimenten die bekannten blaugrauen, aber auch farbige Schiefer (siehe Abb. 4.80). Schieferqualitäten werden nach DIN EN 12326-1:2014-11 „Schiefer und Naturstein für überlappende Dachdeckungen und Außenwandbekleidungen - Teil 1: Spezifikationen für Schiefer und carbonathaltige Schiefer“ bewertet. Darin sind vor allem Anforderungen bezüglich Säurefestigkeit und Kalkgehalt festgelegt. Daraus resultiert, dass einige wenige Schiefervorkommen, die erhöhte Kalkgehalte aufweisen, in höheren Spaltdicken angeboten werden müssen. Die meisten Schieferanbieter halten Prüfzeugnisse nach DIN EN 12326 verfügbar.

Schiefer-Deckarten für das Dach (und die Fassade)

Altdeutsche Deckung

Das Hauptmerkmal der Altdeutschen Deckung (siehe Abb. 4.81) ist die Verwendung von freihand zugerichteten schuppenförmigen Decksteinen. Anders als bei den meisten Schieferdeckarten, die mit gleichförmigen Schablonensteinen arbeiten, wird hier das Deckbild nach exakt definierten Regeln durch variierende Steinhöhen und -breiten belebt. Das Resultat ist ein individuelles, überaus charmantes Gesamtbild. Besonders bei filigranen Dachdetails zeigt die Altdeutsche Deckung, warum sie als anmutige, aber auch fordernde Königin unter den Deckarten gilt.

Regeldachneigung: altdeutsche Doppeldeckung 22°, altdeutsche Deckung 25°.

Schuppen-Deckung

Sie ähnelt der Altdeutschen Deckung (siehe Abb. 4.82). Der einzelne Stein besitzt wie die Altdeutsche Deckung eine auf einem Rhombus basierende Geometrie. Der wesentliche Unterschied zur Altdeutschen Deckung ist, dass alle Steine dieser Deckung gleich hoch und breit (Schablonen) sind. Es gibt keine Übersetzung von breiten auf schmale Steine. Das Dach wirkt ähnlich elegant wie eine Altdeutsche Deckung, ist aber insgesamt flächiger und gleichmäßiger, dagegen in den Schieferkehlen zuweilen etwas unruhiger. Regeldachneigung: 25°.

Wilde Deckung

Sie zeichnet sich – im Unterschied zu allen anderen Deckungsarten – durch die Verwendung unbehauener Steine aus, die erst auf dem Dach Stück für Stück vom Schieferdecker behauen und zu einem lebendigen Gesamtbild zusammengefügt werden.

Universal-Deckung

Sie ist die preisgünstigste Schiefer-Deckart. Sie basiert auf einem Quadrat mit einer bogenförmig abgerundeten Ecke. Diese Deckart kann nach links, rechts und im Hochformat verarbeitet werden. Sie ist vielseitig einsetzbar und reduziert die Lagerhaltung erheblich. Regeldachneigung: 25°.

Rechteck-Doppeldeckung

Sie ist vor allem in Benelux, Frankreich, Spanien, England und auch in den USA weitverbreitet. Als entscheidender Vorteil der Rechteck-Doppeldeckung gilt die schnelle Verlegung. Das praktische, in Produktion, Transport und Lagerung technisch orientierte Rechteckformat ist in Deutschland die Basis für eine große Vielfalt preisgünstiger Schieferdeckungen. Sie alle haben das Rechteck als gemeinsames Ausgangsformat.

Schiefer-Deckarten für die Fassade

Neben den zumeist klassischen Deckarten, die sowohl an Dach als auch Fassade verwendet werden können, existieren viele weitere Fassadendeckarten, die insbesondere in der modernen Architektur Anwendung finden. Dank fortschrittlicher Schneide- und Befestigungstechnik haben sich in jüngster Zeit moderne Deckbilder entwickelt, die höchsten architektonischen Ansprüchen gerecht werden. Zuletzt wurden folgende Deckarten vom Zentralverband des Deutschen Dachdeckerhandwerks (ZVDH) in die Fachregeln für Außenwandbekleidungen mit Schiefer aufgenommen.

Dynamische Deckung

Sie wird als Einfachdeckung mit unterschiedlich hohen Gebindereihen ausgeführt, wobei die 3 bis 5 mm breiten Stoßfugen mit Metallstreifen hinterlegt werden. Diese Deckung erzielt die reizvolle Optik eines Schichtmauerwerks (siehe Abb. 4.83).

Lineare Deckung

Sie ermöglicht rechteckige oder quadratische Ansichtsflächen. Die Fugen sind dabei variabel und können mit Stoß oder Zwischenraum ausgeführt werden. Durch die Verwendung verschiedener Farbtöne der „unterlegten Steine“ können überraschende Akzentuierungen erzielt werden. Auch gänzlich andere Materialien für die hinterlegten Flächen, z. B. Edelstahlstreifen, können verwendet werden. Das eröffnet einen großen Gestaltungsspielraum für Planer und Bauherren.

Abb. 4.82: Elegante Schuppen-Deckung (Quelle: Rathscheck Schiefer und Dach-Systeme, Mayen-Katzenberg)

Abb. 4.83: Dynamische Deckung (Quelle: Rathscheck Schiefer und Dach-Systeme, Mayen-Katzenberg)

Unterlegte Deckung

Sie setzt die gehobene Architektur gekonnt in Szene. Markante Schattenfugen und die geschickt als Gestaltungselement genutzten Edelstahlklammern erzeugen ein außergewöhnlich individuelles Deckbild an der Fassade.

Variable Rechteck-Deckung

Sie bietet viel Spielraum für eine einzigartige Fassadengestaltung. Von waagerecht länglichen über klassisch rechteckige und rein quadratische bis hin zu hochformatigen Optiken ist so gut wie alles möglich.

Verlegung und Befestigung

Verlegung und Befestigung erfolgen nach den Fachregeln und des Produktdatenblatts für Schiefer des Zentralverbandes des Deutschen Dachdeckerhandwerks e. V. sowie den Grundregeln des Deutschen Dachdeckerhandwerks.

4.13.5 Relevante Normen

DIN EN 534:2010-07 Bitumen-Wellplatten – Produktfestlegungen und Prüfverfahren

DIN EN 12326-1:2014-11 Schiefer und Naturstein für überlappende Dachdeckungen und Außenwandbekleidungen – Teil 1: Spezifikationen für Schiefer und carbonathaltige Schiefer

4.14 Dachentwässerung

4.14.1 Flachdachentwässerung

An die Planung und Ausführung von Entwässerungsanlagen für Flachdächer werden hohe Ansprüche gestellt.

Die Regenentwässerungsanlage wird als Ganzes, vom Dachgully über die Rohrleitungen bis hin zur Übergabe in den öffentlichen Kanal, gesehen. Neben der Notwendigkeit der standortbezogenen Berechnung des Bemessungs- und Jahrhundertregenereignisses ist auch die Notentwässerung vorgeschrieben.

Als ein maßgebliches Planungsziel verfolgt die DIN 1986-100:2016-12 „Entwässerungsanlagen für Gebäude und Grundstücke – Teil 100: Bestimmungen in Verbindung mit DIN EN 752 und DIN EN 12056", dass Regenereignisse bis zum Jahrhundertregen r(5,100) sicher vom Dach geführt werden. Dabei sind Flachdachentwässerungsanlagen nach den oben genannten Regelungen so zu gestalten, dass bei Auftreten von Starkregen eine Gefährdung von Leben und Gesundheit ausgeschlossen wird und dass keine Schäden an der Gebäudesubstanz auftreten können.

Es werden 2 Entwässerungssysteme unterschieden:

- Freispiegelentwässerung (siehe Abb. 4.84),
- Druckströmungsentwässerung (siehe Abb. 4.85).

Bei der Freispiegelelentwässerung wird das Wasser über Dachgullys, Fall- und Sammelleitungen in ein ausgedehntes Grundleitungssystem entwässert. Die Rohrleitungen werden teilgefüllt betrieben und im Gefälle verlegt.

Die Druckströmungsentwässerung unterliegt den physikalischen Gesetzmäßigkeiten nach Bernoulli.

Das Regenwasser wird bereits unter der Dachkonstruktion gesammelt und über in der Regel wenige Fallleitungen in die Grundleitungen abgeführt.

Die Rohrleitungen sind bei dem Berechnungsregen bis zur Grundleitung vollgefüllt. Durch die Vollfüllung wird in den angeschlossenen Rohren ein Unterdruck erzeugt, der die angeschlossenen Dachflächen sicher und effektiv entwässert. Die Rohrleitungen sind unterhalb der Dachkonstruktion gefällelos verlegt. Dadurch wird eine optimale Raum- und Hallennutzung ermöglicht.

Die Freispiegel- und die Druckentwässerung werden für ein mittleres Starkregenereignis ausgelegt. Zur Absicherung des Daches bis zu einem Jahrhundertregen ist bei beiden Entwässerungsarten jeweils ein Notentwässerungssystem vorgeschrieben. Die Notentwässerung ist durch die Fassade bzw. über ein verrohrtes Leitungssystem auf eine schadlos überflutbare Grundstücksfläche abzuführen.

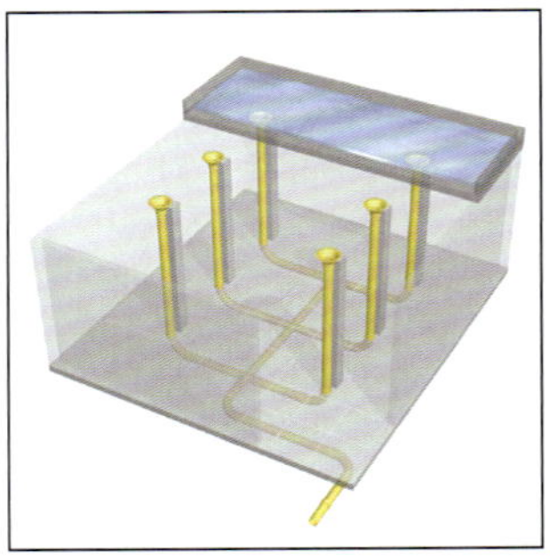

Abb. 4.84: Prinzip der Freispiegelentwässerung (Quelle: Sita Bauelemente GmbH, Rheda-Wiedenbrück)

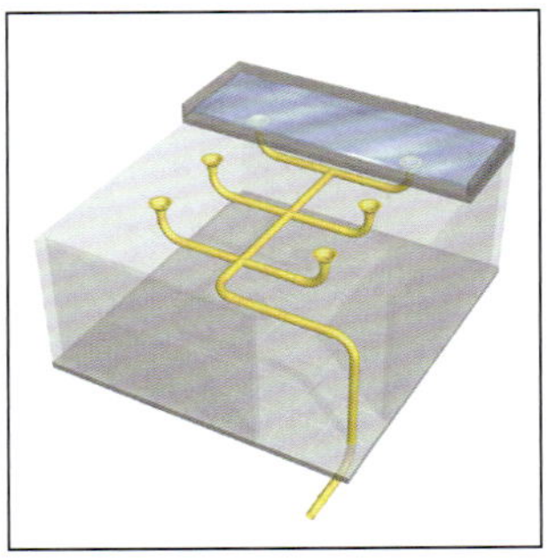

Abb. 4.85: Prinzip der Druckströmentwässerung (Quelle: Sita Bauelemente GmbH, Rheda-Wiedenbrück)

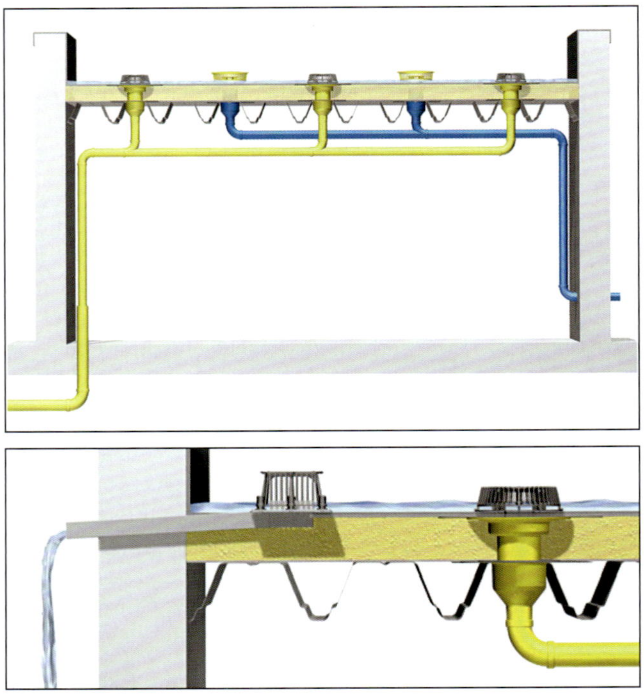

Abb. 4.86: Prinzip der Notentwässerung: Notentwässerung (oben) und Notablauf (unten)

Die Notentwässerung erfolgt in der Regel über Dach- und Attikagullys mit Anstauelement, die auf die geforderten Anstauhöhen eingestellt werden (siehe Abb. 4.86).

Dachgullys und/oder Notentwässerungsbauteile werden in der Regel aus Metall (Stahl/Guss) oder Kunststoff (PUR, PE o. Ä.) gefertigt. Die Wahl des Materials richtet sich oftmals nach den konstruktiven Notwendigkeiten des Gebäudes. Um die Brandlast möglichst gering zu halten, werden häufig Gullys und Rohrleitungen aus einem nichtbrennbaren Material gewählt. Während Kunststoffgullys bereits eine integrierte Wärmedämmung besitzen, müssen Metallgullys zusätzlich gedämmt werden, um Wärmebrücken zu minimieren.

Dachgullys werden homogen mit der Dachabdichtung und/oder der Dampfsperre verklebt oder verschweißt, während zur mechanischen Fixierung der Dachbahn Schraubflanschgullys eingesetzt werden. Die Überbrückung der Wärmedämmpakete wird durch zusätzliche Aufstockelemente hergestellt. Für Balkone und Terrassen kommen spezielle Abläufe und Aufsätze zum Einsatz.

4.14.2 Entwässerung für das geneigte Dach

Bei einer ausreichenden Neigung wird das Regen- und Schmelzwasser über die Dachfläche zum Boden hin abgetragen. Bei der Entwässerung ist es wichtig, das gesamte Entwässerungssystem zu planen bis zum finalen Ablauf in die Kanalisation. Ein typisches System eines Wohnhauses beinhaltet eine vorgehängte Dachrinne, die das vom Dach abgeleitete Wasser aufnimmt und über Fallrohre in das öffentliche Entwässerungsnetz trägt (siehe Abb. 4.87). Will man das Wasser für die Bewässerung des Gartens nutzen, bietet sich die Nutzung einer Regenzisterne an, die mit den Fallrohren verbunden ist.

Dimensionierung und Befestigung

Bei der Planung des Entwässerungssystems ist zuerst der Berechnungsregen vom Deutschen Wetterdienst (DWD) zu ermitteln. Die DIN 1986-100 verlangt eine Dauer von 5 Minuten als maßgebende Regendauer für die Berechnung. Weiterhin sind u. a. Anforderungen an die Maße von Dachrinnen, zulässige Winkel für Grund- und Sammelleitungen und daran, wann Umgehungsleitungen eingefügt werden müssen, nachzulesen. DIN EN 1462:2004-12 „Rinnenhalter für Hängedachrinnen – Anforderungen und Prüfung" regelt zusätzlich, wie genau Dachrinnen befestigt werden müssen. Dazu dienen Rinnenhalter, die nur aus den in der DIN limitierten Stoffen hergestellt werden dürfen. Außerdem müssen sie entweder durch eine Verzinkung oder Beschichtung vor Korrosion geschützt sein. Ihre Tragfähigkeit muss den gegebenen Niederschlagsbelastungen angemessen sein. Hinsichtlich der Größe regelt DIN EN 612:2005-04 „Hängedachrinnen mit Aussteifung der Rinnenvorderseite und Regenrohre aus Metallblech mit Nahtverbindungen" die Maße der entweder halbrunden oder kastenförmigen Dachrinnen (siehe Abb. 4.88).

Typen von Dachrinnen

Dachrinnen können aus vielen verschiedenen Materialien hergestellt werden. Welches Material man wählt, hängt von verschiedenen Faktoren ab, nicht zuletzt von der jeweiligen Schwierigkeit bei der Montage. Die folgende Auflistung erklärt verschiedene Typen Dachrinnen anhand ihrer für den Praktiker wichtigsten Eigenschaften.

Dachrinnen aus Titanzink, Kupfer, Edelstahl, Aluminium

Unter den Metallen erfreut sich Titanzink bei Dachrinnen einer besonderen Beliebtheit (siehe Abb. 4.89). Titanzink überzeugt in seinen physikalischen Eigenschaften vor allem durch seine Resistenz gegen Korrosion und Verwitterung. Die Legierung hat eine geschätzte Lebensdauer von 75 Jahren und kann darüber hinaus im Falle eines Abbaus zu großen Teilen wiederverwendet werden. Außerdem empfinden viele die über Zeit entstehende graue Patina als ästhetisch ansprechend. Dachrinnen aus Titanzink sind trotz ihrer guten Eigenschaften sehr preiswert und nur etwas teurer als Rinnen aus Kunststoff.

Dachrinnen aus Metall haben generell eine hohe Widerstandsfähigkeit gegenüber Korrosion und Verwitterung, was sie länger nutzbar macht. Dadurch sind sie mit weniger Reparaturen als Dachrinnen aus Kunststoff verbunden.

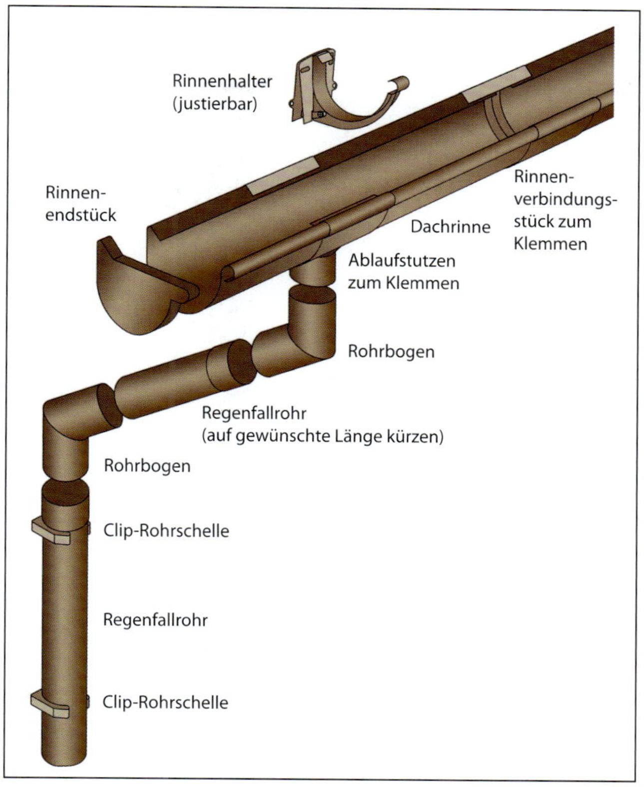

Abb. 4.87: Dachrinnen-System im Überblick (Quelle: Protektorwerk Florenz Maisch GmbH & Co. KG, Gaggenau)

Abb. 4.88: Vordach mit Kastenrinne (Quelle: Rheinzink GmbH & Co. KG, Datteln)

Abb. 4.89: Kastendachrinne aus Titanzink (Quelle: Rheinzink GmbH & Co. KG, Datteln)

Zusätzlich kann man durch regelmäßiges Reinigen der Rinnen und Fallrohre Laub und andere Fremdkörper frühzeitig entfernen und langfristigen Schaden durch Verstopfung vermeiden. Einfache kleine Schäden wie Kratzer oder Risse durch Fremdkörpereinwirkungen können in den meisten Fällen umstandslos gelötet werden. Ihre Montur ist allerdings etwas komplizierter; oft muss an den Verbindungen zu Rinnenhalter und Fallrohren genau gelötet oder vernietet werden, was Übung und ein gewisses Feingefühl erfordert.

Abb. 4.90: Witterungs-, UV- und temperaturbeständige PVC-Dachrinne (Quelle: Marley Deutschland GmbH, Wunstorf)

Dachrinnen aus Kunststoff

Ihr relevantester Vorteil ist die einfache Montage, die meist in Form eines simplen Stecksystems erfolgt. Kunststoff-Dachrinnen sind pro Meter, aber auch als Komplettsysteme erhältlich. Am häufigsten sind Kunststoffdachrinnen aus PVC bzw. PVC-U (hart bzw. frei von Weichmachern) (siehe Abb. 4.90). Bei der Anschaffung sind sie die mit Abstand günstigste Alternative mit mittlerweile unter 5 €/m. Allerdings halten sie sich nicht so lange wie die Alternativen aus Metall. Je nach Wetterbedingungen überdauern sie nur 10 bis 15 Jahre und können darüber hinaus nicht so gut recycelt werden. Wer die Haltbarkeit der Kunststoffdachrinnen maximieren will, sollte darauf achten, dass sie schlagfest, frostsicher und formstabil sind, was in den meisten Fällen bei einem PVC-U-Kunststoff erreicht ist. Allerdings ist die Tragfähigkeit/Belastbarkeit von Kunststoffdachrinnen begrenzt, weshalb sie nur an Dächern mit geringeren Belastungserwartungen angebracht werden sollten.

Bei der Wahl des Materials ist außerdem generell darauf zu achten, dass die vorgesehenen Formen des Entwässerungsplans erhältlich sind, da sich Dachrinnen aus Kunststoff und Metall nicht kombinieren lassen. Auch die jeweiligen Größen der Dachrinnen sollten frühestens geklärt werden. Standardgrößen reichen von 25er- (25 cm Umfang) bis zu 50er-Umfang.

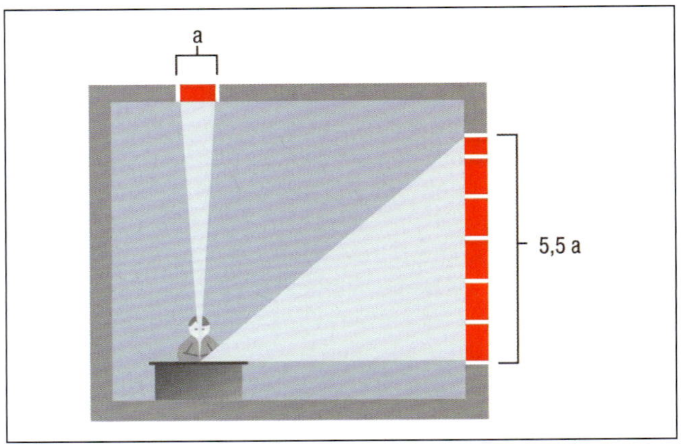

Abb. 4.91: Größenverhältnis von Lichtkuppel zu seitlichem Fenster bei gleichwertiger Beleuchtung (Quelle: Velux Deutschland GmbH, Hamburg)

4.14.3 Relevante Normen

DIN 1986-100:2016-12 Entwässerungsanlagen für Gebäude und Grundstücke; Bestimmungen in Verbindung mit DIN EN 752 und DIN EN 12056

DIN 12056:2001-01 Schwerkraftentwässerungsanlagen innerhalb von Gebäuden, Abschnitt 1 bis 5

DIN EN 612:2005-04 Hängedachrinnen mit Aussteifung der Rinnenvorderseite und Regenrohre aus Metallblech mit Nahtverbindungen

DIN EN 1462:2004-12 Rinnenhalter für Hängedachrinnen; Anforderungen und Prüfungen

4.15 Lichtkuppeln, Flachdachfenster und Lichtbänder

Lichtkuppeln, Flachdachfenster und Lichtbänder werden für die Ausleuchtung innen liegender Räume in Wohn-, Zweck- und Nutzbauten eingesetzt. Eingebaut in Flachdächer sorgen sie in Räumen und Hallen für gesundes, natürliches Tageslicht. Entsprechend modifiziert dienen sie der Entlüftung und dem vorbeugenden Brandschutz in Form natürlicher Rauch- und Wärmeabzugsanlagen (NRWA). Die Wahl zwischen Lichtkuppeln, Flachdachfenstern oder Lichtbändern hängt von architektonischen, konstruktiven und zweckgebundenen Ansprüchen ab. Im modernen Industriebau werden Lager- oder Fertigungsstraßen meist durch Lichtbänder ausgeleuchtet. Für die gezielte Beleuchtung in Wohnräumen sowie von Arbeitsplätzen eignen sich Lichtkuppeln oder Flachdachfenster besser. In großen Gebäuden kommen häufig beide Systeme zum Einsatz.

4.15.1 Beleuchtung mit Lichtkuppeln, Flachdachfenstern und Lichtbändern

Für die Ausleuchtung von Arbeitsplätzen mit Lichtkuppeln oder Flachdachfenstern wird die Erkenntnis genutzt, dass senkrecht einfallendes Tageslicht eine erheblich höhere Beleuchtungsstärke besitzt als seitlich einfallendes Tageslicht. Ein Beispiel dafür: Ein Arbeitsplatz, der von einem Seitenfenster genau so weit entfernt ist wie von der darüber angeordneten Lichtkuppel, soll (durch Fenster oder Kuppel) gleich beleuchtet werden. Um das zu erreichen, muss das Fenster 5,5-mal so groß sein wie die Deckenöffnung der Lichtkuppel bzw. des Flachdachfensters (siehe Abb. 4.91). Darüber hinaus reicht bei herkömmlicher Bauweise die Belichtung von Arbeitsplätzen mit Seitenfenstern nicht aus. Schon ab 4 m Entfernung vom Fenster nimmt die Helligkeit zunehmend stark ab. Lichtkuppeln, Flachdachfenster und Lichtbänder dagegen können Räume in ihrer ganzen Tiefe mit ausreichender Helligkeit versorgen.

Hinzu kommt, dass die Qualität der Beleuchtung auch von der Gleichmäßigkeit des Lichteinfalls bestimmt wird. Diese ist durch die punktgenaue Platzierung von Lichtkuppeln und Flachdachfenstern jederzeit zu bestimmen. So werden harte Wechsel zwischen Hell- und Dunkelzonen und damit störende Kontraste und Blendungen vermieden. Alles zusammen führt nachgewiesenermaßen zu einer verbesserten

Arbeitsqualität und zu körperlichem Wohlbefinden (siehe Abb. 4.92).

4.15.2 Lichtkuppeltechnik

Lichtkuppeln werden aus hochwertigen Kunststoffen gefertigt, die lichtdurchlässig und besonders schlagzäh sein müssen:

- PMMA (Acrylglas) (Markenname Plexiglas® oder Perspex®),
- Polycarbonat (PC) (Markenname Makolon® oder Lexan®),
- PETG (UV-stabilisiert),
- GF-UP (kurz: GfK) (glasfaserverstärktes, ungesättigtes Polyesterharz).

An moderne Lichtkuppelsysteme werden heute vielseitige Ansprüche gestellt. Diese beruhen auf einer Vielfalt von Normen, Vorschriften und Auflagen, aber auch auf den Wünschen für individuelle Lösungen in Bezug auf Technik und Gestaltung. Mehrschalige Lichtkuppeln mit fortschrittlichen Rahmenkonstruktionen tragen dem Energiehaushalt von Gebäuden Rechnung, der nach Gebäudeenergiegesetz (GEG) und DIN 4108-4:2020-11 „Wärmeschutz und Energie-Einsparung in Gebäuden – Teil 4: Wärme- und feuchteschutztechnische Bemessungswerte" gefordert wird. Eine optionale Wahl von Schalenkombinationen erfüllt darüber hinaus Forderungen des Brandschutzes und spezielle Anforderungen an den Licht- und Wärmehaushalt.

Auch werden Lichtkuppeln in verschiedensten Formen (quadratisch, rechteckig, rund, pyramidenförmig, Sonderausführungen) angeboten. Darüber hinaus stehen für die Entlüftung von Räumen unterschiedlichste Öffnersysteme (manuelle, elektrische, pneumatische und Permanentlüftungen) zur Wahl (siehe Abb. 4.93). Zubehörprogramme wie Einbruch-, Absturz- und Insektenschutzgitter oder Schließvorrichtungen, die Kuppeln bei Starkwind oder Regen automatisch schließen, runden die Vielseitigkeit moderner Lichtkuppelsysteme ab.

Intelligente Aufsetzkranztechnik

Lichtkuppelsysteme bestehen immer aus einer mehrschaligen Kuppel (siehe Abb. 4.94) und einem wärmegedämmten (je nach Ausführung werkseitig oder bauseits) Aufsetzkranz. Dieser gewährleistet den sicheren Einbau und die perfekte Montage der Lichtkuppeleinheit (Kuppel und Kranz) in unterschiedlichste Dach- und Deckenkonstruktionen. Die Höhe dieser Aufsetzkränze richtet sich am Dachaufbau, an konstruktiven Gegebenheiten und an der Ausführung des Kuppelsystems aus. Im Normalfall liegen die Kranzhöhen zwischen 15 und 70 cm. Gefertigt werden Aufsetzkränze aus PVC, GFK, Stahl sowie Aluminium und mit Flanschen, die passend zur Konstruktion des Daches ausgeführt sind. In der Regel sind das breite Klebeflansche, die der Befestigung des Kranzes im Dach und dem sicheren Anschluss von Dachbahnen dienen. Für profilierte Dächer, Well-Eternit oder Trapezbleche und Ähnliche werden spezielle Kränze mit entsprechenden Profil-Flanschausführungen angeboten. Den korrekten Einbau und die perfekte Anbindung von Aufsetzkränzen regeln die Herstellervorschriften, die ZVDH-Richtlinien und die Verlegevorschriften der Dachbahnenhersteller.

Abb. 4.92: Ausleuchtung eines Büroraums mit einer Lichtkuppel (Quelle: Velux Deutschland GmbH, Hamburg)

Abb. 4.93: Flachdachfenster mit Wärmedämmverglasung und Kettenschub-Öffnersystem (Quelle: ESSERTEC by SOPREMA)

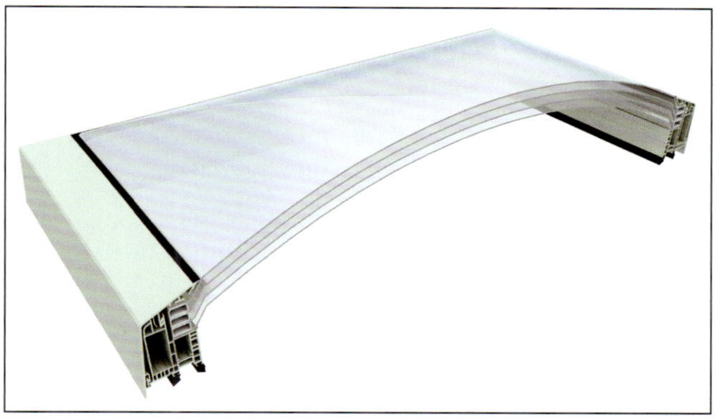

Abb. 4.94: Vierschalige Lichtkuppel mit Zweikammersystem (Quelle: ESSERTEC by SOPREMA)

4.15.3 Lichtbänder

Bei den Lichtbändern unterscheidet man starre und öffenbare (lüftbare) Dachlichtbänder. Bei starren Dachlichtbändern ist die Lichtschale fest mit der Aufkantung verbunden. Gefertigt werden Lichtbänder aus den gleichen Kunststoffen wie Lichtkuppeln.

Die wesentlichen Einsatzbereiche von Lichtbändern wurden eingangs des Kapitels bereits beschrieben. Zusammen mit Lichtkuppeln ergänzen sie sich bei der Aufgabe, innen liegende Räume zu belichten, zu entlüften und zu entrauchen. Trotzdem haben sie ganz eigene konstruktive und bautechnische Charakteristika.

Lichtkuppeln werden in einer Vielzahl fester Abmessungen hergestellt. Lichtbänder hingegen lassen sich in Maß und Ausführung individuell für die jeweiligen Objekte konzipieren und einsetzen.

Zum anderen werden Lichtkuppeln zur Aufnahme des Kuppelelementes und für die Einbindung in den Dachaufbau immer mit jeweils passenden Aufsetzkränzen geliefert. Lichtbänder werden auf bauseitige Aufkantungen oder Systemaufkantungen montiert. Diese Aufkantungen oder Zargen können, anders als bei Lichtkuppeln, auch tragende Funktionen übernehmen. Die jeweilige Anschlusstechnik der Abdichtung wird materialbezogen von den Dachbahnenherstellern und den Produzenten der Lichtbänder vorgegeben.

Im Wesentlichen werden Lichtbänder in bombierter (gewölbter) Ausführung (siehe Abb. 4.95), als Sattellichtbänder oder in Form von Shed-Konstruktionen ausgeführt. Ihre bauphysikalischen und bautechnischen Eigenschaften entsprechen den Ansprüchen, die an moderne Baustoffe gestellt werden.

Zur Planung objektspezifischer Lichtbandkonstruktionen zählen Tageslichtberechnungen, die von allen namhaften Herstellern dieser Produkte angeboten werden.

4.15.4 Normen und Literatur

DIN 5034-6:2021-08 Tageslicht in Innenräumen – Teil 6: Vereinfachte Bestimmung zweckmäßiger Abmessungen von Oberlichtöffnungen in Dachflächen

DIN EN 1873:2016-11 Vorgefertigte Zubehörteile für Dachdeckungen -Lichtkuppeln aus Kunststoff –Produktspezifikation und Prüfverfahren

DIN V 4108-4:2020-11 Wärmeschutz und Energie-Einsparung in Gebäuden – Teil 4: Wärme- und feuchteschutztechnische Bemessungswerte

FVLR-Heft 5. Dachanschlüsse im Detail. Detmold: Fachverband Tageslicht und Rauchschutz e. V.

FVLR-Richtlinie 03. Befestigungsmittel von Lichtkuppeln und Lichtbändern auf Dächern. Stand: Januar 2010. Detmold: Fachverband Tageslicht und Rauchschutz e. V., 2010

4.16 Lichtplatten

Lichtplatten werden in unterschiedlichen Materialien, Profilen und Abmessungen hergestellt. Gebräuchliche Materialien sind Acrylglas (Plexiglas), Polycarbonat oder glasfaserverstärkter Polyester (GFK). Die Elemente sind als Platten (ein-, zwei- oder dreischalige Lichtpaneele, Sandwich-Elemente, Hohlkammerplatten oder Stegdoppelplatten) ausgeformt oder passend zu metallischen Trapezprofilen oder Wellprofilen profiliert (z. B. Well-Lichtplatten in Verbindung mit Faserzement- oder Bitumenwellplatten). Die Elemente gehören nach DIN 4102 „Brandverhalten von Baustoffen und Bauteilen" den Brandschutzklassen B1 oder B2 an.

Je nach gewünschtem Lichteinfall werden Lichtplatten transparent (klar), opalisiert oder eingefärbt hergestellt. Die Lichtdurchlässigkeit erreicht bei transparenten Platten ca. 70 %.

Abb. 4.95: Gewölbtes Lichtband mit Lüfterklappe (Quelle: ESSERTEC by SOPREMA)

Abb. 4.96: Gewellte Acryl-Profilplatten als Bedachung des Hauseingangsbereichs/Carports (Quelle: Gutta Werke GmbH, Schutterwald)

Zum Einsatz gelangen Wand- oder Dachelemente im Hallenbau (z. B. Stadien, Bahnhöfe, Sporthallen sowie industrielle und gewerbliche Gebäude). Der private Bauherr verwendet Lichtplatten als Terrassenüberdachungen und -wände, Vordächer oder Carportbedachung (siehe Abb. 4.96) sowie beim Wintergarten oder bei Kleingewächshäusern, Sitzecken im Freien und Pergolen.

Bei der Auswahl und beim Einbau sind folgende Punkte zu beachten: Als Kunststoffelemente besitzen Lichtplatten eine wesentlich höhere thermische Ausdehnung als die Baustoffe, an die sie befestigt bzw. mit denen sie verbunden werden. Die flächenabhängige Ausdehnungsmöglichkeit muss also bei der Montage eingeplant werden. Bei GFK-Platten sollte darauf geachtet werden, dass die Oberschale aus UV-beständigen Rohmaterialien hergestellt und mit einer UV-geschützten Oberfläche versehen ist. Dies verhindert ein vorzeitiges Vergilben der Platten, das nicht nur ästhetisch störend wirkt, sondern auch die Lichtdurchlässigkeit reduziert.

Die Befestigung erfolgt z. B. mittels Edelstahlschrauben mit Unterlegscheibe und Abdichtung oder Unterlegböckchen als Abstandshalter passend zum Profil auf Holz oder Metall. Gegebenenfalls muss die erforderliche Wärmedämmleistung der Lichtplatten berücksichtigt werden. Ein dreischaliges Lichtpaneel aus 40 mm Polycarbonat erreicht z. B. einen Wärmedurchgangswert von 1,65 W/(m^2 ·K). Werden Lichtplatten, gleich welcher Art, als Dachfläche eingebaut, so muss darauf geachtet werden, dass die Dachneigung von 5° nicht unterschritten wird, da nach den Flachdachrichtlinien Dächer mit einer Neigung von weniger als 5° abgedichtet werden müssen.

5 Holzbaustoffe

5.1 Holz als Baustoff

Für das Bauwesen bietet Holz verschiedenste Anwendungsmöglichkeiten. Das im Vergleich zu anderen Baustoffen eher geringe Gewicht bei gleichzeitig hoher Druckfestigkeit macht Holz zu einem beliebten Baustoff, besonders für Wände und Decken (siehe Abb. 5.1). Auch die Ästhetik spielt dabei eine nicht zu unterschätzende Rolle. Grundsätzlich unterscheidet man zwischen Vollholz, Brettschichtholz und Holzwerkstoffen. Setzt man beim Bauvorhaben auf Holz, ist man stark vom Angebot und den Lieferketten für den langsam wachsenden Rohstoff abhängig.

Die Herstellung von Holzwerkstoffen macht eine effiziente Nutzung des begrenzten Rohstoffes möglich. Indem das Holz zerkleinert und in unterschiedlichen Arbeitsschritten zu Holzspanplatten, Pressholz usw. zusammengesetzt wird, erhalten die unterschiedlichen Hölzer je nach Bedarf zusätzliche nützliche Eigenschaften. So kann z. B. das eher günstigere Fichtenholz aufgewertet und für viele Konstruktionen im Außen- und Innenbereich verwendet werden, um teures Buchenholz nur für solche Bereiche, bei denen dessen erhöhte Traglast nötig ist, verwenden zu müssen.

Abb. 5.1: Der Baustoff Holz ist wieder im Trend (Quelle: holzbauwelt.de).

5.2 Profilholz für Wand, Decke und Terrasse im Innen- und Außenbereich

Der Einsatz von Profilhölzern für Wand und Decke in Innenräumen und für Terrassen und Fassaden im Außenbereich nimmt weltweit zu. Eine Vielzahl von Argumenten sprechen dafür, sowohl im Innen- wie auch im Außenbereich Holz einzusetzen. Die natürliche Ausstrahlung von Holz verbindet mit dem Naturprodukt Atmosphäre, Wärme und Gesundheit sowie bauphysikalische Eigenschaften, wie z. B. ausgezeichnete Wärmedämmwerte oder die Regulierung der Luftfeuchte in Innenräumen.

Profilhölzer (siehe Abb. 5.2), oftmals auch Profilbretter oder einfach ‚Hobelware' genannt, gibt es am Markt in den unterschiedlichsten Ausführungen und Holzarten, z. B.:

- für den Innenbereich
  - Nut-und-Feder-Bretter mit Fase oder Glattkant,
  - Brandschutzbretter (EI30) mit Doppelnut und Doppelfeder,
  - Blockwandschalung und andere,
- für den Außenbereich
  - Stülp- oder Rhombus-Schalung für die Fassade,
  - Terrassendielen in unterschiedlichen Ausführungen für den Garten.

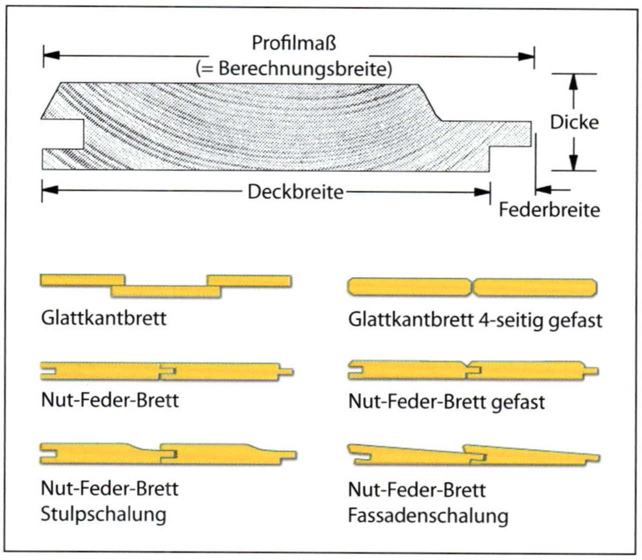

Abb. 5.2: Profilholz: Querschnitte und Fachbegriffe

Die wichtigsten Holzarten sind im Innenbereich Fichte, Tanne, Lärche, Zirbe und Kiefer. Im Außenbereich findet man vor allem Lärche (auch sibirische Lärche), thermobehandeltes Kiefer- oder Eschenholz, aber auch Laubhölzer wie Eiche oder Akazie. Ebenso werden im Fachhandel auch Exotenhölzer angeboten.

5.2.1 Profilholz im Außenbereich

Profilhölzer werden im frei bewitterten Außenbereich sehr stark durch Witterungseinflüsse belastet, Verfärbungen, Riss- und Schieferbildung oder Verformungen können die Folge sein. Es empfehlen sich daher ein entsprechender

Holzschutz und jedenfalls eine fachgerechte Planung. Das Hinzuziehen eines Fachmannes kann dabei helfen, die Lebensdauer von bewittertem Holz wesentlich zu verlängern. Für Profilholz im Außenbereich sind vor allem 2 Hauptanwendungsbereiche zu nennen.

Terrassen, Balkone und Holz im Garten

Sowohl im öffentlichen wie auch im gewerblichen und privaten Bereich werden Profilhölzer bei der Gestaltung von Gärten, Terrassen (siehe Abb. 5.3) und Balkonen immer öfter eingesetzt. Grund dafür ist die nahezu unerschöpfliche Auswahl an verschiedenen Oberflächen, Holzarten, Beschichtungen, Brettbreiten und Stärken, Sortierungen und Verlegearten – der Fantasie sind von ‚traditionell' bis zu ‚topmodern' keinerlei Grenzen gesetzt.

Abb. 5.3: Terrasse in sibirischer Lärche (Quelle: Josef Thurner Holz GmbH, Kötschach-Mauthen)

Fassade

Die Fassade sorgt für den ersten Eindruck des Gebäudes: Dafür stehen hochwertige Fassadensysteme mit entsprechenden Holzkomponenten zur Verfügung (siehe Abb. 5.4). Dabei darf aber nicht vergessen werden, dass die Fassade allen Witterungseinflüssen ungeschützt ausgesetzt ist und die Innenräume vor Wind, Regen und Hitze bewahren muss. Einer langen Lebensdauer der Fassade steht dann nichts im Wege, wenn schon in der Planung auf die besonderen Aufgaben der Fassade Rücksicht genommen wird. Die Ableitung von Wasser von der Fassade gehört ebenso dazu wie z. B. die fachgerechte Ausführung von Sockel-, Dach- oder Fensteranschlüssen.

Im Fachhandel werden eine Vielzahl von Komplettsystemen angeboten, die zusätzlich zu den ausgewählten Profilbrettern von der richtigen Unterkonstruktion bis hin zu den geeigneten Verbindungsmitteln, wie Schrauben oder Klammern, alle Komponenten umfassen (siehe Abb. 5.5).

Abb. 5.4: Profilholz-Fassade am Dachgeschoss (Quelle: Mocopinus GmbH & Co. KG, Ulm)

Abb. 5.5: Eckausführung von Vollholzprofilen mit unsichtbarer Befestigung (Quelle: Mocopinus GmbH & Co. KG, Ulm)

5.2.2 Profilholz im Innenbereich

Die individuelle Gestaltung des Innenraumes entspricht dem Zeitgeist und gerade deshalb empfiehlt sich Hobelware als ausgezeichnetes Gestaltungselement. Oberflächenvarianten von glatt gehobelt zu gebürstet oder sogar „gehackt" bis hin zu farblos natürlich geölt oder bunt lackiert bieten eine fast unendliche Vielfalt und steigern das persönlich empfundene Wohlbefinden. Die Holzoberfläche wird zusätzlich als ‚warm' wahrgenommen.

Wand- und Deckenprofile

Wand- und Deckenverkleidungen (siehe Abb. 5.6) werden aus massiven Profilhölzern mit oder ohne Nut und Feder gefertigt, je nach Einsatzzweck kann auch die Stirnseite mit Nut und Feder ausgeführt werden. Nahezu alle heimischen Holzarten sind für den Einsatz im Innenbereich geeignet, wobei in Feuchträumen, wie z. B. in Saunen und Badezimmern, darauf zu achten ist, das feuchtigkeitsstabile Holzarten mit hoher Dimensionsstabilität (z. B. Harthölzer, thermobehandeltes Holz) gewählt werden.

Abb. 5.6: Wand- und Deckenbekleidung aus Profilhölzern in unterschiedlicher Verlegung schaffen ein attraktives Wohnambiente (Quelle: Redaktion/Archiv).

Profilhölzer im Dachgeschossausbau

Gerade im Dachgeschossausbau bringt Holz seine Eigenschaften besonders zur Geltung. Je nach Möglichkeit und Geschmack kann die Deckenkonstruktion sichtbar bleiben oder aber verkleidet werden. Wichtig ist dabei, dass die Wärmedämmung fachgerecht angebracht wird und dass in der Planung z. B. eine Dampfbremse oder, wo notwendig, eine Hinterlüftung vorgesehen wird.

Massive Holzfußbodendielen

Der klassische Schiffboden wurde großteils aufgrund der höheren Dimensionsstabilität durch Parkett und Laminatböden abgelöst. Trotzdem leistet die massive Holzfußbodendiele in der Renovierung von alten Gebäuden und bei besonderen Ansprüchen an Natürlichkeit und klebstofffreie Verarbeitung ausgezeichnete Dienste.

Die Sortierung von Fußbodendielen erfolgt nach ästhetischen Kriterien nach folgenden Normen: DIN EN 14342:2013-09 „Holzfußböden und Parkett – Eigenschaften, Bewertung der Konformität und Kennzeichnung", DIN EN 13990:2004-04 „Holzfußböden – Massive Nadelholz-Fußbodendielen" und DIN EN 13629:2020-05 „Holzfußböden – Massive Laubholzdielen und zusammengesetzte massive Laubholzdielen-Elemente".

5.2.3 Profilbretter

Profilbretter werden hauptsächlich aus Nadelhölzern (Fichte, Tanne, Lärche, Kiefer) produziert sowie in unterschiedlichen Stärken und Breiten angeboten. Gebräuchlich sind die Brettdicken 12,5, 15, 19, 24 und 28 mm sowie für Brandschutzschalung (EI30) bzw. für Blockwandschalung 40 mm.

Bei den Brettbreiten sind 96, 116, 120, 146 und 170 mm gebräuchlich, wobei es sich dabei immer um die Gesamtbreite des Brettes handelt, die auch berechnet wird. Für die sog. Deckbreite müssen je nach Hersteller ca. 8 mm in Abzug gebracht werden (z. B. deckt ein Brett mit 116 mm Gesamtbreite 108 mm der Wand ab).

Zusätzlich werden im Fachhandel noch zahlreiche weitere Stärken und Breiten angeboten, oftmals auch genau nach Kundenwunsch und/oder projektbezogen.

Qualitätsrichtlinien Sortierung

Profilholz/Hobelware wird weltweit produziert und international nach unterschiedlichen Kriterien sortiert und gehandelt. Einerseits stehen ästhetische Merkmale im Vordergrund, wie z. B. Astigkeit, Harzgallen usw., andererseits sind es bauphysikalische Eigenschaften, wie z. B. die Tragfähigkeit, beispielsweise bei Balkonen. Die Qualitätsbeurteilung ist für den Konsumenten wie auch für den Fachmann schwierig und setzt transparente Vorgaben sowohl für den Innenbereich (Wand, Decke und Boden) wie auch für den Außenbereich (Fassade, Terrasse) voraus.

Der Verband der Europäischen Hobelindustrie (VEH) (www.veuh.org) hat dazu entsprechende Qualitätskriterien erarbeitet und auch ein anerkanntes Gütezeichen geschaffen.

CE Kennzeichnung

Das CE-Zeichen ist für Bauprodukte in Europa, d. h. auch für Hobelware, gesetzlich in den harmonisierten Normen (DIN EN 14915:2020-03 „Wand- und Deckenbekleidungen aus Massivholz – Eigenschaften, Anforderungen und Kennzeichnung" und DIN EN 14342) festgeschrieben.

Holzfeuchte

Auf die Holzfeuchte der Profilbretter ist besonders zu achten, um Rissbildungen zu vermeiden. In Innenräumen verwendete Profilhölzer sollten eine maximale Holzfeuchte von 12 % (± 2 %) aufweisen, wobei die Bretter in stark geheizten Räumen auf ca. 10 % (± 2 %) Holzfeuchte nachtrocknen werden.

Im Außenbereich soll die Holzfeuchte ca. 15 % (± 2 %) betragen, maximal aber 18 %.

Verarbeitung

Ein großer Vorteil bei der Verwendung von Profilbrettern ist die unkomplizierte Verarbeitbarkeit. Gerade deshalb ist dieses Produkt bei Heimwerkern so beliebt und sowohl im Heimwerkermarkt wie auch im Fachhandel entsprechend vielfältig lagernd, trotzdem sind bei der Verarbeitung einige Kriterien zu beachten.

Unterkonstruktion

Die Profilbretter werden auf eine Unterkonstruktion angenagelt, geschraubt oder mit Klammern angebracht. Dabei ist der Lattenabstand zu berücksichtigen, der so gewählt werden muss, dass die Profilbretter erschütterungsfrei, plan und ohne Verformung bei Belastung aufliegen können. Die unterschiedlichen Stärken, Breiten und Belastungen bei Verwendung an Wand, Decke und Boden müssen dabei berücksichtigt werden.

Im Außenbereich muss darauf geachtet werden, dass die Unterkonstruktion wasserfest ausgeführt wird bzw. nicht dauerhaft mit Erde oder Feuchtigkeit in Kontakt kommen darf. Oft empfiehlt sich daher eine Metallunterkonstruktion.

Bei abgehängten Decken empfiehlt sich ebenso oftmals eine Unterkonstruktion aus Metallschienen.

Werden Profilbretter bei einer Innendämmung verwendet, so ist eine Dampfsperre vorzusehen, bei einer Außendämmung darf man auf eine Hinterlüftung nicht verzichten.

5.2.4 Relevante Normen

DIN EN 13629:2020-05 Holzfußböden – Massive Laubholzdielen und zusammengesetzte massive Laubholzdielen-Elemente

DIN EN 13990:2004-04 Holzfußböden – Massive Nadelholz-Fußbodendielen

DIN EN 14342:2013-09 Holzfußböden und Parkett – Eigenschaften, Bewertung der Konformität und Kennzeichnung

DIN EN 14915:2020-03 Wand- und Deckenbekleidungen aus Massivholz – Eigenschaften, Anforderungen und Kennzeichnung

5.3 Holzpflaster

Holzpflaster war ursprünglich vor allem ein beliebter Bodenbelag für Außenbereiche, wird aber seit dem 20. Jahrhundert auch zunehmend in Innenräumen verlegt. Das Einsatzspektrum ist außergewöhnlich breit und reicht von repräsentativen Räumen in Objektbauten über Wohnbauten bis hin zu industriellen Fabrikflächen. Der Belag wird neben seiner schönen Optik auch wegen seiner ausgesprochenen Belastbarkeit gewählt.

Holzpflaster gehört zu den Vollholzböden. Im Innenbereich wird es – ähnlich wie Stabparkett – meist fugenlos verlegt. Daneben gibt es aber auch Produktsysteme, bei denen jeder einzelne hölzerne „Pflasterstein" rundherum mit elastischen Fugen verarbeitet wird. Dies erinnert eher an verflieste Beläge oder edles Kopfsteinpflaster.

Die Fugen sind in diesem Fall aber vor allem ein optisches Stilmittel, kein technisches Muss. Verpflichtend sind für alle Holzpflasterflächen lediglich Bewegungsfugen in Randbereichen und beim Übergang zu Nachbarflächen sowie vereinzelte Zusatzfugen bei größeren Flächen. Im Außenbereich werden die Fugen häufig mit Sand oder Bitumen gefüllt.

Holzpflasterflächen bestehen aus technisch getrockneten, meist rechteckigen Massivholzklötzen, die aus Kanthölzern gesägt wurden. Im Gartenbereich sieht man auch häufiger Rundholzpflaster. Als Holzarten werden vor allem Eiche, Fichte, Kiefer oder Lärche verwendet.

Was Holzpflaster grundsätzlich von anderen Holzböden unterscheidet, ist die Tatsache, dass man als sichtbare Oberfläche den Baumquerschnitt sieht – also die Jahresringe – und eben nicht die Seitenflächen mit den Asteinschlüssen. Wer Holzpflaster betritt, geht also auf der Stirnholzseite. Anders als typische Dielenböden ist das Pflaster zudem kleinteilig, in dieser Hinsicht ähnelt es eher dem Stabparkett.

Man unterscheidet zwischen Holzpflaster RE (repräsentativer rustikaler Fußboden, Wohnräume) (siehe Abb. 5.7), Holzpflaster WE (Werkräume und Räume mit gleichartiger Beanspruchung) und Holzpflaster GE (für Böden im Industrie- und Gewerbebereich, die hohen Belastungen durch Fahrzeuge oder schwere Objekte standhalten müssen). In WE, in denen wie in GE einer Belastung durch Fahrzeuge widerstanden werden muss, haben die Holzpflaster eine Mindesthöhe von 40 mm, eine Mindestbreite von 60 mm und Mindestlänge von 100 mm. Die DIN 68702:2017-06 „Holzpflaster" regelt die Gütebedingungen für die jeweiligen Raumtypen für Holzpflaster.

Hohe Belastbarkeit

Der natürliche Belag ist nicht nur hochwertig, sondern zugleich sehr widerstandsfähig und robust. Es ist kein Zufall, dass Holzpflaster gerade auch in Arbeitsbereichen wie Werkstätten und Fabrikhallen oft eingesetzt wird. Die Hirnholzfläche von Baumstämmen ist nämlich generell druckfester als die Seitenflächen. Nach Angaben des Fachverbandes Holzpflaster kann der Boden bei einer Mindeststärke von 50 mm Belastungen bis zu 5.000 t pro m^2 tragen. Die Dicke der Holzklötze liegt je nach Einsatzbereich zwischen 22 und 80 mm. Der Fachverband attestiert dem Belag in Innenräumen sogar eine „nahezu unbegrenzte Lebensdauer".

Abb. 5.7: Holzpflaster RE nach DIN 68702 (Quelle: Fachverband Holzpflaster, Düsseldorf)

Kommt es doch einmal zu Schäden, hat Holzpflaster ähnlich wie Steinpflaster den Vorteil, dass man auch kleinere Flächen problemlos sanieren kann, indem einzelne Holzklötze ausgetauscht werden. Soll eine Holzpflasterfläche komplett zurückgebaut werden, lassen sich die einzelnen Bestandteile zudem leicht zu Holzwerkstoffen recyceln. Auch eine spätere Verwendung als Brennstoff ist möglich. Trotzdem erfüllen Holzpflaster aus Eiche nach Angaben des Fachverbandes die Anforderungen an die Baustoffklasse B1 („schwerentflammbar"), weil die Klötze im eingebauten Zustand an 5 Oberflächenseiten dicht abgeschlossen sind.

Trotz seiner außerordentlichen Belastbarkeit ist der Bodenbelag Holzpflaster zugleich relativ elastisch und schonender für die Gelenke des Menschen als z. B. Stein- oder Betonböden. Hinzu kommen gute Schallschutzeigenschaften. In Industriebereichen fahren z. B. Gabelstapler auf den Belägen. Dabei besitzt Holzpflaster die positive Eigenschaft, dass es Fahrgeräusche absorbiert und dadurch reduziert. Dieser lärmabsorbierende Effekt ist nicht nur in Werkhallen, sondern auch in viel frequentierten öffentlichen Gebäuden von Vorteil. Holzpflaster ist auch für Wohnbereiche eine Option, da der Belag eine attraktive, natürliche Optik mit einer warmen, barfußgeeigneten Oberfläche verbindet.

Verlegung

Die Verlegung von Holzpflaster erfordert entsprechende Fachkenntnisse. Normalerweise sind Fachbetriebe des Parketthandwerks dafür zuständig. Die Pflasterklötze werden direkt auf dem Unterboden – in der Regel Estrichmörtel oder Beton – verklebt und anschließend mehrfach abgeschleift sowie mit Öl oder Lack behandelt. Daneben gibt es auch Holzpflaster, das bereits werkseitig geschliffen und oberflächenbehandelt wurde, sodass es nur noch auf dem Untergrund verklebt werden muss. Anforderungen an den Unterboden sind innerhalb der DIN 68702 bezüglich weiterer Normen der Unterbodenmaterialien geregelt. Darüber hinaus sind Festigkeits- und Härteklassen festgelegt.

Die Oberflächen der Pflasterklötze sind durch die Öl- oder Lackbehandlung vor Feuchtigkeit geschützt. Der Fachverband Holzpflaster weist aber darauf hin, dass der Verarbeiter spezielle Abdichtungsmaßnahmen treffen muss, wenn von unten mit aufsteigender Feuchtigkeit zu rechnen ist. Denn so widerstandsfähig der Belag sonst auch ist: Es muss unbedingt verhindert werden, dass die Holzklötze durchfeuchten, da dies zu großen Schäden führen kann.

Relevante Norm

DIN 68702:2017-06 Holzpflaster

5.4 Mehrschichtparkett

Mehrschichtige Parkettböden sind in Lagen aufgebaute Holzböden, die über eine Deckschicht mit einer Dicke von mindestens 2,5 mm verfügen. Es lassen sich 2 Produkttypen unterscheiden: zweilagiges Mehrschichtparkett ist mit einer Trägerplatte aus Vollholz oder Holzwerkstoffen sowie mit einer darüberliegenden Deckschicht (bestehend aus einer oder mehreren Lamellen) ausgestattet. Dreilagiges Mehrschichtparkett hingegen verfügt über Deckschicht, Mittellage und Gegenzug (siehe Abb. 5.8).

Wird ein Mehrschichtparkett mit gebrauchsfertiger Oberfläche geliefert, also lackiert oder geölt, so wird das Produkt umgangssprachlich auch als Fertigparkett bezeichnet.

Geschichte

Mehrschichtparkett wurde entwickelt, um den natürlichen Baustoff Holz, der aus der Raumluft Feuchtigkeit aufnimmt und abgibt, als Bodenbelag optimal zu nutzen. So sollen Schwund und Verformungen beim Mehrschichtparkett durch den mindestens zweistufigen Aufbau reduziert werden. Das erste Mehrschichtparkett kam 1941 in Schweden auf den Markt.

1 Oberflächenfinish
2 Edelholz-Decklage (Nutzschicht)
3 Mittellage aus Echtholz
4 Gegenzug aus Echtholzfurnier

Abb. 5.8: Dreilagiges Mehrschichtparkett (Quelle: ter Hürne GmbH & Co. KG, Südlohn)

Abb. 5.9 und 5.10: Mattlackiertes (oben) und naturgeöltes (unten) Parkett (Quelle: Meister-Werke Schulte GmbH, Rüthen).

Herstellung

Zur Herstellung von Mehrschichtparkett werden Rundhölzer, frische Schnitthölzer, luft- und kammergetrocknete Schnitthölzer, Säge-/Messerfurniere oder Hobelware eingesetzt. Die Schichten werden zunächst getrennt hergestellt. Die Deckschicht wird aus Vollholzelementen gefertigt, wobei verschiedene Holzarten infrage kommen. Die Mittellage kann aus Holzwerkstoffen (HDF), Sperrholz oder massiven Einzelteilen (aus kammergetrockneten Schnitthölzern) bestehen.

Im Falle des dreilagigen Aufbaus wird ein Gegenzug genutzt. Die einzelnen Lagen werden nach Aufbringung von Klebstoffen zusammengepresst, bei Bedarf aufgetrennt und dann profiliert. Die Oberfläche wird, sofern eine Beschichtung vorgesehen ist, abschließend lackiert oder geölt oder auch unbehandelt ausgeliefert für eine bauseitige Oberflächenbehandlung vom Verleger.

Produktaufbau

Die Holzart der Deckschicht bestimmt Härte und Optik. Für die Farbe der Oberfläche sind neben der Holzart vor allem die Behandlung durch Beizen bzw. Räuchern oder thermische Behandlung maßgeblich. Für die charakteristische Deckschicht des Parketts verwenden Hersteller unterschiedliche Holzarten. Neben der Eiche als bislang beliebtester Holzart bieten sich weitere Arten wie Buche, Esche, Robinie oder Nussbaum für die Deckschicht an. Auf Farbtönung und Gesamteindruck hat auch die Deckschichtbearbeitung mit Lack oder Öl erheblichen Einfluss (siehe Abb. 5.9 und 5.10).

Als Trägermaterial unter der Deckschicht kommen Sperrholz, HDF oder aber Nadelholz, so in Stäbchenkonstruktionen oder Schichtholzplatten/Sperrholz, infrage.

Ergänzt um den Gegenzug, z. B. aus Echtholzfurnier, werden die Spannkräfte, die durch die einzelnen Parkettschichten aufeinander wirken, im Interesse der Formstabilität ausgeglichen.

Ein Mehrschichtparkett mit nur 2 Lagen enthält keinen Gegenzug und ist daher ausschließlich für Anwendungen vorgesehen, bei denen das Parkett vollflächig auf den Estrich geklebt wird.

Die Lagen des Mehrschichtparketts werden verleimt. Die Wahl der Klebstoffe hängt von verschiedenen Anforderungen ab. In Deutschland werden besonders häufig Weißleime verwendet.

Produkteigenschaften

Inklusive der Deckschichten hat Mehrschichtparkett eine Dicke von 7 bis 23 mm. Die Formate von Mehrschichtparkett reichen in der Breite von 70 bis 650 mm und in der Länge von 380 bis 5.000 mm.

Parkett ist langlebig, kann mehrfach geschliffen, renoviert und überarbeitet werden. Als Naturprodukt aus Holz besitzt Mehrschichtparkett eine Speicherleistung von rund 3,48 kg CO_2/m^2.

Die Formatgrößen der Dielen prägen nicht nur die Optik des Bodens, sondern haben auch erheblichen Einfluss auf die Raumwirkung. Mehrschichtparkett ist bei entsprechender Pflege gemäß Herstellerempfehlungen robust und langlebig.

Der mehrschichtige Aufbau gibt dem Parkett Stabilität. In Abhängigkeit vom vorhandenen Fußbodenaufbau und den damit erzielten Wärmeleitwiderständen eignet es sich auch als Bodenbelag für eine Fußbodenheizung.

Verlegen

Eine Klickverbindung ermöglicht die leimfreie und schwimmende Verlegung. Schwimmend verlegte Flächen können immer sauber und sortenrein ausgebaut werden. Parkettböden mit Klicksystem können sogar erneut verlegt werden. Geklebte Parkettböden sollten stets den Fachhandwerkern überlassen werden, weil die richtige Beurteilung des Untergrunds, dessen Bearbeitung und die Verarbeitung der verschiedenen eingesetzten Produkte von hoher Bedeutung für einen erfolgreich verlegten, langlebigen Parkettboden sind.

Weil Holz in Abhängigkeit von der Raumfeuchte quellen und schwinden kann, ist beim Verlegen von Mehrschichtparkett ein Randabstand zu Wänden, Treppen, Türzargen und anderen Bauteilen einzuhalten. Die entsprechende Bewegungsfuge sollte je nach Raumgröße und den Gegebenheiten vor Ort ca. 1 bis 2 cm breit sein, abhängig von den produktbezogenen Angaben der Hersteller.

Relevante Normen

DIN EN 14342:2013-09 Holzfußböden und Parkett – Eigenschaften, Bewertung der Konformität und Kennzeichnung

DIN EN 13489:2017-12 Holzfußböden und Parkett – Mehrschichtparkettelemente – maßgebliche Produkt- und Anforderungsnorm für Mehrschichtparkett

Abb. 5.11: Brettschichtholz (Querschnitt) (Quelle: tamayura39 – stock.adobe.com)

Internetquellen

Verband der deutschen Parkettindustrie (vdp): https://www.parkett.de

Umwelt-Produktdeklaration für Mehrschichtparkett: https://www.parkett.de/magazin/parkett-fuer-profis/epd-mehrschichtparkett.html

5.5 Brettschichtholz (BS-Holz)

Im modernen Holzbau hat Brettschichtholz (siehe Abb. 5.11) die tragenden Vollholzbalken früherer Zeiten weitgehend ersetzt. Die Vorteile sind vielfältig: Die stabförmigen, geleimten Holzelemente lassen sich in viel größeren Dimensionen und freieren Formen produzieren, weil es keine Beschränkung durch die natürlichen Abmessungen der Baumstämme mehr gibt.

Ein tragender Balken aus Holz musste früher in einem Stück aus einem Baum herausgeschnitten werden. Zumindest war das so bis Ende des 19. Jahrhunderts, bevor die ersten Gebäude mit Stützen oder Trägern aus sog. Brettschichtholz entstanden. Dabei handelt es sich um stabförmige Vollholzelemente, die aus mindestens 3 Schichten miteinander verleimter Brettlagen bestehen. In der Praxis des konstruktiven Holzbaus sind es heute oft mehr als 3 Schichten.

Bei Elementen aus Bettschichtholz werden die einzelnen Lagen so aufeinandergeschichtet, dass die Holzfasern der einzelnen Bretter alle in dieselbe Richtung weisen. Das unterscheidet Brettschichtholz vom sog. Brettsperrholz, bei dem die einzelnen Brettlagen über Kreuz miteinander verklebt sind. Außerdem sind Brettschichtholzelemente in der Regel stabförmig und kommen als Stützen und Träger zum Einsatz. Bei Brettsperrholz handelt es sich dagegen um große, plattenförmige Elemente, die aus 3 bis 7 miteinander verleimten dünnen Holzschichten bestehen und vor allem zur Konstruktion von Gebäudewänden zum Einsatz kommen.

Typische Einsatzbereiche

Brettschichtholz besteht meist aus Nadelholz, das vor der Verleimung bereits technisch getrocknet und gehobelt wurde. Nach der Verleimung der Lagen erfolgt ein nochmaliges Hobeln des Brettschichtelements.

Abb. 5.12: Überwachungszeichen BS-Holz (Quelle: Studiengemeinschaft Holzleimbau e.V., Wuppertal)

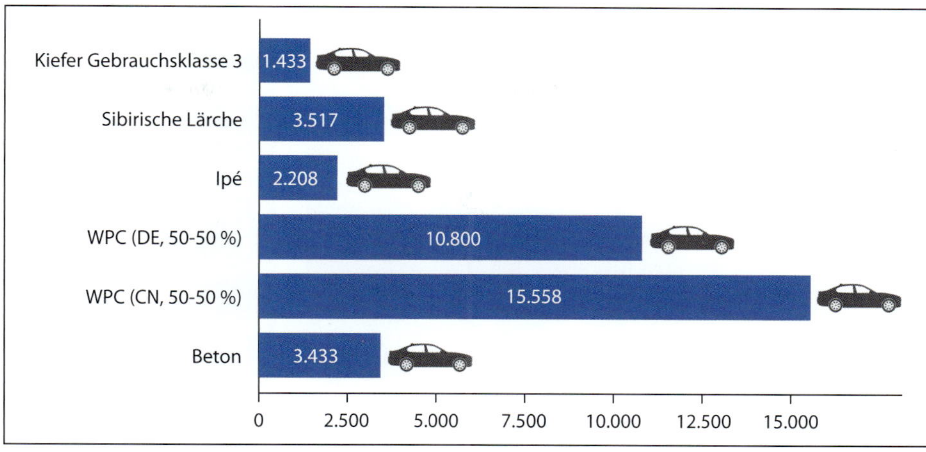

Abb. 5.13: Das Treibhauspotenzial verschiedener Terrassenausführungen im Vergleich zum Treibhauspotenzial der Fahrstrecke eines durchschnittlichen Autos mit einer Emission von 120 g CO_2/km (Quelle: Danish Technology Institute, Report nr. 715202, IVL report C 302)

Die geleimten Elemente werden meist für tragende Zwecke eingesetzt, z. B. als Stützen in hohen Häusern und Türmen oder als waagerechte Träger in Hallen mit weitgespannten Dächern. Auch als tragende Elemente bei Ein- und Zweifamilienhäusern in Holzrahmenbauweise findet man sie häufig. Bei großen Trägern besteht eine Brettschichtholzlage normalerweise aus mehreren Brettern, die der Länge nach per Keilzinkung miteinander verbunden sind.

Eigenschaften

Wie bereits angesprochen, besteht der größte Vorteil von Brettschichtholz darin, dass Träger und Stützen keiner natürlichen Beschränkung durch die Geometrie des Baumstamms mehr unterliegen. Großvolumige Elemente, für die man früher auf Stahl zurückgreifen musste, können nun auch mit Holz realisiert werden. Dabei muss man in Bezug auf die Stabilität keine Einbußen hinnehmen. Im Gegenteil: Festigkeit und Tragfähigkeit der zusammengesetzten Holzelemente sind in der Regel sogar höher als bei einem natürlichen Holzbalken aus einem Stück.

Die Tatsache, dass Brettschichtholz aus mehreren Brettlagen zusammengeklebt wird, hat zudem eine positive Wirkung auf seine Widerstandsfähigkeit gegen Feuchtigkeit. Die Elemente quellen und schwinden weniger, als es bei Vollholz aus einem Stück der Fall ist. Sie sind deshalb auch weniger rissanfällig. Allgemein unterscheidet man zwischen homogenem und kombiniertem Brettschichtholz. Deren voneinander abweichende Festigkeitsklassen sind in der DIN EN 14080:2013-09 „Holzbauwerke – Brettschichtholz und Balkenschichtholz – Anforderungen" für Brett- und Balkenschichtholz geregelt.

Duo- und Triobalken

Für Gebäude in moderner Holzbauweise kommen oft auch sog. Duobalken oder Triobalken zum Einsatz. Das sind geschützte Produktbezeichnungen für 2 bzw. 3 flachseitig miteinander verklebte Bohlen oder Kanthölzer. Die Herstellungsweise ist im Prinzip identisch mit der von Brettschichtholz, nur dass die einzelnen Lagen aus dickeren Holzelementen bestehen.

Es handelt sich also nicht um dünne Bretter, sondern um dicke Bohlen oder Kanthölzer. Duo- und Triobalken werden daher auch als Balkenschichtholz bezeichnet. Die verwendeten Hölzer haben eine Dicke bis zu 80 mm (bei Breiten bis 280 mm) bzw. bis zu 120 mm (bei Breiten bis 100 mm).

Bauaufsichtliche Anforderungen

Zusätzlich zu den Anforderungen aus der DIN EN 14080 entschließen sich viele Firmen, Brettschichtholz in einer Qualität herzustellen, die die Anforderungen aus der DIN nicht nur erfüllt, sondern darüber hinausgeht. Diese einzelnen Qualitätsvereinbarungen sind auf der Internetseite www.brettschichtholz.de der Studiengemeinschaft Holzleimbau einsehbar. Nur Firmen, die alle Bedingungen dieser Vereinbarung erfüllen, erhalten das Überwachungszeichen BS-Holz (siehe Abb. 5.12).

Relevante Norm

DIN EN 14080:2013-09 Holzbauwerke – Brettschichtholz und Balkenschichtholz – Anforderungen

5.6 Kesseldruckimprägnierte Holzbauelemente

Holz als natürlicher und erneuerbarer Werkstoff ist die erste Wahl für nachhaltiges Bauen.

Gerade im Außenbereich ohne Erdkontakt (Gebrauchsklasse 3) oder im ständigen Erd- und/oder Wasserkontakt (Gebrauchsklasse 4) sind die einheimischen, wenig dauerhaften Holzarten durch Pilze, Insekten und Witterungseinflüsse gefährdet. Diese Hölzer bedürfen daher eines besonderen Tiefenschutzes vor Holz zerstörenden Pilzen und Insekten, der nur in einem Kesseldruckverfahren sicher zu erreichen ist. Holzschutzmittel verlängern die Lebensdauer einheimischer Hölzer um ein Vielfaches – und tragen so zusätzlich zur Erhöhung ihrer Nachhaltigkeit bei. Dies schützt zudem die einheimischen Wälder. Durch die längere Nutzungsdauer des Holzes wird der Bedarf an frisch eingeschlagenem Holz reduziert. Die Nutzung von kesseldruckimprägniertem einheimischem Holz trägt somit maßgeblich zur Reduktion des Treibhauspotenzials bei. Abb. 5.13 zeigt diesen Vorteil auf. In dieser wird das Treib-

Abb. 5.14: Holzachterbahn „Mammut" im Erlebnispark Tripsdrill. Die Holzkonstruktion ist mit Wolmanit® CX imprägniert (Quelle: Wolman Wood and Fire Protection GmbH, Sinzheim; mit Genehmigung des Erlebnisparks Tripsdrill).

Abb. 5.15: Wolmanit®-CX-Produkte sind auch für die Imprägnierung von Holzspielgeräten zugelassen (Quelle: Wolman Wood and Fire Protection GmbH, Sinzheim).

Abb. 5.16: Holzanlage imprägniert mit Wolmanit® CX (Quelle: Wolman Wood and Fire Protection GmbH, Sinzheim)

Abb. 5.17: RAL-Gütezeichen für imprägnierte Bauteile (Quelle: Gütegemeinschaft Imprägnierte Holzbauelemente e. V., Baiersbronn)

hauspotenzial verschiedener Terrassenmaterialien mit der Reichweite eines durchschnittlichen Autos mit einer Emission von 120 g CO_2/km in Relation gesetzt. Der Belag aus einheimischer, kesseldruckimprägnierter Kiefer in der Gebrauchsklasse 3 weist das geringste Treibhauspotenzial gegenüber den alternativen Materialien wie sibirischer Lärche, tropischem Holz (Ipé), WPC (50 % Holz, 50 % Polymer) aus China (CN) bzw. Deutschland (DE) und Beton, auf. Das niedrige Treibhauspotenzial der einheimischen, kesseldruckimprägnierten Kiefer ist zum einen auf die hohe angenommene Lebensdauer des behandelten Holzes von 30 Jahren, zum anderen auf die vergleichsweise kurzen Transportwege zurückzuführen. Bei Ipé aus Südamerika und sibirischer Lärche ist der Beitrag des langen Transportweges nach Europa zum Treibhauspotenzial entsprechend deutlich größer. Für Ipé wurde ebenfalls eine Lebensdauer von 30 Jahren angenommen. Für die Terrasse aus sibirischer Lärche wurde eine geringere Lebensdauer von 15 Jahren angenommen. Das bedeutet, dass der Terrassenbelag innerhalb des Betrachtungszeitraumes einmal erneuert werden muss, was den Beitrag von Produktion und Transport verdoppelt. Für WPC und Beton wurden ebenfalls Lebensdauern von 30 Jahren angenommen. Die hohe CO_2-Emission bei der Produktion des Betons ist hier bedeutsam für das Treibhauspotenzial. Bei WPC sind die Rohstoffe und der Transport ausschlaggebend – hier vor allem, wenn das Material in China und nicht in Europa produziert wird (vgl. Danish Technology Institute, Report nr. 715202, IVL report C 302).

Die Sortimente derart imprägnierter Holzerzeugnisse finden vor allem im Garten- und Landschaftsbau Verwendung, z. B. für Zäune, Pergolen, Terrassenbeläge, Pflanz- und Sandkästen, Palisaden. Kesseldruckimprägniertes Holz eignet sich auch im Besonderen für statisch anspruchsvolle Holzkonstruktionen wie Holzachterbahnen und Spielplatzgeräte (siehe Abb. 5.14 bis 5.16).

Generell sollte bei dem Kauf von kesseldruckimprägniertem Holz auf eine hohe Qualität geachtet werden. In Deutschland sind entsprechende Hersteller mit dem RAL-Gütezeichen RAL-GZ 411 ausgezeichnet (siehe Abb. 5.17). Andere Zertifizierer sind beispielsweise FCBA (CTBP+) in Frankreich oder das NTR in Skandinavien.

Durch die Behandlung trockener und tränkreifer Hölzer (Feuchtegehalt < 30 %) im Kessel-Vakuum-Druckverfahren gemäß DIN 68800 „Holzschutz" mit einem dafür zugelassenen Holzschutzmittel wird im Gegensatz zu Streich- und Tauchverfahren ein Tiefenschutz erzielt, der für eine hohe Dauerhaftigkeit des behandelten Holzes sorgt. Die für die Imprägnierung verwendeten Holzschutzmittel unterliegen der strengen europäischen Biozid-Verordnung vom 22. Mai

2012 und werden im Rahmen des Zulassungsverfahrens im Hinblick auf ihre Umwelt- und Gesundheitsverträglichkeit sorgfältig und umfangreich geprüft.

Die Struktur des Holzes ähnelt der eines Schwammes, mit Zellhohlräumen und Zellwänden, dem eigentlichen Holz. Ziel des Holzschutzes ist es, diese Zellwände mit Schutzmittel auszukleiden und so vor dem Abbau durch Holz zerstörende Pilze und Insekten zu schützen. Mithilfe von Vakuum und Druck gelingt es, das Schutzmittel tief ins Holz einzubringen (siehe Abb. 5.18). Durch das Anlegen eines Vakuums wird zunächst die Luft aus den Zellhohlräumen entfernt und so Platz für die Schutzmittellösung geschaffen, die anschließend mit hohem Druck tief in das Holz eingebracht wird. Nach einer Fixierzeit von etwa 48 Stunden ist das Holz dauerhaft gegen Insekten, einschließlich Termiten, Pilze und Moderfäule, selbst im ständigen Erd- und Wasserkontakt geschützt.

In Abhängigkeit von der Holzart, dem Verwendungszweck oder auch der Holzfeuchte finden weitere verschiedene Varianten der Kesseldruckimprägnierung Anwendung:

- Wechseldruckverfahren (für nasse Hölzer),
- Doppel-Vakuum-Verfahren (für maßhaltige Hölzer),
- Lowry-Verfahren (ein Sparverfahren),
- Royal-Verfahren (das Veredelungsverfahren für kesseldruckimprägnierte Hölzer).

DIN EN 350:2016-12 „Dauerhaftigkeit von Holz und Holzprodukten – Prüfung und Klassifizierung der Dauerhaftigkeit von Holz und Holzprodukten gegen biologischen Angriff" teilt Holzarten nach Dauerhaftigkeit und Tränkbarkeit in 4 Klassen ein. Kiefer (Splint) und Buche sind z. B. besonders gut tränkbar. Als schwer tränkbar gilt die Fichte.

Kesseldruckimprägnierte Hölzer zeichnen sich in der Regel durch einen grünlichen Farbton aus, der aus dem eingesetzten basischen Kupfercarbonat resultiert. Dieses entspricht in der Zusammensetzung dem Kupferspat oder Malachit, wie man ihn auch z. B. auf Kirchendächern aus Kupfer findet. Den Schutzmittellösungen können aber auch Farben zugesetzt werden, sodass kesseldruckimprägnierte Hölzer auch z. B. in braunen oder grauen Farbtönen angeboten werden. Die Farben haben nichts mit der Qualität der Imprägnierung zu tun, sondern geben Bauherren oder Architekten etwas Spielraum für die farbliche Gestaltung der Holzkonstruktion.

Relevante Normen

DIN 68800 Holzschutz

DIN EN 350:2016-12 Dauerhaftigkeit von Holz und Holzprodukten – Prüfung und Klassifizierung der Dauerhaftigkeit von Holz und Holzprodukten gegen biologischen Angriff

5.7 Holzschutz

Als organisches Produkt ist Holz in den natürlichen Stoffkreislauf eingebunden. Nach dem Fällen des Baumes ist es Aufgabe spezieller Organismen (Pilze und Insekten), das Holz wieder in seine ursprünglichen Bestandteile – Kohlendioxid, Wasser und Mineralstoffe – zu zerlegen, um es so in den Naturkreislauf zurückzuführen. Dieser im Kreislauf der Natur nützliche Abbau des Holzes beeinträchtigt jedoch nicht nur sein äußeres Erscheinungsbild, sondern auch seine mechanischen Eigenschaften, wie z. B. seine Festigkeit. Seine Lebensdauer als Baustoff wird somit entscheidend verkürzt. Daher gilt es, verbautes Holz dauerhaft vor dem Befall durch Holz zerstörende Pilze und Insekten zu schützen. Soll die Optik der Holzoberfläche erhalten bleiben, sind bei Hölzern im Außenbereich zusätzlich Maßnahmen gegen Holz verfärbende Organismen (Bläuepilze oder Schimmel) zu treffen.

Abb. 5.18: Anlage eines Wolmanit®-CX-Kunden für die Holzimprägnierung im Kessel-Vakuum-Druckverfahren (Quelle: Wolman Wood and Fire Protection GmbH, Sinzheim, mit Genehmigung von Ingarps Träskydd AB)

Neben hoher Feuchtigkeit setzen auch andere Witterungseinflüsse wie Hitze, Kälte, Wind, Hagel sowie die UV-Strahlung der Sonne dem im Außenbereich verbauten Holz zu. Konstruktiver und chemischer Holzschutz sowie eine Schutzbehandlung der Holzoberfläche können diese schädlichen Einflüsse vermindern und im optimalen Zusammenwirken ein äußerst langes Holzleben garantieren.

Ziel des baulichen (konstruktiven) Holzschutzes ist es in erster Linie, durch konstruktive und bauphysikalische Maßnahmen Holzbauteile so auszubilden, dass Feuchtigkeit ferngehalten oder schnell abgeleitet und der Zutritt Holz zerstörender Insekten verhindert wird. Wichtig ist es deshalb, eine Auswahl der für den jeweiligen Zweck am besten geeigneten Holzart zu treffen. Hinweise hierzu finden sich in der DIN 68800-1:2019-06 „Holzschutz – Teil 1: Allgemeines" und in DIN EN 350:2016-12 „Dauerhaftigkeit von Holz und Holzprodukten – Prüfung und Klassifizierung der Dauerhaftigkeit von Holz und Holzprodukten gegen biologischen Angriff".

DIN EN 350 teilt Holzarten nach Dauerhaftigkeit und Tränkbarkeit in 4 Klassen ein. Kiefer (Splint) und Buche sind z. B. besonders gut tränkbar. Als schwer oder nur sehr schwer tränkbar gelten Douglasie, Lärche sowie Fichte.

Ferner findet man in dieser Norm Angaben zur natürlichen Dauerhaftigkeit von Kernholz unterschiedlicher Holzarten. Die Dauerhaftigkeit wird danach in 5 Klassen unterteilt. Sie reicht von sehr dauerhaft (z. B. Afzeliaholz) bis nicht dauerhaft (z. B. Buche). Das in Deutschland gängige Bauholz aus Kiefer-, Fichten- und Tannenholz ist nach dieser Einteilung

Abb. 5.19: Getrocknetes Holz vor der Imprägnierung (Quelle: Erich Scheerer GmbH, Sprakensehl-Behren)

Abb. 5.20: Holz im Imprägnierkessel (Quelle: Erich Scheerer GmbH, Sprakensehl-Behren)

in wenig bis mäßig dauerhaft eingestuft. Splintholz ist generell sehr anfällig für einen biologischen Angriff.

Holzschutzmittel können über unterschiedlichste Verfahren appliziert werden. Die industriell wichtigsten Verfahren sind die sog. Tauchimprägnierung und die verschiedenen Verfahren der Druckimprägnierung. Die Abb. 5.19 bis 5.23 zeigen verschiedene Stufen des Imprägnierprozesses.

Bei der Tauchimprägnierung handelt es sich um ein Oberflächenverfahren, bei dem das zu behandelnde Holz durch Untertauchen in eine Holzschutzmittellösung imprägniert wird. Dieses Verfahren ist das am weitesten verbreitete Verfahren zur Imprägnierung von Bauholz in Deutschland, Benelux und Frankreich. Es eignet sich aufgrund der begrenzten Schutzmitteleinbringung vorranging für wenig durch Holz zerstörende Organismen beanspruchte Holzbauteile.

Die verschiedenen Verfahren der Druckimprägnierung werden angewendet, wenn bei stärker beanspruchten Holzbauteilen die Holzschutzmittel tief in das zu behandelnde Holz eingebracht werden müssen. Dies ist z. B. der Fall, wenn Hölzer in der Gebrauchsklasse 4 (Holz in direktem Erdkontakt) behandelt werden soll.

In Abhängigkeit von der Holzart, dem Verwendungszweck oder auch der Holzfeuchte finden verschiedene Varianten der Kesseldruckimprägnierung (KD) Anwendung (siehe Kapitel 5.6).

Relevante Normen

DIN 68800-1:2019-06 Holzschutz – Teil 1: Allgemeines

DIN EN 335:2013-06 Dauerhaftigkeit von Holz und Holzprodukten – Gebrauchsklassen: Definitionen, Anwendung bei Vollholz und Holzprodukten

DIN EN 350:2016-12 Dauerhaftigkeit von Holz und Holzprodukten – Prüfung und Klassifizierung der Dauerhaftigkeit von Holz und Holzprodukten gegen biologischen Angriff

5.7.1 Holzschutz – Wetterschutz – Holzveredelung

Beim chemischen Holzschutz kommen Holzschutzmittel zum Einsatz, die Wirkstoffe, sog. Biozide, gegen Pilzbefall und/oder Holz zerstörende Insekten, in einigen Fällen auch gegen Holz verfärbende Pilze, enthalten. Diese Wirkstoffe

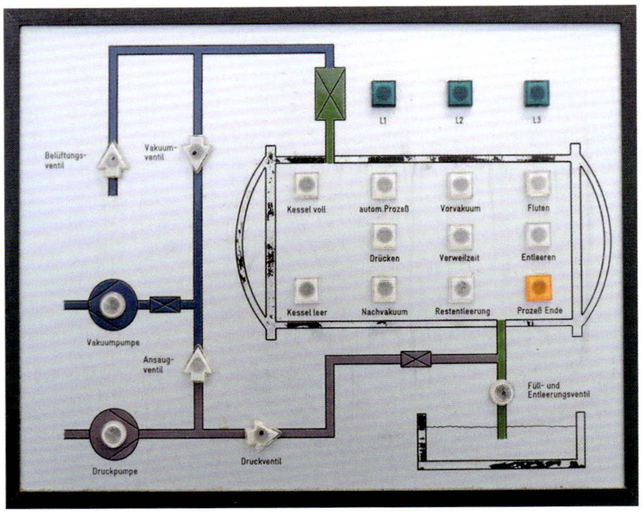

Abb. 5.21: Kontrollfeld einer Imprägnieranlage zur Steuerung des Imprägnierprozesses (Quelle: Erich Scheerer GmbH, Sprakensehl-Behren)

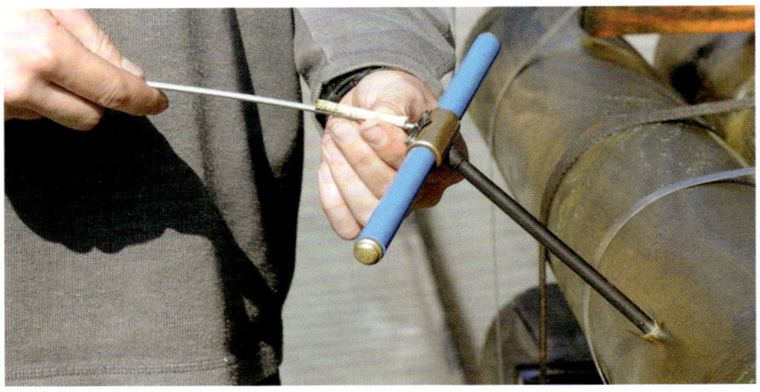

Abb. 5.22: Probenentnahme zur Qualitätskontrolle (Quelle: Erich Scheerer GmbH, Sprakensehl-Behren)

Abb. 5.23: Fertig imprägniertes Holz in der Trockenkammer (Quelle: Erich Scheerer GmbH, Sprakensehl-Behren)

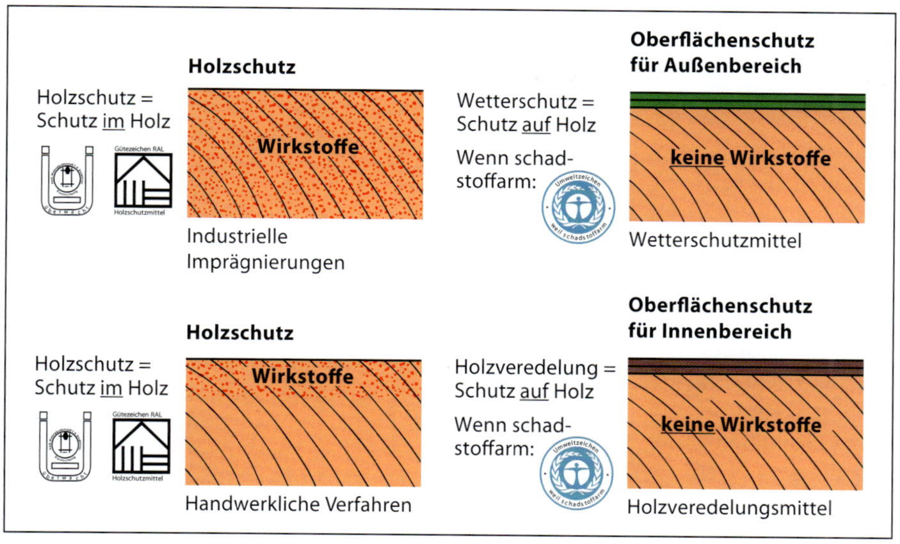

Abb. 5.24: Mittel zur Holzbehandlung und Wirkungsweisen (Quelle: Deutsche Bauchemie, Frankfurt am Main)

müssen für einen optimalen Schutz tief in das Holz eindringen. Holzschutzmittel bestehen vom Wirkungsprinzip her aus dem eigentlichen Wirkstoff (oder einer Kombination von mehreren) und einem Transportmittel (Wasser oder Lösemittel). Von Holzschutzmitteln zu unterscheiden sind Wetterschutzmittel, die das Holz vor Nässe und Sonnenstrahlung schützen. In der Regel enthalten sie keine Wirkstoffe (Biozide) gegen Holz zerstörende oder verfärbende Organismen. Allerdings werden neben biozidfreien Mitteln auch Produkte angeboten, die Wirkstoffe enthalten, die den Anstrichfilm selbst, nicht das darunterliegende Holz, vor einem Befall durch

Schadorganismen schützen. Wetterschutzmittel dringen nicht in das Holz ein. Ihre Aufgabe besteht darin, die Holzoberfläche wasser- und UV-Licht-abweisend auszustatten. Sie werden überall dort eingesetzt, wo Hölzer keinen dauerhaften bioziden Schutz erhalten sollen, oder bei Hölzern, die bereits biozid behandelt wurden und nachgestrichen bzw. optisch neu gestaltet werden sollen. Eine dritte Gruppe bilden die Holzveredelungsmittel bzw. Holzpflegemittel. Diese Anstrichmittel schützen Holzoberflächen im Innenbau vor mechanischen und physikalischen Beeinträchtigungen wie Spritzwasser, Staub oder Abnutzung und dienen insbesondere zu ihrer dekorativen Gestaltung. Holzpflegemittel sind frei von Wirkstoffen gegen Holzschädlinge. Abb. 5.24 zeigt eine Übersicht verschiedener Mittel zur Holzbehandlung.

5.7.2 Arten von Holzschutzmitteln

In der Biozid-Verordnung vom 22. Mai 2012 (**B**iocidal **P**roduct **R**egulation [BPR]) werden Holzschutzmittel definiert als *„Produkte zum Schutz von Holz, ab dem Einschnitt im Sägewerk, oder Holzerzeugnissen gegen Befall durch holzzerstörende oder die Holzqualität beeinträchtigende Organismen. Diese Produktart umfasst sowohl Präventivprodukte als auch Kurativprodukte."* Diese Definition findet sich auch in der DIN 68800 „Holzschutz". Holzschutzmittel sind demnach Produkte, deren Wirkungsweise über den Einsatz von Bioziden gesteuert wird. Nach der Biozid-Verordnung dürfen nur noch Holzschutzmittel, denen nach Biozidrecht eine Zulassung erteilt wurde, innerhalb der EU in Verkehr gebracht werden. Eine Ausnahme bilden Produkte mit sog. Altwirkstoffen. Diese Produkte sind weiterhin verkehrsfähig. Sie dürfen weiterhin verwendet werden, wenn ein im Schutzmittel enthaltener Altwirkstoff sich noch im Genehmigungsverfahren befindet bzw. bis zum Genehmigungszeitpunkt des letzten im Holzschutzmittel enthaltenen Wirkstoffs und während der Dauer des laufenden Zulassungsverfahrens.

Welche Produkte vor ihrer BPR-Zulassung in Deutschland noch verkehrsfähig sind, ist an einer Registriernummer der Bundesanstalt für Arbeitsschutz und Arbeitsmedizin (BAuA), der deutschen Zulassungsstelle, erkennbar (Buchstabe „N", gefolgt von einer fünfstelligen Zahl). Sobald ein Holzschutzmittel gesetzlich zugelassen ist, verfügt es – neben vorgeschriebenen Kennzeichnungs- und Verpackungshinweisen – über eine Zulassungsnummer auf dem Etikett, die sich aus den Elementen Ländercode („DE" für Deutschland), Jahreszahl, Zulassungstyp, Biozidprodukttyp („8" für Holzschutzmittel) und einer individuellen Zahlenfolge zusammensetzt (z. B. DE-1234567-01-0001-08).

Prinzipiell wird zwischen Produkten zum vorbeugenden und bekämpfenden Holzschutz unterschieden.

Vorbeugend wirksame Holzschutzmittel

Vorbeugend wirksame Holzschutzmittel dienen zum Schutz von Holz und Holzbauteilen gegen einen biologischen Abbau durch Holz zerstörende Pilze und Insekten. Je nach Einbausituation werden hierzu unterschiedliche Holzschutzmittel und Einbringmengen notwendig. Die Einbausituation und Exposition werden in der DIN EN 335 beschrieben. Man unterscheidet zwischen 5 sog. Gebrauchsklassen. Je nach Gebrauchsklasse ergibt sich eine unterschiedliche Gefährdung.

Zum vorbeugenden Schutz standsicherheitsrelevanter Holzbauteile (tragende Hölzer) durften in der Vergangenheit in Deutschland nur Schutzmittel mit einem allgemeinen bauaufsichtlichen Verwendbarkeitsnachweis (allgemeine bauaufsichtliche Zulassung [abZ], erteilt vom Deutschen Institut für Bautechnik [DIBt]) eingesetzt werden. Danach durfte die Verarbeitung nur durch Fachbetriebe, in aller Regel mithilfe spezieller Ein- und Aufbringverfahren wie Trog- oder Kesseldruckanlagen, erfolgen (siehe Kapitel 5.6).

Die abZ wird für noch bestehende abZ im Laufe der Zeit durch eine BPR-Zulassung abgelöst werden. Für die meisten Produkte auf dem Markt befindlicher Holzschutzmittel wurde sie bereits durch die Biozidzulassung ersetzt.

Sobald eine Zulassung nach Biozidrecht für ein Holzschutzmittel mit abZ erteilt ist, ersetzt diese die allgemeine bauaufsichtliche Zulassung.

Die Zulassung nach Biozidrecht unterscheidet nicht mehr zwischen Holzschutzmitteln zur Behandlung von Hölzern für tragende und nicht tragende Zwecke. Für tragende Bauteile sind vielmehr die Maßgaben der BPR-Zulassung (Risikominimierungsmaßnahmen, Arbeitssicherheit, Einbringmengen usw.) einzuhalten. Darüber hinaus sind weitere Normen und Richtlinien wie die Bauproduktenrichtlinie oder die DIN EN 14081 „Holzbauwerke – Nach Festigkeit sortiertes Bauholz für tragende Zwecke mit rechteckigem Querschnitt" und die nachgeordnete Norm DIN EN 15228:2009-08 „Bauholz – Bauholz für tragende Zwecke mit Schutzmittelbehandlung gegen biologischen Befall" zu beachten.

Unterschieden wird zwischen wässrigen (wasserbasierend, wasserverdünnbar), die die Hauptgruppe ausmachen, und lösemittelhaltigen Holzschutzmitteln. Zu der erstgenannten Gruppe zählen Schutzsalze sowie Emulsionen. Sog. nicht fixierende Mittel bleiben auch nach der Imprägnierung im Holz wasserlöslich und können daher z. B. durch Regen ausgewaschen werden. Ist in der abZ nichts anderes vermerkt, ist bei den damit behandelten Hölzern darauf zu achten, dass sie auch während Transport, Lagerung und Bauphasen vor Niederschlägen geschützt sind. Im Gegensatz dazu gehen fixierende Salze mit dem Holz eine wasserunlösliche Verbindung ein bzw. die schwer löslichen Wirkstoffe werden dauerhaft im Holz verteilt. Sie sind deshalb auch für die Behandlung von Außenbauteilen geeignet. Wasserverdünnbare Schutzmittel können mit einem Farbstoff versetzt sein, um die durchgeführte Schutzbehandlung kenntlich zu machen. Der Grad der Holzfärbung ist jedoch kein Indiz für die Qualität der Schutzbehandlung. Lösemittelhaltige Holzschutzmittel enthalten die Wirkstoffe in organischen Lösemitteln und können je nach Verwendungszweck auch Bindemittel sowie farbgebende Substanzen enthalten. Diese Mittel werden stets gebrauchsfertig angeliefert. Zum vorbeugenden Schutz von nicht tragenden Holzbauteilen werden anwendungsfertige sowohl wässrige als auch lösemittelhaltige Produkte für den Handwerker wie für den Heimwerker angeboten. Die üblicherweise farblosen Imprägnierungen bzw. Grundierungen müssen nach ihrer Applikation (meist Streichen) mit einer farbigen, lasierenden oder deckenden Endbeschichtung (diese kann dann wirkstofffrei sein) versehen werden. Alternativ dazu gibt es farbig pigmentierte Holzschutzlasuren. Mit ihnen lässt sich neben dem Holzschutz gleichzeitig auch eine dekorative Behandlung der Holzoberfläche erzielen. Diese Holzschutzlasuren haben oft einen geringen Bindemittelanteil und werden als Dünnschichtlasuren bezeichnet. Im Gegensatz zu den Dünnschichtlasuren sind Dickschichtlasuren (in der Regel ohne Wirkstoffe oder nur mit Wirkstoffen zum Eigenschutz ausgerüstet) reicher an Bindemitteln und bilden deshalb auf dem Holz einen etwas dickeren Anstrichfilm. Dies bewirkt eine stärkere Wasserabweisung und mindert somit den Feuchtigkeitswechsel und damit das Quellen und Schwinden des Holzes. Dickschichtlasuren sind besonders für den Schutz maßhaltiger Holzbauteile wie Fenster und Türen ausgelegt. Aufgrund der Vielzahl der verfügbaren Produkte und Kombinationsmöglichkeiten sind die Empfehlungen der Hersteller zu beachten.

Bekämpfende Holzschutzmittel

Zur Bekämpfung eines vorhandenen Befalls durch Holz zerstörende Insekten stehen Bekämpfungsmittel zur Verfügung. Auch diese Produkte müssen entweder eine abZ oder eine Zulassung nach der Biozid-Verordnung haben. Die Maßnahmen zur Bekämpfung eines Lebendbefalls erfordern grundlegende Fachkenntnisse und Erfahrungen, über die nur dafür qualifizierte Fachleute mit einem Sachkundenachweis verfügen. Eine Behandlung von Hölzern, die mit Holz zerstörenden Pilzen befallen sind, ist mit chemischen Schutzmitteln grundsätzlich nicht möglich. Solche befallenen Hölzer müssen immer ersetzt werden. Als begleitende Maßnahme bei der Bekämpfung des Echten Hausschwamms können sog. Schwammsperrmittel auf das Mauerwerk aufgebracht werden. Damit wird ein erneutes Durchwachsen des Mauerwerks mit dem Pilzmyzel verhindert. Auch diese Arbeiten sind von qualifizierten Fachleuten auszuführen. Details zur Durchführung von Bekämpfungsmaßnahmen finden sich in der DIN 68800-4:2020-12 „Holzschutz – Teil 4: Bekämpfungsmaßnahmen gegen Holz zerstörende Pilze und Insekten und Sanierungsmaßnahmen".

5.7.3 Prüf- und Gütezeichen

Prüf- und Gütezeichen sind eine wichtige Orientierungshilfe bei der Wahl des richtigen Holzschutzprodukts. Denn die Verwendung geprüfter Holzschutzmittel bedeutet für Anwender und Verbraucher in erster Linie Sicherheit und Risikominimierung. Alle Holzschutzmittel, die sowohl gesetzlich nach Biozidrecht zugelassen sind als auch unter den bauaufsichtlichen Geltungsbereich fallen, müssen im Rahmen eines Zulassungsverfahrens den Nachweis ihrer Wirksamkeit erbringen. Darüber hinaus werden die Holzschutzmittel auch hinsichtlich einer eventuellen Gesundheitsgefährdung der Anwender wie auch der Nutzer baulicher Anlagen durch das behandelte Holz bei bestimmungsgemäßer Verwendung des Mittels bewertet, ebenso hinsichtlich eventueller nachteiliger Auswirkungen auf die Umwelt. Daraus sich ergebende Anwendungsbeschränkungen für die Mittel sowie Warn- und Sicherheitsratschläge für den sicheren Umgang sind zwingend einzuhalten. Die Erteilung einer Zulassung nach Biozidrecht erfolgt durch die BAuA, die abZ durch das DIBt. Letztgenannte Schutzmittel sind erkennbar am Ü-Zeichen und einer individuellen, vom DIBt vergebenen Zulassungsnummer. Die Wirksamkeit wird mit folgenden Prüfprädikaten beschrieben:

- Iv = gegen Insekten vorbeugend wirksam,
- P = gegen Pilze vorbeugend wirksam.
- W = auch für Holz, das der Witterung ausgesetzt ist, jedoch nicht in ständigem Erd-/Wasserkontakt,
- E = auch für Holz, das extremer Beanspruchung ausgesetzt ist (im ständigen Erd- /Wasserkontakt sowie bei Schmutzablagerungen in Rissen und Fugen).

Prüfprädikate für Bekämpfungsmittel:

- Ib = gegen Insekten bekämpfend wirksam
- M = Schwammsperrmittel

Eine umfangreiche Übersicht über Prüfzeichen und die in Europa vorhandenen Gütezeichen findet sich in dem Begleitheft „Folienserie Holzschutz" (Deutsche Bauchemie, 2021), kostenloser Download möglich unter https://deutsche-bauchemie.de/publikationen/deutschsprachige-publikationen/holzschutz.

5.7.4 Einsatzgrundsätze

Holzschutzmittel sollten nur dort angewendet werden, wo der Schutz der Holzbauteile notwendig und erforderlich ist. DIN 68800-1 berücksichtigt in diesem Zusammenhang die unterschiedlichen Einbausituationen von Holzbauteilen. Die bisher verwendete Begrifflichkeit „Gefährdungsklasse" wurde durch den Begriff der „Gebrauchsklasse" (GK) ersetzt. Dieser Begriff wurde aus DIN EN 335-1:2006-10 „Dauerhaftigkeit von Holz und Holzprodukten – Definition der Gebrauchsklassen – Teil 1: Allgemeines" übernommen. Insgesamt werden 5 Gebrauchsklassen (GK 1 bis 5) in der DIN EN 335 definiert. In Deutschland wurde zusätzlich die Gebrauchsklasse 0 (= keine Holzschutzmaßnahmen erforderlich) gemäß DIN 68800-1 eingeführt. Schutzmaßnahmen im Rahmen der Gebrauchsklassen haben stets unter besonderer Berücksichtigung des Schutzes der Gesundheit und der Umwelt zu erfolgen. Bezüglich der Verarbeitung sollten stets die Gebindetexte sowie die Technischen Merkblätter und die Angaben im Sicherheitsdatenblatt aufmerksam gelesen und beachtet werden. Weitere Hinweise zum sicheren Umgang und der Verwendung bietet der „Verbraucherleitfaden Holzschutzmittel" (Bundesministerium für Ernährung, Landwirtschaft und Verbraucherschutz [BMELV], 2008), kostenloser Download unter https://www.umweltbundesamt.de/sites/default/files/medien/3521/dokumente/pa8_verbraucherleitfadenholzschutzmittel_2008.pdf.

Relevante Normen

DIN 68800-1:2019-06 Holzschutz – Teil 1: Allgemeines

DIN 68800-2:2022-02 Holzschutz – Teil 2: Vorbeugende bauliche Maßnahmen im Hochbau

DIN 68800-3:2020-03 Holzschutz – Teil 3: Vorbeugender Schutz von Holz mit Holzschutzmitteln

DIN 68800-4:2020-12 Holzschutz – Teil 4: Bekämpfungsmaßnahmen gegen Holz zerstörende Pilze und Insekten und Sanierungsmaßnahmen

5.8 Holzwerkstoffe

Holzwerkstoffe sind Baustoffe, die nicht aus Vollholz bestehen, sondern aus Holzbestandteilen wie Fasern oder Spänen zu Platten oder Dielen geformt und verleimt werden. Je nach Art und Größe der verwendeten Bestandteile lassen sich Holzwerkstoffe grob einteilen in Sperrhölzer, Spanhölzer und Faserhölzer. In den letzten Jahren setzt man besonders im Außenbereich verstärkt auf Holz-Polymer-Werkstoffe, auch WPC (Wood Polymer Composites) genannt (siehe Abb. 5.25 und 5.26). Die Mischung aus Holzfasern, Kunstharzen und verschiedenen Additiven macht den Werkstoff extrem hart, formstabil und resistent gegen Feuchtigkeit und den Befall durch Pilze und Insekten.

Abb. 5.25: Terrassendielen aus Wood-Polymer-Composites sind langlebig und pflegeleicht (Quelle: Verband der Deutschen Holzwerkstoffindustrie e.V., Berlin).

Abb. 5.26: Vorgehängte und hinterlüftete Fassaden aus Wood-Polymer-Composites sind besonders witterungsbeständig (Quelle: Verband der Deutschen Holzwerkstoffindustrie e.V., Berlin)

Abb. 5.27: Sperrholzplatte (Quelle: mamaev_50 – stock.adobe.com)

5.8.1 Sperrholz

Genau wie Brettsperrholz bestehen auch die leichteren Sperrholzarten aus mindestens 3 Lagen, die kreuzweise miteinander verleimt werden, sodass die Faserrichtungen übereinanderliegender Lagen rechtwinklig zueinander verlaufen (siehe Abb. 5.27). Diese Art der Verleimung garantiert, dass sich die Platten auch bei Veränderungen der Holzfeuchtigkeit kaum verziehen. Das bei Vollholz übliche Quellen und Schwinden wird durch die kreuzweise Verleimung weitgehend verhindert oder „gesperrt", woraus die Bezeichnung Sperrholz resultiert.

Sperrholzplatten sind im Vergleich zu Span- und Faserplatten formstabiler. Deshalb werden sie beispielsweise häufig im Möbelbau eingesetzt. Auch im Außenbereich – etwa als

Fassadenplatten – sind sie grundsätzlich einsetzbar. Voraussetzung dafür sind ein feuchteunempfindlicher Kleber und eine Versiegelung der Plattenkanten.

Furniersperrholz

Der am weitesten verbreitete Sperrholztyp ist das sog. Furniersperrholz. Es besteht aus einer ungeraden Anzahl kreuzweise miteinander verleimter Furniere – handelsüblich sind Platten mit 3, 5, 7 oder 9 Lagen.

Furniere sind etwa 0,45 bis 6 mm dicke Holzblätter, die aus Baumstämmen herausgeschnitten werden. Für Sperrholzplatten kommt vor allem sog. Schälfurnier zum Einsatz. Das ist ein eher einfaches, optisch nicht besonders edles Furnier, das durch das tangentiale Abschälen von Rundhölzern gewonnen wird. Für dekorative Oberflächen – etwa im Innenausbau oder bei Möbeln – verwendet man dagegen eher Messerfurniere. Diese bestehen aus edleren Holzsorten und werden mit Messerwerkzeugen vom Baum geschnitten. In der Regel werden diese kostbaren Messerfurniere nur für die Oberfläche eingesetzt, man verleimt sie also auf preisgünstigere Trägerstoffe, beispielsweise auf Schälfurniersperrholz.

Furniersperrhölzer mit mindestens 5 Lagen und einer Stärke über 12 mm bezeichnet man auch als Multiplex-Platten. Diese relativ stabilen Werkstoffe kommen z. B. für Wandverkleidungen, als Betonschalungen (siehe Abb. 5.28) oder als Treppenstufen zum Einsatz.

Stab- und Stäbchensperrholz

Ein anderer, ebenfalls sehr formstabiler Typus von Sperrholz ist die sog. Tischlerplatte. Etwas fachspezifischer bezeichnet man sie als Stabsperrholz bzw. Stäbchensperrholz. Das dreischichtige Material hat den Vorteil, dass es stabil und belastbar, durch die massiven Fichtestäbe in der mittleren Lage aber vergleichsweise leicht ist. Tischlerplatten finden vielfach in der gehobenen Möbelproduktion Anwendung. Aber auch im Laden- und Fahrzeugbau sowie als Schalungsplatten im Betonbau haben sie ihren Platz.

Unter Stabsperrholz versteht man eine Mittellage aus gesägten Vollholzstäben, die beidseitig mit einem Deckfurnier verleimt sind. Die Stäbe sind etwa 24 bis 30 mm breit und werden mit ihrer Holzfaserrichtung quer zu den beiden Deckfurnieren angeordnet. Sie sind im Prinzip genauso aufgebaut wie Stäbchensperrholz. Der einzige Unterschied besteht darin, dass statt der relativ breiten Stäbe für die Mittellage dünne Schälfurnierstreifen verwendet werden. Diese „Stäbchen" sind in der Regel 5 bis 8 mm breit und werden hochkant angeordnet.

Verbundsperrholz

In der Praxis kommen die verschiedenen Sperrholztypen nicht nur in den beschriebenen Reinformen vor, sondern es gibt auch sog. Verbundplatten, bei denen die beiden äußeren Sperrholzschichten mit anderen Materialien für die Mittellage kombiniert werden. Die Zahl der verschiedenen Typen von Verbundsperrholz ist sehr groß. Das können beispielsweise integrierte Dampfsperrfolien oder Hartschaumdämmstoffe sein. Auch die Kombination mit anderen Holzwerkstoffen – etwa einzelne Lagen aus Spanholz – ist gebräuchlich.

Abb. 5.28: Großflächen-Schalungsplatte aus Furniersperrholz (Quelle: Westag AG, Rheda-Wiedenbrück)

Abb. 5.29: Rohspanplatte (Quelle: Sonae Arauco, Meppen)

Abb. 5.30: Holzfaserdämmplatten-Sortiment (Quelle: Sonae Arauco/Agepan System, Meppen)

5.8.2 Spanplatten und Faserplatten

Eine wirtschaftlich viel größere Rolle als Sperrholzarten auf Furnierbasis spielen solche Platten, die aus Restprodukten der Sägeindustrie bzw. aus stark zerkleinertem Holz bestehen: Spanplatten (siehe Abb. 5.29) und Faserplatten (siehe Abb. 5.30).

Spanplatten sind das Massenprodukt unter den Holzwerkstoffen. Sie werden oft für den Innenausbau verwendet, wobei die Sichtflächen der Platten dann meist mit dekorativen Furnieren oder Folien beschichtet sind. Vor allem sind sie aber allgegenwärtig im preiswerten Möbelbau. Darüber hinaus gibt es auch besonders robuste Spanplatten, die sogar zur Aussteifung von Wänden im konstruktiven Holzbau oder z. B. als Trockenestrich im Bodenbereich geeignet sind.

Während Sperrholz immerhin aus Furnierblättern besteht – wenn auch meist nicht aus besonders wertvollen –, besteht ein Großteil der für Spanplatten verwendeten Rohstoffe aus Holzabfällen. Die Späne, die z. B. in Sägewerken beim Verarbeiten von Baumstämmen anfallen, werden unter Beimischung von Klebstoffen (Bindemitteln) zu Spanplatten verpresst. Da Spanplatten, wie oben erwähnt, Massenbaustoff sind, versteht es sich von selbst, dass die Abfälle aus Sägewerken allein den Rohstoffbedarf der Produzenten nicht stillen können. So fließt auch Vollholz in die Herstellung ein, das erst zerkleinert und dann weiter zu Plattenwerkstoffen verarbeitet wird.

„Normale" Spanplatten bestehen aus sehr feinen Spänen, die nur zwischen 0,1 und 0,3 mm dick sind. Sie werden meist durch Klebstoffe auf Harzbasis zusammengehalten – etwa Harnstoff-, Phenol- oder Melaminharz. Dass durch diese Klebstoffe u. a. auch potenziell gesundheitsschädigendes Formaldehyd in die Raumluft gelangen kann, ist seit Langem bekannt. Mittlerweile sind die Produkte mit verschiedenen Emissionsklassen ausgezeichnet. Der Käufer hat also die Möglichkeit, bewusst auf Produkte mit relativ geringen Emissionen zu setzen. Daneben gibt es auch Spanholzplatten, die gar kein Formaldehyd enthalten, sondern stattdessen Bindemittel wie Magnesit, Gips, Zement oder auch das holzeigene Lignin.

Spanplatten werden in unterschiedlichen Klassifizierungen von P1 bis P7 angeboten:

- P1 Trockenbereich/leichte Verkleidungen/nicht tragend,
- P2 Trockenbereich/Möbel- und Innenausbau/nicht tragend,
- P3 Feuchtbereich/nicht tragend,
- P4 Trockenbereich/tragend,
- P5 Feuchtbereich/tragend,
- P6 Trockenbereich/tragend-hochbelastbar,
- P7 Feuchtbereich/tragend-hochbelastbar.

Bei Anwendungen im Sichtbereich ist sie meist mit anderen Stoffen beschichtet – z. B. Echtholzfurnier, Laminat oder Dekorfolien.

OSB-Platten

Eine Sonderform im Spanholzbereich sind die sog. OSB-Platten (siehe Abb. 5.31). Es gibt sie in den Qualitätsklassen OSB 1 bis OSB 4 (siehe Tabelle 5.1). Alle OSB-Platten bestehen aus relativ großen Spänen, die bis zu 20 cm lang sein können. Man kann sie mit bloßem Auge erkennen. Diese Grobspanplatten unterscheiden sich aber nicht nur optisch von den normalen Platten. Die Späne werden nämlich nicht einfach willkürlich durcheinandergemischt, sondern sind in 3 Schichten angeordnet. In jeder Einzellage sind sämtliche Späne einheitlich ausgerichtet – sie weisen also in dieselbe Richtung. Davon leitet sich auch der Name „Oriented Strand Board" (OSB) ab, was so viel wie „ausgerichtete Spanplatte" bedeutet. Allerdings weisen nicht alle Späne der gesamten Platte in dieselbe Richtung. Vielmehr sind sie lagenweise über Kreuz, also rechtwinklig zueinander, ausgerichtet.

Abb. 5.31: OSB-Platte (Quelle: Sonae Arauco/Agepan System, Meppen)

Tabelle 5.1: Qualitätsklassen von OSB-Platten

Plattentyp	Einsatzbereich
OSB 1	Platten für den Innenausbau (einschließlich Möbel) zur Verwendung im Trockenbereich
OSB 2	Platten für tragende Zwecke zur Verwendung im Trockenbereich (seit 2014 nicht mehr im Handel)
OSB 3	wasserfeste OSB-Platten für tragende Zwecke zur Verwendung im Feuchtebereich
OSB 4	hochbelastbare und wasserfeste OSB-Platten für tragende Zwecke zur Verwendung im Feuchtebereich

Es ist diese kreuzweise Streuung, die dafür sorgt, dass OSB-Platten in beide Richtungen besonders biegesteif sind. Ihre Steifigkeit ist etwa zwei- bis dreimal höher als die von normalen Spanplatten. Deshalb wird OSB auch häufig als aussteifendes Beplankungsmaterial für Holzbau- und Trockenbauwände eingesetzt – Letzteres auch in Kombination mit Gipskartonplatten. Da mittlerweile viele Menschen die spezielle Holzoptik dieser Produkte schätzen, findet man OSB aber auch immer häufiger als Sichtoberfläche, z. B. im Fußboden- oder Möbelbereich.

Um die Qualitätsklasse der OSB-Platten zu variieren, stehen den Herstellern nur wenige Möglichkeiten zur Verfügung. In erster Linie sind das die Späne (Strands), die in ihren Abmessungen angepasst werden können. In der Regel liegt die Länge der Späne zwischen 100 und 150 mm, die Breite bei 10 bis 15 mm und die Dicke zwischen 0,6 und 0,8 mm. Für die höherwertigen OSB-3- und OSB-4-Platten kommen Späne mit den jeweils größeren Maßen zum Einsatz. Damit erhöht sich automatisch die Rohdichte, weil mehr Holz in der Platte ist. Auch die statischen Werte werden so verbessert, zusätzlich werden die Strands auch exakter ausgerichtet. Durch Aussieben der feinen Bestandteile wird die Plattenqualität ebenfalls erhöht. Um die Verleimung der OSB-Platten wasserfest zu machen, werden andere Leimtypen verwendet als bei den nicht wasserfest verleimten OSB-Platten. Die Leimmenge spielt für die Plattenqualität hingegen eine nur untergeordnete Rolle. Bei einer Erhöhung der Rohdichte und bei einem anderen Leim wird auch die Presse, in der die Strands und der Leim zur Platte werden, in ihrer Arbeitsweise angepasst.

Weil die Qualität der Platten vom Span abhängt, ist ihre Oberfläche auch ohne Schleifen glatt. Für den Anwender bedeutet das auch, dass er die Platten nicht schleifen muss – glatter werden sie kaum. Um die OSB-Platten zu lackieren, reicht es, sie leicht anzuschleifen. Die Kanten sind im Gegensatz zu denen der Faserplatten nicht schraub- oder nagelbar.

Faserholzplatten

Faserplatten sind nach Spanplatten die am meisten verwendeten Holzwerkstoffplatten. Der Name weist darauf hin, dass man hier bis zur Faserebene des Baumstamms geht. Die Fasern werden meist aus Hackschnitzeln von Nadelhölzern gewonnen. Eine Holztextur ist bei den fertigen Platten nicht mehr zu erkennen.

Grundsätzlich unterscheidet man bei Holzfaserplatten 2 unterschiedliche Arten. Dies sind einerseits Weichfaserplatten, die unter Hinzufügung von Bindemitteln hergestellt und vor allem als Dämmstoffe verwendet werden. Daneben gibt es ein größeres Sortiment an harten Holzfaserplatten, die meist unter Zugabe von Klebstoffen entstehen. Diese Produkte kommen auch als Bauplatten im Innenausbau, als Trägermaterial für Laminatböden sowie Wand- und Deckenpaneele und im Möbelbau zum Einsatz.

Bei den härteren Platten gibt es zahlreiche Varianten mit einer Vielzahl an Abkürzungen. Besonders gebräuchlich sind mitteldichte Faserplatten (MDF) und hochdichte Faserplatten (HDF), die sich in der Rohdichte unterscheiden. HDF-Platten sind mit Rohdichten ab 600 kg/m^2 deutlich dichter und schwerer als MDF-Platten. Sie werden im sog. Trockenverfahren unter Beimischung von Klebstoffen hergestellt. Als Bindemittel kommen dabei vor allem Harnstoff- und Phenolharz zum Einsatz. Im Nassverfahren hergestellt werden dagegen sog. mittelharte Faserplatten (MB) und harte Faserplatten (HFH). Bei diesen Typen kommen nur geringe Mengen Bindemittel zum Einsatz. Die Fasern werden hier im nassen Zustand verarbeitet, der Zusammenhalt der Rohstoffe erfolgt vor allem durch Verfilzung der Fasern, aber auch durch die stets vorhandenen holzeigenen Bindemittel.

Formaldehydemissionen

Formaldehyd gehört noch immer zu den bedeutsamen Schadstoffen, die in Innenräumen auftreten. Der gasförmige Stoff gelangt vor allem durch Holzwerkstoffe, Möbel, Farben, Lacke, Klebstoffe, Einrichtungsgegenstände, Tabakrauch und Haushaltsprodukte in die Innenraumluft.

Als Altlast ist Formaldehyd noch in vielen Holzwerkstoffen und daraus hergestellten Erzeugnissen vorhanden und wird von diesen nach wie vor an die Raumluft abgegeben. Hohe Konzentrationen von Formaldehyd treten zum einen besonders in älteren Fertighäusern aus den 1960er- und 1970er-Jahren auf, bei denen Wände und Decken mit Spanplatten beplankt sind. Zum anderen werden auch heute noch in großem Umfang formaldehydhaltige Kunstharze für die Verleimung von Holzplatten und damit auch für Möbel verwendet.

Neben Klebstoffen, Lacken, Parkettversiegelungen, Topfkonservierern, Tapeten, UF-Ortschäumen, Schaumdämmplatten und Mineralwolldämmstoffen sind aminoplastverleimte Holzwerkstoffe die Hauptquelle für Formaldehyd. Sie werden im Innenausbau und für die Herstellung von Möbeln eingesetzt. Die Bezeichnung „Aminoplaste“ umfasst Harnstoff-Formaldehyd-Harze und Melamin-Formaldehyd-Harze. In Europa sind über 90 % der eingesetzten Holzwerkstoffe, z. B. Spanplatten, MDF- und OSB-Platten, Hartfaserplatten und Sperrholz, mit Harnstoff-Formaldehyd-Harzen verleimt.

Um die Formaldehydabgabe zu begrenzen, dürfen seit Anfang der 1980er-Jahre keine Holzwerkstoffplatten in den Verkehr gebracht werden, die den Grenzwert von 0,1 ppm (parts per million, Emissionsklasse E1) überschreiten. Allerdings gilt das für jedes Bauteil bzw. für jeden Einrichtungsgegenstand einzeln, die Summe aller Emissionsquellen kann die Konzentration in der Raumluft also schnell über den Grenzwert ansteigen lassen. Zudem haben auch die klimatischen Bedingungen eines Raumes Einfluss auf die Freisetzung von Formaldehyd. Die Konzentration des Schadstoffes in der Luft nimmt bei steigenden Temperaturen und steigender Luftfeuchtigkeit zu. So kann es vor allem im Sommer zu saisonal bedingten erhöhten Formaldehydbelastungen kommen.

Formaldehyd wird als Arbeitsstoff mit krebserzeugender Wirkung eingestuft. Für Arbeitsplätze gilt eine maximale Arbeitsplatzkonzentration (MAK-Wert) von 0,3 ppm. Solange diese Konzentration nicht überschritten wird, wird kein erhöhtes Krebsrisiko erwartet. Für die Beurteilung von Innenräumen sind MAK-Werte jedoch nicht geeignet, da sie ausschließlich für Arbeitsplätze festgelegt wurden, an denen medizinisch überwachte Beschäftigte tätig sind, die zudem über den Umgang mit Formaldehyd instruiert sind. In Innenräumen hingegen halten sich Personen unterschiedlichen Alters und Gesundheitszustands auf, die über den Umgang mit Formaldehyd nicht informiert sind. Der Ausschuss für Innenraumrichtwerte (AIR) hat einen Richtwert I (Vorsorgewert) in Höhe von 0,1 mg pro Kubikmeter (Innenraum-)Luft abgeleitet. Das entspricht 100 µg/m^3. Dieser Wert sollte auch nicht kurzzeitig (länger als eine halbe Stunde) überschritten werden.

Spanplatten ohne Formaldehyd

Formaldehydfreie Spanplatten werden nicht mit E1, sondern mit dem Kürzel F0 gekennzeichnet („Formaldehyd Null“). Das bedeutet allerdings nicht automatisch, dass sie keine Klebstoffe auf Kunstharzbasis enthalten. Im Gegenteil: Die meisten F0-Platten enthalten zwar kein Formaldehydharz, dafür aber Polyurethanharz.

Polyurethanharzkleber enthalten Isocyanate, die zumindest bei der Herstellung und Verarbeitung der Bindemittel umweltbelastend und gesundheitsgefährdend sind. Während das Formaldehyd in Formaldehydharzen allerdings leicht ausgast, liegen die Isocyanate in Polyurethanharz-Klebstoffen in gebundener Form vor. Deshalb werden sie aktuell laut dem Institut für Baubiologie Rosenheim „als ungefährlich angesehen“ (https://www.baubiologie-ibr.de/allgemeine-gesundheitsinformationen-formaldehyd-2/).

Wer ganz auf Kunstharzkleber verzichten möchte, findet im Handel mittlerweile auch Spanplatten, die mineralische Bindemittel wie Gips, Zement oder Magnesit enthalten. Es gibt sogar moderne Produkte, denen überhaupt kein externer Kleber mehr zugesetzt wird. Bei diesen besonders umweltfreundlichen Platten werden die Späne nur durch das holzeigene Lignin zusammengehalten.

Abb. 5.32: Highlights setzen mit Echtholzpaneelen: Paneele müssen nicht alle Wände oder die komplette Decke verkleiden, sondern ganz gezielt als Gestaltungselement eingesetzt werden (Quelle: MeisterWerke Schulte GmbH, Rüthen).

Abb. 5.33: Paneele mit Zusatzfunktion: Akustikelemente aus Filz wirken schalldämmend und können so speziell moderne Wohnumgebungen, in denen Textilien wie Vorhänge oder Teppiche nur sparsam eingesetzt werden, aufwerten (Quelle: MeisterWerke Schulte GmbH, Rüthen).

5.8.3 Normen

DIN 52376:2016-07 Prüfung von Sperrholz – Bestimmung der Druckfestigkeit parallel zur Plattenebene

DIN 68705-2:2016-03 Sperrholz – Teil 2: Stab- und Stäbchensperrholz für allgemeine Zwecke

DIN EN 300:2006-09 Platten aus langen, flachen, ausgerichteten Spänen (OSB) – Definitionen, Klassifizierung und Anforderungen

DIN EN 312:2010-12 Spanplatten – Anforderungen

DIN EN 316:2009-07 Holzfaserplatten – Definition, Klassifizierung und Kurzzeichen

DIN EN 622-2:2004-07 Faserplatten – Anforderungen – Teil 2: Anforderungen an harte Platten

DIN EN 622-2 Berichtigung 1:2006-06 Faserplatten – Anforderungen – Teil 2: Anforderungen an harte Platten, Berichtigung zu DIN EN 622-2:2004-07

DIN EN 622-4:2019-08 Faserplatten – Anforderungen – Teil 4: Anforderungen an poröse Platten

DIN EN 622-5:2010-03 Faserplatten – Anforderungen – Teil 5: Anforderungen an Platten nach dem Trockenverfahren (MDF)

DIN EN 13986:2015-06 Holzwerkstoffe zur Verwendung im Bauwesen – Eigenschaften, Bewertung der Konformität und Kennzeichnung

DIN EN 14322:2022-02 Holzwerkstoffe – Melaminbeschichtete Platten zur Verwendung im Innenbereich – Definition, Anforderungen und Klassifizierung

DIN EN 14323:2022-02 Holzwerkstoffe – Melaminbeschichtete Platten zur Verwendung im Innenbereich – Prüfverfahren

5.9 Paneele

Paneele sind eine moderne und stilvolle Gestaltungsmöglichkeit für Decken und Wände. Sie sind vielfältig einsetzbar und können sowohl für komplette Wand- und Deckenflächen als auch nur partiell genutzt werden. Paneele sind außerdem perfekt für den Dachausbau: Sie ermöglichen eine moderne Gestaltung ohne Schleifen, Streichen oder Tapezieren. Außerdem verhindern sie Setzrisse, die durch Bewegung des Dachstuhls entstehen.

Formate und Materialien

Paneele werden aus unterschiedlichen Materialien hergestellt. So bestehen Echtholzpaneele aus mit Edelholz furnierten Sperrholz-, Span- oder Faserplatten. Die sog. Dekorpaneele haben im Kern eine MDF-Platte, die mit hochwertigen Dekoroberflächen aus Kunststoff beschichtet wird. Durch die unterschiedlichen eingesetzten Furniere und Dekorfolien sind die optischen Gestaltungsmöglichkeiten fast unbegrenzt (siehe Abb. 5.32). Auch die Paneelformate weisen eine große Varianz auf: von raumbreiten Paneelen bis zu handlichen Kleinformaten, die sich sehr einfach montieren lassen und auf kleiner Fläche viel Abwechslung bieten. Paneele können in unterschiedlichen Mustern angebracht werden – senkrecht und waagerecht sind die Klassiker, auch schräge oder schindelartige Verlegung, kassettenartige Montage und attraktive 3-D-Efffekte sind bei vielen Produkten möglich. Die unterschiedlichen Fugenausbildungen wie beispielsweise Schattenfugen oder abgerundete Profile tragen zusätzlich zur Varianz der Gestaltungsmöglichkeiten bei.

Paneele mit Zusatzfunktionen

Paneele haben nicht nur einen optischen Mehrwert. Viele Produkte verfügen neben dem Gestaltungsaspekt auch über technische Zusatznutzen. Aktuelles Trendprodukt sind beispielsweise Paneele aus Filz oder mit hohem Filzanteil, die eine schalldämmende Funktion haben. Sie werden in Objekten (Hotellerie, Gastronomie, Großraumbüros) oder im privaten Bereich eingesetzt. Die moderne Wohnraumgestaltung mit sparsamem Einsatz von Teppichen und sonstigen Wohntextilien resultiert häufig in einer ungünstigen Raumschallsituation. Hier können Akustikpaneele – auch partiell eingesetzt – Abhilfe schaffen (siehe Abb. 5.33). Insbesondere Dekorpaneele können bei entsprechender Eignung auch in Feuchträumen genutzt werden, allerdings meist nicht im direkten Spritzwasserbereich.

Passende Einbauleuchten machen aus einem Paneel eine ganzheitliche Einrichtungslösung, die unansehnliche Kabel- und Trafokonstruktionen einfach verschwinden lässt.

Verlegung von Paneelen

Paneele werden üblicherweise auf eine Lattenunterkonstruktion (Lattungsprofil aus Metall oder Holzlattung) montiert (siehe Abb. 5.34). Die dadurch entstehende Luftschicht zwischen Wand und Paneel sorgt für eine zusätzliche Schall- und Wärmedämmung, die durch einen zusätzlich eingebrachten Dämmstoff noch verstärkt werden kann. Ist die Verlegefläche an Wand oder Decke länger oder breiter als 10 m, ist eine Bewegungsfuge notwendig, die mit farblich passenden Tapetenleisten abgedeckt wird. Zu allen Wänden und anderen festen Bauteilen muss ein Abstand von mindestens 10 bis 14 mm eingehalten werden. Zur Befestigung der Paneele auf der Konstruktion stehen Klammersysteme zur Verfügung. Das ermöglicht bei Renovierung oder Umzug wiederum eine einfache Demontage. Zur Abdeckung der umlaufenden Bewegungsfugen werden entsprechende Abschlussleisten eingesetzt.

Auf trockene und ebene Montageuntergründe können Paneele auch ohne Lattung mit Spezialkleber aufgeklebt werden. Voraussetzung ist, dass der Untergrund ausreichend tragfähig ist.

Abb. 5.34: MeisterPaneele.craft hat eine spezielle Prägung, die den Manufakturcharakter zusätzlich unterstreicht und die natürliche Ausstrahlung des Eichenholzes betont. Die Verlegung kann horizontal oder wie hier im Beispiel vertikal erfolgen. Für den Abschluss stehen die passenden Leisten zur Verfügung (Quelle: MeisterWerke Schulte GmbH, Rüthen).

6 Bauelemente

6.1 Treppen (DIN 18065)

Das Deckenloch ist der „Durchgang" zum darüber- oder darunterliegenden Geschoss. Treppen überwinden die Höhenunterschiede von Decke zu Decke, also von Etage zu Etage, indem sie durch Stufen den Gesamthöhenunterschied in kleine Abschnitte „zerlegen".

Der Höhenunterschied von Treppenstufe zu Treppenstufe wird Steigung genannt.

Der Treppenauftritt, auch kurz Auftritt genannt, bezeichnet die Tiefe der Treppenstufe. Sie wird von Vorderkante Stufe bis Vorderkante der nächsten Stufe gemessen.

Außerdem benötigt man zur Beurteilung einer Treppe noch eine gedachte Linie, die Lauflinie. Sie verläuft bei geraden Treppen in der Mitte der Treppenstufe, bei teilweise oder ganz gewendelten Treppen 40 bis 50 cm vom Treppenauge (Innenseite der Treppe). Sie beginnt am Antritt (unten) und endet mit der Austrittsstufe (oben).

Das Begehen einer Treppe durch einen Menschen ist mit dem Bergaufgehen zu vergleichen.

Dieser Gangart muss eine Treppe angepasst sein; soll sie mühelos begehbar sein. 2 Steigungshöhen und 1 Auftritt sollen zusammen etwa 60 bis 65 cm ergeben.

Die Steigungen der Wohnhaustreppen liegen zwischen > 14 und 20 cm. Daraus errechnen sich die Unterschiede in der Begehbarkeit:

- **Beispiel guter Begehbarkeit:**
- 2 · 16,5 cm = 33 cm + 32 cm = 65 cm
- **Beispiel schlechter Begehbarkeit (immer noch anzutreffen):** 2 · 20 cm = 40 cm + 25 cm = 65 cm

Die Anzahl der erforderlichen Stufen errechnet sich aus der erforderlichen Gesamthöhe der Treppe, die der Geschosshöhe entspricht. Dieses Maß wird von Oberkante Fertigfußboden (OKFF) bis Oberkante Fertigfußboden des nächsten Geschosses gemessen.

Im Neubau macht die genaue Ermittlung dieses Maßes oft Schwierigkeiten, da zum Zeitpunkt des Aufmaßes für die Treppe die endgültigen Fußböden noch nicht eingebaut sind. Oft muss von Rohdecke zu Rohdecke gemessen werden. Ob die Berichtigung um die Maße des Fußbodenaufbaus dann genau stimmt, ist meist fraglich. Die erreichten Aufbaumaße stimmen oft nicht millimetergenau mit der Maßvorgabe überein. Aus diesem Grunde sind vorgefertigte Treppen oder Fertigteiletreppen der maßgeblichen Hersteller in der Höhe nachregulierbar.

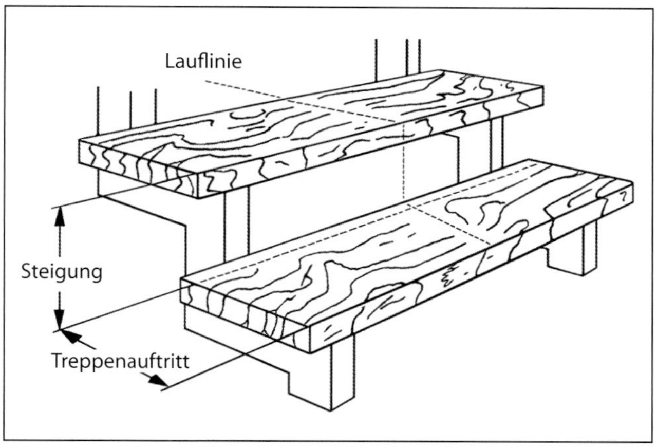

Abb. 6.1: Grundsätzliche Begriffe am Beispiel zweier Stufen

6.1.1 Treppenarten und -formen

Je nachdem, welche Hausteile durch eine Treppe verbunden werden, spricht man von Kellertreppen, Geschosstreppen oder Bodentreppen.

Vom Material her wird unterschieden zwischen Holztreppen und Treppen aus Metalltragekonstruktion. Hinzu treten Ortbetontreppen und Betonfertigteiltreppen, die im Folgenden gesondert behandelt werden.

Treppen wurden früher ausschließlich handwerklich gefertigt. Heute werden zahlreiche Treppen aus vorgefertigten Teilen oder komplette Fertigteil-Treppen für die verschiedenen Anwendungsbereiche industriell gefertigt. Darunter sind auch viele Treppen, die höchsten Ansprüchen der Wohnarchitektur gerecht werden.

Wie alle traditionsreichen Bauelemente kennt auch die Treppe eine ganze Reihe spezifischer Fachbegriffe, die ihre Form und Bauweise bezeichnen.

2 wichtige Begriffe sind der Lauf und das Podest. Treppen sind einläufig, wenn sie zwischen ihrem Antritt und ihrem Austritt nicht unterbrochen sind.

Der Lauf kann gerade oder gewendelt sein. Eine Treppe ist zwei- oder mehrläufig, wenn ihr Lauf durch Podeste (bzw. Halbpodeste) unterbrochen wird. Abb. 6.2 zeigt die verschiedenen Treppenformen für ein- und mehrläufige Treppen.

Die Befestigung der Treppe am Baukörper erfolgt in der Regel über je ein Auflager oben und unten; den Halt der Stufen übernehmen die sog. Wangen. Hierbei wird von der Wandwange und der lichten (= dem offenen Raum zuge-

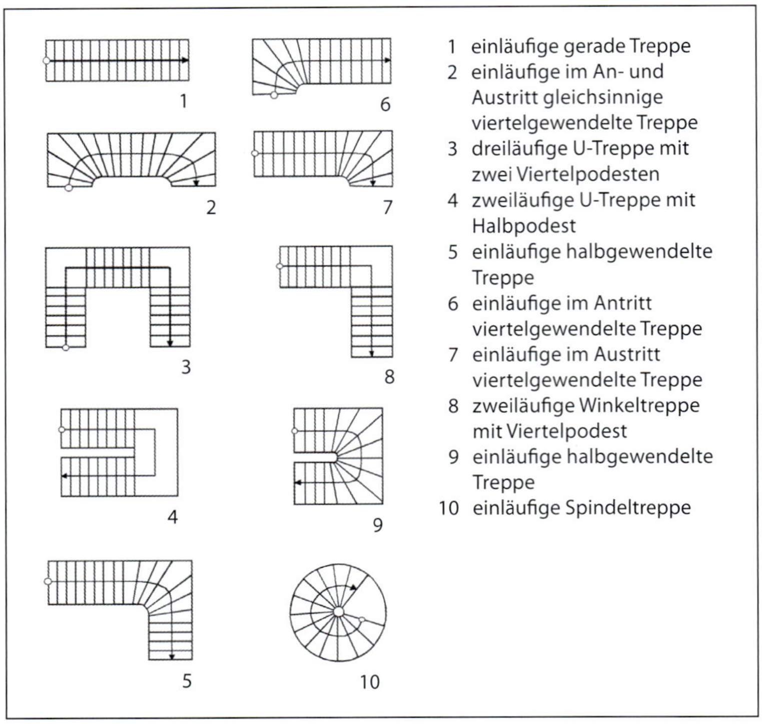

Abb. 6.2: Treppenformen

Abb. 6.3: Holz-Edelstahl-Spindeltreppe mit in Buche naturmassiv verleimten Stufen (Quelle: Roto Frank Treppen GmbH, Neusäß)

wandten) Wange gesprochen. Je nach Ausführung der Wangen und Stufen werden im Holztreppenbau aufgesattelte (aufgesetzte) Treppen, Blocktreppen oder gestemmte Treppen unterschieden. Die Wangen bieten ebenfalls zusätzliche Befestigungsmöglichkeiten für den Handlauf, die Geländerstäbe oder -verkleidungen.

Die Funktion der Wangen kann auch von zumeist Stahlbetonbalken übernommen werden (ein Balken mittig oder je ein Balken seitlich), sodass die Stufen nach beiden Seiten auskragen.

Bei einer Wendeltreppe erfolgt die Aufhängung der Stufen am Baukörper über die entsprechend gekrümmten Wangen, in der Mitte entsteht ein runder leerer Raum, der als Treppenauge bezeichnet wird.

Bei der Spindeltreppe hingegen geschieht die Aufhängung am zentralen Wendepfosten, der Spindel (Mittelsäule), wodurch die lichte Wange entfällt; jede Stufe stellt einen Kragarm dar. Die Spindeltreppe zählt zu den freitragenden Treppen.

Viele Möglichkeiten in der architektonischen Gestaltung bietet das Treppengeländer. Hier hat der Zeitgeschmack Einflussmöglichkeiten, der bei der Treppe selbst von der Begehbarkeit begrenzt sein muss.

Die wichtigsten Treppen werden in den folgenden Abschnitten vorgestellt.

Spindeltreppen

Dort, wo die normale Wendeltreppe ihr Treppenauge hat, befindet sich bei der Spindeltreppe die Spindel, d. h. die Mittelsäule mit tragender Funktion. Die Spindeltreppe zeichnet sich durch einen besonders geringen Raumbedarf aus. Wie bei allen gewendelten Treppen werden Links- und Rechtsantritt unterschieden.

Spindeltreppen haben sich einen festen Platz im modernen Wohnraum (innen wie außen) erobert. Außerdem spielen sie eine bedeutende Rolle im Industriebau. Entsprechend zahlreich sind die Materialien und die Formen. Spindeltreppen werden aus Holz, Stahl, Beton oder Aluminium gefertigt.

Die Stufen bestehen in vielen Fällen aus einem Materialverbund (z. B. beschichtete Alustufe mit Holzeinlage) oder die Treppe kombiniert Materialien wie z. B. Metall und Holz (Spindel und Geländerstäbe aus Aluminium, Stufen und Handlauf aus Edelholz o. Ä.) (siehe Abb. 6.3).

Im Objektbereich, aber auch als Haupttreppe im Wohn- und Geschäftsbereich sowie als Fluchttreppe kommen auch Betonfertigteil-Spindeltreppen zu Einsatz. Diese Treppen werden in vielen Ausführungsvarianten angeboten und besitzen ein durchaus elegantes Erscheinungsbild.

Betonfertigteiltreppen

Die mit dem Baufortschritt einbetonierte Ortbeton-Treppe hat den Nachteil, dass sie nicht gleich mit Last begehbar ist, aber den vorhandenen Platz für den Zugang zum nächsten Geschoss voll ausfüllt und somit die Aufstellung von Leitern im Treppenhaus nicht mehr möglich ist. So liegt der Gedanke nahe, eine sofort begehbare, voll belastbare und gegen Beschädigungen während der Bauzeit unempfindliche Treppe einzubauen.

Die Fertigteiltreppen werden für alle Rohbaumaße nach DIN 4172:2015-09 „Maßordnung im Hochbau" hergestellt. Das Gewicht der vorgefertigten Stahlbetonteile ist hoch ge-

Abb. 6.4: Betonfertigteil-Spindeltreppe (Quelle: Gilne GmbH, Mettingen)

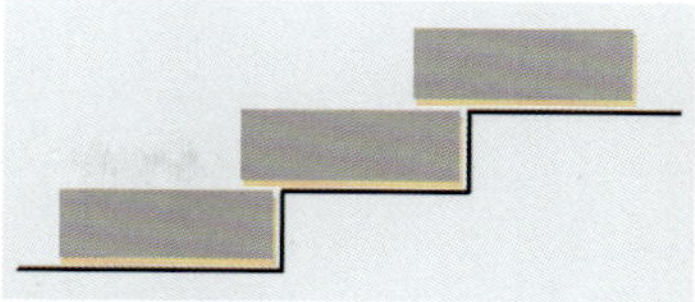

Abb. 6.5: Blockstufen

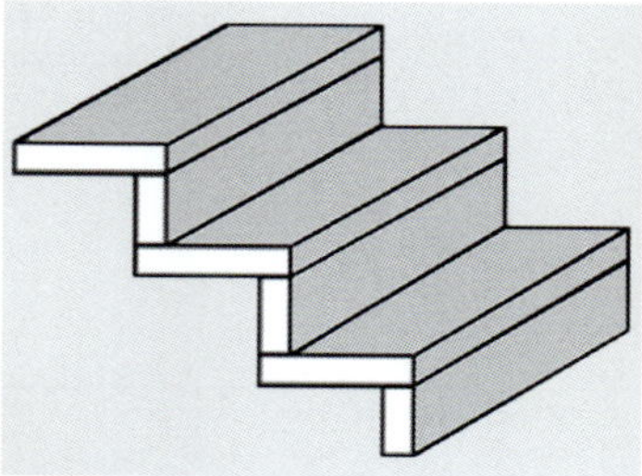

Abb. 6.6: Winkelstufen bestehend aus Trittstufen und Setzstufen

Abb. 6.7: Grundform der Raumspartreppenstufe (für geraden Treppenlauf) (Quelle: Wellhöfer Treppen GmbH & Co. KG, Würzburg)

nug, um schalldämpfend zu wirken, jedoch nicht so hoch, dass die Einzelteile der Treppe nicht auch in Eigenleistung eingebaut werden könnten.

Fertigteiltreppen ermöglichen die Schallentkoppelung an den Auflagerpunkten und können so die Anforderungen an den erhöhten Trittschallschutz nach DIN 4109 „Schallschutz im Hochbau" erfüllen. Stahlbeton-Fertigteiltreppen gibt es als fertige Bausätze für gerade und gewendelte Treppenläufe, auch mit Zwischenpodest, sowie als Spindeltreppe (siehe Abb. 6.4).

Mittelholmtreppen ermöglichen eine völlig freie Treppenführung. Stahlbetontreppen werden erst nach Beendigung der anderen Bauarbeiten mit Teppich, Fliesen, Naturstein, Holz oder anderen Materialien belegt. Sie sind für innen und außen geeignet. Bei Stahlbetonteilen im Freien darf jedoch nicht der Betonschutz übersehen werden.

Werkgefertigte Betonfertigteiltreppen werden in einem Stück zur Baustelle geliefert und mit einem Kran in das Treppenhaus eingelegt. Der Einbau erfolgt geschossweise mit dem Baufortschritt.

Betonwerksteintreppen

Betonwerksteintreppen werden wegen ihrer hohen Witterungsbeständigkeit zumeist im Außenbereich eingesetzt. Für Formatplatten mit geschliffener Oberfläche wird auch die Bezeichnung „Terrazzo" verwendet.

Die Treppen können nach ganz unterschiedlichen Konstruktionsweisen gebaut sein. Die Tritt- und Setzstufen werden auch Plattenstufen genannt, und Stufen mit vollem Betonprofil sind Blockstufen (siehe Abb. 6.5). Blockstufen werden im Außenbereich auf einem Fundament aus Magerbeton verlegt und auf 1 bis 2 cm dicke Mörtelquerstreifen gesetzt.

Winkelstufen (siehe Abb. 6.6) setzen sich aus miteinander verklebten Tritt- und Setzstufen zusammen und werden in verschiedenen Ausführungen hergestellt (z. B. Setzstufen in Keilform).

Raumspartreppen

Raumspartreppen besitzen Stufen mit einer speziellen Form, die wechselseitig so angeordnet werden, dass bei einer Steigungshöhe von ca. 18 bis 21 cm pro Stufe und geringer Ausladung die Treppe nur wenig Platz benötigt (siehe Abb. 6.7).

Bodentreppen (DIN EN 14975)

In älteren Bauten ist die fest eingebaute Treppe zum Boden noch selbstverständlich.

Soweit die Dachböden bei Steildächern infolge ausreichender Dachneigung ausbaubar sind, führen auch hier ganz normale Geschosstreppen zum Boden.

Wo die Dachneigung einen Ausbau nicht zulässt, der Dachboden nur gelegentlich begangen wird, vor allem aber dort, wo es an Platz für eine fest eingebaute Treppe mangelt, kommt die Bodentreppe in ihren verschiedenen Ausführungen zum Einbau. Vorteil der Bodentreppe ist, dass sie im Raum darunter kaum zu bemerken ist und dass einige Konstruktionen auch im Dachraum sehr wenig Platz benötigen. Die Luken- oder Futterkästen unterscheiden sich von Fabrikat zu Fabrikat nur sehr wenig. Sie bekleiden den Deckendurchbruch, und der Kastendeckel, der die Untersicht bildet, ist daran angeschlagen.

Abb. 6.8: Klapptreppe, die keinen Schwenkraum im Dachboden erfordert (Quelle: Wellhöfer Treppen GmbH & Co. KG, Würzburg)

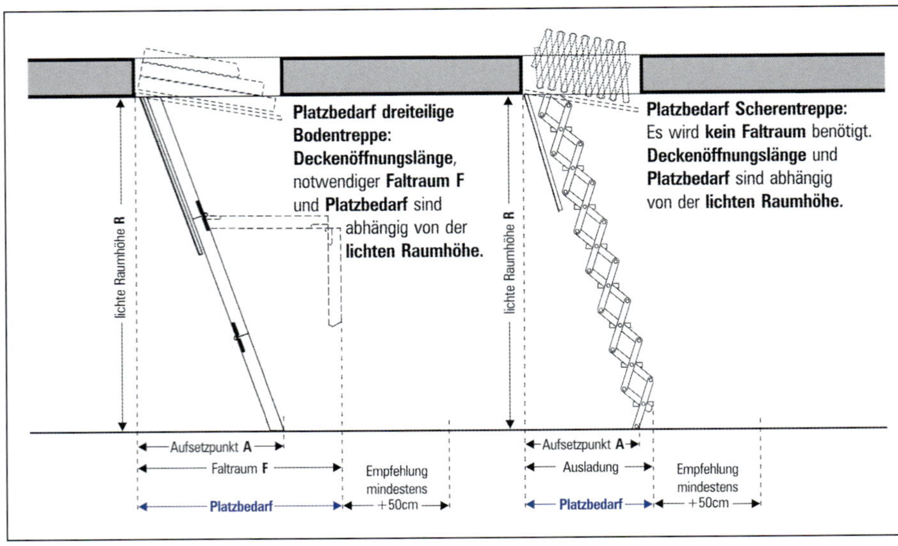

Abb. 6.9: Einbauskizze einer dreiteiligen Falttreppe und einer Scherentreppe (Quelle: Wellhöfer Treppen GmbH & Co. KG, Würzburg)

Der Kastendeckel ist mittels Hakenstange nach unten aufklappbar. Das Gewicht des Deckels und der daran hängenden Treppe wird von Federn gehalten, sodass sowohl Öffnen als auch Schließen mühelos erfolgen. Bodentreppen werden als Schiebe-, Klapp- und Scherentreppen angeboten. Bei Schiebetreppen, der einfachsten Ausführung, wird das untere Treppenstück, das vom Deckelende bis zur Erde reicht, gerade hochgeschoben. Das funktioniert jedoch nur, wenn hinter der Luke noch genug Schwenkraum vorhanden ist. Andernfalls muss eine Klapp- oder Scherentreppe (siehe Abb. 6.8) eingebaut werden. Dreiteilige Falt- sowie Scherentreppen (siehe Abb. 6.9) benötigen überhaupt keinen Schwenkbereich über und hinter der Luke. Die Treppen selbst gibt es in Holz-, Alu- und Stahlrohrausführungen, wobei Schiebe- und Klapptreppen in Holz, Alu und in Stahlrohr ausgeführt sind, die Scherentreppen hingegen sind meist aus Aluminium.

Abb. 6.11: Mehrgeschossige Stahl-Spindeltreppe (Gitterrosttreppe) für den Außenbereich (Quelle: Roto Frank Treppen GmbH, Neusäß)

Sonderausführungen

Bodentreppen werden auch in feuerhemmender und feuerbeständiger Ausführung gefertigt (FS 30 und FS 90 gemäß DIN 4102). Ebenfalls als Sonderausführung gibt es Lukendeckel, die zur Aufnahme von Vertäfelungen geeignet oder in der Höhe verstellbar sind.

Wenn die oberste Geschossdecke wärmegedämmt ist, muss auch ein Lukendeckel in zusätzlich wärmegedämmter Ausführung eingebaut werden.

Dabei ist es sehr wichtig, auf Produkte zu achten, die den Anforderungen des GEG gerecht werden. Dazu gehören eine hochwertige Wärmedämmung sowie Luftdichtigkeit der Lukendeckel und des Bauwerkanschlusses. Ein Prüfzeugnis allein genügt hier nicht. Es kommt auf die tatsächlich erreichten Wärmedämmungs- bzw. Dichtigkeitswerte an.

Scherentreppen und auch höherwertige dreiteilige Holzbodentreppen werden auch mit elektrischem Antrieb geliefert. Als Flachdachausstieg haben die Bodentreppen einen höheren Kasten und einen Außendeckel als zweiten Deckel. Um den höheren Lukenkasten zu überwinden, werden Zusatzstufen eingebaut, die für die nötige Schräglage (15 bis 30°) einen starren Lukenkastenteil benötigen. Scherentreppen ohne Lukenkasten können auch als Mauerausstieg genutzt werden oder als Trennung zum Einbau in bereits vorhandene Lukenkästen.

Für besonders kleine Deckenöffnungen werden Scherentreppen angeboten, die nur eine Deckenöffnung von 70 cm benötigen (bei normalen Bodentreppen beträgt die Mindest-Deckenöffnungslänge ca. 110 cm).

DIN EN 14975:2010-12 „Bodentreppen – Anforderungen, Kennzeichnung und Prüfung“ ist zu beachten.

Zu berücksichtigen ist, dass als Zubehör für die Bodentreppen Handlauf und Lukenschutzgeländer vorgeschrieben sind (Landesbaurecht!).

Gitterrosttreppen

Als Fluchtweg im Brandfall, als Zugang zu Regalen, Produktionseinrichtungen und dergleichen sind Ganzmetalltreppen am Markt, deren Stufen aus Gitterrosten bestehen (siehe Abb. 6.11).

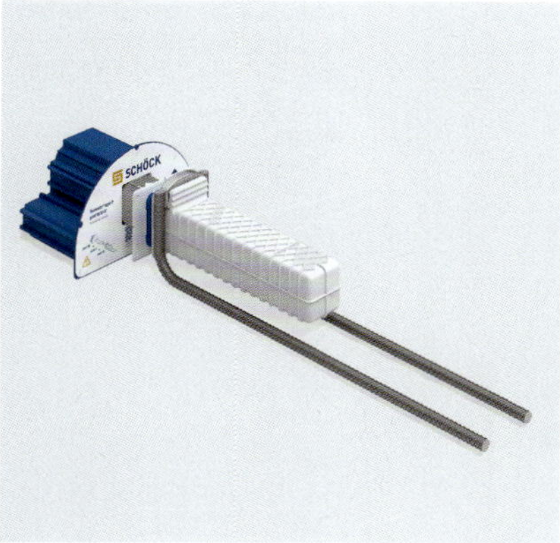

Abb. 6.12: Trittschalldämmelement Tronsole® Typ P für den Anschluss Podest an Treppenhauswand (Quelle: Schöck Bauteile GmbH, Baden-Baden)

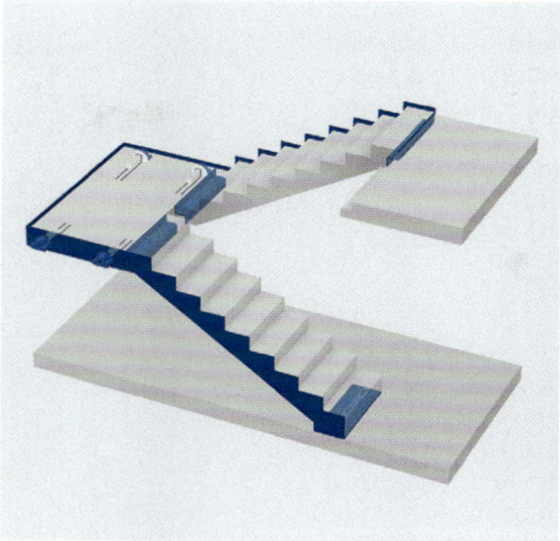

Abb. 6.13: Komplettsystem: passende Lösungen für jede Stahlbetontreppe (Quelle: Schöck Bauteile GmbH, Baden-Baden)

Abb. 6.14: Frei auskragender Balkon (Quelle: Schöck Bauteile GmbH, Baden-Baden)

Sie seien der Vollständigkeit halber hier genannt. Bei solchen Treppenanlagen wie bei allen Stahlbauteilen, die im Freien aufgestellt werden und dem Wetter ausgesetzt sind, sollte man zur Vermeidung von Rostschäden auf sehr gute Verzinkung achten. Von Vorteil ist, wenn die Höhen und Neigungen verstellbar sind.

6.1.2 Schallschutz für Treppen

Die Schallschutzqualität eines Gebäudes ist ein wesentliches Gütekriterium für Käufer und Nutzer einer Wohnung. Wenn Treppenlauf und -podest bzw. Wand in Mehrfamilienhäusern nicht voneinander entkoppelt sind, kann sich Trittschall vom Treppenhaus in angrenzende Wohnungen übertragen. Diese Geräusche können zu einer störenden Lärmquelle werden. Trittschallschutzsysteme wie die Schöck Tronsole®(siehe Abb. 6.12 und 6.13) sind eine wirkungsvolle Methode zur Minimierung von Lärmbelästigung durch Trittschall. Mit dem Schallschutzsystem wird die Treppe schallbrückenfrei umlaufend beklebt und Schallbrücken werden dadurch vermieden. Die genau aufeinander abgestimmten Varianten des Trittschallschutzsystems sorgen über alle Gewerke der Treppe hinweg für Ruhe, sowohl bei geraden als auch bei gewendelten Treppen.

Hingewiesen sei auf die DIN 4109-1:2018-91 „Schallschutz im Hochbau – Teil 1: Mindestanforderungen" mit verschärften Anforderungen an Treppen sowie an die Nachweisführung. Ein Nachweis für Treppen kann nun auf Grundlage von Messwerten nach DIN 7396 erfolgen.

Für Treppen in Mehrfamilienhäusern und Bürogebäuden wurde der zulässige Norm-Trittschallpegel im Vergleich zur DIN 4109 vom November 1989 um 5 dB auf $L'_{n,w} \leq 53$ dB verschärft. Die Schallschutzanforderungen an Treppen in Reihen- und Doppelhäusern wurden um 7 dB auf einen zulässigen Norm-Trittschallpegel von $L'_{n,w} \leq 46$ dB geändert. Diese Anforderungen gelten jeweils für die Übertragung des Trittschalls in fremde, benachbarte Nutzungseinheiten.

Alle Produkttypen der Schöck Tronsole® sind entsprechend geprüft und erfüllen im Nachweisverfahren nach DIN 4109 auch die erhöhten Schallschutzanforderungen.

Mit Schöck Tronsole® wird zudem die Qualitätsschallschutzstufe III der VDI 4100 bei Treppen zum Standard. Bei bestimmten Produkttypen wird sogar die DEGA-Klasse A erreicht.

6.1.3 Relevante Normen

DIN 4109 Schallschutz im Hochbau

DIN 4102 Brandverhalten von Baustoffen und Bauteilen

DIN 4172:2015-09 Maßordnung im Hochbau

DIN 7396:2016-06 Bauakustische Prüfungen – Prüfverfahren zur akustischen Kennzeichnung von Entkopplungselementen für Massivtreppen

DIN 18065:2020-08 Gebäudetreppen – Begriffe, Messregeln, Hauptmaße

DIN EN 14975:2010-12 Bodentreppen – Anforderungen, Kennzeichnung und Prüfung

6.2 Balkon- und Treppengeländer

Balkon- und Treppengeländer wurden lange ausschließlich handwerklich gefertigt. Erst durch die Schaffung industriell gefertigter zusammensetzbarer und vielseitig kombinierbarer Bauteile entstand ein Sortiment, das auch bei der Sanierung (z. B. Anbaubalkon-Systeme) interessant ist.

Balkon- und Treppengeländer setzen sich zusammen aus Pfosten, Geländerfüllung und Handlauf.

Balkongeländer sind tragende Bauteile und müssen den Menschen Schutz bieten (siehe Abb. 6.14).

Alte Balkonkonstruktionen, besonders bei Hoch- und Mehrfamilienhäusern, können mit der Zeit zum Sicherheitsrisiko werden (korrodierende Verankerungen der Balkonbrüstungselemente und Witterungsschäden an Balkonkonsolen).

Für die Anbringung einer Balkonbrüstung oder eines Balkongeländers sind in den Landesbauordnungen bauliche Vorschriften festgelegt. Oft wird auch die DIN 18065 herangezogen.

In den Bauordnungen der Länder sind die zum Teil etwas voneinander abweichenden Vorschriften festgelegt, die bei Balkon- und Treppengeländern beachtet werden müssen.

Abb. 6.15: Geschossbalkone: Balkongeländer-System mit bodenseitiger Befestigung der Pfosten (Quelle: Pluggit GmbH, München)

Abb. 6.16: Profilgeländer und Handlauf aus pulverbeschichtetem Aluminium (Quelle: TS-Aluminium-Profilsysteme GmbH & Co. KG, Großefehn)

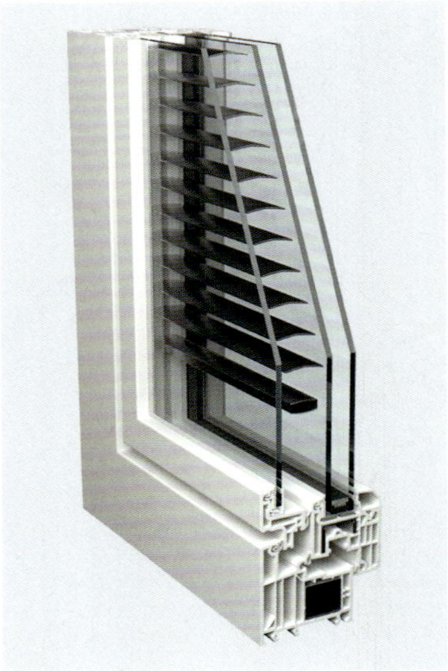

Abb. 6.17: Dreischeiben-Verbundfenster mit integrierter Jalousette (Quelle: Finstral AG, Unterinn/Ritten)

Darüber sollte man sich bei der örtlichen Bauaufsicht gründlich informieren.

Wichtig ist die Mindesthöhe der Geländer. Sie liegt in der Regel bei 90 cm über Oberkante Bodenbelag. Liegt der Balkon oder die Treppe höher als 12 m über Erdniveau (Absturzhöhe), werden in der Regel mindestens 1,10 m Höhe des Geländers über Oberkante Fußbodenbelag gefordert. Bei senkrecht angebrachter Schutzverkleidung (auch Zierverkleidung) darf der seitliche Stababstand (lichter Abstand) meist 12 cm nicht überschreiten. Bei waagerechter Verkleidung dürfen Kinder nicht die Möglichkeit haben, hinaufzuklettern. Aus diesem Grunde darf der lichte Abstand von Stab zu Stab (Brett zu Brett) meist 2 cm nicht überschreiten. Wichtig ist ebenfalls die Belastbarkeit der Pfostenbefestigungen. Infolge der Hebelwirkung ist die Zugkraft, die auf die Verankerungsschrauben wirkt, bei 1 m Geländerhöhe und 10 cm Abstand der Schrauben vom unteren Pfostenende bereits zehnmal so groß wie die Kraft, die auf den obersten Punkt des Geländers wirkt (Winddruck, Dagegenlehnen). Daraus geht hervor, dass der Verankerung der Pfosten ganz besondere Aufmerksamkeit geschenkt werden muss (siehe Abb. 6.15).

Balkon- und Treppengeländer-Systeme sollten typengeprüft sein und den baubehördlichen Vorschriften und DIN-Normen entsprechen.

Die Tragkonstruktionen sind entweder geschweißt oder werden als Bausätze angeboten, deren Einzelteile austauschbar sind und miteinander verschraubt werden. Aufgrund der hohen Korrosionsbeständigkeit überwiegen bei der Unterkonstruktion die Metallteile, die aus Aluminium (siehe Abb. 6.16) oder verzinktem Stahl hergestellt werden. Schrauben und kleine Verbindungsteile sind fast ausschließlich aus Edelstahl.

Relevante Normen

DIN 18065:2020-08 Gebäudetreppen – Begriffe, Messregeln, Hauptmaße

DIN EN 1991-1-1:2010-12 Eurocode 1: Einwirkungen auf Tragwerke – Teil 1-1: Allgemeine Einwirkungen auf Tragwerke – Wichten, Eigengewicht und Nutzlasten im Hochbau

DIN EN 1365-5:2005-02 Feuerwiderstandsprüfungen für tragende Bauteile – Teil 5: Balkone und Laubengänge

6.3 Wohnraumfenster

Wohnraumfenster sind nicht nur bedeutende Fassadenelemente, die unter ästhetischen Gesichtspunkten beurteilt werden, sondern sie erfüllen auch zahlreiche wichtige Funktionen. Sie sorgen für die Beleuchtung der Wohnräume mit natürlichem Licht, sie sind ein wesentlicher Faktor für die Wohnbehaglichkeit (Wärmeschutz und Schallschutz, Be- und Entlüftung) und bei der Einsparung von (Heiz-)Energie. Schließlich dürfen sie auch keine Schwachstelle in der Sicherheit der Wohnung sein (Einbruchschutz). Wohnraumfenster werden handwerklich oder industriell gefertigt.

6.3.1 Bauarten

Unterschieden werden 3 Konstruktionstypen:

- **Einfachfenster:** Sie besitzen einen an das umgebende Mauerwerk fest angebauten Rahmen und den (oder die) Fensterflügel mit dem darin eingebauten Beschlag und der Verglasung. Als Verglasung wird Wärmedämmglas verwendet. Einfachverglasungen sind für Wohnungen nicht mehr zugelassen.
  Einfachfenster mit Mehrscheiben-Isolierverglasung (Isolierglasfenster) hingegen bilden ein verbreitetes Standardfenster mit meist guten Dämmeigenschaften.
- **Verbundfenster** sind Doppelfenster, bei denen beide Fenster zusammengekoppelt sind. Zum Fensterputzen jedoch können sie auseinandergeklappt werden. Bei dreischeibiger Ausführung wird der Außenflügel mit Wärmedämmglas und der Innenflügel einfach verglast. Der Luftzwischenraum zwischen den beiden Scheiben beträgt 4 bis 7 cm und bildet mit seinem Luftpolster eine wirksame Barriere sowohl beim Schallschutz als auch bei der Wärmedämmung.
  Im Zwischenraum lässt sich auch eine Jalousette integrieren (siehe Abb. 6.17), mit deren Hilfe der Lichteinfall je

nach Bedarf genau gesteuert werden kann. Da sie sich im Scheibenzwischenraum befindet und nicht auf der Raumseite, wird der größte Teil der Sonnenenergie bereits draußen abgeblockt.
Als Weiterentwicklung des **Doppelfensters** stellt das Verbundfenster den Übergang zum modernen Einfachfenster mit Isolierverglasung dar. Beide Flügel werden wieder miteinander verbunden und haben einen gemeinsamen Drehpunkt im Fensterrahmen.

- **Kastenfenster:** Sie besitzen 2 getrennt zu öffnende Fensterflügel, die durch ein Futter (eine Zarge) miteinander verbunden sind. Aufgrund des hohen Luftzwischenraums besitzt diese Konstruktion schalltechnische Vorteile. Allerdings trifft man Kastenfenster aufgrund der erforderlichen großen Laibungstiefe fast nur noch im Altbau an.

6.3.2 Öffnungsarten

Die Öffnungsarten von Fenstern werden generell anhand der Beweglichkeit der Fensterflügel unterschieden. Für die Wahl der Öffnungsart sind von Bedeutung:

- Größe und Format der Flügel,
- Gewicht der Flügel,
- Möglichkeit der Reinigung des Glases,
- Sicherheit bei der Bedienung.

Die heute am meisten verbreiteten Öffnungsarten sind Dreh-, Dreh-Kipp- und Kippflügel. Bevorzugt wird das Drehkippfenster eingesetzt.

Das **Dreh-Kipp-Fenster** (siehe Abb. 6.18) ist mit einem kombinierten Beschlag ausgerüstet, der es ermöglicht, den Flügel entweder durch Drehen oder durch Kippen zu öffnen. Dabei ist das zentrale Bedienungselement der Drehgriff (oder die Olive), mit dem man bestimmt, ob ein Fenster verschlossen, aufgedreht oder gekippt wird.

Das **Schwingflügelfenster** trifft man häufig bei sehr großen und schweren Fensterflügeln an. Der Flügel wird über Drehlager in der Mitte der Flügel- und Rahmenteile bewegt. Das Fenster kann fast ganz herumgedreht werden (zum Putzen der Außenseiten) und ist in Lüftungsstellung feststellbar.

Das **Hebe-Schiebe-Fenster** erlaubt es, den Flügel durch horizontale Verschiebung in seiner Ebene zu öffnen. Diese Öffnungsart findet bei Hebe-Schiebe-Türen (HS) Verwendung. Die Türen können außerdem eine Kippfunktion haben (Hebe-Schiebe-Kipp [HSK]).

Das **Wendefenster** und das **Klappfenster** werden im Bereich der Wohnfenster nur selten eingesetzt. Der Klappflügel ist jedoch beim Oberlicht anzutreffen (siehe Kap. 6.3.3). Um mit wenigen Strichen zeichnerisch darstellen zu können, um welche Öffnungsart des Fensters es sich handelt, haben sich die in Abb. 6.19 dargestellten Symbole eingebürgert.

Abb. 6.18: Modernes Dreh-Kipp-Fenster mit Spaltlüftung (Quelle: Winkhaus GmbH & Co. KG, Telgte)

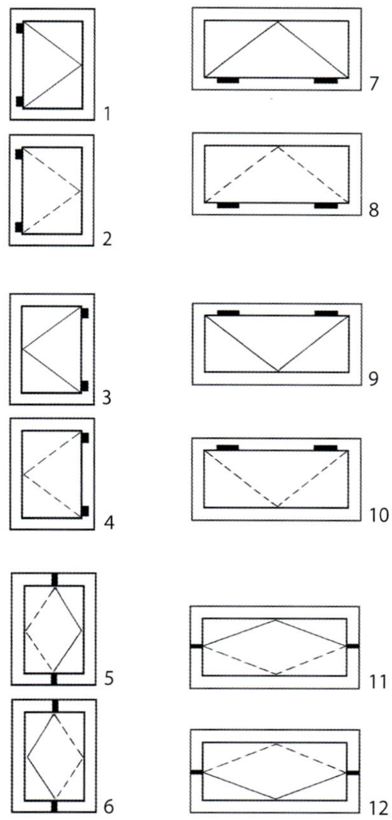

1 Drehflügel DIN links einwärts
2 Drehflügel DIN links auswärts
3 Drehflügel DIN rechts einwärts
4 Drehflügel DIN rechts auswärts
5 Wendeflügel rechts einwärts
6 Wendeflügel links einwärts
7 Kippflügel einwärts
8 Kippflügel auswärts
9 Klappflügel einwärts
10 Klappflügel auswärts
11 Schwingflügel oben einwärts
12 Schwingflügel unten einwärts

Abb. 6.19: Symbole für die Öffnungsarten (Fensteransichten von innen)

6.3.3 Oberlichtöffner

Oberlichtfenster spielen häufig dann eine Rolle, wenn eine bestimmte Fensterform wie z. B. Rundbogenfenster oder Schrägfenster gefordert wird oder größere Fensterflächen gegliedert werden (Gewicht der Fensterflügel!).

Sofern die Oberlichtfenster als bewegliche Flügel (häufig Klappflügel auswärts) ausgeführt sind, werden diese über spezielle Beschläge, die sog. Oberlichtöffner, bewegt.

Moderne Oberlichtöffner sind in der Regel als Flachform-Öffner ausgeführt, die das Gesamtbild des Fensters nicht mehr stören. Die Bedienung erfolgt über Zuggestänge, auch als flexibles Gestänge ausgeführt. Die manuelle Bedienung kann durch den Einsatz von speziellen Elektroantrieben (Ketten- bzw. Spindelantriebe) ersetzt werden (siehe Abb. 6.20). Auch in Verbindung mit Rauch- und Wärmeabzugs(RWA)-Anlagen werden Oberlichtöffner eingesetzt.

Abb. 6.20: Oberlichtöffner mit Elektro-Kettenantrieb (Quelle: Gretsch-Unitas GmbH, Ditzingen)

6.3.4 Fenstertüren

Fenstertüren sind als Tür zum Austritt aus Wohnräumen auf Balkon, Terrasse oder in den Garten konzipierte Fensterteile. Häufig sind sie mit Fenstern kombiniert, aber auch als Einzelelemente eingebaut. Im Unterschied zu den eigentlichen Türen besitzen sie keine Zarge, sondern – wie die übrigen Fenster auch – einen Rahmen.

Die **Hebe-Schiebetür**, die ebenfalls zu den Fenstertypen gerechnet wird, ermöglicht die Ausführung sehr großer verglaster Flächen, die in der Breite bis zur Hälfte geöffnet werden können, ohne dass Flügel in den Raum hineinstehen (siehe Abb. 6.21). Sie benötigen keinen Drehbereich wie etwa die Drehtür, und da sie auf einer Schiene am Boden laufen, ist auch das oft recht erhebliche Gewicht zu bewältigen.

Abb. 6.21: Schiebetür mit Parallel-Schiebebeschlag (Quelle: Gretsch-Unitas GmbH, Ditzingen)

Zu nennen sind ebenfalls die **Falt-Schiebetüren**, die (je nach zu verglasender Fläche) aus 3 bis 7 Elementen bestehen können. Sie finden insbesondere Verwendung in Wintergärten oder bei Veranden, weil sie in der sommerlichen Jahreszeit größtmögliche Öffnung erlauben.

6.3.5 Sprossenfenster

Besonders bei der Althauserneuerung, aber auch bei Neubauten wird vielfach eine Unterteilung der Fenster verlangt. Dazu dienen Sprossen. Sie gliedern Fensterflächen auf und sind ein gestalterisches Fensterelement (siehe Abb. 6.22). Die Sprossen werden häufig im Scheibenzwischenraum (SZR) bei Mehrscheiben-Isolierglas eingesetzt. Weitere Varianten sind aufgeklebte („aufgesetzte") oder glasteilende Sprossen.

Abb. 6.22: Sprossenfenster tragen zur Fassadengestaltung bei (Quelle: Interpane Glas Industrie AG, Lauenförde).

6.3.6 Fensterrahmen

Die beiden ältesten Rahmenmaterialien für Fenster sind Holz und Eisen (Stahl). Hinzugekommen sind Aluminium und Kunststoff.

Auf den ersten Blick erscheint diese Vielfalt vielleicht überflüssig, doch wer sich näher mit den Problemen des Fensterbaus und der verschiedenen Anforderungen befasst, erkennt bald die unterschiedlichen Einsatzmöglichkeiten.

Holzfenster

Qualitätsholzfenster (siehe Abb. 6.23) sind extrem langlebige Bauelemente. Die Rahmen werden aus heimischer Fichte, Kiefer und Hemlock oder aus harten und mittelharten Importhölzern hergestellt, wie z. B. Mahagoni, Meranti, Sapeli, Niangon, Lauan.

Neben Fensterprofilen aus Vollholz werden auch zweifach oder dreifach schichtverleimte (lamellierte) Holzprofile

Abb. 6.23: Holzfenster (Quelle: UNILUX GmbH, Salmtal)

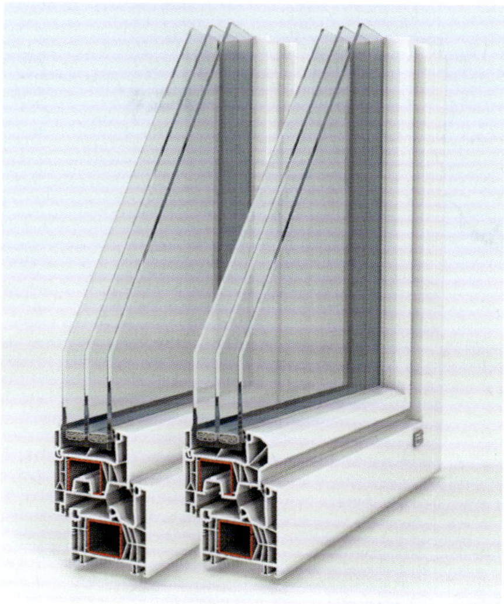

Abb. 6.24: Kunststofffenster mit Isolierverglasung (Quelle: UNILUX GmbH, Salmtal)

Abb. 6.25: Aluminiumfenster (Quelle: Schüco International KG, Bielefeld)

hergestellt. Dieses Herstellverfahren besitzt folgende Vorteile:

- Profile mit unterschiedlichen Querschnitten lassen sich verleimen.
- Auch Holzreste können verwertet werden.
- Die Gefahr des Verziehens verringert sich, die Rahmen bleiben formstabil und besitzen eine höhere Witterungsbeständigkeit.
- Außerdem werden die Trocknungszeiten des Holzes verkürzt.

Die namhaften Hersteller garantieren einen hohen Trocknungsgrad des Holzes zum Zeitpunkt der Verarbeitung (zu frisches Holz führt zu schwerwiegenden Funktionsmängeln). Das Gütezeichen der RAL-Gütegemeinschaft Fenster und Haustüren e. V. gewährleistet einen hohen Verarbeitungs- und Materialstandard. Das Rahmen- und Flügelholz ist grundiert, imprägniert oder mit Zwischenanstrich versehen oder endbehandelt.

Besondere Aufmerksamkeit verdienen die verdübelten, verzapften oder verzahnten Eckverbindungen des Flügels (Dauerhaftigkeit und Tragfähigkeit) sowie die Montage und Qualität des mitgelieferten Beschlags.

Die Ableitung des Wassers (Schlagregensicherheit nach DIN EN 12208:2000-06 „Fenster und Türen – Schlagregendichtheit – Klassifizierung") wird beim Holzfenster durch ein Metallprofil gewährleistet. Eine Glasfalzentwässerung schützt vor frühzeitiger Erblindung der Scheibe. Holzfenster sind für alle Beschlag- und Glasarten verwendbar.

Zu beachten ist ebenfalls, dass das Lignin wesentlicher Bestandteil des Holzes ist. Lignin wird vom UV-Lichtanteil des Sonnenlichts zerstört. Um diesen Prozess zu verlangsamen, benötigt Holz einen UV-Schutz (wie andere organische Stoffe auch). Diesen Zweck erfüllt die Farblackierung oder auch die Farblasur.

Kunststofffenster

Kunststofffenster (siehe Abb. 6.24) werden heute mit Profilen aus extrudiertem, erhöht schlagzähem Hart-PVC hergestellt.

Ebenfalls werden Kunststoffprofile im Coextrusionsverfahren hergestellt, d. h., durch gleichzeitiges Extrudieren verschiedener Kunststoffe entstehen Profile mit besonders beständiger Acryl-Deckschicht.

Die auf Gehrung geschnittenen Profile werden miteinander verschweißt. Kunststofffenster aus extrudiertem PVC gibt es in flächenbündiger und flächenversetzter Ausführung. Beim flächenbündigen Fenster bilden die Außenseiten von Flügel und Rahmen eine Ebene. Beim flächenversetzten Fenster, das dem Holzfenster ähnlicher ist, liegt die Außenfläche des Flügels hinter der des Rahmens zurück, bei mehrteiligen Fenstern auch hinter Setzpfosten und Kämpfer.

Der untere Schenkel des Flügels leitet über Löcher das Wasser nach unten oder außen ab. Kunststofffenster werden für alle Beschlag- und Glasarten sowie für feststehende Fenster gefertigt. Die Farbgebung ist weiß oder acryllackbeschichtet nach RAL-Farbkarte, auch die Ausführung mit Folienbeschichtung als Holzreproduktion ist möglich.

Eine Eigenschaft des Kunststoffs, mit der man am Bau rechnen muss, ist die erheblich größere Wärmeausdehnung. Sie liegt noch über der thermischen Ausdehnung von Metallen. Das bedeutet, dass die Fenster beim Einbau ausreichend Ausdehnungsmöglichkeiten erhalten müssen. Der Abstand zum Mauerwerk, der elastisch aufzufüllen ist, sollte auf keiner Seite 5 mm unterschreiten und möglichst 10 bis 15 mm betragen, je nach Fenstergröße.

Leichtmetallfenster (Alufenster)

Neben vielen Vorzügen (geringes spezifisches Gewicht, gute Festigkeitswerte, chemische Beständigkeit usw.) besitzt Aluminium (siehe Abb. 6.25) jedoch ein hohes Wärmeleitvermögen, das sich als nachteilig für die Wärmedämmung erweist. Deshalb werden die Blendrahmen- und Flügelprofile als zweischalige Verbundkonstruktion ausgeführt: Schlecht wärmeleitende Kunststoffstege sorgen für die „thermische Trennung" und verhindern die Bildung von Kältebrücken sowie ein Beschlagen des Fensterinnenrahmens.

Abb. 6.26: Holz-Alu-Fenster (Quelle: UNILUX GmbH, Salmtal)

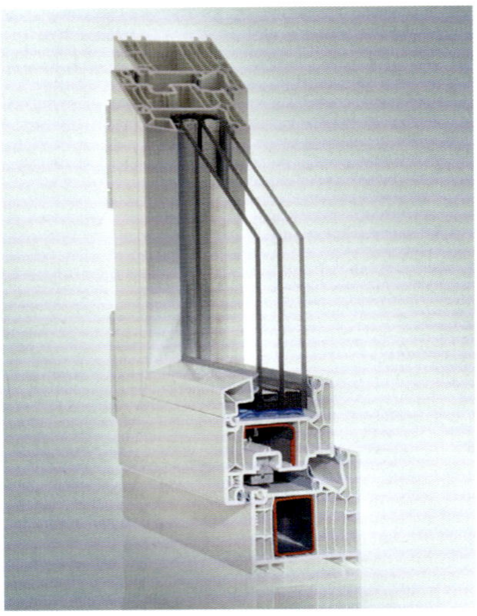

Abb. 6.27: Kunststoffprofil mit Dreifach-Isolierverglasung und 3 Dichtungsebenen (Quelle: VEKA AG, Sendenhorst)

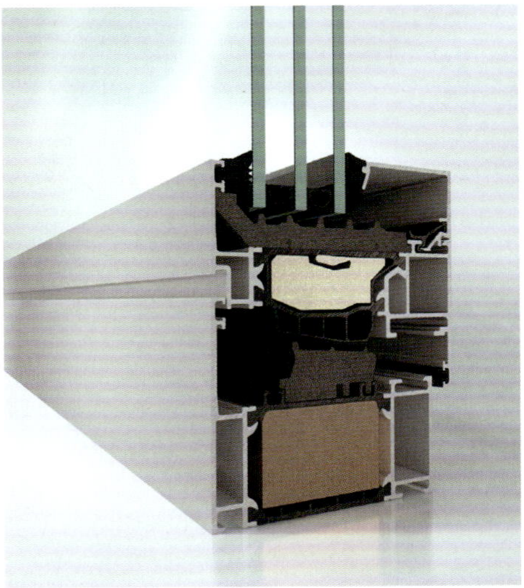

Abb. 6.28: Passivhauszertifiziertes Alufenster mit Dreischeiben-Wärmedämmverglasung (Quelle: Schüco International KG, Bielefeld)

Die Profile werden auf Gehrung geschnitten und geschweißt oder mit Steckeckwinkeln verpresst und geklebt. Der Dichtheit wegen werden die Profile auch an den Berührungsflächen verklebt. Die Profile sind außen flächenbündig ausgeführt.

Die werkseitige Lieferung erfolgt mit aufgebrachtem Abziehlack, der die Oberfläche schützt und nach Beendigung der Bauarbeiten entfernt wird.

Zu beachten ist, dass Aluminium nicht direkt oder indirekt mit einigen anderen Metallen in Berührung kommen darf (z. B. Regenwasser, das von einer Kupferdachrinne auf das Alufenster tropft). Leichtmetallfenster werden für alle Fensterarten, -beschläge und Verglasungen gefertigt.

Materialkombinationen

Neben den Fensterkonstruktionen aus Holz, Kunststoff oder Aluminium gibt es einige Materialkombinationen. Zu nennen sind Holz-Alu-Fenster, deren Holzkonstruktion eine äußere Alu-Profilbekleidung besitzt (siehe Abb. 6.26). Holz-Kunststoff-Fenster bestehen aus äußeren Rahmen- und Flügelteilen aus Kunststoff sowie inneren Rahmen- und Flügelteilen aus Holz. Das innen liegende Holz trägt zur wohnlichen Raumatmosphäre bei.

6.3.7 Fensterdichtungen und Anschlussfugen

Fensterdichtungen sind überwiegend EPDM-Dichtungen und sind für die Fugendichtigkeit der Fenster notwendig. Die Dichtung zwischen Glas und Flügel wird als Verglasungsdichtung bezeichnet. Sie findet hauptsächlich beim Kunststofffenster Verwendung (siehe Abb. 6.27). Sie dichtet ab und dient dem Bruchausgleich.

Werden die Dichtungen zwischen Flügel und Rahmen angebracht, so handelt es sich um Anschlagdichtungen, die den Flügel gegenüber dem Rahmen luftdicht abschließen. Es gibt 1 bis 2 Dichtungen je nach den Anforderungen aus Schall- und Wärmeschutz.

Die Anschlussfugen zwischen Blendrahmen und Baukörper müssen gegen Schlagregen, Wärme-, Schall- und Luftdurchgang abgedichtet werden, wobei die witterungsbedingte Beanspruchung hoch ist. Aus diesem Grund werden Schäume, spritzbare Dichtstoffe, Mineralfaserstoffe sowie dauerelastische und vorkomprimierte Dichtungsbänder verwendet.

Zu beachten ist, dass nicht die eingebauten Dichtungen als solche, sondern der möglichst gleichmäßig verteilte Anpressdruck des Flügels im Rahmen letztlich die Dichtigkeit des Fensters oder der Fenstertür bewirkt. Man erreicht dies mit einem Beschlag, der mehrere Verriegelungen auf allen Seiten (und nicht nur auf einer Seite) besitzt.

6.3.8 Wärmeschutz bei Fenstern

Das GEG schreibt für erstmaligen Einbau, Ersatz oder Erneuerung von Fenstern bestimmte Wärmedurchgangskoeffizienten vor.

Der U_w-Wert (Verglasung inklusive Rahmen) muss mindestens 1,3 W/(m² · K) betragen . Diese Anforderung erfüllen oder übertreffen moderne Fensterelemente mit entsprechendem Rahmenmaterial und Wärmeschutzverglasung.

Die entscheidende Verbesserung des Wärmedurchgangskoeffizienten der Verglasung U_g wird dabei durch infrarotreflektierende Beschichtungen erreicht. In Verbindung mit Spezialgasen in den Zwischenräumen wird der Wärmedurchgangskoeffizient von Verglasungen um 50 % und mehr reduziert, ohne die Strahlungsdurchlässigkeit gegenüber Licht- und Sonnenenergie zu verschlechtern. Die Farbwiedergabe wird nicht beeinflusst. Die Scheiben sind in der Regel über einen Aluminium-Randverbund miteinander verbunden.

Die Wärmeschutzverglasung begrenzt wirksam den Wärmeverlust durch Wärmeabstrahlung nach außen.

Den besten Wärmeschutz unter allen Verglasungsarten bietet derzeit die Dreischeiben-Wärmeschutzverglasung (siehe Abb. 6.28) mit Glas-U-Werten um 0,4 bis 0,7 W/(m² · K).

Für die klimatechnische Berechnung von Verglasungen wird darüber hinaus der g-Wert nach DIN EN 410:2011-04

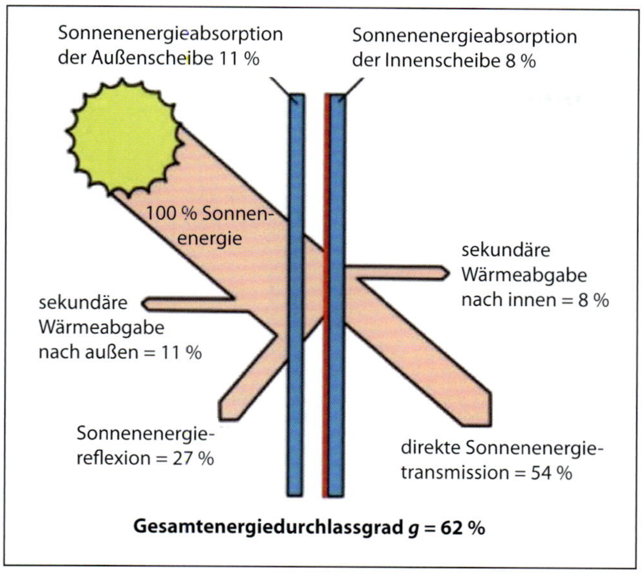

Abb. 6.29: Gesamtenergiedurchlassgrad *g* einer Zweischeiben-Wärmedämmverglasung (Quelle: Interpane Glas Industrie AG, Lauenförde)

Abb. 6.30: Einbruchstest an einem Fenster (Quelle: Rafael Ben-Ari - stock.adobe.com)

„Glas im Bauwesen – Bestimmung der lichttechnischen und strahlungsphysikalischen Kenngrößen von Verglasungen" berücksichtigt. Mit dem *g*-Wert bezeichnet man den Gesamtenergiedurchlass von Verglasungen für Sonnenstrahlung im Wellenlängenbereich von 300 bis 250 nm. Die Größe wird in Prozent ausgedrückt.

Die schematische Darstellung in Abb. 6.29 zeigt am Beispiel einer Zweischeiben-Wärmedämmverglasung, dass diese ca. 40 % der einstrahlenden Sonnenenergie (= 100 %) reflektiert bzw. nach außen abgibt und ca. 60 % der Sonnenenergie in den Innenraum durchlässt und somit einen Gesamtenergiedurchlassgrad *g* von 60 % (0,6) besitzt.

Durch ein ausgewogenes Verhältnis von *U*-Wert und *g*-Wert bei gleichzeitiger Berücksichtigung der Orientierung der Fassade und der zu erwartenden Sonneneinstrahlung lässt sich ein günstiges Gleichgewicht erzielen, sodass sommerliche Überhitzung von Innenräumen vermieden werden kann (Wärmefallen-Effekt).

6.3.9 Fenster und Schallschutz

Der Einbau von Schallschutzfenstern ist oft die einzig wirksame Maßnahme zum Schutz vor Straßenverkehrs- und Fluglärm. Die Wirksamkeit der Schallschutzfenster hängt in großem Maße von ihrem sorgfältigen Einbau ab. Da der Schallschutz nur bei geschlossenem Fenster erreicht wird, ist ggf. ein zusätzlicher Einbau schallgedämmter Lüftungseinrichtungen erforderlich.

Ist schon beim Wärmeschutz der Wärmedämmeffekt eine Gemeinschaftsleistung von Rahmen und Verglasung, so trifft dies beim Schallschutz in noch größerem Maße zu. Glas, Flügel, Blendrahmen, die Abdichtung zwischen Flügel und Blendrahmen sowie die Dichtung zum Mauerwerk müssen zusammenwirken und stimmen. Schon die geringste Lücke entwertet alle anderen Voraussetzungen.

In der der VDI-Richtlinie 2719 werden 6 Schallschutzklassen aufgeführt (vgl. Tabelle 6.1). Die jeweiligen Schalldämmwerte beziehen sich immer auf die gesamte Fenstereinheit (Glas und Rahmen einschließlich Mauerwerksanschluss). Die Zugehörigkeit von Fenstern zu den jeweiligen Schallschutzklassen (bzw. ihr bewertetes Schalldämm-Maß) wird durch amtliche Prüfzeugnisse nachgewiesen.

Tabelle 6.1: Schallschutzklassen Fenster nach VDI-Richtlinie 2719

Schallschutzklasse (SK)	Schalldämm-Maß R_W in dB	Straßenart	Entfernung zur Straße [m]	Kfz pro Stunde
1	25–29	Wohnstraße	mehr als 35	10–50
2	30–34	Wohnstraße	26–35	10–50
3	35–39	Wohnstraße	26–35	50–200
4	40–44	Hauptstraße	100–300	1.000–3.000
5	45–49	Hauptstraße	36–1.000	1.000–3.000
6	> 50	Schnellstraße	weniger als 100	3.000–5.000

6.3.10 Einbruchschutz

Einbruchhemmende Fenster sollten dort eingesetzt werden, wo das unbefugte Eindringen Dritter in schützenswerte Räume oder Unternehmensbereiche erschwert bzw. behindert werden soll. Die jeweilige Widerstandsklasse RC (= resistance class) ist in hohem Maße von den baulichen Gegebenheiten abhängig. Sie sollte unbedingt von einem Fachmann bestimmt werden.

In der DIN EN 1627:2021-11 „Türen, Fenster, Vorhangfassaden, Gitterelemente und Abschlüsse – Einbruchhemmung – Anforderungen und Klassifizierung" werden Sicherheitsanforderungen an Fenster und Fenstertüren definiert.

Diese Forderungen berücksichtigen nicht nur das reine Fensterelement, sondern auch die Montage des Elements

Tabelle 6.2: Widerstandsklassen nach DIN EN 1627

Widerstandsklasse	Widerstandszeit in Min.	Tätertyp/Vorgehensweise (Modus operandi)
RC 1 N	3 (keine manuelle Prüfung)	Bauteile der Widerstandsklasse weisen einen begrenzten bis geringen Grundschutz gegen Aufbruchversuche mit körperlicher Gewalt (vorwiegend Vandalismus) wie Gegentreten, Gegenspringen, Schulterwurf, Hochschieben und Herausreißen auf. Zudem wird ein zerstörungsfreier Manipulationstest mit Kleinwerkzeugen durchgeführt. Fenster der Klasse RC 1 N werden deshalb ggf. bei erhöhtem Einbau (beispielsweise im Obergeschoss) eingesetzt, wenn mangels Standfläche eine Aufstiegshilfe erforderlich ist. Die Klasse wird lediglich mit Standardfensterglas ausgeführt.
RC 2 N	3	Der Gelegenheitstäter versucht, zusätzlich mit einfachen Werkzeugen, wie Schraubendreher, Zange und Keil, das verschlossene und verriegelte Bauteil aufzubrechen. Ein direkter Angriff auf die eingesetzte Verglasung ist nicht zu erwarten. Die Klasse wird lediglich mit Standardfensterglas (d. h. ohne Sicherheitsverglasung) ausgeführt.
RC 2	3	Der Gelegenheitstäter versucht, zusätzlich mit einfachen Werkzeugen, wie Schraubendreher, Zange und Keil, das verschlossene und verriegelte Bauteil aufzubrechen. Eine Verglasung gemäß DIN EN 356:2000-02 „Glas im Bauwesen – Sicherheitssonderverglasung – Prüfverfahren und Klasseneinteilung des Widerstandes gegen manuellen Angriff; Deutsche Fassung EN 356:1999" ist ab der Klasse RC 2 vorgeschrieben.
RC 3	5	Der gewohnt vorgehende Täter versucht zusätzlich mit einem zweiten Schraubendreher und einem Kuhfuß, das verschlossene und verriegelte Bauteil aufzubrechen.
RC 4	10	Der erfahrene Täter setzt zusätzlich Sägewerkzeuge und Schlagwerkzeuge, wie Schlagaxt, Stemmeisen, Hammer und Meißel, sowie eine Akku-Bohrmaschine ein.
RC 5	15	Der erfahrene Täter setzt zusätzlich Elektrowerkzeuge, wie z. B. Bohrmaschine, Stich- oder Säbelsäge und Winkelschleifer mit einem max. Scheibendurchmesser von 125 mm, ein. Zusätzlich zur Klassifizierung nach DIN EN 356 muss die Verglasung den direkten Angriff während der RC5-Prüfung überstehen.
RC 6	20	Der erfahrene Täter setzt zusätzlich leistungsfähige Elektrowerkzeuge, wie z. B. Bohrmaschine, Stich- oder Säbelsäge und Winkelschleifer mit einem max. Scheibendurchmesser von 250 mm, ein. Zusätzlich zur Klassifizierung nach DIN EN 356 muss die Verglasung den direkten Angriff während der RC6-Prüfung überstehen.

in die umgebende Wand. In einer Bauteilprüfung nach DIN EN 1627 werden einbruchhemmende Fenster und Fenstertüren in 6 verschiedene Widerstandsklassen eingestuft. In jeder Widerstandsklasse wird von unterschiedlichen Tätertypen und unterschiedlichem Tatverhalten, der mutmaßlichen Arbeitsweise des Täters, ausgegangen (siehe Tabelle 6.2).

Für den Einsatz in privaten Wohnobjekten sind Fensterelemente der Widerstandsklasse RC 2 N bis RC 3 vollkommen ausreichend. In der niedrigsten Widerstandsklasse RC 1 N (Grundsicherheitsstufe) werden keine normativen Anforderungen an das Glas gestellt (geeignet für unzugängliche Fenster beispielsweise in Obergeschossen).

Prüfinstitute ebenso wie die kriminalpolizeilichen Beratungsstellen empfehlen den Einsatz von Fensterelementen mindestens RC 2 zusammen mit Verbund-Sicherheitsglas.

6.3.11 CE-Kennzeichnung und RAL-Gütesicherung

Die Produktnorm für Fenster und Außentüren DIN EN 14351-1:2016-12 „Fenster und Türen – Produktnorm, Leistungseigenschaften – Teil 1: Fenster und Außentüren" bildet die Grundlage für das CE-Zeichen als bauaufsichtlichen Nachweis. Diese Norm umfasst materialunabhängige Leistungseigenschaften für Fenster und Außentüren ohne Eigenschaften bezüglich Feuerschutz und/oder Rauchdichtheit.

Bis zu einer Ergänzung der Produktnorm um eine harmonisierte Bestimmung muss das Brandverhalten von Fenstern und Außentüren nach der Bauregelliste festgelegt werden. Dies geschieht mit einem Ü-Zeichen, mit dem bestätigt wird, dass die Bestandteile von Fenstern und Außentüren mindestens normalentflammbar sind.

RAL GÜTEZEICHEN FENSTER

Abb. 6.31: Das RAL-Gütezeichen garantiert hohe Fensterqualität (Quelle: RAL Gütegemeinschaft Fenster, Fassaden und Haustüren e. V., Frankfurt/Main).

Fenster sind komplexe Qualitätsprodukte, von denen eine lange Lebensdauer und hohe Funktionstüchtigkeit erwartet werden.

Das spezielle RAL-Gütezeichen der Gütegemeinschaft Fenster und Haustüren e. V. (siehe Abb. 6.31) bildet den Nachweis besonders hoher Produktqualität, die die reine Selbsterklärung der Hersteller zu den Minimalanforderungen des CE-Konformitätszeichens übertrifft.

6.3.12 Relevante Normen

DIN EN 410:2011-04 Glas im Bauwesen – Bestimmung der lichttechnischen und strahlungsphysikalischen Kenngrößen von Verglasungen

DIN EN 1627:2021-11 Türen, Fenster, Vorhangfassaden, Gitterelemente und Abschlüsse – Einbruchhemmung – Anforderungen und Klassifizierung

DIN EN 12207:2017-03 Fenster und Türen – Luftdurchlässigkeit – Klassifizierung

DIN EN 12208:2000-06 Fenster und Türen – Schlagregendichtheit – Klassifizierung

DIN EN 12210:2016-09 Fenster und Türen – Widerstandsfähigkeit bei Windlast – Klassifizierung

DIN EN 13115:2020-11 Fenster – Klassifizierung mechanischer Eigenschaften – Vertikallasten, Verwindung und Bedienkräfte

DIN EN 14351-1:2016-12 Fenster und Türen – Produktnorm, Leistungseigenschaften – Teil 1: Fenster und Außentüren

DIN EN 14351-2:2019-01 Fenster und Türen – Produktnorm, Leistungseigenschaften – Teil 2: Innentüren

DIN EN 1627:2021-11 Türen, Fenster, Vorhangfassaden, Gitterelemente und Abschlüsse – Einbruchhemmung – Anforderungen und Klassifizierung

Abb. 6.32: Attraktives und wohnliches Interieur (Quelle: Velux Deutschland GmbH, Hamburg)

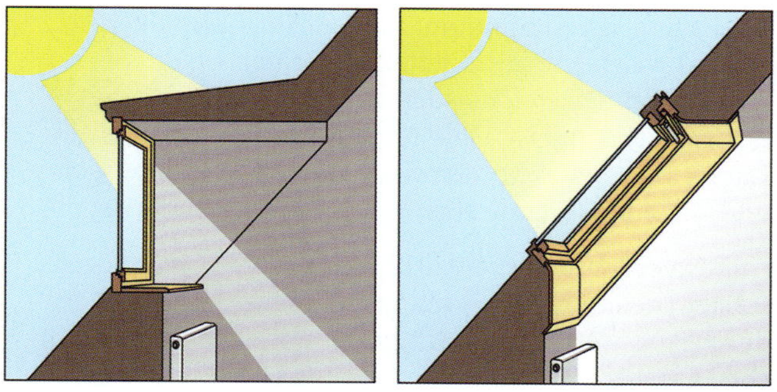

Abb. 6.33: Vergleich Lichteinfall Gaubenfenster/Dachflächenfenster (Quelle: Velux Deutschland GmbH, Hamburg)

6.4 Wohndachfenster

Wohnen unter Dachschrägen erlaubt heute vielfach einen attraktiven und unkonventionellen Wohnstil mit individueller Gestaltung der eigenen Wohnsphäre und des Wohnkomforts (siehe Abb. 6.32). Dabei spielt gerade das Element Licht eine wesentliche Rolle, sodass Wohndachfenster mit großzügig bemessenen Lichtflächen eine immer größere Bedeutung erlangen.

Der Dachausbau hat nicht nur beim Neubau, sondern auch in vorhandenen Gebäuden erheblich an Bedeutung gewonnen. Vielfach kostet die Umwandlung pro m^2 weniger als ein vergleichbarer Neubau. Hinzu kommt, dass mit der Schaffung einer Dachwohnung neuer, kostbarer Wohnraum entsteht, der den Wert des Hauses in nicht unbedeutender Weise erhöht.

Von Wohndachfenstern (auch: Dachfenster) spricht man, wenn das Fenster in die Dachfläche eines geneigten Daches (mit dessen Neigung oder geringfügig korrigiert) eingebaut ist. Dachfenster sind eine günstige Alternative zu Dachgauben, z. B. bringen sie mehr Licht und Sonne in den Raum als senkrechte Fenster. Je nach Neigungswinkel bewegt sich die erhöhte Lichtausbeute zwischen 100 und 300 % im Vergleich zu gleich großen Senkrechtfenstern (siehe Abb. 6.33).

6.4.1 Allgemeine Merkmale von Wohndachfenstern

Trotz aller Vielfalt und Individualität haben Wohndachfenster eine Reihe von Gemeinsamkeiten, die den heutigen technischen Standard von Bedienung, Sicherheit und Komfort bilden.

Lüftungsklappen erlauben die Zufuhr von Frischluft auch bei geschlossenem Fenster. Ein Luftfilter hält Mücken, Staub oder Flugschnee fern.

Ein Scharnier ermöglicht es, die Außenscheibe zum Putzen komplett nach innen zu schwenken. Mit einem Feststellriegel lässt sich die Putzstellung arretieren. Beide Hände sind frei zum bequemen und sicheren Putzen. Durch den mittigen Drehpunkt erreicht man den oberen Teil des Flügels auch ohne Tritt oder Leiter oder andere, möglicherweise riskante Hilfsmittel. Mit einem Sicherheitsriegel lässt sich der Flügel hinter der Griffleiste sturm- und kindersicher zum Lüften arretieren. Klapp-Schwing-Fenster werden mit dem Öffnungsgriff unten in einer Spaltlüftungsposition festgestellt. Die oben liegende Griffleiste der Schwingfenster ist außerdem für Kleinkinder nur schwer zu erreichen.

Viele Wohndachfenster sind für das Anbringen von Sonnenschutzprodukten serienmäßig mit Zubehörträgern ausgestattet. Ebenfalls zum serienmäßigen Standard zählt der Markisenkasten zum Schutz einer Außenmarkise.

6.4.2 Fensterfunktionen und Systeme

Folgende Fensterfunktionen können bei Wohndachfenstern unterschieden werden: Schwingfenster, Klapp-Schwing-Fenster, Ausstiegsfenster.

Darüber hinaus werden auch feststehende Belichtungselemente zur Kombination nach oben oder unten mit dem Fenster angeboten. Diese Elemente bringen zusätzlich Licht und mehr Sicht nach außen.

Eine besondere Bereicherung und Komplettierung erfuhr das Sortiment der Wohndachfenster durch ein zweiflügeliges Dachfenster, das sich zu einem kleinen Dachaustritt öffnen lässt. Für noch mehr Austrittsmöglichkeiten gibt es ein System von Fenster- und Türelementen, mit denen ein beliebig breiter, voll begehbarer Dachbalkon geschaffen werden kann (siehe Abb. 6.34). Für Handwerker und Schornsteinfeger oder – wo behördlich vorgeschrieben – sind die Ausstiegsfenster als Notausstiegsfenster oder als zweiter Rettungsweg geeignet.

6.4.3 Materialien und Ausführung

Wohndachfenster werden wie normale Fassadenfenster aus Holz oder Kunststoff gefertigt. Als Holz wird massive nordische Kiefer verwendet, die endlackiert ist.

Zur Wetterseite hin werden die Fenster durch eine Außenabdeckung aus Aluminium, Kupfer, Alu-Color oder Titanzink walzblank geschützt. Zu beachten ist, dass der Eindeckrahmen stets aus demselben Material wie die Außenabdeckung ist. Falls auf dem Dach Metallteile aus Kupfer verarbeitet worden sind, sollten Eindeckrahmen und Außenabdeckung ebenfalls aus Kupfer bestehen.

Angeboten werden ebenfalls Niedrigenergie-Wohndachfenster (siehe Abb. 6.35) mit einem sehr günstigen Wärmdurchgangswert. Wohndachfenster mit einem werkseitig vormontierten Wärmedämmblock aus besonders widerstandsfähigem, expandiertem Polypropylen – dieses Material ist problemlos recycelbar – bzw. gesondert angebotene Wärmedämmrahmen erleichtern dem Handwerker die Anbringung der Wärmedämmung beim Einbau.

Die Verglasung von Dachfenstern besteht aus Einscheiben-Sicherheitsglas (Außenscheibe), einem besonders gehärteten Glas mit erhöhtem Hagelschutz. Als Innenverglasung sollte Verbundsicherheitsglas verwendet werden, wenn auch eine gewisse Einbruchhemmung gewährleistet werden soll und ein besserer Schallschutz erwünscht ist. Angeboten werden außerdem Ornamentglas (z. B. Einblickschutz für Bad und WC) sowie besondere Schallschutzverglasungen mit Schalldämmwert R_w = 42 dB (Schallschutz-Klasse 4 nach VDI-Richtlinie 2719).

6.4.4 Wahl der Fenstergröße

Die richtige Fenstergröße richtet sich nach der Raumgrundfläche und den Anforderungen an den Wohnkomfort. Die Landesbauordnungen fordern als Mindestlichtfläche meist 1/8 bis 1/10 der Raumgrundfläche. Dabei handelt es sich allerdings um Mindestwerte, die nur bei einfachen Räumen dem heute üblichen Standard entsprechen. Es empfiehlt sich, Fensterlänge und Fensterbreite in Anlehnung an DIN 5034 „Tageslicht in Innenräumen" (2021-08) zu wählen.

Empfohlene Fensterlängen in Anlehnung an DIN 5034

Als Grundregel gilt: Die Fensterlänge ist abhängig von der Dachneigung. Steilere Dächer erfordern kürzere Fenster, flachere Dächer erfordern längere Fenster.

Bei flachen Dachneigungen empfiehlt es sich, einen Aufkeilrahmen zu verwenden (das Fenster steht in diesem Fall

Abb. 6.34: Dachfenster mit Dachbalkon (Quelle: Velux Deutschland GmbH, Hamburg)

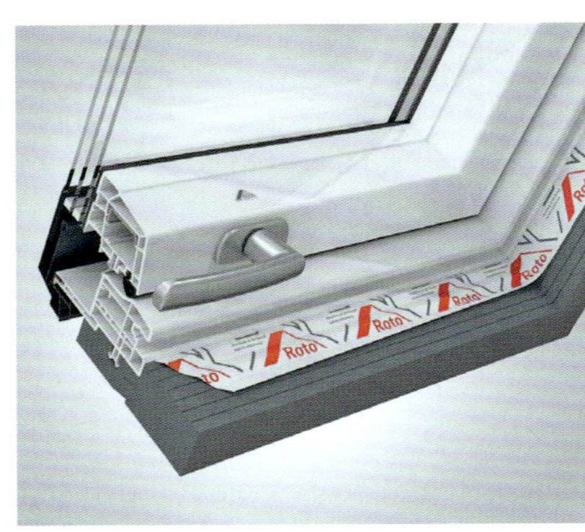

Abb. 6.35: Energieeffizientes Wohndachfenster mit Dreifachverglasung (Quelle: Roto Frank Fenster- und Türtechnologie GmbH, Leinfelden-Echterdingen)

10° steiler als das Dach). Vorteile sind mehr Kopffreiheit und zusätzlicher Raumgewinn.

Die hohe Unterkante bei Fenstern mit Untenbedienung ist notwendig, damit man sich zum Öffnen und Schließen nicht unter die Dachschräge bücken muss.

Fensteroberkante/Fensterunterkante (oberer und unterer Durchblickpunkt)

Um einen ausreichenden, dem natürlichen Stehen und Sitzen angemessenen Sichtkontakt nach außen zu gewährleisten, werden bei Dachwohnfenstern als Höhe der Fensteroberkante (entspricht dem oberen Durchblickpunkt) 200 cm empfohlen, während die Fensterunterkante (entspricht dem unteren Durchblickpunkt) eine Höhe von mindestens 90 cm (Ausblick auch im Sitzen) und höchs-

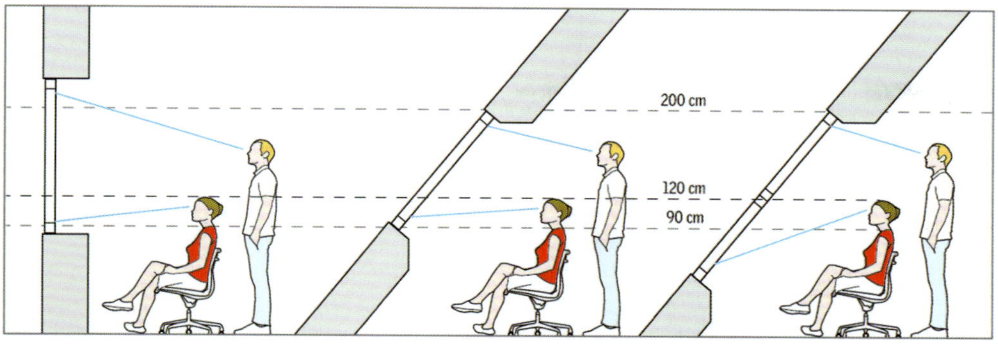

Abb. 6.36: Empfohlene Fensterlängen

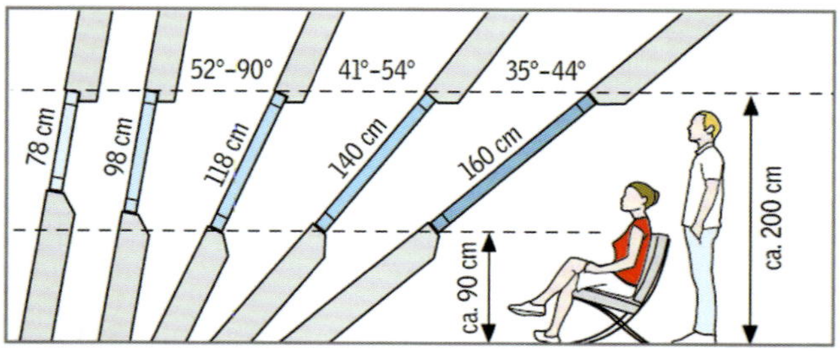

Abb. 6.37: Größenraster für das Verhältnis der Fensterlänge zur Dachneigung

tens 120 cm besitzen sollte (siehe Abb. 6.36 und 6.37). Bei Fenstern mit Unterkante 90 cm sollte jedoch darauf geachtet werden, dass die Bedienungselemente oben liegen, um unbequemes Bücken beim Öffnen und Schließen zu vermeiden. Bei Fenstern mit Unterkante 120 cm sollte die Licht- und Ausblickfläche mit Zusatzelementen nach unten vergrößert werden.

Grundsätzlich gilt: Je niedriger die Fensterunterkante liegt, desto größer ist der Ausblickkomfort.

Fensterbreiten nach DIN 5034

Als Fensterbreite empfiehlt die DIN 5034 in Abschnitt 4.2.2:

„Die Breite der durchsichtigen Verglasung des Fensters b_F (bzw. die Summe der Breiten aller vorhandenen nebeneinander liegenden Fensteröffnungen (-systeme) ohne Rahmenanteil) sollte mindestens 55 % der Breite des Wohnraumes betragen."

6.4.5 Fenstereinbau

Zur Abdichtung des Übergangs zwischen Fenster und Dach ist ein Eindeckrahmen erforderlich. Er leitet das von der Dachfläche herabfließende Wasser seitlich am Fenster vorbei und sorgt für eine sichere Abdichtung, durch die weder Wasser noch Staub oder Flugschnee ins Dach eindringen können. Die Eindeckrahmen sind nicht mit dem Fenster verbunden. Dies ermöglicht es, aus einem großen Sortiment verschiedener Eindeckrahmen ganz nach den Einbauwünschen und der Dacheindeckung entsprechend den richtigen Eindeckrahmen zu wählen. Somit sind den Gestaltungswünschen fast keine Grenzen gesetzt. Die Eindeckrahmen-Ausführungen sind „Ziegel", „Ziegel hoch/Ziegel für vertieften Einbau", „Schiefer-Stehfalz", „Biberschwanz-Doppeldeckung", „Schiefer Schichtstück", „Schiefer Schichtstück für vertieften Einbau", „Metall-Stehfalz". Nur in einzelnen Fällen (z. B. einfacher Dachausstieg), bei denen es nicht auf besonders vielfältige Einbau- und Gestaltungsmöglichkeiten ankommt, ist der Eindeckrahmen fest mit dem Fenster verbunden. Bei den Materialien stehen Aluminium, Kupfer, Titanzink walzblank oder Alu-Color zur Auswahl.

Abb. 6.38: Design-Wohndachfenster mit Sonnenschutz außen und innen (Quelle: Roto Frank DST Vertriebs-GmbH, Bad Mergentheim)

Bei den Eindeckrahmen werden unterschiedliche Typen angeboten: Einzel-Eindeckrahmen zum Einbau einzelner Fenster, Zwillings-Eindeckrahmen zur Kombination von 2 Fenstern nebeneinander Blendrahmen an Blendrahmen, Kombi-Eindeckrahmen für Fensterkassetten, Lichtbänder und Lichtbänder über den First. Auch stehen entsprechende Aufkeilrahmen für flache Dächer zur Verfügung, mit deren Hilfe einzelne Fenster oder beliebig viele Fenster nebeneinander 10° steiler als der Dachneigungswinkel eingebaut werden können.

Innenfutter

Das Innenfutter bildet in vielen Fällen den optisch perfekten Anschluss der Dachfenster an die Dachschräge innen. Zu beachten ist, dass ausreichend Platz für eine gute Wärmedämmung um das Fenster herum vorhanden ist. Außerdem muss das Eindringen von Raumfeuchtigkeit in das Dach verhindert werden. Hochwertige Innenfutter werden in „Weiß" angeboten.

6.4.6 Zubehör

Neben dem Einbauzubehör wird vielfältiges Zubehör für Dekoration und Sonnenschutz (Faltstores, Jalousetten, Rollos, Markisen, Fliegengitter usw.) angeboten (siehe Abb. 6.38).

Ein besonders sicherer Schutz der Fenster ist der Rollladen. Er schützt vor Hagel, Hitze, Licht und „ungebetenen Gästen". Der Rollladen behindert nicht die Fensterfunktionen und er gleitet auch bei extrem flachen Dachneigungen sicher nach unten. Zur Ausstattung gehört eine Sperrvor-

Abb. 6.39: Elektrofenster mit Rollladen (Quelle: Velux Deutschland GmbH, Hamburg)

Abb. 6.40: Schleppgaube mit Titanzink-Bekleidung (Quelle: Rheinzink GmbH & Co. KG, Datteln)

richtung gegen das Hochschieben der Lamellen (erhöhter Einbruchschutz). Ein Rollladen kann auch nachträglich angebracht werden.

Der Wunsch nach Erleichterung und Komfort der Bedienung hat die Automatisierung des Dachwohnfensters vorangetrieben. Die Stromversorgung der Elektrosysteme erfolgt entweder durch Verkabelung oder – dank neuer Solartechnologie, die auch nachrüstbar ist – auch kabellos (siehe Abb. 6.39).

Elektrische Rollläden und Sonnenschutzprodukte können jederzeit am Elektrofenster angeschlossen werden. Sie sind sofort bedienbereit. Durch die Kombination von elektrisch bedienbarer Belüftung und Verschattung bzw. Verdunkelung entsteht ein vollständiges Elektro-System, das eine bequeme Steuerung aller Parameter ermöglicht.

6.5 Fertig-Dachgauben

Eine Alternative zum Wohndachfenster ist die Dachgaube (siehe Abb. 6.40). Als Fertigelement ist sie am rationellsten einzubauen. Insbesondere bei Modernisierungsarbeiten, aber auch im Neubau werden Fertig-Dachgauben mit steigender Tendenz nachgefragt.

Durch den Effekt der vollen Stehhöhe unter einer Dachgaube ist der hierdurch geschaffene Platz im Dachgeschoss voll nutzbar und kann beispielsweise bei Berechnung der Quadratmeterzahl von Miet- und Eigentumswohnungen in voller Höhe herangezogen werden. Dadurch machen sich der höhere Preis von Dachgauben und der etwas höhere Aufwand zur Erlangung der Baugenehmigung mehr als bezahlt.

Fertig-Dachgauben werden häufig von außen mit Kupfer- oder beschichtetem Alublech gegen Witterungseinflüsse geschützt. Wird eine Ziegeleindeckung gewählt, so ist eine dem Ziegel entsprechende Lattung auf dem Gaubendach anzubringen.

Als Innenbekleidung dienen häufig Gipsfaserplatten, die gestrichen, tapeziert oder mit einer Holzverkleidung versehen werden können.

Die Fertig-Dachgaube ist einbaubar bei Dachneigungen von 30° bis 60°. Wichtige Vorteile sind die gewohnten Fenster und vor allem der Wegfall der Geräusche bei Niederschlägen.

Nicht zuletzt trägt die Dachgaube erheblich zum Erscheinungsbild des Hauses bei und erhöht die Wohnlichkeit des Raumes in der Dachschräge. Die Montage ist nicht wesentlich schwieriger als die der Wohndachfenster, sollte jedoch immer vom Fachhandwerk vorgenommen werden.

6.6 Glas

Glas gehört zu den selbstverständlichen Dingen des Lebens. Die Geschichte des Glases reicht weit in die Vorzeit zurück. Schon 1.500 Jahre vor der heutigen Zeitrechnung hatte Glas eine beachtliche Bedeutung. Noch vor 50 Jahren wurde Glas als unterkühlte Schmelze definiert. Heute lässt man diesen Begriff nur noch im Erweichungsfall gelten. Die American Society for Testing Materials definiert Glas als *„anorganisches Schmelzprodukt, das abgekühlt und erstarrt ist, ohne merklich zu kristallisieren"*.

6.6.1 Herstellung und Glasarten

Zur Glasherstellung gibt es mehrere Verfahren. Die Fenstergläser sind heute zum überwiegenden Teil aus **Floatglas**. Floatglas wird aus Quarzsand, Sulfat, Soda, Kalk, Dolomit und Feldspat hergestellt und besteht gemäß DIN EN 572-1: 2016-06 „Glas im Bauwesen – Basiserzeugnisse aus Kalk-Natronsilicatglas – Teil 1: Definitionen und allgemeine physikalische und mechanische Eigenschaften" aus folgenden Bestandteilen:

	Massenanteil des Elements
Silicium (Si):	32–35 %
Calcium (Ca):	3,5–10,1 %
Natrium (Na):	7,4–11,9 %
Magnesium (Mg):	0–3,7 %
Aluminium (Al):	0–1,6 %
andere[1)]:	< 5 %

1) Eigenschaften mit Ausnahme photometrischer Eigenschaften dürfen durch diese anderen Bestandteile nicht wesentlich verändert werden.

Das Herstellungsverfahren von Floatglas ist nachfolgend kurz beschrieben (siehe Abb. 6.41):

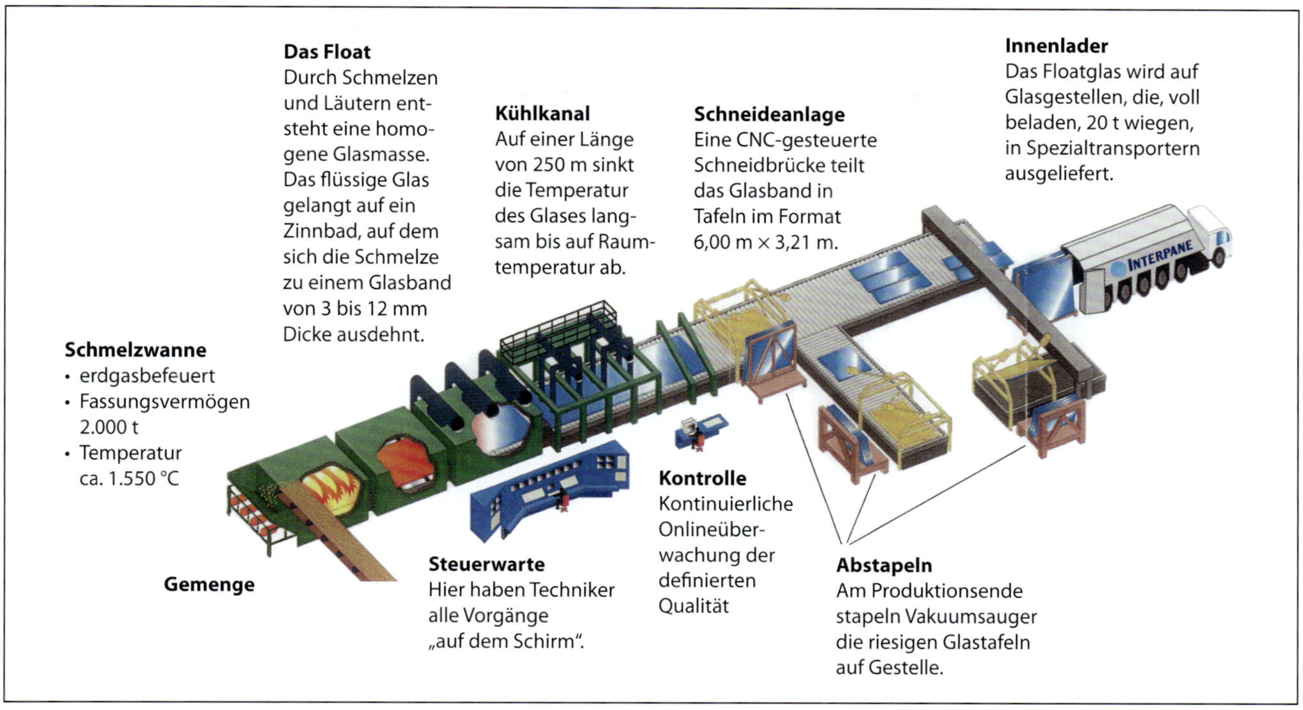

Abb. 6.41: Schematische Darstellung der Herstellung von Floatglas (Quelle: Interpane Glas Industrie AG, Lauenförde)

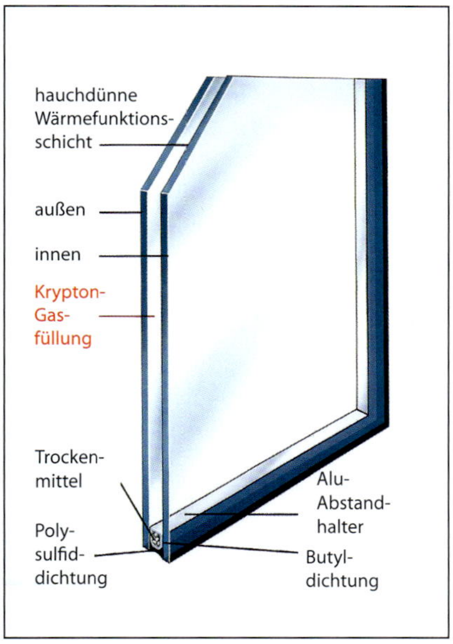

Abb. 6.42: Aufbau Zweischeiben-Isolierglas (Quelle: Interpane Glas Industrie AG, Lauenförde)

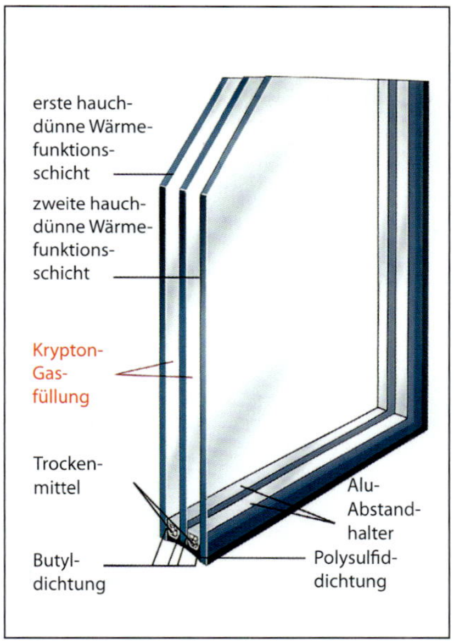

Abb. 6.43: Aufbau Dreischeiben-Isolierglas (Quelle: Interpane Glas Industrie AG, Lauenförde)

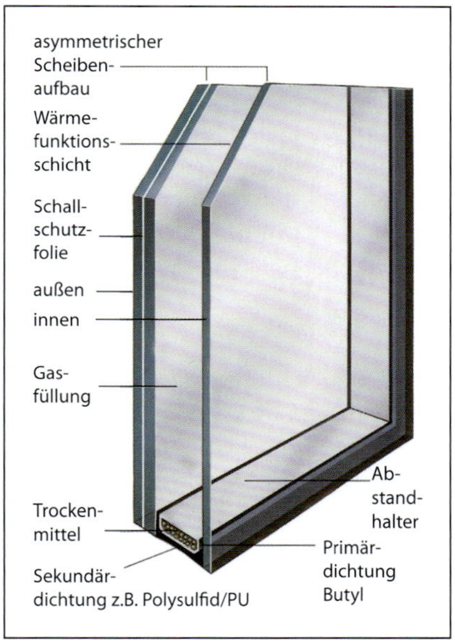

Abb. 6.44: Dreischeiben-Wärmedämm- und Schallschutzglas (Quelle: Interpane Glas Industrie AG, Lauenförde)

Die auf 1.000 °C abgekühlte, und zähflüssige Glasschmelze (die Schmelztemperatur beträgt circa 1.500 °C) „schwimmt" auf einem beheizten Zinnbad. So erhält sie eine maximal ebene Oberfläche, bevor sie beim Abkühlen zum Band erstarrt. Durch seitliche Rollen in Form von Scheiben wird das Glasband auf die gewünschte Dicke gebracht, weiter abgekühlt und zu Tafeln geschnitten. Das so hergestellte Floatglas gehört zu den Flachglasarten.

In DIN EN 572-2:2012-11 „Glas im Bauwesen – Basiserzeugnisse aus Kalk-Natronsilicatglas – Teil 2: Floatglas" sind Nenndicken von 2, 3, 4, 5, 6, 8, 10, 12, 15, 19 und 25 mm für Floatglas genormt. Dieselben Nenndicken enthält Teil 3 der Norm für Spiegelglas.

Aus der großen Anzahl der verschiedenen Gläser soll hier nur das Mehrscheiben-Isolierglas mit Scheibenzwischenraum interessieren. Es besteht aus 2 oder 3 Scheiben, die gleich- oder ungleichartig sowohl in der Glasdicke als auch in der Glasart sein können (siehe Abb. 6.42 bis 6.44). Mögliche hier angewandte Glasarten sind neben Floatglas Verbund-Sicherheitsglas (VSG), Einscheiben-Sicherheitsglas (ESG), teilvorgespanntes Glas (TVG) oder Ornamentglas, auch Gussglas genannt.

Ohne auf die Einzelheiten der Entwicklung eingehen zu müssen, lässt sich heute Folgendes festhalten:

Glas ist mit 1,0 W/(m² · K) (nach DIN EN 572) ein recht guter Wärmeleiter. Der U_g-Wert wird bei Einfachglas praktisch ausschließlich durch die Wärmeübergangswiderstände innen und außen bestimmt. Der Einfluss der Scheibendicke ist sehr gering. So ist auch zu erklären, dass DIN 4108-4:2020-11 „Wärmeschutz und Energie-Einsparung in Gebäuden – Teil 4: Wärme- und feuchteschutztechnische Bemessungswerte" für die Verglasungen Werte angibt, die unabhängig von der Glasdicke sind.

Wesentlich ist der Aufbau der Verglasung: Setzt man mehrere Scheiben hintereinander, erhöht sich die Anzahl der Wärmeübergänge, und das ruhende Luftpolster zwischen 2 Scheiben hat zusätzlich einen hohen Wärmedurchlasswiderstand. Man erzielt also eine ruhende Luftschicht mit guten Wärmedämmeigenschaften, indem man 2 Scheiben hintereinanderstellt und sie am Rand umlaufend hermetisch abgeschlossen und dauerhaft verbindet. Der Abstand von Scheibe zu Scheibe sollte 14–16 mm betragen. Der Abstand heißt **Scheibenzwischenraum** (SZR, fälschlich auch Luftzwischenraum [LZR]).

Auf der Grundlage dieses Verfahrens haben sich Verbesserungen zugunsten der Anwendbarkeit von Fenstern entwickelt, die die Möglichkeiten, die Glas bis dahin bot, beachtenswert erweitern. Das betrifft die Wärmedämmeigenschaften ebenso wie den Schallschutz, und es ergeben sich Möglichkeiten, durch Kombination verschiedener Gläser im Verbund die Brandschutzeigenschaften zu verbessern und weitgehende Einbruchsicherheit zu erreichen, ohne auf die erforderliche Wärmedämmung verzichten zu müssen.

6.6.2 Wärmedämmgläser

Das Gebäudeenergiegesetz (GEG) bildet mit DIN V 18599 „Energetische Bewertung von Gebäuden – Berechnung des Nutz-, End- und Primärenergiebedarfs für Heizung, Kühlung, Lüftung, Trinkwarmwasser und Beleuchtung" die Grundlage für den Nachweis des Wärmeschutzes für die Bauteile Fenster und Verglasung. Im Altbaubereich wird ein U_w-Wert von 1,3 W/(m²· K) gefordert, der praktisch nur mit beschichtetem Isolierglas zu erfüllen ist.

Im Neubaubereich schreibt das GEG zwar nicht den Einsatz spezieller Verglasung vor, de facto ist jedoch die Verwendung von beschichtetem Isolierglas der einfachste und wirtschaftlichste Weg, die hohen Ansprüche zu erfüllen.

Mehrscheiben-Isolierglas (MIG) ohne Funktionsschichten, bestehend aus 2 je 4 mm dicken Scheiben und einem SZR von 12 mm, der mit Luft gefüllt ist, liefert einen U_g-Wert von etwas unter 3,0 W/(m² · K).

Beschichtete Zweifach-Isolierglasprodukte mit Argonfüllung gewährleisten Wärmedämmwerte bis zu 1,0 W/(m² · K) bei *g*-Werten zwischen 57 und 64 %. Mit spezieller Edelgasfüllung (Krypton) lassen sich die Werte bis auf 1,0 W/(m² · K) reduzieren. Die Beschichtung des Isolierglases wird als Vakuumbeschichtung im Rahmen weiterer Glasveredelung durchgeführt. Dreifach-MIG mit einem SZR von zweimal 8 bis 12 mm erreichen bei nur geringfügig größerer Einbaudicke U_g-Werte zwischen 0,7 und 0,5 W/(m² · K). Damit ist die Verglasung in puncto Wärmedämmung den massiven Mauerwerkstoffen gleichwertig.

6.6.3 Schallschutzgläser

Über die Schalldämmung ist schon in Kapitel 6.3.9 und 1.6.5 „Grundwissen" das Wichtigste erläutert worden. Nachfolgend finden sich noch einige Erklärungen zum Begriff Schallschutzglas.

Glas hat an sich gute Voraussetzungen zur Schalldämmung. Das Flächengewicht von Glas beträgt 2,5 kg/m², Fensterscheiben sind jedoch im Verhältnis zu ihrer Glasgröße relativ dünn und lassen sich zum Mitschwingen anregen. Am stärksten schwingt eine Scheibe mit, wenn der auftreffende Schall in den Bereich der Eigenschwingungsfrequenz der Scheibe gelangt. Diese hängt von der Glasdicke ab. 2 Scheiben gleicher Dicke werden also im selben Frequenzbereich gleich stark schwingen. Der auftreffende Schall geht durch. Dem begegnet man, indem Scheiben aus unterschiedlich dickem Glas miteinander kombiniert werden. Je nachdem, aus welchen Frequenzen sich der jeweilige Lärmpegel vorwiegend zusammensetzt, sind die Schallschutzgläser entsprechend auszuwählen.

Die Messungen werden im Frequenzbereich zwischen 100 und 3.150 Hz als bewertetes Schalldämm-Maß R_w angegeben. Anwendung finden die Messmethoden für Fenster gemäß DIN EN ISO 16283-3:2016-09 „Akustik – Messung der Schalldämmung in Gebäuden und von Bauteilen am Bau – Teil 3: Fassadenschalldämmung". Das hat den Vorteil, dass im Gegensatz zu früher gravierende Unterschiede zwischen Laborwerten und tatsächlichen Werten nach dem Einbau weitestgehend ausgeschlossen sind. Voraussetzung sind allerdings Fensterrahmen mit angepasster Schalldämmung. Wie bei den Wärmeschutzverglasungen ist auch bei den Schallschutzverglasungen der SZR in der Regel mit Argon gefüllt. Der Einsatz des in der Vergangenheit verwendeten Schwergases Schwefelhexafluorid (SF6) ist seit Juli 2008 generell verboten.

6.6.4 Brandschutzgläser

Glas ist zwar ein nicht brennbarer Baustoff der Klasse A 1. Es zerspringt jedoch bei entsprechender Erhitzung und besitzt daher keine Sperrwirkung. Deshalb ist seine Verwendung im Brandschutz nicht ohne besondere Maßnahmen möglich.

Prüfanforderungen der Brandschutzverglasungen sind in DIN 4102-2:1977-09 „Brandverhalten von Baustoffen und Bauteilen; Bauteile, Begriffe, Anforderungen und Prüfungen" und DIN 4102-5:1977-09 „Brandverhalten von Baustoffen und Bauteilen; Feuerschutzabschlüsse, Abschlüsse in Fahrschachtwänden und gegen Feuer widerstandsfähige Verglasungen, Begriffe, Anforderungen und Prüfungen" festgelegt. In der neueren europäischen Norm DIN EN 13501-2:2021-08 „Klassifizierung von Bauprodukten und Bauarten zu ihrem Brandverhalten – Teil 2: Klassifizierung mit den Ergebnissen aus den Feuerwiderstandsprüfungen, mit Ausnahme von Lüftungsanlagen" (Entwurf) wird eine noch genauere Klassifizierung von Bauprodukten und Bauarten zu ihrem Brandverhalten vorgenommen. Hier wird der Feuerwiderstand hinsichtlich der Tragfähigkeit, des Raumabschlusses (E) und der Wärmedämmung (I) unterschieden. Die Klasse G wird als E bezeichnet und Klasse F als EI. Die neue Zwischenklasse EW kennzeichnet eine Reduzierung der Hitzestrahlung, weist aber keine so gute Hemmung wie die EI-Verglasung auf. Die Zulassung erfolgt jeweils für das gesamte Verglasungssystem einschließlich Rahmung. Die Zeitdauer von 30, 60, 90, 120, 180 Minuten, in der ein Durchtritt des Feuers verhindert wird, ist Teil der Klassenbezeichnung, z. B. E 30 oder EI 90.

Für **EI-Verglasungen** wird eine thermische Isolation gefordert, d. h., während der Feuerwiderstandsdauer darf die Temperatur auf der brandabgewandten Seite – genau wie bei den entsprechenden Wänden – im Mittel um nicht mehr als 140 K, an keiner Stelle um mehr als 180 K, über die Ausgangstemperatur steigen. EI-Gläser bestehen aus speziellen Mehrscheiben-Verbundgläsern (mit flächigem Verbund), die je nach geforderter Feuerwiderstandsklasse auch mit luftgefülltem Zwischenraum kombiniert werden.

Ein Fabrikat wie z. B. Pyrostop (EI 90) ist ein Mehrscheiben-Verbundelement mit 69 mm Dicke und anorganischen Brandschutzschichten zwischen den Scheiben. Im Brandfall zerspringt zunächst die dem Feuer zugewandte Scheibe bei einer Temperatur von ca. 120 °C, die Schutzschicht schäumt auf und wird undurchsichtig. In gewissen zeitlichen Abständen zerspringt dann jeweils die nächste Glasscheibe und die nächste Zwischenschicht expandiert. Andere Ausführungen besitzen Gel-Zwischenschichten, die Wasser führen und im Brandfall einen wärmedämmenden Schaum bilden.

E-Verglasungen verhindern nur den direkten Durchgang von Feuer und Rauch. Die Wärmestrahlung wird kaum zurückgehalten. So können Möbel, Textilien oder Holzverkleidungen (Brandlast) in kurzer Frist zur Entzündung gebracht werden. Deshalb ist der Einsatz von E-Verglasungen nur beschränkt möglich, z. B. in brandlastfreien Abschnitten.

6.6.5 Sicherheitsgläser

Der Begriff Sicherheitsglas beschreibt Glas mit Sicherheitseigenschaften und umfasst Flachgläser, die als Drahtglas, ESG (vorgespanntes Glas), TVG, Verbundglas (VG) und VSG hergestellt werden. Der Aufgabenbereich dieser Gläser ist vielfältig. Besonders zu nennen sind der vorbeugende Unfallschutz und der Schutz bei Gewaltanwendungen aller Art.

Während Drahtglas (gewöhnliche Dicke 7 mm mit Drahteinlage 0,6 mm) kaum noch Bedeutung besitzt, findet man ESG in zahlreichen Ganzglasanlagen (Türen und Wänden), in Glastüren, Dusch- und Umkleidekabinen sowie als ballwurfsichere Verglasungen in Sportanlagen. Zu beachten ist jedoch, dass heute aufgrund des GEG Außenverglasungen in der Regel als MIG ausgeführt werden müssen.

Bei Überkopfverglasung muss zum Splitterschutz die untere Scheibe aus VSG oder Drahtglas hergestellt werden. Drahtglas ist nur bis zu einer Stützweite von 0,7 m in Haupttragrichtung zulässig.

ESG ist thermisch vorgespannt. Dadurch ist das Glas widerstandsfähiger gegen Temperaturunterschiede und plötzliche Temperaturwechsel, Stoß, Schlag und Biegebeanspruchung. Wird das Glas zerstört, entsteht ein netzförmiges Bruchmuster mit kleinen Glaskrümeln, die keine scharfen Kanten aufweisen. VSG besteht aus 2 oder mehr Scheiben, die mit hochelastischen Kunststoffschichten (z. B. Polyvinylbutyral-Folien) zu einer festen Einheit verbunden sind. Die Scheiben können aus unterschiedlichen Glasarten bestehen, die Zwischenschichten können transparent, gefärbt, „mattweiß" (transluszent) oder UV-absorbierend ausgeführt sein. Außerdem können Heizdrähte oder Signaldrähte für Alarmanlagen in die Zwischenschichten eingebaut werden. VSG wird in verschiedenen Scheibentypen angeboten, deren Einstufung in DIN EN 356:2000-02 „Glas im Bauwesen – Sicherheitssonderverglasung – Prüfverfahren und Klasseneinteilung des Widerstandes gegen manuellen Angriff", DIN EN 1063:2019-10 „Glas im Bauwesen – Sicherheitssonderverglasung – Prüfverfahren und Klasseneinteilung für den Widerstand gegen Beschuß" (Entwurf) und DIN EN 13541:2012-06 „Glas im Bauwesen – Sicherheitssonderverglasung – Prüfverfahren und Klasseneinteilung des Widerstandes gegen Sprengwirkung" festgelegt ist:

- PA – durchwurfhemmende Verglasung,
- PB – durchbruchhemmende Verglasung,
- BR und SG – durchschusshemmende Verglasung,
- ER – sprengwirkungshemmende Verglasung.

6.6.6 Relevante Normen

DIN 4108-4:2020-11 Wärmeschutz und Energie-Einsparung in Gebäuden – Teil 4: Wärme- und feuchteschutztechnische Bemessungswerte

DIN EN 356:2000-02 Glas im Bauwesen – Sicherheitssonderverglasung – Prüfverfahren und Klasseneinteilung des Widerstandes gegen manuellen Angriff

DIN EN 572-1:2016-06 Glas im Bauwesen – Basiserzeugnisse aus Kalk-Natronsilicatglas – Teil 1: Definitionen und allgemeine physikalische und mechanische Eigenschaften

DIN EN 572-2:2012-11 Glas im Bauwesen – Basiserzeugnisse aus Kalk-Natronsilicatglas – Teil 2: Floatglas

DIN EN 1063:2019-10 Glas im Bauwesen – Sicherheitssonderverglasung – Prüfverfahren und Klasseneinteilung für den Widerstand gegen Beschuß (Entwurf)

DIN EN 13501-2:2021-08 Klassifizierung von Bauprodukten und Bauarten zu ihrem Brandverhalten – Teil 2: Klassifizierung mit den Ergebnissen aus den Feuerwiderstandsprüfungen, mit Ausnahme von Lüftungsanlagen (Entwurf)

DIN EN 13541:2012-06 Glas im Bauwesen – Sicherheitssonderverglasung – Prüfverfahren und Klasseneinteilung des Widerstandes gegen Sprengwirkung

DIN EN ISO 16283-3:2016-09 „Akustik – Messung der Schalldämmung in Gebäuden und von Bauteilen am Bau – Teil 3: Fassadenschalldämmung"

DIN V 18599-6:2018-09 Energetische Bewertung von Gebäuden – Berechnung des Nutz-, End- und Primärenergiebedarfs für Heizung, Kühlung, Lüftung, Trinkwarmwasser und Beleuchtung – Teil 6: Endenergiebedarf von Lüftungsanlagen, Luftheizungsanlagen und Kühlsystemen für den Wohnungsbau

DIN V 18599-10:2018-09 Energetische Bewertung von Gebäuden – Berechnung des Nutz-, End- und Primärenergiebedarfs für Heizung, Kühlung, Lüftung, Trinkwarmwasser und Beleuchtung – Teil 10: Nutzungsrandbedingungen, Klimadaten

6.7 Fensterbänke

Unterschieden werden Innen- und Außenfensterbänke. Sie haben ganz unterschiedliche Aufgaben wahrzunehmen und sind sehr verschiedenen Belastungen ausgesetzt.

6.7.1 Innenfensterbänke

Innenfensterbänke (siehe Abb. 6.45) zählen zumeist nicht zum Bauteil Fenster und werden daher nicht vom Fensterbauer verbaut, sondern häufig vom Innenausbauer.

So werden z. B. Innenfensterbänke von Küchen, Bädern und WCs im Material der übrigen Wandbekleidung – als Fliesenbelag – ausgeführt.

Innenfensterbänke werden gern als Blumenbank oder auch als Standplatz beim Fensterputzen genutzt. Daher sollten sie gut unterstützt sein, ggf. ist eine statische Bemessung erforderlich.

Breite Bänke werden links und rechts etwa 1 bis 2 cm in die Fensterlaibung eingestemmt. Aufgrund des baulichen Aufwands wird diese Version heutzutage eher selten ausgeführt. Bei schmalen Bänken genügt es auch, sie in die Fensterlaibung einzuputzen.

Bei einer Bankbreite von bis zu 20 cm genügt es, wenn die Bank zur Hälfte (keinesfalls unter ⅓) längs am Mauerwerk satt aufliegt. Marmorbänke erfordern meist eine zusätzliche vordere Unterstützung (z. B. verzinktes Stahlrohr mit quadratischem oder rechteckigem Querschnitt).

Wichtig ist auch bei den Innenbänken, dass der Anschluss Fenster/Fensterbank dicht ist, damit weder ablaufendes Schwitzwasser eindringen noch Zugluft von außen hindurch kann (dauerelastisch abdichten).

Die Materialauswahl für Innenfensterbänke ist groß: Holz, Holzwerkstoff (Hochdruck-Formteile), Naturwerkstein (polierte Granit- oder Marmorplatten), Kunststein, Betonwerkstein u. a.

In Fensterbänken mit Installationskanal lassen sich Kabel verlegen und Steckdosen und Schalter einfach integrieren.

6.7.2 Außenfensterbänke

Außenfensterbänke sind zumeist ein Bestandteil des Fensters. Gehört die Fensterbank zum Mauerwerk (Ziegel, Verblender), wird sie auch als Sohlbank bezeichnet, die bei Verblendmauerwerk infolge vorhandener Formstücke wieder häufiger erstellt wird. Außenfensterbänke werden an der unteren Laibung des Fensters angebracht und haben vor allem die Aufgabe, das darunterliegende Mauerwerk sicher vor dem vom Fenster ablaufenden Wasser zu schützen.

Abb. 6.45: Dunkelgraue Innenfensterbank der Serie compact (Quelle: Werzalit Austria GmbH, Lienz)

Abb. 6.46: Außenfensterbank aus poliertem Granit Rosso Balmoral (Quelle: Redaktion/sch)

Das Regenwasser rinnt am Fenster herab auf die Fensterbank und verlässt diese im Normalfall an der Tropfkante. Die Tropfkante (Metallfensterbänke)/Wasserabreißnut (Steinfensterbänke) muss sich mindestens 20 mm vor der Fassade befinden. Als Überstand über die Außenwand sind ca. 30 bis 50 mm zu empfehlen. Rinnt das Wasser an der Fassade herab, kann dies zu Streifenbildung und Verfärbungen führen. Besonders betroffen sind helle, mineralische Putze, wie sie heute vermehrt bei Wärmedämm-Verbundsystemen eingesetzt werden. Die Neigung der Fensterbank muss mindestens 5° bzw. 8 % (8 % = 0,8 cm Gefälle auf 10 cm) betragen. Zwischen Außenfensterbank und Brüstungsmauerwerk wird eine Dämmung eingebaut.

Außenfensterbänke werden meist aus profilierten Aluminium-, Kupfer- oder Zinkblechen hergestellt. In diesen Fällen werden die Fensterbänke dem Wirkungsbereich der VOB/C ATV DIN 18339:2019-09 „VOB Vergabe- und Vertragsordnung für Bauleistungen – Teil C: Allgemeine Technische Vertragsbedingungen für Bauleistungen (ATV) – Klempnerarbeiten“ zugeordnet.

Gebräuchliche Werkstoffe sind außerdem Granit, Naturwerkstein oder Betonwerkstein (siehe Abb. 6.46).

Metallfensterbänke haben den Nachteil, dass Regenfälle ein störendes Trommelgeräusch verursachen können. Auf der Wetterseite sollte daher eine geräuschdämpfende Antidröhnfolie eingesetzt werden.

Abb. 6.47: Alu-Außenfensterbank (Quelle: redaktion/wom)

Aluminiumfensterbänke

Aluminiumfensterbänke, kurz Alufensterbänke (siehe Abb. 6.47), werden aus stranggepressten Aluminiumprofilen in abgestuften Profilbreiten von 50 bis zu 400 mm hergestellt. Die Neigung sollte mindestens 5° betragen. Die Oberflächen sind eloxiert oder RAL-einbrennlackiert.

Ein wesentlicher Vorteil der Alufensterbank ist der einfach aufgekantete Anschraubsteg. Zwischen Fensterbank und Blendrahmenunterteil wird ein dauerelastischer Kitt- oder Dichtungsstreifen mit eingeschraubt. Die Profilbreite sollte ca. 40 mm über die fertige Fassade ragen. Die Blendrahmenunterteile der Fenster sind fast ausnahmslos so ausgebildet, dass das ankommende Wasser sicher abgeleitet wird. Das seitliche Ablaufen des Wassers wird durch entsprechende seitliche Abschlüsse sicher unterbunden. Auch die Außenfensterbänke sollten seitlich eingeputzt werden. Der Anschluss Putz/Fensterbank ist dauerelastisch abzuspritzen. Aluminiumfensterbänke können mit entsprechenden Haltern an jeder Fassade (z. B. Sichtbeton, Putzfassade, Klinker) eingebaut werden.

Fensterbänke aus Betonwerkstein

Fensterbänke aus Betonwerkstein sind vorgefertigte Bauteile, deren Oberfläche werksteinmäßig bearbeitet oder besonders gestaltet ist. Farbpigmente bestimmen die Farbe, Zuschlagstoffe wie z. B. Natursteine veredeln die Oberfläche. Als werksteinmäßiges Bearbeiten gelten Schleifen, Polieren, Sägen, Waschen oder Strahlen.

Betonwerkstein-Außenbänke haben vielfach an der Fensterseite eine Erhöhung, die das Ablaufen des vom Fenster her anfallenden Wassers fördert. Seitlich erhöhte Ränder verhindern seitliches Ablaufen des Wassers, das Wasserstreifen am Putz hinterlässt. Die über den Außenputz oder die Fassadenverkleidung überstehende Unterkante der Außenfensterbank ist als Abtropfkante ausgebildet. Die Verlegung erfolgt mit Trass- und Natursteinmörtel.

Fensterbänke aus Naturwerkstein

Diese Fensterbänke bestehen vorwiegend aus hochwertigen polierten Granit- oder Marmorplatten. Die Materialstärke sollte mindestens 30 mm betragen. Sandstein-, Dolomit- oder Porphyrfensterbänke werden in der Stärke 4 bis 6 cm ausgeführt.

Die Verlegung erfolgt in einem Trass-Mörtelbett oder mit frostsicherem weißem Kleber, um Fleckenbildung zu vermeiden. Naturwerkstein-Fensterbänke sind pflegeleicht, frost- und witterungsbeständig sowie Umwelteinflüssen gegenüber widerstandsfähig. Eine Wassernase oder Rille befindet sich an der Unterseite.

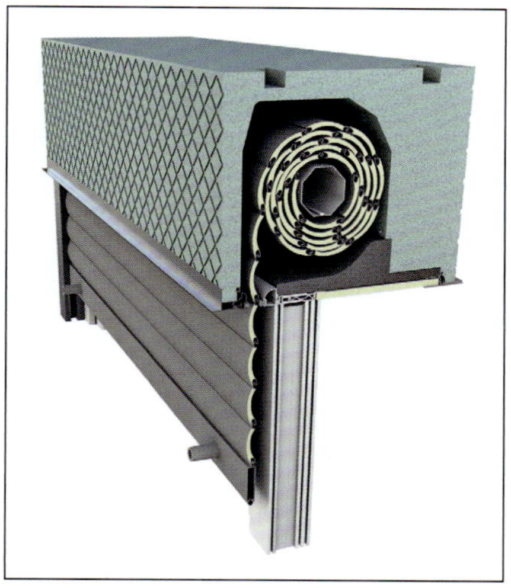

Abb. 6.48: Aufsatzkasten ROKA-TOP® 2 PLUS (Quelle: Beck+Heun GmbH, Mengerskirchen)

Abb. 6.49: Rollladenaufsatzkasten mit integriertem Insektenschutz und innenliegender Revision (Quelle: VEKA AG, Sendenhorst)

6.7.3 Relevante Norm

VOB/C ATV DIN 18339:2019-09 VOB Vergabe- und Vertragsordnung für Bauleistungen – Teil C: Allgemeine Technische Vertragsbedingungen für Bauleistungen (ATV) – Klempnerarbeiten

6.8 Rollläden, Fensterläden, Raffstores, Jalousien, Markisen

Diese Gruppe unterschiedlicher Bauteile erfüllt die Aufgabe, Fenster und Fenstertüren zu schützen oder abzuschirmen.

Zu nennen sind die Fenstersicherung (Einbruchschutz), der Schutz gegen Witterungseinflüsse, der Sichtschutz und der Schallschutz sowie die Beschattung, die speziell von den Raffstores (außen), den Markisen (außen) und den Jalousien (innen) übernommen werden. Gleichzeitig tragen die Elemente auch zur Gestaltung der Fassade bei.

6.8.1 Rollläden

Rollläden werden mittels Rollladenkästen im Mauerwerk integriert, als Aufsatzrollläden (siehe Abb. 6.48 und 6.49) über dem Fenster oder als Vorbaurollläden vor das Fenster in die Laibung gesetzt.

Als Materialien dienen Holz-, Aluminium-, Stahl-, Edelstahl oder Kunststoffprofile.

Moderne Rollläden bestehen zum größten Teil aus Kunststoff (Hart-PVC) oder auch aus Aluminium. Kunststoffrollläden sind leicht und bieten eine gute, zusätzliche Wärmedämmung. Zum einen ist der Panzer – so nennt sich die Rollladenfläche – selbst wärmedämmend, zum anderen dient die zwischen Rollladen und Fenster eingeschlossene Luftschicht der zusätzlichen Wärmedämmung.

Auf diesem Gebiet steht der Aluminiumrollladen aufgrund seiner Materialdicke nicht weit zurück, die sein besonderer Vorteil ist (siehe Abb. 6.50). Den Alu-Rollladen gibt es aufgeschäumt. Im Schallschutz ist der Alu-Rollladen durch sein höheres Gewicht dem PVC-Rollladen etwas überlegen. Wichtig ist dabei, dass der Rollladen an allen 4 Seiten gut dicht schließt. Das ist nur durch eine fachgerechte Montage wirkungsvoll zu erreichen. Weitere Voraussetzung für hohen Schallschutz ist ein ausreichender Abstand zwischen Rollladenpanzer und Fensterscheibe (mindestens 5 cm).

In Bezug auf die Einbruchsicherung ist der Alu-Rollladen dem Kunststoffrollladen deutlich überlegen. Zur Einbruchsicherung sind verstärkte Führungsschienen und zusätzliche Sicherungen gegen das Hochschieben der Rollläden erforderlich.

Nach der Abwickelrichtung werden **Rechts-** und **Linksroller** unterschieden, auch Rechts- und Linkswickler genannt (siehe Abb. 6.51). Das hat nichts damit zu tun, ob die Gurtscheibe rechts oder links sitzt, was wahlweise ohne Weiteres geschehen kann. Diese Bezeichnung steht für das Abrollen des Panzers.

Alle „normal" in Rollladenkästen über dem Fenster eingebaute Rollläden sind Rechtsroller. Unter den vorgebauten Rollläden sind viele Linksroller.

Rollladenprofile (siehe Abb. 6.52) haben vielfältige Formen, sind in vielen Farben lieferbar und unterscheiden sich von Fabrikat zu Fabrikat. Die Breite des Rollladenprofils ist die sog. Deckbreite. Sie liegt z. B. bei doppelwandigen Aluminium-Hohlkammerprofilen zwischen 25 und 55 mm.

Die Anzahl der benötigten Rollladenprofile ergibt sich aus dem Verhältnis Panzerhöhe : Deckbreite. Der Rotationsdurchmesser des aufgewickelten Rollladens (= der Durchmesser des sog. Ballens) ist den Tabellen der Hersteller zu entnehmen. Er hängt von der Panzerhöhe sowie der Profildicke und -form ab und schließt den Wellendurchmesser mit ein. Dieser Durchmesser darf nicht größer sein als die vom Rollladenkasten vorgegebene Einbauhöhe.

Der eingerechnete Wellendurchmesser beträgt zwischen 40 und 60 mm. Wo immer möglich, sind für Kunststoffrollläden Hohlkammerprofile der üblichen Dicke von 14 bis 15 mm wegen der besseren Schall- und Wärmedämmung vorzuziehen.

Abb. 6.50: Aluminiumrollladen (Quelle: Warema Renkhoff SE, Marktheidenfeld)

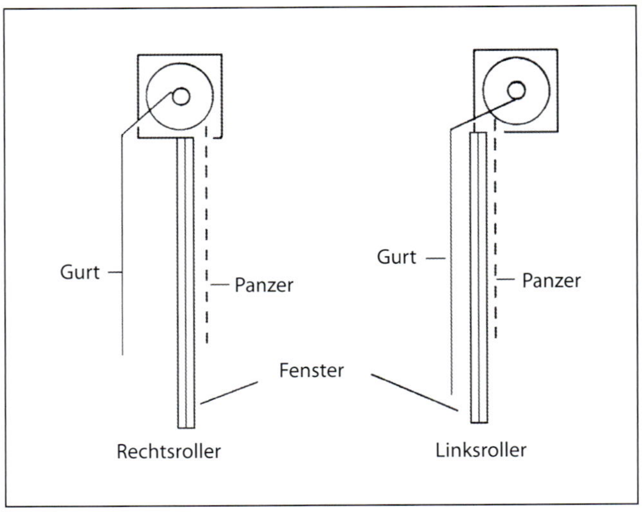

Abb. 6.51: Prinzipskizze der Abwickelrichtung Rechtsroller/Linksroller

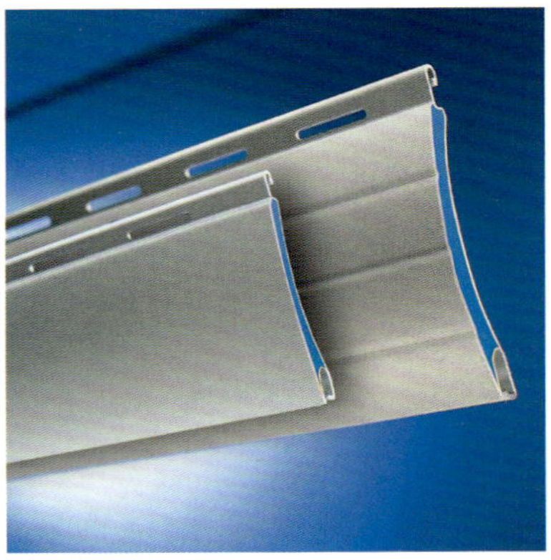

Abb. 6.52: Verschiedene Alu-Rollladenprofile (Quelle: ROMA KG, Burgau)

6.8.2 Fensterläden

Bei den Fensterläden wird zwischen Klappläden, Faltläden und Schiebeläden unterschieden.

Klapp-, Falt- und Schiebeläden werden mithilfe von Beschlägen am Mauerwerk, Blendrahmen oder am Montagerahmen befestigt.

Abb. 6.53: Dreiflügeliger Fensterladen (Quelle: U. J. Alexander – stock.adobe.com)

Abb. 6.54: Holz-Klappladen mit überstehenden Lamellen und Füllungen in 2 Kassetten oben und unten (Quelle: www.hermes-fensterladen.de, Hermes Royal GmbH, Besigheim-Ottmarsheim)

Abb. 6.55: Aluminium-Klappladen mit Lamellen 38/10 mm (Quelle: www.hermes-fensterladen.de, Hermes Royal GmbH, Besigheim-Ottmarsheim)

Klappläden

Klappläden sind die klassische Form der Fensterläden und werden ein- oder mehrflügelig ausgeführt (siehe Abb. 6.53). Gefertigt werden die Läden aus Massivholz oder Holz in Jalousieform (siehe Abb. 6.54), aber auch Aluminium (siehe Abb. 6.55) oder Kunststoff finden Verwendung. Neben dem Zweck der Verdunkelung erfüllen die Läden auch die Aufgabe des Witterungs-, Sicht- und Einbruchschutzes. Werden sie passgenau und winddicht ausgeführt, so sind sie auch wärmedämmend.

Die Befestigung der Läden erfolgt mit speziellen Beschlägen im Mauerwerk/in der Wand, aber auch auf dem Fensterrahmen, mit Montagerahmen auf dem Fenster oder mit einem Maueranschlagsrahmen auf der Mauerkante.

Je nach Anschlagsart befinden sich die Läden im geschlossenen Zustand bündig zur Laibung, auf der Wand anliegend, auf der Mauer, mit Falz im Holzklappladen, in einem Mauerfalz oder auf dem Fensterrahmen. Die Bedienung erfolgt von außen mit der Hand, von innen mit einer Kurbel oder elektrisch (einzeln oder automatisiert).

Im geöffneten Zustand werden Klappläden in Halterungen eingehakt, damit sie beispielsweise nicht vom Wind bewegt werden.

Abb. 6.56: Schiebeladen mit filigranen Alu-Lamellen (Quelle: Schüco International KG, Bielefeld)

Abb. 6.57: Holz-Schiebeläden in Lärche tragen zur Fassadengestaltung bei (Quelle: schiebeladenarchitektur.ch).

Schiebeläden/Faltläden

Schiebeläden erfreuen sich wachsender Beliebtheit in der modernen Architektur. Sie dienen als Sonnen-, Wetter- sowie Sicht- und Einbruchschutz und können auf mehreren Verschiebe-Ebenen in die Fassadenkonzeption integriert werden.

Während der Klappladen seitlich neben dem Fenster befestigt ist, funktioniert der Schiebeladen wie eine Schiebetür. Über Laufschienen werden die Läden vor die Fenster oder über die Terrassentüren geschoben.

Neben den herkömmlichen horizontalen, festen oder beweglichen Lamellen in einem Aluminium- oder Holzrahmen (siehe Abb. 6.56 und 6.57) können auch verschiedenartige Füllungen ausgewählt werden.

Schiebeläden für Fenstertüren werden sogar aus Glas gefertigt (z. B. VSG mit transluzentem Siebdruck). Schiebeläden lassen sich manuell leicht bedienen. Sie sind auch mit Kurbelantrieb oder in motorisierter Ausführung erhältlich.

Faltläden besitzen mehrere schmale Einzelflügel, die mechanisch miteinander verbunden sind und seitlich zusammengefaltet werden. Die Führung kann oben und unten in Schienen erfolgen. Die Läden sind zumeist aus Holz (z. B. Kiefer, Tanne oder auch Eiche), PVC oder stranggepresstem Aluminium.

Abb. 6.58: Effizienter Blick- und Blendschutz mit automatisierten Außenjalousien (Quelle: Elero GmbH, Schlierbach)

Abb. 6.59: Gelenkarm-Markise zur Beschattung der Terrasse (Quelle: Warema Renkhoff SE, Marktheidenfeld)

Abb. 6.60: Kassettenmarkise (Quelle: Weinor GmbH & Co. KG, Köln)

6.8.3 Raffstores und Jalousien

Abhängig von ihrer Lamellenbreite werden Jalousien üblicherweise als innen liegender Sonnenschutz, Raffstores als außen liegender Sonnenschutz eingesetzt. Während Innenjalousien den Sonnenschutz überwiegend über Reflexion erzielen, arbeiten Außenjalousien oder Raffstores mit der Absorption des Lichts. Damit Jalousien bei gekipptem Fenster nicht unten abstehen und sich unkontrolliert bewegen, erhalten sie eine sog. Pendelsicherung. Diese Sicherung besteht aus einem Draht oder einem Nylonfaden, der vom Jalousiekopf ausgeht und an der Seite durch jede Lamelle gefädelt wird. Unten wird dieser mit einem Winkel oder einer anderen Befestigung am Fenster befestigt. Raffstores werden grundsätzlich mit Pendelsicherung geliefert.

Innenjalousien

Sie bestehen aus Holz-, Aluminium- oder Kunststofflamellen, die durch Leiterbänder miteinander verbunden sind und mit Aufzugschnüren gehoben und gesenkt werden. Die Bedienung erfolgt manuell oder mit elektrischem Antrieb. Die gängigsten Lamellenbreiten sind 16, 25, 35 und 50 mm.

Innen liegende Jalousien

Eine Sonderform der Innenjalousien sind die innen liegenden Jalousien, d. h., die eigentliche Jalousie befindet sich im SZR der Isolierglasscheibe und ist dort vor Verschmutzung geschützt. Die Bedienung erfolgt über einen Elektromotor, der ebenfalls im Isolierglas integriert ist.

Außenjalousien oder Raffstores

Außenjalousien sind hervorragend geeignet, um die Wärme direkt abzuhalten. Sie werden aus hochwertigem, wetterfestem Material hergestellt.

Die Lamellen sind aus Aluminium, die Lamellenbreite beträgt zwischen 50 und 80 mm. Die Führung erfolgt über Spannseile oder in speziellen Führungsschienen, die Außenjalousien beständiger gegen größere Windstärken machen. Die Bedienung erfolgt manuell über Zugschnur, Kurbelbedienung oder mittels Elektroantrieb (siehe Abb. 6.58).

In Objektbauten, Bürogebäuden oder Schulen, aber auch im privaten Wohnungsbau oder in gewerblichen Gebäuden bilden Außenjalousien eine Alternative zu Rollladen oder anderen Verschattungsvarianten in der Fassadengestaltung.

6.8.4 Markisen

Markisen machen den Balkon oder die Terrasse zum „sommerlichen Wohnzimmer im Freien". Sie erfreuen sich großer Beliebtheit und sind in einer großen Zahl unterschiedlicher Konstruktionen verfügbar. Man kann Markisen als wetterfesten, ausfahrbaren textilen Sonnenschutz bezeichnen, sie sollten aber nicht als Regenschutz verwendet werden. Feststehende Ausführungen sind ebenfalls verfügbar.

Die wichtigsten Formen seien kurz vorgestellt.

Die **Gelenkarmmarkise**, die auch als freitragende Markise bezeichnet werden könnte, ist nur im Bereich der Tuchwelle befestigt, die Gelenkarme unmittelbar darunter (siehe Abb. 6.59). Sonst gibt es keinerlei Unterstützung. Als Sonderausstattung kann man inzwischen Leuchten, Heizstrahler und sogar Lautsprecher wählen. Getriebe sorgen dafür, dass die Markise horizontal höher oder tiefer gestellt werden kann.

Die **Fallarmmarkise** besitzt zur seitlichen Unterstützung 2 Fallarme, die das Fallrohr tragen. Die Konstruktion wird dadurch vereinfacht, dass man die Markise mittels Gurt oder Getriebe auf die Tuchwelle aufwickelt. Diese Markisenform kann nur dort eingesetzt werden, wo die Fallarme nicht stören.

Die **Senkrechtmarkise oder auch Fassadenmarkise** ist eigentlich ein Rollo mit Aufrollvorrichtung einer Markise zur Anbringung im Freien. Hierzu gibt es als Variante noch die Markisolette, die Senkrechtmarkise und Fallarmmarkise kombiniert.

Die **Korbmarkise** besitzt eine relativ geringe Ausladung und wird bevorzugt als werbewirksamer Auslagen- oder Eingangsschutz eingesetzt. Auch im Privatbereich lassen sich sehr wirkungsvolle Effekte erzielen. Korbmarkisen sind klappbar oder feststehend ausgeführt. Feststehende Markisen besitzen eine fast unbegrenzte Formenvielfalt.

Die **Kassettenmarkise** (siehe Abb. 6.60) ist so konstruiert, dass sich die gesamte Technik geschützt in einer Kassette befindet, d. h., Markisentuch und Mechanik sind im geschlossen Zustand in dieser Kassette eingebettet. Die Kassettenmarkise bietet dadurch den bestmöglichen Schutz vor der Bewitterung.

Abb. 6.61: Terrasse mit Sonnensegel (Quelle: Warema Renkhoff SE, Marktheidenfeld)

Abb. 6.62: Hofschiebetore im gewerblichen Bereich (Quelle: Hörmann KG, Steinhagen)

Abb. 6.63: Zweiflügeliges Drehtor mit Elektroantrieb und Funkfernbedienung (Quelle: Somfy GmbH, Rottenburg)

6.8.5 Sonnensegel

Eine nicht nur praktische, sondern auch optisch elegante Form, Schatten und Schutz vor Regen zu spenden, sind Sonnensegel. Sie werden als starre oder bewegliche Segel angeboten.

Das starre Sonnensegel lässt sich schnell und einfach bei Bedarf am gewünschten Ort aufbauen und wird z. B. für Sommerfeste oder über Sandkästen und Spielgeräten eingesetzt. Die Befestigung erfolgt mit Abspannseilen, Stützen und Erdnägeln.

Bewegliche Sonnensegel sind die perfekte Kombination von großflächiger Verschattung und modernem Design und verwandeln Terrasse, Balkon oder Garten in eine angenehme sommerliche Outdooroase (siehe Abb. 6.61).

Bewegliche Sonnensegel sind fest installierte Sonnensegel mit automatischem Antrieb und Steuerungssystemen. Die Segel ziehen sich bei starkem Wind automatisch ein und bieten so besonders hohen Komfort. Bewegliche Sonnensegel können mit verschiedenen Aluminiumstützen und Wandanbindungen ausgeführt werden und werden auf Beton- bzw. Schraubfundamenten im Garten oder auch direkt an der Hauswand befestigt. Als Behang werden qualitativ hochwertige und wetterfeste Stoffe in zahlreichen Farben und Mustern angeboten.

6.8.6 Relevante Normen

DIN EN 1932:2013-09 Abschlüsse und Markisen – Widerstand gegen Windlast – Prüfverfahren und Nachweiskriterien

DIN EN 1933:1999-03 Markisen – Widerstandsfähigkeit gegenüber der Belastung durch Wasseransammlung – Prüfverfahren

DIN EN 12045:2000-12 Motorangetriebene Abschlüsse und Markisen – Nutzungssicherheit – Prüfung und Messung der Schubkräfte

DIN EN 13561:2015-08 Markisen – Leistungs- und Sicherheitsanforderungen

DIN EN 13659:2015-07 Abschlüsse außen und Außenjalousien – Leistungs- und Sicherheitsanforderungen

DIN EN ISO 52022-1:2018-01 Energieeffizienz von Gebäuden – Wärmetechnische, solare und tageslichtbezogene Eigenschaften von Bauteilen und Bauelementen – Teil 1: Vereinfachtes Berechnungsverfahren zur Ermittlung der solaren und tageslichtbezogenen Eigenschaften von Sonnenschutz in Kombination mit Verglasungen (ISO 52022-1:2017)

DIN EN ISO 52022-3:2018-01 Energieeffizienz von Gebäuden – Wärmetechnische, solare und tageslichtbezogene Eigenschaften von Bauteilen und Bauelementen – Teil 3: Detailliertes Berechnungsverfahren zur Ermittlung der solaren und tageslichtbezogenen Eigenschaften von Sonnenschutz in Kombination mit Verglasungen (ISO 52022-3:2017)

DIN 18073:2020-11 Rollläden, Markisen und sonstige Abschlüsse im Bauwesen – Begriffe und Kriterien zur Anwendung

VOB/C ATV DIN 18358:2019-09 – VOB Vergabe- und Vertragsordnung für Bauleistungen – Teil C: Allgemeine Technische Vertragsbedingungen für Bauleistungen (ATV) – Rollladenarbeiten

6.9 Tore, Antriebe, Türen und Zargen

6.9.1 Außenabschlüsse für Haus und Grund

Einfahrtstore

Als Abschluss von Grundstückseinfahrten bieten sich Dreh- wie auch Schiebetore an, wobei in vielen Fällen der „Schnitt" des Grundstückes und die individuelle Bebauung darüber entscheiden, welcher Tortyp infrage kommt.

Schiebetore benötigen eine entsprechend breite Front, um die geöffneten Torflügel zu parken. Sie werden häufig auch im gewerblichen Bereich eingesetzt, um sehr breite Öffnungen – z. B. für die Durchfahrt von Lkw – freizugeben (siehe Abb. 6.62).

Drehtore (siehe Abb. 6.63) erfordern zum Öffnen keinen seitlichen Freiraum, stattdessen allerdings einen ausreichend großen, freien Schwenkbereich, der bei der Wahl einer zweiflügeligen Ausführung halbiert werden kann.

Einfahrtstore werden zunehmend mit Elektroantrieben ausgestattet, wobei im privaten Bereich eine Ausführung mit Fernsteuerung gewählt wird, die Anhalten und Aussteigen überflüssig macht. Dank Mehrkanaltechnik lässt sich über den Handsender auch eine Hofbeleuchtung ein- und ausschalten, die Alarmanlage aktivieren oder deaktivieren und per Vier-Tasten-Handsender auch ein Garagentor betätigen.

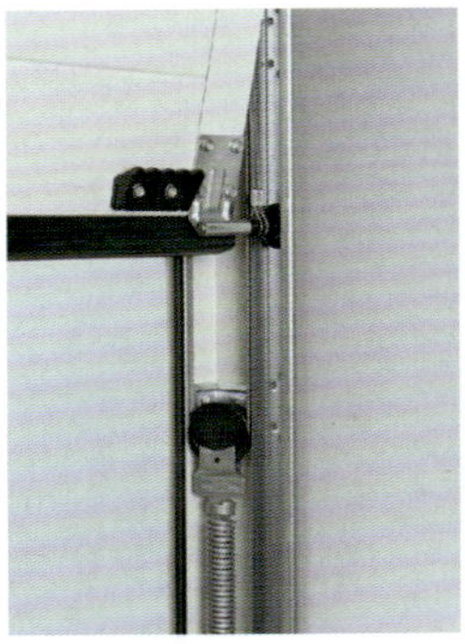

Abb. 6.64: Feder-in-Feder-System (Quelle: Hörmann KG, Steinhagen)

Abb. 6.65: Garagentor mit Funkfernbedienung (Quelle: Teckentrup GmbH & Co. KG, Verl-Sürenheide)

Abb. 6.66: Schwingtore laden beim Öffnen und Schließen nach vorn aus (Quelle: Hörmann KG, Steinhagen).

Bei Stromausfall oder einer Antriebsstörung lassen sich kraftbetätigte Einfahrtstore nach Entriegelung selbstverständlich auch manuell betätigen.

Dreh- wie auch Schiebetore stehen in Stahl und Aluminium zur Wahl und werden je nach Fabrikat durch passende Nebentüren als Personendurchgang wie auch durch dem Tordesign entsprechende Zaunteile ergänzt. Dabei sind zum Teil auch individuelle, bauseitige Füllungen möglich, die eine Anpassung an das jeweilige Architekturdesign erlauben. Bei Einfahrtstoren im gewerblichen Bereich kommen vorzugsweise robuste Stahltore zum Einsatz.

Einflügelige Schiebetore sind je nach individuellen Erfordernissen nach links oder rechts öffnend erhältlich. Moderne Konstruktionen überbrücken freitragend, d. h. ohne die Notwendigkeit einer Bodenlaufschiene, beim Einsatz im gewerblichen Bereich Durchfahrtsbreiten von 12 m, sodass zweiflügelige Anlagen Einfahrtsbreiten bis 24 m abdecken. Die freitragende Bauweise verringert den Montage- und Fundamentierungsaufwand durch Wegfall der Bodenführungsschiene und eliminiert Torlaufprobleme infolge von Eis, Schnee oder grober Verschmutzung.

Garagentore

Eine abgeschlossene Garage macht sich durch den Werterhalt des Fahrzeuges wie auch durch günstigere Versicherungsprämien bezahlt.

Ein zuverlässiger Garagenverschluss zeichnet sich vor allem durch eine sichere Torführung aus. So sichert beispielsweise eine Zugfedertechnik mit einem Feder-in-Feder-System (siehe Abb. 6.64) das Torblatt zuverlässig vor einem Absturz und verhindert, dass eine gebrochene Feder wegschleudern und Personen verletzen kann.

Darüber hinaus spielen eine effiziente Wärmedämmung und ein guter Einbruchschutz eine wichtige Rolle. Mit dem passenden Antrieb und Bedienzubehör lassen sich die Garagentore smart und sicher steuern (siehe Abb. 6.65). Damit für jeden Baustil das passende Tor dabei ist, sind Garagentore in vielen verschiedenen Oberflächen, Farben und Designs erhältlich. Je nach Bausituation und individuellen Anforderungen stehen verschiedene Tortypen zur Auswahl.

Schwingtore

Das nach oben öffnende Schwingtor wird in einer kombinierten Aufwärts- und nach hinten gerichteten Schiebebewegung in die horizontale Endstellung hinter den Sturz gebracht. Qualitätsschwingtore verfügen über eine präzise Schienenführung, die einen Entgleisen des Torblattes verhindern. In Kombination mit abriebfesten Kunststofflaufrollen sorgt das darüber hinaus für einen leichten und leisen Torlauf. Nach vollständigem Öffnen wird das Tor am Anschlag abgedämpft und kommt in der Schienenmulde sicher zum Stillstand. Da das Schwingtor beim Öffnen leicht nach vorn ausschwenkt, muss das Fahrzeug allerdings in einem entsprechenden Abstand vor dem Tor geparkt werden (siehe Abb. 6.66).

Abb. 6.67: Montage eines Sektional-Garagentors mit Elektroantrieb (Quelle: Novoferm GmbH, Isselburg)

Für eine stabile Torkonstruktion sorgen bei Qualitätsschwingtoren breite, verzinkte Blockzargen sowie waagerechte Torblattverstärkungen. Schwingtore können in wie auch hinter der Laibung angeschlagen werden.

Schwingtore gibt es als Abschlüsse für Einzel- und Doppelgaragen in vielen unterschiedlichen Erscheinungsbildern von der einfachen senkrechten, waagerechten oder Fischgrätsickung über großflächige Paneelfüllungen bis zur attraktiven Kassettenprägung aus Stahl oder mit werkseitigen Holzfüllungen in unterschiedlichsten Erscheinungsbildern.

Eine Rahmenkonstruktion für eine bauseitige Füllung aus Holz oder Metall bietet schließlich einen nahezu unbegrenzten individuellen Gestaltungsspielraum.

Sektionaltore

Das Torblatt des vertikal öffnenden, auch Deckenglieder-Tor genannten Sektionaltores besteht aus einzelnen, gleich großen, waagerecht angeordneten und durch Scharniere verbundenen Torgliedern (siehe Abb. 6.67).

Beim Seiten-Sektionaltor sind die Torglieder vertikal angeordnet und werden seitlich an einer Längswand der Garage geparkt.

Abb. 6.68: Seiten-Sektionaltor (Quelle: Hörmann KG, Steinhagen)

Abb. 6.69: Sektionaltore öffnen senkrecht und liegen platzsparend unter der Garagendecke (Quelle: Hörmann KG, Steinhagen).

Abb. 6.70: Bauseitig beplanktes Sektionaltor (Quelle: Hörmann KG, Steinhagen)

Beim Öffnen des Tores werden die Torglieder durch eine bogenförmige Führung um 90° umgelenkt und in Schienenführungen waagerecht hinter dem Sturz geparkt (siehe Abb. 6.68). Ein auf einer Welle angeordnetes Torsionsfederpaar kompensiert üblicherweise das Torgewicht, sodass sich das Tor mit minimalem Kraftaufwand öffnen lässt. Bei manchen Torausführungen kommen auch Zugfedern zum Einsatz.

Durch das senkrechte Öffnen und Schließen des Sektionaltores muss beim Abstellen des Fahrzeuges vor dem Tor kein Abstand eingehalten werden (siehe Abb. 6.69). Somit ragt das Heck gar nicht oder allenfalls nur geringfügig in die Fahrbahn, wenn das Tor unmittelbar in der Bauflucht liegt.

Als praktisch erweisen sich Sektional-Garagentore auch dann, wenn vor einer weiter zurückliegenden Garage gerade noch ein Stellplatz frei bleibt. Da das Tor beim Öffnen nicht ausschwenkt, lässt sich selbst ein stoßstangennah zugeparktes Tor jederzeit öffnen, ohne dass das Auto vor der Garage bewegt werden muss. So ist auch eine Garage ohne Nebentür jederzeit begehbar. Sektionaltore mit integrierter Schlupftür werden ebenfalls angeboten.

Sektionaltore bieten aufgrund der torhoch mit Rollen in Laufschienen geführten Torglieder und dank guter Verriegelungsmöglichkeiten einen höheren Einbruchschutz als Schwingtore. Einige Sektionaltore des Herstellers Hörmann sind mit einer RC-2-zertifizierten Sicherheitsausstattung erhältlich.

Die Garagen-Sektionaltore des Herstellers Hörmann verfügen über eine mechanische Torverriegelung, die auch ohne Stromversorgung wirksam ist. Ist das Garagentor geschlossen, ist es sofort fest verriegelt und gegen Aufhebelung geschützt.

Doppelwandige Garagen-Sektionaltore aus Stahl mit Polyurethan-Kern setzen auf herausragende bzw. sehr gute Wärmedämmung und darüber hinaus auf erhöhte Stabilität und Laufruhe. Einwandige Garagen-Sektionaltore eignen sich ideal für frei stehende Garagen, die keine Wärmedämmung benötigen. Sie werden mit gesickten Lamellen, glatten Paneelen sowie in Kassettenprägung mit und ohne Verglasung angeboten. Für eine besonders moderne Torgestaltung eignen sich sog. Designsicken, die entweder nur am Rand oder über die gesamte Torbreite mit Einlagen in Edelstahl- oder Holzoptik versehen sind.

Bei der Holzausführung (siehe Abb. 6.70) reicht die Gestaltungsskala von waagerecht, diagonal oder im Fischgrät-

Abb. 6.71: Garagenrolltor (Quelle: Hörmann KG, Steinhagen)

Look gegliederten Erscheinungsbild über Massivholz-Kassetten bis zu nach individuellen Vorstellungen gearbeiteten, vollflächigen Fräsbildern und schließt auch entsprechende Nebentüren ein. Hochwertige Deko-Oberflächen ermöglichen eine detailgetreue, natürliche Holzoptik, vereint mit allen Vorteilen eines Stahltors wie Langlebigkeit und einer länger ästhetisch bleibenden Optik.

Sektionaltore werden stets hinter der Laibung angeschlagen. Beim nach oben öffnenden Sektionaltor entfällt ein Anschlag. Die Abdichtung am Boden erfolgt durch ein dauerelastisches, alterungsbeständiges Bodendichtprofil.

Rolltore

Eine interessante, wenn auch nicht so weit wie Schwing- und Sektionaltore verbreitete Garagentorvariante stellen Rolltore dar (siehe Abb. 6.71). Ihr Erscheinungsbild ähnelt dem von Rollladen. Es gibt sie in Alu-Finish wie auch farbig beschichtet, vollflächig geschlossen, mit Lüftungsgitter wie auch teilverglast. Da Rolltore ebenso wie Sektionaltore senkrecht öffnen und schließen, eignen sie sich ebenfalls für Einfahrten in der Bauflucht und lassen ein stoßstangennahes Parken zu, ohne dass dadurch ein Öffnen des Tores behindert wird. Rolltore werden üblicherweise hinter der Laibung angeschlagen.

Separater Zugang zur Garage: Da Garagen heute neben dem Auto auch vielfältiges anderes Gerät wie Fahrrad, Rasenmäher, Motorroller oder Surfbrett beherbergen, erfreut sich ein zweiter Zugang zunehmender Beliebtheit. Namhafte Hersteller bieten daher zu ihren Toren auch ansichtsgleiche Nebentüren für ein harmonisches Frontbild an.

Dies gilt vor allem vor dem Hintergrund, dass Garagen zunehmend in den Baukörper des Hauses integriert werden. Aus diesem Grund ist auch eine mit der Haustür und den

Fenstern harmonierende Farbgebung von Garagentor und Nebentür gefragt.

Direkter Zugang von der Garage zum Haus: Bei in das Haus integrierten Garagen gibt es oft auch einen direkten Zugang von der Garage zum Wohnhaus. Die Bauordnungen schreiben den Einbau einer T30-Feuerschutztür als Verbindung zwischen Garage und Wohnhaus vor. Ist die Feuerschutztür zugleich einbruchhemmend, wird dem Risiko vorgebeugt, dass Einbrecher über die Garage ins Wohnhaus gelangen.

Tiefgarage: Tiefgaragen benötigen eine ausreichende Belüftung und sind deshalb mit luftdurchlässigen Abschlüssen zu versehen. Für diesen speziellen Einsatzzweck gibt es Schwing-, Sektional- und Rolltore mit Lüftungsgittern, die jedoch ein Hereinwehen groben Schmutzes oder Eindringen von Kleingetier unterbinden (siehe Abb. 6.72). Aus der Nähe zu den Wohnungen ergibt sich eine weitere Anforderung: geringe Betriebsgeräusche. Diesen Anspruch erfüllen moderne Schwingtore mit einer geräuscharmen und weitgehend wartungsfreien Torkonstruktion.

Garagentorantriebe: Mit Garagentorantrieben öffnen sich Garagentore per Handsender, Funktaster oder Smartphone schnell, komfortabel und sicher (siehe Abb. 6.73). Ist das Tor geschlossen, sollte eine mechanische Aufschiebesicherung vor Einbrechern schützen, die durch die Garage ins Haus gelangen oder Gegenstände aus der Garage entwenden möchten.

Die Sicherheitsanforderungen, denen die Garagentorantriebe genügen müssen, sind auf europäischer Ebene in den Antriebs- und Tornormen geregelt: Die Prüfung dieser Sicherheitsanforderungen bei der Kombination aus Garagentor und Garagentorantrieb ist in beiden Normen vorgesehen. Mit einer Ausnahme: Gemäß den Antriebsnormen kann auf die Prüfung verzichtet werden, wenn der Antrieb ohne Tor verkauft wird.

Bei den Sicherheitsanforderungen geht es unter anderem um die Kraftbegrenzung. Der Antrieb muss dafür Sorge tragen, dass das Tor beim Schließen vorgegebene Kräfte (maximal 400 Newton) einhält, sodass das Tor bei einem Auftreffen auf ein Hindernis keine Verletzungen (besonders Quetschungen) beziehungsweise Schäden verursacht. Zudem muss das Tor nach Auftreffen auf ein Hindernis reversieren. Wird der Antrieb nicht passend auf das Garagentor eingestellt, kann es vorkommen, dass die vorgegebenen Kräfte nicht eingehalten werden oder das Tor nicht reversiert.

Alle Hersteller müssen also sicherstellen, dass ihre Garagentorantriebe bei allen vom Hersteller für den Antrieb vorgesehenen Toren die Kräfte einhalten können. Für die letztendliche Einstellung des Antriebs auf das jeweilige Tor und die Überprüfung der Einhaltung der Kraftbegrenzung ist dann der installierende Handwerksbetrieb verantwortlich.

Die Kraftübertragung beim Antrieb erfolgt zunehmend mit Zahngurten aus hochfestem Polyester/Polyamid mit Kevlar-Einlage. Diese werden an einer biegesteifen Schiene geführt, die lediglich am Antrieb und am Tor befestigt werden muss. Da sich ein solcher Gurt nicht dehnt, braucht er dank vollautomatischer Selbstspannvorrichtung nicht nachgespannt zu werden. Außerdem kommt er ohne jede Schmierung aus.

Abb. 6.72: Ein Schwingtor mit Lüftungsgitter sorgt für ausreichende Belüftung der Tiefgarage (Quelle: Hörmann KG, Steinhagen).

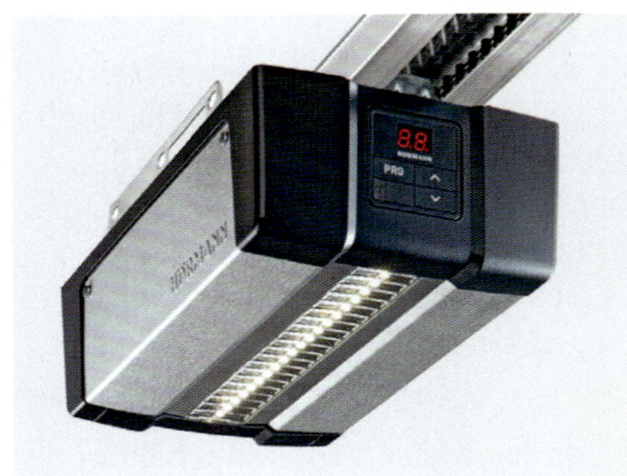

Abb. 6.73: Kompakter und wartungsfreier Garagentorantrieb mit elegantem Design (Quelle: Hörmann KG, Steinhagen)

Ausstattungen wie eine LED-Beleuchtung, die teilweise serienmäßig enthalten ist, leuchten die Garage gleichmäßig aus und erleichtern so das Ein- und Aussteigen. Garagen ohne Stromanschluss müssen nicht auf den Komfort eines automatischen Antriebs verzichten: Hier eignen sich Antriebslösungen mit Akkubetrieb.

6.9.2 Hauseingangstüren

Die Haustür wird gern als Visitenkarte des Hauses bezeichnet, denn sie prägt wesentlich den Stil des eigenen Heims. Darüber hinaus muss die moderne Haustür jedoch auch viele praktische Funktionen erfüllen – in erster Linie Hab und Gut und nicht zuletzt auch die Bewohner des Hauses schützen, also dem individuellen Sicherheitsbedürfnis entsprechen. Außerdem gilt es, das Haus gegen die Einflüsse von Wind und Wetter abzuschotten, d. h., Hitze und Kälte ebenso auszusperren wie Zugluft und Nässe. Schließlich muss eine gute Haustür die Bewohner auch gegen störende Verkehrsgeräusche schützen. Heute wird das Gros der Haustüren nicht mehr wie früher vom Schreiner individuell gefertigt, sondern vorzugsweise als einbaufertiges Bauelement aus industrieller Fertigung gekauft. Dabei stehen als Materialien klassisches Holz, Kunststoff und Aluminium zur Wahl, wobei die Ausstattungsvarianten wie auch das Preisspektrum relativ weit gefächert sind.

Grundsätzlich werden Türen in allen 3 Materialarten sowohl mit vollflächigem Türblatt als auch verglast angeboten. Bei verglasten Ausführungen stehen wärmedämmende Isolierverglasungen wie auch einbruchhemmende Gläser zur Wahl.

Holztüren

Sie zeichnen sich bei entsprechender Dicke durch eine gute Stabilität, Schall- und Wärmedämmung aus und werden auch mit wirksamer Rundumabdichtung angeboten. Allerdings erfordert der Werkstoff Holz eine regelmäßige Ober-

Abb. 6.74: Aluminiumhaustür mit stilvollen Designelementen und verglastem Seitenteil (Quelle: Hörmann KG, Steinhagen)

Abb. 6.75: Thermisch getrenntes Dreikammerprofil mit massiver Verstärkung im Bereich der Beschlagbefestigung (Rahmenmaterialgruppe 1) (Quelle: Hörmann KG, Steinhagen)

flächenbehandlung, damit Schönheit und Funktion auf Dauer erhalten bleiben.

Kunststofftüren

Kunststoffhaustüren besitzen eine tragende Struktur aus PVC-Mehrkammerprofilen mit verstärkenden Metalleinlagen. Sie zeichnen sich durch eine gute Wetterfestigkeit und Wärmedämmung aus und vereinen moderne Türtechnik mit einem relativ günstigen Preis. Außerdem sind sie besonders pflegeleicht.

Aluminiumtüren

Eine attraktive, variantenreiche Optik gepaart mit höchstem Komfort hinsichtlich Schall- und Wärmeschutz sowie Dichtigkeit und Einbruchschutz bieten moderne Aluminiumhaustüren aus stranggepressten, thermisch getrennten Mehrkammer-Profilen mit Füllungen aus Kunststoff oder Aluminium (siehe Abb. 6.74).

Hochwertige Haustüren gehören der Rahmenmaterialgruppe 1 an (siehe Abb. 6.75).

Türen dieser Bauart erreichen je nach Ausführung gute bis sehr gute Wärmedämmwerte und bieten einen Schallschutz von 30 bis 35 dB entsprechend Schallschutzklasse 2. Solide Rahmenkonstruktion und umlaufende Dichtungen garantieren eine hohe Stabilität und dauerhafte Maßhaltigkeit und damit sicheres Schließen, hohe Dichtigkeit sowie wirksamen Schall- und Wärmeschutz (siehe Abb. 6.76). Zugleich stellt eine solche Konstruktion die Grundvoraussetzung für einen zuverlässigen Einbruchschutz sicher.

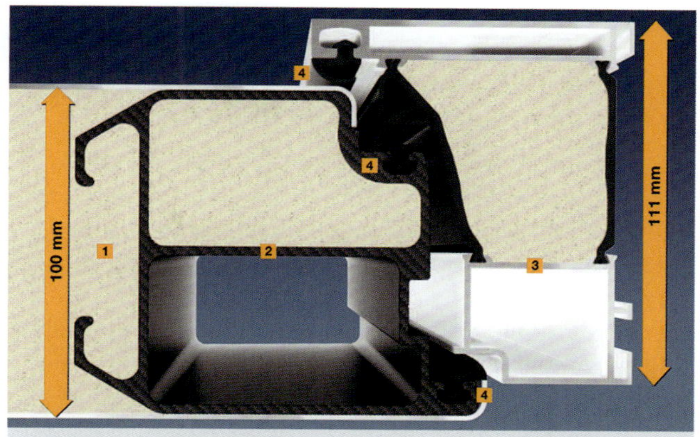

1 vollflächiger 100-mm-Aluminiumtürflügel mit PU-Hartschaumfüllung und innen liegendem Flügelprofil
2 thermische Trennung und hohe Stabilität durch Carbon-Glasfaserverstärktes Komposit-Flügelprofil
3 thermisch getrennte 111-mm-Aluminiumzarge
4 dreifache Dichtungsebene mit 2 komplett umlaufenden Dichtungen

Abb. 6.76: Querschnitt einer wärmedämmenden Aluminiumhaustür (Quelle: Hörmann KG, Steinhagen)

Abb. 6.77: Vordach aus Aluprofilen und VSG (Quelle: U. J. Alexander – stock.adobe.com)

Dieser lässt sich je nach Sicherheitsbedarf individuell planen. So besteht die Wahl zwischen groß- oder auch nur kleinflächig verglastem und vollflächig geschlossenem Türblatt sowie unterschiedlichen Sicherheitsausstattungen. Diese reichen vom Spezial-Schwenkriegelschloss über einen Bügelriegel zum sicheren, nur spaltbreiten Öffnen bis zu selbstverriegelnden Automatik-, Motor- oder auch Transponder-Schlössern. Die Skala der Aufrüstmöglichkeiten reicht bis zu einer einbruchhemmenden Ausstattung, die nach der neuen europaweit gültigen Sicherheitsnorm DIN EN 1627:2021-11 „Türen, Fenster, Vorhangfassaden, Gitterelemente und Abschlüsse – Einbruchhemmung – Anforderungen und Klassifizierung" in 6 Widerstandsklassen aufsteigend von RC 1 N bis RC 6 spezifiziert ist (siehe Kapitel 6.3.10).

Vordächer

Ein eventuell mit Seitenblenden kombiniertes Vordach über der Haustür bietet Schutz vor Wind und Wetter. Moderne Vordachkonstruktionen bestehen vorzugsweise aus Aluminium bzw. Edelstahl in Kombination mit VSG oder Acrylglas (siehe Abb. 6.77). Damit ist bereits vom Material her eine hohe Wetterbeständigkeit gegeben. Farbbeschichtungen passen die Vordächer der Haustür, den Fenstern oder der Fassade an. Die Gläser lassen sich ebenfalls variieren.

So werden Acrylgläser auch getönt – z. B. rauchbraun – oder auch strukturiert angeboten, während VSG durch aufgebrachte Mattierungsfolien verwandelt werden können. Soweit keine seitliche Abschirmung gefragt ist, kommen vorzugsweise freitragend an der Fassade montierte Vordächer zum Einsatz. Seitenteile sind sowohl einseitig wie auch beidseitig möglich.

6.9.3 Innentüren

Bei der Wahl von Innentüren gilt es, sich zwischen Elementen aus Holz und Metall zu entscheiden, wobei es in Bauart, Qualität, Anmutung und spezieller Eignung nicht nur zwischen, sondern auch innerhalb der beiden Materialgruppen erhebliche Unterschiede gibt. Eine weitere Gruppe bilden die Ganzglastüren.

Wenn von Türelementen die Rede ist, so bezeichnet dies jeweils die Funktionseinheit von Türzarge, Türblatt und Beschlägen.

Zuweilen werden Türelemente mit Oberlichten und/oder Seitenteilen eingebaut, um beispielsweise den Querschnitt eines Flures in voller Breite und Höhe abzuschließen, ohne dass hierzu überbreite oder extrem hohe Türen notwendig sind.

Sofern es sich um Türen mit Profilzylinderschloss handelt, ist dieser üblicherweise nicht Bestandteil des Lieferumfanges, um dem Bauherrn die Möglichkeit zu bieten, die Tür in eine Türanlage zu integrieren oder den individuellen Sicherheitsansprüchen entsprechende spezielle Zylinder zu wählen.

Dies gilt allerdings nicht für einbruchhemmende Sicherheitstüren, bei denen Schloss und Zylinder als Bestandteil gelten und somit naturgemäß in die Prüfung zur Einstufung in die Widerstandsklassen RC 1 N bis RC 6 einbezogen werden.

Holztüren

Holztüren können höchst unterschiedlich aufgebaut sein und haben dementsprechend auch höchst unterschiedliche Preise und Einsatzkriterien. Ihr Einsatzspektrum reicht von Haustüren und Laubengangtüren über Wohnungseingangstüren und Innentüren (siehe Abb. 6.78) bis zu Türen für Feuchträume, Schallschutz- und Sicherheitstüren und bei entsprechender Konstruktion und Ausführung sogar bis zu Feuerschutztüren T30 und T90.

Üblicherweise besitzen Holztüren einen vierseitig umlaufenden Rahmen, der bei Innentüren zumeist aus Weichholz besteht. Er verleiht dem Türblatt Stabilität und dient zugleich der Befestigung von Schloss und Beschlägen. Der Rahmen umschließt die sog. Mittellage, die beidseitig mit einer Abdeckung aus dünner Span- oder Hartfaserplatte überdeckt wird. Für eine gute Optik sorgt eine Oberfläche aus Echtholzfurnier oder mit Melaminharz verpresster Dekorfolie. Neben Echtholzfurnier- und Lackoberflächen ist die besonders robuste Duradecor-Oberfläche erhältlich.

Abb. 6.78: Holzinnentür (Quelle: Verband der Deutschen Holzwerkstoffindustrie e. V., Berlin)

Abb. 6.79: Holzinnentür mit der besonders robusten Oberfläche „Duradecor" (Quelle: Hörmann KG, Steinhagen)

Die Duradecor-Oberfläche ist sowohl optisch als auch haptisch Türen mit Echtholz-Furnier nachempfunden und glatt, strukturiert und synchron zur Optik verfügbar (siehe Abb. 6.79).

Geringwertige Türen besitzen als Mittellage zuweilen einen Wabenkern aus Pappe. Höherwertige Türen bestehen aus mehr oder weniger schweren Röhrenspanplatten, die mit entsprechend hochwertigen Deckschichten versehen sind.

Schließlich gibt es auch noch Türen im klassischen Massivholzaufbau mit in den Rahmen des Türblattes eingelassenen Vollholz-Kassettenfüllungen. Außerdem werden Türen mit einem massiven Kern aus Spanplatte oder Spanholz angeboten, der beidseitig mit einer vollflächigen Absperrung versehen ist. Letztere trägt die das Erscheinungsbild des Türblattes bestimmende Dekorschicht aus Furnier oder anderen Belägen wie Schichtstoffplatten – zuweilen auch in Kombination mit Metallapplikationen.

Bei der Furnierwahl sollte man mit Rücksicht auf die Umwelt möglichst auf Tropenhölzer verzichten, zumal heimische Hölzer in sehr attraktiven, neuen Erscheinungsbildern zur Wahl stehen.

Der Aufbau der jeweiligen Holztüren entscheidet nicht nur über ihre Stabilität, sondern vor allem auch über den Schallschutz. Leichtere Türen zeigen naturgemäß geringere Schallschutzwerte als schwerere. Folglich sind bei Schallschutzansprüchen schwere Ausführungen mit massivem Spanplattenkern vorzuziehen.

Werden besonders gute Schallschutzwerte gefragt, tragen Hartholzrahmen und eine größere Türblattdicke zum gewünschten Ergebnis bei. Ein weiteres wichtiges Kriterium sind nicht zuletzt sauber anliegende, umlaufende Dichtungen. Am Boden kann die Abdichtung durch eine absenkbare Bodenabdichtung wie auch durch einen Anschlag erfolgen, der allerdings gewisse Stolpergefahren birgt.

Abb. 6.80: Stahl-Innentür in einer Produktionshalle (Quelle: Hörmann KG, Steinhagen)

Abb. 6.81: Glastüren mit Crashglas-Optik (Quelle: GLASundBESCHLAG.de)

Stahltüren

Stahl-Innentüren, wie man sie häufig als Abschluss von Werkstätten und Lagerräumen antrifft, bestehen üblicherweise aus einer stählernen Rahmenkonstruktion aus verschweißten Profilen, die im Bereich von Schloss und Bändern mit entsprechenden Verstärkungen versehen sind (siehe Abb. 6.80). Zusätzlich ist die Türfläche durch Doppel-T-Profile ausgesteift. Schallschutzanforderungen werden durch Ausfachung des Rahmenwerkes mit Mineralwolldämmplatten erfüllt. Als Deckschichten dienen auf das Rahmenwerk aufgeschweißte oder aufgeklebte Bleche. Korrosionsschutzanforderungen wird durch den Einsatz verzinkter Bleche und Profile sowie Nachverzinken der Schweißstellen entsprochen. Zusätzlich können Türblatt und Zarge grundbeschichtet sein, was den bauseitigen Anstrich erleichtert. Wird Sichtkontakt und/oder Lichteinfall gefordert, können Stahl-Innentüren auch mit Verglasung ausgeführt werden.

Das Innenleben solcher Türen bildet üblicherweise ein Kern aus Wabenmaterial. Rahmen und Kern werden von aufgeklebten, verzinkten Blechen überdeckt. So ergibt sich ein sehr dimensionsstabiles, langlebiges Türblatt. Für eine dekorative Oberfläche sorgt eine umweltfreundliche Pulverlackierung oder eine Dekorfolie, die z. B. Farbe und Maserungsbild von Hölzern zeigen kann. Diese Konstruktion erlaubt auch Lichtausschnitte unterschiedlicher Form und Größe.

Ganzglastüren

Ganzglastüren sind rahmenlose Fertigtüren aus Sicherheitsglas, die mit speziellen Beschlägen ausgestattet sind. Sie sind als ein- oder mehrflügelige Pendel- oder Anschlagtüren ausgeführt und sind in attraktiven Oberflächenstrukturen und Farbtönungen erhältlich (siehe Abb. 6.81).

Wird Ornamentglas verwendet, so wird die Durchsicht ganz oder teilweise verhindert. Ganzglastüren können auch nachträglich in genormte Zargen eingebaut werden.

Aluminiumtüren

Innentüren aus Aluminium werden zunehmend im anspruchsvollen Objektbau eingesetzt. Sie bewähren sich aber auch in Feuchträumen, z. B. als Abschluss eines privaten Schwimmbades im Haus, oder auch in Räumen mit besonderen Hygieneanforderungen wie Metzgereien, Lebensmittelbetrieben und in der Gastronomie. Diese Türen sind mit Blendrahmen ausgeführt. Ihr umlaufender Flügelrahmen mit oder ohne Quersprosse besteht aus hochwertigen, stranggepressten Profilen mit eloxierter Oberfläche. Als Füllungen tragen sie Verglasungen oder Sandwich-Paneele mit Alu-Deckschichten. Ihre Eckverbindungen werden üblicherweise durch stabile, in die Profile eingeschobene, mit Zwei-Komponenten-Kleber fixierte Alu-Eckverbinder verstärkt.

6.9.4 Türen mit speziellen Eigenschaften

Einbruchhemmende Türen

Türen mit einbruchhemmenden Eigenschaften müssen – ebenso wie Fenster/Fenstertüren – bestimmten Anforderungen genügen. Für Beschläge gibt es nach DIN 18257: 2022-02 „Baubeschläge – Schutzbeschläge – Begriffe, Maße, Anforderungen, Kennzeichnung“ (ES1–ES3) bzw. nach DIN EN 1906:2012-12 „Schlösser und Baubeschläge – Türdrücker und Türknäufe – Anforderungen und Prüfverfahren“ (SK2–SK4) ebenfalls 3 Sicherheitsklassen.

De facto leisten einbruchhemmende Türen hinhaltenden Widerstand und steigern so das Entdeckungsrisiko (siehe

Abb. 6.82: Stahl-Sicherheitstür (Quelle: Theo Schröders Entwicklung & Beratung GmbH, Erkelenz)

Abb. 6.83: Doppelflügelige T30-Stahltüranlage mit Türschließer und Schließfolgeregelung in einer Rehaklinik (Quelle: Hörmann KG, Steinhagen)

Abb. 6.84: Verbindungstür zwischen Garage und Haus (Quelle: Hörmann KG, Steinhagen)

Abb. 6.82). Profis lassen nach Erkennen der Lage meist von solchen Objekten ab und wenden sich leichter zu öffnenden Türen zu bzw. suchen auch nach anderen Einstiegsmöglichkeiten, sodass eine einbruchhemmende Tür allein nicht unbedingt einen Einbruch verhindern kann. Eine Rundumabsicherung des Objektes ist deshalb ratsam. Einbruchhemmende Türen gibt es in ein- und zweiflügeliger Ausführung sowohl zum Einsatz im Innenbereich als auch für Außenabschlüsse.

Feuer- und Rauchschutzabschlüsse

Waren Feuer- und Rauchschutzabschlüsse in der Vergangenheit meist vollflächige Türelemente, so kommen jetzt zunehmend teil- oder sogar vollflächig verglaste Feuer- und Rauchschutzabschlüsse zum Einsatz, die Fluchtwege einsehbar machen und auch dem Entstehen von Panikreaktionen vorbeugen. Der Einblick in den anvisierten Fluchtweg bewahrt zudem davor, dass Türen geöffnet werden, hinter denen ein offenes Feuer lodert und möglicherweise überschlagen kann oder starke Rauchentwicklung herrscht, die sich beim Öffnen der Tür schlagartig auszubreiten droht und so bisher sichere Bereiche des Gebäudes zur Gefahrenzone macht.

Ein- und zweiflügelige Feuerschutztüren werden entsprechend ihrer nach Minuten bemessenen Feuerwiderstandszeit kategorisiert. T30 bezeichnet eine sog. feuerhemmende Tür, die einem Brand mindestens 30 Minuten standhält (siehe Abb. 6.83), während T90 eine feuerbeständige Tür mit 90 Minuten Feuerwiderstandszeit signalisiert. Feuer- und Rauchschutztüren müssen grundsätzlich selbstschließend ausgelegt, d. h., mit einem zugelassenen Türschließer oder einem Federband ausgestattet sein. Sie bedürfen zudem einer brandschutztechnischen Prüfung und Zulassung und dürfen gegenüber der geprüften Ausführung nicht verändert werden.

Neben vorzugsweise zugleich rauchdichten Feuerschutztüren gibt es auch reine Rauchschutztüren, die hauptsächlich zur weiteren Unterteilung von Fluchtwegen verwendet werden, um der Rauchausbreitung Einhalt zu gebieten. Die moderne Architektur favorisiert neben durchsichtigen Türen auch großflächig verglaste Festelemente, die entsprechend der Klassifizierung der Türen als F30 und F 90 spezifiziert werden. Sie sind zu großen Wandflächen koppelbar und werden in Rahmenkonstruktion aus Stahl, aus Aluminium wie auch aus Stahl mit Aluverblendung angeboten. Analog hierzu werden auch reine Rauchschutz-Festelemente (Kurzbezeichnung RS) angeboten.

Schließlich gibt es auch fensterähnliche Feuerschutz-Festverglasungen, die nicht geöffnet werden können und als G30 bezeichnet werden.

Im privaten Bereich kommen T30-Feuerabschlüsse üblicherweise bei Heizungs- und Ölkellern zum Einsatz, wobei in der Regel vollflächig geschlossene Stahltüren gewählt werden. Baurechtlich vorgeschrieben ist auch ein T30-Abschluss zwischen Garage und Wohnhaus, um einem Übergreifen eines Garagenbrandes auf das Wohnhaus vorzubeugen bzw. hinhaltenden Widerstand zu bieten (siehe Abb. 6.84).

Für diesen speziellen Zweck lohnt sich übrigens eine Mehrinvestition in eine T30-Verbindungstür mit zusätzlicher Sicherheitsausstattung, um einem Einbruch ins Wohnhaus aus der Garage vorzubeugen.

Grundsätzlich ist darauf zu achten, dass bei brandgefährdeten Räumlichkeiten auch Decken und Wände entsprechend ausgelegt und die gewählten Türen bzw. Festelemente zum Einbau in die vorliegenden Wandbildner (Beton, Mauerwerk, Porenbeton bzw. Ständerwerkswand) zugelassen sind.

Großformatige Wandöffnungen verlangen nach Brandschutztoren, die in verschiedenen Bauarten als T30- und T90-Tore angeboten werden.

Große Öffnungen in Produktionsbetrieben und Lagerhallen werden vorzugsweise durch selbstschließende, von Brand- oder Rauchmeldern ausgelöste Feuerschutz-Rolltore geschlossen, um die Halle in Brandabschnitte zu unterteilen oder gegen anders genutzte Bereiche feuersicher abzuschotten. In gewerblichen Tiefgaragen kommen je nach

Abb. 6.85: Feuerschutz-Schiebetor mit Schlupftür (Quelle: Hörmann KG, Steinhagen)

Abb. 6.86: Das Schiebetür-Element mit Stahlzarge läuft platzsparend vor der Wand (Quelle: Hörmann KG, Steinhagen).

Brandlast üblicherweise auch mit selbst schließender Schlupftür für den Personendurchgang erhältliche T30- oder auch T90-Feuerschutz-Schiebetore zum Einsatz (siehe Abb. 6.85).

Für repräsentative Eingangs- und Durchgangsbereiche bietet Hörmann ein Feuerschutz-Schiebetor als stumpf auflaufende Variante. Das einflügelige Tor besitzt kein Einlaufprofil und kann optional mit einer Nischenklappe ausgestattet werden, sodass es sich im geschlossenen Zustand unauffällig in die Raumgestaltung integriert.

In Tiefgaragen von Mehrfamilienhäusern treten neuerdings häufig auch T30-Sektional-Tore an ihre Stelle, die auch mit Verglasungen angeboten werden. Die Anforderungen an Feuerschutztore regelt die DIN 4102-5:1977-09 „Brandverhalten von Baustoffen und Bauteilen; Feuerschutzabschlüsse, Abschlüsse in Fahrschachtwänden und gegen Feuer widerstandsfähige Verglasungen, Begriffe, Anforderungen und Prüfungen".

Schallschutztüren

Die Schallschutzanforderungen regelt die DIN 4109 „Schallschutz im Hochbau". Bei der Angabe von Schalldämmwerten unterscheidet man das in dB angegebene Schalldämmmaß R_w als Laborwert und den tatsächlich im eingebauten Zustand am Bau ermittelten Wert, der in der Regel etwa 5 dB niedriger liegt. Schallschutztüren werden aus Holz wie auch aus Metall angeboten. Für ihre Wirksamkeit sind ihre Masse, umlaufende Dichtungen und eine systemgerechte Konstruktion mit entsprechender Blattdicke und nicht zuletzt ein fachgerechter Einbau ausschlaggebend. Bei der Montage sind Schallbrücken unbedingt zu vermeiden und Hohlräume möglichst lückenlos mit geeigneten Dämmstoffen wie Mineralwolle auszustopfen.

Multifunktionstüren und sonstige Türen

Multifunktionstüren stellen eine interessante Rundumlösung dar, die unterschiedlichen Funktionsanforderungen mit einem einzigen Element entspricht.

Solche Türen werden sowohl aus Holz als auch aus Stahl hauptsächlich als Feuer- und Rauchschutztüren angeboten, die je nach Bedarf die Zusatzfunktionen von Schallschutz und/oder Einbruchschutz bieten.

Multifunktionstüren sind in erster Linie im Objektbereich gefragt, erweisen sich z. B. aber auch als Wohnungseingangstüren in Mehrfamilienhäusern als vorteilhaft, indem sie im Falle eines Brandes nicht nur vor dem Übergreifen von Feuer und Rauch auf die anderen Wohnungen schützen, sondern auch Einbruchrisiken mindern und zugleich dank Schallschutzfunktion auch den Treppenhauslärm abblocken.

Als **Mehrzwecktüren** bezeichnet man hauptsächlich im gewerblichen Bereich, zuweilen aber auch in Kellern und Nebengelassen von Privathäusern eingesetzte Türen aus Stahl oder Aluminium. Sie sind außen wie innen einsetzbar und entsprechen in ihrem grundsätzlichen Aufbau dem von Feuerschutztüren. Sie sind lediglich nicht hinsichtlich ihrer Brandschutzeigenschaften geprüft und bedürfen somit auch nicht der Ausstattung mit Selbstschließmitteln.

Aluminium-Mehrzwecktüren wirken aufgrund ihrer spezifischen Materialeigenschaften eleganter und sind besonders korrosionssicher, zugleich aber auch nicht ganz so robust wie Mehrzwecktüren aus Stahl. Ihre Optik empfiehlt sie für den Einsatz in Bereichen, in denen neben der reinen Abschlussfunktion zugleich Wert auf ein besonderes Erscheinungsbild gelegt wird oder spezielle Hygieneanforderungen zu erfüllen sind. Sie kommen häufig in Geschäften, Betrieben mit geringer mechanischer Beanspruchung, Tankstellen, Waschanlagen aber auch in Verwaltungsbauten zum Einsatz.

Schiebetüren kommen z. B. dort zum Einsatz, wo kein ausreichender Schwenkbereich für Drehflügeltüren zur Verfügung steht (siehe Abb. 6.86). Sie werden aus Holz wie auch aus Metall mit und ohne Verglasung angeboten. Beim Öffnen wird natürlich auch Abstellraum für die Flügel benötigt. Man schafft ihn, indem man die Flügel z. B. zwischen 2 parallelen Wänden verschwinden lässt oder sichtbar vor einer Wand parkt, die dann allerdings nur noch begrenzt als Stellfläche nutzbar ist.

Wenn Schiebetüren in einem Durchgang liegen, ist bei frei vor der Wand geführten Flügeln darauf zu achten, dass zwischen der Außenkante des geöffneten Flügels und der angrenzenden Querwand genügend Freiraum verbleibt, um Klemmgefahren auszuschließen.

Im Objektbereich kommen zunehmend automatische Schiebetüren zum Einsatz, die in einer speziellen Bauart

Abb. 6.87: Stahlzargen gibt es in vielen Ausführungen und Formaten (Quelle: Hörmann KG, Steinhagen).

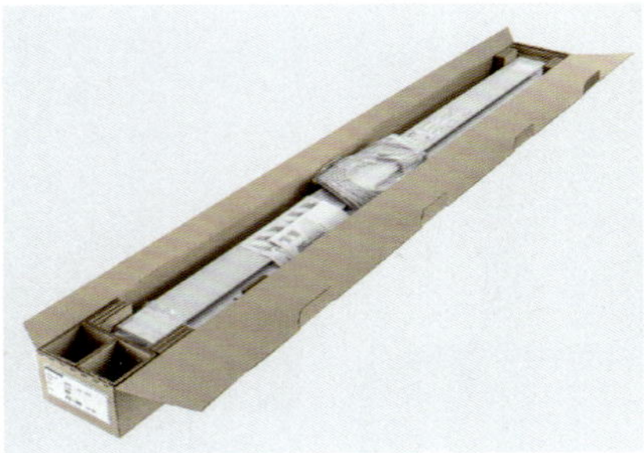

Abb. 6.88: Steck- und schraubbare Zargen sind besonders transportfreundlich (Quelle: Hörmann KG, Steinhagen).

Abb. 6.89: Ständerwerkszargen für den Trockenbau (Quelle: Hörmann KG, Steinhagen)

sogar für Flucht- und Rettungswege geeignet sind und auch eine T30-Funktion bieten.

Andere raumsparende Türlösungen sind **Falt-** und **Harmonikatüren** sowie **Horizontal-Schiebewände**, deren vertikale Elemente an Deckenschienen laufend geführt werden und sich beim Aufschieben der Trennwand zu einem Paket staffeln, das in der Öffnungslaibung oder in einer entsprechenden Nische geparkt wird. Neben einer einseitigen Parkposition sind auch 2 separate Parkpositionen möglich. Moderne Horizontal-Schiebewände lassen sich sogar in relativ engen Radien führen und erlauben so als Raumteiler eine weitgehend freie Grundrissgestaltung.

Solche Trennwände gibt es auch in Ganzglasausführung und neben einer manuell betätigten Version auch mit elektrischem Antrieb mit Programmsteuerung. Horizontale Schiebewände kommen als Innenfronten sowie in meist wärmegedämmter Ausführung als Abschluss von Laden- oder Restaurantfronten zum Einsatz.

6.9.5 Zargen

Türblatt und Zarge bilden eine Funktionseinheit. Dies bedeutet jedoch nicht automatisch, dass Türblatt und Zarge stets als Einheit beschafft werden. Es ist vielmehr durchaus möglich, Zarge und Blatt frei zu kombinieren. Eine angepasste Falzausbildung und die Vielzahl der Normabmessungen machen dies möglich. Zargen sind gegen Aufpreis auch in Sondermaßen erhältlich.

Stahlzargen

Stahlzargen werden in verschiedenen Oberflächenausführungen angeboten: verzinkt, verzinkt und grundbeschichtet, mit Lederstruktur sowie in V2A- oder V4A-Edelstahl mit geschliffener Oberfläche (siehe Abb. 6.87). Der Fachmann unterscheidet einbaufertige Normzargen nach DIN 18111 „Türzargen – Stahlzargen“ als Eck- und Umfassungszargen für gefälzte Türblätter zum Einbau in Mauerwerk. Sie werden in gestaffelten Größen und unterschiedlichen Maulweiten angeboten und sind rechts/links verwendbar.

Daneben gibt es besonders transportfreundliche steck-/schraubbare Eck- und Umfassungszargen, die insbesondere

Abb. 6.90: Stahlfutterzarge VarioFix mit Stahl-Innentür und Oberlicht in einer Schule (Quelle: Hörmann KG, Steinhagen)

bei Renovierungen und Gebäudesanierungen beliebt sind und bei Transport und Lagerhaltung nur minimalen Platz beanspruchen (siehe Abb. 6.88), sowie spezielle Zargen für Ständerwerkswände in ein- und doppelschaliger Ausführung, die ein Ausschneiden der Gipskarton-Wandbeplankung im Bereich von Schlosskasten und Bändern überflüssig machen (siehe Abb. 6.89). Auf diese Weise ersparen sie nicht nur zeitraubende Anpassarbeiten, sondern tragen auch zu einem optimalen Erscheinungsbild der Wand im Anschlussbereich an die Zarge bei.

Sowohl bei Renovierungen als auch im Neubau kann es aufgrund unterschiedlich stark aufgetragenen Putzes oder nicht immer genormter Wandstärken zu Toleranzen kommen. Bislang nur von Holzzargen bekannt, gleicht die Hörmann Stahlfutterzarge VarioFix Toleranzen bis 20 mm ohne sichtbaren Umbug aus. Leicht zu montieren wie eine Holzzarge, ist sie damit eine Alternative mit Vorteilen in puncto Design und Langlebigkeit.

Komplettiert wird das Zargenangebot durch sog. Sonderzargen. Hierzu zählen Zargen mit Oberlicht (siehe Abb. 6.90) und solche mit gerundetem Profilquerschnitt sowie Spitz- und Rundbogenzargen, Doppeltürzargen und viele andere mehr.

Unterschiedliche Zargenausführungen erlauben es nicht nur, den baulichen Gegebenheiten zu entsprechen, sondern bieten auch ein hohes Maß an gestalterischem Spielraum, den z. B. die im anspruchsvollen Objektbau gern eingesetzten Roundstyle-Zargen bieten (siehe Abb. 6.91). Diese gibt es in einer Vielzahl von Profilierungen und sie bieten sogar die Möglichkeit, die Bänder ins Zargenprofil zu integrieren.

Das Profil aller Stahlzargen weist normalerweise eine Nut zur Aufnahme von dauerelastischen, alterungsbeständigen Dichtprofilen auf, womit ein leises und dichtes Schließen der jeweiligen Tür sichergestellt ist.

Stahlzargen besitzen üblicherweise ein Bodeneinstanzprofil, das ihre maß- und winkelgerechte Form fixiert und bei der Montage vor Gießen des Fußbodens im Estrich verschwindet. Bei fertigen Fußböden muss die Zarge vor dem Einbau entsprechend gekürzt werden. Da das Bodeneinstandsprofil dann fehlt, müssen die Zargenschenkel vor der Montage mit der Wasserwaage exakt lotrecht eingemessen werden.

Die Zargenmontage erfolgt entweder durch Vermörteln der herausbiegbaren Maueranker oder per Dübelmontage (siehe Abb. 6.92). Ständerwerkszargen werden meist durch Verschrauben ihrer Hutprofile mit dem Ständerwerk montiert. Bei der Integration von Zargen in Stahlkonstruktionen ist auch eine Schweißverbindung möglich.

Zargentypen

Prinzipiell werden bei Stahlzargen 3 Grundtypen unterschieden (siehe Abb. 6.93):

- Umfassungszarge (U-Zarge),
- Eckzarge,
- Z-Zarge.

Die **Umfassungszarge**, auch kurz U-Zarge genannt, umfasst, wie ihr Name sagt, die gesamte Türlaibung und schließt die Öffnung beidseitig mit einem umlaufenden Profil, dem Zargenspiegel, sauber ab.

Auf diese Weise schafft sie eine stabile Einfassung der Türöffnung und zeichnet sich zudem auch durch eine besonders große Steifigkeit aus. Bei der Bestellung ist neben dem Türmaß die sog. Maulweite zu beachten. Diese resultiert aus der Mauerstärke plus beidseitiger Bekleidung aus Putz, Trockenputz oder sonstigen Wandbekleidungen wie Fliesen, Marmor oder Holz. Umfassungszargen werden mit Maulweiten bis zu 330 mm angeboten.

Bei Ständerwerkswänden ergibt sich die Maulweite aus der Tiefe der Unterkonstruktion, die heute üblicherweise aus Metall-U-Profilen besteht, und der Dicke der beiderseitigen ein- oder doppelschaligen Beplankung.

Bei zweischaligen Schallschutzwänden ist auch die Breite des Luftspaltes zwischen beiden Ständerwerken zu berücksichtigen.

Die **Eckzarge** bedeckt nur die Vorderkante der Wandöffnung und greift um diese herum ein Stück auf die Laibung über. Sie kommt in der Regel bei sehr tiefen Laibungen oder schmalen Gängen zum Einsatz, die sich in der Türbreite fortsetzen. Häufig werden Eckzargen in Bereichen mit geringem optischem Anspruch eingesetzt – so z. B. in Kellern oder in sog. Regieraumbereichen.

Die Gegenseite der Maueröffnung verbleibt entweder ohne Einfassung oder wird mit einer sog. Gegenzarge, d. h. einer zweiten Eckzarge ohne Bänder, eingefasst. Dabei kann der

Abb. 6.91: Roundstyle-Zarge mit Globusband (Quelle: Hörmann KG, Steinhagen)

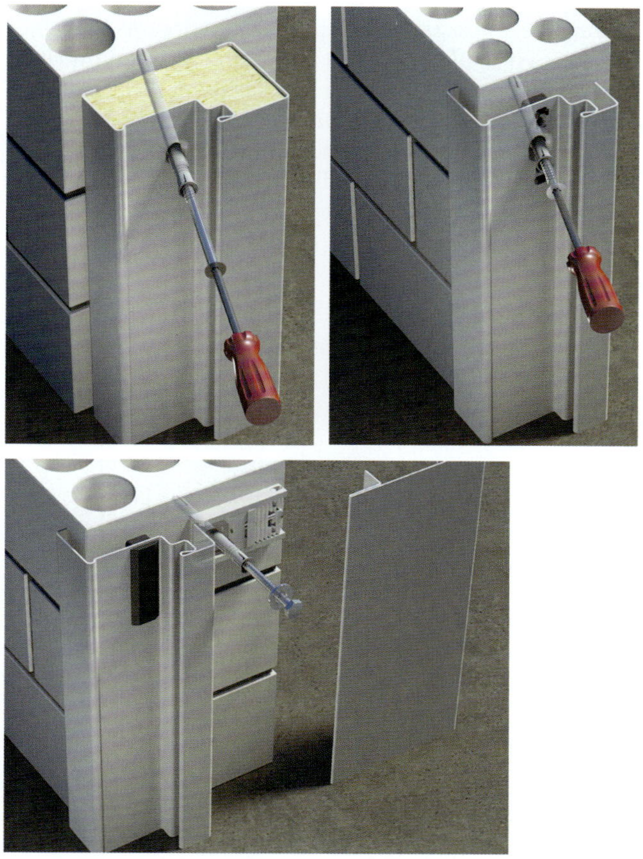

Abb. 6.92: Mörtelfreie Befestigung einer Zarge an Mauerwerk: Blockzarge, Eckzarge, Klappanker (Quelle: Teckentrup GmbH & Co. KG, Verl-Sürenheide)

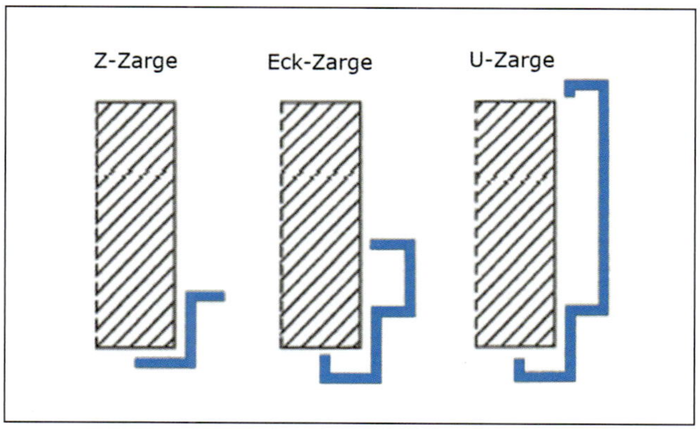

Abb. 6.93: Schematische Darstellung der 3 Zargentypen

in die Laibung greifende Schenkel der Gegenzarge so breit bemessen sein, dass er unmittelbar an die Eckzarge auf der Türseite anschließt.

Sowohl U- als auch Eckzargen gibt es auch in Form der bereits erwähnten **Steckzargen**. Diese bestehen aus 2 senkrechten Zargenschenkeln und einem waagerechte Verbindungsprofil, die vor Ort einfach zusammengesteckt und durch Verschrauben fest verbunden werden. Auch sie sind rechts/links verwendbar.

Die **Z-Zarge** wird hauptsächlich in Verbindung mit Feuerschutztüren im gewerblichen Bereich eingesetzt.

Nicht jede Zarge benötigt eine Tür. So gibt es **Durchgangszargen**, die als Gestaltungsmittel des Innenraums Verwendung finden (siehe Abb. 6.94). Der Durchgang knüpft an alte Traditionen wie antike Bauten, herrschaftliche Häuser und Paläste an und besitzt zumeist einen Rundbogen. Auch heute findet man dieses architektonische Stilmittel hin und wieder in großen Eingangshallen, Theatern, Sälen und vor allem in Gastronomiegebäuden.

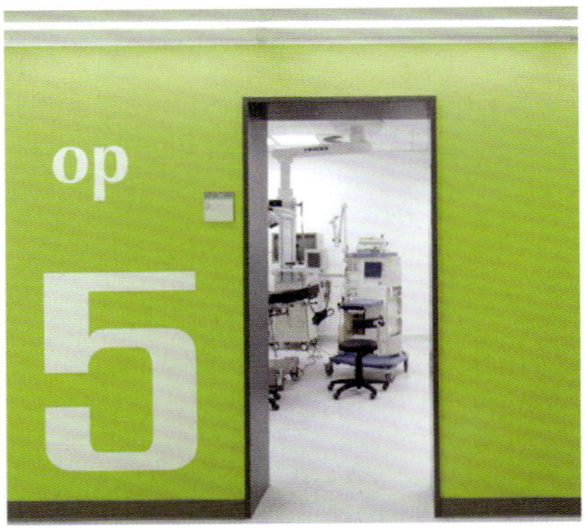

Abb. 6.94: Durchgangszargen aus Stahl (Quelle: Hörmann KG, Steinhagen)

6.9.6 Relevante Normen

DIN 4102-5:1977-09 Brandverhalten von Baustoffen und Bauteilen; Feuerschutzabschlüsse, Abschlüsse in Fahrschachtwänden und gegen Feuer widerstandsfähige Verglasungen, Begriffe, Anforderungen und Prüfungen

DIN 18257:2022-02 Baubeschläge – Schutzbeschläge – Begriffe, Maße, Anforderungen, Kennzeichnung

DIN EN 1627:2021-11 Türen, Fenster, Vorhangfassaden, Gitterelemente und Abschlüsse – Einbruchhemmung – Anforderungen und Klassifizierung

DIN EN 1906:2012-12 Schlösser und Baubeschläge – Türdrücker und Türknäufe – Anforderungen und Prüfverfahren

7 Keramische Beläge und Naturstein

7.1 Keramische Fliesen und Platten

7.1.1 Entwicklungsgeschichte

Bereits im 14. Jahrhundert verbreitete sich die Fliesenkeramik in Europa, als Majolika in Spanien, in Italien als Fayencen, als Delfter Fliesen in den Niederlanden, als das Steinzeug aus dem Kannenbäckerland (Westerwald) in Deutschland. Die Fliesenkeramik ist mit der Kultur und der Kunstgeschichte verbunden wie auch mit der Geschichte der Technik.

In Deutschland begann die Weiterentwicklung nach dem Krieg mit einem recht kleinen Sortiment und noch relativ lange Zeit nach Kriegsende war Keramik meist einfarbig, vielleicht auch einmal Ton in Ton geflammt.

Inzwischen hat sich das Sortiment signifikant weiterentwickelt, und keramische Fliesen und Platten sind heute in zahlreichen Farben, Dekoren und Formaten erhältlich (siehe Abb. 7.1).

7.1.2 Ausgangsmaterial

Keramische Fliesen und Platten gehören zur vielfältigen Gruppe der keramischen Werkstoffe (siehe Abb. 7.2). Wie bei allen keramischen Baustoffen ist auch hier Ton das Hauptausgangsmaterial. Ton besteht hauptsächlich aus

Abb. 7.1: Fliesen zählen zu den ältesten Wand- und Bodenbelägen und haben sich in den vergangenen 15 Jahren vom Zweckbelag zu einem Designprodukt verwandelt (Quelle: Steuler Fliesengruppe AG, Bremen).

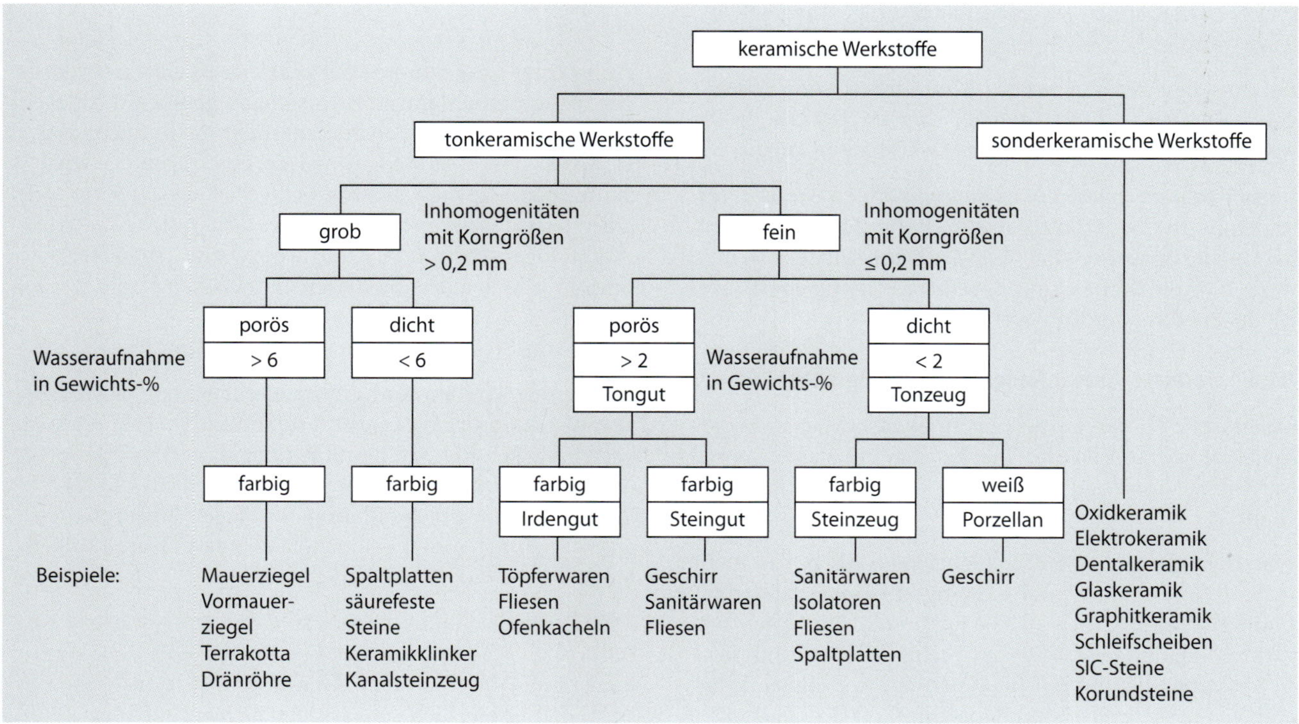

Abb. 7.2: Übersicht der keramischen Werkstoffe

wasserhaltigen Aluminiumsilikaten, also Verbindungen, die aus Aluminium und Silizium entstanden sind. Keramisch hochwertige Tone enthalten viel Kaolinit, die Verbindung aus Aluminiumhydroxid und Siliziumoxid. Dessen chemische Formel ist $Al_4[(OH)8Si_4O]$. Kaolin ist der Ausgangsstoff der Porzellanherstellung. Reiner Kaolin ist weiß. Nach dem Wassergehalt der zu verarbeitenden Masse wird unterschieden zwischen Trockenpressmasse für keramische Fliesen, plastischer Masse für stranggepresste („extrudierte") keramischen Platten sowie Gießmasse für Sanitärkeramik und zum Glasieren (Glasurschlicker). Für die Glasuren sind Quarz, Kalkspat, Dolomit und Metalloxide die Grundstoffe.

7.1.3 Produktion

Die mineralogische Zusammensetzung der Masse und die Brenntemperatur sind entscheidend für das entstehende Material: Steingut wird bei Temperaturen von bis zu 1.100 °C, aber unter der Sinterungsgrenze (= Beginn des Schmelzens) gebrannt.

Der Scherben von Steingut ist hell und porös. Steingut wurde früher in einem zweiten Brand glasiert. Während der erste Brand vor allem für die mechanische Festigkeit des Scherbens verantwortlich ist, erhält die Fliese beim Glasurbrand ihre Gebrauchseigenschaften, d. h. Abriebfestigkeit, Wasserundurchlässigkeit, chemische Beständigkeit usw. Die moderne Technik kennt sowohl das Einbrand- wie das Zweibrandverfahren.

Steinzeug wird bei ca. 1.200 bis 1.300 °C gebrannt und erhält durch Sinterungsvorgänge einen sehr dichten hellen oder farbigen Scherben. Steinzeugfliesen werden sowohl unglasiert als auch in einem Brennvorgang glasiert hergestellt.

Moderne Herstellungsbetriebe arbeiten heute mit optimierten Verfahren, bei denen z. B. die während der Produktion anfallenden keramischen Abfälle wieder in den Produktionsprozess zurückgeführt werden. Bei den meisten deutschen Herstellern wird das betriebliche Abwasser weitgehend recycelt. Zum Brennen wird natürliches Erdgas eingesetzt. Das Abgas wird in betriebseigenen Reinigungsanlagen gefiltert.

Keramische Produkte besitzen eine äußerst hohe Lebensdauer, die sich als Entlastung der Umwelt auswirkt, weil Abfälle aus Erneuerung vergleichsweise selten anfallen.

Ausgewechselte Fliesen oder Platten können wie anderer mineralischer Bauschutt z. B. zu Schotter für den Straßenbau wiederverwertet oder aber der Natur zurückgegeben werden, wo sie ohne Umweltbeeinträchtigung eines Tages wieder zu Ton oder Erde werden.

7.1.4 Formate, Güteanforderungen, Sortierungen

Keramische Fliesen werden aus trockenen Massen hergestellt, die hydraulisch oder mechanisch in Formen gepresst werden. Sie lassen sich in folgende Hauptgruppen untergliedern:

- **Steingutfliesen:** Scherben hellfarbig/weiß, porös, mehr als 10 % Wasseraufnahme. Steingutfliesen werden nur mit glasierter Ansichtsfläche hergestellt. Sie eignen sich zur Bekleidung von Wänden. Steingutfliesen sind nicht frostbeständig und nur für Innenräume geeignet. Hauptanwendungsgebiete sind Badezimmer, WCs, Küchen.

Abb. 7.3: Wandbekleidung mit keramischem Mosaik (Quelle: Jasba)

- **Steinzeugfliesen:** Scherben hell bis farbig, gesintert, weniger als 3 %, Feinsteinzeug sogar weniger als 0,5 % Wasseraufnahme. Steinzeugfliesen/Feinsteinzeugfliesen gibt es in glasierter und in unglasierter Ausführung. Sie werden überwiegend auf Fußböden verlegt. Haupteinsatzgebiete sind Wohnungen, Verkaufsräume, Hotels, Industriebetriebe, Schwimmbäder usw. Zum Bereich der Steinzeugfliesen zählt auch keramisches Mosaik (siehe Abb. 7.3).

Die Güteeigenschaften von Steingut- und Steinzeugfliesen sind unterschiedlich. Sie sind in den jeweiligen Gruppen der DIN EN 14411:2016-12 „Keramische Fliesen und Platten – Definitionen, Klassifizierung, Eigenschaften, Bewertung und Überprüfung der Leistungsbeständigkeit und Kennzeichnung" festgelegt. Fliesen, die alle Anforderungen der auf sie zutreffenden Normengruppe (BI, BII oder BIII) erfüllen, müssen auf der Verpackung in geeigneter Form mit der Güteklasse gekennzeichnet sein. Sie werden von deutschen Herstellern üblicherweise mit „1. Sorte" bezeichnet und ggf. mit einer roten Farbmarkierung gekennzeichnet.

Wenn eine Fliese nur eine der zahlreichen Güteanforderungen nicht erfüllt, dann ist sie insgesamt gesehen nicht mehr normgerecht und darf auch nicht mehr die Bezeichnung „1. Sorte" oder die rote Farbmarkierung tragen. Sie wird dann, sofern sie nicht zu viele Fehler hat, als „2. Sorte" oder „Mindersorte" bezeichnet. Die wichtigsten sicherheitsrelevanten Eigenschaften (z. B. die angegebene Trittsicherheit) müssen jedoch auch von diesen Güteklassen erfüllt werden.

Keramische Steinzeugplatten und Spaltplatten

Keramische Platten werden aus einer feuchten, plastischen Tonmischung stranggepresst („extrudiert"). Sie können in verschiedenen Formaten und Farben glasiert, teilglasiert oder unglasiert hergestellt werden. Sie sind sowohl für Wände und entsprechend ihren jeweiligen Eigenschaften auch für Böden geeignet, hochglänzende Glasuren sollten jedoch nur an der Wand verlegt werden.

Die Hauptanwendungsgebiete sind der Wohnungsbau einschließlich Balkone und Terrassen (siehe Abb. 7.4), Verkaufsräume, Ladenstraßen, Gewerbe- und Industriebetriebe, U-Bahnhöfe, Gebäudefassaden, Schwimmbäder.

Abb. 7.4: Spaltplatten eignen sich besonders als Bodenbelag für Terrassen und Balkone (Quelle: Ströher GmbH, Dillenburg).

Die Güteeigenschaften für stranggepresste keramische Fliesen und Platten sind in den Gruppen AI und AII der DIN EN 14411 festgelegt.

Keramische Platten, die alle Normanforderungen erfüllen, werden von deutschen Herstellern üblicherweise mit „1. Sorte" bezeichnet und ggf. mit einer roten Farbmarkierung gekennzeichnet.

Produkte mit geringfügigen Fehlern und leichten Farbabweichungen werden mit „2. Sorte" bezeichnet. Diese Erzeugnisse sind in der Gesamtheit ihrer Güteeigenschaften nicht mehr normgerecht, müssen jedoch die wichtigsten sicherheitsrelevanten Eigenschaften (z. B. die angegebene Trittsicherheit) erfüllen.

Allerdings gibt es für Fliesen und Platten noch eine Vielzahl von anderen Sortierungsbezeichnungen, deren Aussagekraft jedoch von eher zweifelhaftem Wert ist. Deshalb sei noch einmal besonders hervorgehoben, dass nur solche Produkte ausnahmslos alle Güteeigenschaften der betreffenden Norm erfüllen, die die Bezeichnung „1. Sorte" tragen und ggf. eine rote Farbmarkierung besitzen. Nur bei Fliesen und Platten der 1. Sorte übernehmen die Hersteller Gewähr.

Formate

Das Format ist bei allen keramischen Belägen ein wesentliches Gestaltungsmittel. So ist es selbstverständlich, dass die Hersteller keramischer Fliesen und Platten darum bemüht sind, nicht nur in Farbe und Design, sondern auch im Format ein möglichst breites Angebotsspektrum zu entwickeln. Die Kantenlängen keramischer Fliesen reichen von 1 cm („Mini-Mosaik") bis mittlerweile ca. 120 cm.

7.1.5 Einsatzgebiete und ihre Anforderungen

Eine grundsätzliche Trennung im Sortiment ergibt sich aus der Verwendung in geschlossenen Räumen oder im Freien. Dabei zählen überdachte Balkone oder Freiplätze, die im Winter dem Frost ausgesetzt sind, zu den Verwendungsstellen im Freien, auch wenn sie vor den Niederschlägen geschützt sind. Daher werden grundsätzlich frostbeständige Fliesen und Platten von den nicht frostbeständigen Steingutfliesen unterschieden.

Das heißt also, dass die Steinzeugfliesen und -platten, wenn sie als frostsicher ausgewiesen sind, überall, also innen und außen, verlegt werden können, während Steingutfliesen nur im Innern von Bauten verlegt werden dürfen, da, wo keine Frosteinwirkung zu erwarten ist. Andernfalls sind Frostschäden zu befürchten.

Abb. 7.5: Herkömmliche Fliesen: Wassertropfen bilden sich (Nr. 1) und nach dem Abtrocknen bleibt Schmutz zurück (Nr. 2) (Quelle: Jasba).

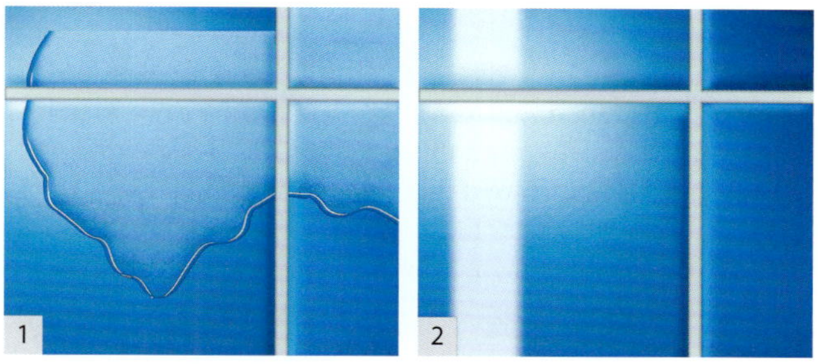

Abb. 7.6: Fliesen mit einer hydrophilen Veredelung: Wasser verteilt sich als dünner Film auf der Oberfläche und unterwandert Verschmutzungen (Nr. 1) . Die Verschmutzungen lassen sich spielend einfach entfernen (Nr. 2) (Quelle: Jasba).

Auf einen Punkt sei noch hingewiesen: Fliesen oder Platten, die im Freien verlegt sind und auch nach Schneefall oder bei Nässe begangen werden, sollten eine Rutschfestigkeit bieten, die den jeweiligen Nutzungsumständen entspricht. Bei frostsicherem Steinzeugmaterial wird noch unterschieden zwischen Steinzeugfliesen, die trocken gepresst, dadurch sehr maßgenau und für Verlegung mit engen Fugen geeignet sind, und stranggepressten („extrudierten") Steinzeugplatten. Ein Merkmal der letztgenannten Produkte ist die rückseitige Rillung.

Für die Verlegung im Innenbereich vorgesehene Fliesen müssen zwar nicht frostsicher sein, doch sie haben, wie die Fliesen und Platten für außen, im Bodenbereich bestimmten Kriterien zu entsprechen. Steinzeugfliesen und -platten nehmen sehr wenig Wasser auf und sind in unglasierter Ausführung sowohl gegen mechanische als auch gegen chemische Beanspruchung sehr widerstandsfähig.

Glasierte Fliesen werden auch als Bodenbelag verwendet, vor allem aufgrund der attraktiven gestalterischen Möglichkeiten, aber auch, weil sie leichter zu reinigen sind. Diese an sich schon hervorragenden Gebrauchseigenschaften werden nochmals gesteigert durch innovative Veredelungen (sog. hydrophile Veredelung) (siehe Abb. 7.5 und 7.6), die von renommierten Herstellern angeboten werden und sich seit mittlerweile mehr als 10 Jahren in der rauen Praxis bewähren. Keramikfliesen erhalten dadurch ganz besondere Eigenschaften. Sie sind extrem reinigungsfreundlich, wirken antibakteriell ohne Chemie und bauen schädliche Gerüche bzw. Luftschadstoffe ab, und zwar innen und außen.

Um die **Abriebfestigkeit** glasierter Fliesen für unterschiedliche Nutzungen einteilen und klassifizieren zu können, wurden international die nachstehenden 5 Beanspruchungsgruppen zusammengestellt, die als Richtschnur für die Praxis dienen sollten (siehe hierzu auch DIN EN 14411, Anhang N, Klassen 0–5):

- **Klasse 0**
  Glasierte Fliesen und Platten dieser Klasse werden nicht zur Herstellung von Bodenbelägen empfohlen.
- **Klasse 1**
  Bodenbeläge in Bereichen, die hauptsächlich mit Schuhen mit weicher Sohle oder barfuß ohne kratzende Verschmutzung begangen werden (z. B. Wohnbäder und Schlafzimmer ohne direkten Zugang von außen)
- **Klasse 2**
  Bodenbeläge in Bereichen, die mit weichen besohlten oder normalen Schuhen mit höchstens geringen Mengen kratzender Verschmutzungen gelegentlich begangen werden (z. B. Räume in Wohnbereichen von Häusern, mit Ausnahme von Küchen, Eingängen und ähnlichen Räumen, die häufig begangen werden). Dies gilt nicht für Sonderfußbekleidung, z. B. Nagelschuhe.
- **Klasse 3**
  Bodenbeläge in Bereichen, die mit normalen Schuhen häufig mit geringen Mengen kratzender Verschmutzung begangen werden (z. B. Wohnküchen, Flure, Korridore, Balkone, Loggien und Terrassen). Dies gilt nicht für Sonderfußbekleidung, z. B. Nagelschuhe.
- **Klasse 4**
  Bodenbeläge, die bei regelmäßiger Nutzung mit geringen Mengen kratzender Verschmutzung begangen werden, sodass die Beanspruchungen stärker sind als bei Klasse 3 (z. B. gewerbliche Küchen, Hotels, Ausstellungs- und Verkaufsräume)
- **Klasse 5**
  Bodenbeläge, die durch starken Fußgängerverkehr über lange Zeiträume mit geringen Mengen kratzender Verschmutzung beansprucht werden, sodass die Beanspruchungen die äußersten sind, unter denen glasierte Fliesen und Platten anwendbar sein können (z. B. öffentliche Bereiche wie Einkaufszentren, Eingangshallen in Flughäfen, Hotelfoyers, öffentliche Fußwege und industrielle Anwendungen)

Die Definitionen gelten für die beschriebenen Anwendungen bei normalen Bedingungen. Die Beläge sollten in den Gebäudeeingängen durch die Zwischenschaltung von Schmutzschleusen angemessen geschützt werden.

Für höchstbeanspruchte Böden, wie z. B. in Supermärkten, Bahnhofshallen, stark begangenen Hauspassagen, sollten keramische Bodenbeläge in unglasierter Ausführung eingesetzt werden. Auch im Industriebereich, wo Schmierschmutz und starke mechanische Belastungen auftreten, sind keramische Bodenbeläge in unglasierter Ausführung zu empfehlen. Die Reinigungsfreundlichkeit unglasierter Fliesen wird zunehmend durch Vergütung der Oberfläche bzw. durch besondere Verdichtung des Keramikscherbens verbessert.

Rutschhemmung

Qua natura ist Rutschgefahr auf allen Bodenbelagsarten vorhanden bei Nässe oder anderen gleitfördernden Medien wie Ölen, Fetten, Fleisch- und Gemüseresten usw. Daher wird in öffentlichen Bereichen bzw. Arbeitsräumen von der

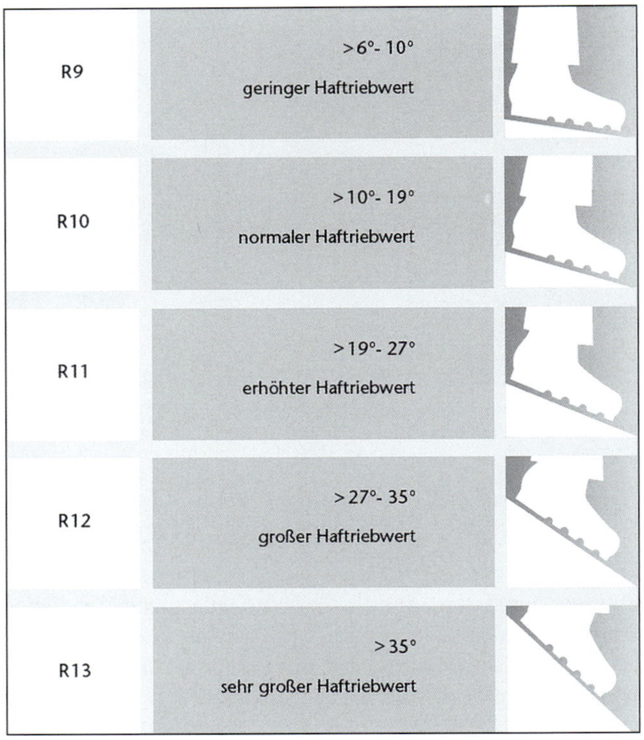

Abb. 7.7: Haftreibwerte R9 bis R13 im Schuhbereich (Quelle: Agrob Buchtal GmbH, Alfter-Witterschlick)

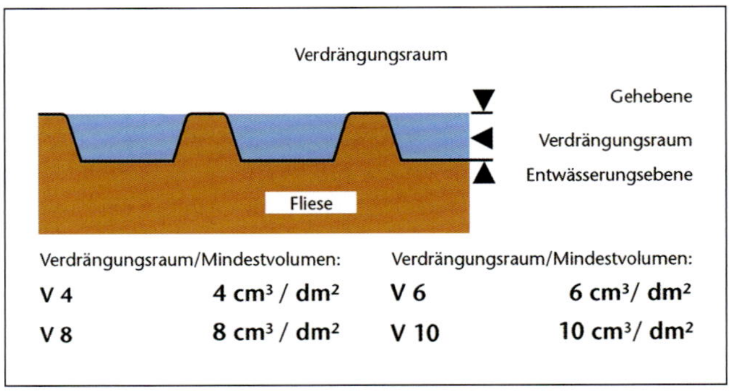

Abb. 7.8: Verdrängungsräume V4 bis V10 nach DIN 51133 (Quelle: Agrob Buchtal GmbH, Alfter-Witterschlick)

Deutschen Gesetzlichen Unfallversicherung (DGUV) sowie den Arbeitsschutzgesetzen und Unfallverhütungsvorschriften eine entsprechende Rutschhemmung gefordert. Unterschieden werden hier die Bewertungsgruppen R9 bis R13 (siehe Abb. 7.7) für den Schuhbereich und die Gruppierungen A/B/C für den sogenannten „Barfuß-Nassbereich". Die Prüfung von Belägen wird nach DIN EN 16165:2021-12 „Bestimmung der Rutschhemmung von Fußböden – Ermittlungsverfahren" vorgenommen. Die gesetzliche Einstufung des Belags wird nach der Winkelgradzahl des Abgleitens bestimmt (sog. „Gleittreibwert").

Für alle öffentlich zugänglichen Bodenbeläge gilt eine Trittsicherheit von mindestens R9. Das heißt, Geschäfte, Banken, kommunale Einrichtungen usw. müssen mindestens diese Trittsicherheitsklasse aufweisen. In gewerblichen Bereichen wie Lebensmittelherstellung, Metzgereien oder Werkstätten mit Öl- und Schmierfettanfall ist neben der jeweiligen Trittsicherheitsklasse zusätzlich ein sogenannter Verdrängungsraum vorgeschrieben (siehe Abb. 7.8). Hierbei handelt es sich um einen offenen Hohlraum zwischen oberer

Geh- und Entwässerungsebene, in dem gleitfördernde Stoffe temporär aufgenommen werden können, damit die Rutschhemmung aufrechterhalten bleibt. Diese Vorgabe wird durch unterschiedliche Profilierungen der Fliesenoberfläche erreicht. Je nach Anforderung muss ein Verdrängungsraum V4, V6, V8 oder V10 erreicht werden. Die Prüfung erfolgt nach DIN 51133:2021-12 „Prüfung von Fußböden – Bestimmung des Verdrängungsraums" [Entwurf].

7.1.6 Schwimmbad-Keramik

Ein modernes Schwimmbad ohne Keramik ist schwer denkbar, denn gerade in diesem anspruchsvollen Bereich kommen die zahlreichen ästhetischen und technischen Vorzüge voll zum Tragen. Neben den gestalterischen Aspekten (Farben, Formen, Formate) und den hohen funktionalen Anforderungen stehen Sicherheit und Komfort der Nutzer im Vordergrund. So entschärfen z. B. abgerundete keramische Radialleisten im wahrsten Sinne des Wortes das Problem von Kanten aller Art: Zu diesen Systemen zählen Spezialformteile mit 30 oder 60 mm Radius, die es erlauben, die Vorderkanten von Sitzbänken, Außenecken, Stehstufen u. Ä. rund zu gestalten und somit die Verletzungsgefahr deutlich zu verringern. Zu den eingangs beschriebenen Anforderungen an die Rutschfestigkeit tritt ein weiterer wichtiger Punkt: die Gestaltung von Beckenkopf und Beckenumgang. Hierfür gibt es zahlreiche Lösungen, die eine geregelte Wasserführung ermöglichen und darüber hinaus verschiedene andere Funktionen erfüllen, z. B. das Überfluten von umgebenden Flächen verhindern, Schmutzwasser aus den Beckenumgangsflächen vom Beckenwasser fernhalten, bei Freibecken eine Barriere für Kriechtiere bilden und dem Schwimmer einen sicheren und verletzungsfreien Halt am Beckenrand ermöglichen.

Im Folgenden werden aus der Fülle realisierbarer Lösungen 2 gebräuchliche Beckenkopfsysteme in ihren wesentlichen Merkmalen kurz vorgestellt:

System Bamberg

Diese neuartige Lösung wurde speziell entwickelt für das erste Hallenbad Europas, das nach Passivhaus-Standard zertifiziert ist und in Bamberg realisiert wurde (siehe Abb. 7.11). Dort erfolgte die erstmalige Verwendung und daher trägt das System den Namen dieser Stadt. Die Form, die anhand komplexer Versuche kreiert bzw. optimiert wurde, leistet durch deutlich reduzierte Wasserverdunstung einen wertvollen Beitrag zur Energieeinsparung. Zudem wird durch den sanften Einlauf einer energetisch und akustisch ungünstigen Spritzwasserbildung wirkungsvoll vorgebeugt.

System Wiesbaden

Es handelt sich um einen Beckenkopf mit hoch liegendem Wasserspiegel (ca. 3 cm über Beckenumgangsniveau) (siehe Abb. 7.12).

Das Volumen der Rinne muss mit der möglichen Frequentierung des Beckens abgestimmt werden und so dimensioniert sein, dass verdrängtes Wasser aufgenommen und störungsfrei abgeleitet wird.

Abb. 7.9: Hotel-Außenpool in Keramik – Formteile und rutschhemmende Oberflächen stehen für höchste Funktionalität (Quelle: Agrob Buchtal GmbH, Alfter-Witterschlick).

Abb. 7.10: Zusammenspiel keramischer Fliesen und Formteile in einem Schwimmbad (Quelle: Agrob Buchtal GmbH, Alfter-Witterschlick)

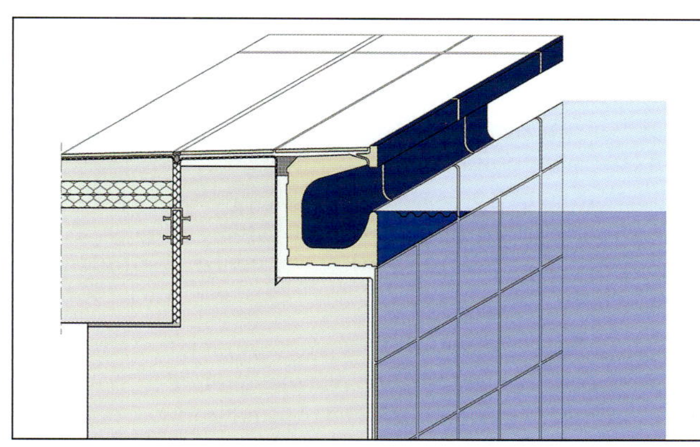

Abb. 7.11: System Bamberg (Quelle: Agrob Buchtal GmbH, Alfter-Witterschlick)

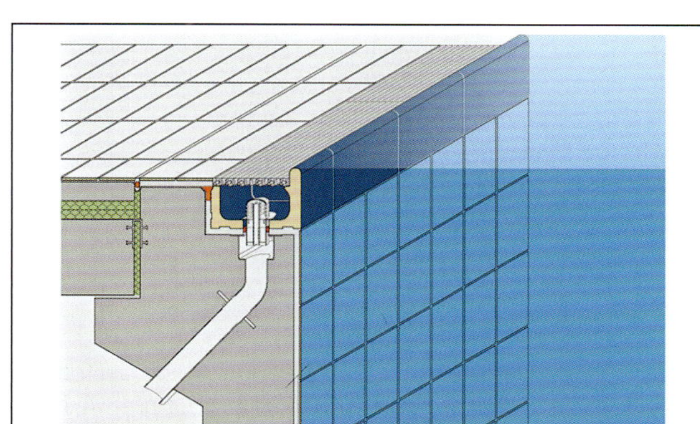

Abb. 7.12: System Wiesbaden (Quelle: Agrob Buchtal GmbH, Alfter-Witterschlick)

7.1.7 Treppen

Zum Verfliesen von Treppen gibt es verschiedene Möglichkeiten: von abgewinkelten Ausführungen mit Rillen im Auftrittsbereich bis hin zu besonders repräsentativen Lösungen, die die Formensprache historischer Vorbilder aufgreifen. Selbstverständlich müssen Fliesen und Platten auf Treppen rutschhemmend sein und ggf. die entsprechenden Anforderungen für das barrierefreie Bauen nach DIN 18040 „Barrierefreies Bauen" erfüllen (z. B. kontrastierende Kantenmarkierungen an Treppenstufen).

Abb. 7.13: Podesttreppe mit keramischem Belag (Quelle: Agrob Buchtal GmbH, Alfter-Witterschlick)

7.1.8 Terrassen und Balkone

Terrassen und Balkone zählen mit zu den bauphysikalisch am stärksten strapazierten Gebäudeteilen. Insbesondere Witterungseinflüsse wie z. B. Sonneneinstrahlung, Feuchtigkeit, Regen, Frost führen zu Beanspruchungen, die hohe Anforderungen an die Qualität des Materials, aber auch an die Konstruktion und Ausführungsqualität stellen.

Richtlinien dazu enthält das Merkblatt „Außenbeläge – Belagskonstruktionen mit Fliesen und Platten außerhalb von Gebäuden" (wozu natürlich auch Terrassen und Balkone gehören) vom Fachverband des Deutschen Fliesengewerbes, Berlin. Keramische Fliesen und Platten werden – sorgfältig ausgewählt und verlegt – aufgrund ihrer materialspezifischen Vorzüge auch für diese anspruchsvollen Anwendungen gerne eingesetzt.

Neben der bekannten kraftschlüssigen Verklebung gibt es auch keramische Terrassenplatten für die lose Verlegung (siehe Abb. 7.14) auf Splittbett, Stelzlagern, Mörteltüten u. Ä.

Abb. 7.14: Feinsteinzeugfliesen und extrudierte Platten lassen sich in 2 cm-Stärke auch in größeren Formaten lose oder auf Stelzlagern verlegen (Quelle: Villeroy & Boch Fliesen AG, Mettlach)

7.1.9 Keramik auf Fußbodenheizung

Niedertemperatur-Fußbodenheizungen werden aus guten Gründen immer populärer. Keramische Fliesen und Platten sind für diesen Zweck prädestiniert, da sie Wärme speichern bzw. über eine große Fläche verteilen. Dies führt zu einer Art „Kachelofen-Effekt am Boden" mit angenehmer, zugfreier Strahlungswärme statt punktueller, zugiger Wärmeumwälzung durch Konvektion wie bei herkömmlichen Heizkörpern.

Unerwünschtem Wärmeabfluss nach unten kann vorgebeugt werden, indem schlecht Wärme leitende (d. h. isolierende) Materialien unter den Heizrohren und gut Wärme leitende Materialien über den Heizrohren verwendet werden. Hilfreich ist dabei der Vergleich der Wärmeleitzahlen von relevanten Baustoffen:

- gute Wärmeleitfähigkeit nach oben:
  - Zementestrich (= 1,4 W/[m · K])
  - Steinzeugfliesen (= 1,0 W/[m · K])
- schlechte Wärmeleitfähigkeit nach oben:
  - Holz (= 0,13 bis 0,17 W/[m · K])
- schlechte Wärmeleitfähigkeit nach unten:
  - Dämmstoffe (= 0,02 bis 0,06 W/[m · K])

7.1.10 Keramik und Gestaltung

Keramikfliesen und -platten sind einer der vielfältigsten und variantenreichsten Baustoffe überhaupt. Zudem handelt es dabei um eine der wenigen Belagsarten, die für Wand und Boden geeignet sind und dort gleichermaßen gut wirken. Keramik wird daher von vielen Gestaltern, Planern und Bauherren sowohl für moderne als auch für klassische Architektur eingesetzt.

Abb. 7.15: Repräsentative Fassadengestaltung mit keramischen Elementen (Quelle: Agrob Buchtal GmbH, Alfter-Witterschlick)

Besonders repräsentativ sind großformatige Keramikplatten, die auch zur Fassadengestaltung viele Möglichkeiten bieten (siehe Abb. 7.15). Sie können „kraftschlüssig verklebt“ oder „vorgehängt, hinterlüftet“ angebracht werden (siehe Kapitel 4.8).

7.1.11 Keramik im Wohnbereich

In Zeiten zunehmender Hektik ist die Wohnung weit mehr als nur ein Dach über dem Kopf. Sie ist Rückzugsort zur Entspannung und zugleich auch kommunikativer Mittelpunkt für Familie und Freunde (siehe Abb. 7.16). In diesem Zusammenhang gewinnen die oft zitierten eigenen 4 Wände zunehmend an Bedeutung als Ausdrucksmittel für Individualität, die die Handschrift der Bewohner widerspiegelt.

Dafür werden zunehmend aufeinander abgestimmte Wand-Boden-Fliesen bevorzugt, um ganzheitliche Innenarchitektur wirkungsvoll zu unterstützen (siehe Abb. 7.17). Keramische Fliesen und Platten bieten dafür schier unerschöpfliche Möglichkeiten: Die Bandbreite reicht von puristisch-reduziert über klassisch-elegant bis hin zu opulent-avantgardistisch.

7.1.12 Relevante Normen

DIN 18040 Barrierefreies Bauen, gesamte Normenreihe

DIN EN 14411:2016-12 Keramische Fliesen und Platten – Definitionen, Klassifizierung, Eigenschaften, Bewertung und Überprüfung der Leistungsbeständigkeit und Kennzeichnung

DIN EN 16165:2021-12 Bestimmung der Rutschhemmung von Fußböden – Ermittlungsverfahren

DIN 51133: 2021-12 Prüfung von Fußböden – Bestimmung des Verdrängungsraums [Entwurf]

7.2 Verlegung von Platten und Fliesen im Dünnbettverfahren

7.2.1 Dünnbettmörtel

In den letzten 2 bis 3 Jahrzehnten hat sich die Dünnbettverlegemethode zu nahezu 100 % auf Baustellen etabliert. Das heißt, werden heute keramische Fliesen und Platten oder keramische sowie Glasmosaike verlegt, so wird diese Verlegung im Dünnbett ausgeführt. Für diese Verlegetechnik sind entsprechende werkseitig hergestellte Kleber/Dünnbettmörtel konzipiert.

Eigenschaften, Leistungsparameter und deren Kennzeichnung regelt DIN EN 12004 „Mörtel und Klebstoffe für keramische Fliesen und Platten“.

Bei dem Dünnbettverfahren dürfen sich unter der verlegten keramischen Fliese etwa 1 bis 5 mm Kleberbettdicke befinden. Es wird unterschieden zwischen Dünnbettmörtel auf Zement-, Dispersions- und Reaktionsharzbasis.

Zementmörtel

Am häufigsten werden in Deutschland Dünnbettmörtel auf Zementbasis eingesetzt. Bei diesen wird ein vom Hersteller vorgemischter Trockenmörtel auf der Baustelle mit Wasser angemischt und kann anschließend verarbeitet werden.

Dünnbettmörtel auf Zementbasis werden auch als hydraulisch abbindende Systeme bezeichnet. Wird der Zement mit Wasser vermischt, bildet sich ein sog. Zementleim (siehe Abb. 7.18), der nach dem Abbindeprozess eine feste Struktur bildet.

Für die Baustelle und ihre jeweiligen Bedingungen sind unterschiedliche Eigenschaften der Dünnbettmörtel notwendig. Diese werden in DIN EN 12004 beschrieben.

Abb. 7.16: Keramisches Wand-Bodenkonzept mit XL-Fliesen und ornamentalen Dekorelementen für die Wand (Quelle: Grohn)

Abb. 7.17: Fliesenspiegel modern – kombiniert mit XL-Fliesen im Estrichlook (Quelle: Agrob Buchtal GmbH, Alfter-Witterschlick)

Abb. 7.18: Der Werktrockenmörtel (Pulver) wird mit entsprechender Menge Wasser in einem Gefäß angemischt (Quelle: Sopro Bauchemie GmbH, Wiesbaden).

Abb. 7.19: Mittels einer Flüssigdispersionszugabe kann ein hochflexibler Dünnbettmörtel hergestellt werden (Quelle: Sopro Bauchemie GmbH, Wiesbaden).

Abb. 7.20 und 7.21: Nach dem Öffnen des Gebindes und dem Entfernen der Schutzfolie kann der Dispersionskleber verarbeitet werden (Quelle: Sopro Bauchemie GmbH, Wiesbaden).

Wesentlicher Kennwert sind die Haftzugfestigkeiten, die mit Werten von mindestens 0,5 N/mm^2 oder mindestens 1 N/mm^2 bei verschiedenen Lagerungen gefordert sind. Hinzu kommt die normale oder schnelle Erhärtung oder das Standvermögen, die sog. thixotropen Eigenschaften, wenn Fliesen an Wandflächen zu verlegen sind und dadurch ein Abrutschen der Fliesen nicht stattfindet bzw. verhindert wird.

Bedingt durch die im Baukörper stattfindenden Bewegungen ist auch eine Flexibilität des Klebers gewünscht und gefordert, um gewisse Spannungen kompensieren zu können. Ist eine hohe Flexibilität gewünscht, kann es möglich sein, dass auf der Baustelle statt des Wassers bei der Mörtelherstellung eine Flüssigdispersion beigemischt wird (siehe Abb. 7.19).

Zementäre Mörtel sind in Deutschland sehr beliebt. Sie lassen sich leicht verarbeiten, sind in einer großen Vielfalt erhältlich, sind wasserbeständig (Badezimmer, Duschen, Schwimmbadbau) und seit vielen Jahren in der Praxis bewährt.

Dispersionskleber

Als Zweites sind die sog. Dispersionskleber zu nennen, die in Deutschland eine untergeordnete Rolle spielen (siehe Abb. 7.20 und 7.21).

Ihr Vorteil in der Verarbeitung liegt darin, dass sie als Fertigmischung auf die Baustelle kommen und nach dem Öffnen des Gebindes sofort verarbeitet werden können. Der Aushärteprozess dieser Kleber findet über die Trocknung, also eine Wasserabgabe, statt. Im Umkehrschluss bedeutet dies, dass diese Kleber nur bedingt in Nassräumen einsetzbar sind, da sie durch Wasserzufuhr wieder weich werden können.

Ein großer Vorteil von Dispersionsklebern besteht jedoch darin, dass sie aufgrund ihres hohen Kunststoffgehaltes im ausgehärteten Zustand sehr flexibel bleiben und deshalb auf sehr spannungsstarken oder schwindanfälligen Untergründen gut eingesetzt werden können.

Reaktionsharzkleber

Reaktionsharzkleber sind entweder auf Epoxi- oder PU-Basis aufgebaut (siehe Abb. 7.22). Diese Spezialkleber werden eingesetzt, wenn hohe chemische Beständigkeiten gefordert sind oder auf speziellen Untergründen wie z. B. Stahl (Treppenkonstruktionen, Aufzugsböden usw.) zu kleben ist.

Abb. 7.22: Mithilfe des PU-Klebers kann die Verklebung der Platten direkt auf dem Stahluntergrund erfolgen (Quelle: Sopro Bauchemie GmbH, Wiesbaden).

Abb. 7.23: Die für Bodenflächen einsetzbaren Spachtelmassen sind sehr dünnflüssig, selbstnivellierend und dadurch leicht in der Verarbeitung (Quelle: Sopro Bauchemie GmbH, Wiesbaden).

Damit diese Kleber ihre Festigkeit entwickeln, ist es notwendig, dass Komponente A und Komponente B im Vorfeld sorgfältig miteinander vermischt werden. Damit alle Bestandteile auch wirklich gut miteinander vermischt sind, werden ein Umtopfen in einen neuen Eimer und ein erneutes Mischen empfohlen.

7.2.2 Verlegung

Aufgrund der Dicke eines Dünnbettmörtelbetts von ca. 1 bis 5 mm hat der Fliesenleger kaum Spielraum für einen entsprechenden Toleranzausgleich, um eine planebene Fliesenverlegung durchführen zu können. Im Vorfeld sind also die Flächen (Wand/Boden) auf ihre Ebenflächigkeit und ihre Belegbarkeit hin zu prüfen.

In DIN 18157 „Ausführung von Bekleidungen und Belägen im Dünnbettverfahren" sind alle Arbeitsschritte und die verschiedenen Untergrundmaterialien beschrieben.

Sollte ein Untergrund Ungleichmäßigkeiten aufweisen, dann sind entsprechende Spachtel- und Ausgleichsarbeiten notwendig, um später die Fliese im Dünnbettverfahren verlegen zu können (siehe Abb. 7.23).

Verlegetechniken

Floating-Verfahren

Auf dem Untergrund wird der Fliesenkleber mit einer entsprechenden Zahnspachtel aufgekämmt. Die Zahnspachtelgröße ist abhängig von dem Fliesenformat. Die Fliese wird anschließend in das Mörtelbett eingeschoben (siehe Abb. 7.24).

Abb. 7.24: Die Fliese wird in das auf dem Boden vorbereitete Kleberbett eingelegt (Quelle: Sopro Bauchemie GmbH, Wiesbaden).

Buttering-Verfahren

Der Kleber wird lediglich auf der Plattenrückseite aufgekämmt und dann an der Verlegefläche eingedrückt (siehe Abb. 7.25). Diese Technik wird des Öfteren bei Reparaturen usw. eingesetzt.

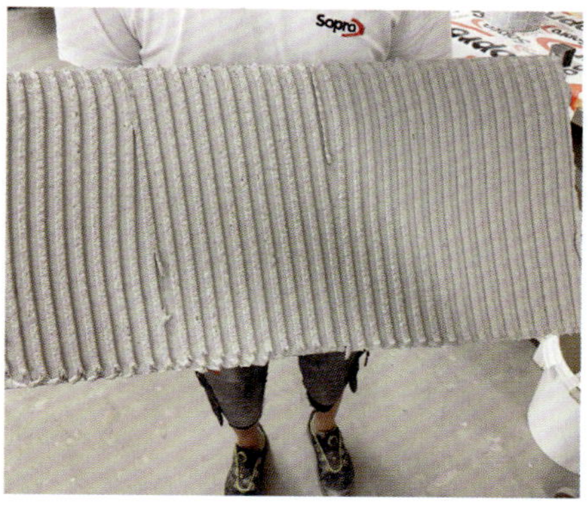

Abb. 7.25: Die Fliese ist rückseitig mit Kleber abgespachtelt, die Zahnstege sind gut erkennbar (Quelle: Sopro Bauchemie GmbH, Wiesbaden).

Kombiniertes Verfahren

Der Kleber wird auf den Untergrund und die Plattenrückseite aufgetragen. Beide Kleberflächen werden anschließend im frischen Zustand ineinandergeschoben (siehe Abb. 7.26). Dieses Verfahren wird häufig dann angewendet, wenn eine sehr gute Bettung der Fliese benötigt wird, um z. B. hohe Verkehrslasten aufnehmen zu können. Eingesetzt wird dieses Verfahren, wenn weitgehend keine Hohlräume unter der Fliese sein sollen, da sich in Nassbereichen dann Wasser usw. einlagern könnte. Das Verfahren wird ebenfalls angewendet, wenn eine hohe Sicherheit für die Verklebung gewünscht wird, zum Beispiel an Fassadenflächen. Bei den in den letzten Jahren im Markt verstärkt eingesetzten dünnschichtigen Großformatfliesen ist das kombinierte Verfahren zum Standard geworden.

Abb. 7.26: Der Fliesenkleber ist auf dem Untergrund und der Fliesenrückseite gut zu erkennen. Beide Kleberschichten werden nun ineinandergeschoben (Quelle: Sopro Bauchemie GmbH, Wiesbaden).

7.2.3 Untergrundvorbereitung

Wie erläutert kann es notwendig sein, dass ein Untergrund im Vorfeld zu spachteln oder auszugleichen ist. Dies kann an Wand und Bodenflächen der Fall sein.

Die Hersteller bieten hier eine breite Palette an verschiedenen Produkten an. In der Regel sind diese auf Zementbasis aufgebaut. Sie sind standfest (Wand) oder flüssig und selbstverlaufend eingestellt (Bodenflächen) (siehe Abb. 7.27) und leichtgängig in der Verarbeitung.

Abb. 7.27: Mit selbstverlaufenden Spachtelmassen lassen sich Bodenflächen relativ einfach ausgleichen (Quelle: Sopro Bauchemie GmbH, Wiesbaden).

Ein gewisser Teil dieser Produkte ist auch auf Gipsbasis aufgebaut, wenn zum Beispiel Gipsputze oder calciumsulfatgebundene Estriche auszugleichen sind.

Die Untergründe sind zu Beginn der Arbeiten von Staub zu befreien bzw. alle haftungsmindernden Stoffe (Farbreste, Mörtel usw.) sind zu entfernen.

Die Untergründe auf Baustellen sind in der Regel mineralischer Natur, d. h., sie haben ein gewisses Saug- oder auch Wasseraufnahmeverhalten. Dieses Verhalten soll reduziert werden oder nach Möglichkeit gar nicht erst stattfinden, da sonst dem sehr dünnen Mörtelauftrag unmittelbar das Wasser entzogen wird und die Aushärtung des Mörtels dadurch gestört wird.

Aus diesem Grund sind entsprechende Grundierungssysteme auf Kunstharzbasis als erster Arbeitsgang auf dem Untergrund aufzubringen. Durch die Grundierung wird das Saugverhalten heruntergesetzt, der letzte Staub wird gebunden und die Oberfläche des Untergrundes (z. B. Putz) zusätzlich verfestigt.

Abb. 7.28 bis 7.31: Für die unterschiedlichsten Beläge stellen die Hersteller entsprechende Fugenmörtel zur Verfügung (Quelle: Sopro Bauchemie GmbH, Wiesbaden).

7.2.4 Verfugung

Nach der Fliesenverlegung sind die noch offenen Fugen zwischen den einzelnen Fliesen zu schließen. Hierfür gibt es eine Vielzahl an Fugenmörtelmischungen, eingestellt für unterschiedliche Fugenbreiten sowie Belagsmaterialien mit einer großen Farbauswahl (siehe Abb. 7.28 bis 7.31).

Eine Fuge sollte eine Mindestbreite von 3 mm besitzen, damit beim Verlegen der Fliesen noch eine gewisse Korrigierbarkeit gegeben ist und die Fuge auch noch gut zu füllen ist.

Im Wesentlichen werden Fugenmörtel auf Zementbasis eingesetzt. Diese gibt es in großer Vielfalt mit den unterschiedlichsten technischen Eigenschaften. In chemisch belasteten Bereichen (Säuren, Laugen, extreme Reinigungsprozesse) werden Fugenmörtel auf Epoxidharzbasis verwendet.

Bewegungsfugen

Flächen lassen sich nicht unendlich groß herstellen, da die Materialien selbst an ihre Grenzen kommen und bedingt durch ein gewisses Eigenleben (temperaturbedingte Längenänderungen, Quell-, Schwindprozesse) in Bewegung sind.

Um Schäden in Form von Rissen usw. zu vermeiden, sind Bewegungsfugen notwendig. Diese befinden sich an aufgehenden Bauteilen (Wänden) oder in großen Bodenflächen zur Teilung der Estriche. Die Bewegungsfugen können mit elastischen Dichtstoffen (Silikon) (siehe Abb. 7.32) oder aber auch mit Profilen verschlossen werden.

7.2.5 Flächenverbundabdichtung

Der keramische Belag kommt aufgrund der hervorragenden Eigenschaften im Umgang mit Wasser in Badezimmern, Duschanlagen, Großküchen, Schwimmbädern usw. zum Einsatz. Ein keramischer Fliesenbelag stellt allerdings

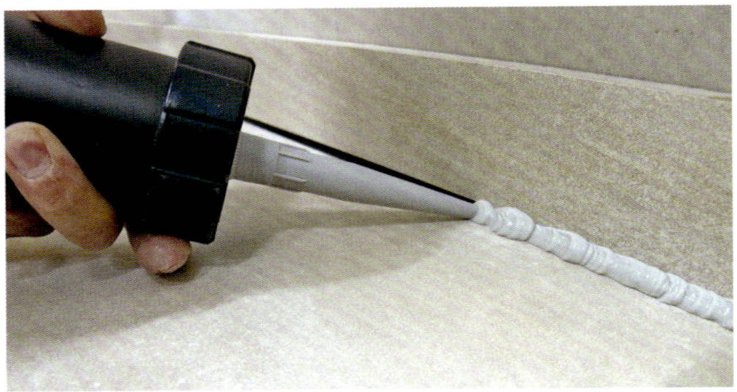

Abb. 7.32: Mit einer Spritze lassen sich die Silikondichtstoffe leicht einbringen (Quelle: Sopro Bauchemie GmbH, Wiesbaden).

keine Abdichtung dar oder ersetzt diese. Das bedeutet, dass unter dem Fliesenbelag eine Abdichtungsebene vorzusehen ist. Diese sog. Abdichtung im Verbund wird unter anderem in DIN 18534 „Abdichtung von Innenräumen" genannt und beschrieben.

Als Abdichtungsstoff werden heute flüssige Systeme wie Dispersionsabdichtungen, Dichtungsschlämmen oder Abdichtungen auf Reaktionsharz-, PU- oder Epoxidharzbasis eingesetzt. Diese flüssig zu verarbeitenden Stoffe werden zweimal aufgetragen. Nach dem Abbindeprozess muss eine gewisse Mindesttrockenschichtdicke vorhanden sein. Diese beträgt bei

- Dispersionen 0,5 mm,
- Dichtungsschlämmen 2,0 mm,
- Reaktionsharzen 1,0 mm.

Die anschließende Fliesenverlegung findet im Dünnbett mit einem auf die Abdichtung zugelassenen Dünnbettmörtel statt. Daher ist sehr früh darauf zu achten, dass alle eingesetzten Produkte im System aufeinander abgestimmt sind.

Um Wand-Boden-Übergänge, Ecken und Durchdringungen fachgerecht eindichten zu können, gehören zu den Ab-

Abb. 7.33: Dichtbänder und Formteile sind zuvor einzuarbeiten bzw. zu fixieren. Der eigentliche Abdichtungsprozess der Flächen beginnt danach (Quelle: Sopro Bauchemie GmbH, Wiesbaden).

Abb. 7.35: Sockelträgerprofil aus Edelstahl (Quelle: Schlüter-Systems KG, Iserlohn)

Abb. 7.34: Ein mit Bahnen abgedichteter Raum (Quelle: Sopro Bauchemie GmbH, Wiesbaden).

Abb. 7.36: Aluminiumprofil mit Auftrittsfläche aus rutschhemmendem Kunststoff (Quelle: Schlüter-Systems KG, Iserlohn)

dichtungsprodukten entsprechende Bänder, Manschetten, Formteile usw. (siehe Abb. 7.33).

Es besteht die Möglichkeit, statt mit flüssigen Abdichtungsstoffen auch mit Abdichtungsbahnen zu arbeiten (siehe Abb. 7.34).

Diese werden mit Fliesenkleber oder einem speziellen Klebstoff fixiert. Die Fliesenverlegung findet anschließend auch hier wieder im Dünnbettverfahren statt.

Das Abdichten von Räumen bzw. der zu schützenden Flächen ist ein sensibles Thema. Daher muss im Vorfeld in der Planungsphase die mögliche Wassereinwirkung identifiziert werden. Hierauf baut der spätere Gesamtaufbau in einem Nassraum auf.

7.2.6 Relevante Normen

DIN EN 12004 Mörtel und Klebstoffe für keramische Fliesen und Platten

DIN 18157 Ausführung von Bekleidungen und Belägen im Dünnbettverfahren

DIN 18534 Abdichtung von Innenräumen

7.3 Schienen und Profile für keramische Wand- und Bodenbeläge

Platten- und Fliesenbeläge besitzen vielfach sensible Kanten- und Randbereiche, die es besonders zu schützen gilt und/oder die eine optisch ansprechende Ausbildung erfordern. In speziellen Fällen, wie z. B. Randbereichen von Balkonen und Terrassen oder Antritten von Treppenstufen, kommen zusätzliche Funktionen hinzu (Aufnahme von Rinnen, Rutschhemmung usw.).

Diese Kanten- und Randbereiche sind vor allem

- Sockelbereiche,
- Antritte bei Fliesenbelägen im Treppenbereich,
- Wandinnenecken und Wand-Boden-Anschlüsse,
- Wandaußenecken von Fliesenbelägen,
- Übergänge von Fliesenbelägen zu anderen Belägen (z. B. Teppichboden, Parkett),
- Anschlüsse von Fliesen an Einbauteile, wie z. B. Wannen und Duschtassen, Tür- und Fensterrahmen,
- Abschlüsse von Balkonen und Terrassen,
- Revisionsöffnungen.

Für diese Anwendungsfälle wurden spezielle Schienen und Profile entwickelt, die im Folgenden am Sortiment eines bekannten Herstellers erläutert werden.

Sockelträgerprofile

Sockelträgerprofile aus Edelstahl (siehe Abb. 7.35) werden dann eingesetzt, wenn für Sockelfliesen kein tragfähiger Untergrund vorhanden ist. Klassische Anwendungsfälle sind Balkone und Terrassen mit an der Wand hochgeführten Bitumenabdichtungen.

Während der Befestigungsschenkel in der Fliesenkleberschicht der Bodenfliesen verankert wird, dient der senkrechte Schenkel als Träger für die Sockelfliesen, die mit Fliesenkleber verlegt werden.

Antritte bei Fliesenbelägen im Treppenbereich

Bei Treppenstufen mit Fliesenbelag muss die Auftrittsfläche mit einer rutschhemmenden Kante versehen werden (siehe Abb. 7.36). Hier werden zahlreiche Profile (zumeist in Werkstoffkombinationen, wie beispielsweise Aluminium/Kunst-

Abb. 7.37: Flexibles Eckprofil aus kombiniertem Hart-Weich-Kunststoff (Quelle: Schlüter-Systems KG, Iserlohn)

Abb. 7.38: Eckprofil mit abgeschrägter Sichtfläche für Wandaußenecken und Belagsabschlüsse (Quelle: Schlüter-Systems KG, Iserlohn)

Abb. 7.39: Übergangsprofil für den Kantenschutz an angrenzenden Belagsarten (Quelle: Schlüter-Systems KG, Iserlohn)

Abb. 7.40: Flexibles Anschlussprofil für Fliesenbeläge an Einbauteilen (Quelle: Schlüter-Systems KG, Iserlohn)

Abb. 7.41: Randprofil mit eingehängter Entwässerungsrinne (Quelle: Schlüter-Systems KG, Iserlohn)

Abb. 7.42: Unsichtbare Revisionsöffnung mit Winkelstücken, Magneten und Gegenplättchen (Quelle: Schlüter-Systems KG, Iserlohn)

stoff oder Edelstahl/Kunststoff) angeboten, die auch optisch ansprechende und trittsichere Kantenausbildungen erlauben.

Wandinnenecken und Wand-Boden-Anschluss

Auch für die Gestaltung von Wandinnenecken und für den Anschluss von Wand- und Bodenfliesen kommen Profile in Werkstoffkombination zum Einsatz (in der Regel Hart-Weich-Kunststoff, im gewerblichen Bereich in der Regel Edelstahl) (siehe Abb. 7.37). Neben Hohlkehlprofilen, die bei erhöhten Anforderungen an die Hygiene eine effiziente Reinigung des Belags erlauben, werden Eckprofile eingesetzt, deren Sichtfläche der Breite üblicher Fugen entspricht.

Wandaußenecken von Fliesenbelägen

Geflieste Wandaußenecken sind besonders durch mechanische Beschädigung gefährdet. Die zuverlässigste Lösung für einen effizienten Kantenschutz sind Eckprofile (siehe Abb. 7.38). Sie schützen die Belagskanten nicht nur wirksam vor Beschädigungen, sondern erlauben auch interessante optische Effekte. Entsprechend vielfältig in Farbgebung und Materialien ist das Sortiment.

Übergänge von Fliesenbelägen zu anderen Belägen (z. B. Teppichboden, Parkett)

In modernen Wohnraumkonzepten verläuft die Raumteilung auch über den Wechsel der Bodenbeläge. Es entstehen Berührungskanten zwischen Fliesenbelag und anderen Bodenbelägen. Für diese Anwendungsfälle werden zahlreiche Schienen und Profile angeboten, mit denen Abschlüsse oder auch Übergänge (Anschlüsse) wahlweise geradlinig oder gekrümmt hergestellt werden können (siehe Abb. 7.39). Verschiedene Profile können auch eine stufenlose Verbindung zwischen verschieden hohen Bodenbelägen herstellen.

Anschlüsse von Fliesen an Einbauteile, wie z. B. Wannen und Duschtassen, Tür- und Fensterrahmen

Als Alternative zur sichtbaren elastischen Fuge werden flexible Anschlussprofile eingesetzt, die aus weichem Kunststoff bestehen und sich dezent an das Einbauteil anschmiegen (siehe Abb. 7.40).

Abschlüsse von Balkonen und Terrassen

Terrassen und Balkone bestehen in der Regel aus einer Rohbetondecke, einem Gefälleestrich (2 %), einer Bauwerksabdichtung und einer Dränage als Unterkonstruktion, auf der die Belagskonstruktion errichtet wird. Dabei sind die Randbereiche der Balkone und Terrassen permanent der Witterung ausgesetzt. Verschiedene Profile schützen diese Bereiche wirkungsvoll und bieten darüber hinaus einen sauberen und auch optisch attraktiven Abschluss. Einige Profile können zudem auch mit einem passenden Rinnensystem ergänzt werden (siehe Abb. 7.41).

Revisionsöffnungen

In Wandbelägen aus Fliesen sollen Revisionsöffnungen (z. B. Kontrollöffnungen an Badewannen) möglichst unsichtbar sein. Hier werden Montagesätze angeboten (z. B. Winkelstücke mit Magneten und Gegenplättchen), die sich perfekt in den jeweiligen Belag integrieren lassen und die sich dem Fugenbild genau anpassen. Eine sauber montierte Revisionsöffnung sollte praktisch nicht mehr erkennbar sein und die Optik der gefliesten Wandoberfläche keinesfalls stören (siehe Abb. 7.42).

7.4 Naturwerkstein

Naturstein ist ein wichtiger Rohstoff, der für die unterschiedlichsten Anwendungen benötigt wird. Dies beginnt mit feinen Gesteinsmehlen, die als Füllstoffe oder zur Zementherstellung verwendet werden, und reicht über Sande und Kies zur Herstellung von Beton und Asphalt oder zu der direkten Verwendung im Straßenbau, dem Schotter für den Gleisbau und Wasserbausteinen bis hin zu den Naturwerksteinen, die im Garten- und Landschaftsbau als Terrassenbeläge und Mauerwerk und im Hochbau als Fassadenbekleidungen, Mauerwerk, Boden und Treppenbeläge, Waschtische, Küchenarbeitsplatten, Fensterbänke und massive Werkstücke eingesetzt werden.

Gesteinskörnungen aus Naturstein, die mit künstlichen Bindemitteln wie Zement und Kunstharz verfestigt werden, werden als Betonwerksteine oder Terrazzo bezeichnet.

Naturwerksteine, die in Steinbrüchen zur weiteren Bearbeitung gewonnen werden und grundsätzlich keine künstlichen Bindemittel enthalten, gibt es in einer nicht überschaubaren Vielfalt.

Neben den zahlreichen Naturwerkstein-Steinbrüchen im Deutschland importiert die Natursteinwirtschaft Naturwerksteine aus vielen Ländern der Welt.

Die Bezeichnung der Naturwerksteine sollte gemäß DIN EN 12670:2019-12 „Naturstein – Terminologie“ den Handelsnamen, den petrografischen Namen der Gesteinsfamilie, die typische Gesteinsfarbe sowie den Gewinnungsort beinhalten. Da oftmals unterschiedliche Naturwerksteine unter den gleichen Handelsnamen angeboten werden, ist es wichtig, die genaue Bezeichnung der Naturwerksteine zu kennen sowie deren optische und technische Eigenschaften im Hinblick auf den jeweiligen Anwendungsbereich zu prüfen.

Unter allen Baustoffen nimmt Naturstein eine herausragende Stellung ein: Bauteile aus Naturwerkstein sind Unikate, die sich untereinander und mit vielen anderen Materialien kombinieren lassen. Es gibt kaum einen Baustoff, der so viele Farben und Strukturen zeigt wie Naturwerkstein: Diese Vielfalt wird durch verschiedene Oberflächenbearbeitungen nahezu unbegrenzt.

Naturwerkstein steht bereits als fertiges Produkt zur Verfügung und für seine Gewinnung und Bearbeitung ist nur ein geringer Energieaufwand erforderlich.

Der CO_2-Fußabdruck von Naturwerkstein ist sehr gering und seine Ökobilanz ist hervorragend. Darüber hinaus ist Naturwerkstein ein extrem langlebiger Baustoff und kann am Lebensende des Gebäudes wiederverwendet oder zu Splitt und Schotter verarbeitet werden. Im Gegensatz zu anderen Baustoffen ist die zur Verfügung stehende Menge von Naturwerkstein sehr hoch und die Natursteinvorkommen in Deutschland und auch weltweit sind insgesamt quasi unerschöpflich.

7.4.1 Natursteingruppen

Die Erde ist vor mehr als 4,7 Milliarden Jahren aus einer Gaswolke entstanden. Seit dieser Zeit kühlt sich das flüssige Magma auf der Erdoberfläche ab und es entsteht Naturstein. Die Menge des Natursteins, die hierdurch täglich entsteht, ist wesentlich größer als die Menge an Naturstein, die an der Oberfläche abgebaut wird.

Das Erscheinungsbild der Natursteine wird durch ihre Mineralogie und durch ihr Gefüge bestimmt. Mineralogie bedeutet hier den relativen Anteil der wichtigsten Minerale zueinander; Gefüge bedeutet Größe, Form und räumliche Anordnung der einzelnen Bestandteile.

Alle Minerale werden entsprechend ihrer chemischen Zusammensetzung in 8 Klassen eingeteilt. Es sind zwar ca. 4.000 Minerale bekannt, doch nur ca. 30 Minerale bauen den Großteil der Erdkruste auf, in der die Gesteine vorkommen. Die gängigsten gesteinsbildenden Minerale sind:

- Silikate (z. B. Feldspat, Glimmer, Pyroxen, Amphibolit, Olivin),
- Karbonate (z. B. Calcit, Dolomit),
- Oxide (z. B. Quarz),
- Sulfide (z. B. Pyrit),
- Sulfate (z. B. Gips, Anhydrit).

Nach der Art der Entstehung werden die Natursteine in 3 Gruppen unterschieden.

Magmatische Natursteine

Diese Natursteine entstehen bei der Abkühlung des flüssigen Magmas.

Das Gefüge der Natursteine ist abhängig von der Geschwindigkeit der Abkühlung und damit vom Bildungsraum: Bei langsamer Abkühlung im Erdinneren steht genügend Zeit für das Wachstum sich verzahnender, großer, grobkörniger Kristalle zur Verfügung, die kennzeichnend für **Intrusivgesteine (Plutonite)** sind, beispielsweise Granit, Syenit, Gabbro.

Eine rasche Abkühlung an der Erdoberfläche führt bei den **Effusivgesteinen (Vulkaniten)** zur Ausbildung eines feinkristallinen Gefüges oder im Extremfall zu einer glasigen Grundmasse. Solche Gesteine entstehen, wenn Lava aus Vulkanen austritt, beispielsweise Basalt, Basaltlava oder Rhyolith (Porphyr).

Sedimentäre Gesteine

Sedimentgesteine entstehen aus Verwitterungsprodukten anderer Gesteine und/oder aus verschiedenen Resten von Organismen. Sie bilden sich an der Erdoberfläche in Form von Schichten aus locker gelagerten Teilchen wie Sand, Schluff oder auch aus Skelett- und Schalenbruchstücken von Organismen.

Sedimentgesteine werden unterteilt in

- **klastische Sedimente** (aus verwittertem Gestein bestehend, z. B. Sandstein),
- **organogene Sedimente** (aus organogenen Stoffen bestehend, z. B. Kalkstein),
- **chemische Sedimente** (aus chemischen Niederschlägen bestehend, z. B. Salz- und Gipssteine).

Metamorphe Gesteine

Höhere Temperatur- und Druckbedingungen (und damit auch sich verändernde chemische Bedingungen) führen in beliebigen Ausgangsgesteinen zu einer Änderung der Mineralzusammensetzung und Kristallstruktur. Als Ergebnis dieser Prozesse entstehen die metamorphen (umgewandelten) Gesteine. Als Urgestein kommt z. B. ein fossilreicher Kalkstein wie der Jura-Kalkstein infrage, der bei entspre-

Abb. 7.43: Basaltlava-Steinbruch (Quelle: Deutscher Naturstein-Verband e.V., Würzburg)

Abb. 7.44: Mendiger Basaltlava (Quelle: Deutscher Naturstein-Verband e.V., Würzburg)

Abb. 7.45: Steinbruch Dorfer Grün (Quelle: Deutscher Naturstein-Verband e.V., Würzburg)

chenden Bedingungen zu einem weißen Marmor werden kann, in dem keine Fossilreste mehr erkennbar sind.

Damit leicht erkennbar ist, um welchen Ausgangsstein es sich handelt, werden folgende Präfixe zur Kennzeichnung verwendet:

- „Ortho-": metamorphes Gestein magmatischer Herkunft, z. B. Orthogneis,
- „Para-": metamorphes Gestein sedimentärer Herkunft, z. B. Paragneis.

Typische Umwandlungsgesteine sind Marmor, Gneis, Quarzit, Schiefer.

7.4.2 Naturwerksteinsorten

Nachfolgend werden die wichtigsten Natursteinsorten in alphabetischer Reihenfolge aufgelistet, die im Bauwesen als Naturwerksteine verwendet werden.

Viele im Handel gebräuchliche Natursteinnamen sind falsch und irreführend. Gemäß DIN EN 12440:2018-01 „Naturstein – Kriterien für die Bezeichnung" sollte ein Naturstein immer mit dem Handelsnamen, der petrografischen Familie, der üblichen Farbe und dem Gewinnungsort bezeichnet werden. Nur dann ist eine genaue Zuordnung der technischen Eigenschaften möglich.

Anorthosit

Gesteinsfamilie der plutonischen Gesteine. Oftmals dunkle Natursteine mit schillernden Labrador-Feldspaten.

Bekannte Handelsnamen: Arctic Blue, Blue Eyes, Volga Blue

Verwendung: hochwertige Dekorsteine im Innenbereich, Waschtische, Küchenarbeitsplatten

Basalt

Gesteinsfamilie der plutonischen Gesteine (Vulkanit). Basalte sind oft einheitlich dunkle, dichte Gesteine von großer Festigkeit, die als Werksteine eine hohe Wertschätzung genießen. Die Bezeichnung wird im Handel oftmals auch für viele basaltähnliche Steine verwendet.

Verwendung: Straßenbau

Basaltlava

Effusivgestein (Vulkanit), das aufgrund des Kontaktes mit Gasen bei der Abkühlung ein poröses Gefüge aufweist (siehe Abb. 7.43).

Bekannte Handelsnamen: Mayener und Mendiger Basaltlava (siehe Abb. 7.44)

Verwendung: Fassaden, Mauerwerk, Massivbauteile, Treppen- und Bodenbeläge im Innen- und Außenbereich

Brekzie

Grobkörniges klastisches Sedimentgestein, das aus eckigen Gesteinsbruchstücken besteht, die durch eine feinkörnige Matrix verfestigt sind. Die Bezeichnung wird im Handel oftmals auch für viele ähnliche Natursteine wie auch für Betonwerksteine verwendet, bei denen Gesteinskörnungen mit künstlichen Bindemittel verfestigt werden.

Verwendung: Bodenbeläge

Chloritschiefer (-gneis)

Chloritschiefer ist ein metamorphes Gestein, das aus erzhaltigen Sedimenten entstanden ist. Es sind meist grüne Gesteine, die oftmals auch fälschlich als Serpentinit bezeichnet werden.

Bekannte Handelsnamen: Dorfer Grün (siehe Abb. 7.45) und Verde Vittoria

Verwendung: Fassaden, Boden- und Wandbeläge, Küchenarbeitsplatten

Diabas

Ein Basalt, der aufgrund der Alterung oftmals grünlich ist

Verwendung: Fassaden, Massivbauteile, Treppen- und Bodenbeläge im Innen- und Außenbereich

Diorit

Gesteinsfamilie der Plutonite. Dem Granit sehr ähnlich, enthält aber wenig Quarz.

Bekannter Handelsname: Fürstensteiner Diorit

Verwendung: Fassaden, Mauerwerk, Massivbauteile, Treppen- und Bodenbeläge im Innen- und Außenbereich

Dolomit

Bezeichnung für karbonatische Sedimentgesteine, die das Mineral Dolomit enthalten. Oftmals härter und gegen Aggressorien widerstandsfähiger als calcitische Kalksteine.

Bekannte Handelsnamen: Dietfurter und Wachenzeller Dolomit (Achtung: Anröchter Stein ist kein Dolomit)

Abb. 7.46: Halmstadt-Gneis (Quelle: Deutscher Naturstein-Verband e. V., Würzburg)

Abb. 7.47: Granitsteinbruch (Quelle: Deutscher Naturstein-Verband e. V., Würzburg)

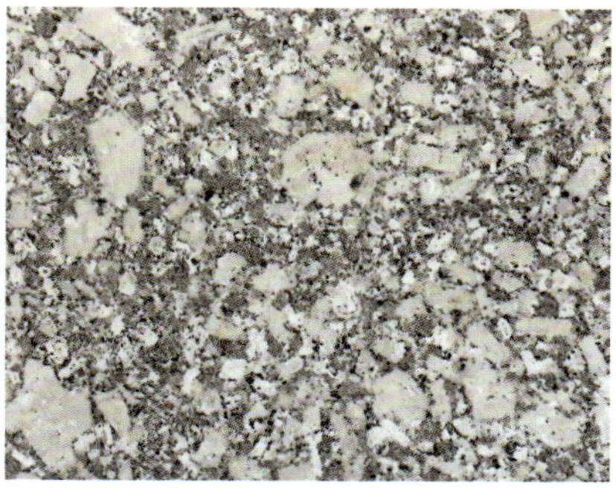

Abb. 7.48: Tittlinger Grobkorn-Granit (Quelle: Deutscher Naturstein-Verband e. V., Würzburg)

Abb. 7.49: Tittlinger Feinkorn-Granit (Quelle: Deutscher Naturstein-Verband e. V., Würzburg)

Abb. 7.50: Waldstein-Granit gelb, poliert (Quelle: Deutscher Naturstein-Verband e. V., Würzburg)

Verwendung: Fassaden, Mauerwerk, Massivbauteile, Treppen- und Bodenbeläge im Innen- und Außenbereich

Foyait

Gesteinsfamilie der Plutonite. Oftmals sehr hohe Festigkeit (wie Granit), aber empfindlich gegenüber Säuren. Hochwertige Dekorsteine, teilweise mit blauem Sodalith.

Verwendung: exklusiver Innenausbau

Gabbro

Gesteinsfamilie der Plutonite. Dunkelgraues bis schwarzes Gestein mit hoher Festigkeit.

Bekannte Handelsnamen: Nero Assoluto, Nero Impala

Verwendung: Grabmale, Küchenarbeitsplatten, Fassaden, Massivbauteile, Treppen- und Bodenbeläge im Innen- und Außenbereich

Gneis

Ein metamorphes Gestein, das wie Granit hauptsächlich aus Quarz, Feldspat und Glimmer besteht. Gneise weisen vielfältige Texturen (Bänder) auf und die Mineralanordnung ist im Gegensatz zu Granit nicht richtungslos (siehe Abb. 7.46).

Bekannte Handelsnamen: Calanca-, Maggia- und Vanga-Gneis

Verwendung: Fassaden, Massivbauteile, Treppen- und Bodenbeläge im Innen- und Außenbereich, Grabmale, Küchenarbeitsplatten

Granit

Granit, der bekannteste sog. Plutonit, ist ein in der Tiefe der Erde langsam erstarrtes magmatisches Gestein (siehe Abb. 7.47). Er zeigt keine Schichtung, aber dafür ein bei der Abkühlung und tektonischen Überprägung entstandenes System von Klüften und Lagern, die beim Abbau genutzt werden. Granite bestehen vorwiegend aus Quarz, Feldspat und Glimmer, die dicht miteinander verwachsen sind. Sie besitzen einen meist nur geringen Porenraum. Ihre hervorragenden Eigenschaften resultieren insbesondere aus dem hohen Gehalt an Quarz (mehr als 20 %).

Die Bezeichnung „Granit" wird im Natursteinhandel aber nicht nur für die petrografisch definierte Gesteinsart, sondern auch für viele ähnliche Gesteinsarten verwendet.

Gemäß DIN EN 12670 wird **Granit** wie folgt definiert:

- wissenschaftlich: plutonisches Gestein mit Alkalifeldspat, Quarz, geringen Mengen an Plagioklas und Glimmer sowie anderen Mineralen;
- kommerziell: Naturstein, kompakt und polierbar, der für dekorative Zwecke sowie beim Bauen verwendet wird und hauptsächlich aus Mineralen mit einer Härte zwischen 5 und 7 auf der Mohsschen Härteskala besteht, wie Quarz und Feldspat, z. B. Granit nach der wissenschaftlichen Definition, andere plutonische Gesteine, vulkanische Gesteine mit porphyrischem Gefüge, metamorphe Gesteine mit granitartiger Zusammensetzung, wie beispielsweise Gneis, und sogar Kalkstein in einigen Gebieten Europas.

Bekannte Handelsnamen: Bayerwald-, Kösseine-, Tittlinger (siehe Abb. 7.48 und 7.49), Epprechtstein-, Waldstein-Granit (siehe Abb. 7.50)

Abb. 7.51: Jura-Kalkstein geschliffen (Quelle: Deutscher Naturstein-Verband e. V., Würzburg)

Abb. 7.52: Jura-Kalkstein gestockt (Quelle: Deutscher Naturstein-Verband e. V., Würzburg)

Abb. 7.53: Solnhofener Plattenkalk (Quelle: Deutscher Naturstein-Verband e. V., Würzburg)

Abb. 7.54: Kirchheimer Muschelkalk (Quelle: Deutscher Naturstein-Verband e. V., Würzburg)

Verwendung: Fassaden, Massivbauteile, Treppen- und Bodenbeläge im Innen- und Außenbereich, Grabmale, Küchenarbeitsplatten, Pflastersteine

Granulit

Gesteinsfamilie der Metamorphite. Ist dem Gneis sehr ähnlich. Typisches Erkennungsmerkmal sind die dunkelrötlichen Granate. Dekorsteine insbesondere für Innenanwendungen. Im Außenbereich oftmals nicht farbbeständig.

Bekannte Handelsnamen: Cardinal White, Kashmir White

Verwendung: Treppen- und Bodenbeläge im Innenbereich, Wandbekleidungen, Küchenarbeitsplatten

Grauwacke

Ein stark verfestigter, dunkler graubraun-grünlicher Sandstein

Bekannter Handelsname: Lindlarer Grauwacke

Verwendung: Fassaden, Mauerwerk, Fenster- und Türumrahmungen, Massivbauteile, Treppen- und Bodenbeläge, Pflastersteine

Kalkstein

Das Carbonatgestein Kalkstein besteht vorwiegend aus dem Mineral Calcit wird als Sedimentgestein ursprünglich im Wasser gebildet. Dabei waren biologische und chemische Faktoren wirksam. Bei den Handelsnamen werden auch die dichten und festen Kalksteine als Marmore bezeichnet. So ist der bekannte Jura-Marmor ein Kalkstein.

Kalkstein, Marmor und Dolomit sind einmalige Bildungen der Erde und eng mit der Geschichte des Lebens verknüpft. Es gibt gerade in Deutschland und auch weltweit Kalksteine mit hervorragenden Festigkeiten und Frostwiderstand. Ihre Bildung erfolgte in verschiedenen geologischen Zeiten, wie die im Stein enthaltenen Fossilien belegen. In Deutschland sind vor allem die Vorkommen aus der Mittleren Trias (Muschelkalk) und dem Oberen Jura (Malm) sowie aus jüngeren Schichten bekannt.

Die Kalksteine haben durch ihr geologisches Alter und die Formen der Fossilien sowie zahlreiche Färbungen und Zeichnungen eine großartige Vielfalt gebildet. Als Farben kommen besonders gelbliche, graubraune, rote oder weiße Töne zur Anwendung. Aber auch andere Färbungen können sehr begehrt sein.

Die Carbonatgesteine sind mehr oder weniger dicht und häufig polierfähig. Neben der Politur werden auch rauere Oberflächenbearbeitungen geschätzt.

Bekannte Handelsnamen: Jura-Kalkstein (siehe Abb. 7.51 und 7.52), Solnhofener Plattenkalk (siehe Abb. 7.53), Kirchheimer Muschelkalk (siehe Abb. 7.54)

Verwendung: Fassaden, Mauerwerk, Fenster- und Türumrahmungen, Massivbauteile, Treppen- und Bodenbeläge, Pflastersteine

Marmor

Gesteinsfamilie der Metamorphite. Marmor besteht überwiegend wie der ursprüngliche Kalkstein aus dem Mineral Calcit. Durch anschließende Metamorphose, d. h. intensive Umkristallisation, entstanden aus kalkigen Sedimenten durch hohen Druck und Hitze die kristallinen Marmore.

Von den organischen Bestandteilen, die bei Kalksteinen oftmals die Farbe bestimmen, bleibt nach der Umwandlung nur schwarzer Graphit erhalten, der die typische Marmorierung erzeugt. Es gibt aber auch reinweiße Marmore, die nur aus kristallinem Calcit bestehen. Viele Marmore sind transluzent und eignen sich für hinterleuchtete Dekorsteine.

Bunte Marmore enthalten oftmals Silikate und metallische Minerale.

Im Handel werden viele polierfähige Weichgesteine wie Kalkstein („Jura-Marmor"), Travertin oder Serpentinit als Marmor bezeichnet.

Abb. 7.55: Carrara-Marmor-Steinbruch (Quelle: Deutscher Naturstein-Verband e.V., Würzburg)

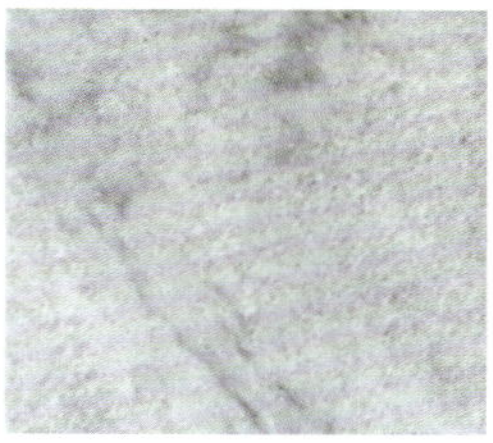

Abb. 7.56: Krastaler Marmor (Quelle: Deutscher Naturstein-Verband e.V., Würzburg)

Abb. 7.57: Marmor in Open-Book-Verlegung (Quelle: Deutscher Naturstein-Verband e.V., Würzburg)

Bekannte Handelsnamen: Carrara (siehe Abb. 7.55), Thassos-, Estremoz-, Krastaler Marmor (siehe Abb. 7.56)

Verwendung: Massivbauteile, Treppen- und Bodenbeläge (siehe Abb. 7.57), Wandbeläge, Waschtische, Grabmale

Migmatit

Ein metamorphes Mischgestein, bei dem magmatische Schmelzen in vorhandene Gneise eingedrungen und somit Gneis und Granit vorhanden sind. Aufgrund der auffälligen Maserungen ein beliebtes Dekorgestein.

Bekannte Handelsnamen: Multicolor Red, Ivory Pink

Verwendung: Fassaden, Massivbauteile, Treppen- und Bodenbeläge, Wandbeläge, Küchenarbeitsplatten, Grabmale

Muschelkalk

Besonders fossilreicher Kalkstein. Einer der bekanntesten Bausteine in Deutschland mit Vorkommen in Franken, Württemberg und Thüringen.

Bekannte Handelsnamen: Kirchheimer, Crailsheimer, Oberdorlaer Muschelkalk

Verwendung: Fassaden, Mauerwerk, Fenster- und Türumrahmungen, Massivbauteile, Treppen- und Bodenbeläge, Pflastersteine

Nagelfluh

Ein oftmals poröses Konglomerat, das aus verfestigten Gesteinstrümmern besteht. Optisch einem geschliffenen Beton sehr ähnlich.

Bekannte Handelsnamen: Brannenburger Nagelfluh, Ceppo di Gré

Verwendung: Fassaden, Massivbauteile, Mauerwerk, Wandbeläge

Onyx

Wird im Natursteinhandel als Sammelbegriff für stark gebänderte Gesteine verwendet. Bei Onyx-Marmor handelt es sich um Sinterkalke mit meist äußerst attraktiven Texturen.

Onyxe sind oftmals transluzent und eignen sich für hinterleuchtete Dekorsteine.

Es gibt nur kleine Vorkommen mit oftmals kleinen Blockgrößen.

Verwendung: Innenarchitektur, Möbelbau, Kunstgewerbe

Phyllit

Ein Metamorphit aus Tongestein, eine Vorstufe des Glimmerschiefers. Gute Spaltbarkeit.

Bekannter Handelsname: Otta Phyllit Pillarguri

Verwendung: Platten für Wand- und Bodenbeläge

Porphyr

Alte Handelsbezeichnung für einen vulkanischen Rhyolith. Porphyr ist eine Strukturbezeichnung, aber keine wissenschaftliche Gesteinsbezeichnung.

Bekannte Handelsnamen: Löbejüner, Trentino-, Südtiroler Porphyr

Verwendung: Wand- und Bodenbeläge, Pflastersteine

Quarzit

Metamorpher Sandstein, der durch die Umwandlung stark verfestigt wird. Sehr hohe mechanische und chemische Widerstandsfähigkeit. Oftmals durch besondere Mineralanteile intensiv gefärbt.

Im Vorkommen wird zwischen massiven Blockquarziten (wie Granit) und schiefrigen Spaltquarziten (wie Schiefer) unterschieden.

Bekannte Handelsnamen: Azul Macaubas, Oppdal, Sao Tomé, Silberquarzit

Verwendung: Wand- und Bodenbeläge, Massivarbeiten, Küchenarbeitsplatten, Pflastersteine

Rhyolith

Effusivgestein (Vulkanit), das in seiner chemischen Zusammensetzung dem Granit ähnlich ist. Wird im Handel oftmals als Porphyr bezeichnet.

Bekannte Handelsnamen: Löbejüner, Trentino-, Südtiroler Rhyolit (Porphyr)

Verwendung: Wand- und Bodenbeläge, Pflastersteine

Sandstein

Der Sandstein (siehe Abb. 7.58) gehört in Deutschland zu den am weitesten verbreiteten und abgebauten Sedimentgesteinen.

Besonders bekannte Vorkommen sind diejenigen aus dem Buntsandstein und dem Keuper. Auch in vielen anderen Ländern gibt es Sandsteine aus nahezu allen geologischen Systemen.

Der wirtschaftlich nutzbare Sandstein wurde insbesondere in küstennahen Meeresgebieten und breiten Flussdeltas abgelagert.

Sandstein gibt es in vielen Färbungen. Zu nennen sind rote, gelbliche, braune und grünliche Farbtöne sowie nahezu weiße Ausbildungen. Interessant sind auch die Strukturen in Form von Schichtungen und Zeichnungen durch Ausfällungen von Eisenhydroxiden. Sandsteine bestehen aus den bei der Verwitterung übrig gebliebenen Resten älterer Gesteine. Das sind vor allem isolierte Quarzkörner und Gesteinsreste. Daneben kommen auch Feldspäte und Glimmer sowie Tonmineralen vor.

Die technischen Eigenschaften der Sandsteine sind unterschiedlich. Wie bei allen Sedimentgesteinen ist die Schichtung zu beachten.

Verwendung: Fassaden, Mauerwerk, Fenster- und Türumrahmungen, Massivbauteile, Treppen- und Bodenbeläge

Schiefer

Meistens Umwandlungsgestein von Tonablagerungen (Metamorphit). Schiefer ist kein wissenschaftlicher Gesteinsname, sondern eine Strukturbezeichnung. Daher werden viele spaltfähige Natursteine wie Gneis, Phyllit und Sandstein als Schiefer bezeichnet.

Bekannte Handelsnamen: Rheinischer, Mosel, Theumaer, Porto-Schiefer

Verwendung: Dacheindeckungen, Wand- und Bodenbeläge

Serpentinit

Metamorphiter Naturstein, überwiegend aus Serpentinmineralien. Oftmals grüne oder rote Farbe und deutliche Aderung. Kann natürliches Asbest enthalten und im Außenbereich zum Verblassen neigen. Wird in Italien als Marmor bezeichnet.

Bekannte Handelsnamen: Verde Guatemala, Verde Patricia, Verde Serpentino, Rosso Levanto

Verwendung: Wand- und Bodenbeläge

Syenit

Gesteinsfamilie der Tiefengesteine (Plutonit). Eigenschaften wie Granit, enthält jedoch wenig oder keinen Quarz.

Wird oftmals als Dekorstein verwendet.

Abb. 7.58: Wesersandstein (Quelle: Deutscher Naturstein-Verband e. V., Würzburg)

Bekannte Handelsnamen: Blue Pearl, Emerald Black

Verwendung: Fassaden, Massivbauteile, Treppen- und Bodenbeläge im Innen- und Außenbereich, Grabmale, Küchenarbeitsplatten

Trachyt

Gesteinsfamilie der Vulkanite. Dichtes Ergussgestein mit porphyrischer Struktur.

Bekannte Handelsnamen: Weidenhahn, Selters-Trachyt, Lava Grigia

Verwendung: Fassaden, Massivbauteile, Treppen- und Bodenbeläge

Travertin

Im Süßwasser gebildeter Kalkstein, oftmals mit ausgeprägter Porenstruktur. Aufgrund der großen Poren sehr gut frostwiderstandsfähig.

Bekannte Handelsnamen: Gauinger, Zwiefaltener, Thüringer, Römischer Travertin

Verwendung: Fassaden, Mauerwerk, Massivbauteile, Treppen- und Bodenbeläge

Tuff

Verfestigte Vulkanasche mit hoher Porigkeit. Geringe Festigkeit und geringe Wärmeleitfähigkeit.

Fälschlicherweise werden im Handel auch sehr poröse Kalksteine als Tuff bezeichnet, obwohl Tuff immer vulkanischen Ursprungs ist.

Bekannte Handelsnamen: Ettringer, Weiberner Tuff

Verwendung: Fassaden, Mauerwerk, Massivbauteile

7.4.3 Oberflächenbearbeitung von Naturstein

Es gibt eine Vielzahl von unterschiedlichen Oberflächenbearbeitungen und Kombinationen aus verschiedenen Oberflächenbearbeitungen (z. B. gestrahlt und gebürstet).

Grundsätzlich ist zwischen der handwerklichen (manuellen) und der maschinellen Oberflächenbearbeitung zu unterscheiden. Des Weiteren existieren gesteinsspezifische Unterschiede, da nicht alle Oberflächenbearbeitungen bei allen Natursteinen möglich sind.

Abb. 7.59: Marmor im Untertagebau (Quelle: Deutscher Naturstein-Verband e.V., Würzburg)

Abb. 7.60: Formatierung der Rohblöcke durch Abbohren (Quelle: Deutscher Naturstein-Verband e.V., Würzburg)

Abb. 7.61: Rohblockgewinnung mit Seilsäge im Granitsteinbruch (Quelle: Deutscher Naturstein-Verband e.V., Würzburg)

Abb. 7.62: Mehrblatt-Blocksäge (Quelle: Deutscher Naturstein-Verband e.V., Würzburg)

Abb. 7.63: Zuschnitt mit Kreissäge (Quelle: Deutscher Naturstein-Verband e.V., Würzburg)

Abb. 7.64: Spaltanlage zur Herstellung von Pflastersteinen (Quelle: Deutscher Naturstein-Verband e.V., Würzburg)

Die Oberflächenbearbeitung ist abhängig von der Härte des Natursteins sowie den verwendeten Bearbeitungswerkzeugen und sollte grundsätzlich anhand einer Bemusterung festgelegt werden.

In der Regel werden im Steinbruch möglichst kubische Blöcke gewonnen (siehe Abb. 7.59 bis 7.61) und zur Weiterbearbeitung in ein Natursteinwerk transportiert. Hier werden die Natursteine mit Gatter- und Blocksägen (siehe Abb. 7.62) in dünnere Scheiben für Platten und Fliesen oder dickere Tranchen für Grabmale, Massivarbeiten, Mauersteine (siehe Abb. 7.63) und Pflastersteine (siehe Abb. 7.64) gesägt. Zunehmend werden hierfür neben den Stahlsandgattern und Diamantgattern auch Seilsägen (siehe Abb. 7.65 und 7.66) verwendet.

Ausgehend von der gesägten Oberfläche kann die Bearbeitung rauer (z.B. geflammt, gestrahlt, gestockt) oder feiner (z.B. geschliffen, gebürstet, poliert) erfolgen.

Insbesondere im Außenbereich werden wegen der gewünschten Rauigkeit auch Natursteine ohne besondere Oberflächenbearbeitung, also mit bruchrauen oder gespaltenen Oberflächen, verwendet.

Abb. 7.65: Herstellung von Rohplatten mit Seilsägen (Quelle: Deutscher Naturstein-Verband e.V., Würzburg)

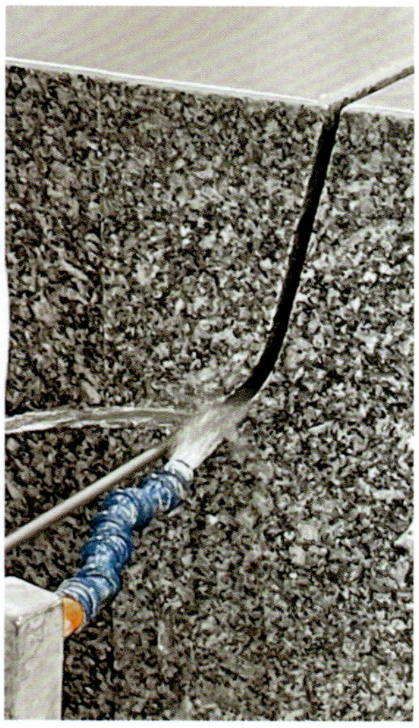

Abb. 7.66: Konturenseilsäge (Quelle: Deutscher Naturstein-Verband e.V., Würzburg)

Abb. 7.67: Politur der Rohplatten (Quelle: Deutscher Naturstein-Verband e. V., Würzburg)

Abb. 7.68: Polierter Kösseine-Granit (Quelle: Deutscher Naturstein-Verband e. V., Würzburg)

Abb. 7.69: Stahlsandgesägter Wüstenzeller Sandstein (Quelle: Deutscher Naturstein-Verband e. V., Würzburg)

Abb. 7.70: Wassergestrahlter Kösseine-Granit (Quelle: Deutscher Naturstein-Verband e. V., Würzburg)

Abb. 7.71: Beflammen der Rohplatten (Quelle: Deutscher Naturstein-Verband e. V., Würzburg)

Typische Oberflächenbearbeitungen sind u. a. poliert (siehe Abb. 7.67 und 7.68), geschliffen (z. B. fein geschliffen, grob geschliffen), spaltrau, gesägt (z. B. diamantgesägt, stahlsandgesägt [siehe Abb. 7.69]), gestrahlt (z. B. sandgestrahlt, wassergestrahlt [siehe Abb. 7.70]), beflammt (siehe Abb. 7.71), gebürstet, scharriert, frei von Hieb, gestockt (z. B. handgestockt, tellergestockt), geriffelt, gezahnt, gebeilt, geflächt, gekrönelt, gespitzt, geprellt, gebosst.

7.4.4 Relevante Normen

Produktnormen für Naturstein

DIN EN 771-6:2015-11 Festlegungen für Mauersteine – Teil 6: Natursteine

DIN EN 1341:2013-03 Platten aus Naturstein für Außenbereiche – Anforderungen und Prüfverfahren

DIN EN 1341/A20:2014-07 Platten aus Naturstein für Außenbereiche – Anforderungen und Prüfverfahren; Änderung A20

DIN EN 1342:2013-03 Pflastersteine aus Naturstein für Außenbereiche – Anforderungen und Prüfverfahren

DIN EN 1342/A20:2014-07 Pflastersteine aus Naturstein für Außenbereiche – Anforderungen und Prüfverfahren; Änderung A20

DIN EN 1343:2013-03 Bordsteine aus Naturstein für Außenbereiche – Anforderungen und Prüfverfahren

DIN EN 1343/A20:2014-07 Bordsteine aus Naturstein für Außenbereiche – Anforderungen und Prüfverfahren; Änderung A20

DIN EN 1467:2022-12 Natursteine – Rohblöcke – Anforderungen

DIN EN 1468:2023-01 Naturstein – Rohplatten – Anforderungen

DIN EN 1469:2015-05 Natursteinprodukte – Bekleidungsplatten – Anforderungen

DIN EN 12057:2015-05 Natursteinprodukte – Fliesen – Anforderungen

DIN EN 12058:2015-05 Natursteinprodukte – Bodenplatten und Stufenbeläge – Anforderungen

DIN EN 12059:2012-03 Natursteinprodukte – Steine für Massivarbeiten – Anforderungen

Prüfnormen für Naturstein (Auswahl)

DIN EN 1926:2007-03 Prüfverfahren für Naturstein – Bestimmung der einachsigen Druckfestigkeit

DIN EN 1936:2007-02 Prüfverfahren für Naturstein – Bestimmung der Reindichte, der Rohdichte, der offenen Porosität und der Gesamtporosität

DIN EN 12371:2010-07 Prüfverfahren für Naturstein – Bestimmung des Frostwiderstandes

DIN EN 12372:2022-05 Prüfverfahren für Naturstein – Bestimmung der Biegefestigkeit unter Mittellinienlast

DIN EN 12372:2022-05 Prüfverfahren für Naturstein – Bestimmung der Biegefestigkeit unter Mittellinienlast

DIN EN 12407:2019-12 Prüfverfahren für Naturstein – Petrographische Prüfung

DIN EN 12440:2018-01 Naturstein – Kriterien für die Bezeichnung

DIN EN 12670:2019-12 Naturstein – Terminologie

DIN EN 13161:2008-08 Prüfverfahren für Naturstein – Bestimmung der Biegefestigkeit unter Drittellinienlast

DIN EN 13364:2002-03 Prüfung von Naturstein – Bestimmung der Ausbruchlast am Ankerdornloch

DIN EN 13373:2020-03 Prüfverfahren für Naturstein – Bestimmung geometrischer Merkmale von Gesteinen

DIN EN 13755:2008-08 Prüfverfahren für Naturstein – Bestimmung der Wasseraufnahme unter atmosphärischem Druck

Weitere Norm

VOB/C ATV DIN 18332:2019-09 – Naturwerksteinarbeiten

8 Eisenwaren

8.1 Stahlerzeugnisse

Baustähle spielen aufgrund ihrer guten Werkstoffeigenschaften (Festigkeit, Elastizitätsmodul, Zähigkeit) im Bauwesen eine wichtige Rolle. Ihre Einsatzgebiete sind Hochbau, Brückenbau, Tief- und Wasserbau, Ingenieur- und Anlagenbau. Zum Einsatz gelangt fast ausschließlich durch Walzen geformter Stahl, der sog. Walzstahl, der nach Flacherzeugnissen (z. B. Stahlbleche als Fein-, Mittel- und Grobbleche) und Profilerzeugnissen (z. B. Formstahl, Stabstahl, Walzdraht) unterschieden wird.

Durch Legierungselemente lassen sich die Eigenschaften des Stahls gezielt beeinflussen. So erreicht man z. B. mit Nickel- und Chromzusätzen die Eigenschaft nicht rostend, Mangan beeinflusst die Festigkeit, Wolfram die Härte des Stahls, Silizium seine Elastizität. Hochlegierte Stähle werden im Fassadenbau, für Verankerungen, bei hohen Korrosionsschutzanforderungen und im Innenausbau eingesetzt.

8.1.1 Stahlprofile in I-/H-Form

Zur Gruppe der Profilerzeugnisse (Formstahl) gehören die Stahlträger in I- und H-Form nach DIN EN 10365:2017-05 „Warmgewalzter U-Profilstahl, I- und H-Träger – Maße und Masse" (siehe Abb. 8.1). Die zugehörigen Walzradien sind in der DASt-RL 028 enthalten. Als I-Profil werden Träger bezeichnet, deren Querschnittshöhe etwa doppelt so hoch wie deren Flanschbreite ist. Dabei unterscheidet man Profile mit innerer Flanschneigung (IPN) und mit parallel verlaufenden Flanschrändern (IPE).

Als Breitflanschträger oder auch H-Profile werden parallelgurtige Profile der HE-Reihe bezeichnet, deren Verhältnis von Querschnittshöhe zur Flanschbreite bis 300 mm Höhe bei etwa 1 liegt.

Während I-Profile überwiegend als Biegeträger verwendet werden, kommen H-Profile sowohl als Biegeträger als auch als Stütze zum Einsatz.

8.1.2 Stahlprofile in U-Form

U-Profile sind einfach-symmetrische, warm gewalzte Stahlträger, die im Querschnitt ein entlang des Profilstegs geteiltes halbes I-Profil darstellen (siehe Abb. 8.2). Die geometrischen Abmessungen sind in DIN EN 10365 und DASt-RL 028 angegeben.

Auch hier werden Profile mit innerer Flanschneigung (UPN) und mit parallel verlaufenden Flanschrändern (UPE) unterschieden.

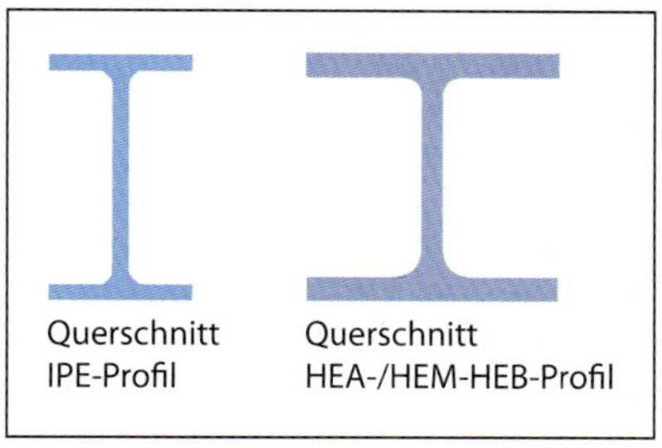

Abb. 8.1: I- und H-Profile

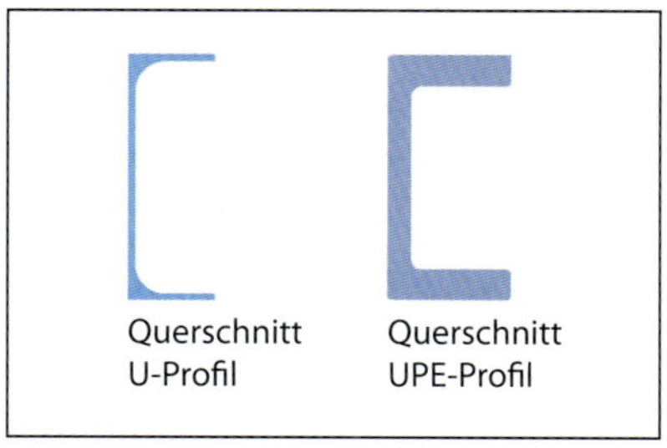

Abb. 8.2: U-Profile

U-Profile werden häufig in Stahltreppenkonstruktionen, Fachwerken und als Wandriegel im Hallenbau angewendet.

Winkelstahl

Winkelstahl gibt es in gleichschenkliger und ungleichschenkliger Querschnittsform. Er wird überwiegend in Stahlfachwerken oder stabilisierenden Verbänden eingesetzt wie beispielsweise in Strommasten für Überlandleitungen.

Grobbleche

Stahlbleche mit Dicken ab 3 mm werden nach DIN EN 10079:2007-06 „Begriffsbestimmungen für Stahlerzeugnisse" als Grobbleche bezeichnet. Aus einzelnen Grobblechen gefertigte Bauteile können genau an die statischen Erfordernisse angepasst werden. Deshalb kommen Grobbleche überwiegend im Brückenbau, aber auch im Hallenbau oder bei Kranbahnträgern zum Einsatz. Weitere typische Anwendungen von Grobblechen sind Stirnplatten, Fahnenbleche oder Steifen für Stahlträger.

8.1.3 Stahlbeton

Heute sind Stahlbewehrungen bei vielen Betonanwendungen – etwa bei Hochhäusern, Tunneln oder Brücken – selbstverständlich. Aufgrund der geringen Zugfestigkeit von Beton könnten solche Bauwerke sonst kaum realisiert werden. Betonstahl hat dagegen eine hohe Zugfestigkeit und nimmt bei starker Beanspruchung Teile der Zug-

Abb. 8.3: Betonstabstahl B500B

Abb. 8.4: Betonstahlmatten

Abb. 8.5: Feuerverzinkter Betonstahl mit verbessertem Korrosionsschutz (Quelle: The Coatinc Company Holding GmbH, Kreuztal)

spannungen auf, die auf das Stahlbeton-Verbundmaterial einwirken. Die Metalleinlagen werden als Stäbe (siehe Abb. 8.3) oder als Stahlmatten (siehe Abb. 8.4) in den Beton eingebaut. Stahlbetonmatten bestehen aus sich kreuzenden Längs- und Querstäben.

Während die Stahleinlage die Zugfestigkeit des Betons verbessert, hat umgekehrt die Betonummantelung auch Vorteile für den Stahl. Der hohe pH-Wert des Betons schützt die Bewehrung nämlich vor Korrosion (siehe Abb. 8.5).

Außerdem ist der Stahl im Brandfall besser geschützt und schmilzt bei hohen Temperaturen erst mit deutlicher Zeitverzögerung. Die Beispiele zeigen, dass der Verbund aus Stahl und Beton eine perfekte Symbiose ist, von der beide Materialien durch verbesserte Eigenschaften profitieren. Stahlbeton überzeugt durch seine hohe Wirtschaftlichkeit und Praxisorientiertheit.

Betonstahl kommt in verschiedenen Formen vor wie z. B. Betonstabstahl, Betonstahlmatten Betonstahl im Ring oder Bewehrungsdraht. Die verschiedenen Formen sind in DIN 488-1 bis -5 „Betonstahl" (2009) genormt.

Spannbeton

Eine Spezialform des Stahlbetons ist der sog. Spannbeton. Bauteile aus Spannbeton enthalten zusätzlich zur normalen Bewehrung vorgespannte Stahleinlagen, die dafür sorgen, dass der Stahlbeton noch widerstandsfähiger gegen Zugkräfte wird und dadurch weniger anfällig für Risse ist. Eingesetzt wird Spannbeton insbesondere im Brückenbau, aber auch in Büro- und Gewerbebauten. In Wohnhäusern findet man ihn häufig bei Deckenkonstruktionen, vor allem, weil Spannbetondecken bei gleicher Belastbarkeit dünner dimensioniert werden können als entsprechende Bauteile aus reinem Stahlbeton. Beim Spannbeton macht man sich die hohe Druckfestigkeit zunutze, um der „Schwäche" bei Zugbelastung entgegenzuwirken. Durch die Dehnung der Spannstahleinlagen übertragen diese eine zusätzliche Druckbelastung auf den Beton und drücken ihn stärker zusammen. Wirken nun Zugkräfte auf das Bauteil, müssen diese einen höheren Widerstand überwinden, um den Stahlbeton zum Reißen zu bringen. Schon die herkömmliche Stahlbewehrung im Spannbeton nimmt einen Großteil der Zugkräfte auf, zugleich ist aber auch die Betonmasse selbst schwerer zu „zerreißen". Die Zugkräfte müssen auch noch die Druckkraft überwinden, die der Spannstahl auf den Beton ausübt.

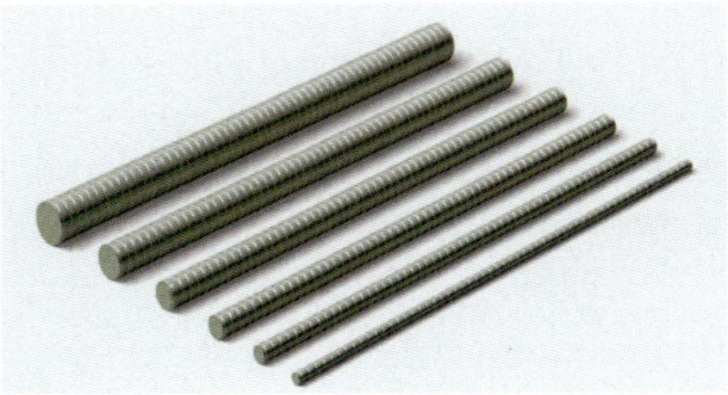

Abb. 8.6: Bewehrung aus Glasfaserverbundwerkstoff (Quelle: Schöck Bauteile GmbH, Baden-Baden)

8.1.4 Glasfaserbewehrung

Trotz seiner vielen positiven Eigenschaften kann Betonstahl nicht jedem Umfeld und jeder Belastung langfristig standhalten. Eine Alternative bietet die Glasfaserbewehrung (siehe Abb. 8.6). Das Material überzeugt durch seine Materialeigenschaften. Es ist korrosionsbeständig, chemisch resistent, nicht elektrisch leitend und leicht zerspanbar. Besonders hohen Nutzen verspricht die geringe Wärmeleitfähigkeit von 0,7 W/(m · K) im Vergleich zu Betonstahl (60 W/[m · K]) und Edelstahl (15 W/[m · K]). Glasfaserbewehrungen tragen aber nicht nur zur Energieeinsparung in Gebäuden bei, sondern leisten auch einen Beitrag zum Klimaschutz in der Herstellung. Es wird weitaus weniger CO_2 ausgestoßen als bei der Produktion von herkömmlichem Beton- und Edelstahl.

8.1.5 Relevante Normen

DIN 488-1:2009-08 Betonstahl – Teil 1: Stahlsorten, Eigenschaften, Kennzeichnung

DIN 488-2:2009-08 Betonstahl – Betonstabstahl

DIN 488-3:2009-08 Betonstahl – Betonstahl in Ringen, Bewehrungsdraht

DIN 488-4:2009-08 Betonstahl – Betonstahlmatten

DIN 488-5:2009-08 Betonstahl – Gitterträger

DIN EN 10079:2007-06 – Begriffsbestimmungen für Stahlerzeugnisse

DIN EN 10365:2017-05 – Warmgewalzter U-Profilstahl, I- und H-Träger – Maße und Masse

8.2 Verankerungstechnik

Die Verankerungstechnik ist – insbesondere im Betonbau – ein sehr vielseitiges Spezialgebiet, das im Rahmen dieses Fachbuchs nur in einigen groben Zügen vorgestellt werden kann. Im Mittelpunkt stehen Befestigungsmittel für die sichere Befestigung von Lasten und von unterschiedlichen Bauteilen aus Beton oder anderen Materialien an Beton. Einige Anwendungen werden im Folgenden vorgestellt.

8.2.1 Ankerschienen

Ankerschienen sind C-förmige Stahlprofile mit auf dem Profilrücken angebrachten Ankern (siehe Abb. 8.7), die in zahlreichen Ausführungen angeboten werden, sowohl hinsichtlich des Materials als auch der Form (Querschnitt) und der Abmessungen. Nach Art der Herstellung werden Ankerschienen in 2 Gruppen eingeteilt: die kaltgewalzten Profile und die warmgewalzten Profile. Warmgewalzte Profile dürfen – im Gegensatz zu den kaltgewalzten – auch durch höhere nicht ruhende Lasten beansprucht werden. Zusätzlich sind Profile mit gezahnten Schienenlippen und zugehörigen Zahnschrauben für die Lastaufnahme in allen Richtungen vorhanden.

Ankerschienen werden vor allem dort verwendet, wo es gilt, dauerhaft belastbare Verbindungen zwischen Beton und anderen Baustoffen oder Bauteilen herzustellen (z. B. Lüftungskanäle, Rohrleitungen oder zur Verbindung von Betonfertigteilen).

Für die unterschiedlichen Einsatzzwecke gibt es Schienen aus feuerverzinktem Stahl und nicht rostendem Stahl. Von Kurzstücken ab 100 mm bis zu Lagerlängen mit 6 m sind verschiedenste Längen erhältlich. Der (maximale) Ankerabstand ist abhängig vom Schienenprofil und von der Schienenlänge. Die Verankerung erfolgt mit vernieteten Bolzenankern oder alternativ mit angeschweißten I-Ankern. Ankerschienen eignen sich besonders für den Einsatz in hochbewehrten Bauteilen.

8.2.2 Maueranschlussschienen/-anker

Maueranschlussschienen verbinden die gemauerte Wand mit der Betonwand bzw. der Betonstütze (siehe Abb. 8.8 und 8.9). Sie werden in Stahlbetonwände oder Stahlbetonstützen einbetoniert. In die Anschlussschienen werden Maueranschlussanker eingesteckt und in den Lagerfugenmörtel des Mauerwerks eingedrückt. Auch für Mauerwerk in Dünnbettmörtel stehen besonders flache (1 mm Stärke) Maueranschlussanker zur Verfügung. Schienen und Anker sind in der Regel verzinkt. Zu beachten ist, dass für die Verankerung von Verblendmauerwerk die Edelstahlausführung gemäß DIN EN 1996-1-1:2013-02 „Eurocode 6: Bemessung und Konstruktion von Mauerwerksbauten – Teil 1-1: Allgemeine Regeln für bewehrtes und unbewehrtes Mauerwerk“ bindend vorgeschrieben ist. Auch Anschlüsse von Mauerwerk an Stahlstützen sind möglich. In diesem Fall werden die Schienenprofile an die Stützen angeschweißt.

8.2.3 Befestigungsschienen/-anker für Holzkonstruktionen

Zur Befestigung von Dachkonstruktionen auf Beton- oder Stahlbetonringbalken bzw. Stahlbetondecken werden ebenfalls Ankerschienen einbetoniert (siehe Abb. 8.10 und 8.11).

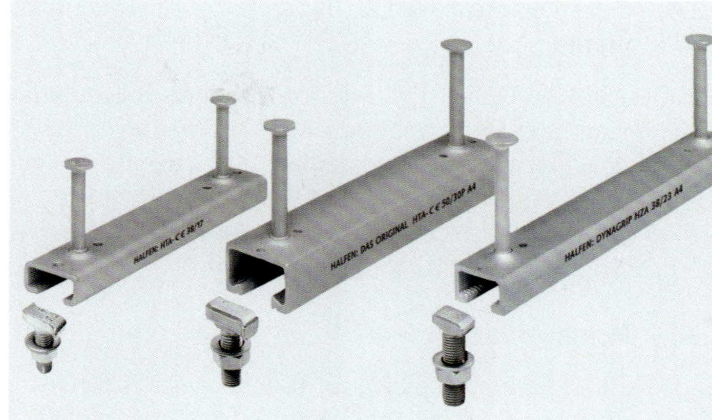

Abb. 8.7: Ankerschienen in unterschiedlichen Größen (Quelle: Leviat GmbH, Langenfeld)

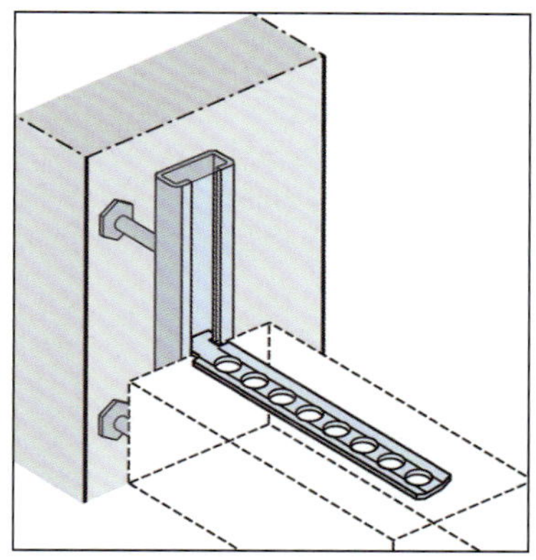

Abb. 8.8 und 8.9: Maueranschluss mit HALFEN-ML-Maueranschlussanker (Quelle: Leviat GmbH, Langenfeld)

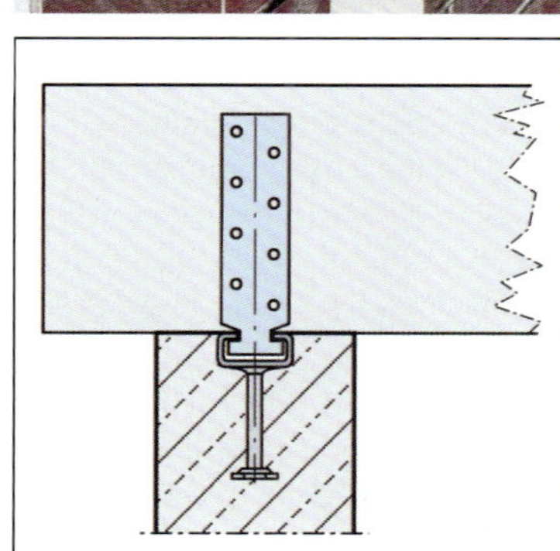

Abb. 8.10 und 8.11: Typische Befestigung von Holzbalken mit HALFEN HNA Nagelanschlussankern an einbetonierten Halfenschienen (Quelle: Leviat GmbH, Langenfeld)

Ein Nagelanschlussanker stellt die Verbindung mit der Holzkonstruktion (Balken, Sparren) her. Sparren können auch an einem speziellen Sparrenfuß befestigt werden, der mit der einbetonierten Ankerschiene justierbar verschraubt wird.

8.2.4 Befestigungsschienen für Trapezbleche/Wandkassettenprofile

Für diese beiden Bedarfsfälle werden Schienen angeboten, die aufgrund ihrer Formgebung eine Verankerung im Beton sicherstellen können oder an ihrer offenen Seite Anker haben und mit diesen einbetoniert werden. Die Befestigung erfolgt dann mit Bohrschrauben in den nach außen gekehrten Profilrücken (siehe Abb. 8.12 und 8.13).

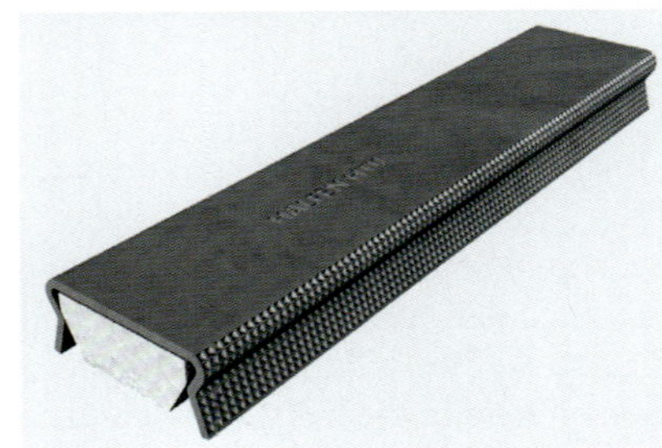

Abb. 8.12 und 8.13: Profilblech-Befestigungsschienen HALFEN HTU-S zum Befestigen von Trapez- und Profilblechen aller Art (Quelle: Leviat GmbH, Langenfeld)

8.2.5 Montageschienen

In der Montagetechnik spielen die C-förmigen Profile als glatte Schienen oder mit Langlöchern im Schienenrücken eine bedeutende Rolle als Halterungen in den unterschiedlichsten Anwendungsbereichen (siehe Abb. 8.14). Sie werden in zahlreichen Querschnitten und Lochgeometrien hergestellt.

In Verbindung mit den übrigen Systemteilen wie Konsolen, Rohrschellen usw. werden sie im industriellen Rohrleitungsbau, im Anlagenbau, im leichten und mittleren Stahlbau, in begehbaren Leitungskanälen, in Tragkonstruktionen usw. eingesetzt.

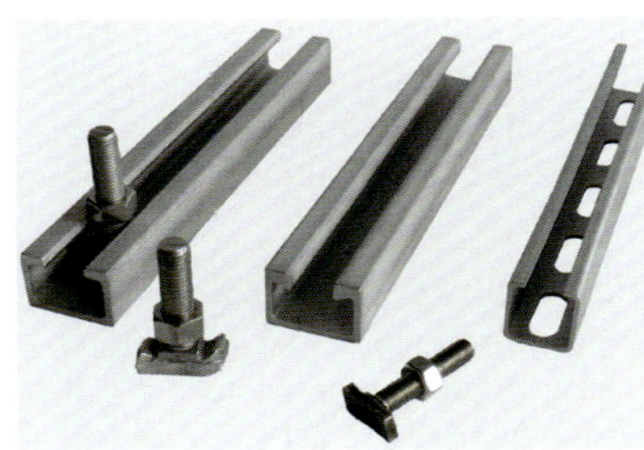

Abb. 8.14: Unterschiedliche Formen von Montageschienen (Quelle: Leviat GmbH, Langenfeld)

8.2.6 Relevante Norm

DIN EN 1996-1-1:2013-02 Eurocode 6: Bemessung und Konstruktion von Mauerwerksbauten – Teil 1-1: Allgemeine Regeln für bewehrtes und unbewehrtes Mauerwerk

8.3 Wärmedämmelemente für auskragende Bauteile

Auskragende Bauteile wie Balkone, Attiken und Brüstungen zählen zu den kritischsten Wärmebrücken. Bei ungedämmten, auskragenden Bauteilen entsteht ein starker Wärmeabfluss, der durch die hohe Wärmeleitfähigkeit von Beton und Stahl verursacht wird. Die Folge sind erhebliche Wärmeverluste und niedrige Oberflächentemperaturen an der Innenoberfläche, die zu deutlich erhöhten Heizkosten, feuchten Wänden und einem sehr hohen Schimmelpilzrisiko im Anschlussbereich der Auskragung führen. Durch das Gebäudeenergiegesetz (GEG) fallen Wärmebrücken in der Energiebilanz eines Gebäudes zudem immer stärker ins Gewicht. Gemäß GEG müssen seit 2019 alle öffentlichen Gebäude und seit 2021 sämtliche Gebäude im Neubau nach dem Niedrigstenergiestandard errichtet werden. Somit erhöhen sich die Anforderungen an die Dämmung eines Gebäudes noch einmal deutlich. Deshalb ist es gemäß DIN 4108 Beiblatt 2:2019-06 „Wärmeschutz und Energie-Einsparung in Gebäuden; Beiblatt 2: Wärmebrücken – Planungs- und Ausführungsbeispiele“ Stand der Technik, Systemlösungen einzusetzen, die Teil der Statik sind und eine thermische Trennung gewährleisten. Lösungen sind tragende Wärmedämmelemente wie z. B. Schöck Isokorb®. Ob für frei auskragende und gestützte Stahlbeton-/ Stahlbalkone oder Attiken und Brüstungen – die zahlreichen und vielseitigen Produktvarianten für jede Anforderung im Neubau und in der Sanierung minimieren Wärmebrücken auf höchstem Niveau.

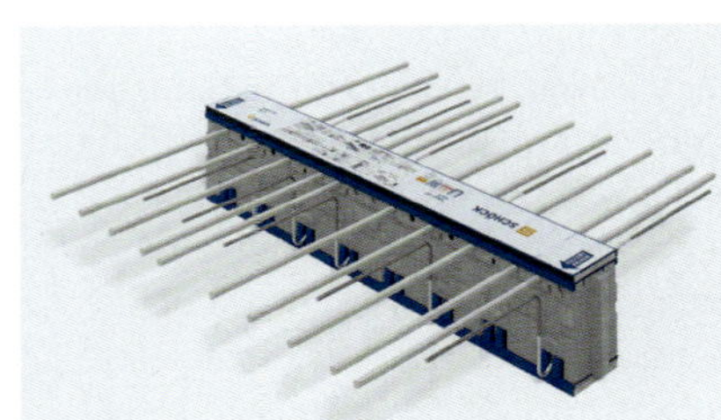

Abb. 8.15: Mit eingesetzten Zugstäben aus Glasfaser bietet Schöck Isokorb® CXT eine verbesserte Wärmedämmung um bis zu 27 % (Quelle: Schöck Bauteile GmbH, Baden-Baden).

Mit Schöck Isokorb® CXT (siehe Abb. 8.15) sind zudem größere Balkonauskragungen bei hoher energieeffizienter Bauweise im Passivhausstandard möglich. Die Zugstäbe aus Glasfaserverbundwerkstoff haben eine Wärmeleitfähigkeit von 0,7 W/(m · K). Im Vergleich zu Betonstahl (λ = 50–60 (W/[m · K]) und Edelstahl (λ = 13–17 W/[m · K]) stellt der Glasfaserverbundwerkstoff damit eine wärmetechnisch überlegene Lösung dar.

Relevante Norm

DIN 4108 Beiblatt 2:2019-06 Wärmeschutz und Energie-Einsparung in Gebäuden; Beiblatt 2: Wärmebrücken – Planungs- und Ausführungsbeispiele

8.4 Betonbewehrung und Schalung

Bei der Herstellung von Stahlbetonbauteilen spielen die Bewehrung und ihre erforderliche Überdeckung, die sog. Betondeckung, eine wichtige Rolle. Im Kapitel 8.1.3 werden die Bewehrungsstähle vorgestellt. In diesem Kapitel werden die Anschlüsse von Bewehrungen und ihre Befestigungen kurz dargestellt.

8.4.1 Bewehrungsanschlüsse

Einsatzgebiete der Bewehrungsanschlüsse sind z. B. die Verbindung von Betonierabschnitten untereinander, die Verbindung von Stahlträgern an Stahlbetonbauteile sowie Wand-, Treppen- oder Podestanschlüsse. Zum Einsatz ge-

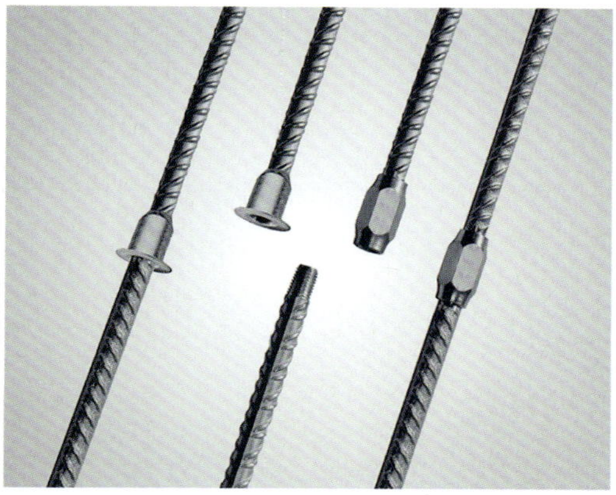

Abb. 8.16: Schraubenanschlüsse (Quelle: Produktmarke Halfen, Leviat GmbH, Langenfeld)

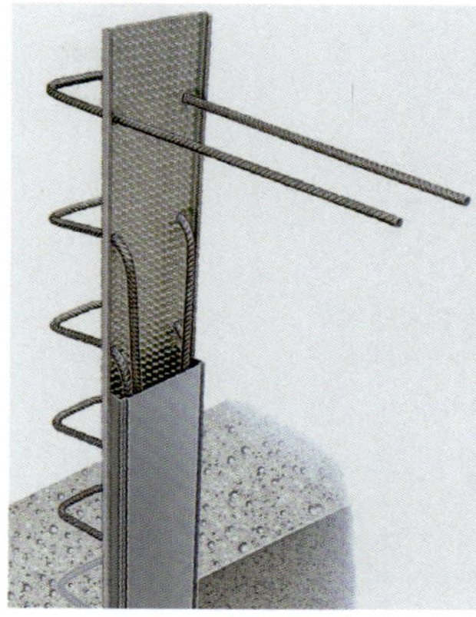

Abb. 8.17: Rückbiegeanschluss (Quelle: Produktmarke Halfen, Leviat GmbH, Langenfeld)

Abb. 8.18: Solplattenbewehrung mit linearen Abstandhaltern auf Sauberkeitsschicht aus Noppenbahnen (Quelle: Ewald Dörken AG, Herdecke)

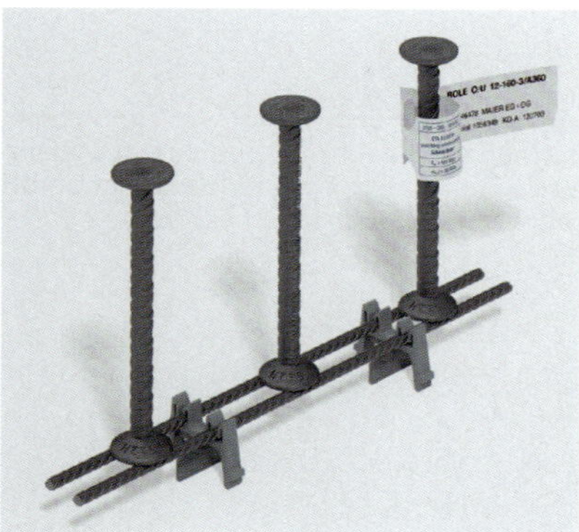

Abb. 8.19: Durchstanzbewehrung unten (Quelle: Schöck Bauteile GmbH, Baden-Baden)

Abb. 8.20: Durchstanzbewehrung oben (Quelle: Schöck Bauteile GmbH, Baden-Baden)

Abb. 8.21: Flachdecke mit Durchstanzbewehrung (Quelle: Schöck Bauteile GmbH, Baden-Baden)

langen Schraubanschlüsse (siehe Abb. 8.16) und Rückbiegeanschlüsse (siehe Abb. 8.17).

Schraubanschlüsse erlauben unterschiedliche Verbindungen von Stahlbetonbauteilen. Rückbiegeanschlüsse dienen der rationellen Verbindung von Betonbauteilen, die in unterschiedlichen Phasen hergestellt und miteinander verbunden werden.

8.4.2 Unterstützungen und Abstandhalter für die Betonbewehrung

Damit die Bewehrung waagerecht tragender Stahlbetonbauteile ihre Aufgaben hinsichtlich Tragfähigkeit, Gebrauchstauglichkeit und Dauerhaftigkeit erfüllen kann, werden Unterstützungen für die oben liegende Bewehrung sowie Abstandhalter eingesetzt, die die Einhaltung der vorgegebenen Betondeckung und der statischen Nutzhöhe sowie die Lagesicherung der Bewehrung im Bauzustand sicherstellen sollen (siehe Abb. 8.18).

Als Unterstützungen werden Unterstützungskörbe (U-Körbe), Unterstützungsschlangen und -böcke aus Draht eingesetzt. Sie müssen mit Korrosionsschutz (Füßchen) versehen sein, wenn sie auf der Schalung stehen.

Abstandhalter sind vorgefertigte Formteile aus Metall, Faserbeton oder Kunststoff, die vor dem Betonieren von Stahlbetonbauteilen an den Bewehrungsstählen angebracht werden.

Ihre Aufgabe ist es, die in die Schalung eingebrachte Bewehrung in einer stabilen Lage beim Betoniervorgang (Einbringen des Betons in die Schalung) zu halten, um den notwendigen Abstand zwischen Bewehrung und Schalung zu gewährleisten. Dadurch wird die geforderte Betondeckung (d. h. die Bewehrungsüberdeckung bei Stahlbeton) gewährleistet. Eingesetzt werden Einzelabstandhalter oder Flächenabstandhalter. Flächenabstandhalter lassen sich bei geeigneter Einbausituation schneller und kostengünstiger verlegen. Die genaue Anzahl der benötigten Abstandhalter hängt wesentlich von der jeweiligen Einbausituation ab. Genaue Hinweise gibt das DBV-Merkblatt „Betondeckung und Bewehrung“ (2015).

8.4.3 Bewehrung punktförmig gestützter Decken

Das Durchstanzen im Bereich von Stützen ist ein bekanntes Problem bei Flachdecken und Bodenplatten. Hier bietet die Schöck Bole® eine fachgerechte Lösung (siehe Abb. 8.19 und 8.20). Sie verbindet hohe Planungssicherheit mit Vorteilen bei der Verarbeitung und trägt so einen entscheidenden Teil zu einer sicheren und wirtschaftlichen Bauweise bei.

Mit der europäisch technisch zugelassenen Durchstanzbewehrung kann die Querkrafttragfähigkeit gegenüber einer Flachdecke ohne Durchstanzbewehrung fast verdoppelt werden (siehe Abb. 8.21). Dies ermöglicht schlankere Decken oder größere Stützweiten.

Abb. 8.22: Schwerlastdorne Stacon® Typ SLD zur Übertragung von Querkräften (Quelle: Schöck Bauteile GmbH, Baden-Baden)

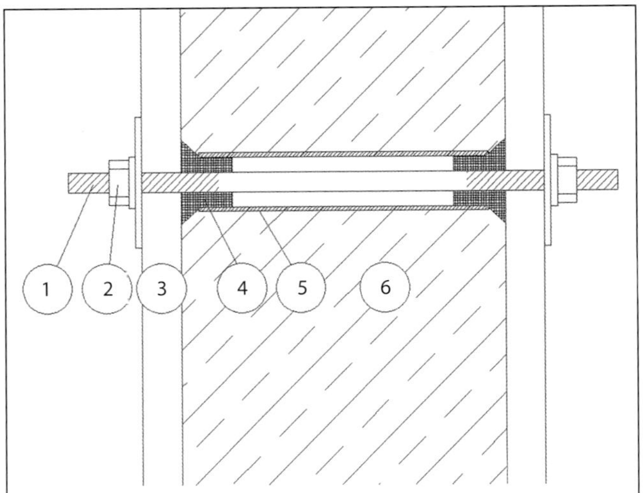

Abb. 8.23: Systematischer Aufbau eines Schalungsankers (Quelle: Dietzel, Wikimedia Commons, lizensiert unter CreativeCommons-Lizenz BY-SA 3.0, https://creativecommons.org/licenses/by-sa/3.0/deed.de)

8.4.4 Schwerlastdorne

Zur Vermeidung von Rissen durch Temperaturdehnung oder dem Schwinden des Betons sind in langen Bauteilen und Gebäuden Dehnfugen anzuordnen. Die durch die Fuge getrennten Bauteile müssen aber zur Lastabtragung aufgelagert werden. Häufig wurden hierfür Konsolen oder doppelte Wände auf beiden Seiten der Fuge eingesetzt. Diese Lösungen sind sehr aufwendig und benötigen Platz.

Mit einbaufertigen Schwerlastdornen kann eine Konstruktion ohne Unterzüge und Konsolen geschaffen werden, die als Deckenauflager dient. Ein Schwerlastdorn besteht aus einem Hülsen- und einem Dornteil, die in den jeweils an der Fuge angrenzenden Gebäudeteilen einbetoniert werden. Der Dorn überträgt die Lasten aus dem einen Bauteil durch Biegung in die Hülse und somit in das andere Bauteil. Die angeschweißten Bügel und die Frontplatte gewährleisten dabei eine optimale Verankerung im Beton.

Bei kleinen bis mittleren Querkräften ist die einfachste Lösung für die Kraftübertragung in Dehnfugen der Schöck Stacon® Typ LD (siehe Abb. 8.22). Dieser Dorn verbindet die an die Fuge angrenzenden Bauteile ohne zusätzliche Konstruktionen. Dabei werden die Kräfte übertragen und gleichzeitig die erforderliche Beweglichkeit ermöglicht.

8.4.5 Schalungsanker

Während die Deckenschalung auf die Tragkonstruktion aufgelegt wird, müssen Betonwände oder -wandteile (Ringanker, Drempel) zweiseitig eingeschalt werden (Schaltafeln aus Holz, Kunststoff oder Stahl). Dazu darf die Schalung weder vor dem Einbringen des Betons nach innen noch beim Einbringen und Verdichten nach außen auch nur geringfügig nachgeben.

Hierzu verwendet man äußere Stützen sowie Abstandhalter wie z. B. Schalungsanker, die im Inneren des Bauteils liegen. Schalungsanker verbinden Schalung und Konterschalung und bestehen aus Gewindehülsen, Gewindestäben und Muttern (siehe Abb. 8.23). An beiden Enden der Leerrohre befinden sich konische Zylinder, die das optische Erscheinungsbild des Ankerlochs prägen. Konendurchmesser und Ausbildung variieren nach Hersteller. Die entstehenden Löcher werden mit Verschlusszapfen (Konen) geschlossen. Diese kann man mit witterungsbeständigen PE-Zapfen, Aluminium- oder Betonzapfen, z. B. Sichtbetonkonen aus Faserbeton, verschließen oder verputzen. Schalungsanker müssen der DIN 18216:2021-02 „Schalungsanker für Betonschalungen; Anforderungen, Prüfung, Verwendung" entsprechen.

8.4.6 Relevante Normen

DIN 18216:2021-02 Schalungsanker für Betonschalungen; Anforderungen, Prüfung, Verwendung

DIN EN 1992-1-1:2011-01 Eurocode 2: Bemessung und Konstruktion von Stahlbeton- und Spannbetontragwerken – Teil 1-1: Allgemeine Bemessungsregeln und Regeln für den Hochbau

8.5 Befestigungsmaterial, Nägel, Schrauben

Die Sortimente der Befestigungsmaterialien für mechanische Verbindungen lassen sich nur in groben Zügen präsentieren. So umfasst die Produktpalette eines namhaften Herstellers ca. 5.000 unterschiedliche Artikel aus Metall und Kunststoff für unterschiedliche Anwendungsbereiche – vom einfachen Leistenstift bis zu komplizierten Holzverbindern mit statischen Berechnungen, bauaufsichtlichen Zulassungen und Einstufungen nach DIN EN 1995-1-1/A2:2014-07 „Eurocode 5: Bemessung und Konstruktion von Holzbauten – Teil 1-1: Allgemeines – Allgemeine Regeln und Regeln für den Hochbau".

Tabelle 8.1 gibt eine Übersicht über gebräuchliche Nägel- und Schraubensortimente.

Tabelle 8.1: Überblick über gebräuchliche Nägel- und Schraubensortimente

Nageltechnik	Schraubentechnik
Bildernägel	Balkonschrauben
Colorpins/Farbnägel	Betonschrauben
Gewindenägel	Edelstahlschrauben
Kammnägel[1)]	Einwegschrauben
Nägel aus Edelstahl/Kupfer/ Messing/ Aluminium	Fassadenschrauben
Nylon-Pressnägel	Fensterbauschrauben
Porenbeton-Nägel	Holzbauschrauben
Sparrennägel[1)]	Holzverbinderschrauben
Stahlhaken	Kamm- oder Ankerschrauben[1)]
Stahlnägel	Mauerschrauben
Stahlstifte	Möbelschrauben (Euroschrauben)
Zierkopfnägel	Rückwandschrauben
	Schnellbauschrauben
	Sechskantschrauben
	Senkkopfschrauben
	Sicherheitsschrauben
	Spanplattenschrauben
	Spenglerschrauben
	Tellerkopfschrauben
	Terrassenschrauben
	Universalschrauben
	Zylinderkopfschrauben

1) nur mit bauaufsichtlicher Zulassung oder Eignungsprüfung im Bereich der Holzbautechnik

Abb. 8.24: Verzinkter Drahtstift (Quelle: Bierbach GmbH & Co. KG, Unna)

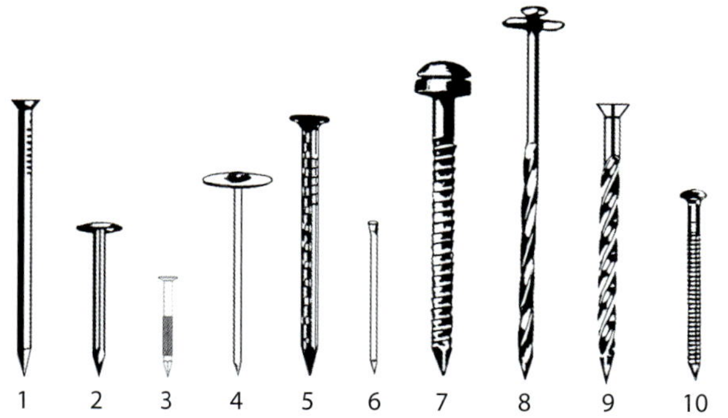

1 Drahtstift mit Flachkopf
2 Papp-/Schieferstift
3 Betonnagel
4 Leichtbauplattenstift
5 Rinneisenstift
6 Sockelleistenstift mit Tiefversenkkopf
7 Riffelnagel mit Unterlegscheibe
8 Schraubnagel mit Unterlegscheibe
9 Schraubnagel mit Senkkopf
10 Ankernagel mit Halbrundkopf und ringförmigem Widerhakengewinde

Abb. 8.25: Verschiedene Nagelformen

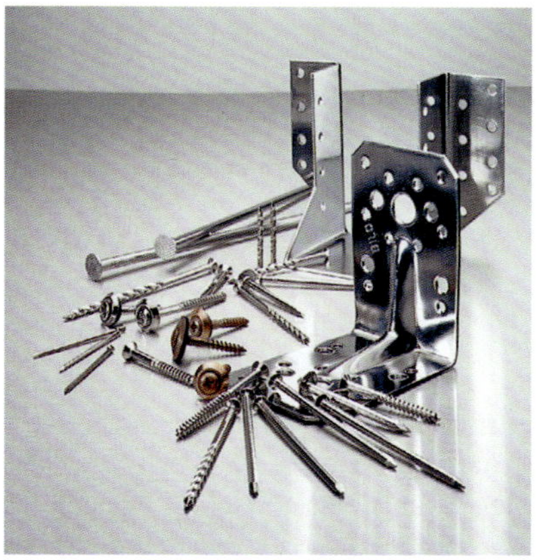

Abb. 8.26: Nägel aus Edelstahl (Quelle: Bierbach GmbH & Co. KG, Unna)

8.5.1 Nägel

Was als Nägel oder auch Drahtstifte bezeichnet wird, sind die in der Holzverarbeitung üblichen Flachkopfnägel. Diese Drahtstifte gibt es auch in gestauchter Ausführung, rund und vierkantig, blank und verzinkt (siehe Abb. 8.24). Die Palette der Nägel hat sich jedoch dermaßen verzweigt (siehe Abb. 8.25), dass man kaum noch einen Überblick geben kann. Im Folgenden werden einige wichtige Merkmale genannt, die zu beachten sind.

Materialien

Nägel werden aus unterschiedlichen Materialien gefertigt.

Stahlnägel und gehärtete Stahlnägel

Gehärtete Stahlnägel erhalten eine zusätzliche Warmbehandlung, durch die der Härtegrad gesteigert und eine größtmögliche Zähigkeit erreicht wird. Diese gehärteten Stahlnägel sind auf sehr hartem Untergrund (Beton, Mauerwerk) einsetzbar. Durch spezielle Fertigungsmethoden und ausgesuchte Materiallegierungen lassen sich bei zäh gehärteten Stahlnägeln äußerst hohe Biegewinkel von nahezu 90° erreichen (Verminderung der Splittergefahr für den Anwender).

Kupfer- und Messingnägel

Kupfer und Messing sind korrosionsfreie Metalle mit vielfältigen Einsatzmöglichkeiten in Industrie und Handwerk. Die Nägel werden hauptsächlich zur Befestigung von Kupfer und Messingblechen, für Bedachungen und im Bootsbau eingesetzt.

Aluminiumnägel

Hauptvorteile dieser Nägel sind die erhebliche Gewichtsreduzierung sowie ihre guten korrosionshemmenden Eigenschaften. Allerdings darf Aluminium nicht wahllos mit anderen Metallen in Kontakt kommen (Gefahr der elektrolytischen Reaktion). Aluminium ist hingegen resistent gegen Angriffe der meisten organischen Verbindungen.

Edelstahlnägel

Edelstahlnägel (siehe Abb. 8.26) besitzen eine Chromlegierung. Chrom erzeugt in Verbindung mit Sauerstoff schnell eine dünne, nicht sichtbare Oxidschicht, die das darunter-

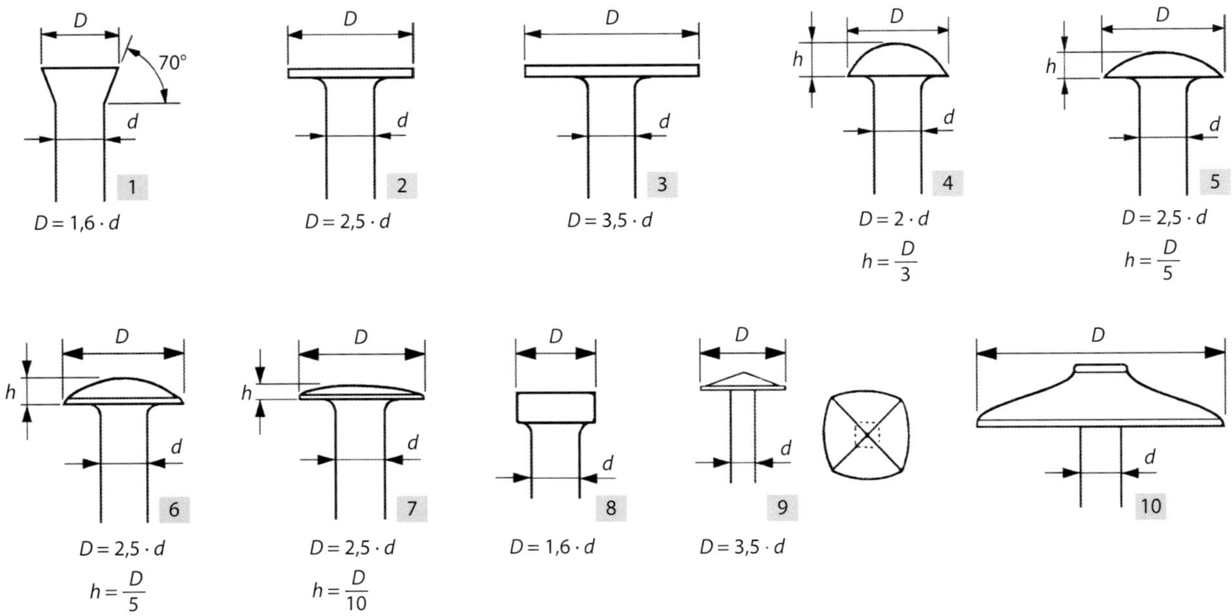

1 Senkkopf in verschiedenen Winkeln unter Kopf für Nägel, deren Köpfe nicht sichtbar angebracht werden sollen. Durch Einsenken mit einem Senkstift können die Köpfe mit Holzkitt abgedeckt werden.
2 Flachkopf (mit oder ohne Muster) zur Befestigung von Holzkonstruktionen mit guten Kopfdurchzugswerten
3 großer Flachkopf zur Befestigung weicher Werkstoffe
4 Halbrundkopf für optisch sichtbare Befestigungen (Polster, Zierleisten usw.)
5 Flachhalbrundkopf
6 Linsenkopf ebenfalls für optisch sichtbare Befestigungen
7 flacher Linsenkopf
8 Stauchkopf zur Befestigung ohne Anspruch an den Kopfdurchzugswert
9 Zierkopf für Nagelverbindungen mit besonderen optischen Ansprüchen
10 Glockenkopf in Verbindung mit Dichtungen für Nagelungen, die abdichten

Abb. 8.27: Unterschiedliche Nagelkopfformen

liegende Metall schützt und Wasser sowie Sauerstoff fernhält. Dadurch wird die Korrosion des Metalls verhindert und der Stahl wird resistenter gegen chemische Reaktionen. Die Zusammensetzung der Stähle und die Wärmebehandlung machen die Edelstahlnägel unmagnetisch. Aufgrund ihres hohen Veredelungsgrades und ihrer optimierten Eigenschaften sind sie jedoch teurer als herkömmliche Nägel.

Nagelköpfe

Von großer Bedeutung für Anwendung und Verarbeitung ist die Ausformung der Nagelköpfe. Abb. 8.27 zeigt unterschiedliche Kopfformen.

Nagelspitzen

Diamantspitze

Als „Diamant" bezeichnet man eine konische oder pyramidenförmige Spitze mit einem Winkel von ca. 30°.

Standardspitze

Die Standardspitze < 40° ist die einfach und preiswert herstellbare Universalspitze für Nägel der Massenware. Die Standardspitze > 40° verringert mit ihrem stumpfen Winkel die Spleißgefahr des Holzes.

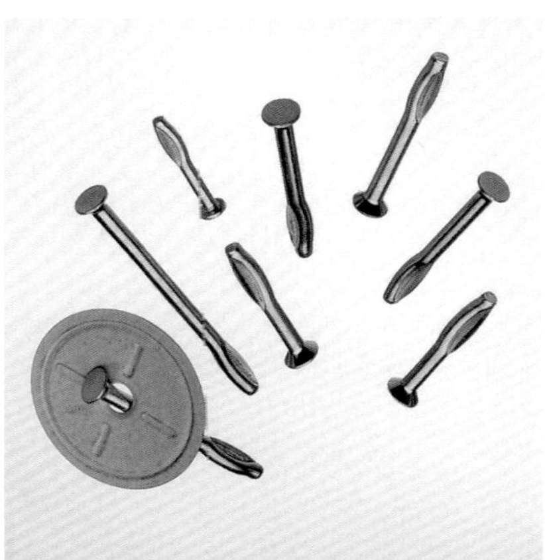

Abb. 8.28: Schlag-Spikes mit Rundspitze und Doppelspreizzone für die dübellose Vernagelung in Beton, Vollsteinen und Natursteinen (Quelle: Bierbach GmbH & Co. KG, Unna)

Meißelspitze

Die Meißelspitze wirkt bei Holz als Anti-Spalt-Spitze und hat sich bei Palettennägeln sehr gut bewährt.

Rundspitze

Die Rundspitze, gekniffen, eignet sich besonders für Handnagelung bei harten Baustoffen (Beton, Mauersteine, Mörtelfugen usw.) (siehe Abb. 8.28).

Ballistische Nagelspitzen

Ballistische Nagelspitzen sind für harte Untergründe (z. B. Beton, Mauersteine) bei maschineller Verarbeitung geeignet. Diese Spitzen werden in einem zusätzlichen Arbeitsgang geschliffen, was die Produktion allerdings verteuert.

Abb. 8.29 zeigt verschiedene Nagelspitzen.

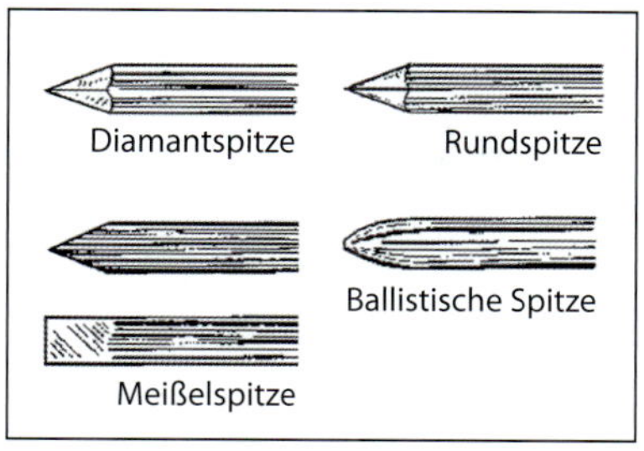

Abb. 8.29: Verschiedene Nagelspitzen

Abb. 8.30: Sparrennagel (Quelle: Bierbach GmbH & Co. KG, Unna)

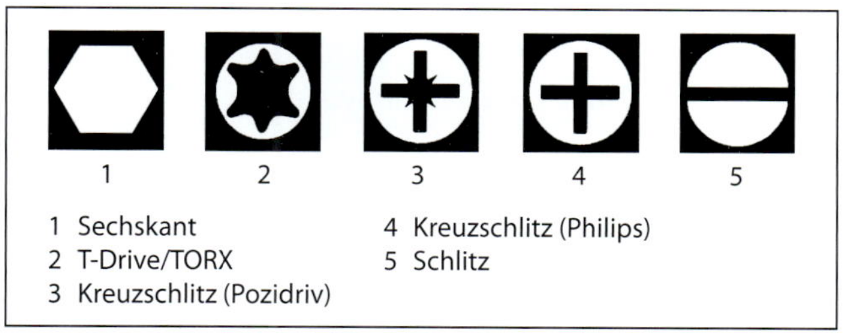

Abb. 8.31: Verschiedene Kraftantriebe für Schrauben

Glattschaftige Nägel

Hier handelt es sich um runde Drahtstifte (Drahtnägel) (z. B. Zimmerernägel). Als runde Maschinenstifte sind sie auch für die automatische Nagelung geeignet. Glattschaftige Nägel sind ungeeignet zur Aufnahme ständiger Lasten auf Herausziehen.

Profilierte Nägel

Diese Nägel mit rundem Querschnitt besitzen eine profilierte Schaftausbildung. Gebräuchliche Profilierungen sind: Rillenprofilierung, Rillenprofilierung mit Steigung und Schraubenprofilierung. Profilierte Nägel besitzen eine hohe Haltekraft und werden eingesetzt, wenn die Nägel in Schaftrichtung auf Herausziehen beansprucht werden. Sie dürfen zur Aufnahme ständiger Lasten auf Zug eingesetzt werden.

Sondernägel

Neue Baumaterialien und Anwendungsfälle erfordern Nägel in speziellen Formen und Ausführungen. Diese Nägel werden zumeist in Anwendungen eingesetzt, wo die Statik eine Rolle spielt und die in diesen Bereichen (z. B. Holztragwerke) möglichen Nagelverbindungen einen besonderen statischen (Sicherheits-)Nachweis erbringen müssen. Viele Sondernägel sind also Nägel, die über einen besonderen Eignungsnachweis verfügen.

Man unterscheidet 2 Nachweisformen:

- Die **bauaufsichtliche Zulassung** (erteilt vom Deutschen Institunt für Bautechnik [DIBt] in Berlin): Die Funktionstüchtigkeit der Nägel wird in Versuchen festgestellt. Nach bestandener Prüfung erhalten die Nägel eine bauaufsichtliche Zulassung und werden anhand der ermittelten Versuchswerte in eine der 3 Tragfähigkeitsklassen gemäß DIN 1052-10:2012-05 „Herstellung und Ausführung von Holzbauwerken – Teil 10: Ergänzende Bestimmungen" eingestuft. Viele Sondernägel sind in der Tragfähigkeitsklasse III eingestuft und können ohne statischen Nachweis eingesetzt werden (siehe Abb. 8.30).
- Die **Typenprüfung** wird von den entsprechenden Behörden in den jeweiligen Bundesländern erteilt und ist für das gesamte Bundesgebiet gültig. Diese Prüfung erfolgt über Berechnungen. Ein typischer Anwendungsbereich für Sondernägel sind Stahlblech-Holz-Nagelverbindungen für Holztragwerke mit vorwiegend ruhender Belastung. Hier werden Kammnägel oder Sparrennägel eingesetzt.

Lieferung und Verpackungseinheiten

Im Baumarktbereich sind die Kleinpackungen interessant und für den Verkauf unproblematisch. Namhafte Hersteller bieten komplette Verkaufsmodulsysteme an mit der typischen Bestückung, die sich an Endverbraucher und Heimwerker wendet. Bei den sonst handelsüblichen normalen Packungen sollte hingegen darauf geachtet werden, dass 2 Berechnungsmethoden existieren:

- Nach Gewicht, meist in Paketen von 2,5 kg, vereinzelt auch in 1-kg-Paketen oder zu je 5 kg verpackt, werden Drahtstifte, Pappstifte, Schieferstifte, Leichtbauplattenstifte, Gipskartonplattenstifte, Schlaufen (auch als U-Hakenstifte oder Krampen bezeichnet) und Hakennägel gehandelt.
- Stahlnägel und die meisten anderen Spezialnägel werden nach Stück berechnet und in Kartons bzw. in Kunststoffdosen verpackt. Die Anzahl pro Pack schwankt zwischen 100 und 1.000 Stück. Kartons oder Dosen werden noch einmal zu Verpackungseinheiten (VPE) gebündelt.

8.5.2 Schrauben

Recht groß ist der Anteil der Schrauben, die der Befestigung an Holz dienen. Dieselben Schrauben können in Kombination mit Kunststoffdübeln zur Befestigung an Mauerwerk und Beton eingesetzt werden. Für hohe Lasten gibt es spezielle Betonschrauben (siehe Abschnitt „Beton- und Mauerschrauben").

Schrauben bestehen aus Kopf, Schaft und Gewinde. Auf Verpackungen und in technischen Zeichnungen werden Dicke, Länge und Schraubenform angegeben. Als Dicke wird der Durchmesser des Gewindes bezeichnet.

Nach der Kopfform unterscheidet man Schrauben mit Senkkopf, Tellerkopf, Zylinderkopf, Linsensenkkopf, Rundkopf, Trompeten-Senkkopf, Trompetenkopf oder Sechskant-Kopf (sog. Schlüsselschrauben).

Im Schraubenkopf befindet sich der sog. Kraftantrieb, d. h. die besonders ausgeformte Vertiefung, die den Einsatz und die Kraftübertragung erlaubt.

Schrauben werden mit verschiedenen Antrieben angeboten (siehe Abb. 8.31).

Abb. 8.32: Blauverzinkte Spanplattenschraube mit Teilgewinde (Quelle: HECO Schrauben GmbH & Co. KG, Schramberg)

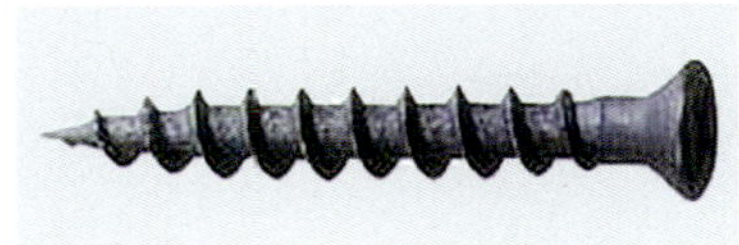

Abb. 8.33: Schnellbauschraube mit Grobgewinde (Quelle: Einkaufsbüro Deutscher Eisenhändler GmbH, Wuppertal)

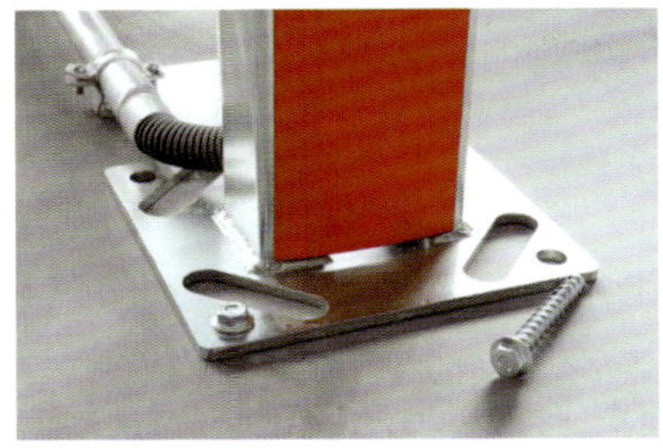

Abb. 8.34: Schraubanker zur dübellosen Befestigung (Quelle: HECO Schrauben GmbH & Co. KG, Schramberg)

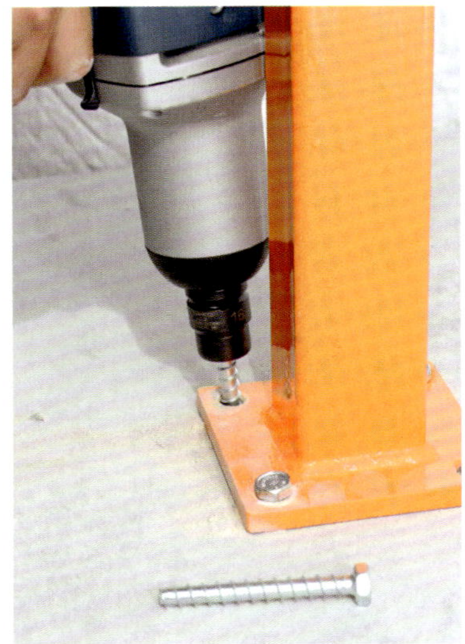

Abb. 8.35: Ohne Dübel wird der Schraubanker direkt in ein vorgebohrtes Loch geschraubt und ist sofort belastbar (Quelle: HECO Schrauben GmbH & Co. KG, Schramberg)

Schrauben mit Schlitzantrieb spielen heutzutage eine untergeordnete Rolle. Kreuzschlitzschrauben werden in Philips und Pozidriv unterschieden. Der Philipsantrieb ist vor allem bei Schnellbauschrauben und im Metallbau anzutreffen. Am gängigsten ist heutzutage der T-Drive/TORX. Er kann gegenüber den Kreuzschlitzschrauben höhere Kräfte übertragen.

Schlüsselschrauben sind mit Sechskantkopf versehen.

Außerdem gibt es Schrauben mit Innensechskant, bekannt als „Imbusschrauben“ (= Warenzeichen der Bauer & Schaurte Karcher GmbH, Neuss), ab ca. 1 mm Schlüsselweite. Im Baubereich werden sie überwiegend als Einstell- oder Feststellschrauben in Beschlägen eingesetzt.

Daneben gibt es noch Spezialschrauben, wie z. B. Sicherheitsschrauben, die sich nur mit Spezialwerkzeugen montieren und wieder lösen lassen.

Je nach Verwendungszweck ist das Gewinde als Voll- oder Teilgewinde ausgeführt.

Auch die Gewindegeometrie ist auf die unterschiedlichen Baustoffe abgestimmt. Typische Gewindeformen sind Holzschraubengewinde, Spanplattengewinde, Blechschraubengewinde, metrische Gewinde sowie Spezialgewinde.

Eine wichtige Rolle spielen insbesondere im Innenausbau und Möbelbau farbige Abdeck- oder Zierkappen, die in die Kopfbohrungen der Schrauben eingedrückt werden, sodass sich der Schraubenkopf in die jeweilige Oberflächenoptik integrieren lässt.

Nach den Anwendungsgebieten seien einige wichtige Schraubenarten aufgeführt.

Holzbauschrauben

Sie besitzen ein breites Anwendungsspektrum im Holzbau, Ingenieurholzbau, Innenausbau und Möbelbau. Es handelt sich in der Regel um Schrauben mit Voll- oder Teilgewinde in den Durchmessern 3,5 bis 10,0 mm und mit Längen von 30 bis 800 mm. Für die meisten statischen Einsatzzwecke müssen Holzbauschrauben über eine Europäische Technische Bewertung (ETA) verfügen. Diese regelt den Einsatz und die technischen Kennwerte der jeweiligen Produkte. Sie ist auf dem Etikett angegeben und wird von den jeweiligen Herstellern zur Verfügung gestellt.

Spanplattenschrauben

Diese Schrauben (siehe Abb. 8.32) besitzen meist einen Senkkopf oder einen Linsensenkkopf T-Drive/TORX oder Pozidriv. Der Durchmesser beträgt 2,5 bis 5 mm, die Länge zwischen 12 und 120 mm.

Spanplattenschrauben, die eine Funktionsspitze besitzen, lassen sich auch auf harten Oberflächen einfach verarbeiten.

Schnellbauschrauben

Diese Schrauben finden insbesondere bei den Innenausbauplatten (Gipskartonplatten, Gipsfaserplatten) Verwendung. Sie besitzen einen Trompeten-Senkkopf mit Kreuzschlitz, Feingewinde oder Grobgewinde. Die Dicke beträgt 3,8 bis 5 mm, die Länge 25 bis160 mm. Schnellbauschrauben (siehe Abb. 8.33) werden häufig mit einem Magazinschrauber verschraubt.

Verbinderschrauben

Anstelle von Kammnägeln werden in Verbindung mit Schwerlastwinkeln, Verbindern und anderen Metall-Konstruktionselementen im Holzbau auch Verbinderschrauben verwendet. Verbinderschrauben besitzen eine ETA. In ihr ist die jeweilige Verwendung geregelt. Sie ist auf dem Etikett angegeben und wird von den jeweiligen Herstellern zur Verfügung gestellt.

Beton- und Mauerschrauben

Seit 25 Jahren steht der Schraubanker (siehe Abb. 8.34) für eine Revolution in der Befestigungstechnik. Durch die Möglichkeit der dübellosen Befestigung (d. h. Vorbohren und Einschrauben) ist ein schnelles Montieren von Anbauteilen in Beton, Kalksandstein, Mauerziegel, Leichtbeton und auch in Natursteinen usw. möglich. Es existiert eine Vielzahl von unterschiedlichen Kopfformen (Sechskantkopf mit angepresster Scheibe, Flachkopf, Rundkopf usw.) und ein selbstschneidendes Gewinde, das sich in den Verankerungsgrund einschneidet und eine randnahe, spreizdruckfreie, formschlüssige Verbindung eingeht (siehe Abb. 8.35).

Anwendungsspektrum: Befestigung von Geländern, Stützfüßen, Konsolen, Deckenabhängungen, Kanthölzern, Kabelkanälen, Rohrschellen, Schaltkästen, Feuerlöschern, Regalsystemen usw.

Dübelschrauben

Dübel werden auch mit passenden (vormontierten) Dübelschrauben angeboten. Diese Schrauben besitzen ein in der Länge auf den Dübel angepasstes Teilgewinde (z. B. Durchsteckdübel mit langem Schaft), das einen möglichst hohen Anpressdruck des Dübels im Bohrloch erlaubt, ohne dass der Kunststoff des Dübels zerschnitten wird. Die Schrauben sind mit einem Senkkopf (als Sicherheitsschrauben mit einem TORX-Senkkopf) oder Sechskantkopf versehen.

Fensterbauschrauben

Diese Schrauben werden zum Montieren von Beschlägen auf Kunststoff- und Holzprofilen im Fensterbau verwendet. Sie besitzen in der Regel einen Senkkopf und sind – je nach Anwendung – mit einem Hochtief-Doppelganggewinde oder einem Blechgewinde nach DIN EN ISO 1478:1999-12 „Blechschraubengewinde“ versehen.

Schlossschrauben

Schlossschrauben besitzen einen Flachkopf mit daran anschließendem Vierkant und werden mit einer Sechskantmutter oder Hutmutter festgedreht (siehe Abb. 8.36). Die vorstehenden Teile des Vierkants pressen sich in das Holz oder eine entsprechende Ausnehmung im Metallteil und fixieren so die Schraube.

Relevante Normen

Aus der Vielzahl der Normen über Nägel und Schrauben seien hier genannt:

DIN 95:2016-12 Linsensenk-Holzschrauben mit Schlitz

DIN 96:2016-12 Halbrund-Holzschrauben mit Schlitz

DIN 97:2016-12 – Senk-Holzschrauben mit Schlitz

DIN 603:2017-05 – Flachrundschrauben mit Vierkantansatz

DIN 1052:2012-05 – Herstellung und Ausführung von Holzbauwerken – Teil 10: Ergänzende Bestimmungen

DIN EN ISO 1478:1999-12 „Blechschraubengewinde

DIN EN 10230-1:2000-01 – Nägel aus Stahldraht – Teil 1: Lose Nägel für allgemeine Verwendungszwecke

DIN-Taschenbuch 10 – Mechanische Verbindungselemente 1 – Schrauben – Nationale Normen (2023-01)

8.6 Dübel und Anker

8.6.1 Befestigungstechnik

Dank moderner Befestigungstechnik (siehe Abb. 8.37) lassen sich Befestigungsgegenstände auch nachträglich unkompliziert im Baustoff verankern. Dafür werden heute Dübel in einer großen Vielfalt am Markt angeboten. Für nahezu alle Anwendungen gibt es die jeweils geeignete Ausführung. Wer einige Grundlagen der Befestigungstechnik beachtet, findet den richtigen Dübel für seine Befestigungsaufgabe und sorgt für sichere Verbindungen am Bau.

Abb. 8.36: Schlossschraube gemäß DIN 603 mit Mutter

Abb. 8.37: Für jedes Befestigungsvorhaben gibt es jeweils geeignete Befestigungsmittel, wie Dübel, Anker oder Schrauben (Quelle: fischerwerke GmbH & Co. KG, Waldachtal).

Grundsätzlich werden Kunststoffdübel, Stahlanker und chemische Befestigungssysteme unterschieden. Entscheidend für die richtige Wahl ist das Zusammenspiel des Befestigungsmittels mit dem Baustoff und den einwirkenden Lasten. Klassische Spreizdübel können beispielsweise in Beton und Vollmauerwerk für festen Halt sorgen. In Lochbausteinen eignen sich hingegen Ausführungen, die sich in den Hohlkammern bzw. Hohlräumen der Steine verankern.

Für Plattenbaustoffe sind wiederum insbesondere Kippdübel die richtige Wahl oder Dübel, die sich in den Baustoff einschneiden. Passend für bestimmte Anwendungen gibt es zudem Dübel für die Befestigung an Wärmedämm-Verbundsystemen (WDVS) und vieles mehr.

8.6.1.1 Baustoff als Kriterium für die Dübelauswahl

Die meistverbreiteten Baustoffe sind Beton, Mauerwerk und Plattenwerkstoffe wie Gipskarton- oder Gipsfaserplatten. Neben der Art des Baustoffs spielen auch seine Struktur und Güte eine wichtige Rolle bei der Dübelauswahl.

Normalbeton

Normalbeton ist beispielsweise ein guter Verankerungsgrund zur Lasteinleitung, da seine Dichte und Druckfestigkeit hoch sind. In Leichtbeton sind hingegen Zuschläge verarbeitet, die die Druckfestigkeit des Befestigungsgrundes stark beeinflussen können.

Mauerwerk

Mauerwerk ist ein Verbundwerkstoff aus Steinen und Mörtel. Die wichtigsten Gruppen sind:

- Vollsteine mit dichtem Gefüge (z. B. Kalksand-Vollstein, Vollziegel),
- Vollsteine mit porigem Gefüge (z. B. Porenbeton und Leichtbeton-Vollstein),
- Lochsteine mit dichtem Gefüge (z. B. Kalksand-Lochsteine),
- Lochsteine mit porigem Gefüge (z. B. Leichtbeton-Hohlblockstein [Bimsstein], Hochlochziegel wie z. B. Porotonsteine).

Plattenwerkstoffe

Plattenwerkstoffe sind dünne Platten mit geringen Festigkeiten, die ein- oder beidseitig auf einer Unterkonstruktion aufgebracht werden. An der Decke wird die Anbringung immer einseitig umgesetzt. Somit erfolgt eine sichere Befestigung mit Spezial-, Kipp- oder Universaldübeln im Hohlraum. Bei größeren, schweren Einbauten, wie Küchenhängeschränken oder Sanitäreinrichtungsgegenständen, sollte die Unterkonstruktion der Wand so konzipiert sein, dass sie die Anbauten mittragen kann. Die wichtigsten Plattenwerkstoffe sind:

- Gipskarton- und Gipsfaserplatten,
- Platten aus Holz, wie Holzfaserplatten, Spanplatten, OSB(Oriented Strand Board)-Platten und Schichtholzplatten,
- Dämmstoffplatten (Polystyrolplatten, Polyurethan-Hartschaumplatten usw.), die eine geringe Druckfestigkeit und sehr viele Poren besitzen. Hierin sind nur Befestigungen geringer Lasten mit Spezialdübeln möglich.

8.6.1.2 Dübelarten und ihre Wirkungsweisen

Dübel verbinden Anbauteile mit dem Baukörper. Dabei werden die einwirkenden äußeren Lasten in den Traggrund eingeleitet bzw. auf ein Bauteil übertragen, von diesem aufgenommen und abgetragen. Je nach Rahmenbedingungen eignen sich dazu verschiedene Dübel mit unterschiedlichen Tragmechanismen.

Spreizdübel

Spreizdübel aus Kunststoff oder auch Bolzen- und Hülsenanker entfalten durch Reibschluss ihre Wirkung. Hierbei wird das Spreizteil des Dübels an die Bohrlochwand gepresst. Die äußeren Lasten werden so durch Reibung in den Verankerungsgrund eingeleitet (siehe Abb. 8.38).

Formschluss

Beim Formschluss passen sich die Dübel hingegen der Geometrie des speziell hergestellten Bohrlochs (Hinterschnitt in Beton oder Porenbeton) oder dem Verankerungsgrund (Lochsteine) an. Bei dieser Wirkweise wird beim Setzen kein oder nur ein geringer Druck auf den Ankergrund ausgeübt, weswegen man auch von einer spreizdruckfreien Verankerung spricht (siehe Abb. 8.39).

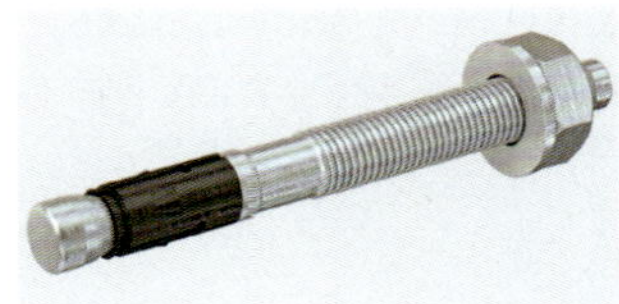

Abb. 8.38: Ein Befestigungsmittel, das per Reibschluss wirkt, ist der fischer FAZ II. Der Bolzenanker leitet Lasten dauerhaft sicher in Beton ein und ermöglicht eine sehr hohe Tragfähigkeit in einem sofort belastbaren System. (Quelle: fischerwerke GmbH & Co. KG, Waldachtal)

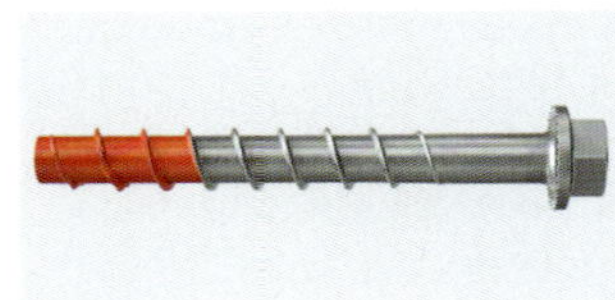

Abb. 8.39: Zu Befestigungsmitteln, die per Formschluss wirken, zählt die fischer-Betonschraube UltraCut FBS II. Je nach Durchmesser ist sie für viele verschiedene Verankerungstiefen zugelassen – jeweils passend zur vorhandenen Belastung. Zudem erweitern viele verschiedene Kopfformen sowie Ausführungen speziell für Mehrfachbefestigungen als auch aus verzinktem und nicht rostendem Stahl das Anwendungsspektrum (Quelle: fischerwerke GmbH & Co. KG, Waldachtal).

Stoffschluss

Bei einem Stoffschluss verbindet ein Mörtel den Dübel mit dem Baustoff. Durch ihre sehr hohe Haftzugfestigkeit schafft die chemische Komponente des Befestigungssystems dabei eine stabile Verbindung zum Ankergrund und ermöglicht so eine sichere Verankerung (siehe Abb. 8.40).

8.6.1.3 Montagearten

Ein Dübel lässt sich auf 3 unterschiedliche Arten montieren:

- Bei der **Vorsteckmontage** wird der Dübel zuerst gesetzt und dann das Anbauteil angebracht.
- Bei der **Durchsteckmontage** dient das Anbauteil als Bohrschablone. Durch die Löcher im Montagegegenstand hindurch wird das Bohrloch im Verankerungsgrund hergestellt und der Dübel gesetzt.
- Als dritte Montageart kann die **Abstandsmontage** genannt werden. Diese ist im Regelfall eine Vorsteckmontage mit verlängerter Gewindeaufnahme. Diese Montageart ermöglicht es, dass ein Gegenstand mit Abstand zum Untergrund befestigt werden kann.

8.6.1.4 Tipps und Vorgaben für die Montage

Bei der Dübelauswahl sind neben der Tragfähigkeit und der Eignung für den Untergrund auch die Stärke des Anbauteils bzw. der Abstand der Ankerplatte zum Beton zu beachten. Die Schraube, die in den Dübel eingedreht wird, bzw. der Gewindebolzen am Anker muss den Montagegegenstand überbrücken. Für die richtige Dübel- bzw. Schraubenlänge sind neben der zu überbrückenden Dicke des Anbauteils auch ein erforderlicher Überstand für Mutter und Unterlegscheibe zu berücksichtigen.

Zudem ist zu beachten, dass die Bohrlochtiefe fast immer größer als die Verankerungstiefe ist. Bohrstaub im Bohrloch reduziert die Leistungsfähigkeit der Befestigung und muss daher entfernt werden. Dazu dienen zum Beispiel fischer-Hohlbohrer und fischer-Sauger.

Wichtig ist auch, die geeigneten Rand- und Achsabstände sowie weiteren Angaben in den technischen Unterlagen der Dübelhersteller sowie Zulassungen zu beachten.

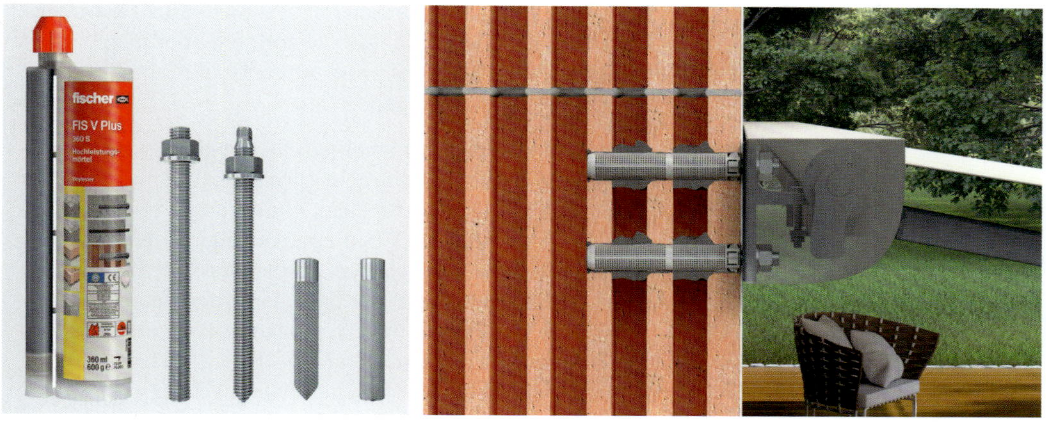

Abb. 8.40: Zu den chemischen fischer-Befestigungssystemen, die per Stoffschluss wirken, gehört der FIS V Plus. Dieser eignet sich sowohl zum Einleiten hoher Lasten in Beton, Voll- und Lochsteinmauerwerk sowie in Porenbeton – jeweils gemäß ETA – als auch für Spezialanwendungen mitsamt optimal auf die jeweiligen Befestigungsaufgaben abgestimmtem Zubehör (Quelle: fischerwerke GmbH & Co. KG, Waldachtal).

Maßgeblich ist, ob eine Befestigung sicherheitsrelevant ist. Dies ist immer dann der Fall, wenn beim Versagen der Verankerung Gefahr für Leib und Leben besteht oder wesentlicher wirtschaftlicher Schaden eintreten kann. Dazu zählen Anwendungsfälle wie Fassaden, Lüftungs- und Gasleitungen, Feuerschutzeinrichtungen, Deckenbekleidungen und vieles mehr. Sicherheitsrelevante Befestigungen erfordern eine ingenieurmäßige Planung und Bemessung sowie eine fachgerechte Montage. Nicht sicherheitsrelevante Anwendungen können hingegen nach handwerklichen Regeln ausgeführt werden.

8.6.2 Sortimente

8.6.2.1 Dübel und Anker mit Reibschluss

In die Gruppe der mit Reibschluss wirkenden Dübel fallen Bolzenanker. Dazu gehört der fischer-Bolzenanker FAZ II. Sein Konusbolzen wird beim Anziehen der Mutter in den Spreizclip gezogen und verspannt diesen fest gegen die Bohrlochwand. So kann der FAZ II hohe Lasten in den Beton einleiten und ermöglicht so eine sehr hohe Tragfähigkeit. Ein weiteres Beispiel sind Innengewindeanker, wie der Einschlaganker fischer EA II. Per einfacher Schlagmontage mit einem Einschlagwerkzeug wird die Hülse durch das Eintreiben des innen liegenden Stiftes aufgespreizt und verspannt sich gegen die Bohrlochwand.

8.6.2.2 Dübel und Anker mit Formschluss

Zu dieser Gruppe gehören Betonschrauben, wie die fischer-Betonschraube UltraCut FBS II. Sie ist mit 6 mm Durchmesser für die Mehrfachverankerung von nicht tragenden Systemen zugelassen und besitzt zudem für alle Größen auch die Zulassung für Einzelbefestigungen. Beim Eindrehen schneiden sich die Flanken der Betonschraube tief in den Beton ein. Durch diesen Formschluss überträgt sie die Kräfte zuverlässig und verankert spreizdruckfrei im Verankerungsgrund. Ein weiteres Beispiel ist der Porenbetonanker FPX-I. Bei dessen Montage spreizen die 4 Flügel seiner Vierkant-Spreizhülse auf und erzeugen einen Hinterschnitt. Der Porenbeton verdichtet sich an dieser Stelle. Hierdurch können hohe Lasten sicher in das Bauteil eingeleitet werden.

Bei Lochbaustoffen, wie Hochlochziegeln und Hohlblocksteinen, wird zudem beispielsweise mit Injektionssystemen ein Formschluss erreicht. Diese bestehen aus Injektionsmörtel mit zugehörigen Systemkomponenten. Dabei wird in Lochbaustoffen eine Ankerhülse (Siebhülse) in das Bohrloch gesetzt. Hierein wird der Mörtel injiziert, der sich beim Einbringen der zugehörigen Ankerstange genau dorthin verteilt, wo er benötigt wird. Dank der Ankerhülse wird so ein geringer Materialverbrauch bei optimalem Formschluss in den Kammern der Mauerwerkssteine erreicht.

Ebenfalls für den Einsatz in Lochbaustoffen geeignet sind Langschaftdübel. fischer bietet hier beispielsweise die Ausführungen SXR/SXRL. Diese Langschaftdübel vereinen unterschiedliche Wirkungsweisen (Reibschluss, Formschluss) und verankern so Anbauteile sicher in Voll- oder Lochbaustoffen. Ein weiterer Langschaftdübel ist der DuoXpand. Dank seiner speziellen Lamellengeometrie verspreizt dieser materialschonend im Verankerungsgrund. In Vollbaustoffen gewährleistet das intelligente Design eine gleichmäßige Lastenverteilung. Im Lochsteinmauerwerk spreizen die Lamellen am Steinsteg und bilden einen Hinterschnitt in den Kammern. Die ETA für die Mehrfachbefestigung von nicht tragenden Systemen bescheinigt den sicheren Halt in allen Baustoffklassen.

8.6.2.3 Dübel und Anker mit Stoffschluss

Zu dieser Gruppe zählen Injektionsmörtel, auch Verbundmörtel genannt, die in Vollbaustoffen mit der Bohrlochwand einen Haftverbund aufbauen. In den in das Bohrloch injizierten Mörtel wird eine Gewindestange eingebracht, die über die Verzahnung ihres Gewindes sicher in der chemischen Komponente hält. Im Mauerwerk, in dem mit Hohlräumen zu rechnen ist, oder in Lochsteinen werden die Ankerstangen mit Ankerhülsen gesetzt, um ein sicheres Setzen durch Formschluss zu ermöglichen (siehe Kapitel 8.6.2.2).

Zu den Injektionsmörteln gehört der fischer FIS V Plus (siehe Abb. 8.40). Dessen Einsatzbereich umfasst Befestigungen in Beton und Mauerwerk, wassergefüllte Bohrlöcher sowie Anwendungen in erdbebengefährdeten Gebieten und vieles mehr. Der Universalmörtel lässt sich auch bei geringeren Rand- und Achsabständen nutzen. Zahlreiche Systemkomponenten ermöglichen Spezialanwendungen. Neben Injektionsmörteln sind Patronensysteme weitere chemische Befestigungssysteme. Diese werden mit einem ausreichend schweren Hammerbohrer schlagdrehend in den Baustoff eingetrieben und entfalten zusammen mit passenden Systemkomponenten aus Stahl ihre Wirkkraft.

8.6.2.4 Spezialbefestigungen

Zu der heutigen Befestigungsvielfalt gehören auf Anwendungen abgestimmte Sortimente, wie beispielsweise Fassaden- und Installationssysteme oder Spezialbefestigungen für WDVS.

Die Anforderungen an die Gebäudehülle steigen. Für vorgehängte hinterlüftete Fassaden (VHF) zur Einhaltung aktueller Energiestandards gibt es formschlüssig wirkende Hinterschnittanker. Dazu gehört der Zykon-Plattenanker FZP II, den fischer als Komplettlösung mit passenden Unterkonstruktionslösungen sowie allen weiteren erforderlichen Systembestandteilen anbietet. Der FZP II ermöglicht die rückseitige, nicht sichtbare Befestigung nahezu aller Bekleidungsmaterialien (Naturwerkstein, Glasplatten, Keramikfliesen sowie Faserzement- und High-Pressure-Laminate[HPL]-Platten) zugunsten einer harmonisch wirkenden Gebäudeansichtsseite. Durch seine formschlüssige und daher spreizdruckfreie Verankerung im konisch hinterschnittenen Bohrloch sorgt der Hinterschnittanker für eine statisch optimale Befestigung der anzubringenden Platten. Dadurch können Fassaden flexibler geplant und ausgeführt sowie die technischen Eigenschaften des Bekleidungsmaterials voll ausgenutzt werden. Nahezu alle Fassadenplatten lassen sich sichtbar mittels Nieten oder Bohrschrauben befestigen. Keramikfliesen können mit Klammern befestigt werden. Gekantete Metallkassetten lassen sich durch Bolzenaufhängungen an die Fassade anbringen.

Die Anforderungen in der technischen Gebäudeausrüstung (TGA) werden ebenfalls immer komplexer und erfordern ein breites Sortiment an Befestigungs- und Montagelösungen. Das Spektrum an fischer-Installationssystemen reicht von Systemen für leichte bis schwere Lasten und eignet sich somit für Anwendungen im Wohnungsbau sowie für Infrastrukturprojekte und Industriebauten. Je nach Gebäudesituation und Umfang der Leitungsführung können Anwender die benötigten Komponenten modular zusammenstellen. Ausführungen mit galvanischer Verzinkung sind für Installationen in Gebäuden geeignet. Hinzu kommen Installationssysteme in feuerverzinktem oder nicht rostendem Stahl für den Einsatz im Außenbereich und in hochkorrosiven Atmosphären.

Durch die gestiegenen energetischen Anforderungen an Gebäude erhalten noch mehr tragende Außenwände – bei Neubauten wie bei der Gebäudesanierung – oftmals dicke Bekleidungen aus WDVS. Beim Anbringen der Anbauteile muss jedoch darauf geachtet werden, dass die Befestigung keine Wärmebrücke in der Fassade verursacht und in der Regel im Traggrund unter dem Dämmstoff verankert werden kann. Um mittelschwere bis schwere Lasten – von der Markise bis zum französischen Balkongeländer – sicher in den Traggrund einzuleiten, bietet fischer die Abstandsmontagesysteme fischer Thermax 12 und 16. Je nach Thermax können dabei Dämmstoffdicken von 64 bis 295 mm „überbrückt“ werden, um Anbauteile nahezu ohne Wärmebrücken auf dem WDVS zu befestigen. Die Typen Thermax 8 und 10 eignen sich zudem zur sicheren und festen Fixierung von Anbauteilen wie etwa Jalousien. Dabei „überbrücken“ sie Dämmdicken von 45 bis 240 mm. Verschiedene Dämmstoffdübel eignen sich zudem, um leichte Anbauteile in der Dämmung ohne Wärmebrücke zu befestigen, wie beispielsweise Briefkästen, Lampen oder Bewegungsmelder. fischer bietet hierfür den Dämmstoffdübel FID – jetzt neu auch in der Ausführung FID-R speziell für Regenrohre.

8.6.3 Relevante Bestimmungen

Nationale Zulassungen werden im Zuge der europäischen Harmonisierung immer mehr von Europäischen Technischen Bewertungen abgelöst (European Technical Assessment [ETA]). Die Richtlinien für die Erteilung der ETAs werden von der Europäischen Zulassungsbehörde (European Organisation for Technical Assessment [EOTA]) erstellt und in Deutschland vom DIBt umgesetzt. Die Zulassungen und Bewertungen enthalten wichtige Informationen über den Nutzungsbereich und die Anwendungsbedingungen der Befestigungen.

9 Haus und Garten

9.1 Bauteile und Bauelemente aus Beton

Betonbauteile kommen in fast jedem Garten in Deutschland zum Einsatz. Sie strukturieren den Außenbereich, unterstützen bei der Befestigung von Flächen und setzen gestalterische Akzente. Sie kommen unter anderem für Pflasterflächen, Terrassen, Beete, Rasen, Terrassierungen, Gehwege und Mauern zum Einsatz.

Die Herstellung von Betonbauteilen wird den folgenden in harmonisierten europäischen Richtlinien geregelt:

- DIN EN 1338:2003-08 „Pflastersteine aus Beton – Anforderungen und Prüfverfahren",
- DIN EN 1339:2003-08 „Platten aus Beton – Anforderungen und Prüfverfahren",
- DIN EN 1340:2003-08 „Bordsteine aus Beton – Anforderungen und Prüfverfahren",
- DIN EN 15258:2009-05 „Betonfertigteile – Stützwandelemente",
- DIN EN 13198:2003-09 „Betonfertigteile – Straßenmöbel und Gartengestaltungselemente".

Die Übereinstimmung der Produktherstellung mit diesen Normen wird in den CE-Leistungserklärungen der Hersteller festgehalten.

9.1.1 Pflastersteine und Platten

Pflastersteine und Platten sind in den verschiedensten Stilen anzutreffen. Von geradlinigen, feinfugigen, einfarbigen Flächen bis hin zu farbenreich nuancierten, gealterten Ökoflächen ist heute kein Ambiente undenkbar. Auch Kombinationen im Stilbruch mit rustikalen Pflasterflächen und modern-eleganten Einfassungen und alltagstauglich beschichteten Platten kommen immer häufiger vor.

Pflastersteine und Platten aus Beton bestehen meist aus 2 Schichten: einer dicken Kernschicht aus Beton, die als Trägermaterial fungiert, sowie einer ca. 1 cm starken Oberflächenschicht. Diese sichtbare Schicht wird Vorsatzschicht genannt und enthält Farbzusätze sowie hochwertige Edelsplitt-Natursteinkörnungen. Der Vorsatzbeton verleiht den Steinen ihr spezifisches Aussehen. Die Oberfläche der Platten und Steine wird häufig nachträglich bearbeitet. Diese kann zum Beispiel geschliffen, gestrahlt, gealtert, gebürstet werden (siehe Kap. 9.1.5).

Pflastersteine

Pflastersteine sind mit ihrer Stärke, Größe und Robustheit ideal für befestigte Fläche geeignet. Dazu zählen u. a. Hofeinfahrten, Garageneinfahrten und Pkw-Stellplätze. Nähere Informationen zur Verarbeitung solcher Flächen enthält das Kapitel 2.13 „Betonsteine und -elemente für befestigte Verkehrsflächen". Auch Gehwege rund ums Haus oder Terrassen und Sitz- oder Abstellflächen im Garten werden häufig mit Pflastersteinen umgesetzt (siehe Abb. 9.1).

Abb. 9.1: Pflastersteine im Eingangs- und Garagenbereich (Quelle: Ehl AG, Kruft)

Im privaten Bereich rund ums Haus ist der gängigste Pflasterstein 6 bis 8 cm stark und hat eine Kantenlänge von bis zu 30 cm. Dabei kann ein Pflasterstein beliebige Gestalten annehmen von quadratisch und rechteckig über andere geometrische (z. B. Polygon) bis hin zu individuelleren Formen. Ausschlaggebend für die Bezeichnung Pflaster oder Platte ist das Verhältnis zwischen Länge und Dicke des Produktes. Überschreitet die längste Seite am Stein die Dicke des Produktes um mehr als das Vierfache, werden die Steine als Platten bezeichnet.

Je nach Stärke und Größe sind Pflastersteine unterschiedlich befahrbar bis gar nicht für Verkehrsbelastung geeignet. In der Regel sind stärkere und kleinere Betonsteine belastbarer als weniger starke, großflächigere und schmalere Steine.

Mit der zunehmenden Relevanz einer nachhaltigen Gartengestaltung gewinnen wasserdurchlässige Pflastersteine immer mehr an Bedeutung. Sie fördern die natürliche Anreicherung des Grundwasserspiegels und entlasten das Abwassersystem. Im Gegenzug erlassen einige Gemeinden Abwassergebühren für solch angelegte Ökoflächen. Grundvoraussetzung dafür sind ein wasserdurchlässiger Boden und Unterbau, die die natürliche Versickerung unterstützen.

Platten für den Außenbereich

Platten für den Außenbereich sind vielseitig einsetzbar, ob auf Terrassen (siehe Abb. 9.2), Gehwegen oder rund um den Pool. Mit ihren größeren Formaten und weniger Fugen lassen sie Flächen optisch größer wirken. Sie kommen aufgrund ihrer höheren Bruchlast nur auf begehbaren Flächen mit geringer Belastung zum Einsatz.

Abb. 9.2: Terrassengestaltung mit Platten (Quelle: Ehl AG, Kruft)

Zu den üblichsten Formaten gehören Platten in einer Größe zwischen 30 cm × 30 cm und 80 cm × 40 cm. Auch darüber hinaus sind andere Größen möglich. Sie sind dünner als Pflastersteine, nämlich ca. zwischen 3 und 5 cm stark.

Insbesondere in den Wohnbereichen rund ums Haus spielt auch die Oberfläche von Betonplatten eine wichtige Rolle, die dank innovativer Betontechnologie sehr vielseitig und natursteinähnlich sein kann. So sind beschichtete Platten beliebt in Ess- und Grillecken, wo Essensreste leicht abwischbar sein müssen. Fein gebürstete Platten dagegen fühlen sich samtig zum Barfußlaufen an. Um den Pool herum sind rutschfeste Platten notwendig, wie beispielsweise gestrahlte, strukturierte oder auch glatte Oberflächenbehandlungen.

9.1.2 Mauersysteme

Mauern aus Betonstein kommen sehr vielseitig zum Einsatz, z. B. als Grundstückseinfriedung, Sichtschutz, Beeteinfassung, Hangbefestigung, Einfassung für Treppenanlagen oder als gestalterische Elemente (siehe Abb. 9.3).

Abb. 9.3: Mauersteine in der Gartengestaltung (Quelle: Ehl AG, Kruft)

Dabei lassen sich 2 Arten von Mauersteinen unterscheiden: der Vollbetonstein und der Hohlkammerstein. Vollbetonsteine sind in der Regel schwerer, lassen sich aber schneller aufbauen. Hohlkammersteine sind in der Regel leichter und lassen sich beliebig befüllen für mehr Stabilität oder eine umweltfreundliche Begrünung.

In beiden Fällen ist ein frostsicheres Fundament notwendig. Das Fundament sollte 80 bis 100 cm tief sein und mit erdfeuchtem Beton aufgefüllt werden. Die Steine werden Reihe für Reihe aufeinandergesetzt. Hohlkammersteine müssen dazu nach jeder Reihe verfüllt werden (mit Splitt oder erdfeuchtem Beton). Für mehr Stabilität sorgt ein spezieller Natursteinkleber auf Trasszementbasis, der zwischen jeder Reihe auf die Steinoberfläche aufgetragen wird. Auch PU-Kleber sind dafür bestens geeignet.

9.1.3 Palisaden

Palisaden sind Multitalente für Beeteinfassungen (siehe Abb. 9.4), Randbegrenzungen, Böschungsbefestigungen, bei der Podest- und Stufengestaltung sowie als gestalterische Elemente.

Abb. 9.4: Mit einer Palisade eingefasstes Beet (Quelle: Ehl AG, Kruft)

Die Form der Palisade variiert von klassischen Rundpalisaden bis zu modernen Rechteckpalisaden. Die Höhen sind unterschiedlich und betragen je nach Art der Palisade zwischen 20 und 200 cm.

Palisaden werden grundsätzlich in ein Fundament aus erdfeuchtem Beton gesetzt, das je nach Anwendungsfall und Höhe der Palisade variieren kann. Das Fundament sollte etwa ein Drittel der Palisadenhöhe einbinden.

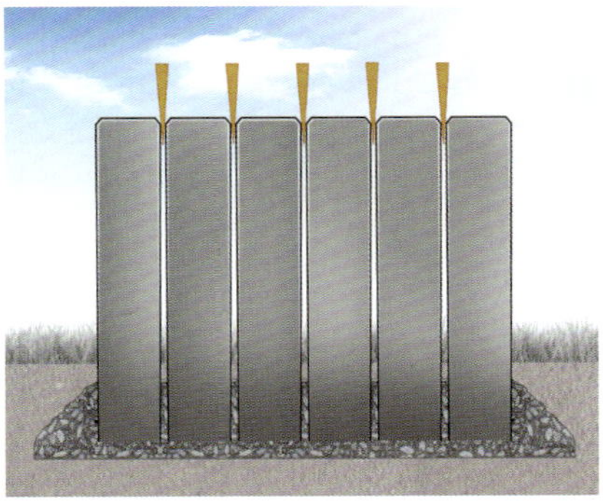

Abb. 9.5: Ausrichtung von Palisaden (Quelle: Ehl AG, Kruft)

Herstellungsbedingt sind Palisaden leicht konisch und werden nach oben schmaler. Gerade bei längeren Palisaden ab 100 cm sind dies einige Millimeter. Daher empfehlen sich eine Ausrichtung und Auslotung der Palisaden mithilfe einer Richtschnur und kleiner Holzkeile (siehe Abb. 9.5).

9.1.4 Verlegung von Betonsteinplatten

Verlegung im Splittbett

Platten werden in der Regel im Splittbett verlegt (siehe Abb. 9.6). In diesem Splittbett können thermische Veränderungen der Länge und Breite (unter Einhaltung der Fugenbreiten) und fertigungsbedingte Maßtoleranzen in der Dicke aufgenommen werden.

Dabei werden die Platten in eine ca. 4 cm dicke Bettungsschicht (nach der Verdichtung) verlegt, die profil- und höhengerecht mittels Richtlatte abgezogen wurde. Bei der Verlegung werden die Platten nach Höhe und Lage mit einem farbneutralen Gummihammer ausgerichtet. Je nach Größe der Platten ist auch der Einsatz von Verlegegeräten mit allseitiger Klammer oder Vakuumfunktion üblich.

Wichtige Kriterien für eine gelungene Fläche sind außerdem die Fugenbreite von ca. 4 mm (± 2 mm), die eingehalten werden muss, und das passende Bettungsmaterial. Geeignet für Beläge ohne höhere Belastung ist ein Brechsand-Splitt-Gemisch aus Hartgesteinskörnung. Nähere Infos dazu finden sich in den einschlägigen Normen und Richtlinien.

Gebundene Bauweise

Betonplatten können auch in gebundener Bauweise, d. h. in Beton oder Mörtel, verlegt werden. Durch die ganz speziellen Anforderungen und eine ausgesprochene Präzision während der Verlegung wird diese Methode häufig nicht empfohlen, um Spannungsrisse in der Fläche zu vermeiden.

Diese Ausführung sollte nur von Fachpersonal mit Erfahrung und ausführlicher Planung vorab durchgeführt werden.

Verlegung auf Plattenlagern

Insbesondere wenn auf einer Fläche bereits andere Platten oder Pflastersteine liegen, ist die Verlegung auf Plattenlagern eine schnelle Möglichkeit, die Fläche zu erneuern.

Plattenlager sind flache Kunststoffelemente, kombiniert mit einem Fugenkreuz, die als Auflagefläche für die Platten dienen. Im Unterschied zu Stelzlagern können mit Plattenlagern nur geringe Aufbauhöhen umgesetzt und geringfügige Höhenunterschiede und Gefälle ausgeglichen werden. In beiden Fällen werden die Fugen nicht verfüllt, sondern bleiben offen.

9.1.5 Oberflächenbearbeitung von Pflastersteinen

Für die Auftrittsflächen und Konturen der Betonsteine werden ausgewählte Edelsplitte bzw. Natursteinkörnungen sowie verschiedene nachträgliche Bearbeitungstechniken verwendet. Die sorgfältige Oberflächenbearbeitung bringt die Brillanz der natürlichen Gesteine und die Kantenform zur Geltung. Je nach Verfahren entsteht eine dezente oder effektvolle Patina mit mehr oder weniger ausgeprägten Oberflächenstrukturen.

Beispiele dieser Oberflächenveredelungen zeigt Tabelle 9.1.

Abb. 9.6: Verlegung von Platten im Splittbett (Quelle: Ehl AG, Kruft)

Tabelle 9.1: Oberflächenveredelungen von Pflastersteinen

Bezeichnung	Beschreibung	Muster (Quelle: Ehl AG, Kruft)
betonglatt	natürliche Oberflächenhaptik ohne nachträgliche Bearbeitung	
gestrahlt	Bestrahlen der Oberfläche mit Edelstahlkugeln. Farbangepasste Natursteinkörnungen werden sanft freigelegt und teilweise gebrochen.	
strukturiert	grob strukturierte, natürlich anmutende Oberfläche, die als Abbild von anderen Materialien in die Formen übertragen wird	
fein gebürstet (gecurlt)	samtweiche Oberflächenhaptik, die durch feine Bürsten in der Nachbearbeitung entsteht	
gealtert	betonglatte Oberflächenhaptik mit nachträglich gealterter Patina und gebrochenen Kanten durch nachträgliches Kollern nach der Aushärtung	
gebrochen	Bruchraue Seiten mit intakter, nicht gealterter Kantenstruktur. Hierfür werden Rohlinge absichtlich gespalten, um eine natürliche Bruchseite zu erhalten.	
wassergestrahlt	Mit einem Wasserstrahl wird die oberste Betonschicht leicht freigelegt, sodass die natürliche Gesteinskörnung der Natursplitte leicht sichtbar wird.	
geschliffen	Die Oberfläche wird mit rotierenden Scheiben geschliffen für ein weiches Auftrittsgefühl.	
ausgewaschen	Der noch weiche Beton wird an der Oberfläche großflächig ausgewaschen (Waschbeton), was grobe Splittkörnungen deutlich freilegt.	

9.1.6 Oberflächenschutz von Pflastersteinen und Platten

Steine im Außenbereich, die alltäglichen Belastungen ausgesetzt sind, wie der Natur oder dem Menschen, werden mit der Zeit unvermeidbar verschmutzt. Dazu zählen Ablagerungen von Moos genauso wie leichte Farbänderungen durch UV-Licht oder natürliche Abnutzung mit der Zeit.

Um die natürlichen Veränderungsprozesse so lange wie möglich hinauszuzögern, versehen die meisten Hersteller ihre Steine mit einem unterschiedlich ausgeprägten Oberflächenschutz, der von Hydrophobierung, filmbildenden und nicht filmbildenden Imprägnierungen bis hin zur Beschichtung reichen kann.

Der Oberflächenschutz verschließt in der Regel die Poren der Oberfläche in unterschiedlichem Ausmaß und schützt den Stein vor eindringenden Schmutzpartikeln. Auch die Herstellung einer glatten Oberfläche durch eine Schutzschicht kann dabei helfen, dass sich weniger Schmutz oder Pflanzenreste an der Oberfläche festsetzen. Je nach Ausprägung der Schutzschicht lassen sich Pflastersteine und Platten außerdem leichter reinigen.

Die Hinweise der jeweiligen Hersteller zur Pflege und Verarbeitung der Produkte sind dringend einzuhalten.

Bei allen oben genannten Betonbauteilen sind immer die entsprechenden Vorschriften und Merkblätter in ihrer jeweils neuesten Fassung zu beachten. Darüber hinaus sind die speziellen produktbezogenen Empfehlungen der Hersteller anzuwenden.

Trotz der ausführlichen Regelwerke sind alle Begebenheiten vor Ort zu prüfen und auf die jeweiligen (Boden-)Verhältnisse abzustimmen.

9.1.7 Relevante Normen und Vertragsbedingungen

DIN EN 1338:2003-08 Pflastersteine aus Beton – Anforderungen und Prüfverfahren

DIN EN 1339:2003-08 Platten aus Beton – Anforderungen und Prüfverfahren

DIN EN 1340:2003-08 Bordsteine aus Beton – Anforderungen und Prüfverfahren

DIN EN 13198:2003-09 Betonfertigteile – Straßenmöbel und Gartengestaltungselemente

DIN EN 15258:2009-05 Betonfertigteile – Stützwandelemente

VOB/C ATV DIN 18318:2019-09 Allgemeine Technische Vertragsbedingungen für Bauleistungen (ATV) – Verkehrswegebauarbeiten – Pflasterdecken und Plattenbeläge in ungebundener Ausführung, Einfassungen

ZTV Pflaster-StB 20 Zusätzliche Technische Vertragsbedingungen und Richtlinien zur Herstellung von Verkehrsflächen mit Pflasterdecken, Plattenbelägen sowie Einfassungen (2020)

ZTV Wegebau Zusätzliche technische Vertragsbedingungen für den Bau von Wegen und Plätzen außerhalb von Flächen des Straßenverkehrs (2022)

Abb. 9.7: Belag aus WPC-Profilen mit unsichtbarer Verschraubung (Quelle: WERZALIT Austria GmbH, Lienz)

Abb. 9.8: Belag aus WPC-Terrassen-Kassetten (44 cm × 44 cm) mit Klickverbindung (Quelle: WERZALIT Austria GmbH, Lienz)

9.2 Profile und Kassetten aus Holz-Kunststoff-Verbundwerkstoffen (WPC)

Holz-Kunststoff-Verbundwerkstoffe (Wood-Plastic-Composites = WPC) haben sich als robuste Alternativen zu tropischen Harthölzern etabliert und bieten neue Gestaltungsmöglichkeiten für Terrassenflächen u. Ä. (siehe Abb. 9.7).

Durch die Einbettung von Holzfasern in Kunststoffmoleküle entsteht ein Komposit-Werkstoff, der die guten Eigenschaften beider Materialien verbindet. Die Elemente werden im Extrusions- oder im Spritzgussverfahren gefertigt. Sie bestehen zumeist aus Holz-Polymer-Werkstoff. Der Werkstoff ist unbehandelt und problemlos recycelbar. Er verhält sich in der Verarbeitung wie Holz und lässt sich bohren, sägen und fräsen.

9.2.1 Sortimente und Eigenschaften

Angeboten werden Profile in Längen bis zu 6 m sowie quadratische Kassetten. Die Elemente sind durchgefärbt, lichtecht, UV-beständig und nicht auswaschbar. Verschiedene naturnahe Farbtöne stehen zur Verfügung.

Die fein oder grob geriffelten Elemente sind formstabiler als Holz und beständiger gegen Feuchtigkeit und Kälte, sauren Regen, Salz- und Chlorwasser. Die Oberfläche ist bei Regen, Nässe und Feuchte rutschfest und splittert nicht. Das Material ist resistent gegen Pilze und Insekten und bequem mit dem Hochdruckreiniger zu reinigen.

9.2.2 Verlegung

Die Verlegung ist einfach und erfolgt entweder auf geeigneten bauseitigen Unterkonstruktionen oder auf Riegeln, die als Zubehör erhältlich sind. Als Befestigung dienen Senkkopfschrauben. Klickverbindungssysteme erlauben das genaue Verlegen mit oder ohne Fugen und sorgen für hohe Stabilität der gesamten Fläche (siehe Abb. 9.8).

9.3 Bauteile aus Holz und Kunststoff

9.3.1 Dichtzäune

Die Grundstückseinfriedung zur Gartenseite mit Dichtzäunen (auch Sichtschutzzäune genannt) zählt zu den besonders reizvollen Maßnahmen im Bereich der Außenanlagen: Denn der Garten besitzt einen hohen Stellenwert und drückt den individuellen Stil des Besitzers aus.

War früher Design nur zur Straßenseite hin wichtig, während zur Gartenseite der Nutzen im Vordergrund stand, so ist heute der Gestaltungsanspruch in alle Richtungen gleich. Neben diesen Nutzenaspekten wie Abgrenzung und Schutz des Grundstücks vor indiskreten Blicken und unangemeldeten Zutritt wird heute zusätzlich elegantes Design erwartet.

Die Wahl des richtigen Gartenzaunes und des Materials hängt also eng zusammen mit der Architektur, Ausstattung und Zeit für die Pflege, also mit der gesamten Gartenanlage, die entstehen soll.

In jedem Fall muss nach den gesetzlichen Bestimmungen des Nachbarschaftsrechts die Einfriedungspflicht überall erfüllt werden, wo bebaute oder gewerblich genutzte Grundstücke aneinandergrenzen. Es gilt, dass jeder zum rechten Nachbarn hin einfrieden muss und folglich vom linken Nachbarn eine Einfriedung verlangen kann. Auch eine Beteiligung an einer gemeinsamen Einfriedung kann vom angrenzenden Nachbarn verlangt werden.

Zäune spielen heute neben Hecken, Strauch- und/oder Baumbepflanzungen eine wichtige Rolle, weil sich hier das Angebot stark verbessert hat. Boten früher nur Holzzäune ein breites optisches Spektrum (geometrische Formen, kräftige Farben, Rundbogen-Elemente, Designzäune), so spielen zunehmend Sichtschutzzäune aus Fensterkunststoff eine wichtige Rolle, da sie sehr pflegeleicht und haltbar sind und es heute eine umfangreiche Variantenvielfalt gibt (siehe Abb. 9.9).

Insgesamt zeigt die Breite der Palette, dass der Dichtzaun nicht mehr als schlichtes Einfriedungsmittel betrachtet wird, sondern als Element einer umfassenden Gartenarchitektur. Die in Verbindung mit Gartenmauern eingesetzten Zaunelemente lassen sich auch als Zäune für die Umfriedung im Gartenbereich einsetzen. An die Stelle der Steinpfeiler treten in diesem Falle Pfosten aus massivem Holz oder Kunststoff, die man mit Kappen oder Kugeln aus witterungsbeständigen Materialien verziert, um so die Individualität weiter zu steigern.

Für die Pfosten sind unterschiedliche Bodenverankerungsvarianten möglich, z. B. H-Anker zum Einbetonieren, Einschraub- und Einschlaghülsen für die Verankerung in lockerem Untergrund oder Pfostenträger bzw. Stützenfüße für die Verankerung auf betoniertem Untergrund. Die Befestigung der Zauntore erfolgt mit Stahlbeschlägen (feuerverzinkt und korrosionsgeschützt).

Dichtzäune besitzen heute nicht mehr nur eine Füllung aus geflochtenen oder diagonal verlegten Holzlamellen, sondern auch aus Profilbrettern und in Holz oder Kunststoff. Neben dem Sichtschutz bieten diese Konstruktionen auch Windschutz. Deshalb setzt man diese Elemente gern in Verbindung mit einer Terrasse, einem Schwimmbad, einer Spiel- oder Sitzecke im Garten ein. Reiz- und sinnvoll ist auch die Verbindung von Dichtzaun-Elementen mit Arkaden, Rankgittern (siehe Abb. 9.10), Pflanzkästen oder Sitzbänken (siehe Abb. 9.11).

Abb. 9.9: Weißer Zaun aus Fensterkunststoff, der nicht gestrichen werden muss (Quelle: Brügmann TraumGarten GmbH, Dortmund)

Abb. 9.10: Dichtzaunanlage mit Rankelement (Quelle: Brügmann TraumGarten GmbH, Dortmund)

Abb. 9.11: Bambus-Sichtschutz und -Terrassenabtrennung (Quelle: Videx Garden GmbH & Co. KG, Bassum)

Abb. 9.12: Rankgitter kombiniert mit einem Pflanzkasten (Quelle: Brügmann TraumGarten GmbH, Dortmund)

Abb. 9.13: Bambus-Pergola (Quelle: Videx Garden GmbH & Co. KG, Bassum)

Abb. 9.14: Mülltonnensystem aus Nadelholz mit Klappdeckel (Quelle: Brügmann TraumGarten GmbH, Dortmund)

Abb. 9.15: Holzblumenkästen (Quelle: Brügmann TraumGarten GmbH, Dortmund)

9.3.2 Rankgitter, Pergolen

Liebhaber von Rankgewächsen und Kletterpflanzen erzielen mit Rankgittern sehr ansprechende Effekte sowohl bei der Umfriedung als auch bei der architektonischen Gestaltung des Gartens (siehe Abb. 9.12).

Die Gitterelemente lassen sich frei installieren oder mit Abstandhaltern z. B. an einer Hauswand befestigen. Auch hier sind Kombinationen mit Arkaden oder Bogen-Elementen möglich.

Die Gitterkonstruktion ist entweder quadratisch oder in Rautenform. Auch Blumenkästen mit passender Rankgitterkonstruktion werden angeboten. Als Material gibt es heute auch Rankgitter aus Fensterkunststoff.

Pergolen werten jede Außenanlage auf (siehe Abb. 9.13). Die Arkadenpergola oder der Arkadentorbogen überspannen Gartenweg oder Zufahrt, der Arkadengang verbindet Haus und Carport, eine lauschige Sitzecke erhält die passende Abgrenzung und Ruhe. Die vollständige, klassische Pergola schließlich wird zum erfrischenden Sommerpavillon im Freien.

9.3.3 Zubehör für den Garten

Für den Garten gibt es viel nützliches Zubehör, von dem hier nur das Wichtigste vorgestellt werden kann.

Gartenhäuser, Gartenpavillons und Gartenlauben sind die 3 wichtigsten Spielarten der überdachten, wohnlichen Bereiche, die sich an beliebigen Punkten des Gartens fest installieren lassen. Es handelt sich in der Regel um Holzkonstruktionen oder Glaskonstruktionen mit Aluminiumprofilen, die als fertige Bausätze angeboten werden. Häufig in Verbindung mit einem Gartengrill o. Ä. bilden Gartenhäuser usw. beliebte Inseln der Geselligkeit, aber auch der entspannten Zurückgezogenheit.

Das **Gerätehaus** (Holz- oder Metallausführung) ist zumeist im Handumdrehen zu montieren (Bausatzsystem) und dient als praktischer Aufbewahrungsort für Gartengeräte und -möbel, Rasenmäher, Schubkarren, Fahrräder usw.

Das **Kleingewächshaus** eröffnet eine Fülle zusätzlicher Möglichkeiten für den passionierten Kleingärtner. Es werden zahlreiche Varianten angeboten, wobei zumeist aus Kostengründen auf eine Heizung verzichtet wird. Man sollte jedoch auf Stegplatten mit ausreichender Dicke achten und einschichtiges Material ohne Lufteinschluss vermeiden. Der durch den wärmedämmenden Lufteinschluss erfolgende Temperaturausgleich ist bei der Pflanzenhaltung sehr hilfreich, vor allem in der Anzuchtzeit im Frühjahr.

Komposter sorgen für die schnelle Verrottung von Pflanzenteilen, Fruchtabfällen, Falllaub und entferntem Unkraut und sollten in keinem Garten fehlen, wo der Besitzer auf natürliche Düngung Wert legt. Behälter, in denen Mülltonnen verschwinden, sehen optisch ansprechender aus (siehe Abb. 9.14).

Großer Beliebtheit erfreuen sich **Blumengefäße** für Garten und Terrasse. In diesem vielfältigen Sortiment findet man Pflanzgefäße aus Faserzement, Wasch- und Sandbeton sowie Holzblumenkästen (siehe Abb. 9.15). Insbesondere Holzblumenkästen mit Einsatz lassen sich im System kreativ ausbauen. Kunststoffeinsätze erleichtern außerdem die Blumenpflege, da sie mit Trennvlies und einer Speicherschicht (z. B. Lavagestein) als Wasserspeicher dienen (ca. 2–3 Wochen je nach Pflanzen und Witterung).

Abb. 9.16: Spielturmsystem mit massiven 90-mm-Pfosten (Quelle: Brügmann TraumGarten GmbH, Dortmund)

Abb. 9.17: Gartenteiche fördern die ökologische Vielfalt und dienen der Erholung (Quelle: Görlitz/VWE).

Gartenbrücken und **Stege** lassen sich in Verbindung mit Gartenteichen (z. B. Folienteichen) einsetzen und geben dem Garten eine attraktive park- oder landschaftsähnliche Gestalt. Angeboten werden vor allem formschöne Holzmodelle in unterschiedlichen Größen und Stilarten.

Spielgeräte für den Garten haben heute eine sehr große Bedeutung für das Gartengeschäft. Besonders kindergerecht sind Qualitätsgeräte, die aus einer massiven Holzkonstruktion bestehen und im System kombinierbar sind (siehe Abb. 9.16). Die Holzelemente sollten mit einer Imprägnierung versehen und im System TÜV-geprüft sein. Besonders wichtig ist die stabile Verankerung von Geräten wie Schaukeln, Rutschen, Klettertürmen usw. im Boden sowie der Fallschutz ab bestimmten Höhen (DIN-Vorgaben beachten).

9.4 Gartenteiche

Wasser bringt Leben in den Garten und besitzt für den Menschen eine große Anziehungskraft (siehe Abb. 9.17). Wasserbiotope bieten einen Lebensraum für eine Vielzahl an Pflanzen und Tieren. Sie leisten somit einen wichtigen ökologischen Beitrag. Wasser im Garten hat aber auch noch andere positive Aspekte:

- Wasser verbessert das Kleinklima des Wohnumfeldes.
- Wasser bietet Kindern gute Möglichkeiten zum Spielen und für Naturbeobachtungen (siehe Abb. 9.18).
- Mit Wasser lässt sich ein Garten ansprechend gestalten.
- Wasser wirkt beruhigend auf den Menschen.
- Wasser lockt viele nützliche Helfer wie Kröten, Frösche und Vögel in den Garten.

Nicht jeder Garten und Standort ist jedoch für einen größeren Teich geeignet. Bevor man zum Spaten greift, sollte man sich in das Thema Teichbau einarbeiten, damit der Teich später möglichst gut funktioniert. Es gilt, abzuwägen, ob nicht vielleicht auch schon eine Wasserschale, ein Brunnen oder ein Wasserspiel ausreicht, um das Element Wasser in den Garten zu holen (siehe Abb. 9.19).

Abb. 9.18: Teiche sind ideale Orte für Naturbeobachtungen – Libelle nach dem Schlupf (Quelle: Görlitz/VWE).

Abb. 9.19: Alternativen zum Teich: Brunnen, Tröge, Schalen (Quelle: Görlitz/VWE)

Wichtig: Schutz von Kindern

Wasser bietet eine wichtige und interessante Möglichkeit der Naturbeobachtung für Kinder. Für kleine Kinder stellt aber auch schon flaches Wasser eine **Lebensgefahr** dar! Kinder sind somit immer **von Teichen, Tonnen, Zisternen usw. durch Absperrungen fernzuhalten!**

9.4.1 Voraussetzungen für einen Teich

Die Anlage eines Teiches sollte folgende Voraussetzungen erfüllen:

- Genügend Platz: Die Teichgröße sollte mindestens 20 m^2 betragen. **Je größer ein Teich ist, desto besser funktioniert er und umso pflegeleichter wird er.**
- Ebene Fläche: Für ein natürliches Aussehen sollte der Teich möglichst in einer Mulde liegen.
- Halbschattiger Standort: Circa die Hälfte des Tages sollte der Teich im Schatten liegen, vorzugsweise um die Mittagszeit.
- Abgegrenztes Grundstück: Der Teich muss **für Kinder unzugänglich** sein!
- Es sollte Spaß an der Arbeit mit Wasser und Pflanzen vorhanden sein.
- Es sollten genügend Geld und Möglichkeiten für das Vorhaben existieren.

9.4.2 Bau eines (Folien-)Teichs

9.4.2.1 Materialauswahl

Bei der Materialauswahl stehen viele Möglichkeiten zur Verfügung, von Fertigbecken über Folienteiche bis zu Lehmteichen. Worauf die Entscheidung fällt, hängt von den örtlichen Gegebenheiten und den finanziellen Möglichkeiten ab. In den meisten Fällen ist ein **Folienteich** eine gute Wahl, da dieser viele gestalterische Optionen besitzt.

9.4.2.2 Vorgehensweise beim Bau eines Folienteiches

Der Bau eines Folienteichs erfordert verschiedene Schritte, um seine Langlebigkeit zu gewährleisten (siehe Abb. 9.20 und 9.21):

- Die Fläche abstecken bzw. mit einem Schlauch die Form auslegen.
- Den Teich ausheben (siehe Abb. 9.22) und terrassenförmig planieren, an der tiefsten Stelle mindestens 1 m.
- Keine zu steilen Böschungen und eine entsprechend große Flachwasserzone modellieren.
- Teichrand überall auf die gleiche Höhe bringen, keine Steilufer!
- Bei sehr steinigem Untergrund eine 5 cm starke Sandschicht aufbringen.
- Folienbedarf mit Maßband ermitteln, mindestens 50 cm Überstand einplanen, die **Foliendicke** sollte **mindestens 1 mm** betragen.
- Auslegen eines Wurzelschutzvlieses.
- Auslegen der Teichfolie und Glätten der Falten.
- Wasser bis zur Flachwasserzone einlaufen lassen, wenn möglich, Regenwasser verwenden.
- Flachwasserzone gestalten mit Findlingen, Steinen, Rundkies, Sand, Lehm. Keine nährstoffreichen Substrate und scharfkantigen Steine verwenden.
- Folie hinter dem Teichrand in U-Form eingraben und Reste über dem Boden abschneiden. Mit Steinen überdecken, um die Saugwirkung der anstehenden Erde zu unterbinden (siehe Abb. 9.23). Hinter dieser Kapillarsperre empfiehlt sich eine Kiespackung im Boden, damit überschüssiges Wasser ablaufen kann.
- Die Folie darf am Rand nicht sichtbar sein.
- Teich bepflanzen.

Abb. 9.20: Keine Zierde, nicht lange haltbar, unbelebt und veralgt: schlecht gebauter Teich (Quelle: Görlitz/VWE)

Abb. 9.21: Lange haltbar, mit biologischem Gleichgewicht und optisch ansprechend: ein fachgerecht gebauter und gut bepflanzter Teich (Quelle: Görlitz/VWE)

Abb. 9.22: Sinnvoll bei größeren Teichen: Aushub mit dem Bagger (Quelle: Görlitz/VWE)

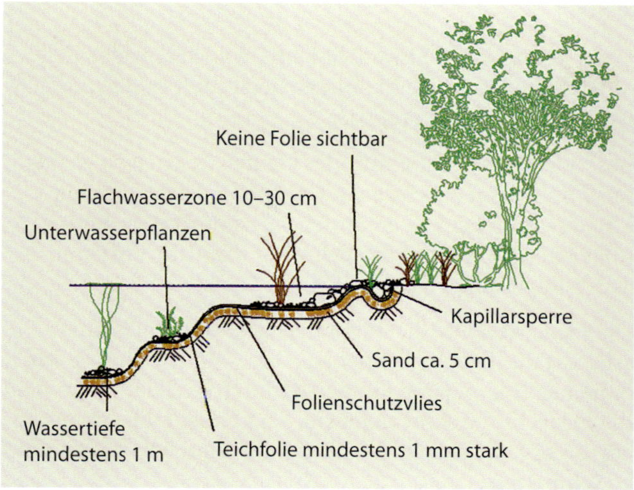

Abb. 9.23: Querschnitt durch einen Teich (Quelle: Görlitz/VWE)

Abb. 9.24: Es dauert meist nicht lange, bis ein Teich besiedelt wird (Quelle: Görlitz/VWE).

Abb. 9.25: Teichrandgestaltung: Die Folie sollte sich dafür schon gesetzt haben (Quelle: Görlitz/VWE).

Abb. 9.26: Teichrand mit Natursteinmauer (Quelle: Görlitz/VWE)

- Wasser bis zum Rand einlaufen lassen.
- Die meisten Tierarten finden sich von selbst ein (siehe Abb. 9.24). Für diese sollten Unterschlupfmöglichkeiten am Teichrand in Form von Mauern, Steinriegeln, eingegrabenen Tonröhren, Pflanzungen, Totholzhaufen usw. geschaffen werden (siehe Abb. 9.25 und Abb. 9.26).

Folien

Auf dem Markt gibt es verschiedenste Anbieter und Arten von Teichfolien. Unterschieden werden PVC-, PE- und EPDM(Kautschuk)-Folien. Jede Folie hat Vor- und Nachteile in Bezug auf das Verlegen, das Verbinden und die Haltbarkeit. Unabhängig vom ausgewählten Material sollte auf Billigfolien verzichtet und auf **giftfreie** Folien geachtet werden. Fachhändler liefern auf Bestellung passgenaue Größen.

Bepflanzungstipps

Es sollten möglichst viele heimische Pflanzenarten verwendet und anfangs lieber weniger als zu viele Pflanzen eingesetzt werden, da sich viele Wasserpflanzen stark vermehren. Pflanzen wie Tausendblatt, Hornblatt und Wasserpest produzieren Sauerstoff. Für die meisten Gartenteiche sollten **nur kleinwüchsige Seerosen verwendet werden**. Diese werden am besten in einen geeigneten Pflanzbehälter gesetzt. **Stauden im Hintergrund** schaffen den richtigen Rahmen für den Teich.

9.4.3 Fische und Algen im Teich

Nachteile eines Fischbesatzes im Teich

Fische stören den biologischen Kreislauf in kleinen Gewässern. Sie fressen Tierarten, die sich von Algen ernähren, und unterbrechen somit die Nahrungskette. Werden die Fische gefüttert, findet ein großer Nährstoffeintrag statt, der wiederum starkes Algenwachstum fördert. Besser ist es, auf Fischbesatz ganz zu verzichten. Falls man auf jeden Fall Fische im Teich möchte, empfehlen sich heimische Arten wie Moderlieschen oder Bitterling.

Maßnahmen gegen übermäßiges Algenwachstum

Ein gewisses Maß an Algen gehört in den Teich, diese sind Teil der Nahrungskette. Zu starkes Algenwachstum ist meist auf einen zu großen Nährstoffeintrag zurückzuführen. Eine zu starke Erwärmung des Wassers beschleunigt den Effekt.

Der Nährstoffeintrag kann durch folgende Maßnahmen minimiert werden:

- nur Substrate verwenden, die für den Teich geeignet sind,
- Laubnetze spannen bzw. Laub abfischen,
- Verzicht auf Fische/Fischfutter,
- Algen immer wieder abfischen, hierin sind die Nährstoffe gebunden,
- Teich mehr beschatten,
- Unterwasserpflanzen einsetzen, diese binden große Mengen an Nährstoffen und produzieren Sauerstoff,
- Wasser analysieren lassen, um gezielter reagieren zu können.

9.4.4 Filter und Pumpen

Ein entsprechend großer und gut gebauter Teich benötigt weder Filtertechnik noch Umwälzpumpen. Der Einsatz von Technik wird dann sinnvoll, wenn der Teich mit einem Bachlauf kombiniert werden soll, Fische in den Teich sollen oder ein Schwimmteich angelegt wird.

9.4.5 Teichpflege

Ohne Pflege droht jedem Teich das gleiche Schicksal wie Seen in der Natur – er verlandet. Ohne Eingriffe wachsen Teiche immer mehr zu, die Schlammschicht wird höher und nach einigen Jahren ist von der Wasserfläche nicht mehr viel zu sehen.

Deshalb benötigt ein Teich jahreszeitabhängig bestimmte Pflegemaßnahmen.

Herbst

Ein über den Teich gespanntes Netz verhindert übermäßigen Laubeintrag in den Teich. Alternativ sollte das Laub mit einem Kescher regelmäßig abgefischt werden.

Alle Wasserpflanzen mit einem festen Stängel bleiben über den Winter stehen, sie sorgen dann für einen Sauerstoffeintrag unter die Eisschicht.

Krautige Wasserpflanzen, die absterben, sollten jetzt aus dem Teich entnommen werden.

Der Teich sollte im Herbst nicht ‚ausgeräumt' werden, da viele Tierarten sich bereits in die Winterruhe begeben haben.

Winter

Unter einer dicken Eisschicht kann es nach längerer Zeit zu Sauerstoffknappheit kommen; jetzt zahlt es sich aus, wenn der Teich tief genug ist.

Besonders bei Fischbesatz oder kleinen Teichen ist es ratsam, eine kleine Fläche eisfrei zu halten. Dies geschieht z. B. durch im Handel erhältliche Styroporboxen. Ein in den Teich gestelltes Bündel Schilf sorgt auch für eine Sauerstoffzufuhr.

Die Eisdecke sollte niemals aufgehackt werden. Lärm schreckt die Teichbewohner aus ihrer Winterruhe, sie verbrauchen Energie und können dadurch sterben. Wenn man die Eisdecke durchbrechen will, verwendet man am besten einen Topf mit heißem Wasser, um so ein Loch in das Eis zu schmelzen.

Am Ende des Winters können die Stängelpflanzen abgeschnitten werden.

Frühjahr

Bei Bedarf sollte der Teich mit Regenwasser aufgefüllt werden.

Jetzt können neue Wasserpflanzen eingesetzt werden.

Für die meisten Teichbewohner ist dies die aktivste Zeit, deshalb sollten keine störenden Eingriffe vorgenommen werden.

Eventuell sollte eine Wasseranalyse durchgeführt werden, regelmäßige Kontrollen lassen später ein Problem schneller beheben.

Sommer

Algen müssen abgefischt werden.

Wasser muss nachgefüllt werden.

Bei starker Erwärmung ist für Schatten zu sorgen.

Im September kann übermäßiger Schlamm aus dem Teich abgefischt bzw. können Seerosen reduziert werden.

Eine nicht zu dicke Schlammschicht sollte am Boden verbleiben, hier finden Tiere Schutz und Überwinterungsmöglichkeiten.

10 Anhang

10.1 Autorenverzeichnis

Agrob Buchtal GmbH, Alfter-Witterschlick	
Gabriele Busse:	7.1 Keramische Fliesen und Platten
Bauforumstahl e.V., Düsseldorf:	8.1.1 Stahlprofile in I-/H-Form 8.1.2 Stahlprofile in U-Form
Bisotherm GmbH, Mülheim-Kärlich	
Dipl.-Ing. (FH) Marco Schuck:	3.9 Mauerwerk und Bauteile aus Leichtbeton
BORNIT-Werk Aschenborn GmbH, Zwickau:	1.12.2 Bauwerksabdichtungen an erdberührten Bauteilen und Kellermauerwerk
Bundesverband der deutschen Kalkindustrie e.V., Köln:	3.2 Kalk
Bundesverband der Gipsindustrie e.V., Berlin:	3.3 Gips 3.23 Gipsplatten 3.24 Vliesarmierte Gipsplatten 3.25 Gipsfaserplatten
Bundesverband für Wohnungslüftung e.V. (VfW), Berlin:	1.12.9 Lüftung
Bundesverband Kalksandsteinindustrie e.V., Hannover:	3.7 Kalksandsteine
Bundesverband Mineralische Rohstoffe e.V. (MIRO), Duisburg	
Dipl.-Ing. Stefan Janssen	3.4 Gesteinskörnungen für Beton und Mörtel, Betonzusatzstoffe
Bundesverband Porenbetonindustrie e.V., Berlin:	3.8 Porenbeton
Cemex Zement GmbH, Rüdersdorf	
Dr.-Ing. Johannes Schwarz, Dr.-Ing. Patrick Fontana:	3.1 Zement
Dachziegelwerke Nelskamp GmbH, Schermbeck:	4.1 Dachziegel 4.2 Dachsteine
Deutsche FOAMGLAS GmbH, Hilden:	3.17 Schaumglas
Deutscher Holzschutzverband e.V. (DHV), Sprakensehl-Behren:	5.7 Holzschutz

Deutscher Naturwerkstein-Verband e.V. (DNV), Würzburg	
Dipl.-Ing. (FH) Reiner Krug:	7.4 Naturwerkstein
Dipl.-Chem. (FH) Gabriele Janssen:	1.16 Gefahrstoffe und Gefahrgüter im Baustoffsortiment
Dipl.-Ing. Axel Einemann:	1.12.6 Terrassen und Balkone
Dipl.-Ing. Simone Hübener:	2.8 Oberflächenentwässerung 2.9 Abscheideranlagen 2.10 Rückstauverschlüsse und Hebeanlagen
Ehl AG, Kruft:	2.11 Betonsteine und -elemente für befestigte Verkehrsflächen 9.1 Bauteile und Bauelemente aus Beton
Etex Germany Exteriors GmbH, Beckum:	4.3 Faserzementprodukte für Dach und Wand 4.4 Ebene Tafeln 4.5 Faserzement-Wellplatten 4.6 Kurzwellenplatten für die Dachdeckung 4.7 Reinigung und Neubeschichtung von Asbestzement
Fachverband Baustoffe und Bauteile für vorgehängte hinterlüftete Fassade (FVHF) e.V., Berlin-Schöneberg:	4.8 Vorgehängte hinterlüftete Fassade (VHF)
Fachverband Mineralwolleindustrie e.V. (FMI), Berlin	
Dr.-Ing. Thomas Tenzler:	3.14 Mineralwolledämmstoffe
Fachvereinigung Betonrohre und Stahlbetonrohre e.V. (FBS), Bonn-Mehlem:	2.1 Beton- und Stahlbetonrohre
Fischerwerke GmbH & Co. KG, Waldachtal	
Katharina Siegel-Rieck:	8.6 Dübel und Anker
Fuchs Design GmbH, Kerken:	3.11 Glassteine
Gesamtverband Deutscher Holzhandel e.V. (GD Holz), Berlin	
Florian Zeller:	1.11 Baustoff Holz
Hauptverband der Deutschen Holzindustrie und Kunststoffe verarbeitenden Industrie und verwandter Industrie- und Wirtschaftszweige e.V., Berlin:	5.4 Mehrschichtparkett
HECO-Schrauben GmbH & Co. KG, Schramberg:	
Frank Hofer, Jakob Braun:	8.5.2 Schrauben
Hörmann KG Verkaufsgesellschaft, Steinhagen:	6.9 Tore, Antriebe, Türen und Zargen

Industrieverband Hartschaum e.V. (IVH), Berlin

Serena Klein, Ulrich Meier: 3.15.1 Dämmstoffe aus expandiertem Polystyrol (EPS), 3.15.2 Dämmstoffe aus Polystyrol-Extruderschaum oder extrudiertem Polystyrol-Hartschaumstoff (XPS)

Industrieverband Polyurethan-Hartschaum e.V. (IVPU), Stuttgart

Dr. Petra Steimle: 3.15.3 Dämmstoffe aus Polyurethan-Hartschaum (PU)

InformationsZentrum Beton GmbH, Düsseldorf www.beton.org: 1.12.1 Fundamente
3.6 Beton

Interpane Glas Industrie AG, Lauenförde: 6.6 Glas

James Hardy Europe GmbH, Düsseldorf: 3.26 Zementgebundene Leichtbeton-Bauplatten

Josef Thurner Holz GmbH, Kötschach/Mauthen

Ing. Matthäus Thurner, Hugo Karre: 5.2 Profilholz für Wand, Decke und Terrasse im Innen- und Außenbereich

Klaus Köpplin: 1.6.5 Schallschutz
3.21 Akustikdecken

Knauf Performance Materials GmbH, Dortmund: 3.16.1 Blähperlit

Kunststoffrohrverband e.V. Fachverband der Kunststoffrohr-Industrie, Bonn: 2.2 GFK-Druck- und -Kanalrohre
2.3 Kanalrohre (KG-Rohre)
2.4 HT-Hausabflussrohre aus Kunststoff

Leviat GmbH, Langenfeld: 8.2 Verankerungstechnik

Mall GmbH, Donaueschingen: 1.15 Ökologisch orientiertes Planen und Bauen

Master Builders Solutions Deutschland GmbH, Staßfurt

Sebastian Dittmar, Dr. Matthias Schauerte: 3.30.1.1 Betonzusatzmittel

Max Frank GmbH & Co. KG, Leiblfing: 3.32 Fugenbleche und -bänder im Beton-/Stahlbetonbau

MeisterWerke Schulte GmbH, Rüthen-Meiste: 5.9 Paneele

PCI Augsburg GmbH, Augsburg

Dr. Josef Felixberger, Achim Kaffee, Torsten Müller: 1.8 Baustoffchemie,
1.9 Kunststoffe

Dr. Josef Felixberger, Willhelm Fütterer, Evelyn Heimann-Tacina, Stefan Köhler, Torsten Müller, Dr. Mario Rausch, Volker Schwarz, Thomas Tamcke: 3.30 Bauchemie

Protektorwerk Florenz Maisch GmbH & Co. KG, Gaggenau: 3.31 Bauprofile

Qualitätsgemeinschaft Polyurethan-Hartschaum e.V. (ÜGPU), Stuttgart:	3.15.3 Dämmstoffe aus Polyurethan-Hartschaum (PU)
Rathscheck Schiefer und Dach-Systeme, Mayen-Katzenberg:	4.13.4 Dachschiefer
Redeker Sellner Dahs – Rechtsanwälte Partnerschaftsgesellschaft mbB, Bonn	
Dr. Alexander Schüßler, Theresa Philippi:	1.1 Baurecht 1.2 Gesetzliche Maßeinheiten im Bauwesen
Saint-Gobain Rigips GmbH, Düsseldorf:	1.6.3 Wasserdampf am Bau 1.12.5 Innenwände
Schöck Bauteile GmbH, Baden-Baden:	6.2 Balkon- und Treppengeländer 8.3 Wärmedämmelemente für auskragende Bauteile 8.4 Betonbewehrung und Schalung
Schlüter-Systems KG, Iserlohn:	7.3 Schienen und Profile für keramische Wand- und Bodenbeläge
Sita Bauelemente GmbH, Rheda-Wiedenbrück:	4.14.1 Flachdachentwässerung
Sopro Bauchemie GmbH, Wiesbaden	
Dipl.-Ing. Mario Sommer:	7.2 Verlegung von Platten und Fliesen im Dünnbettverfahren
Sven-Erik Tornow:	3.10 Mauerziegel, Ziegelbauteile und -elemente
Technische Hochschule Rosenheim	
Dipl.-Ing. Hanno Werning:	1.7 Baulicher Brandschutz
Unilux GmbH, Salmtal	
Bastian Bonnermann:	6.3 Wohnraumfenster
Verband für Dämmsysteme, Putz und Mörtel e.V. (VDPM), Berlin	
www.vdpm.info/mauermoertel/ www.vdpm.info/daemmsysteme/innendaemmsysteme	3.5 Werkmörtel 3.20 Innendämmsysteme (IDS)
Verband Wohneigentum e.V., Bonn	
Sven Görlitz:	9.4 Gartenteiche
VG-ORTH MultiGips, Oberhausen:	3.27 Massive Gips-Wandbauplatten
Vorndran B2B Marketing, Estenfeld	
Rüdiger Vorndran:	1.12.8 Abgasabführung und Schornsteintechnik 3.12 Abgasanlagen
Wolman Wood and Fire Protection GmbH, Sinzheim, www.wolman-gmbh.de:	5.6 Kesseldruckimprägnierte Holzbauelemente

10.2 Stichwortverzeichnis

10.3 Firmenportraits

Auf den nachfolgenden Seiten präsentieren sich Unternehmen aus der Baustoffbranche.

Als Partner des Baustoff-Fachhandels engagieren sich viele namhafte Hersteller insbesondere in der Vermittlung von technischem Wissen.

Der Grund liegt nicht zuletzt darin, dass Baustoffe technisch immer anspruchsvoller werden und der Baustoff-Fachhandel immer stärker in den Baustoff-Systemen der Industrie mitdenken muss, um als guter Verkäufer erfolgreich zu sein.

Daher gewinnt die Aus- und Weiterbildung des Nachwuchses im Baustoff-Fachhandel noch mehr an Bedeutung und wird von zahlreichen Unternehmen der Baustoffindustrie vielfältig unterstützt.

BAUDER
macht Dächer sicher.

Paul Bauder GmbH & Co. KG

Optimal genutzte Dächer mit Bauder Systemen

Die 4. Bauder Generation: Geschäftsführer Tim, Mark und Jan Bauder

Mehr als 165 Jahre ist es her, seit bei Bauder die ersten Produkte rund ums Dach entstanden sind. Heute steht Bauder für besonders hochwertige und sichere Dächer, die durch perfekt aufeinander abgestimmte Systeme optimal genutzt werden.

Vom Voranstrich bis zum Photovoltaik-System – als europäischer Hersteller von Bitumenbahnen, Kunststoffbahnen, Flüssigkunststoff und Hartschaum-Dämmsystemen, Dachbegrünungen, Photovoltaik-Systemen und Absturzsicherungen bietet Bauder ausgereifte Systemlösungen in einer unübertroffenen Sortimentsvielfalt. So entstehen für Neubauten und Sanierungsobjekte ideale Dachaufbauten, die auf die jeweiligen Anforderungen und Nutzungswünsche optimal zugeschnitten sind.

Das familiengeführte Unternehmen besteht nunmehr in der 4. Bauder-Generation: Anfang 2018 übernahmen die Brüder Jan, Mark und Tim Bauder, nach vielen Jahren in unterschiedlichen Unternehmensbereichen, gemeinsam die operative Geschäftsführung von ihrem Vater und ihrem Onkel. Kontinuierlich und nachhaltig wachsend, zählt Bauder heute mit einem Jahresumsatz von 867 Mio. (2021) zu den bedeutendsten Herstellern und Lieferanten moderner Dachsysteme in Europa. Mit 16 Tochtergesellschaften ist das Unternehmen in fast allen europäischen Ländern vertreten. Die insgesamt 7 Produktionsstandorte befinden sich in Deutschland und Österreich, ein weiteres Werk wird in Frankreich gebaut. Über 1.250 engagierte Mitarbeiterinnen und Mitarbeiter setzen sich für die Belange der Kunden ein, fast ein Viertel davon als qualifizierte Fachberater vor Ort.

Neue Maßstäbe: der ökologische Hochleistungs-Dachdämmstoff BauderECO besteht vorwiegend aus Biomasse

In Kürze: Das Unternehmen

Paul Bauder GmbH & Co. KG
Korntaler Landstraße 63
70499 Stuttgart

Tel.: +49(0)711/8807-0
E-Mail: info@bauder.de
www.bauder.de
www.nutzedeindach.de

BAUKING®

In Kürze: Das Unternehmen

BAUKING GmbH
Phoenixseestr. 11
44263 Dortmund

Tel.: +49 800/2285464
info@bauking.de
www.bauking.de
www.shop.bauking.de

Mit rund 70 Fachhandelsstandorten zählen wir – die BAUKING – zu den TOP-Unternehmen im deutschen Baustoff- und Holzfachhandel und gehören mit rund 50 hagebaumärkten auch im Einzelhandel zu den Marktführern.

Als Teil der europäischen Unternehmensgruppe Building Materials Europe (BME), welche seit 2019 als Portfoliounternehmen zur Blackstone Group gehört, bieten wir unseren Profikunden und privaten Heimwerkern in Nord-, West- und Ostdeutschland täglich über 60.000 Artikel sowie kompetente Beratung und professionelle Dienstleistungen für das jeweilige Bauprojekt an. Wir beliefern unsere Partner zudem täglich mit einer LKW-Flotte von über 200 Fahrzeugen.

Den großen Erfolg der BAUKING haben wir vor allem dem engagierten und leidenschaftlichen Einsatz unserer fast 4.000 Mitarbeiter zu verdanken. Gemeinsam gestalten wir die Zukunft und sind erfolgreich.

ERLUS

ERLUS – das Beste für Ihr Haus!

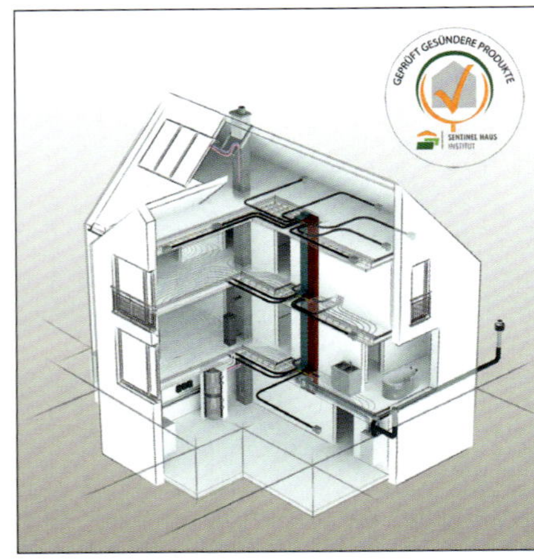

Die ERLUS AG gehört zu den führenden Herstellern von Dachkeramik und Schornsteinsystemen in Deutschland. Mit rund 500 Mitarbeitenden an drei Standorten in Neufahrn, Ergoldsbach und Teistungen zählen wir auch zu den Größten der Branche, die ausschließlich in Deutschland produzieren.

Ergoldsbacher Dachziegel gehören zu den beliebtesten Tondachziegeln unter Händlern, Verarbeitern, Planern und Bauherren. Die Marke ERLUS steht für Dachziegel in Premiumqualität mit ausgezeichnetem Design. Über 2500 Jahre hat sich der Tondachziegel bewährt, als nachhaltige Dacheindeckung, die Generationen überdauern kann. Das ERLUS Sortiment ist hagelzertifiziert und erreicht mindestens die Hagelwiderstandsklasse (HW) 4. Das entspricht einem Hagelniederschlag mit 4 Zentimeter großen Eiskugeln. Wer vorbeugen möchte, wählt einen hagelsicheren Ergoldsbacher Dachziegel, zumal Extremwetterereignisse weiter zunehmen werden.

Insgesamt umfasst unser Standard-Sortiment 22 Modelle in 33 Farben. Viele davon sind nur bei ERLUS erhältlich und auf dem Markt einzigartig. Mit elf internationalen Preisen wurde das Design der Ergoldsbacher Dachziegel schon ausgezeichnet – darunter der Designklassiker Karat®, der Großfalzziegel XXL® oder der Forma®. Ob klassische, historische oder moderne Architektur – ein ERLUS Dach prägt den Stil eines Gebäudes.

Zusammen mit dem wohngesund ausgezeichneten ERLUS Schornsteinsystemen und dem Lüftungsnetzwerk Via Vento S wählen Sie das Beste für Ihr Haus.

In Kürze: Das Unternehmen

ERLUS AG
Hauptstraße 106
84088 Neufahrn/NB

Tel.: +49(0)8773/18-0
Fax: +49(0)8773/18-113
info@erlus.com
www.erlus.com

EURO BAUSTOFF
DIE KOOPERATION

EUROBAUSTOFF Handelsgesellschaft mbH & Co. KG
Europas führende Fachhandelskooperation

Die EUROBAUSTOFF ist Kooperationszentrale und Dienstleistungscampus für derzeit 453 mittelständische Fachhändler für Baustoffe, Holz und Fliesen, die mehr als 40.000 Mitarbeiter und rund 3.000 Auszubildende beschäftigen. Mit 1.653 Standorten in Deutschland, Frankreich, Italien, Liechtenstein, Luxemburg, den Niederlanden, Österreich, Schweden und der Schweiz sowie einem Einkaufsvolumen von 9,09 Mrd. EUR (Stand: 01/2023) ist die EUROBAUSTOFF Europas umsatzstärkste Kooperation von mittelständischen Baufachhändlern. Vor diesem Hintergrund bietet die EUROBAUSTOFF ihren GesellschafterInnen ein umfangreiches Portfolio an Dienstleistungen, die jederzeit individualisiert werden können. Kernaufgabe des Dienstleistungscampus ist das Beschaffungsmanagement. Ebenso steht die Zentrale den Gesellschafterhäusern mit Spezialisierungspaketen für Bauelemente, Dach & Fassade, Fliese, Holz, Trockenbau und Tiefbau/Galabau zur Seite und bietet Unterstützung bei der Standortplanung. Weitere umfassende Dienstleistungen der EUROBAUSTOFF gibt es in den Bereichen Digitalisierung, Logistik, Marketing, Akademie, Finanz- und Versicherungsdienstleistungen sowie IT-Service. Zum Portfolio der Kooperation gehört auch die bekannte nationale Fachhandelsmarke i&M Bauzentrum. Die EUROBAUSTOFF setzt nicht auf Masse und Einheitsoptik, sondern auf kraftvolle Unternehmenskonzepte und individuelle Marktauftritte. Jeder Fachhändler agiert selbstständig unter seinem eigenen Namen und ist auf die regionalen Bedürfnisse seiner Kunden ausgerichtet. Der gemeinsame Nenner ist das Leistungsversprechen auf höchstem Niveau. Daraus ergibt sich die Basis, auf die sich die Gesellschafter mit ihrer Kundschaft verlassen können: Kompetent. Zuverlässig. Zukunftsorientiert.

Das Unternehmen in Kürze

EUROBAUSTOFF Handelsgesellschaft mbH & Co. KG
Auf dem Hohenstein 2
61231 Bad Nauheim

Tel.: +49 (0) 6032 805-0
Fax: +49 (0) 06032 805-265
E-Mail: www.eurobaustoff.com

Geschäftsführung: Dr. Eckard Kern (Vorsitzender), Jörg Hoffmann, Hartmut Möller
Aufsichtsratsvorsitzender: Boy Meesenburg

hagebau

ZUSAMMEN GEHT DAS.

Willkommen in der hagebau-Familie

Die hagebau-Familie ist eine der marktführenden Kooperationen im Baustoff-, Holz- und Fliesenhandel sowie in der Do-it-yourself-Branche. Rund 300 mittelständische Gesellschafter aus sechs europäischen Ländern betreiben zusammen 1.500 Betriebsstätten für den Fachhandel (hagebau profi), den Einzelhandel (hagebaumarkt, hagebau kompakt) und sind darüber hinaus mit hagebau.de und hagebau.at im Online-Handel aktiv.

1964 wurde die hagebau Handelsgesellschaft für Baustoffe & Co. KG als Einkaufsgemeinschaft gegründet. Sie bietet ihren Gesellschaftern ein umfangreiches Dienstleistungsportfolio zu dem unter anderem Sortimentsentwicklung, Standortplanung, Lagerhaltung, Warenwirtschaft sowie Logistik-, IT- und Versicherungsdienstleistungen zählen. Für die hagebau-Unternehmensgruppe sind am Hauptsitz Soltau, Brunn am Gebirge (Österreich), Hamburg sowie an sechs Logistikstandorten rund 1.400 Mitarbeiter tätig. Im Jahr 2021 hat die hagebau einen Umsatz von etwa 7 Milliarden Euro erzielt.

Den Nachwuchs zu fördern ist für die hagebau-Familie besonders wichtig. Über 4.000 junge Menschen sind deutschlandweit bei hagebau-Gesellschaftern in verschiedenen Berufen in Fach- und Einzelhandel, Verwaltung und Lagerlogistik in der Ausbildung. Die hagebau-Unternehmensgruppe bietet neben weiteren kaufmännischen Berufen auch duale Studiengänge für Betriebswirtschaftslehre, Informatik und E-Commerce an.

Mit einem umfangreichen Weiterbildungsangebot, das speziell auf die Bedürfnisse der Auszubildenden abgestimmt ist, unterstützt die hagebau Akademie auf ihrer Lernplattform das Ausbildungsengagement der hagebau. Hohe Übernahmequoten und regelmäßige Auszeichnungen von Auszubildenden und ihren Betrieben bestätigen auch hier das hagebau-Motto „zusammen geht das".

In Kürze: Das Unternehmen

hagebau – Handelsgesellschaft
für Baustoffe mbH & Co. KG
Celler Straße 47
29614 Soltau

Tel.: +49 (0)5191 / 802-0
info@hagebau.com
www.hagebau.com/karriere
www.nutzedeindach.de

Aus der Praxis für die Praxis

ISOVER RIGIPS Akademie: Know-how von den Profis

Mit einem breiten Programm aus Präsenz- und Onlineseminaren bietet die ISOVER RIGIPS Akademie geballtes Dämmstoff- und Trockenbau-Wissen. Die angebotenen Webinare, Onlinetrainings und Fachschulungen richten sich an alle interessierten Profis aus dem Baustoff-Fachhandel, die ihr Wissen online in kompakten Live-Einheiten, an einem der Schulungsstandorte oder inhouse im eigenen Betrieb auffrischen, vertiefen oder erweitern möchten. Besonders geschätzt sind etwa die Seminare speziell für die Modernisierung, jeweils abgestimmt auf die Bedürfnisse von Auszubildenden oder Profifachberatern. Die aktuelle Seminarbroschüre und alle Termine finden sich unter www.isover.de/veranstaltungen sowie www.rigips.de/praxis-umsetzung/schulungen-seminare.

Ergänzt werden die Schulungsangebote durch das interaktive Web-TV „ISOVER live“: Jeden zweiten Freitag im Monat um 15 Uhr geben hier die Praxistrainer per kostenfreiem Video-Stream wertvolle Tipps und zeigen Kniffe aus der Praxis – einfach erklärt und authentisch am Modell. Alle Infos unter www.isover-live.de.

Und wer auf den Geschmack gekommen ist, dem bietet ISOVER online noch weitere Informations- und Inspirationsquellen: Mit aktuell mehr als 450 online abrufbaren Videos bietet der YouTube-Kanal des Herstellers ein besonders breites Angebot an fundiertem Dämmstoffwissen. Vom kurzen Verarbeitungsvideo mit vielen Tipps und Tricks bis hin zu gleichermaßen ausführlichen wie anschaulichen Erläuterungen etwa zu bauphysikalischen Fragen: www.youtube.com/c/IsoverGH.

In Kürze: Das Unternehmen

Saint-Gobain Isover G+H AG
Saint-Gobain Rigips GmbH
Schanzenstraße 84
40549 Düsseldorf

isover-rigips-akademie@saint-gobain.com
www.isover.de/akademie
www.rigips.de

DIE ZUKUNFT WIRD UNSER LIEBLINGSPLATZ

Nichts passt besser zu gehobenen Designansprüchen als Beton – und kaum einer weiß das besser als KANN. Seit über 90 Jahren haben sich die KANN Baustoffwerke auf hochwertige Betonsteinprodukte spezialisiert. Dabei denken sie nicht einfach in Pflaster- oder Gartensteinen. Sondern in Möglichkeiten: an mediterrane Terrassen, moderne Parkanlagen oder Gärten im Landhausstil. Heute ist das Unternehmen mit über 800 Mitarbeitern an 20 Standorten vertreten und bietet eines der größten Sortimente in ganz Deutschland. KANN setzt zudem traditionell auf eine partnerschaftliche Zusammenarbeit mit dem Baustoff-Fachhandel, bei dem die Produkte exklusiv erhältlich sind.

KANN PRODUZIERT 100 % CO_2-NEUTRAL

Die KANN Baustoffwerke arbeiten ambitioniert an ihrer Nachhaltigkeitsstrategie. Schritt für Schritt werden neue Maßnahmen entwickelt und konsequent umgesetzt. CO_2-Neutralität war dabei ein erster wichtiger Meilenstein, den sie im Jahr 2022 erreicht haben. Ebenso die Optimierung des Energiemix hin zu mehr regenerativen Quellen. Und schließlich sind auch die KANN Produkte umweltfreundlicher geworden. Sie bestehen schon jetzt aus bis zu 40 % recycelten Rohstoffen.

VON AZUBIS, FÜR AZUBIS. DIE KANN AKADEMIE.

Jedes Jahr vermitteln KANN Azubis den Azubis des Baustoff-Fachhandels Wissenswertes rund um das Thema Baustoffe. Denn wer bereits Erfahrungen und Wissen sammeln konnte, der weiß, wovon er spricht. So macht das Beraten von Kunden doch gleich doppelt Spaß.

In Kürze: Das Unternehmen

KANN GmbH Baustoffwerke
Bendorfer Straße
56170 Bendorf-Mülhofen

Tel.: +49 (0)2622 / 707-0
Fax: +49 (0)2622 / 707-165
info@kann.de
www.kann.de

NOWEBAU

Alles Gute für zu Hause!

Moin

MITEINANDER

Die nowebau-Gruppe ist ein Zusammenschluss von über 60 Gesellschaftern an mehr als 90 Standorten. Der Ursprung der nowebau liegt in der Gründung im Jahr 1977 im ostfriesischen Großefehn.

Heute werden vom Zentrallager in Großefehn Standorte von der dänischen Grenze bis zum Ruhrgebiet beliefert.

Du weißt noch nicht, wie es nach der Ausbildung für dich weitergeht?

Du bist aktuell auf der Suche nach einem Arbeitsplatz mit Potenzial für die Zukunft?

Dann schau auf unserer Internetseite unter www.nowebau.de vorbei und bewirb dich auf deinen Traumjob!

Das Beste an der nowebau-Gruppe?

Wir haben viel zu bieten.

Egal ob du lieber Allrounder in einem familiengeführten Betrieb bist oder als Spezialist in einem großen Baustoffunternehmen arbeiten möchtest, bei uns findest du den passenden Job. Jeder unserer Standorte ist rechtlich selbstständig und hat daher seine ganz eigene Persönlichkeit.

Wir legen viel Wert auf ein gutes Miteinander und unser Ziel ist, dass jeder Mitarbeiter Spaß an der Arbeit am Zentrallager oder in unseren Standorten findet.

Wir freuen uns, wenn auch du Teil dieses Teams wirst!

In Kürze: Das Unternehmen

Zentrallager nowebau GmbH & Co. KG
Tullumstraße 7
26629 Großefehn

Tel.: 04943 – 209 0
info@nowebau.de
www.nowebau.de

ROCKWOOL®

DEUTSCHE ROCKWOOL

Produkte und Lösungen aus Steinwolle

Die DEUTSCHE ROCKWOOL GmbH & Co. KG ist Teil der international tätigen ROCKWOOL Gruppe und seit vielen Jahrzehnten Marktführer für hochleistungsfähige Dämmstoffe aus Steinwolle. Mit vier Werken und rund 1.400 Mitarbeiterinnen und Mitarbeitern in Deutschland bietet das Unternehmen fortschrittliche Dämmsysteme für Gebäude an.

Auf den modernen Fertigungsanlagen des Unternehmens entstehen auf Basis des Rohstoffs Basalt Steinwolle-Dämmungen, die in vielfältigen Anwendungen sowohl die Sicherheit und den Komfort der Menschen verbessern als auch in den Bereichen Nachhaltigkeit und Ökologie zukunftsweisend sind.

Die Lösungen aus Steinwolle für nichtbrennbare Gebäudedämmungen finden sich in zahlreichen Anwendungsbereichen wieder: auf Schräg- oder Flachdächern, an Fassaden, im Innenraum, unter Kellerdecken sowie in der Isolierung von Rohrleitungen und haustechnischen Anlagen. Die modernen Dämmsysteme von ROCKWOOL leisten viel für den Wärme-, Schall- und Brandschutz. Sie reduzieren den CO_2-Fußabdruck der Menschen und helfen dabei, die energetischen und ökologischen Herausforderungen der Zukunft zu meistern.

So wird z. B. bei ROCKWOOL aus Steinwolle wieder Steinwolle, denn ROCKWOOL Steinwolle ist zu 100 % recycelbar. Im Sinne der Umwelt bietet ROCKWOOL für den bei der Verarbeitung anfallenden Baustellenverschnitt seit Jahren eine überzeugende Lösung: Rockcycle®. Mit diesem Rücknahme-Service gelingt nachhaltiges Bauen: natürliche Ressourcen wiederverwenden, statt sie zu verschwenden.

Ein Blauer Engel für Dämmstoffe kennzeichnet Produkte, die emissionsarm sind. Zahlreiche nachweislich emissionsarme Produkte der DEUTSCHEN ROCKWOOL tragen diese Auszeichnung seit vielen Jahren.

In Kürze: Das Unternehmen

DEUTSCHE ROCKWOOL
GmbH & Co. KG
Rockwool Straße 37–41
45966 Gladbeck

T +49 (0) 2043 408 0
www.rockwool.de
info@rockwool.de

STARK
DEUTSCHLAND

STARKE Marken am Bau

Als führender Baustoffhändler ist die STARK Deutschland GmbH das Dach für ein Netzwerk starker Marken – von Raab Karcher im Bereich der Generalisten, bis zu spezialisierten Marken wie Melle Gallhöfer, Muffenrohr und Keramundo. Die rd. 6.800 Mitarbeitenden aus mehr als 39 Nationen erwirtschaften gemeinsam einen Jahresumsatz von über 2,7 Mrd. Euro.

STARKER Einstieg für neue Originale: Rund 160 Auszubildende in 11 Ausbildungsberufen starten jährlich ihre Ausbildung bei STARK Deutschland.

Die Perspektiven bei STARK Deutschland sind dabei so facettenreich wie das Sortiment oder die Kunden des Baustoffhändlers. In den rd. 280 Standorten verantworten qualifizierte und IHK-zertifizierte Ausbilder*innen die Ausbildung neuer Fachkräfte. Unterstützt von einem STARKEN Team stehen dabei ab Tag 1 Wertschätzung und ein vertrauensvolles Miteinander im Fokus. Darüber hinaus ermöglicht die hauseigene Akademie des Unternehmens neue, spannende Karrierewege für junge und bereits erfahrene Kolleginnen und Kollegen.

Damit die Baustelle niemals stillsteht: An mehr als 280 Standorten steht STARK Deutschland Profi-Handwerkern und Bauunternehmen mit einem gewerkeübergreifenden Sortiment und kompetenter Fachberatung zur Seite

STARK Deutschland bildet als hervorragender Arbeitgeber aktuell in 11 Ausbildungsberufen und 2 dualen Studiengängen aus:

- Kaufleute für Groß- und Außenhandelsmanagement
- Fachkräfte für Lagerlogistik
- Fachlagerist
- Berufskraftfahrer
- Kaufleute für Büromanagement
- Kaufleute im E-Commerce
- Fachinformatiker für Systemintegration
- Kaufleute im Einzelhandel
- Personaldienstleistungskaufleute
- Kaufleute für Spedition- und Logistikdienstleistungen
- Fliesenleger
- Duales Studium Wirtschaftsinformatik
- Duales Studium BWL-Handel

Seit 2019 gehört die STARK Deutschland GmbH zur dänischen STARK Group mit Sitz in Kopenhagen.

Von Profis für Profis: Angefangen bei der Beratung, über die Beauftragung bis hin zur pünktlichen Auslieferung – bei STARK Deutschland eröffnen sich grenzenlose Perspektiven in unterschiedlichsten Bereichen

In Kürze: Das Unternehmen

STARK Deutschland GmbH
Hafeninsel 9
63067 Offenbach am Main

Tel.: +49 69 668110-0
info@stark-deutschland.de
www.stark-deutschland.de

Volker Fischer

VOLFI-Systeme für die moderne Plattenverlegung

Qualität
Made in Germany

VOLFI: Der Systempartner für die moderne Plattenverlegung

Als Partner des Fachhandels ist VOLFI ein führender europäischer Hersteller von Abstandhalte-Systemen und Bauspezialartikeln für Dach, Terrasse und Balkon.

Das vielseitig kombinierbare Komplettsystem bietet entscheidende Vorteile bei der Verlegung von Platten und Pflaster in Außenbereichen. Spezialisiert hat man sich auf Fugenkreuze, Pflasterabstandhalter, Plattenlager, Kiesscheiben, Stelzlager, Drainrinnen, Kiesleisten, Sockelprofile und Zubehör.

Viele Produkte unterliegen dem Patent-/Gebrauchsmusterschutz und sind exklusiv bei VOLFI erhältlich. Dem Kunden stehen ausreichend Vorräte für viele Farben und Materialgüten bereit.

Das Premium Baukasten-Prinzip ermöglicht das individuelle Kombinieren vieler Artikel aus dem gesamten Sortiment für Bauhöhen von 1 bis über 300 mm und Fugenbreiten von 2 bis 40 mm.

Das erfolgreiche Familienunternehmen wurde 1995 gegründet und verfügt über umfangreiche Referenzen und Kompetenzen bei der Realisierung von Großobjekten im In- und Ausland. Planer, Architekten, Handel und Handwerker vertrauen auf die einzigartige Kombination aus jahrzehntelanger Erfahrung und hoher Innovationsfreudigkeit, die das Unternehmen schon immer auszeichnet.

VOLFI ist gelisteter Vertragslieferant bei allen großen Einkaufskooperationen.

Die eigene Produktion im Sauerland sowie das gut sortierte, moderne Hochregallager garantieren kurze Lieferzeiten, auf Wunsch per Express-Zustellung innerhalb weniger Stunden. Etikettierungen mit Ihrem Kundenlogo versehen sind innerhalb weniger Werktage kurzfristig lieferbar.

1-fache vs. 4-fache Verstellbarkeit

In Kürze: Das Unternehmen

VOLFI Volker Fischer GmbH
Heinsberger Str. 42
D-57399 Kirchhundem

Tel.: +49 (0) 2723/979360
Fax.: +49 (0) 2723/979361
info@volfi.de
www.volfi.de